Wolfram von Eschenbach

P A R Z I V A L

Studienausgabe

WALTER DE GRUYTER & CO.
vormals G. J. Göschen'sche Verlagshandlung · J. Guttentag,
Verlagsbuchhandlung · Georg Reimer · Karl J. Trübner · Veit & Comp.
BERLIN 1965

Der Text dieser Studienausgabe wurde unverändert gedruckt nach der Ausgabe „Wolfram von Eschenbach. Sechste Ausgabe von Karl Lachmann. Berlin und Leipzig 1926.“

Archiv-Nr. 45 17 64/1

Druck: Walter de Gruyter & Co., Berlin

I.

Ist zwîvel herzen nâchgebûr,
daz muoz der sêle werden sûr.
gesmæhet unde gezieret
ist, swâ sich parrieret
unverzaget mannes muot,
als agelstern varwe tuot.
der mac dennoch wesen geil:
wand an im sint beidiu teil,
des himels und der helle.
der unstæte geselle
hât die swarzen varwe gar,
und wirt och nâch der vinster var:
sô habet sich an die blanken
der mit stæten gedanken.
 diz vliegende bîspel
ist tumben liuten gar ze snel,
sine mugens niht erdenken:
wand ez kan vor in wenken
rehte alsam ein schellec hase.
zin anderhalp ame glase
geleichet, und des blinden troum.
die gebent antlützes roum,
doch mac mit stæte niht gesîn
dirre trüebe lîhte schîn:
er machet kurze fröude alwâr.
wer roufet mich dâ nie kein hâr
gewuohs, inne an mîner hant?
der hât vil nâhe griffe erkant.
 sprich ich gein den vorhten och,
daz glîchet mîner witze doch.

2 wil ich triwe vinden
aldâ si kan verswinden,
als viur in dem brunnen
unt daz tou von der sunnen?
ouch erkante ich nie sô wîsen man,
ern möhte gerne künde hân,
welher stiure disiu mære gernt
und waz si guoter lêre wernt.
dar an si nimmer des verzagent,
beidiu si vliehent unde jagent,
si entwîchent unde kêrent,
si lasternt unde êrent.
swer mit disen schanzen allen kan,
an dem hât witze wol getân,

1, 1. zwifel *G.* herzen nahgebur *D.* 3. Ja ist *Ggg.* gesmahet *G* (*sehr oft* a *für* æ), gesmehet *D* (*die erste hand setzt oft* e *für* æ). 4. = ist *fehlt Ggg.* 6. agelstern *D*, agelsteren *G*, agelster *gg*, agelaster *dg*, aglester *d*. 7. danoch *G immer.* 8. Wan *G immer.* an dem *G.* 9. himeles *G.* 10. unstête *D.* 11. = Der hat *Ggg.* 12. och *G*, ouch *D meistens.* 13. habt *D.* 15. fligende *D.* 17. mugens in niht *Gg.* 18. iz *D.* 19. schelbich *D.* 20. anderhalb an dem *D.* 21. gelichent *D.* Gelichet *die übrigen.* 22. di *D.* 23. 24. *fehlen G.* 23. doh *D* = Ouch *gg.* 25. Der *g*, Unde *G.* machent *G.* kuorze *D.* froude *DG.* 26. nie dehein *D*, niene hein *G.* 27. gewuochs *D.* innen an *DG.* 28. = nahen *gg*, næhen *G.* grif *Ggg.* 29. spriche ih *D.* 30. gelichet *G.* = minen witzen *Ggg.* idoch *D.*

2, 3. = Sam *gg*, Sam daz *G.* fiwer in den *D.* 4. und *D.* von] an *D.* 6. er en *G.* 9. nimer *G meistens.* 10. beide si vlihent *D.* 11. chernt *G.* 12. lasterent *G*, *in D nicht lesbar.* 13. disen] = den *Ggg.* tschanzen *G*, schanden (*korrigiert*) *D.*

der sich niht versitzet noch vergêt
und sich anders wol verstêt.
valsch geselleclîcher muot
ist zem hellefiure guot,
und ist hôher werdekeit ein hagel.
sîn triwe hât sô kurzen zagel,
daz si den dritten biz niht galt,
fuor si mit bremen in den walt.
  Dise manger slahte underbint
iedoch niht gar von manne sint.
für diu wîp stôze ich disiu zil.
swelhiu mîn râten merken wil,
diu sol wizzen war si kêre
ir prîs und ir êre,
und wem si dâ nâch sî bereit
minne und ir werdekeit,
3 sô daz si niht geriuwe
ir kiusche und ir triuwe.
vor gote ich guoten wîben bite,
daz in rehtiu mâze volge mite.
scham ist ein slôz ob allen siten:
ich endarf in niht mêr heiles biten.
diu valsche erwirbet valschen prîs.
wie stæte ist ein dünnez îs,
daz ougestheize sunnen hât?
ir lop vil balde alsus zergât.
  manec wîbes schœne an lobe ist breit:
ist dâ daz herze conterfeit,
die lob ich als ich solde
daz safer ime golde.
ich enhân daz niht für lîhtiu dinc,
swer in den kranken messinc
verwurket edeln rubîn
und al die âventiure sîn
(dem glîche ich rehten wîbes muot).
diu ir wîpheit rehte tuot,
dane sol ich varwe prüeven niht,
noch ir herzen dach, daz man siht.
ist si inrehalp der brust bewart,
so ist werder prîs dâ niht verschart.
  Solt ich nu wîp unde man
ze rehte prüeven als ich kan,
dâ füere ein langez mære mite.
nu hœrt dirre âventiure site.
diu lât iuch wizzen beide
von liebe und von leide:
4 fröud und angest vert tâ bî.
nu lât mîn eines wesen drî,
der ieslîcher sunder phlege
daz mîner künste widerwege:
dar zuo gehôrte wilder funt,
op si iu gerne tæten kunt
daz ich iu eine künden wil.
si heten arbeite vil.
  ein mære wil i'ú niuwen,
daz seit von grôzen triuwen,
wîplîchez wîbes reht,
und mannes manheit alsô sleht,
diu sich gein herte nie gebouc.
sîn herze in dar an niht betrouc,
er stahel, swa er ze strîte quam,
sîn hant dâ sigelîchen nam
vil manegen lobelîchen prîs.
er küene, træclîche wîs,
(den helt ich alsus grüeze)
er wîbes ougen süeze,
unt dâ bî wîbes herzen suht,
vor missewende ein wâriu fluht.

16. sih *D*, sich doch *Gg*. 17. gesellchlicher *G*. 18. ist dem *D*. 19. werdcheit *G immer*. 21. driten *G meistens*. 22. Fuore *Gdg*. mit] bi *D*. 24. idoch *D*. 27. wîzen *D*. 28. bris *G meistens*.

3, 1. = iht *Ggg*. gerîwe-trîwe *DG*. 6. me *G oft*. 7. wirbet *Gg*. 8. dûnnez *D*, dunz *G*. 9. ouwest heize *Gg*. 11. manech *D*, Wann *dd* = Manges *Ggg*. wibes lop an schone *G*. 12. contrefeit *G*. 14. safer *D*, sapher *G*, saffir *ddg*, saphir *g*, sapheir *g*. im *D*. in *dg*, in dem *Gdgg*. 15. Och han ich niht vur *Gg*. = ringiu *Ggg*, wehe *g*. 18. Unde alle die nature sin *G*. 19. rehte *D*. 21. pruoven *D*, bruoven *G*. 22. ir *fehlt D*. man] = man da *Ggg*, *aber* da *in G von der ersten hand übergeschrieben*. sihet *G*. 23. inerhalp *G*. prust *D*, *fehlt G*. 24. niht (ver *übergeschrieben*) schart *G*. 25—4, 8 *fehlen dd*. 25. ih *DG*. nu *Ggg*, *fehlt D*. 27. fûre *D*. 28. nû *D*. hœret *D und* (*wie immer, mit* o *für* œ) *G*, *oft gegen den vers*. 30. libe *D*. unde och *G*.

4, 1. ta *hat immer nur G*. 5. fuont *D*. 6. ob *D*, op *hat meist nur G*. kuont *D*. 7. kuonden *D*. 8. heten *in D nicht lesbar*. 9. wil i'u] wil ih iu *Ggg* = ih iu wil *D*, ich hie wil *dd*. 10. sagt *g*. ganzen *G*. 11. wiplichez *DGg*. 12. als *G*. 15. cham *G*. 18. trachlichen *Gg*. 19. alsuos *D*. 21. 22. suoht-fluoht *D*.

den ich hie zuo hân erkorn,
er ist mæreshalp noch ungeborn,
dem man dirre âventiure giht,
und wunders vil des dran geschiht.
Sie pflegents noch als mans dô pflac,
swâ lît und welhsch gerihte lac.
des pfliget ouch tiuscher erde ein ort:
daz habt ir âne mich gehôrt.
5 swer ie dâ pflac der lande,
der gebôt wol âne schande
(daz ist ein wârheit sunder wân)
daz der altest bruoder solde hân
sîns vater ganzen erbeteil.
daz was der jungern unheil,
daz in der tôt die pflihte brach
als in ir vater leben verjach.
dâ vor was ez gemeine:
sus hâtz der alter eine.
daz schuof iedoch ein wîse man,
daz alter guot solde hân.
jugent hât vil werdekeit,
daz alter siuften unde leit.
ez enwart nie niht als unfruot,
sô alter unde armuot.
künge, grâven, herzogen,
(daz sag ich iu für ungelogen)
daz die dâ huobe enterbet sint
unz an daz elteste kint,
daz ist ein fremdiu zeche.
der kiusche und der vreche
Gahmuret der wîgant
verlôs sus bürge unde lant,
dâ sîn vater schône
truoc zepter unde krône
mit grôzer küneclîcher kraft,
unz er lac tôt an rîterschaft.
Dô klagte man in sêre.
die ganzen triwe und êre
6 brâht er unz an sînen tôt.
sîn elter sun für sich gebôt
den fürsten ûzem rîche.
die kômen ritterlîche,
wan si ze rehte solden hân
von im grôz lêhen sunder wân.
dô si ze hove wâren komen
und ir reht was vernomen,
daz se ir lêhen alle enpfiengen,
nu hœret wie siz ane viengen.
si gerten, als ir triwe riet,
rîch und arme, gar diu diet,
einer kranken ernstlîcher bete,
daz der künec an Gahmurete
bruoderlîche triwe mêrte,
und sich selben êrte,
daz er in niht gar verstieze,
und im sînes landes lieze
hantgemælde, daz man möhte sehen,
dâ von der hêrre müese jehen
sîns namen und sîner vrîheit.
daz was dem künege niht ze leit:
er sprach 'ir kunnet mâze gern:
ich wil iuch des und fürbaz wern.
wan nennet ir den bruoder mîn
Gahmuret Anschevîn?
Anschouwe ist mîn lant:
dâ wesen beide von genant.'

24. Der *Gg.* mærshalp *G,* mershalp *gg und* (*wie es scheint, mit ausgekratztem* s) *D.* 27. pflegent es *dd,* pflegetns *D,* phlegent *Ggg.* mans *Dd,* man *Gdgg.* 28. welich *D,* walhesch *G,* valschs *g,* welhchs *g.*
29. noch *Gg.* tuscher *G*: *überall* u *wo* iu *wie umlaut von* û *lauten muſs, nicht nur* aventure (*doch auch* — iure) chusche suften duhte fusten chruze ruten truten, *sondern auch* lute (*leute*) luhten durluhtch getrulich tiosture (*jousteur, doch* 38, 19. 496, 14 tiostiure).

5, 1. Der *Gg.* 3. Diz *Ggg.* 4. altest *d,* aldeste *D,* eltest *d* = elter *Gg.* 4. 12. *und meistens* solte *G.* 5. sines *DG, oft wo es für den vers unbequem oder unrichtig ist.* 6. iungeren *G.* unehaîl *g.* 8. als] Der *Ggg.* ir *fehlt D.* 10. hatz *g,* hat iz *D,* hat ez *G.* alter *DG,* elter *die übrigen.* 11. Ez *Gg.* 17. Chunge *G,* kuonige *D.* 20. Unze *G immer.* elter *D.* 21. frǒmdiu *G.* 23. Gagmuret *D,* Gamuret *dg.* 26. sceptrum und die *D.* 27. chunchlicher *G.* 30. grozen *G.*

6, 1. Behielt *G.* 2. alter *Gddg.* suon *D.* 3. uz dem *G,* uz sinem *die übrigen.* 4. quamen *D.* al geliche *G.* 8. wart *G.* 9. = Dazse alle ir lehen enphiengen *Ggg.* enpfingen *D.* 10. geviengen *g,* gevingen *D.* 13. chargen *G.* erntslicher *D,* ernstlichen *G.* 14. gahmuret *G.* 17. iht *G.* gar *fehlt g.* 19. hant gemêlde *Ddg,* Hant gemahele *Gg,* Hant gemæhel *g.* moht *G.* 20. muose *DG.* 25. Wan nnet *G.* 26. Anscivin *D,* antschevin *G.* 27. Anscowe *D,* Antschouwe *G.* 28. bede *G.*

Sus sprach der künec hêr.
'min bruoder der mac sich mêr
7 der stæten hilfe an mich versehen,
denne ich sô gâhes welle jehen.
er sol mîn ingesinde sîn.
deiswâr ich tuon iu allen schîn
daz uns beide ein muoter truoc.
er hât wênc, und ich genuoc:
daz sol im teilen sô mîn hant,
dês mîn sælde niht sî pfant
vor dem der gît unde nimt:
ûf reht in bêder der gezimt.'
dô die fürsten rîche
vernâmen al gelîche
daz ir hêrre triwen phlac,
daz was in ein lieber tac.
ieslîcher im sunder neic.
Gahmuret niht langer sweic
der volge, als im sîn herze jach:
zem künge er güetlîchen sprach
'hêrre unde bruoder mîn,
wolt ich ingesinde sîn
iwer oder decheines man,
sô het ich mîn gemach getân.
nu prüevet dar nâch mînen prîs
(ir sît getriuwe unde wîs),
und râtt als ez geziehe nuo:
dâ grîfet helflîche zuo.
niht wan harnasch ich hân:
het ich dar inne mêr getân,
daz virrec lop mir bræhte,
etswâ man mîn gedæhte.'
8 Gahmuret sprach ave sân
'sehzehen knappen ich hân,
der sehse von îser sint.
dar zuo gebt mir vier kint,
mit guoter zuht, von hôher art.
vor den wirt nimmer niht gespart,
des ie bejagen mac mîn hant.
ich wil kêren in diu lant.
ich hân ouch ê ein teil gevarn.
ob mich gelücke wil bewarn,
so erwirbe ich guotes wîbes gruoz.
ob ich ir dar nâch dienen muoz,
und ob ich des wirdec bin,
sô rætet mir mîn bester sin
daz ichs mit rehten triwen phlege.
got wîse mich der sælden wege.
wir fuoren geselleclîche
(dennoch het iwer rîche
unser vater Gandîn),
manegen kumberlîchen pîn
wir bêde dolten umbe liep.
ir wâret ritter unde diep,
ir kundet dienen unde heln:
wan kunde ouch ich nu minne steln
ôwê wan het ich iwer kunst
und anderhalp die wâren gunst!'
der künec siufte unde sprach
'ôwê daz ich dich ie gesach,
sît du mit schimphlîchen siten
mîn ganzez herze hâst versniten,
9 unt tuost op wir uns scheiden.
mîn vater hât uns beiden
Gelâzen guotes harte vil:
des stôze ich dir gelîchiu zil.
ich bin dir herzenlîchen holt.
lieht gesteine, rôtez golt,
liute, wâpen, ors, gewant,
des nim sô vil von mîner hant,
daz du nâch dînem willen varst
unt dîne mildekeit bewarst.

29. Sus] = . . o (*vom mahler* Do) *D*, Ouch *dd*. hêre-mêre *alle*. 30. *ohne* der *d* = Sich sol min bruoder mere *Ggg*.

7, 1. helfe *Gdgg*. 2. Dane *G immer*. 4. . . . swar *G*. 5. bede *G*. 6. wench *G*, wenik *D*. 8. des *d*, das *d*, daz es *G*. daz des *Dgg*. sele *dgg*. = iht *Ggg*. 9. gibt (*aber radiert*) *D*. 10. uof *D*. beiden das *dd*, beider (*ohne* der) *G*. 14. diz *D*. ein vil *Ggg*. 15. Iegelicher *Ggg*. 18. guotliche *D*, gǒtlichen (ǒ *immer, für* ou uo üe) *G*. 21. deheines *G*, *nie mit* ch. 22. hete *G*. 23. nu *D*, So *dd* = *fehlt Ggg*. = Dar nach pruovet *G*. 24. getriw *G*. 25. und *Ddd*. = Nu *Ggg*. ratet *DG*. iz *D*. nu *G immer*. 26. helfechliche *G*.

8, 1. Gahmuoreth *D*. ave *D*, aber *die übrigen*. 2. Sehtzehen *G*. 3. = Sehse der *Gg*, Sehse die *gg*. yser *G*. 5. = An *Ggg*. von] an *D*. 8. chern *G*. 12. ir *DG*, *fehlt den übrigen*. 14. rêtet *D*, ratet *G*. 15. ihes *G*. 17. gesellchliche *G so meistens*. 20. = Vil mangen *Ggg*. 21. 22. lîp-dîp. *D*. 22. riter *G*. *immer*. 23. dinen *D*. 27. sufte *G*, suofzete *D*. 29. duo *D*. schimflichen *D*.

9, 3. Gelazen *D*, Gegeben *dd* = Verlazen *Ggg*. 6. lîht *D*. 10. miltecheit *G*.

dîn manheit ist ûz erkorn:
wærstu von Gylstram geborn
oder komen her von Ranculat,
ich hete dich immer an der stat
als ich dich sus vil gerne hân.
du bist mîn bruoder sunder wân.'
'hêrre, ir lobt mich umbe nôt,
sît ez iwer zuht gebôt.
dar nâch tuot iwer helfe schîn.
welt ir und diu muoter mîn
mir teilen iwer varnde habe,
sô stîge ich ûf und ninder abe.
mîn herze iedoch nâch hœhe strebet:
ine weiz war umbez alsus lebet,
daz mir swillet sus mîn winster brust.
ôwê war jaget mich mîn gelust?
ich solz versuochen, ob ich mac.
nu nâhet mîn urloubes tac.'
Der künec in·alles werte,
mêr denne er selbe gerte;
10 fünf ors erwelt und erkant,
de besten über al sîn lant,
küene, starc, niht ze laz;
manec tiwer goltvaz,
und mangen guldînen klôz.
den künec wênec des verdrôz,
er enfultes im vier soumschrîn:
gesteines muose ouch vil dar în.
dô si gefüllet lâgen,
knappen, die des pflâgen,
wârn wol gekleidet und geriten.
dane wart jâmer niht vermiten,
do er für sîne muoter gienc
und si in sô vaste zuo ir vienc.
'fil li roy Gandîn,
wilt du niht langer bî mir sîn?'
sprach daz wîplîche wîp.
'ôwê nu truoc dich doch mîn lîp:
du bist och Gandînes kint.
ist got an sîner helfe blint,
oder ist er dran betoubet,
daz er mir niht geloubet?
sol ich nu niwen kumber haben?
ich hân mîns herzen kraft begraben,
die süeze mîner ougen:
wil er mich fürbaz rouben,
und ist doch ein rihtære,
sô liuget mir daz mære
als man von sîner helfe saget,
sît er an mir ist sus verzaget.'
11 Dô sprach der junge Anschevîn
'got trœste iuch, frowe, des vater mîn:
den suln wir beidiu gerne klagen.
iu enmac nieman von mir gesagen
deheiniu klagelîchiu leit.
ich var durch mîne werdekeit
nâh ritterschaft in fremdiu lant.
frouwe, ez ist mir sus gewant.'
dô sprach diu küneginne
'sît du nâch hôher minne
wendest dienest unde muot,
lieber sun, lâ dir mîn guot
ûf die vart niht versmâhen.
heiz von mir enpfâhen
dîne kameræere
vier soumschrîn swære:
dâ ligent inne phelle breit,
ganze, die man nie versneit,
und manec tiwer samît.
süezer man, lâ mich die zît
hœren, wenn du wider kumest:
an mînen fröuden du mir frumest.'
'frouwe, des enweiz ich niht,
in welhem lande man mich siht:

11. ist *Dgg*, diu ist *G*, dir ist *dd*. 12. Warstu *G*, werestu *D*. Gylstram *oder* Gilstram *Dgg*, glistram *Gddg*. 13. Oder her chomen *Gg*. 14. het dich imer *G*. 17. lobt] kriegent *dd*. umbe not *Ddd* = ungenot *Gg*, sunder not *gg*. 18. iz *D*. 27. Ich sol ez verschuochen obe ih mach *G*. 29. alles] do *G*.

10, 1. fiunf *D*, Vunf *G*. 2. Diu *G*. 4. manch tiure *G meistens*. 5. und *fehlt G*, vil *gg*. 6. wênec] = lutzel *Ggg*. 7. es *fehlt allen aufser DG*. 8. ouch *fehlt G*. 9. Do die gefollet *G*. 10. des] der *G*. 11. waren *DG meistens*. gechleit *G*. 12. da ne *D*, Da *dg*, Al da *Ggg*. 14. = Vil nahen sin zuo zir *Ggg*. vienchh *Ddg*, gevienchh *Ggg*. 15. Fil li roys *g*, Filliroys *G*, Fili roys *gg*, Filluroy *D*, Frue min *d*. 16. wil du *G*. 19. gandins D. 21. drane *G*. 24. = Mines herzen chraft han ich begraben *Ggg*. 25. di *D*, das *d* = Unt die *Ggg*. suoze *DG*. 29. = Daz *Ggg*.

11, 1. Ansoiuin *D*. 2. trôste *D*. 4. 5. Iu nemach niemen niht gesagen. Von mir dehein chlægelich leit *G*. 4. niman *D*. 6. dur *G*. 7. Dur *G*. fromdiu *G immer*. 8. frowe ez ist sus bewant *D*. 11. 20. dinest *D*, dienst *G*. 15. dinen *dgg*. 17. Dar inne ligent *Ggg*. 18. Ganz *Ggg*. 21. wenne *D*, wene *G meistens*. 23. neweiz *G*.

wan swar ich von iu kêre,
ir habt nâch ritters êre
iwer werdekeit an mir getân.
och hât mich der künic lân
als im mîn dienest danken sol.
ich getrûwe iu des vil wol,
12 daz ir in deste werder hât,
swie halt mir mîn dinc ergât.'
Als uns diu âventiure saget,
dô het der helt unverzaget
enpfangen durch liebe kraft
unt durch wîplîch geselleschaft
kleinœtes tûsent marke wert.
swâ noch ein jude pfandes gert,
er möhtz derfür enphâhen:
ez endorft im niht versmâhen.
daz sande im ein sîn friundin.
an sînem dienste lac gewin,
der wîbe minne und ir gruoz:
doch wart im selten kumbers buoz.
urloup nam der wîgant.
muoter, bruoder, noch des lant
sîn ouge nimmer mêr erkôs;
dar an doch maneger vil verlôs.
der sich hete an im erkant,
ê daz er wære dan gewant,
mit deheiner slahte günste zil,
den wart von im gedanket vil.
es dûhte in mêre denne genuoc:
durch sîne zuht er nie gewuoc
daz siz tæten umbe reht.
sîn muot was ebener denne sleht.
swer selbe sagt wie wert er sî,
da ist lîhte ein ungeloube bî:
es solten de umbesæzen jehen,
und ouch die hêten gesehen
13 sîniu werc da er fremde wære:
sô geloupte man dez mære.
Gahmuret der site phlac,
den rehtiu mâze widerwac,
und ander schanze enkeine.
sîn rüemen daz was kleine,
grôz êre er lîdenlîchen leit,
der lôse wille in gar vermeit.
doch wânde der gefüege,
daz niemen krône trüege,
künec, keiser, keiserîn,
des messenîe er wolde sîn,
wan eines der die hœhsten hant
trüege ûf erde übr elliu lant.
der wille in sînem herzen lac.
im wart gesagt, ze Baldac
wære ein sô gewaltic man,
daz im der erde untertân
diu zwei teil wæren oder mêr.
sîn name heidensch was sô hêr
daz man in hiez den bâruc.
er hete an krefte alsolhen zuc,
vil künege wâren sîne man,
mit krôntem lîbe undertân.
dez bâruc-ambet hiute stêt.
seht wie man kristen ê begêt
ze Rôme, als uns der touf vergiht.
heidensch orden man dort siht:
ze Baldac nement se ir bâbestreht
(daz dunket se âne krümbe sleht),
14 der bâruc in für sünde
gît wandels urkünde.
Zwên bruoder von Babilôn,
Pompeius und Ipomidôn,
den nam der bâruc Ninivê
(daz was al ir vordern ê):

27. began *G*. 30. Och wil ich iu getruwen wol *G*. getruowe *D*.

12, 2. swi ioch mir *D*. 5. dur *G*. 6. dur *D*. 7. chleinôtes *D*. Chleinodes *G*. 9. mohtez *DG*. 10. Ez dorfte *G*. 11. friudin *D*. 14. des *G*. 20. ware dane *G*. 21. gunstes *G*, gundes *g*. 22. Dem *Ggg*. gedancht *G*. 23. duohte *D*. me dane *G*. gnuoc *D*. 24. Dur *G*. niht *G*. 26. ebener *D*. 27. wi werd *D*. 29. ez *D*. die *DG*. umbesezen *D*.

13, 1. fromde *auch D*, *aber von der ersten hand* e *aus* o *gemacht*. 2. geloubte *G*. man des *d*, manz *D*, man daz *die übrigen*. 3. Gahmuoret *D*. 5. tschanze deheine *G*. 6. rûmen *D*. 7. groze *D*. lidenliche *D*, lidelichen *d*, lidenlichen *g*, lidechlichen *Ggg*. 10. niman *D*, iemen *Gg*. 11. Chunge *Ggg*. 12. = Der *Ggg*. 13. niwan *D*. eines der *Ddg*, er (der *G*) benamen *Ggg*. hohesten *G immer*. 14. uber *DG*. 20. namen heidinsch *D*. 21. den] der *D*. barruch *G*, Baruoch *D*, *so auch* 14, 1. 5. 9. 22. al *Dg*, *fehlt den übrigen*. zuoch *DG*. 23. sin *G*. 24. gechrontem *Gdgg*. 25. Daz *alle außer D*. Baruoch *D*, parruch *G*. 30. Ez *Ga* si *DG*. krumben *D*.

14, 2. wandeles *G*. 3. Zwene *DG immer*. 4. Ponpeirus *G*. 5. ninivé *D*, ninve *G*. 6. vorderen *G*, voderen *g*.

si tâten wer mit kreften schîn.
dar kom der junge Anschevîn:
dem wart der bâruc vil holt.
jâ nam nâch dienste aldâ den solt
Gahmuret der werde man.
nu erloubt im daz er müeze hân
ander wâpen denne im Gandîn
dâ vor gap, der vater sîn.
der hêrre pflac mit gernden siten
ûf sîne kovertiure gesniten
anker lieht hermîn:
dâ nâch muos ouch daz ander sîn,
ûfme schilt und an der wât.
noch grüener denne ein smârât
was geprüevet sîn gereite gar,
und nâch dem achmardî var.
daz ist ein sîdîn lachen:
dar ûz hiez er im machen
wâpenroc und kursît:
ez ist bezzer denne der samît.
hermîn anker drûf genæt,
guldîniu seil dran gedræt.
  sîn anker heten niht bekort
ganzes lands noch landes ort,
15 dane wârn si ninder în geslagen:
der hêrre muose fürbaz tragen
disen wâpenlîchen last
in manegiu lant, der werde gast,
Nâch dem anker disiu mâl,
wand er deheiner slahte twâl
hete ninder noch gebite.
wie vil er lande durchrite
und in schiffen umbefüere?
ob ich iu dâ nâch swüere,
sô saget iu ûf mînen eit
mîn ritterlîchiu sicherheit
als mir diu âventiure giht:
ine hân nu mêr geziuges niht.
diu seit, sîn manlîchiu kraft
behielt den prîs in heidenschaft,
ze Marroch unt ze Persîâ.
sîn hant bezalt ouch anderswâ,
ze Dâmasc und ze Hâlap,
und swâ man ritterschaft dâ gap,
ze Arâbîe und vor Arâbî,
daz er was gegenstrîtes vrî
vor ieslîchem einem man.
disen ruoft er dâ gewan.
sîns herzen gir nâch prîse greif:
ir aller tât vor im zesleif
und was vil nâch entnihtet.
sus was ie der berihtet,
der gein im tjostierens phlac.
man jach im des ze Baldac:
16 sîn ellen strebte sunder wanc:
von dan fuor er gein Zazamanc
in daz künecrîche.
die klageten al gelîche
Isenharten, der den lîp
in dienste vlôs umbe ein wîp.
des twang in Belacâne,
diu süeze valsches âne.
daz si im ir minne nie gebôt,
des lager nâch ir minne tôt.
Den râchen sîne mâge
offenlîche und an der lâge,
die frouwen twungen si mit her.
diu was mit ellenthafter wer,
dô Gahmuret kom in ir lant,
daz von Schotten Vridebrant

7. tæten *G*. chrefte *D*. 8. Anscivin *D*. 9. Ime *Ggg*. 10. ia *D*, Der *d* = Er *Ggg*. dinste *D*, dienstæ *G*. 11. Gahmuoreth *D*. 12. nuo *D*, *fehlt G*. erloubt *gg*, erloubet *DG*. 13. Gaudîn *Ddgg*. 16. choferture *G*. 17. æncher liht *D*. 18. Dar nach *G*. muose *DG*. 19. uffme *d*, uf dem *Ggg*, auf den *g*, uf *g*, uof sime *D*. schilte *Dgg*. 20. smarát *D*. 22. und *fehlt G*. gevar *Ggg*. 24. dar zuo *D*. im *fehlt Gg*. 25. kürsit *mit* ü *gg*. 26. ez ist *Ddg*, Deist *G*, Daz ist *gg*. der *fehlt Gg*. 27. Harmin *G*. druof *D*. 28. druf *Gg*. 29. Sine anchere *D*. 30. landes *die meisten*.

15, 4. fromdiu *G*. 8. dur rite *G*. 9. Oder *Ggg*. scheffen *G*. 10. dar nach *G*. 11. 15. sait *D*. 13. iehet *G*. 14. Ich *G*. 17. maroch *G*. persya *D*. 19. Ze tomasch *G*. 21. unt ze *Ggg*. 22. gein strite *Gg*. 23. Von *Gg*. iegeslichem *G*, iegelichem *dg*, ieslich *D*. einen *G*. 28. sùs *D*. = war *G*, wart *gg*. 29. tiustirens *D*, tiostierns G.

16, 1. strebte] wære *G*. 2. von *fehlt G*. Danen *G*. er] ein *D*. 3. chunecheriche *D* (*aber* 15, 18 *und* 16, 3. 4 indaz-clageten *ist mit blässerer tinte nachgetragen: mit* algeliche *fängt die zweite hand an*). 5. Ysenh. *G*. 6. dineste *D*. flosz *d*, verlos *die übrigen*. 7. dez *D*. 9. im niht ir minne bot *G*. 10. ir Minnen *G*. 12. Offlich *g*. 13. twngen *D*, *oft so*. 15. quam *D*. 16. = Daz ir *Ggg*. schoten *G*, chsotten *D*.

mit schiffes her verbrande,
ê daz er dannen wande.
nu hœrt wie unser rîter var.
daz mer warf in mit sturme dar,
sô daz er kûme iedoch genas.
gein der küngîn palas
kom er gesigelt in die habe:
dâ wart er vil geschouwet abe.
dô saher ûz an dez velt.
dâ was geslagen manec gezelt
al umb die stat wan gein dem mer:
dâ lâgn zwei kreftigiu her.
dô hiez er vrâgn der mære,
wes diu burc wære;
17 wan err künde nie gewan,
noch dehein sîn schifman.
si tæten sînen boten kunt,
ez wære Pâtelamunt.
daz wart im minneclîche enboten.
si manten in bî ir goten
daz er in hulfe: es wære in nôt,
si rungen niht wan umben tôt.
dô der junge Anschevîn
vernam ir kumberlîchen pîn,
er bôt sîn dienest umbe guot,
als noch vil dicke ein rîter tuot,
oder daz sim sageten umbe waz
er solte doln der vînde haz.
Dô sprach ûz einem munde
der sieche unt der gesunde,
daz im wær al gemeine
ir golt und ir gesteine;
des solter alles hêrre wesen,
und er möhte wol bî in genesen.
doch bedorfter wênec soldes:
von Arâbîe des goldes
heter manegen knollen brâht.
liute vinster sô diu naht
wârn alle die von Zazamanc:
bî den dûht in diu wîle lanc.
doch hiez er herberge nemen:
des moht och si vil wol gezemen,
daz se im die besten gâben.
die frouwen dennoch lâgen
18 zen venstern unde sâhen dar:
si næmen des vil rehte war,
sîne knappen und sîn harnas,
wie daz gefeitieret was.
dô truoc der helt milte
ûf einem hermîn schilte
ine weiz wie manegen zobelbalc:
der küneginne marschalc
hetez für einen anker grôz.
ze sehen in wênic dar verdrôz.
dô muosen sîniu ouge jehen
daz er hêt ê gesehen
disen ritter oder sînen schîn.
daz muost ze Alexandrîe sîn,
dô der bâruc dervor lac:
sînen prîs dâ niemen widerwac.
Sus fuor der muotes rîche
in die stat behaglîche.
zehen soumær hiez er vazzen:
die zogeten hin die gazzen.
dâ riten zweinzec knappen nâch.
sîn bovel man dort vor ersach:
garzûne, koche unde ir knaben
heten sich hin für erhaben.
stolz was sîn gesinde:
zwelf wol geborner kinde

18. danen *G meistens.* 22. kuneginne *die meisten.* 23. geseglt *g*, gesegelt *dgg.* 24. da wart her vil bescouwet abe *D.* 25. anz *D*, an daz *die übrigen.* 26. zelt *D.* 27. alumbe *DG.* wan (*fehlt d*) gein dem *Dd* = unze an daz *Ggg.* 28. do *D.* = lach ein chreftigez her *Ggg.* lagen *Dd.* 29. heiz *D.* fragen *G*, wragen *D.*

17, 1. 2 = *fehlen Dd.* 1. err] er *g*, ir *Gg*, er ir *gg.* 2. Noch *gg*, Er noch *gg*, Weder er noch *G.* schefman *G.* 3. taten *alle außer DG.* 4. = Si hieze *Ggg.* 5. inneclichen *D*, minnchlihe *G.* 6. Und *Gg.* 7. es *G*, des *die übrigen.* 9. antschevin *G*, Anscivin *D.* 12. Als och noch ein *G.* 13. seiten *G.* 14. dulten *Gg.* viende *D immer.* 17. wære *G*, warę *D.* 20. und *fehlt Ggg.* 21. = lutzel *Ggg.* 22. arabi *g.*

18, 1. zen *Dgg*, In den *Ggg*, An den *d.* 2. nemen *D*, namen *die übrigen.* och des *Ggg.* vil *fehlt Gg.* 3. harnasc *D*, harnasch *die meisten.* 4. gefettirt waz *D.* 6. herminen *g*, herminem *die meisten.* 7. Ichne *G.* zobeles palc *Gg.* 10. Zesehene *G.* = lutzel *Ggg.* dar *Dgg*, des *Gdgg.* vͤrdroz *D.* 11. Im *Ggg.* ogen *G.* 12. het e *G*, hete *Dgg*, do vor hette *d.* 14. muose *G*, muse *D.* 15. Da der barruch vor lach *Gg.* 18. behanliche *G.* 19. soumere *D*, soumære *G.* 20. zogetin hin *D.* 21. Den *Gg.* zweinzch *G*, zwenzich *D.* 22. Sinen *g*, Sinenen *G.* 24. hetin sih *D.*

dâ hinden nâch den knappen riten,
an guoter zuht, mit süezen siten.
etslîcher was ein Sarrazîn.
dar nâch muos ouch getrecket sîn
19 aht ors mit zindâle
verdecket al zemâle.
daz niunde sînen satel truoc:
ein schilt, des ich ê gewuoc,
den fuorte ein knappe vil gemeit
derbî. nâch den selben reit
pusûner, der man och bedarf.
ein tambûrr sluog unde warf
vil hôhe sîne tambûr.
den hêrren nam vil untûr
dane riten floitierre bî,
und guoter videlære drî.
den was allen niht ze gâch.
selbe reit er hinden nâch,
unt sîn marnære
der wîse unt der mære.
Swaz dâ was volkes inne,
Mœre und Mœrinne
was beidiu wîp unde man.
der hêrre schouwen began
manegen schilt zebrochen,
mit spern gar durchstochen:
der was dâ vil gehangen für,
an die wende und an die tür.
si heten jâmer unde guft.
in diu venster gein dem luft
was gebettet mangem wunden man,
swenn er den arzât gewan,
daz er doch mohte niht genesen.
der was bî vînden gewesen.
20 sus warb ie der ungerne vlôch.
vil orse man im widerzôch,
durchstochen und verhouwen.
manege tunkele frouwen
sach er bêdenthalben sîn:
nâch rabens varwe was ir schîn.
sîn wirt in minneclîche enpfienc;
daz im nâch fröuden sît ergienc.
daz was ein ellens rîcher man:
mit sîner hant het er getân
manegen stich unde slac,
wand er einer porten phlac.
bî dem er manegen rîter vant,
die ir hende hiengen in diu bant,
unt den ir houbet schrunden.
die heten sòlhe wunden,
daz si doch tâten rîterschaft:
si heten lâzen niht ir kraft.
Der burcgrâve von der stat
sînen gast dô minneclîchen bat
daz er niht verbære
al daz sîn wille wære
über sîn guot und über den lîp.
er fuorte in dâ er vant sîn wîp,
diu Gahmureten kuste,
des in doch wênc geluste.
dar nâch fuor er enbîzen sân.
dô diz alsus was getân,
der marschalc fuor von im zehant
alda er die küneginne vant,
21 und iesch vil grôziu botenbrôt.
er sprach 'frouwe, unser nôt
ist mit freuden zergangen.
den wir hie haben enphangen,
daz ist ein rîter sô getân,
daz wir ze vlêhen immer hân

27. do *D*, Die *g*. 28. An ganzer *G*. 29. Etelicher *G*. waz *D*. 30. muose *DG*. ouch] er *G*. getrechet *D*, gestrecket *d*, gedechet *gg*, gepruovet *G*, bereitet *gg*.

19, 1. von *G*. zendale *Ggg*. 4. Einen *Ggg*. ich *fehlt D*. 5. den *fehlt G*. chnape *G oft*. 6. der *D*, Dar *dg*, Da *Ggg*. bi nach *Dgg*, nach bi *dg*, hinden nach *G*. = dem selben *Ggg*. 7. busuner *d*, busunære *Gg*, bosuner *g*, pusonr *D*. noch *D*. 8. tamburr *D*, tamburre *g*, tambuorer *g*. tambur *Gd*. 9. vil *fehlt D*. sinen *Ggg*. 11. Da *Ggg*. ritten *D*. floitirre *D*, floitierære *Gg*, floytere *g*. 12. guoter *Ddg*, walscher *G*, welhscher *gg*. 18. mœre *Dg*, Moure *g*, Moren *g*, Mœren *d*, Mor *Gg*. Morinne *Gg*. 19. wib *G*. 21. zerbrochen *G*. 22. dur stochen *G*. 27. gebetet *G*. manegen *D*. 28. Swener *G*.

20, 3. Durh stochen *G*. 6. rabenes *G*, raben *gg*. 7. 8. enphie-ergie *G*. 8. zefrouden *Ggg*. 9. = Der *gg*, Er *G*. 12. borte *G*. 13. Bi der er *G*. 14. Die die arme *Ggg*. 15. den ir] diu *G*, den die *g*. schrunden] waren verbunden *alle*. 18. heten *Ddgg*, hete *Ggg*. 19. burgrave *G*. 24. er fuorten da *D*. 26. wench *G*, wenech *Ddgg*, lutzel *gg*. = luste *Ggg*. 28. alsus was *Dd*, was alsus *gg*, allez was *Ggg*. 29. = reit *Ggg*. 30. al *Dgg*, *fehlt Gdgg*.

21, 1. Er *Ggg*. 2. 3. Frouwe nu ist unser not. Mit frouden zergangen *Ggg*. 6. = zedanchene *Ggg*.

unsern goten, die in uns brâhten,
daz si des ie gedâhten.'
'nu sage mir ûf die triwe dîn,
wer der ritter müge sîn.'
'frouwe, ez ist ein degen fier,
des bâruckes soldier,
ein Anschevîn von hôher art.
âvoy wie wênic wirt gespart
sîn lîp, swâ man in læzet an!
wie rehter dar unde dan
entwîchet unde kêret!
die vînde er schaden lêret.
Ich sach in strîten schône,
dâ die Babylône
Alexandrîe lœsen solten,
unde dô si dannen wolten
den bâruc trîben mit gewalt.
waz ir dâ nider wart gevalt
an der schumphentiure!
da begienc der gehiure
mit sîme lîbe sölhe tât,
sine heten vliehens keinen rât.
dar zuo hôrt i'n nennen,
man solt in wol erkennen,
22 daz er den prîs übr mänegiu lant
hete al ein zuo sîner hant.'
'nu sih et wenne oder wie,
und füeg daz er mich spreche hie.
wir hân doch fride al disen tac;
dâ von der helt wol rîten mac
her ûf ze mir: od sol ich dar?
er ist anders denne wir gevar:
ôwî wan tæte im daz niht wê!
daz het ich gerne erfunden ê:
op mirz die mîne rieten,
ich solt im êre bieten.
geruochet er mir nâhen,
wie sol ich in enphâhen?
ist er mir dar zuo wol geborn,
daz mîn kus niht sî verlorn?'
'frowe, erst für küneges künne erkant:
des sî mîn lîp genennet phant.
Frowe, ich wil iwern fürsten sagn,
daz si rîchiu kleider tragn,
und daz si vor iu bîten
unz daz wir zuo ziu rîten.
daz saget ir iweren frouwen gar.
wan swenne ich nu hin nider var,
sô bring ich iu den werden gast,
dem süezer tugende nie gebrast.'
harte wênic des verdarp:
vil behendeclîchen warp
der marschalc sîner frouwen bete.
balde wart dô Gahmurete
23 rîchiu kleider dar getragen:
diu leiter an. sus hôrt ich sagen,
daz diu tiwer wæren.
anker die swæren
von arâbischem golde
wârn drûfe alser wolde.
dô saz der minnen geltes lôn
ûf ein ors, daz ein Babylôn
gein im durh tjostieren reit:
den stach er drabe, daz was dem leit.
op sîn wirt iht mit im var?
er' und sîne rîter gar.
jâ deiswâr, si sint es frô.
si riten mit ein ander dô

7. 8. Unseren goten dies gedahten. Daz sin uns her brahten *G*. 11. er ist *Dg*. degenfier *D*. phier *G*. 12. parruches *G*. 13. antschevin *G*, Anscivin *D*. 14. = lutzel *Ggg*. 15. læzet *Dg*, lazet *Gdgg*. 20. Al da *Gg*. die] bi *D*. 22. Unt *G*. 23. barruch *G*. 25. tschunfenture *G*. 26. begie *G*. 27. sinem *G immer*. 28. ne *fehlt D*. decheinen *D*, deheinen *G*. 29. i'n] ich *g*, ih in *G*, ich in *die übrigen*. nenen *G*. 30. solt in *dgg*, solte *D*, moht in *Ggg*.

22, 1. uber *alle*. den pris zesiner hant. Hat al eine uber mangiu lant *G*. 2. al eine *D*. 3. oder] unde *G*. 4. und *fehlt Gg*. fuog *g*, fuege *die übrigen*. spreche *Ggg*, sprach *d*, gespreche *Dg*, bespreche *g*. 5. haben doch frid *D*. al *Dg*, allen *dgg*, *fehlt Gg*. disen *fehlt d*. 7. odr *D*, oder *die übrigen*. 8. andrs *D* (*die dritte hand setzt sehr oft* dr tr br dn tn bn mn gn hn *und dergleichen, welches ich behalte wo es das lesen erleichtert und nicht gegen den vers ist*). 9. Owe *Ggg*. 12. im er bîeten *D*. 13. geruchet *D*, Gerucket *g*. 16. iht *Ggg*. 17. Frouwe er ist *D*. 21. = Unde hie vor *Ggg*. 22. Biz daz *Ggg*. ziu *fehlt Gg*. 23. ir *D*, *fehlt d* = och *Ggg*. 24. nidr *D*. 26. ganzer *G*. 27. Dar an och (doch *g*) lutzel des verdarp *Gg*, Der rede lützel [do] verdarp *gg*.

23, 2. an alsus *D*. 4. acher *D*. 5. arabenschem *G*. 6. Lagen *Ggg*. 9. dur *G*. tiv̊stiren *D*. 10. drab *G*. dem *DG*, im *die übrigen*. 11. iht mit im *Dg*, mit im iht *die übrigen*. 12. Ia er *G*. 13. Die warens algeliche fro *G*. 14. ritten *D zuweilen*. andr *D*.

und erbeizten vor dem palas,
dâ manec rîter ûffe was:
die muosen wol gekleidet sîn.
sîniu kinder liefen vor im în,
Ie zwei ein ander an der hant.
ir hêrre manege frouwen vant,
gekleidet wünneclîche.
der küneginne rîche
ir ougen fuogten hôhen pîn,
dô si gesach den Anschevîn.
der was sô minneclîche gevar,
daz er entslôz ir herze gar,
ez wære ir liep oder leit:
daz beslôz dâ vor ir wîpheit.
ein wênc si gein im dô trat,
ir gast si sich küssen bat.
24 si nam in selbe mit der hant:
gein den vînden an die want
sâzen se in diu venster wît
ûf ein kultr gesteppet samît,
dar undr ein weichez pette lac.
ist iht liehters denne der tac,
dem glîchet niht diu künegin.
si hete wîplîchen sin,
und was abr anders rîterlîch,
der touwegen rôsen ungelîch.
nâch swarzer varwe was ir schîn,
ir krône ein liehter rubîn:
ir houbet man derdurch wol sach.
diu wirtîn zir gaste sprach,
daz ir liep wær sîn komn.
'hêrre, ich hân von iu vernomn
vil rîterlîcher werdekeit.
durch iwer zuht lât iu niht leit,
ob i'u mînen kumber klage,
den ich nâhe im herzen trage.'
'Mîn helfe iuch, frowe, niht irret.
swaz iu war od wirret,
swâ daz wenden sol mîn hant,
diu sî ze dienste dar benant.
ich pin niht wan einec man:
swer iu tuot od hât getân,
dâ biut ich gegen mînen schilt:
die vînde wênec des bevilt.'
mit zühten sprach ein fürste sân:
'heten wir einen houbetman,
25 wir solden vînde wênic sparn,
sît Vridebrant ist hin gevarn.
der lœset dort sîn eigen lant.
ein künec, heizet Hernant,
den er durh Herlinde sluoc,
des mâge tuont im leit genuoc:
sine wellent si's niht mâzen.
er hât hie helde lâzen;
den herzogen Hiutegêr,
des rîtertât uns manegiu sêr
frumt, und sîn gesellescbaft:
ir strît hât kunst unde kraft.
sô hât hie mangen soldier
von Normandîe Gaschier,
der wîse degen hêre.
noch hât hie rîter mêre
Kaylet von Hoskurast,
manegen zornigen gast.
die bræhten alle in diz lant
der Schotten künec Vridebrant
und sînre genôze viere
mit mangem soldiere.

16. ûf *D*. 21. wunchliche *G*. 23. fuogeten *G*. = grozen *Ggg*. 24. Anscivin *D*. 25. sô *fehlt D*. minnchlich *G*. 27. odr *D*, ode *g*. 29. wenech *D*. = sim engegene trat *Ggg*, sie do gegen im trat *gg*.

24, 1. Unde *Ggg*. selbe *fehlt G*. bi *Ggg*. 4. einen *alle*. kulter *Ddgg*, gulter *Gg*. gesteppet *D*, gesteppfet mit *d* = von *Ggg*. sæmit *g*. 5. bete *G immer*. 6. liehter dane *G*. 7. gelichet *D*, gelichte *G*. 8. hete *D*, het *g*, het doch *d*, hete aber *Ggg*, het aver *g*. 9. abr *Dd*, ouch *dgg*, *fehlt G*. 10. touwigen *D*. 12. liehtr *D*. 13. dr durch *D*, da durch *Gg*, dar durch *dgg*. wol *fehlt D*. 15. wære liep *G*. wer *gg*, wære *D*. 18. lat iu niht] *so dg (aber* 19. Vor abe ich *d*, Sein. das ich *g)*, si iu niht *Ggg*, lat iu niht wesen (sin *g*) *Dg*. 19. i'u] ich *d*, ich iu *die übrigen*. 20. nahen *Ggg*, *fehlt gg*. im] in minem *Dgg*, an minem *d*, minem *Gg*. 21. iwch *D*. frouwe *Ddg*, des *Ggg*. 22. 26. odr *D*, oder *die übrigen*. 24. bewant *G*. 25. bin *G*. einech *D*, ænich *g*, ein einch *Gdgg*. 27. Da engegene biut ich *Gg*. gein *D*. 30. Hiet *g*.

25, 4. der hiez *Gg*. 7. welent *G*. sihes *D*. 9. Hûteger *D*, hittiger *d*, huteger *G*, Huotger *g*, hutteger *g*, hutiger *g*, hüttiger *g*. 10. riter tat *D*, ritter det *d*, riters tat *Ggg*, ritter tuont *gg*. manch *G*. 11. Frumet *G*. 14. Gascier *D*, cascier *d* = gatschier *Ggg*. 16. Och *Ggg*. 17. Kailet *G*. hoscurast *Gd*, hoschurast *gg*. 18. = Vil mangen *Ggg*. 19. bræhten *D*, brochtent *d* = braht *Ggg*. dizze *D*. 20. der Scoten *D*, Der schoten *(so immer) G*. 21. sine *g*, siner *die übrigen*. gnoze *D*.

Westerhalp dort an dem mer
dâ lît Isenhartes her
mit fliezenden ougen.
offenlîch noch tougen
gesach si nimmer mêr kein man,
sine müesen jâmers wunder hân
(ir herzen regen die güsse warp),
sît an der tjost ir hêrre starp.

26 der gast zer wirtinne
sprach mit ritters sinne
'saget mir, ob irs ruochet,
durh waz man iuch sô suochet
zornlîche mit gewalt.
ir habet sô manegen degen balt:
mich müet daz si sint verladen
mit vînde hazze nâch ir schaden.'
'daz sage i'u, hêrre, sît irs gert.
mir diende ein ritter, der was wert.
sîn lîp was tugende ein bernde rîs.
der helt was küene unde wîs,
der triwe ein reht beklibeniu fruht:
sîn zuht wac für alle zuht.
er was noch kiuscher denne ein wîp:
vrecheit und ellen truoc sın lîp,
sone gewuohs an ritter milter hant
vor im nie über elliu lant
(ine weiz waz nâch uns süle geschehen:
des lâzen ander liute jehen):
er was gein valscher fuore ein tôr,
in swarzer varwe als ich ein Môr.
sîn vater hiez Tankanîs,
ein künec: der het och hôhen prîs.
Mîn friunt der hiez Isenhart.
mîn wîpheit was unbewart,
dô ich sîn dienst nâch minne enphienc,
deiz im nâch fröuden niht ergienc.
des muoz ich immer jâmer tragen.
si wænent daz i'n schüef erslagen:

27 verrâtens ich doch wênic kan,
swie mich des zîhen sîne man.
er was mir lieber danne in.
âne geziuge ich des niht bin,
mit den ichz sol bewæren noch:
die rehten wârheit wizzen doch
mîne gote und ouch die sîne.
er gap mir manege pîne.
nu hât mîn schamndiu wîpheit
sîn lôn erlenget und mîn leit.
dem helde erwarp mîn magetuom
an rîterschefte manegen ruom.
do versuocht i'n, ober kunde sîn
ein friunt. daz wart vil balde schîn.
er gap durh mich sîn harnas
enwec, daz als ein palas
dort stêt (daz ist ein hôch gezelt:
daz brâhten Schotten ûf diz velt).
dô daz der helt âne wart,
sîn lîp dô wênic wart gespart.
des lebens in dâ nâch verdrôz,
mange âventiure suohter blôz.
dô ditz alsô was,
ein fürste (Prôthizilas
Der hiez) mîn massenîe,
vor zageheit der vrîe,
ûz durch âventiure reit,
dâ grôz schade in niht vermeit.
zem fôrest in Azagouc
ein tjost im sterben niht erlouc,

23. Westerhalp dort (dor *D*) *Dd* = Dort westert halp *Ggg*. 27. sî *D*. dehein *DG*. 28. muosen *DG*. 29. hercen regen die *D* = herzen regen in *Ggg*, herze in regen *g*.

26, 3. ruochet *Gg*, geruochet *die übrigen*. 4. dur *G*. iwch *D*. 5. Zornchlichen *G*. 6. so *Dd* = vil *Ggg*. 9. Ich sagez iu herre *G*. i'u] ich iu *Dg*, ich *dgg*. 10. diente *G*. 13. reht *fehlt Gg*. bechlibendiu *G*. 15. der *D*. noch *fehlt G*. 17. So *G*, Es *d*. ritter] man nie *G*. 18. nie *fehlt G*. 19. Ich ne *G*. 20. andr *D*. 21. gein] vor *G*, an *g*. 22. Nach *Ggg*. ich *Dg*, ih *G*, *fehlt dgg*. 23. der hiez *Gdg*. Tanchanis *DGg*, *mit* k *die übrigen*. 24. der] er *G*. 25. friwnt *D*. 26. was vil *G*. umb. *D*. 27. 28. enphie-ergie *G öfters*. 28. deiz *D*, Daz *Ggg*, Da ez *g*, Daz es *dg*. 30. i'n] ih in *DG*, ich in *die übrigen*. schuoffe *Gg*, schuof *D und die übrigen*.

27, 1. = lutzel *Ggg*. 2. swî *D*. miches *G*. 4. = geziuch *Ggg*. 5. ihez *G*. 6. reht *G*. 7. ouch *fehlt Ggg*. 8. gam mir *G*. 9. schamn diu *D*, schamediu *G*. 10. gelenget *g*. unde *Ggg* = mir *d*, *fehlt D*. 11. magtuom *G*. 12. An riterschaft vil *G*. 13. do versuocht ich in *D und ohne* in *d* = Ih versuoht in *Ggg und ohne* in *gg*. 15. harnasc *G*, harnasch *die übrigen*. 18. scotten ûf dizze*D*. 19. des *dg*. 20. Sin manheit was vil ungespart *G*. 21. dar nach *G*. 24. = protizalas *gg*, portizalas *gg*, prozitaias *G*. 25. = Der *fehlt Ggg*. 28. da groz *D*, Der grosse *d*, Da grozzer *g*, Ein groz *g*, Ein grozer *Ggg*. 29. fôrest *mit* ô *D*, voreis *G*. 30. in *Gg*.

28 die er tet ûf einen küenen man,
der ouch sîn ende aldâ gewan.
daz was mîn friunt Isenhart.
ir ieweder innen wart
eins spers durh schilt und durh den lîp.
daz klag ich noch, vil armez wîp:
ir bêder tôt mich immer müet.
ûf mîner triwe jâmer blüet.
ih enwart nie wîp decheines man.'
Gahmureten dûhte sân,
swie si wære ein heidenin,
mit triwen wîplîcher sin
in wîbes herze nie geslouf.
ir kiusche was ein reiner touf,
und ouch der regen der sie begôz,
der wâc der von ir ougen flôz
ûf ir zobel und an ir brust.
riwen phlege was ir gelust,
und rehtiu jâmers lêre.
si seit im fürbaz mêre
'dô suohte mich von über mer
der Schotten künec mit sînem her:
der was sîns œheimes suon.
sine mohten mir niht mêr getuon
schaden dan mir was geschehen
an Isenharte, ich muoz es jehen.'
Diu frouwe ersiufte dicke.
durch die zäher manege blicke
si schamende gastlîchen sach
an Gahmureten: dô verjach
29 ir ougen dem herzen sân
daz er wære wol getân.
si kunde ouch liehte varwe spehen:
wan sie het och ê gesehen
manegen liehten heiden.
aldâ wart undr in beiden
ein vil getriulîchiu ger:
si sach dar, und er sach her.
dar nâch hiez si schenken sân:
getorste si, daz wære verlân.
ez müete si deiz niht beleip,
wand ez die ritter ie vertreip,
die gerne sprâchen widr diu wîp.
doch was ir lîp sîn selbes lîp:
ouch het er ir den muot gegebn,
sîn leben was der frouwen lebn.
dô stuont er ûf unde sprach
'frouwe, ich tuon iu ungemach.
ich kan ze lange sitzen:
daz tuon ich niht mit witzen.
mir ist vil dienestlîchen leit
daz iwer kumber ist sô breit.
frouwe, gebietet über mich:
swar ir welt, darst mîn gerich.
ich dien iu allez daz ich sol.'
si sprach 'hêr, des trûwe i'u wol.'
Der burcgrâve sîn wirt
nu vil wênic des verbirt,
ern kürze im sîne stunde.
ze vrâgen er begunde,
30 ober wolde baneken rîten:
'und schouwet wâ wir strîten,
wie unser porten sîn behuot.'
Gahmuret der degen guot
sprach, er wolde gerne sehen
wâ rîterschaft dâ wære geschehen.
her ab mit dem helde reit
manec rîter vil gemeit,
hie der wîse, dort der tumbe.
si fuorten in alumbe

28, 1. ûf einn *D*. 2. Sinen ende er da gewan *G*. 4. Ir ietwedere *G*. 5. eines *DG meist*. dur-dur lip *G*. 7. beider *G*. 8. Uf minen triwen *G*. 9. Ichne *G*. deheins *G*. 15. Unt der *Ggg*. 15. 16. regen *und* wach *vertauscht* *G*. 17. an] an an *D*, uf *G*. 24. Er mohte *Ggg*. 25. dane *G*, denne *D*. 26. des muoz ih iehen *G*. 27. ersufte *DG*. 28. Dur die zahere *G*. = manger *Ggg*.

29, 1. Iriu *G*. 3. ouch *fehlt* *Ggg*. 4. = wan *fehlt* *Ggg*. het och] hete *D*. e *d*, me d, *fehlt* *D*. = da vor *Ggg*. 5. = Vil mangen *Ggg*. 6. under *alle*, *nur* *G* von. 7. getreulichiu *gg*, getriulich *Ddd*, getriwu *G*. 8. Si-er *Ddd* = Er-si *Ggg*. und *fehlt* *Gdgg*. 9. schench *D*. 10. torste *D*. 11. = Si muote daz ez niht beleip *Ggg*. 13. sprechent *d*. spræchen? diu *fehlt* *D*. 14. ir liep *Ddg*. 20. daz entuon *Dg*. von witzzen *Ggg*. 23. gebiet *G*. 24. darst *G*, da ist *g*, das *d*, dar ist *Ddgg*. gerrich *G*. 25. iu gerne swaz *G*. 26. Si sprach *Dddg*, *fehlt* *Ggg*. herre *DG immer in der anrede*. Herre ich getrwes iu harte wol *G*. trwe *D*, getrûwe *die übrigen*. i'u] ich iu *gg* = ich *Ddd*. 27. burcrave *G*. 28. enbirt *D*. 29. sine *Ddd* = die *Ggg*. 30. ze *fehlt* *G*.

30, 1. panchen *G*. 2. und *fehlt* *G*. 3. portn *D*, borte *G*. 4. degen *Ddd* = helt *Ggg*. 8. vil *fehlt* *G*, so *dd*.

für sehzehen porten,
und beschieden im mit worten,
daz der decheiniu wære bespart,
sît wurde gerochen Isenhart
'an uns mit zorn. naht unde tac
unser strît vil nâch gelîche wac:
man beslôz ir keine sît.
uns gît vor ähte porten strît
des getriwen Isenhartes man:
die hânt uns schaden vil getân.
si ringent mit zorne,
die fürsten wol geborne,
des küneges man von Azagouc.'
vor ieslîcher porte flouc
ob küener schar ein liehter van;
ein durchstochen rîter dran,
als Isenhart den lîp verlôs:
sîn volc diu wâpen dâ nâch kôs.
'Dâ gein hân wir einen site:
dâ stille wir ir jâmer mite.
31 unser vanen sint erkant,
daz zwêne vinger ûz der hant
biutet gein dem eide,
irn geschæhe nie sô leide
wan sît daz Isenhart lac tôt
(mîner frouwen frumt er herzenôt),
sus stêt diu künegîn gemâl,
frou Belakâne, sunder twâl
in einen blanken samît
gesniten von swarzer varwe sît
daz wir diu wâpen kuren an in
(ir triwe an jâmer hât gewin):
die steckent ob den porten hôch.
vür die andern ähte uns suochet noch
des stolzen Fridebrandes her,
die getouften von über mer.
ieslîcher porte ein fürste phliget,
der sich strîtes ûz bewiget
mit sîner baniere.
wir haben Gaschiere
gevangen einen grâven abe:
der biutet uns vil grôze habe.
der ist Kayletes swester suon:
swaz uns der nu mac getuon,
daz muoz ie dirre gelten.
sölch gelücke kumt uns selten.
Grüenes angers lützel, sandes
wol drîzec poinder landes
ist zir gezelten vome grabn:
dâ wirt vil manec tjost erhabn.'
32 disiu mære sagt im gar sîn wirt.
'ein ritter nimmer daz verbirt,
ern kom durch tjostieren für.
op der sîn dienest dort verlür
an ir diu in sante her,
waz hulfe in dan sîn vrechiu ger?
daz ist der stolze Hiutegêr.
von dem mag ich wol sprechen mêr,
sît wir hie sîn besezzen,
daz der helt vermezzen
ie smorgens vil bereite was
vor der porte gein dem palas.
ouch ist von dem küenen man
kleinœtes vil gefüeret dan,
daz er durch unser schilte stach,
des man für grôze koste jach
so ez die krîgierre brâchen drabe.
er valt uns manegen rîter abe.

11. sehtzehen borten *G*. 12. Si besch. *D*. 13. bespart *D*, gespart *dd* = verspart *Ggg*. 14. wart *Gag* 15. Mit zorne an uns *G*. zorne *D*. unde] noch *D*. 17. Man verloz *G*. decheine *D*, deheine *G*. 18. ahte *G*. 19. Des chuonen *G*. 20. Die uns den schaden hant getan *G*. habent *D*. 21. 22. *fehlen G*. 23. man *fehlt G*. 24. von *D (allein?)*, Obe *G*. iegeslicher *G*. 26. durstochen *G*. 27. der den *G*. 28. dar nach *G*. 29. Da engegene haben *G*. 30. stillen *Ggg*.

31, 1. = bechant *Ggg*. 2. daz] dazs? 3. Bietent *Gg*. 4. irne geschehe *D*. 6. fuoget er *(aus* ez *gemacht) G*. herzen not *Dg*. 7. = So *Ggg*. 8. belachane *G*. 9. einen *D*, einem *die übrigen*. 11. daz] Sit *G*. 14. for *Dd*. anderen ahte *G*. suochent *gg*. 15. = Des chuonen *Ggg*. 17. borte *G*. 20. Gascière *D*, katschiere *G*, gatschiere *ddgg*. 21. 22. ab-hab *D*. 22. biut *G*, biuten *D*. 23. sun *G*, sûn *D*. 24. getûn *D*. 27. lucel *Ddd* = wench *Ggg*. 28. drizch *G*. Poindr *D*, ponder *G*, *so meistens*.

32, 1. seit *G*. 3. Eren chom hie dur tioste vur *G*. tiostîren *D*. 6. dane *G*, denne *D*. 7. Huteger *D*, hûteger *G*, hueteger *g*. 10. Daz ie der *Gg*. 11. ie *fehlt Ggg*. morgens *d* = des morgens *Ggg*. bereit *alle außer D*. 12. Gein der *G*. vor dem *G*, fúr dem *d*, fúr den *d*. 13. wart *Ggg*. 14. cleinotes *D*, chleinodes *G*, chlaynœdes *g*. gefuert *D*. 17. Swene ez *G*. chrigîrre *D*, kroyere *d*, schiere *d*, kirre *g*, grogiere *g*, chroierære *G*, kaphare *g*. drab-ab *D*.

er læt sich gerne schouwen,
in lobent ouch unser frouwen.
swen wîp lobent, der wirt erkant,
er hât den prîs ze sîner hant,
unt sînes herzen wunne.'
dô hete diu müede sunne
ir liehten blic hinz ir gelesn.
des bankens muose ein ende wesn.
der gast mit sîme wirte reit,
er vant sîn ezzen al bereit.
  Ich muoz iu von ir spîse sagen.
diu wart mit zühten für getragen:
33 man diende in rîterlîche.
diu küneginne rîche
kom stolzlîch für sînen tisch.
hie stuont der reiger, dort der visch.
si was durch daz hinz im gevarn,
si wolde selbe daz bewarn
daz man sîn pflæge wol ze frumen:
si was mit juncfrouwen kumen.
si kniete nider (daz was im leit),
mit ir selber hant si sneit
dem rîter sîner spîse ein teil.
diu frouwe was ir gastes geil.
dô bôt si im sîn trinken dar
und phlac sîn wol: och nam er war,
wie was gebærde unde ir wort.
zende an sînes tisches ort
sâzen sîne spilman,
und anderhalp sîn kappelân.
al schemende er an die frouwen sach,
harte blûclîcher sprach
'ichn hân mi's niht genietet,
als ir mirz, frouwe, bietet,
mîns lebens mit sölhen êren.
ob ich iuch solde lêren,
sô wær hînt sân an iuch gegert
eins phlegens des ich wære wert,
sone wært ir niht her ab geritn.
getar ich iuch des, frouwe, bitn,
Sô lât mich in der mâze lebn.
ir habt mir êr ze vil gegebn.'
34 sine wolt och des niht lâzen,
dâ sîniu kinder sâzen,
diu bat si ezzen vaste.
diz bôt si zêrn ir gaste.
gar disiu junchêrrelîn
wâren holt der künegîn.
dar nâch diu frouwe niht vergaz,
si gieng och dâ der wirt saz
und des wîp diu burcrâvin.
den becher huop diu künegin,
si sprach 'lâ dir bevolhen sîn
unseren gast: diu êre ist dîn.
dar umbe ich iuch beidiu man.'
si nam urloup, dô gienc si dan
aber hin wider für ir gast.
des herze truoc ir minnen last.
daz selbe ouch ir von im geschach;
des ir herze unde ir ouge jach:
diu muosens mit ir phlihte hân.
mit zühten sprach diu frouwe sân
'gebietet, hêrre: swes ir gert,
daz schaf ich: wand ir sît es wert.
und lât mich iwer urloup hân.
wirt iu hie guot gemach getân,
des vröwen wir uns über al.'
guldîn wârn ir kerzstal:
vier lieht man vor ir drûfe truoc.
si reit ouch dâ si vant genuoc.

19. læt *Dg*, lat *die übrigen.* 21. bechant *Ggg.* 22. Der *G.* 24. Nu *Ggg.* 25. hinze ir *G immer.* 26. banchens *D*, bankenes *G*, banechens *g*, banichen *g*, banchen *g*, banicken *dd.* 29. . . oh muoz iu *D.*

33, 1. im *Ggg.* 3. stolzliche *DG.* 5. dur daz hin abe gevaren *G.* 6. wolt ouch *Gy.* daz *fehlt G.* 7. phlege *D.* wol *fehlt G.* 8. chomen *DG.* 9. = Unde *Ggg.* 13. do bot (huop *D*) si im *Ddd* = Si bot (boten *g*) im (im och *G*) *Ggg.* 16. sînes] des *G.* 17. chapelan *G.* 18. und *fehlt G.* sine *Gdg.* spileman *G.* 19. schæmende *D.* 20. bluochliche er *D.* 21. ich ne *D*, Ich *G.* mis *D*, mich es *d*, mich sin *d* = mich *Ggg.* genîet *G.* 22. mir *D.* 23. Mines *G.* libes *D.* 25. wære *D*, ware *G.* hint *dgg*, hinte *D.* hiut *Gg.* san *dg*, sa *Ggg*, *fehlt D.* 26. Des *Ggg.* 27. wæret *D*, waret *G*, *oft gegen den vers.* 28. Getar ich frouwe iuch des gebiten *G.* 30. er *d*, ere *Dd* = eren *Ggg.*

34, 3. = Si *gg*, Sine *G.* bat] = babte *G*, bæte *gg*, hiez *g.* siu *g.* 4. ditze *D.* zeren *DG.* 7. nith *D.* 8. gîe *D.* 9. des] sin *G.* burchravin *G*, purcravin *D.* 10. Ir *Ggg.* pecher *D.* 13. beide *D.* mane *G.* 14. do gie si *Dg*, Do fuor si *gg*, und gieng *dd*, unde vuor *G.* von dan *Gd.* 15. hin *fehlt Ggg*, 18. Als *Ggg.* ougen *D.* 19. die *D*, sú *dd.* 21. Gebiet *G.* 22. schaffe *G.* gewert *ddgg.* 23. und *fehlt G*, nu *g.* 24. hie *fehlt Dg.* 25. froun *G.* 26. waren *D*, wæren *G.* cherzestal *G.* 27. Vil *G.* drûfe] uf *G.*

Sine âzen och niht langer dô.
der helt was trûric unde frô.
35 er fröute sich daz man im bôt
grôz êre: in twanc doch ander nôt.
daz was diu strenge minne:
diu neiget hôhe sinne.
diu wirtin fuor an ir gemach:
harte schiere daz geschach.
man bette dem helde sân:
daz wart mit vlîze getân.
der wirt sprach zem gaste
'nu sult ir slâfen vaste,
und ruowet hînt: des wirt iu nôt.'
der wirt den sînen daz gebôt,
si solten dannen kêren.
des gastes junchêrren,
der bette alumbe dez sîne lac,
ir houbet dran, wand er des pflac.
dâ stuonden kerzen harte grôz
und brunnen lieht. den helt verdrôz
daz sô lanc was diu naht.
in brâhte dicke in unmaht
diu swarze Mœrinne,
des landes küneginne.
er want sich dicke alsam ein wit,
daz im krachten diu lit.
strît und minne was sîn ger:
nu wünschet daz mans in gewer.
sîn herze gap von stôzen schal,
wand ez nâch rîterschefte swal.
Daz begunde dem recken
sîne brust bêde erstrecken,
36 sô die senwen tuot daz armbrust.
dâ was ze dræte sîn gelust.
der hêrre ân allez slâfen lac,
unz errkôs den grâwen tac:
der gap dennoch niht liehten schîn.
dô solt och dâ bereite sîn
zer messe ein sîn kappelân:
der sanc si got und im sân.
sîn harnasch truoc man dar ze hant:
er reit da er tjostieren vant.
dô saz er an der stunde
ûf ein ors, daz beidiu kunde
hurtlîchen dringen
und snelleclîchen springen.
bekêric swâ manz wider zôch.
sînen anker ûf dem helme hôch
man gein der porte füeren sach;
aldâ wîp unde man verjach,
sine gesæhn nie helt sô wünneclîch:
ir gote im solten sîn gelîch.
man fuort ouch starkiu sper dâ bî.
wie er gezimieret sî?
sîn ors von îser truoc ein dach:
daz was für slege des gemach.
dar ûf ein ander decke lac,
ringe, diu niht swære wac:
daz was ein grüener samît.
sîn wâpenroc, sîn kursît
was ouch ein grüenez achmardî:
daz was geworht dâ zArâbî.
37 Dar an ich liuge niemen:
sîne schiltriemen,
swaz der dar zuo gehôrte,
was ein unverblichen borte
mit gesteine harte tiure:
geliutert in dem fiure

29. Si *G*. lenger *G*. 30. Der helt *Ggg*, der herre *Dg*, Gamiret *dd*. wart trurech *G*.

35, 2. grôz *fehlt Ggg*. doch *D*, ouch *dd*, ouch ein *g*, ein *Ggg*. 3. Daz ist *G*. 6. Dar nach vil schier daz geschach *Ggg*. 7. betete *G*. 9. Do sprach der wirt *Ggg*. 11. hinte des wir iu *D*. 12. Den sinen er zehant gebot *G*. 13. danne *g*, von im *G*. 15. Ir *Gg*. daz *alle*. 17. stuonten *D*. 18. = Die *Ggg*. 19. alsus *G*. 20. ditche *G fast immer*. en ungemacht *D*. 21. = morinne *Ggg*. 23—36, 2 *fehlen G*. 23. ein *fehlt D*. 24. chracheten *D*. diu *D*, gar diu *gg*, alle sin *dd*, sine *g*. 29. rechken *D*. 30. brust *Ddg*, bruste *gg*.

36, 1. Sam diu *g*. senwe *fast alle aufser D*. Arembrust *D*. 2. zedræt *D*. 3. = sunder slaffen *Ggg*. 4. unz errechos *D*, unzer erchos *G*, biz er kos *g*. 6. Nu *G*. wolt *Ggg*. bereite *DG*. 8. sî *D*. gote *Gg*. 9. = Man truoch sin harnasch *Ggg*. dar] sa *D*. 10. da man tiustieren *D*. 13. hurtchliche *G*. 14. snelliche *G*. 15. Cherch *G*, Kerich *g*. = so *Ggg*. mans widr *D*. 17. mann? borte *G*. 18. man unde wip *G*. 19. gesæhen *D*, gesahen *Gg*, gesehen *die übrigen*. 20. solten im *Ggg*. 22. Wier *G*. 23. isen *fast alle ausser DG*. 25. Ein ander detche druffe lach *G*. 26. swære] ringe *G*. 28. kúrsit *mit* ú *d*. 29. ouch *fehlt G*. gruonz *G*, gruener *dd und* (30. Der) *g*. 30. da *Dgg*, *fehlt Gddg*. wart *Dg*. ze arabi *G*.

37, 3. da zuo *D*. 6. gelutert *DG*.

was sîn bukel rôt golt.
sîn dienest nam der minnen solt:
ein scharpher strît in ringe wac.
diu küngîn in dem venster lac:
bî ir sâzen frouwen mêr.
nu seht, dort hielt och Hiutegêr,
aldâ im ê der prîs geschach.
do er disen rîter komen sach
zuo zim kalopieren hie,
dô dâhter 'wenne oder wie
kom dirre Franzois in diz lant?
wer hât den stolzen her gesant?
het ich den für einen Môr,
sô wær mîn bester sin ein tôr.'
  diu doch von sprungen nicht belibn,
ir ors mit sporen si bêde tribn
ûzem walap in die rabbîn.
si tâten rîters ellen schîn,
der tjost ein ander si niht lugen.
die sprîzen gein den lüften flugen
von des küenen Hiutegêres sper:
ouch valt in sînes strîtes wer
hinderz ors ûf dez gras.
vil ungewent er des was.
38 Er reit ûf in und trat in nider.
des erholt er sich dicke wider,
er tet werlîchen willen schîn:
doch stecket in dem arme sîn
diu Gahmuretes lanze.
der iesch die fîanze.
sînen meister heter funden.
'wer hât mich überwunden?'
alsô sprach der küene man.
der sigehafte jach dô sân
'ich pin Gahmuret Anschevîn.'
er sprach 'mîn sicherheit sî dîn.'
die enphienger unde sande in în.
des muoser vil geprîset sîn
von den frouwen die daz sâhen.
dort her begunde gâhen
von Normandîe Gaschier,
der ellens rîche degen fier,
der starke tjostiure.
hie hielt och der gehiure
Gahmuret zer anderen tjost bereit.
sîm sper was daz îser breit
unt der schaft veste.
aldâ werten die geste
ein ander: ungelîchez wac.
Gaschier dernider lac
mit orse mit alle
von der tjoste valle,
und wart betwungen sicherheit,
ez wære im liep oder leit.
39   Gahmuret der wîgant
sprach 'mir sichert iwer hant:
diu was bî manlîcher wer.
nu rîtet gein der Schotten her,
und bitet si daz si uns verbern
mit strîte, op si des wellen gern:
und komt nâch mir in die stat.'
swaz er gebôt oder bat,
endehaft ez wart getân:
die Schotten muosen strîten lân.
  dô kom gevaren Kaylet.
von dem kêrte Gahmuret:
wand er was sîner muomen suon:
waz solter im dô leides tuon?
der Spânôl rief im nâch genuoc.
ein strûz er ûf dem helme truoc:
gezimieret was der man,
als ich dâ von ze sagenne hân,

7. buchel *D*. 8. minne *D*. 9. scharfer *G*. 10. den vensteren *G*. 12. Huteger *DG*. 15. Zuo im gewalopiert hie *G*. 16. Nu *Gg*. 17. franzoise *G*. inz lant *D*. 21. Iedoch *Ggg*. 23. = Uz dem *Ggg*. rabin *alle außer D*. 26. spriezen *Gddg*, sprizel *g*. luftet *D*. 27. = stolzen *Ggg*. Hutegers *DG*. 28. Doch *G*. 29. hinders ors ûfz graz *D*.

38, 2. des erholte sih *D*, 4. Do staht im in *g*. 5. Gahmurets *DG*. 6. Er *G*. die *fehlt Dgg*. phianze *G*. 9. Sprach der sigelose man *Ggg*. 10. sprach *alle außer D*. 11. bin *D*. antschevin *G*, Anscivin *D*. 13. Die nam er *G*. sande in în *G*, sanden in *D*. 17. Gascier *D*, catschier *G*. 18. Ein ellens richer *Ggg*. phier *G*. 19. tiostiure *G*. 20. hie heilet *D*. och *DG*. 21. anderen *fehlt Ggg*. 22. sime *D*, Sin *dd*, Sinem *die übrigen*. isen *alle außer D*. 24. Hie werten *Ggg*. 25. Ein ander. ungelich iz wach *gg*. 26. Gaschir *D*, Chatschier *G*. der nidere gelach *G*. 28. vol der tiost *D*. 29. Wart er *Ggg*.

39, 2. sicheret *G*. 3. = mit *Ggg*. ellenthafter *gg*, ellenthafer *G*. 4. 10. Scoten *D*. 5. bittet *D*. sî daz *Dd* = daz *Ggg*. 7. Unde chert *G*. 8. odr *D*, unde *G*. 9. Das wart an der stat getan *dd*. ez wart *D*, wart es *g*, ez was *gg*, daz wart *G*. 14. mohter *G*. 15. Spanôl *Dg*, spangol *G*, spaniol *dgg*. 16. Ein *dg*, einen *DG*. 17. Gezimiert *G*. 18. Daz *Ggg*. der von zesagene *G*.

mit phelle wît unde lanc.
daz gevilde nâch dem helde klanc:
sîne schellen gâbn gedœne.
er bluome an mannes schœne!
sîn varwe an schœne hielt den strît,
unz an zwên die nâch im wuohsen sît,
Bêâcurs Lôtes kint
und Parzivâl, die dâ niht sint:
die wâren dennoch ungeborn,
und wurden sît für schœne erkorn.
Gaschier in mit dem zoume nam,
'iwer wilde wirt vil zam
40 (daz sag i'u ûf die triwe mîn),
bestêt ir den Anschevîn,
Der mîne sicherheit dort hât.
ir sult merken mînen rât,
und dar zuo, hêrre, mîne bete.
ich hân geheizen Gahmurete
daz ich iuch alle wende:
daz lobt ich sîner hende.
durch mich lât iwer streben sîn:
er tuot iu kraft an strîte schîn.'
dô sprach der künec Kaylet
'ist daz mîn neve Gahmuret
fil li roy Gandîn,
mit dem lâz ich mîn strîten sîn.
lât mirn zoum.' 'in lâz ius niht,
ê daz mîn ouge alrêrst ersiht
iwer blôzez houbet.
daz mîne ist mir betoubet.'
den helm er im her ab dô bant.
Gahmuret mêr strîtes vant.
ez was wol mitter morgen dô.
die von der stat des wâren vrô,
die dise tjost ersâhen.
si begunden alle gâhen
an ir werlîchen letze.
er was vor in ein netze:
swaz drunder kom, daz was beslagen.
ein ander ors, sus hœre ich sagen,
dar ûf saz der werde:
daz flouc und ruorte d'erde,
41 gereht ze bêden sîten,
küen dâ man solt strîten,
Verhalden unde dræte.
waz er dar ûfe tæte?
des muoz ich im für ellen jehn.
er reit da in Môren mohten sehn,
aldâ die lâgen mit ir her,
westerhalp dort an dem mer.
ein fürste Razalîc dâ hiez.
deheinen tac daz nimmer liez
der rîcheste von Azagouc
(sîn geslehte im des niht louc,
von küneges frühte was sîn art),
der huop sich immer dannewart
durh tjostieren für die stat.
aldâ tet sîner krefte mat
der helt von Anschouwe.
daz klagte ein swarziu frouwe,
diu in hete dar gesant,
daz in dâ iemen überwant.
ein knappe bôt al sunder bete
sîme hêrren Gahmurete
ein sper, dem was der schaft ein rôr:
dâ mite stach er den Môr
hinderz ors ûfen griez:
(niht langer er in ligen liez)
dâ twanc in sicherheit sîn hant.
dô was daz urliuge gelant,

19. In *Ggg.* 21. gaben *Dg.* 24. Ane zwene *G.* wohsen *G,* ẘchsen *D.* 25. Beachurs *D.* 26. Parzifal *D.* 29. Gaschier *DG.* bi *Ggg.*

40, 1. Daz nim *G.* i'u] ich *Gd,* ich iu *die übrigen.* vs *G.* 2. Ascevin *D.* 4. nu sult ir *Ggg.* 5. Dar zuo horet mine bete *G.* 6. Gahmuret *G.* 9. Dur *G.* stereben *G.* 12. ist ez *D.* 13. Fil li Roys *g,* Fillirois *G,* Fili roys *ddg,* Fillurois *g,* Filuroy *D.* candin *G.* 15. mirn *D,* uweren *dd* = mir den *Ggg.* ine *Dg.* lazes iu *G,* laz ez *ddg,* lazs *D,* lazs uch *g,* laz iu sin *g.* 16. daz *fehlt Ggg.* alreste *D.* gesiht *Gg.* 19. im abe bant *G.* 20. mer *Dg,* nime *G,* niht mer *ddgg* 21. miter *G meistens.* 24. = Die *Ggg.* 25. werlich *g,* gewarliche *G.* 28. hœre *Dg,* horte *Gddgg.* 30. die *alle.*

41, 1. beiden *G.* 2. chuene *DG.* solte *G,* solde *D.* 5. ich] man *G.* 6. mœre *d.* muosen *Ggg.* 8. westerhalp dor *D,* Westerthalben *G,* Dort westerhalp *g.* bi *G.* 9. razalich *G,* Rasalik *D.* 10. Neheinen morgen *G.* daz nimmer *Dg,* er nimmer *gg,* er daz *Gg,* der nie *g.* 11. rihste *g,* rich ist *g.* 12. geslahte *G.* in dar an niht betrouch *Ggg.* 14. Der cherte imer dane wart *Ggg.* 15. Dur *G.* gein der *D.* 16. Da *Ggg.* maht *D.* 17. furste uz *G.* Anscouwe *D.* 21. Ein knape der bot sunder bet *Gg.* 22. Gahmuret *G.* 24. Da mit stacher *G.* 25. orz *D.* ûfen *D,* uff ein *d* = uf den *Ggg,* uff daz *gg.* 27. In dwunge sich. *Ggg.* 28. lant *Dg,* verant *d.*

und im ein grôzer prîs geschehen.
Gahmuret begunde sehen
42 aht vanen sweimen gein der stat.
die er balde wenden bat
Den küenen sigelôsen man.
dar nâch gebôt er im dô sân
daz er kêrte nâch im în.
daz tet er: wan ez solt et sîn.
Gaschier sîn kumn ouch niht verbirt;
an dem innen wart der wirt
daz sîn gast was komen ûz.
daz er niht îsen als ein strûz
und starke vlinse verslant,
daz machte daz err niht envant.
sîn zorn begunde limmen
und als ein lewe brimmen.
dô brach er ûz sîn eigen hâr,
er sprach 'nu sint mir mîniu jâr
nâch grôzer tumpheit bewant.
die gote heten mir gesant
einen küenen werden gast:
ist er verladen mit strîtes last,
sone mag ich nimmer werden wert.
waz touc mir schilt unde swert?
er sol mich schelten, swer michs mane.'
dô kêrter von den sînen dane,
gein der porte er vaste ruorte.
ein knappe im widerfuorte
ein schilt, ûzen und innen dran
gemâlt als ein durchstochen man,
geworht in Isenhartes lant.
ein helm er fuorte ouch in der hant,
43 unde ein swert daz Razalîc
durch ellen brâht in den wîc.
Dâ was er von gescheiden,
der küene swarze heiden.
des lop was virrec unde wît:
starb er âne toufen sît,
so erkenn sich über den degen balt,
der aller wunder hât gewalt.
dô der burcrâve daz ersach,
sô rehte liebe im nie geschach.
diu wâppen errkande,
hin ûz der porte er rande.
sînen gast sach er dort halden,
den jungen, niht den alden,
al gernde strîteclîcher tjost.
dô nam in Lachfilirost,
sîn wirt, und zôch in vaste widr.
ern stach tâ mêr decheinen nidr.
Lachfilirost schahteiakunt
sprach 'hêrre, ir sult mir machen kunt,
hât betwungen iwer hant
Razalîgen? unser lant
ist kamphes sicher immer mêr.
der ist ob al den Môren hêr,
des getriwen Isenhartes man,
die uns den schaden hânt getân.
sich hât verendet unser nôt.
ein zornic got in daz gebôt,
dazs uns hie suohten mit ir her:
nu ist enschumphiert ir wer.'
44 Er fuort in în: daz was im leit.
diu küneginne im widerreit.
sînen zoum nam si mit ir hant,
si entstricte der fintâlen bant.
der wirt in muose lâzen.
sîne knappen niht vergâzen,

42, 1. Ahte *G*. 2. Dier *G*. = vil balde *Ggg*. 3. sigolosen *D*. 4. dô *fehlt Ggg*. 6. solt et *D*, solte *d* = muoste echt *g*, muose *Ggg*. 7. chomen *G*. ouch *fehlt Ggg*. 11. groze *G*. 12. machete *D*. err] er *Dg*, er ir *Gdgg*. nine vant *G*. 13. Sin munt *Ggg*. limen *G*. 14. leu *G*. brimen *G*, primmen *D*. 15. Er brach uz *G*. 17. Mit *G*. 21. wil *Ggg*. 22. taugt *g*. 23. mach *Gg*. mih *DG*. mihs *G*. 24. vor *D*. 25. Hin uz der borter ruorte *G*. 27. einen *DG*. 28. Gemal *Gg*, Mal *g*. durstochen *G*. 30. Einen *alle außer D*. er fuorte ouch *Dd* = fuorter *Ggg*.

43, 1. Razalik *D*, razalich *G*. 2. brahte *G*. 3. er *fehlt G*. 5. = Sin *Ggg*. 6. Starp *G*. ante *D*. touffe *Gg*. 7. erchenne *DG*. sih *D*. degen *Dd* = helt *Ggg*. 8. manger *Ggg*. 9. burgrave *G*. gesach *D*. 11. wapen *G*. errechande *G*, er rechande *D*. 12. borter rande *G*. 15. stritchlier *G*. 16. 19. Lachfilirost *D*, lahsilleroste (Lafillerost) *d*, lafilirost *G*, la fili rost *g*, Lafilarost *g*, Lafillirost *g*, lac filly ryost (tyost) *g*. 17. und] der *D*. waste *D*, *fehlt G*. 19. schachtelakunt *D*, schahtelkint *d* = tschahtelakunt *g*, tschatelacunt *G*. 23. strites *G*. 24. Er *Ggg*. mœren *d*. 25. Des chuonen ys. *G*. 29. das *d*, daz si *die übrigen*. = hie *fehlt Ggg*. mit] mir *G*.

44, 1. fuorten in *Dg*, fuorte in *d*. 2. chungin *Gg*. 3. Unde nam in selbe mit ir hant *G*. 4. entstricht im *Gdg*. fantalen *d* = phinteilen *oder* finteilen *Ggg*. 6. Die chnapen *G*.

sine kêrten vaste ir hêrren nâch.
durch die stat man füeren sach
ir gast die küneginne wîs,
der dâ behalden het den prîs.
si erbeizt aldâ sis dûhte zît.
'wê wie getriwe ir knappen sît!
ir wænt verliesen disen man:
dem wirt ân iuch gemach getân.
nemt sîn ors unt füert ez hin:
sîn geselle ich hie bin.'
  vil frouwen er dort ûfe vant.
entwâpent mit swarzer hant
wart er von der künegîn.
ein declachen zobelîn
und ein bette wol gehêret,
dar an im wart gemêret
ein heinlîchiu êre.
aldâ was niemen mêre:
die juncfrouwen giengen für
und sluzzen nâch in zuo die tür.
dô phlac diu küneginne
einer werden süezer minne,
und Gahmuret ir herzen trût.
ungelîch was doch ir zweier hût.

45 Si brâhten opfers vil ir goten,
die von der stat. waz wart geboten
dem küenen Razalîge,
dô er schiet von dem wîge?
daz leister durh triuwe:
doch wart sîn jâmer niuwe
nâch sîme hêrren Isenhart.
der burcrâve des innen wart,
daz er kom. dô wart ein schal:
dar kômn die fürsten über al
ûz der küngîn lant von Zazamanc:
die sageten im des prîses danc,
den er het aldâ bezalt.
ze rehter tjost het er gevalt
vier unt zweinzec rîter nidr,
und zôch ir ors almeistic widr.
dâ wârn gevangen fürsten drî:
den reit manec rîter bî,
ze hove ûf den palas.
entslâfen unde enbizzen was,
unt wünneclîche gefeitet
mit kleidern wol bereitet
was des hôhsten wirtes lîp.
diu ê hiez magt, diu was nu wîp;
diu in her ûz fuorte an ir hant.
si sprach 'mîn lîp und mîn lant
ist disem rîter undertân,
obez im vînde wellent lân.'
  dô wart gevolget Gahmurete
einer hôfschlîchen bete.

46 'gêt nâher, mîn hêr Razalîc:
ir sult küssen mîn wîp.
Als tuot ouch ir, hêr Gaschier.'
Hiutegêrn den Schotten fier
bat er si küssen an ir munt:
der was von sîner tjoste wunt.
  er bat si alle sitzen,
al stênder sprach mit witzen
'ich sæhe och gerne den neven mîn,
möht ez mit sînen hulden sîn,
der in hie gevangen hât.
ine hâns von sippe decheinen rât,
ine müez in ledec machen.'
diu küngîn begunde lachen,

7. Si *Gg*. 8. Dur *G*. 9. chungine *G*. 10. behalten *G*. 11. erbeîste *D*. sihs *D*. 12. getriwu *G*. 13. wænet *D*, wanet *G*. 14. = Im *Ggg*. 15. fueret *DG*. ez] daz *D*. 16. ih *G*. 22. Dar *Ggg* = gar *Dd*. wart im *Gg*. 24. Da was och wunne mere *G*. 25. = die *fehlt Ggg*. giengen von in vur *G*. 28. werdn suezer *D*, werden núwer *g*, werden suozen *dg*, stolzen werden *G*. 30. ungelich *DG*. ir beider *Gg*.

45, 2. Als ez von der stat was geboten *G*. 3. chuenem *D*. 5. dur *G*. 6. = was *Ggg*. 8. = Do der *G*. burgrave *G*. des *fehlt Gg*. 9. kom] was chomen *Gg*. 10. chomn] *so D*. 11. = ûz *und* lande (*so Dd*) *fehlt Ggg*. der kuneginne *Dgg*, dem *d*. von *fehlt d*. 12. = Unde *Ggg*. seiten *G*. 14. heter *G*. 15. In vier *G*. 17. gevangener *Gg*. 18. manec] och mer *Gg*. 20. Erwachet *G*. 21. wunchlichen *G*. gefeît *Dgg*, gepheit *Gg*. 22. harte wol *Gg*. bereît *DGgg*. 23. obersten *Gg*. 24. hiez *Dg*, was *Gdgg*. 26. mîn lîp] lute *G*, min lut *g*. unde ouch *D*. mîn *fehlt G*. 27. Si disme *G*. 28. Ob imz die *dgg*, Op mirz die *G*. 30. hoffelichen *Dd*.

46, 1. nâher] her *Gg*. 3. Also *Dd* = Sam *Ggg*. = ouch *fehlt Ggg*. ir *fehlt d*. min her *Gdg*. = Gatschier *Ggg*, chatschier *g*. 4. Hutegern *D*, Hutegeren *G*. phier *G*. 6. tiost *D*. 8. al (*fehlt g*) stende sprach er *Dgg*. 12. Ichnehans *G*. vor *Ggg*. neheinen *G*. 13. Ichene *G*. muoz *D*, muoze *G*. ledch *G*.

sie hiez balde nâch im springen.
dort her begunde dringen
der minneclîche bêâ kunt.
der was von rîterschefte wunt,
und hetz ouch dâ vil guot getân.
Gaschier der Oriman
in dar brâhte: er was kurtoys,
sîn vater was ein Franzoys,
er was Kayletes swester barn:
in wîbes dienster was gevarn:
er hiez Killirjacac,
aller manne schœne er widerwac.
Dô in Gahmuret gesach
(ir antlütze sippe jach:
diu wârn ein ander vil gelîch),
er bat die küneginne rîch
47 in küssen unde vâhen zir.
er sprach 'nu ging ouch her ze mir.'
der wirt in kuste selbe dô:
si wârn ze sehen ein ander vrô.
Gahmuret sprach aber sân
'ôwê junc süezer man,
waz solte her dîn kranker lîp?
sag an, gebôt dir daz ein wîp?'
'die gebietent wênic, hêrre, mier.
mich hât mîn veter Gaschier
her brâht, er weiz wol selbe wie.
ich hân im tûsent rîter hie,
unt stên im dienestlîche bî.
ze Rôems in Normandî
kom ich zer samnunge:
ich brâht im helde junge,
ich fuor von Schampân durch in.
nu wil kunst unde sin
der schade an in kêren,
irn welt iuch selben êren.
gebietet ir, sô lât in mîn
geniezen, senftet sînen pîn.'
'den rât nim du vil gar zuo dier.
var du und mîn hêr Gaschier,
und bringet mir Kayleten her.'
dô wurben si des heldes ger,
si brâhten in durch sîne bete.
dô wart och er von Gahmurete
minneclîche enphangen,
und dicke umbevangen
48 von der küneginne rîch.
si kuste den degen minneclîch.
sie mohtez wol mit êren tuon:
er was ir mannes muomen suon
Und was von arde ein künic hêr.
der wirt sprach lachende mêr
'got weiz, hêr Kaylet,
ob ich iu næme Dôlet
und iwer lant ze Spâne,
durch den künec von Gascâne,
der iu dicke tuot mit zornes gir,
daz wære ein untriwe an mir:
wan ir sît mîner muomen kint.
die besten gar mit iu hie sint,
der rîterschefte herte:
wer twang iuch dirre verte?'
dô sprach der stolze degen junc
'mir gebôt mîn veter Schiltunc,
des tohter Vridebrant dâ hât,
daz ich im diende, ez wær sîn rât.
der hât von sîme wîbe
hie von mîn eines lîbe
sehs tûsent rîter wol bekant:
die tragent werlîche hant.
ich brâht ouch rîter mêr durch in:
der ist ein teil gescheiden hin.

15. Si hiez in balde bringen *Gg*. 17. Beachunt *D*, beachcunt *G*. 18. von einer tioste *Gg*. 20. = der norman *Ggg*. 21. = Brahtin er was *Ggg*. 23. Unde was *Ggg*. 25. killirriakach *G*. 27. Als *Gg*. = ersach *Ggg*.

47, 2. ging *D*, ginch *g*, geng *G*, genc *g*, gang *dgg*. 4. zesehene *G*. 6. = iunge *G*, iunger *gg*. 9. = herre *vor* wench *Ggg*, *vor* die *gg*. mir *alle*. 13. dienstlichen *G*. 14. Roͤms *D*, roͮmes *G*, ruom *g*, Roymes *g*, romes *d*. 15. zir *G*. 17. Scampane *D*, schamppony *d*, schampanie *Gg*, tscampanie *g*, shanpange *g*. durh *D*. 19. Den (Ir *G*) schaden *Ggg*. 20. iren *D*. 21. Gebiet *G*. 22. semften *D*. 23. den rat nim du vil *D und ohne* vil *d* = Er sprach den rat nim *Ggg*. ze *G*. dîr *g*, dir *die übrigen*. 24. mîn] nim *D*. 25. bring *dg*. mir *fehlt Gg*. 26. wrden *D*. 27. dur *G*. 29. 30. Ditch (Vil dich *g*) umbe vangen. Unde minnchliche enphangen *Gg*.

48, 2. = Diu *Ggg*. degen *fehlt G*. 3. = *nach* 4 *Dd*. 3. mahtz *G*. 7. Gotweiz *D*. 8. neme *D*. 9. ze *fehlt Ggg*. spaninge *G*, spânie *g*. 10. gasconinge *G*, Gatsânie *g*. 11. zorns *DG*. 13. = wan *fehlt Ggg*. sit doch *Ggg*. 16. Waz *Gg*. 17. So *D*. 18. Sciltunch *D*. 21. Er *Ggg*. 23. Sehes *G*. 25. 26. *fehlen Gg*. 25. = Hie was ouch *gg*. durh *D*.

hie wâren durch die Schotten
die werlîche rotten.
im kom von Gruonlanden
helde zen handen,
49 zwên künge mit grôzer kraft:
die vluot von der rîterschaft
si brâhten, unde manegen kiel:
ir rotte mir vil wol geviel.
hie was och Môrholt durch in:
des strît hât kraft unde sin.
Die sint nu hin gekêret:
swie mich mîn frouwe lêret,
als tuon ich mit den mînen.
mîn dienst sol ir erschînen:
dune darft mir dienstes danken nint,
wand es diu sippe sus vergiht.
die vrävelen helde sint nu dîn:
wærn sie getoufet sô die mîn,
und an der hiut nâch in getân,
sô wart gekrœnet nie kein man,
ern hete strîts von in genuoc.
mich wundert waz dich her vertruoc:
daz sag mir rehte, unde wie.'
'ich kom gestern, hiute bin ich hie
worden hêrre überz lant.
mich vienc diu künegîn mit ir hant:
dô wert ich mich mit minne.
sus rieten mir die sinne.'
'ich wæn dir hât dîn süeziu wer
betwungen beidenthalb diu her.'
'du meinst durch daz ich dir entran.
vaste riefe du mich an:
waz woltste an mir ertwingen?
lâ mich sus mit dir dingen.'
50 'da erkant ich niht des ankers dîn:
mîner muomen man Gandîn
hât in gefüeret selten ûz.'
'do rekante abr ich wol dînen strûz,
ame schilde ein sarapandratest:
dîn strûz stuont hôch sunder nest.
Ich sach an dînre gelegenheit,
dir was diu sicherheit vil leit,
die mir tâten zwêne man:
die hetenz dâ vil guot getân.'
'mir wære ouch lîhte alsam geschehen.
ich muoz des eime tiuvel jehen,
des fuor ich nimmer wirde vrô:
het er den prîs behalten sô
an vrävelen helden sô dîn lîp,
für zucker gæzen in diu wîp.'
'dîn munt mir lobs ze vil vergiht.'
'nein, in kan gesmeichen niht:
nim anderr mîner helfe war.'
si riefen Razalîge dar.
mit zühten sprach dô Kaylet
'iuch hât mîn neve Gahmuret
mit sîner hant gevangen.'
'hêr, daz ist ergangen.
ich hân den helt dâ für rekant,
daz im Azagouc daz lant
mit dienste nimmer wirt verspart,
sît unser hêrre Isenhart
aldâ niht krône solde tragen.
er wart in ir dienste erslagen,
51 diu nu ist iwers neven wîp.
umbe ir minne er gap den lîp:
daz hât mîn kus an si verkorn.
ich hân hêrren und den mâg verlorn.

27. dur *G.* die *DG*, in die *g*, den *dgg.* 28. welichen *G* ..... ische? roten *G.* 29. Im komen *d* = Hie was *Ggg.* 30. zir *Ggg.*

49, 1. Zwene chunge mit ir chraft *Gg.* 3. = Si vuorten *Ggg.* 4. rote *G immer.* 5. morolt *Gd.* durh *G.* 9. also *Dgg.* 10. Ir sol min dienst schinen *Gg.* dienest *D.* 11. solt *Gg.* dienest *D.* diens? 12. wandez *D.* 13. = Die frechen *Ggg.* 14. getouft *D.* 15. hüt *g*, hiute *D*, hute *G.* nâch in] so *G.* 16. Sone *G.* dechein *D*, dehein *G.* 17. Dune hetest strites im genuoch *Gg.* strites *D.* 20. gester *Gg.* 22. vie *G.* 24. mir die *Dd* = mine *Ggg.* 25. wæne *DG.* dîn] diu *D.* manlich wer *Gg.* 27. dur *G.* 28. ruoftestu *Ggg.* 29. wolteste *G*, woldest *g*, woldest du *D.*

50, 1. Dane *DG.* 2. Minen *G.* 4. So erchande *Gg.* 5. Anme schilte *G.* serpandratest *Gg.* 6: struoz *D.* der stuont *Gg.* hôch *fehlt Gg*, hohe *gg.* 7. dinr *g*, diner *die übrigen.* 9. tæten *G.* 10. hetens *D.* ouch da *Gg.* 11. ouch *fehlt Ggg.* 12. = Ich wil *Ggg.* tiufel *G.* 13. fruore *G.* 15. = An frechen *Ggg.* 18. ine *D*, ich *G.* cha smeichen *G.* 19. Nin *G.* anders mines dienstes *Gg.* 21. Do sprach der chunch kailet *Gg.* 22. = Hat iuch *Ggg.* 25. helt *fehlt D.* erchant *G.* 30. = In ir dienste er wart erslagen *Ggg.*

51, 3. chuss an sî *D.* verchoren-verloren *G*, *meistens* e *nach* r *und* l. 4. den *hat nur D.* mâch *G.*

wil nu iwer muomen suon
rîterlîche fuore tuon,
daz er uns wil ergetzen sîn,
sô valt ich im die hende mîn.
Sô hât er rîcheit unde prîs,
und al dâ mite Tankanîs
Isenharten gerbet hât,
der gebalsemt ime her dort stât.
alle tage ich sîne wunden sach,
sît im diz sper sîn herze brach.'
daz zôch er ûzem buosem sîn
an einer snüere sîdîn:
hin wider hiengz der degen snel
für sîne brust an blôzez fel.
'ez ist noch vil hôher tac.
wil mîn hêr Kyllirjacac
inz her werben als i'n bite,
sô rîtent im die fürsten mite.'
ein vingerlîn er sande dar.
die nâch der helle wârn gevar,
die kômen, swaz dâ fürsten was,
durch die stat ûf den palas.
dô lêch mit vanen hin sîn hant
von Azagouc der fürsten lant.
ieslîcher was sîns ortes geil:
doch beleip der bezzer teil
52 Gahmurete ir hêrren.
die selben wârn die êrren:
nâher drungen die von Zazamanc,
mit grôzer fuore, niht ze kranc.
si enphiengen, als ir frouwe hiez,
von im ir lant und des geniez,
als ieslîchen an gezôch.
diu armuot ir hêrren flôch.
dô hete Prôtyzilas,
der von arde ein fürste was,
lâzen ein herzentuom:
daz lêch er dem der manegen ruom
mit sîner hant bejagete
(gein strîter nie verzagete):
Lahfilirost schahtelacunt
nam ez mit vanen sâ zestunt.
Von Azagouc die fürsten hêr
nâmen den Schotten Hiutegêr
und Gaschiern den Orman,
si giengen für ir hêrren sân:
der liez si ledic umb ir bete.
des dancten si dô Gahmurete.
Hiutegêr den Schotten
si bâten sunder spotten
'lât mîme hêrren daz gezelt
hie umb âventiure gelt.
ez zuct uns Isenhartes lebn,
daz Fridebrande wart gegebn
diu zierde unsers landes:
sîn freude diu stuont phandes,
53 er stêt hie selbe ouch ame rê.
unvergolten dienst im tet ze wê.'
ûf erde niht sô guotes was,
der helm, von arde ein adamas
dicke unde herte,
ame strîte ein guot geverte.
dô lobte Hiutegêres hant,
swenner kœme in sînes hêrren lant,
daz erz wolde erwerben gar
und senden wider wol gevar.
daz teter unbetwungen.
nâch urloube drungen

5. iwere *G.* 8. valt ioh *D*, valde ich *G.* 9. rîcheit] ere *Gg.* 10. da mit *G.* Tanch. *DGg*, tank. *dgg.* 12. gebalsemet in dem *G.* 13. Als (Al *G*) ich sine *Ggg.* 15. uz dem *G.* 17. Hiench ez hin wider der *Gg.* hiengez *D*, hiez *g.* helt *Ggg.* 19. noch] nu *Gg.* vil hôher] = wol miter *Ggg.* 20. kiliriarkach *G.* 21. als] des *Gg.* i'n] ih in *G*, ich in *die meisten.* 22. riten *Gg.* helde *Gg.* 24. var *G.* 25. die *fehlt Gg.* 26. Zc hofe fur den palas *Gg.* dem *D.* 28. atzag. *g* (*aber G, die zwischen vocalen* z *und* tz *genau unterscheidet, hat immer* Azagouch *und* Zazamanch). herren *Gg.* 29. islicher *D.* 30. Iedoch *Ggg.*

52, 3-8. *hier Ggg, nach* 53, 14 *g* = *fehlen Dd.* 3. Dar naher *G*, In aber *g.* 5. Unde enph. *Gg.* ir herre *Gg.* 7. iegelichen ane *G.* 9. = protizalas *gg*, portizalas *gg*, prozitalas *G.* 12. leh er *D.* 14. = An *Ggg.* 15. Lahfillarost *d* = Lafil li rost *gg*, Lafiz rios (roy *g*) *Gg*, Lac filli roys *g.* schahtelakunt *d*, schachtelacunt *D*, tschahtelakunt *g*, tschatelacunt *G*, scatelacunt *gg.* 18. Hiuteger *mit* iu *D.* 19. Gaschieren *D*, Gatschieren *G.* = den norman *Ggg.* 20. Unde *G.* = stan *Ggg.* 21. lie si ledch *G.* dur *Gg.* sine *G.* 22. dancheten *D.* 23. Huteger *Dg*, Hutegeren *Gg*, -gern *dgg.* der *D.* schoten-spoten *G.* 25. = diz *Gg.* 27. zuchet *D.* 29. Diu gezierde *Ggg.* 30. Sin froude stuont do phandes *Gg.*

53, 1. stat *D* ouch *Dd* = noch *gg*, *fehlt Gg.* an dem *G.* 2. ze *fehlt Ggg.* 5. Ditch *G.* 6. An *Ggg.* 7. Hûtegers *DG.* 8. swenne er choeme *D.* 9. erweben *G.* 10. wider senden *Gg.* 11. umb. *D.*

zem künege swaz dâ fürsten was:
dô rûmten si den palas.
swie verwüestet wær sîn lant,
doch kunde Gahmuretes hant
swenken sölher gâbe solt
als al die boume trüegen golt.
Er teilte grôze gâbe.
sîne man, sîne mâge
nâmen von im des heldes guot:
daz was der küneginne muot.
der brûtloufte hôhgezît
hete dâ vor manegen grôzen strît:
die wurden sus ze suone brâht.
ine hân mirs selbe niht erdâht:
man sagete mir daz Isenhart
küneclîche bestatet wart.
daz tâten dien erkanden.
den zins von sînen landen,
54 swaz der gelten moht ein jâr,
den selben liezen si dâ gar:
daz tâten se umb ir selber muot.
Gahmuret daz grôze guot
sîn volc hiez behalden:
die muosens sunder walden.
smorgens vor der veste
rûmdenz gar die geste.
sich schieden die dâ wâren,
und fuorten manege bâren.
daz velt herberge stuont al blôz,
wan ein gezelt, daz was vil grôz.
daz hiez der künec ze schiffe tragn:
dô begunderm volke sagn,
er woldez füern in Azagouc:
mit der rede er si betrouc.
dâ was der stolze küene man,
unz er sich vaste senen began.
daz er niht rîterschefte vant,
des was sîn freude sorgen phant.
Doch was im daz swarze wîp
lieber dan sîn selbes lîp.
ez enwart nie wîp geschicket baz:
der frouwen herze nie vergaz,
im enfüere ein werdiu volge mite,
an rehter kiusche wîplich site.
von Sibilje ûzer stat
was geborn den er dâ bat
dan kêrens zeiner wîle.
der het in manege mîle
55 dâ vor gefuort: er brâht in dar.
er was niht als ein Môr gevar.
der marnære wîse
sprach 'ir sultz helen lîse
vor den die tragent daz swarze vel.
mîne kocken sint sô snel,
sine mugen uns niht genâhen.
wir sulen von hinnen gâhen.'
sîn golt hiez er ze schiffe tragn.
nu muoz ich iu von scheiden sagn.
die naht fuor dan der werde man:
daz wart verholne getân.
dô er entran dem wîbe,
dô hete si in ir lîbe
zwelf wochen lebendic ein kint.
vaste ment in dan der wint.
diu frouwe in ir biutel vant
einen brief, den schreib ir mannes hant.
en franzoys, daz si kunde,
diu schrift ir sagen begunde
'Hie enbiutet liep ein ander liep.
ich pin dirre verte ein diep:
die muose ich dir durch jâmer steln.
frouwe, in mac dich niht verheln,
wær dîn ordn in mîner ê,
sô wær mir immer nâch dir wê:
und hân doch immer nâch dir pîn.
werde unser zweier kindelîn

14. rǒmten *G*. 15. verwuost *G*. daz *Gg*. 18. truogent *D*. 21. von im] da *Gdg*. chunges *Gg*, herren *gg*. 23-26. *fehlen Gg*. 23. bruotloufte *D*. 27. saget *Ggg*. uns *Gg*. 28. bestatt *D*. 29. die in *DG*.

54, 1. = vergelten *Ggg*. 2. liezense im da gar *Ggg*. 7. des morgens *alle aufser D*. 8. Do *Gg*. rumendens *D*. gar *Dd*, da gar *g*, da *Ggg*, *fehlt gg*. 11. wart *Gg*. 13. der] de *D*. 14. do begundr dem volche sagn *Dd* = Dem (Sinem *G*, Sim *g*) volker do (*fehlt gg*) begunde sagen *Ggg*. 15. fueren *alle*. ze *Gg*. 17. Do was al da der chuone man *Gg*. 18. Unzer *G*. vaste] sere *Gg*. 22. noch lieber *D*. dane *G*, denne *D*: *so öfters wo* dan (*als*) *gesetzt ist*. 23. en *fehlt G*. 24. niht *Gg*. 25. Ir *Ggg*. ein *fehlt Gg*. rehtiu *Ggg*. maze *G*. 26. An reiner zuhte *Gg*. wiblich *G*. 27. Ze *Ggg*. sybilie *D*. uozer *D*, uz der *die meisten*. 28. do *D*. 29. Dan *gg*, Dane *G*, dannen *D*. cherenes eine *G*. 30. = Er *Ggg*.

55, 1. gefueret *D*. er] unde *Ggg*. 4. Sprach nu helt ez lise *Gg*. sult heln *D*. 7. Den mach niht genahen *Gg*. 9. zescheffe *G*. 14. hetse *G*. 17. butel *G*. 18. schreip ir manns *G*. 21. enbiut *G*. 23. dur *G*. 24. frouwe *vor* niht *Ggg*. ine *D*, ichne *G*. diches *G*. 27. doch] sus *Ggg*. dir] din *G*. 28. zweiger *G*.

anme antlütze einem man gelîch,
deiswâr der wirt ellens rîch.
56 erst erborn von Anschouwe.
diu minne wirt sîn frouwe:
sô wirt ab er an strîte ein schûr,
den vînden herter nâchgebûr.
wizzen sol der sun mîn,
sîn an der hiez Gandîn:
der lac an rîterschefte tôt.
des vater leit die selben nôt:
der was geheizen Addanz:
sîn schilt beleip vil selten ganz.
der was von arde ein Bertûn:
er und Utepandragûn
wâren zweier bruoder kint,
die bêde alhie geschriben sint.
daz was einer, Lazaliez:
Brickus der ander hiez.
der zweier vatr hiez Mazadân.
den fuort ein feie in Feimurgân:
diu hiez Terdelaschoye:
er was ir herzen boye.
von in zwein kom geslehte mîn,
daz immer mêr gît liehten schîn.
ieslîcher sider krône truoc,
und heten werdekeit genuoc.
frouwe, wiltu toufen dich,
du maht ouch noch erwerben mich.'
Des engerte se keinen wandel niht.
'ôwê wie balde daz geschiht!
wil er wider wenden,
schiere sol ichz enden.
57 wem hât sîn manlîchiu zuht
hie lâzen sîner minne fruht?
ôwê lieplîch geselleschaft,
sol mir nu riwe mit ir kraft
immer twingen mînen lîp!
sîme gote ze êren,' sprach daz wîp,
'ich mich gerne toufen solte
unde leben swie er wolte.'
der jâmer gap ir herzen wîc.
ir freude vant den dürren zwîc,
als noch diu turteltûbe tuot.
diu het ie den selben muot:
swenne ir an trûtscheft gebrast,
ir triwe kôs den dürren ast.
diu frouwe an rehter zît genas
eins suns, der zweier varwe was,
an dem got wunders wart enein:
wîz und swarzer varwe er schein.
diu küngîn kust in sunder twâl
vil dicke an sîniu blanken mâl.
diu muoter hiez ir kindelîn
Feirefîz Anschevîn.
der wart ein waltswende:
die tjoste sîner hende
manec sper zebrâchen,
die schilde dürkel stâchen.
Als ein agelster wart gevar
sîn hâr und och sîn vel vil gar.
nu wasez ouch über des jâres zil,
daz Gahmuret geprîset vil
58 was worden dâ ze Zazamanc:
sîn hant dâ sigenunft erranc.
dennoch swebter ûf dem sê:
die snellen winde im tâten wê.

29. an dem *fast alle außer G*. libe *Gg*. 30. Des war *G*.

56, 1. erst] Und ist *g*, *fehlt G*, Er ist *die übrigen*. geboren *alle außer D*. 3. aber er *DG*, aber *g*. 4. ein herter *Ggg*. 6. ene *G*, ên *g*. 8. watr *D*. 9. = adanz *Ggg*, âdanz *g*. 11. Unde was *Ggg*. britûn *G*, bertûn *hat immer D allein*. 12. utepandragûn *D*, utp. *gg*, urp. *g*, uterp. *gg*, upandragun *G*. 13. wæren zwaier gebruodr kint *D*. 16. Brickus *Ddg*, Bricurs *gg*, pricurs *G*. 17. Der vater hiez ouch mazadan *G*. 18. ein feie in *D*, ein feyo hiesz *d* = ein *Ggg*, frauwe *g*. vaimurgan *gg*, femurgan *gg*, fein murgan *g*, phimurgan *G* = Morgan *Dd*. 19. diu hiez] In *d*. terdilatschoi *G*, terdelastoye *d*, Terre de lascôye *D*, derdelasboie *g*, der da latschoy *g*, diu Dalahsoy *g*. 20. bôye *D*, boige *G*. 21. in] den *Ggg*. geslaht *G*, daz geslehte *die übrigen außer D*. 23. sider *Dg*, sit *gg*, sunder *Gg*, sin *g*, ein *d*. 25. wil du *DG*. 26. ouch noch] noch wol *G*. 27. gerte *G*. sie keinen *g*, si deheinen *gg*, si chein *D*, sú do kein *d*, si do *Gg*, sie *g*. waldel *D*. 28. ouwe *D*. wie schiere *Gdg*. 30. Vil balde *Gg*, Vil schier *gg*.

57, 1. manlchiu *G*. 2. miner minnen *G*. 5. Imer dwingen *G*. 6. Sinem got zeren *G*. 8. swî er *D*, swier *G*. 13. friuntschaft *Gg*. 16. Eins *gg*. sunes der zweiger farwe *G*. 17. anders *D*. 24. Die tiost (tost *G*) ze siner *Ggg*. 25. zerbr. *G*. 26. Unde schilte *G*. 27. aglster *g*, agelaster *g*. 29. Do *D*. was ez *getrennt, alle*. ouch *fehlt Gdgg*. iars *G*.

58, 1. Was von den *g*, Wart *Gg*. datze *G*. 2. dâ *fehlt Dg*. signuft *g*, die gunst *D*. 4. snelen *G*.

einn sîdîn segel saher roten:
den truoc ein kocke, und ouch die boten,
die von Schotten Vridebrant
vroun Belakânen hete gesant.
er bat si daz se ûf in verkür,
swer den mâg durch si verlür,
daz si von im gesuochet was.
dô fuorten si den adamas,
ein swert, einn halsperc und zwuo hosen.
hie mugt ir grôz wunder losen,
daz im der kocke widerfuor,
als mir diu âventiure swuor.
si gâbenz im: dô lobt ouch er,
sîn munt der botschefte ein wer
wurde, swenner kœme zir.
si schieden sich. man sagte mir,
daz mer in truoc in eine habe:
ze Sibilje kêrter drabe.
mit golde galt der küene man
sînem marnære sân
harte wol sîn arbeit.
si schieden sich: daz was dem leit.

5. Do sach er einen (ein *g*) segel roten *Gg*. einen sidinen *D*. 6. Den truogen chochen *Gg*. ouch *Dgg*, *fehlt Gdgg*. 10. swer *D*, Swier *G*, Swie *g*, Swie er *dgg*, sît er *Wackernagel*. mach dur *G*. 13. Ein *fehlt g*, unde ein *D*. einen *Ddgg*, den *G*, *fehlt gg*. und *fehlt gg*. zwo *DG*. 14. muge ir grozes wunders *G*. 16. mir *Gdgg*, im *Dgg*. 18. Sin mer der b. eine wer *G*. 19. wrde swenner *D*, Wenne wurde er *d* = Ware swenner *Gg*, were so er *gg*. Wer er wider komen zu ir *g*. chœme *DGdg*, wider chom *gg*, kem wider *g*. 21. in truoch *D*, in truge *dgg*, truege in *g*, warf in *G*, wurf in *g*. 22. abe *Ggg*. 26. im *g*.

II.

Dâ ze Spâne im lande
er den künec erkande.
daz was sîn neve Kaylet:
nâch dem kêrt er ze Dôlet.
59 der was nâh rîterschefte gevarn,
dâ man niht schilde dorfte sparn.
dô hiez ouch er bereiten sich
(sus wert diu âventiure mich)
mit speren wol gemâlen
mit grüenen zindâlen:
ieslîchez hete ein banier,
drî härmîn anker dran sô fier
daz man ir jach für rîcheit.
si wâren lang unde breit,
und reichten vaste unz ûf die hant,
sô mans zem spers îser bant
dâ niderhalp ein spanne.
der wart dem küenen manne
hundert dâ bereitet
und wol hin nâch geleitet
von sînes neven liuten.
êren unde triuten
kunden sin mit werdekeit.
daz was ir hêrren niht ze leit.
er streich, in weiz wie lange, nâch,
unzer geste herberge ersach
ime lande ze Wâleis.
dâ was geslagen für Kanvoleis
manc poulûn ûf die plâne.
ine sagez iu niht nâch wâne:

Gebiet ir, sô ist ez wâr.
sîn volc hiez er ûf halden gar:
der hêrre sande vor hin în
den kluogen meisterknappen sîn.
60 der wolde, als in sîn hêrre bat,
herberge nemen in der stat.
dô was im snellîchen gâch:
man zôch im soumære nâch.
sîn ouge ninder hûs dâ sach,
schilde wærn sîn ander dach,
und die wende gar behangen
mit spern al umbevangen.
diu künegîn von Wâleis
gesprochen hete ze Kanvoleis
einen turney alsô gezilt,
dês manegen zagen noch bevilt
swa er dem gelîche werben siht:
von sîner hant es niht geschiht.
si was ein maget, niht ein wîp,
und bôt zwei lant unde ir lîp
swer dâ den prîs bezalte.
diz mære manegen valte
hinderz ors ûf den sâmen.
die solch gevelle nâmen,
ir schanze wart gein flust gesagt.
des phlâgen helde unverzagt,
si tâten rîters ellen schîn.
mit hurteclîcher rabbîn
wart dâ manc ors ersprenget
und swerte vil erklenget.

27. = Dâ *fehlt Ggg*. Zespange *G*. ime *D*, in dem *die übrigen*.
28. = Den chunch er *Ggg*.

59, 1. durch riterschaft gefaren *Gg*. 3. ouch er *Ggg*, er ouch *dgg*, ouch *D*. 6. mit *Dd* = Von *Ggg*. zendalen *Ggg*. 7. Ieslicher het *dgg*, An ieslichez *G*, An iegeshlichem *g*. 8. harmin *G*. æncher *D*. 11. reihten *G*. unz *fehlt Gdg*. 12. So *gg*, do *Dd*, Da *Gg*. mans *Dgg*, man si *die meisten*. zuome *D*, zuo dem *G*. spers *gg*, sper *Dd*, *fehlt Gg*. isen *alle außer D*. 13. dâ *fehlt Gg*. niderhalpt *D*. eine *Dd*, einer *G*. 15. Wol hundert *Gg*. dar bereit *G*. 18. Geren unde getruten *G*. 19. si im *D*. 21. ine *DG*. 23. In dem *G*. 24. = vor *Ggg*. kanpholeiz *G*. 25. poulun *immer nur D*, pavelun *G*. uf den plan *Ggg*. 26. Ichen *G*. fur wan *Gg*, von wan *g*. 27. Gbiet *G*. ir] er *D*. 29. Unde sande *Gg*. hin *Dgg*, im hin *G*, ime *d*, in *g*. 30. chnapen meistr *Ggg*.

60, 1. = solt *Ggg*. 2. n$\overset{e}{\text{i}}$men *D*. 3. snelichen *G*. 6. wæren *G*, entweren *d*, warn *g*, waren *Dgg*, was *g*. 7. gar] alsam *Ggg*. 8. al] = gar *gg*, *fehlt Gg*. 9. Valeis *D*. 10. vor *Ggg*. kanvoleiz *G*. 15. magt unde niht *Dg*. 16. Si *Ggg*, Diu *gg*. 17. Der *Gg*. 21. Der *Ggg*. tschanze *G*. ze *Ggg*. 23. tæten *G*. 24. rabin *alle außer D*. 26. Mit swerten vil gechlenget *G*.

Ein schifprücke ûf einem plân
gieng übr einen wazzers trân,
mit einem tor beslozzen.
der knappe unverdrozzen
61 tetez ûf, als im ze muote was.
dar ob stuont der palas:
ouch saz diu küneginne
zen venstern dar inne
mit maneger werden frouwen.
die begunden schouwen,
waz dise knappen tâten.
die heten sich berâten
und sluogen ûf ein gezelt.
umb unvergolten minnen gelt
wart ez ein künec âne:
des twang in Belacâne.
mit arbeit wart ûf geslagn
daz drîzec soumær muosen tragn,
ein gezelt: daz zeigte rîcheit.
ouch was der plân wol sô breit,
daz sich die snüere stracten dran.
Gahmuret der werde man
die selben zît dort ûze enbeiz.
dar nâch er sich mit vlîze vleiz,
wier höfslîche kœme geritn.
des enwart niht langer dô gebitn,
sîne knappen an den stunden
sîniu sper ze samne bunden,.
ieslîcher fünviu an ein bant:
daz sehste fuorter an der hant
Mit einer baniere.
sus kom gevarn der fiere.
vor der küngîn wart vernomn
daz ein gast dâ solte komn
62 ûz verrem lande,
den niemen dâ rekande.
'sîn volc daz ist kurtoys,
beidiu heidensch und franzoys:
etslîcher mag ein Anschevîn
mit sîner sprâche iedoch wol sîn.
ir muot ist stolz, ir wât ist clâr,
wol gesniten al für wâr.
ich was sînen knappen bî:
die sint vor missewende frî:
sie jehent, swer habe geruoche,
op der ir hêrren suoche,
den scheid er von swære.
von im vrâgt ich der mære:
dô sageten si mir sunder wanc,
ez wære der künec von Zazamanc.'
disiu mær sagt ir ein garzûn.
'âvoy welch ein poulûn!
iwer krône und iwer lant
wærn derfür niht halbez phant.'
'dune darft mirz sô loben niht.
mîn munt hin wider dir des giht,
ez mac wol sîn eins werden man,
der niht mit armüete kan.'
alsus sprach diu künegîn.
'wê wan kumt er et selbe drîn?'
Den garzûn si des vrâgen bat.
höfslîchen durch die stat
der helt begunde trecken,
die slâfenden wecken.
63 vil schilde sach er schînen.
die hellen pusînen
mit krache vor im gâben dôz.
von würfen und mit slegen grôz
zwên tambûre gâben schal:
der galm übr al die stat erhal.
der dôn iedoch gemischet wart
mit floytieren an der vart:

27. schifbrucke *D*. = an *Ggg*. einen *Ggg*. 28. uber *alle*. tram *G*, stram *g*. 30. Ein·knappe *D*.

61, 2. Dar obe *G*. 3. Da *Ggg*. was *G*. 5. Mit manger iunchfrouwen *Gg*. 6. da schouwen *D*, alle schouwen *G*. 9. Si *Gg*. 11. es *D*, sin *g*. 14. soumære *D*, soumare *G*. 15. sîn? zeigete *D*. 16. = Do *Ggg*. der anger *Gg*. 19. Al die wile dort *Gg*. 21. stolzliche *G*, stolzechlichen *g*. 22. en *fehlt G*. niht langer do *D und ohne* do *d* = do langer niht *Ggg*. 24. zesamene *G*. 25. Iegelicher vunfiu *G*. 26. in der *Gg*. 29. von *Dgg*. 30. = Wie *Ggg*. ein gast da *Dg*, ein gast dar *gg*, ein gast *d*, da (dar *g*) ein riter *Gg*, ein ritter *g*.

62, 2. erchande *G*. 5. Ascevin *D*. 6. iedoch *fehlt gg*, vil *G*. 11. = Unde *Ggg*. 13. scheider *G*. 14. vraget *D*, fragete *G*. 15. So *d*, nu *D*. seiten *G*, sagtn *g*. mirs *D*. 17. mêr *g*, mære *DG immer*. sagt *gg*, seit *G*, sagete *D*. = ir *fehlt Ggg*. 18. welh ein pavelun *G*. 21. darf mirz also *G*. 22. dir [des *g*] vergiht *Ggg*. 24. armuote *fast alle*. 25. = Also *gg*, Als *G*. 26. Owe *G*. wan] wanne *D*, wenne *die übrigen*. er et *D*, der *g*, er *die übrigen*. 27. = Ir *Ggg*.

63, 3. = Vor im mit chrache *Ggg*. 4. von-mit *DGdg*, mit-von *g*, mit-mit *gg*, von-von *g*. wurfen (wrfn *D*) -slegen *Ddgg*, slegen-wurfen *Ggg*. 8. floytierene *G*. = uf *Ggg*. die *Gg*.

ein reisenote si bliesen.
nû sulen wir niht verliesen,
wie ir hêrre komen sî:
dem riten videlære bî.
dô leite der degen wert
ein bein für sich ûfez phert,
zwên stivâl über blôziu bein.
sîn munt als ein rubîn schein
von rœte als ober brünne:
der was dicke und niht ze dünne.
sîn lîp was allenthalben clâr.
lieht reideloht was im sîn hâr,
swâ manz vor dem huote sach:
der was ein tiwer houbetdach.
grüene samît was der mandel sîn:
ein zobel dâ vor gap swarzen schîn,
ob einem hemde daz was planc.
von schouwen wart dâ grôz gedranc.
Vil dicke aldâ gevrâget wart,
wer wære der ritter âne bart,
der fuorte alsölhe rîcheit.
vil schiere wart daz mære breit:
64 si sagetenz in für unbetrogn.
do begundens an die brüke zogn,
ander volc und ouch die sîne.
von dem liehten schîne,
der von der künegîn erschein,
derzuct im neben sich sîn bein:
ûf rihte sich der degen wert,
als ein vederspil, daz gert.
diu herberge dûht in guot.
alsô stuont des heldes muot:
si dolt ouch wol, diu wirtîn,
von Wâleis diu künegîn.
dô vriesch der künec von Spâne,
daz ûf der Lêôplâne
stüend ein gezelt, daz Gahmurete
durch des küenen Razalîges bete
beleip vor Pâtelamunt.
daz tet im ein rîter kunt.
dô fuor er springende als ein tier,
er was der freuden soldier.
der selbe rîter aber sprach
'iwer muomen sun ich sach
kumende als er ie was fier.
ez sint hundert banier
zuo eime schilde ûf grüene velt
gestôzen für sîn hôch gezelt:
die sint ouch alle grüene.
ouch hât der helt küene
Drî härmîn anker lieht gemâl
ûf ieslîchen zindâl.'
65 'ist er gezimieret hie?
âvoy sô sol man schouwen wie
sîn lîp den poinder irret.
wie erz mit hurte wirret!
der stolze künec Hardîz
hât mit zorne sînen vlîz
nu lange vaste an mich gewant:
den sol hie Gahmuretes hant
mit sîner tjoste neigen.
mîn sælde ist niht der veigen.'
sîne boten santer sân
dâ Gaschier der Oriman
mit grôzer mässenîe lac,
unt der liehte Killirjakac:

9. eine *D*. reise nôte *G*. 10. verchiesen *G*. 14. uf daz pheret *G*. 15. stival *gg*, stifal *g*, stivale *D*, stifol *G*, stivel *g*, stiffeln *d*. blozez *Gg*. 16. si munt *D*. 17. Vor *Ggg*. der rœte *Dg*. 18. Er *Ggg*. und *fehlt Ggg*. 19. alenthalben *G*. 20. was im *fehlt Ggg*. 21. swa man daz *D*. 22. tiwere *G*. 25. blanch *D*. 26. Da wart von souwene groz gedranch *Gg*. 27. Vil *fehlt Gg*. = al *fehlt Ggg*. do *Ggg*. 28. rittr *D oft*, iunge *Gg*. 29. al *fehlt Ggg*. 30. vil *fehlt Gg*.

64, 1. seitenz *G*. = fur ungelogen *Ggg*. 2. begundens *gg*, begunden si *Ddg*, begunden *Gg*, begund *g*. = uber *Ggg*. 3. andr *D*. ouch *fehlt Ggg*. 5. chunginne schein *Gd*. 6. derzucte *g*, der zuchte *G*, do zucht *d*, du zuht *g*, er züchte *g*, zucht *Dgg*. im] er *dg*, en *g*, er im *g*. neben im sin bein *g*, ein bein uf daz bein *g*. 7. ûf regte sich *D*. 8. Reht als *Ggg*. 13. Nu *Ggg*. spange *G*. 14. leoplâne *D*, louwe plane *d*, lewe planie *gg*, lewen plange *Ggg*, planie *g*. 15. stuonde *DGg*, Stunt *dgg*. 16. razalies *G*. 17. Patêlamunt *D*. 18. im ein sin *G*. ritr *D*. 21. rîter *D*. 22. Iwere muomensun *G*. 23. Chomen *Gdgg*. ie] ê *D*. 24. wol hundert *Gdg*. 25 *nach* 26 *Gg*. 26. Gestôzen *G*. 28. Ez *Gg*. 29. harmin *G*. wol gemal *Gg*. 30. iesl. *Dgg*, iegel. *Gdgg*. -lichem *fast alle außer DG*. zendal *Ggg*.

65, 1. gezimiert *G*. 4. Wierz *G*. hurten *Gg*. 5. chuone *Gd*. hardîz *D*. 7. uf mich *G*. 8. hie] die *Dg*. 11. er do sande san *G*. 12. = norman *gg*, noreman *G*. 13. Mit siner mass. *Gg*. 14. kiliriakach *G*.

die wâren dâ durch sîne bete.
zem poulûn si mit Kailete
fuoren mit geselleschaft.
do enphiengen si durh liebe kraft
den werden künec von Zazamanc.
si dûht ein beiten gar ze lanc
daz sin niht ê gesâhen;
des si mit triwen jâhen.
dô frâgter si der mære,
wer dâ ritter wære.
dô sprach sîner muomen kint
'ûz verrem lande hie sint
ritter die diu minne jagt,
vil küener helde unverzagt.
Hie hât mangen Bertûn
roys Utrepandragûn.
66 ein mære in stichet als ein dorn,
daz er sîn wîp hât verlorn,
diu Artûses muoter was.
ein phaffe der wol zouber las,
mit dem diu frouwe ist hin gewant:
dem ist Artûs nâch gerant.
ez ist nu ime dritten jâr,
daz er sun und wîp verlôs für wâr.
hie ist och sîner tohter man,
der wol mit rîterschefte kan,
Lôt von Norwæge,
gein valscheit der træge
und der snelle gein dem prîse,
der küene degen wîse.
hie ist och Gâwân, des suon,
sô kranc daz er niht mac getuon
rîterschaft enkeine.
er was bî mir, der kleine:
er sprichet, möhter einen schaft
zebrechen, trôst in des sîn kraft,
er tæte gerne rîters tât.
wie fruos sîn ger begunnen hât!
hie hât der künec von Patrigalt
von speren einen ganzen walt.
des fuore ist da engein gar ein wint,
wan die von Portegâl hie sint.
die heizen wir die vrechen:
si wellnt durch schilde stechen.
Hie hânt die Provenzâle
schilde wol gemâle.
67 hie sint die Wâleise,
daz si behabent ir reise
durch den poinder swâ sis gernt:
von der kraft ir landes si des wernt.
hie ist manc ritter durch diu wîp,
des niht erkennen mac mîn lîp.
al die ich hie benennet hân,
wir lign mit wârheit sunder wân
mit grôzer fuore in der stat,
als uns diu küneginne bat.
ich sage dir wer ze velde ligt,
die unser wer vil ringe wigt.
der werde künec von Ascalûn,
unt der stolze künec von Arragûn,
Cidegast von Lôgroys,
unt der künec von Punturtoys:
der heizet Brandelidelîn.
da ist ouch der küene Lehelîn.
da ist Môrholt von Yrlant:
der brichet ab uns gæbiu phant.
dâ ligent ûf dem plâne
die stolzen Alemâne:
der herzoge von Brâbant
ist gestrichen in diz lant

16. bavelune *G*. 17. durh *Gdgg*. 18. mit *Ggg*. 23. vragetr *D*. 26. verren landen *Ggg*. 28. helde nu unv. *D*. 29. vil mangen *Gg*. bertuon *D*, brituon *G*. 30. der kunech *D*. utrep. *D*, uterp. *gg*, vetter p. *d*, utp. *Ggg*. -guon *DGdg*.

66, 3. artus muotr *D*. 4. phaphe *G*. zůber *D*. 7. nu daz drite *Gg*. 10. ze *G*. 11. Loht *D*. norwege-trege *D*. 13. und *fehlt G*. 14. Der stolze *Gg*. 17. deheine *G*. 19. er *Dg*, Unde *Gdgg*. = giht *Ggg*. 20. Zerbr. *G*, gebrechen *D*. 21. worhte *Ggg*. 22. wie *fehlt G*, Vil *g*. fruos] fruo *D*, fruo es *die übrigen*. 23. Hie habent die von *Gg*. 25. Der *Gg*. da engein *D*, da gein *g*, do wider *d*, wider die *Gg*, wider den *gg*, gegen den *g*. gar *fehlt Ggg*. 26. wan *fehlt Ggg*. portigal *Gdgg*. 28. Die *Ggg*. welnt *g*, wellent *die übrigen*. 29. habent *Ggg*, habnt *g*.

67, 2. ir] die *Gg*. 7. hie] = dir hie *gg*, dir *Ggg*. bennet *G*. 12. wer] strit *Gg*. 14. freche *Ggg*. 15. = Da (Daz *G*) ist *Ggg*. Cydegast *g*, Cidigast *d*, Sidgast *D*, zitegast *Ggg*. orileis *gg*, oruleis *G*. 16. ponturteis *Gg*. 17. prand. *G*. 18. 21. Hie *Ggg*. 18. ouch *fehlt Gg*. 19. Hie *Gg*. Morolt *G*. 20. beidiu *D*. 21. uf der *Ggg*. planige *G*. 22. alamane *g*, almanige *G*, almanîe *g*. 24. Der ist *Ggg*. ditze *Dgg*.

durch den künec Hardîzen.
sîne swester Alîzen
gap im der künec von Gascôn:
sîn dienst hât vor enphangen lôn.
Die sint mit zorne hie gein mir.
nu sol ich wol getrûwen dir.
68 gedenke an die sippe dîn.
durch rehte liebe warte mîn.'
dô sprach der künec von Zazamanc
'dune darft mir wizzen keinen danc,
swaz dir mîn dienst hie zêren tuot.
wir sulen haben einen muot.
stêt dîn strûz noch sunder nest?
du solt dîn sarapandratest
gein sînem halben grîfen tragn.
mîn anker vaste wirt geslagn
durch lenden in sîns poinders hurt:
er muoz selbe suochen furt
hinderm ors ûfme grieze.
der uns zein ander lieze,
ich valt in, odr er valte mich:
des wer ich an den triwen dich.'
Kaylet ze herbergen reit
mit grôzen freuden sunder leit.
sich huob ein krîieren
vor zwein helden fieren:
von Poytouwe Schyolarz
und Gurnemanz de Grâharz
die tjostierten ûf dem plân.
sich huop diu vesperîe sân.
hie riten sehse, dort wol drî:
den fuor vil lîhte ein tropel bî.
si begunden rehte rîters tât:
des enwas et dô dechein rât.

Ez was dennoch wol mitter tac:
der hêrre in sîme gezelte lac.
69 dô vriesch der künec von Zazamanc
daz die poynder wît unde lanc
wârn ze velde worden
al nâch rîters orden.
er huob och sich des endes dar
mit maneger banier lieht gevar.
ern kêrt sich niht an gâhez schehen:
müezeclîche er wolde ersehen
wiez ze bêder sît dâ wær getân.
sînen tepich leit man ûf den plân,
dâ sich die pônder wurren
unt diu ors von stichen kurren.
von knappen was umb in ein rinc,
dâ bî von swerten klingâ klinc.
wie si nâch prîse rungen,
der klingen alsus klungen!
von spern was grôz krachen dâ.
ern dorfte niemen vrâgen wâ.
poynder wârn sîn wende:
die worhten rîters hende.
diu rîterschaft sô nâhe was,
daz die frouwen ab dem palas
wol sâhn der helde arbeit.
doch was der küneginne leit
daz sich der künec von Zazamanc
dâ mit den andern niht endranc.
si sprach 'wê war ist er komn,
von dem ich wunder hân vernomn?'
Nu was ouch rois de Franze tôt,
des wîp in dicke in grôze nôt
70 brâhte mit ir minne:
diu werde küneginne

25. Hardysen *D.* 27. in *D.* caschon *G.* 30. getrwen *D.*

68, 1. triwe *G.* 2. rete *D.* 4. Du solt *Gd.* mirs *dg.* deheinen *G.* 5. hie *fehlt Gdgg.* 8. serapandr. *G*, sherp. *g.* 10. beslagen *Ggg.* 11. Dur *G.* 12. muz *gg*, muose *DGg*, müze *g*, in *d.* vûrt *G.* 13. orse *G*, orsse *D.* ûfme *D*, uf dem *die meisten.* griez-liez *Dg.* 14. = zesamene *Ggg.* 19. chryeren *D*, kriegieren *d* = croyieren *Ggg.* 20. vor *D*, Mit *d* = Von *Ggg.* degenen phieren *G.* 21. potytouwe *G.* scyolarz *D*, sciolars *d*, Tschielars *g*, tschierlarz *g*, tschierarz *G*, scrinarz *g.* 22. gurnamanz *gg*, Gurnomanz *Gg.* de *dgg*, der *Dgg*, von *Gg.* 23. tiustierten *D oft.* 26. liehte *D.* troppel *gg.* 28. en *fehlt Gdg.* dô *fehlt D.* dechein *D*, dehein *g*, kein *g*, dehein (kein *dg*) ander *Gdgg.* 30. in] undr *D.*

69, 1. Da *D.* 2. uñ *DG.* 3. = Ze velde waren *Ggg.* wordn-ordn *D.* 7. Er *G.* cherte *DG.* gehez *gg.* 8. = Er wolte muozchliche *Ggg.* 9. wie ez *DG.* ze bedr sit *D*, zebeider site *G.* wær *G.* 10. tepech *G.* 11. Wie *G.* pondr *D hier.* 12. unt *fehlt Gg.* 13. wart *Ggg.* 18. ern *Dg*, Er *d*, Ezn *gg*, Donə *G*, Ia en *gg.* sprechen *G.* 19. waren sine *DG* 21. nahen *G.* 22. uf *Ggg.* 23. = wol *fehlt Ggg.* sahen *DG.* riter *G.* 24. = Do *Ggg.* 26. anderen niene dranc *G.* 27. = owe *Ggg.* der *Gg.* 69, 29-70, 6. *diese acht verse setzen alle, statt vor, hinter den folgenden abschnitt* 70, 7-71, 6. 29. roy *Gg*, der kunech *D.* von vranchrihe *D.*

hete aldar nâch im gesant,
ob er noch wider in daz lant
wær komen von der heidenschaft.
des twanc si grôzer liebe kraft.
Ez wart dâ harte guot getân
von manegem küenem armman,
die doch der hœhe gerten niht,
des der küngîn zil vergiht,
ir lîbes unde ir lande:
si gerten anderr phande.
nu was och Gahmuretes lîp
in harnasche, dâ sîn wîp
wart einer suone bî gemant;
daz ir von Schotten Vridebrant
ze gebe sande für ir schaden:
mit strîte heter si verladen.
ûf erde niht sô guotes was.
dô schouwet er den adamas:
daz was ein helm. dar ûf man bant
einen anker, dâ man inne vant
verwieret edel gesteine,
grôz, niht ze kleine:
daz was iedoch ein swærer last.
gezimieret wart der gast.
wie sîn schilt gehêret sî?
mit golde von Arâbî
ein tiweriu bukel drûf geslagn,
swære, die er muose tragn.
71 diu gap von rœte alsolhez prehen,
daz man sich drinne mohte ersehen.
ein zobelîn anker drunde.
mir selben ich wol gunde
des er het an den lîp gegert:
wand ez was maneger marke wert.
Sîn wâpenroc was harte wît:
ich wæne kein sô guoten sît
ie man ze strîte fuorte;
des lenge den teppech ruorte.
ob i'n geprüeven künne,
er schein als ob hie brünne
bî der naht ein queckez fiwer.
verblichen varwe was im tiwer:
sîn glast die blicke niht vermeit:
ein bœsez oug sich dran versneit.
mit golde er gebildet was,
daz zer muntâne an Kaukasas
ab einem velse zarten
grîfen klâ, diez dâ bewarten
und ez noch hiute aldâ bewarent.
von Arâbî liute varent:
die erwerbent ez mit listen dâ
(sô tiwerz ist ninder anderswâ)
und bringentz wider zArâbî,
dâ man diu grüenen achmardî
wurket und die phellel rîch.
ander wât ist der vil ungelîch.
den schilt nam er ze halse sân.
hie stuont ein ors vil wol getân.
72 gewâpent vaste unz ûf den huof,
hie garzûne ruofâ ruof.
sîn lîp spranc drûf, wand erz dâ vant.
vil starker sper des heldes hant
mit hurte verswande:
die poynder er zetrande,
immer durch, anderthalben ûz.
dem anker volgete nâch der strûz.
Gahmuret stach hinderz ors
Poytwîn de Prienlascors
und anders manegen werden man,
an den er sicherheit gewan.

70, 3. = Het nach im dar gesant *Ggg.* 4. noch *fehlt Ggg.* inz lant *D.* 8. chuenem *Dg*, chuonen *die übrigen.* arem man *D*, armen man *Ggg.* 10. des *Dgg*, Der *g*, Alse *Gg*, *fehlt d.* kuneginne *D.* 11. noch *Ggg.* 12. anderre *D*, andere *G.* 14. harnasce *D*, harnasch *G.* 17. = Zegelte *Ggg.* 18. het erse *G.* uber laden *Gdgg.* 27. geheret *g*, gehert *Ggg*, gebert *D*, gehœret *d*, gezieret *gg.* 28. Uz *G.* 29. = richiu *Ggg.*

71, 1. brehen *G.* 2. het *Ggg.* 3. zôbelin *D.* 4. selbn *D*, selbem *G.* 7. waproch *G.* 8. cheinen *D*, niht daz *Gg.* 9. iemen *DG.* 10. = Sin *Ggg.* den *fehlt G.* tepch *G.* 11. i'n] ih in *Ddg*, ich den *g*, ihez *Ggg.* gebruoven *G.* chunde *Ggg.* 12. obe da *G.* 13. chochez fiur *G.* 14. tiur *G.* 15. 16. *fehlen Gg.* 16. ouge *D.* 18. daz *fehlt G*, da *D.* muntanie *G.* an *D*, in *Ggg*, *fehlt dg.* ah? *vergl.* 261, 28. koukasas *D*, Gaugelshash *g*, kaussacas *G.* 20. diez] ez *G.* da *fehlt gg.* 22. arabie *Gg.* 24. tiurz *G.* 25. bringent ez *Dd* = fuorent ez *Ggg.* 26. die *alle außer G.* 27. phelle *G.* 28. andrr *D*, anderr *g.* = wæte *D*, gewere *d.* der *Gg*, er *Ddgg.* vil *fehlt dgg.*

72, 1. Gewappent *G.* 2. garzun *G.* 3. sprach *G.* 4. stacher *D.* helds *D.* 7. Hie durch *g*, Iennet durch *g*, Ein halb in *g*, Imer *G.* andertalben *D.* 10. poitewinen *Gdgg.* von *Gg.* prienlascors *d*, prienla^{s}cors *D*, prienlashors *g*, prinlahiors *g*, brinlascors *g*, prinlacors *G*, pryelaiors *g.* 12. dem *Gdgg.* ir *D.*

swaz dâ gekriuzter ritter reit,
die genuzzen sheldes arbeit:
diu gewunnen ors diu gaber in:
an im lag ir grôz gewin.
  gelîcher baniere
man gein im fuorte viere
(küene rotten riten drunde:
ir hêrre strîten kunde),
an ieslîcher eins grîfen zagel.
daz hinder teil was ouch ein hagel
an rîterschaft: des wâren die.
daz vorder teil des grîfen hie
der künec von Gascône truoc
ûfme schilt, ein rîter kluoc.
gezimieret was sîn lîp
sô wol geprüeven kunnen wîp.
er nam sich vor den andern ûz,
do'r ûfem helme ersach den strûz.
73 der anker kom doch vor an in.
dô stach in hinderz ors dort hin
der werde künec von Zazamanc,
und vieng in. dâ was grôz gedranc,
hôhe fürhe sleht getennet,
mit swerten vil gekemmet.
Dâ wart verswendet der walt
und manec ritter ab gevalt.
si wunden sich (sus hôrt ich sagn)
hindenort, dâ hielden zagn.
  der strît was wol sô nâhen,
daz gar die frouwen sâhen
wer dâ bî prîse solde sîn.
der minnen gernde Rîwalîn,
von des sper snîte ein niwe leis:
daz was der künec von Lohneis:
sîne hurte gâben kraches schal.
Môrholt in einen rîter stal,
ûzem satel ern für sich huop
(daz was ein ungefüeger uop)·
der hiez Killirjacac.
von dem het der künec Lac
dâ vor enphangen solhen solt,
den der vallende an der erde holt:
er hetez dâ vil guot getân.
dô luste disen starken man
daz er in twunge sunder swert:
alsus vienc er den degen wert.
  hinderz ors stach Kayletes hant
den herzogn von Brâbant:
74 der fürste hiez Lambekîn.
waz dô tæten die sîn?
die beschutten in mit swerten:
die helde strîtes gerten.
  Dô stach der künec von Arragûn
den alten Utepandragûn
hinderz ors ûf die plâne,
den künec von Bertâne.
ez stuont dâ bluomen vil umb in.
wê wie gefüege ich doch pin,
daz ich den werden Berteneis
sô schône lege für Kanvoleis,
dâ nie getrat vilânes fuoz
(ob ichz iu rehte sagen muoz)
noch lîhte nimmer dâ geschiht.
ern dorfte sîn besezzen niht
ûfem ors aldâ er saz.
niht langer man sîn dô vergaz,

13. gekruter *G*, krütziter *g*, getruwer *d*, armer *g*. 14. des heldes *DG*. 15. gap er *G*. 16. lach *G*. 17. Glîcher *D*. 18. = Man fuorte gein im *Ggg*, Fürte man gen im *gg*, Gein im furte man *g*. 19. roten *G*. ritten *D*. drunden *und* 20. herren-chunden *Gg*. 21. iegel. *G*. ein *Ggg*. 22. Daz ander *Gg*. ouch was *Gdg*. 23. Gein *Ggg*. 25. asconie *G*. 26. = An *Ggg*. me] dem *Ggg*, sim *g*, sime *Dd*, sinem *gg*. einen *Gg*. 28. = Sam *gg*, Als *Ggg*. 29. = Der *Ggg*. 30. Dor *G*, do er *D*. uf dem *G*.
73, 3. zazamah *G*. 4. viengen. *Dg*. = wart *Ggg*. 5. getemmet *g*. 6. gechemmet *Ddgg*, geclemmet *g*, gechlenbet *G*, bechlenget *g*, gechempfet *g*. 9. suss hœre *D*. 10. hindenort] hin den ort *D*, Hin an den ort *Gdgg*. Hinden am orte hieltent zagen *g*. da *Dd* = dort *Ggg*. 13. = mit *Ggg*. 14. minne *Gdgg*. 15. = speren *G*, spern *gg*. niwiu leis *Gg*, niulaiz *g*, new waleisz *g*. 18. Morolt *G*. 19. Uz dem *G*. er in *alle*. für sich *fehlt* *Gg*. 21. kilir. *G*. 24. Den der *dgg*, den er *DGg*. valende *G*. erdn *D*. 25. Unde *Ggg*. hetz *G*. 28. al suss vienger *D*. 29. hindrs *D*. *so auch* 74, 7.
74, 1. fürste *fehlt* *G*. lambikine *G*, Lamechin *g*, lemmekin *g*, lammekin *g*. 2. do *hinter* taten *Gg*, *fehlt* *D*. taten *alle aufser* *Dg*. die sine *G*. 3. Si *Gdgg*. beschuten *G*. 5. araguon *D*. 6. Uotep. *D*, utrep. *dg*, uterp. *g*, utp. *Ggg*. -guon *D*. 7. planege *G*. 8. brit. *immer alle aufser* *D*, britanige *G*. 9. = Do *Ggg*. umbe in *G*. 11. britaneis *gg*, pritaneis *G*, brituneis *g*. 12. f r *D*, vor *Ggg*. kanvoleiz *G*, *auch* 22. 14. Obe ihez *G*. 16. Er *G*. = gesezen *Ggg*. 17. em] einem *g*, daz *g*, dem *die übrigen*. orse *DG*. al *fehlt* *Ggg*. er *DGd*, er ê *gg*, er ê da *g*. 18. lange *g*. da *Ggg*.

in beschutten die ob im dâ striten.
dâ wart grôz hurten niht vermiten.
dô kom der künec von Punturteis.
der wart alhie vor Kanvoleis
gevellet ûf sîns orses slâ,
daz er derhinder lac aldâ.
daz tet der stolze Gahmuret.
wetâ hêrre, wetâ wet!
mit strîte funden si geweten.
sîner muomen sun Kayleten
den viengen Punturteise.
dâ wart vil rûch diu reise.
75 do der künec Brandelidelîn
wart gezucket von den sîn,
Einen andern künec si viengen.
dâ liefen unde giengen
manc werder man in îsenwât:
den wart dâ gâlûnt ir brât
mit treten und mit kiulen.
ir vel truoc swarze biulen:
die helde gehiure
derwurben quaschiure.
ine sagez iu niht für wæhe:
dâ waz diu ruowe smæhe.
die werden twanc diu minne dar,
manegen schilt wol gevar,
und manegen gezimierten helm:
des dach was worden dâ der melm.
daz velt etswâ geblüemet was,
dâ stuont al kurz grüene gras:
dâ vielen ûf die werden man,
den diu êre en teil was getân.
mîn gir kan sölher wünsche doln,
daz et ich besæze ûf dem voln.
dô reit der künec von Zazamanc
hin dan dâ in niemen dranc,
nâch eim orse daz geruowet was.
man bant von im den adamas,
niwan durch des windes luft,
und anders durch decheinen guft.
man stroufte im ab sîn härsenier:
sîn munt was rôt unde fier.
76 Ein wîp diech ê genennet hân,
hie kom ein ir kappelân
und kleiner junchêrren drî:
den riten starke knappen bî,
zwên soumær giengen an ir hant.
die boten hete dar gesant
diu küneginne Ampflîse.
ir kappelân was wîse,
vil schiere bekanter disen man,
en franzois er in gruozte sân.
'bien sei venûz, bêâs sir,
mîner frouwen unde mir.
daz ist rêgîn de Franze:
die rüeret dîner minnen lanze.'
einen brief gaber im in die hant,
dar an der hêrre grüezen vant,

19. In beschuten die umbe in da riten *Gg.* stritten *D.* 20. Dane *G.* hurt *D.* 21. 29. pont. *Gg.* 22. al da *Ggg.* 23. Gevalt *Gg.* orss *D.* 24. dr hindert lag *D.* 26. wetta *Dgg.* 27. = wurden *Ggg.* sî *D.* 29. den *fehlt Gg.* 30. ruoch *D*, riuch *g.*

75, 1. da *D.* 3. Jenen? 4. Hie *Ggg.* 5. vil manech *Ddg.* wert *g*, werdr *D.* 6. dâ *fehlt Ggg.* galunt *gg*, galount *g*, galuonet *D*, gealunet *G.* 7. tretene *G*, tretten *D.* chulen-bulen *G*, chuolen-buolen *D.* 10. derwurben] erwurben *Gg*, die (da *g*) erwurben *dgg*, da wrden *D.* quascîure *D*, coascúre *d* = quatschiure *Ggg.* 11. Ichen *G.* sagz *gg.* 12. wart *Ggg.* ruowe *Gg*, riwe *D.* 15. wol gezierten *G*, gezierten *g.* 16. was wrden *D.* dâ *fehlt G.* 17. gebluomet *DG.* 18. dâ stuont *fehlt Ggg.* al *D*, aldo *d* = *fehlt Ggg.* churzzes *D.* gruene *D*, gruenez *d* = chleine gruone *Ggg.* 20. diu *fehlt D.* enteil *Dg*, enteile *G*, ein teil *dgg*, ein teile *g.* 21. Doch chan min gir die wunsche dolen *Gg.* gir] sin *D.* hat solcher wunsche doln *g.* sôlher *Dd*, solche *g*, solh *g.* 22. et *vor* ich *D*, *nach* ich *d* = *vor* uf *Ggg*, *fehlt gg.* beseze *D*, besitze *d* = gesaze *G*, gesezze *gg*, gesaz *gg.* 24. Her$_{o}$dan *Ggg.* 25. eim *g*, einemn *D*, einem *die übrigen.* orze *D.* da gerwet *D.* 28. und *fehlt Ggg.* do keine *d.* 29. streiffte *d*, strichte *Gg.* harsnier *G.*

76, 1. diech *G.* gennet *G.* 2. Alhie *gg*, Dort her *Gg.* 5. soumære *D*, soumare *G.* gingen *D*, zugens *Gg.* ir] der *Gg.* 7. chungin anphlise *D.* 9. = erchander *Ggg*, erchande *g.* 10. Enfranzois gruozter in san *Gg.* 11. Ben *Ggg.* seivenuz *D*, sevenuz *g*, sefenu *G.* beassir *D*, bea sir *gg*, bia súr *d*, misir *G.* 13. = roin *g*, roine *gg*, la Raoine *g*, roy *G.* der *Dg.* 14. = din *Ggg.* minne *Ggg.* 15. 16. = Dem helde gap er in die hant. Einen brief dar an er gruozen (geschriben *g*) vant *Ggg.*

unde ein kleine vingerlîn:
daz solt ein wârgeleite sîn,
wan daz enphienc sîn frouwe
von dem von Anschouwe.
er neic, dô er die schrift ersach.
welt ir nu hœren wie diu sprach?
'dir enbiutet minne unde gruoz
mîn lîp, dem nie wart kumbers buoz
sît ich dîner minne enphant.
dîn minne ist slôz unde bant
mîns herzen unt des fröude.
dîn minne tuot mich töude.
sol mir dîn minne verren,
sô muoz mir minne werren.
77 Kum wider, und nim von mîner hant
krône, zepter unde ein lant.
daz ist mich an erstorben:
daz hât dîn minne erworben.
hab dir ouch ze soldiment
dise rîchen prîsent
in den vier soumschrîn.
du solt ouch mîn ritter sîn
ime lande ze Wâleis
vor der houbtstat ze Kanvoleis.
ine ruoche obez diu küngin siht:
ez mac mir vil geschaden niht.
ich bin schœner unde rîcher,
unde kan och minneclîcher
minne enphâhn und minne gebn.
wiltu nâch werder minne lebn,
sô hab dir mîne krône
nâch minne ze lône.'
an disem brieve er niht mêr vant.
sîn härsnier eins knappen hant
wider ûf sîn houbet zôch.
Gahmureten trûren flôch.
man bant im ûf den adamas,
der dicke unde herte was:
er wolt sich arbeiten.
die boten hiez er leiten
durch ruowen underz poulûn.
swa gedrenge was, dâ machter rûn.
Dirre flôs, jener gewan.
dâ moht erholen sich ein man,
78 het er versûmet sîne tât:
alhie was genuoger rât.
si solden tjostieren,
dort mit rotten punieren.
si geloubten sich der sliche,
die man heizet friwendes stiche:
heinlîch gevaterschaft
wart dâ zefuort mit zornes kraft.
dâ wirt diu krümbe selten sleht.
man sprach dâ wênic rîters reht:
swer iht gewan, der habt im daz:
ern ruochte, hetes der ander haz.
si wârn von manegen landen,
die dâ mit ir handen
schildes ambet worhten
und schaden wênic vorhten.
aldâ wart von Gahmurete
geleistet Ampflîsen bete,
daz er ir ritter wære:
ein brief sagt im daz mære.
âvoy nu wart er lâzen an.
op minne und ellen in des man?
grôz liebe und starkiu triuwe
sîne kraft im frumt al niuwe.
nu saher wâ der künic Lôt
sînen schilt gein der herte bôt.

18. warr *D*, gewores *d*. 19. = Wan ez *Ggg*. enphie *G*. 22. Nu horet rehte *G*, Nu hort *g*, Nu mugt ir horen *gg*. 23. enbiut *G*. 28. tounde *G*, touwende *D*.

77, 1. und *fehlt Ggg*. 2. sceptrum *D*. ein *fehlt dg*, daz *Gg*. 5. ouch *fehlt Ggg*. = zesoldemente *Ggg*. 6. riche *Gg*. = presente *Ggg*. 7. In disen *G*, Disiu *g*, Nim diu *g*. 9. in dem *Ggg*. 10. Von *Dg*. haupstat *gg*, stat *G*. chanv. *D*, kanvoleiz *G*. 11. Ichen *G*. kuneginne *D*. 12. vil *fehlt D*. 15. enphahen *DG*. 16. Wil du *G*. 19. An dem briefer *Ggg*, niht mer *gg*, niht me *dg*, niht mere *DGg*. 20. harsenier *G*. 21. zouch *D*. 22. vrouch *D*. 25. wolde *D*. 27. ruowe *Ggg*. 28. macheter *D*. rum *Ggg*. 29. verlos *D*. einer *g*, unde der *G*. 30. maht *Gg*.

78, 2. Al da *Gg*. gnuoger *D*. 4. dort *fehlt Gg*. rote *gg*, hurte *G*, hurten *g*. pungieren *g*. 5. gelouben *D*. 6. vriundes *G*. 8. zefuoret mit zorns *G*. 9. wart *Ggg*. 10. lutzel *D*, selten *g*. 11. het im *Gdgg*. 12. Eren ruohte het es *G*. 13. = uz *Ggg*. verren *Gg*. 15. ambt *D*. 16. wench *Gdgg*, lutzel *Dg*. 17. = Do wart och da (*fehlt G*) von Gahmuret *Ggg*. 18. anphlisen bet *G*. 20. seit *Ggg*. 21. do *Ggg*, da *gg*. 23. groze *Ddg*. 25. sacher *G*. Loth *D*. 26. herten *D*.

der was umbe nâch gewant:
daz werte Gahmuretes hant.
mit hurte er den poinder brach,
den künec von Arragûn er stach
79 hinderz ors mit eime rôr.
der künec hiez Schafillôr.
Daz sper was sunder banier,
dâ mit er valte den degen fier:
er hetz brâht von der heidenschaft.
die sîne werten in mit kraft:
doch vienger den werden man.
die inren tâten de ûzern sân
vaste rîten ûfez velt.
ir vesperî gap strîtes gelt,
ez mohte sîn ein turnei:
wan dâ lac manc sper enzwei.
do begunde zürnen Lähelîn,
'sul wir sus entêret sîn?
daz machet der den anker treit.
unser entwedr den andern leit
noch hiute da er unsamfte ligt.
si hânt uns vil nâch an gesigt.'
ir hurte gab in rûmes vil:
dô giengez ûz der kinde spil.
sie worhten mit ir henden
daz den walt begunde swenden.
diz was gelîche ir beider ger,
sperâ hêrre, sperâ sper.
doch muose et dulden Lähelîn
einen smæhlîchen pîn.
in stach der künec von Zazamanc
hinderz ors, wol spers lanc,
daz in ein rôr geschiftet was.
sîne sicherheit er an sich las.
80 doch læse ich samfter süeze birn,
swie die ritter vor im nider rirn.
Der krîe dô vil maneger wielt,
swer vor sîner tjoste hielt,
'hie kumt der anker, fîâ fî.'
zegegen kom im gehurtet bî
ein fürste ûz Anschouwe
(diu riwe was sîn frouwe)
mit ûf kêrter spitze:
daz lêrt in jâmers witze.
diu wâpen er rekande.
war umber von im wande?
welt ir, ich bescheide iuch des.
si gap der stolze Gâlôes
fil li roi Gandîn,
der vil getriwe bruoder sîn,
dâ vor unz im diu minne erwarp
daz er an einer tjost erstarp.
dô bant er abe sînen helm.
wederz gras noch den melm
sîn strît dâ niht mêr bante:
grôz jâmer in des mante.
mit sîme sinner bâgte,
daz er niht dicker frâgte
Kayleten sîner muomen suon,
waz sîn bruoder wolde tuon,
daz er niht turnierte hie.
daz enwesser leider, wie
er starp vor Muntôrî.
dâ vor was im ein kumber bî:

27. Er *G.* umb nach *D*, vil nach al umbe *Gg.* 30. aragun *G.*

79, 1. einem *Gg*, dem *gg.* rore *G.* 2. Scafillor *D*, schaffillor *d*, tschafillor *g*, tschaffilor *gg*, tschiffilore *G*, shivilor *g.* 5. = Er brahtez *Ggg.* uz *D.* 7. = Iedoch *Ggg.* 8. inneren *G.* die *alle.* uzeren *G.* 9. ritten *D*, ritende *Gg*, ritent *g.* ûfz *D*, uff daz *d* = uber *Ggg.* 10. vesperie *D*, vesprie *G.* 11. moht wol sin *Gg.* 12. wan *fehlt Gg.* 13. lehelin *G immer.* 14. Sulen wir alsus *Gg.* 16. eintwedere *G*, einer *g.* 17. unsanfte *G.* 19. Groz hurten gap *Gg.* 20. da *D.* uzzer kindes *g*, uz dem chindes *G.* 22. bunde *G.* 23. Daz *Ggg.* gelich *G.* 24. Sper a herre *g.* sper a sper *Gg.* 25. et *hat nur D.* dulten *G.* 26. schemlichen *alle außer Dg.* 29. ein *Ddg*, den *Ggg.* geschift *DG.*

80; 1. lêr ich *g.* sanfter s. biren *G.* 2. Swie da die *G.* nider *fehlt Ggg.* 3. chrîe *D*, crige *G.* da *G.* 4. vor *Ddg*, ie gein *Ggg*, hie gein *g.* 5. phia phi *G*, pfia pfi *g.* 6. zegegen chom im *Dd*; Engegen chom [hie] im *gg*, Gein im chom *Ggg.* gehurt *G* 7. von *Dg.* 9. gecherter *Gdgg.* schildes spizze *Dgg.* 11. erchande *G.* 15. Filliroi *g*, Filiiroy *D*, Filyrois *Gdg*, Fil lo Roys *g.* 16. vil liebe *Gg.* 17. unz] = e *Ggg*, *fehlt gg.* 18. tioste starp *Ggg.* 19. = Man bant im *Ggg.* ab *D.* 20. Weder daz ors *Gg.* 21. dâ *fehlt G.* niht mere *Dd* = nimer *Gg*, nimmer *g*, ninder *g*, niht *g.* pante *D.* 23. bâchte *g*, bagete *D.* 24. War umber *Ggg.* nine *G.* dicher *gg*, diche *D*, me *d*, *fehlt Ggg.* envragete *D und* (*ohne* dicker) *g*, gefragete *d.* 28. daz en *D*, Des d = Done *Ggg.* leider *Dgg*, leider reht *oder* rehte *Gdgg.* 29. von munthôri *D.*

81 des twanc in werdiu minne
einer rîchen küneginne.
diu kom och sît nâch im in nôt,
si lag an klagenden triwen tôt.
Swie Gahmuret wær ouch mit klage,
doch heter an dem halben tage
gefrumt sô vil der sper enzwei;
wære worden der turnei,
sô wære verswendet der walt.
gevärwet hundert im gezalt
wârn, diu gar vertet der fiere.
sîne liehten baniere
wârn den krîgierren worden.
daz was wol in ir orden.
dô reit er gein dem poulûn.
der Wâleisinne garzûn
huop sich nâch im ûf die vart.
der tiwer wâpenroc im wart
durchstochen unde verhouwen:
den truoger für die frouwen.
er was von golde dennoch guot,
er gleste als ein glüendic gluot.
dar an kôs man rîcheit.
dô sprach diu künegîn gemeit
'dich hât ein werdez wîp gesant
bî disem ritter in diz lant.
nu manet mich diu fuoge mîn,
daz die andern niht verkrenket sîn,
die âventiure brâhte dar.
ieslîcher nem mîns wunsches war:
82 wan si sint mir alle sippe
von dem Adâmes rippe.
doch wæne et Gahmuretes tât
den hœsten prîs derworben hât.'
Die andern tæten rîterschaft
mit sô bewander zornes kraft,
daz siz wielken vaste unz an die naht.
die inren heten die ûzern brâht
mit strîte unz an ir poulûn.
niwan der künec von Ascalûn
und Môrholt von Yrlant,
durch die snüere in wære gerant.
dâ was gewunnen und verlorn:
genuoge heten schaden erkorn,
die andern prîs und êre.
nu ist zît daz man si kêre
von ein ander. niemen hie gesiht:
sine wert der phander liehtes niht:
wer solt ouch vinsterlingen spiln?
es mac die müeden doch beviln.
der vinster man vil gar vergaz,
dâ mîn hêr Gahmuret dort saz
als ez wær tac. des was ez nieht:
dâ wârn ave ungefüegiu lieht,
von kleinen kerzen manec schoup
geleit ûf ölboume loup;
manec kulter rîche
gestrecket vlîzeclîche,
derfür manec teppech breit.
diu küngîn an die snüere reit
83 mit manger werden frouwen:
si wolte gerne schouwen
den werden künec von Zazamanc.
vil müeder ritter nâch ir dranc.

81, 1. Den riet ein werdiu (diu werde *g*) minne *Ggg*. 4. An chlagenden riwen lach si tot *Gg*. 5. Swie *fehlt, und dann* was, *Ggg*. 6. selben *Gg*. 9. von im der *G*. 10. geverbet *g*, *fehlt Gg*. im hundert *gg*, hundert sper im *Gg*. 10. 11. waren (wart *g*) *setzen alle vor* gezalt. 11 Die *Dg*. 12. lieht *Gg*. 13. Den croieren waren worden *Gg*. chrigîren *D*, kriegern *d*, kroierern *g*, grogiereren *g*. 14. wol *fehlt D*. 15. = Do kerter *Ggg*. bavelun *G*. 16. = Der chunginne *Ggg*. 18. tiwere *G*. 21. Der *Ggg*. danoch von golde *Gg*. 22. Unde glaste *Ggg*. gluendich *D*, glugendiger *g*, gluegender *d*, gluonde *Ggg*, gluendiu *g*. 23. an *fehlt Gg*. 25. werdes *D*. 26. rittr in dizze *D*. 28. iht *Ggg*. 29. Die diu *Ggg*.

82, 1. wan *fehlt Ggg*. 2. dem *fehlt gg*. 3. wæne et *D*, wenet *g*, wane (*oder* wene) ich *Gdgg*. stat *D*. 4. hohesten *G*. derworben] da erworben *Dg*, erworben *dgg*, behalten *G*. 5. taten *alle aufser D*. 6. bewandr *Dd*, gewanter *gg*, getaner *Ggg*. 7. wælchen *D*. 8. inneren *und* uzeren *G*. 9. Mit zorne under diu pavelun *Gg*. 10. = Wan *Ggg*. aragun *Gg*. 11. Unde morolt *G*. yr lant *D*. 13. = wart *Ggg*. 17. andr niemn *D*. da *Ggg*. 18. werte *D*. phandr *D*, phandare *G*. liehts *G*. 20. = moht *Ggg*. 21. vinstr *D*. 22. do *D*. dort *fehlt g*, da *Gg*. az *dgg*. 23. desen was *G*. es *D*. niht *alle*. 24. aver *D*, sus *g*, aber *die übrigen*. 26. chleboumin *G*, olbaumes *gg*, oleyboumes *d*. 27. = Unde manch *Ggg*. kultr *D*, gulter *G*. 29. dr *D*, Da *G*. tepech *G*.

83, 1. werden *Dd* = iunch *Ggg*. 4. muedr rittr *D*.

[Diu] tischlachen wâren ab genomn
ê si inz poulûn wære komn.
ûf spranc der wirt vil schiere,
und gevangener künege viere:
den fuor och etslîch fürste mite.
do enphienger si nâch zühte site.
er geviel ir wol, dô sin ersach.
diu Wâleisîn mit freuden sprach
'ir sît hie wirt dâ ih iuch vant:
sô bin ich wirtîn überz lant.
ruocht irs daz i'uch küssen sol,
daz ist mit mînem willen wol.'
er sprach 'iur kus sol wesen mîn,
suln dise hêrrn geküsset sîn.
sol künec od fürste des enbern,
sone getar och ichs von iu niht gern.'
'deiswâr daz sol och geschehn.
ine hân ir keinen ê gesehn.'
si kuste dies tâ wâren wert:
des hete Gahmuret gegert.
er bat sitzen die künegîn.
mîn hêr Brandelidelîn
mit zühten zuo der frouwen saz.
grüene binz, von touwe naz,
dünne ûf die tepch geströut,
dâ saz ûf des sich hie fröut
84 diu werde Wâleisinne:
si twanc iedoch sîn minne.
er saz für si sô nâhe nidr,
daz sin begreif und zôch in widr
Anderhalp vast an ir lîp.
si was ein magt und niht ein wîp,
diu in sô nâhen sitzen liez.
welt ir nu hœren wie si hiez?
diu küngîn Herzeloyde;
unde ir base Rischoyde:
die hete der künec Kaylet,
des muomen sun was Gahmuret.
vrou Herzeloyde gap den schîn,
wærn erloschen gar die kerzen sîn,
dâ wær doch lieht von ir genuoc.
wan daz grôz jâmer under sluoc
die hœhe an sîner freude breit,
sîn minne wære ir vil bereit.
si sprâchen gruoz nâch zühte kür.
bi einer wîle giengen schenken für
mit gezierd von Azagouc,
dar an grôz rîcheit niemen trouc:
die truogen junchêrren în.
daz muosen tiure näphe sîn
von edelem gesteine,
wît, niht ze kleine.
si wâren alle sunder golt:
ez was des landes zinses solt,
den Isenhart vil dicke bôt
frôn Belakân für grôze nôt.
85 dô bôt man in daz trinken dar
in manegem steine wol gevar,
smârâde unde sardîn:
etslîcher was ein rubîn.
Für daz poulûn dô reit
zwên ritter ûf ir sicherheit.
die wârn hin ûz gevangen,
und kômn her în gegangen.
daz eine daz was Kaylet.
der sach den künec Gahmuret

5. *vergl. W.* 277, 5. 6. inz *Dd*, in die *g*, underz *Ggg*, widerz *g*, under die *g*. pavelun *G*. 7. = Der wirt spranch uf *Ggg*. 10. enphinger *D*. mit *Gg*. 11. ersach *Dg*, gesach *Gdg*, sach *gg*. 12. waleisinne *D*, wolsame *d* = chungin *Ggg*. zuhten *G*. 13. 15. ih iuch *G*, ich iuch *die übrigen*. 15. ruochet *Dd*, Geruocht *gg*, Geruochet *gg*, Gebiet *G*. irs *Ddg*, ir *Ggg*, *fehlt g*. 16. Ez *Ggg*. 17. = Er sprach *fehlt Ggg*. iwer *DG*. 18. sulen *D*, Mugen *Ggg*. herren *alle*. 19. odr *D*, oder *die übrigen*. 20. So *gg*. ihes *G*. gegeren *Ggg*. 21. Si sprach daz sol *Ggg*. 22. Ich *G*. deheinen *G*. 23. die es *Dd* = al dies *Ggg*. 28. pimz *gg*, semden *g*. 29. Dune *G*, *fehlt g*. uf den *Gg*. tepech *g*, tepich *gg*, teppich *d*, teppeche *D*. was gestrout *fast alle*. 30. = Dar uf saz des *Ggg*. frouet *G*.

84, 3. vor ir *Ggg*. nahen *G*. 5. vaste *Dd* = hin *gg*, *fehlt Ggg*. 6. unde *Ddgg*, *fehlt Ggg*. 8. *wie* 76, 22; *aber G* reht. si] diu *Ggg*. 9. kuneginne *D*. Herzelôyde *D*, herzeloide *G*, herzelaude *gg*. 10. Unde *G*. bâs *g*. rischoide *g*, Riscôyde *D*, ritschoide *Gd*, Richaude *g*, ritschoude *gg*. 11. 12. *fehlen Gg*. 13. Fro *G*. hertzeloide *d*, herzenlaude *g*. 19. zuhte *Ddgg*, zuhten *Ggg*. chûr-fûr *D*. 20. wil *g*. gie *g*. 21. gezierde *fast alle*. 22. groziu *D*. 24. Ez *Ggg*. naphe *G*. 28. Daz *Ggg*. lantzinses *dgg*. 29. Den *Ggg* = Daz *Dd*. ditch *G*. 30. belacan *g*, belakanen *die meisten*.

85, 1. = Man bot in *Ggg*. daz] ir *D*. trichen *G*. 2. wol] lieht *D*. 3. Smareide *Dg*, Smaragede *G*, Smaragde *die übrigen*. 5. furz D, Für die *dg*. 8. chomen *alle*. her *Dd* = dar *gg*, hin *Gg*. 10. Er *gg*, Unde *G*.

sitzen als er wære unfrô.
er sprach 'wie gebârstu sô?
dîn prîs ist doch dâ für rekant,
frôn Herzeloyden unde ir lant
hât dîn lîp errungen.
des jehent hie gar die zungen:
er sî Bertûn od Yrschman,
od swer hie wälhisch sprâche kan,
Franzois od Brâbant,
die jehent und volgent dîner hant,
dir enkünne an sô bewantem spiln
glîche niemen hie geziln.
des lis ich hie den wâren brief:
dîn kraft mit ellen dô niht slief,
dô dise hêrren kômn in nôt,
der hant nie sicherheit gebôt;
mîn hêr Brandelidelîn,
unt der küene Lähelîn,
Hardîz und Schaffillôr.
ôwê Razalîc der Môr,
86 dem du vor Pâtelamunt
tæte ouch fîanze kunt!
des gert dîn prîs an strîte
der hœhe und och der wîte.'
'Mîn frowe mac wænen daz du tobst,
sît du mich alsô verlobst.
dune maht mîn doch verkoufen niht,
wan etswer wandel an mir siht.
dîn munt ist lobs ze vil vernomn.
sag et, wie bistu wider komn?'
'diu werde diet von Punturteys
hât mich und disen Schampôneys
ledic lâzen über al.
Môrholt, der mînen neven stal,
von dem sol er ledic sîn,
mac mîn hêr Brandelidelîn
ledic sîn von dîner hant.
wir sîn noch anders beide phant,
ich unt mîner swester suon:
du solt an uns genâde tuon.
ein vesperîe ist hie erliten,
daz turnieren wirt vermiten
an dirre zît vor Kanvoleiz:
die rehten wârheit ich des weiz.
wan d'ûzer herte sitzet hie:
nu sprich et, wâ von oder wie
möhtens uns vor gehalden?
du muost vil prîses walden.'
diu küngîn sprach ze Gahmurete
von herzen eine süeze bete.
87 'swaz mînes rehtes an iu sî,
dâ sult ir mich lâzen bî:
dar zuo mîn dienst genâden gert.
wird ich der beider hie gewert,
sol iu daz prîs verkrenken,
sô lât mich fürder wenken.'
Der künegîn Ampflîsen,
der kiuschen unt der wîsen,
ûf spranc balde ir kappelân.
er sprach 'niht. in sol ze rehte hân
mîn frouwe, diu mich in diz lant
nâch sîner minne hât gesant.
diu lebt nâch im ins lîbes zer:
ir minne hât an im gewer.

15. Din lip hat *Gg*. 16. gehent *G*. hie] = dir *Ggg*. 17. er *Dg*, Ez *die übrigen*. odr *D*, oder *die übrigen*, *so auch* 18. 19. 18. welisch *gg*, welsche *dgg*, wahsche *G*. 20. volgen *D*. 21. = Daz tir an *Ggg*. bewantem *D*, berantem *d* = gewanten *Ggg*, gewantem *g*. 22. Gelich *G*. hie] = muge *Ggg*. 25. helde *Ggg*. 27. = Der stolze br. *Ggg*. 29. Hardiez *Dg*. Scaffillor *Dd*, scaphilor *g*, tschafillor *Gg*, tschaffilor *g*, tschaffillor *g*. 30. Owi *gg*, Owir *d*.

86, 1. = Pantelamunt *D*, panthalamunt *d*. 5. 6. Er sprach sit du mich also lobest Min frouwe mag wenen das du tobest *d*. 5. = Er sprach *D*. frouwe *DG*. daz *fehlt gg*. 6. also *Ddg*, also (*so g*, alsus *G*, sus *g*) vor ir *Ggg*, vor ir so *g*. lobest *alle aufser D*. 8. wande *D*. 10. et *Ddg*, an *Gg*, *fehlt gg*. 11. ponturteis *Gg*. 12. Hant *Ggg*. Scamp. *D*, tschanponeis *G*. 13. = Lazen ledch *Ggg*. 14. Morolt *G*. 15. von den *D*. 17. = Werden ledch *Ggg*. 18. bede *G*. 21. = Hie ist ein vesperie *Ggg*. 23. von *D*. 25. wan *Ddg*, Gar *Ggg*. Harduz (Hardis) der herre *gg*. d'ûzer] duz der *G*, diu uzer *Ddgg*. herte *fehlt D*. 26. sage *G*. von *fehlt Gdg*. odr *D*, od *g*. 27. mohten si (möchtens *d*) uns vor *Dd* = Si uns mohten vor *Ggg*, Si uns vor mohten *g*, Si an uns mohten *g*. gehalten-walten *G*.

87, 4. beider *Ggg*, beder *g*, bete *Ddg*. 5. = Sol (Sul *g*) mir daz *Ggg*, Sul wir daz *g*. verchenchen *G*. 6. fürder *g*, forter *d*, fuder *gg*, wider *g*, sunder *Gg*, furbaz *D*. 7. anphl. *G*. 10. er sprach *fehlt g*. = niht *fehlt Ggg*. in *Ggg* = en *D*, *fehlt d*. 11. dizze *D*. 13. 15. = Si *Ggg*. 13. in libes *Gg*

diu sol behalden sînen lîp:
wan sist im holt für elliu wîp.
hie sint ir boten fürsten drî,
kint vor missewende vrî.
der heizet einer Lanzidant,
von hôher art ûz Gruonlant:
der ist ze Kärlingen komn
und hât die sprâche an sich genomn.
der ander heizet Lîedarz,
fil li cunt Schîolarz.'
wer nu der dritte wære?
des hœret ouch ein mære.
des muoter hiez Bêâflûrs,
unt sîn vater Pansâmûrs:
die wâren von der feien art:
daz kint hiez Lîahturteltart.
88 diu liefen älliu driu für in.
si sprâchen 'hêrre, hâstu sin
(dir zelt rêgîn de Franze
der werden minne schanze),
sô mahtu spilen sunder phant:
dîn freude ist kumbers ledec zehant.'
Dô diu botschaft was vernomn,
Kaylet, der ê was komn,
saz ter küngîn undr ir mandels ort:
hinz im sprach si disiu wort.
'sag an, ist dir iht mêr geschehen?
ich hân slege an dir gesehen.'
dô begreif im diu gehiure
sîne quaschiure
mit ir linden handen wîz:
an den lac der gotes flîz.
dô was im gamesieret
und sêre zequaschieret
hiufel, kinne, und an der nasen.
er hete der küneginne basen,
diu dise êre an im begienc
daz sin mit handen zir gevienc.
si sprach nâch zühte lêre
hinz Gahmurete mêre
'iu biutet vaste ir minne
diu werde Franzoysinne.
nu êret an mir elliu wîp,
und lât ze rehte mînen lîp.
sît hie unz ich mîn reht genem:
ir lâzet anders mich in schem.'
89 daz lobte ir der werde man.
si nam urloup, dô fuor si dan.
si huop Kaylet, der degen wert,
sunder schamel ûf ir pfert,
und gienc von ir hin wider în,
aldâ er sach die friunde sîn.
Er sprach ze Hardîze
'iwer swester Alîze
mir minne bôt: die nam ich dâ.
diu ist bestatet anderswâ,
und werdeclîcher dan ze mir.
durch iwer zuht lât zornes gir.
si hât der fürste Lämbekîn.
al sül si niht gekrœnet sîn,
si hât doch werdekeit bekant:
Hânouwe und Brâbant

16. wan *fehlt G.* 17. botten *Gg.* 18. Driu chint *Gg.* 19. lazidant *G.* 20. gruonelant *Ggg.* 21. ze] = her ze *Ggg.* charlingen *Gdg.* 23. liedarsz *d*, Leidarz *D* = liadarz *oder* lyad. *Ggg.* 24. Filii cũns Sciolarz *D*, Fili cons syolars *d*, Filluchuns tschielarz *g*, Fili lu kunt Tschielarz *g*, Filicunt detschaialarz *G*, Fily chunt de schialarz *g*, Fil lo chumt der Tschihelarz *g*. 25. = nu *fehlt Ggg.* 26. hœret *Dd* = seiter *Ggg.* 27-30 *fehlen G.* 29. feien *g*, veigen *g*, Fâin *D*, phain *g*, phien *g*, fryen *g*, selben (*statt* elben?) *d*.

88, 2. si] und *D.* 3. Regîn *D*, regine *d* = rein *g*, royn *gg*, roy *Ggg.* 4. tschanze *G*, so ganze *D.* 7. = Diu botschaft was och vernomen *Ggg.* 9. undr ir *Ddg*, unders *Ggg*, under des *gg.* mandeles *G.* 10. = Si sprach hinze im *Ggg.* 12. ersehen *Gdg.* 14. quatschiure *Ggg.* 16. dar an lach *D.* gots *G.* 17. gæmsieret *D*, geamisieret *Gg*, gemisieret *g*, gemasciert *g*, geamisiert *g*, gamazieret *d*, gegasieret *g.* 18. sêre *fehlt D.* zerquatschieret *G.* 19. hûfel *D*, húffel *d*, huffel *Ggg.* chine *G.* 23. mit *Ggg.* 24. Ze *Ggg.* 25. = *nach* 26 *Ggg.* 25. biut *G.* 29. unz] biz *G.* geneme-scheme *G.* 30. lat *Ggg.*

89, 1. Ditze *G.* lobt *Gg*, lopt *gg.* ir do *g.* ir dirre man *G.* 2. dô fuor si] unde fuor *Gdg.* von dan *Gg*, san (*corrigiert*) *D.* 4. schemel *g.* pfært *D.* 5. = Unde cherte von ir wider in *Ggg.* 6. al *fehlt Ggg.* = vant *Ggg.* friunde *G*, freude *dgg*, vrowe *g*, frouwen *Dg.* 7. **Hardyse** *D*, hardieze *G.* 8. Alise *D*, alieze *G.* 10. ist nu *dgg.* bestatet *dgg*, bestatt *D*, bestat *g*, bestæt *G*, bestetet *gg.* 11. und *fehlt Gg.* dane *G*, denne *D.* 13. sî *D.* lambechin *Gdg*, lammekin *g*, lamechin *gg*, Læmbekin *D*, Lemmekein *g.* 14. al *Dd*, also *g*, en *G*, unde *g*, *fehlt gg.* 16. Hanouwe *Dd* = Henouwe *g*, Hẽnawe *g*, Hengouwe *G*, Henegowe *g*, Henegeu *g.*

ir dienet, und manc ritter guot.
kêrt mir ze grüezen iweren muot,
lât mich in iwern hulden sîn,
und nemt hin widr den dienest mîn.'
der künec von Gascône sprach
als im sîn manlîch ellen jach
'iwer rede was ie süeze:
swer iuch dar umbe grüeze,
dem ir vil lasters hât getân,
der woltez doch durch vorhte lân.
mich vienc iwer muomen suon:
der kan an niemen missetuon.'
'ir wert wol ledec von Gahmurete.
daz sol sîn mîn êrstiu bete.
90 swenne ir dan unbetwungen sît,
mîn dienst gelebet noch die zît
daz ir mich zeinem friwende nemt.
ir möht iuch nu wol hân verschemt.
swaz halt mir von iu geschiht,
mich enslüege doch iur swester niht.'
Der rede si lachten über al.
dô wart getrüebet in der schal.
den wirt sîn triwe mente
daz er sich wider sente:
wan jâmer ist ein schärpher gart.
ir ieslîcher innen wart
daz sîn lîp mit kumber ranc
und al sîn freude was ze kranc.
dô zurnde sîner muomen suon,
er sprach 'du kanst unfuoge tuon.'
'nein, ich muoz bî riwen sîn:
ich sen mich nâch der künegîn.
ich liez ze Pâtelamunt
dâ von mir ist mîn herze wunt,
in reiner art ein süeze wîp.
ir werdiu kiusche mir den lîp
nâch ir minne jâmers mant.
si gap mir liute unde lant.
mich tuot frô Belakâne
manlîcher freuden âne:
ez ist doch vil manlich,
swer minnen wankes schamet sich.
der frouwen huote mich ûf pant,
daz ich niht rîterschefte vant:
91 dô wânde ich daz mich rîterschaft
næm von ungemüetes kraft.
der hân ich hie ein teil getân.
nu wænt manc ungewisser man
daz mich ir swerze jagte dane:
die sah ich für die sunnen ane.
ir wîplich prîs mir füeget leit:
si ist [ein] bukel ob der werdekeit.
Einz undz ander muoz ich klagen:
ich sach mîns bruoder wâpen tragen
mit ûf kêrtem orte.'
ôwê mir dirre worte!
daz mære wart dô jæmerlîch.
von wazzer wurden d'ougen rîch
dem werden Spânôle.
'ôwî küngîn Fôle,
durch dîne minne gap den lîp
Gâlôes, den elliu wîp
von herzen klagen solten
mit triwen, op si wolten
daz ir site bræhte
lop swâ mans gedæhte.
küngîn von Averre,
swie lützel ez dir werre,
den mâg ich doch durch dich verlôs,
der rîterlîchen ende kôs

18. gruozen *D*, gruoze *Gdg*. 20. und *fehlt Gg*. den *fehlt D*. 21. ascone *G*, Gascon do *D*. 24. Der *Gg*. 25. vil lasters *Dd* = groz laster *Ggg*, laster *g*, laide *g*. habet *G*. 26. woltz *D*. iedoch *Ggg*. 29. wert *g*, werdet *die meisten*. ledch *G*, ledich *D*.

90, 1. ir denne *Dd* = aber (ob *g*) ir *Ggg*. 2. = So gelebet min dienst *Ggg*. noch *Ddg*, wol *Ggg*. 3. = ze friunde *Ggg*. 4. nu wol *Dg*, wol *d*, ê wol *g*, vorne *Gg*. 6. sluoge *G*, sluoch *g*. doch *fehlt g*. iwer *alle*. 8. Doch *Ggg*. 10. wider] sere *Gg*. 11. wan *fehlt Ggg*. scharfer *Ggg*. 12. iegelicher *G*. 15. zurende *D*. 19. = Die ich *Ggg*. 20. = Von der ist min *Ggg*. 22. mir den] minen *Gg*. 24. lip *gg*. 27. doc *D*, iedoch *Ggg*. 28. minen *G*. schamt *D*. 29. huot *dg*.

91, 1. 2 *fehlen Gg*. mich *setzt D vor* neme. 2. Nem *g*, neme *Ddgg*, Name *g*. 4. wænet *DG*. ungewisser *Ddg*, unwise *G*, unwiser *gg*, unverwissen *g*. 5. 6. dan-an *DG*. 9. Einez undz andr muoz ich *Dd* = Ich muoz einz unt dez (daz *gg*, *fehlt gg*) ander *Ggg*. 11. gechertem *Gdgg*. 13. mare-iamerlich *G*. 14. diu *fehlt g*. 15. spangole *G*. 16. owi *D*, Er sprach ouwe *d* = Ei *Gg*, Ein *gg*, Haia *g*. kuneginne *D*. Fôle *Dd* = anphole *Gg*, anf. *g*, amph. *g*, amf. *g*. 17. Dur *G*. 24. = Swie wench *Ggg*. ez dir] es dòch *d*, dir daz *D*. 25. mach *G*. doch] dorh *D*.

von einer tjoste, diu in sluoc
do'r dîn kleinœte truoc.
fürsten, die gesellen sîn,
tuont herzenlîche ir klagen schîn.
92 si hânt ir schildes breite
nâch jâmers geleite
zer erden gekêret:
grôz trûren si daz lêret.
alsus tuont si rîterschaft.
si sint verladen mit jâmers kraft,
sît Gâlôes mînr muomen suon
nâch minnen dienst niht solde tuon.'
Dô er vernam des bruoder tôt,
daz was sîn ander herzenôt.
mit jâmer sprach er disiu wort.
'wie hât nu mîns ankers ort
in riwe ergriffen landes habe!'
der wâppen teter sich dô abe.
sîn riwe im hertes kumbers jach.
der helt mit wâren triwen sprach
'von Anschouwe Gâlôes!
fürbaz darf niemen vrâgen des:
ez enwart nie manlîcher zuht
geborn: der wâren milte fruht
ûz dîme herzen blüete.
nu erbarmet mich dîn güete.'
er sprach ze Kaylette
'wie gehabt sich Schôette,
mîn muoter freuden arme?'
'sô daz ez got erbarme.
dô ir erstarp Gandîn
und Gâlôes der bruoder dîn,
unt dô si dîn bî ir niht sach,
der tôt och ir daz herze brach.'
93 dô sprach der künec Hardîz
'nu kêrt an manheit iwern vlîz.
ob ir manheit kunnet tragn,
sô sult ir leit ze mâzen klagn.'
sîn kumber leider was ze grôz:
ein güsse im von den ougen vlôz.
er schuof den rittern ir gemach,
und gienc da er sîne kamern sach,
ein kleine gezelt von samît.
die naht er dolte jâmers zît.
Als der ander tac erschein,
si wurden alle des enein,
die innern und daz ûzer her,
swer dâ mit strîteclîcher wer
wære, junc oder alt,
oder blœde oder balt,
dien solden tjostieren nieht.
dô schein der mitte morgen lieht.
si wârn mit strîte sô verribn
unt d'ors mit sporn alsô vertribn,
daz die vrechen ritterschaft
ie dennoch twanc der müede kraft.
diu küngîn reit dô selbe
nâch den werden hin ze velde,
und brâht si mit ir in die stat.
die besten si dort inne bat
daz si zer Lêôplâne riten.
done wart ir bete niht vermiten:
si kômen dâ man messe sanc
dem trûregen künec von Zazamanc.

27. An *Ggg*. 28. do'r] der *Dd* = Da er *Ggg*, Daz er *gg*. chleinot *D*, chleinode *G*. 30. herzenliche ir chlagen *D*, herzechlich chlagen *g*, hertec-lich ir clage *d*, herzenlicher chlage *gg*, herzenliche chlage *Gg*.

92, 1. habnt *D*. 4. Groz iamer *G*. sî *D*. 5. Also *Gg*. reterschaft *D*. 6. Unt sint *Ggg*. 7. mîn? 8. sol *Ggg*. 9. = gefriesch *Ggg*, erfuor *g*. 11. er *fehlt Dg*. 12. nu] sus *Ggg*. mins *g*. 13. lands *D*. 14. doch *Dg*. 15. = Groz *Ggg*. grozes *gg*. 16. herre *Gg*. = uz *Ggg*. grozen *Gg*. 20. der rehten *G*, rehter *g*. 21. sinem *g*, einem *g*. 23. kai-let *G*. 24. Scoette *D*, tuschet *G*, tschuet *g*, ieskutte *g*, thschuet *g*, Joet *g*, schoyet *d*, deschawete *g*. 29. dô *fehlt Gg*. 30. ir ouch *Gg*. daz *Dd* = *fehlt gg*, ir *G*.

93, 4. zemaze *Ggg*, mit zmaze *g*. 5. = Do was sin chumber al ze groz *Ggg*. 7. riteren *G*. 8. chamer *G*. 9. = Ein wench *Ggg*, Ein wenigz *g*. 11. = Des morgens do der tach *Ggg*. 12. = algeliche enein *Ggg*. 14. = Daz da (ta *G*) was *(in G von der ersten hand übergeschrieben)* mit *Ggg*. stritlicher *dgg*, strites *g*. 15. = Sie weren (waren *G*) iunch *Ggg*. 16. bluege *g*. 17. dine *D* = Sine *Ggg*, Si *gg*. soltn tiustieren nîeht *D*. 18. mitter *G*. 19. also *Ggg*. 20. d'] *fehlt D*, diu *die übrigen*. alsô *fehlt gg*, so *G*. 21. = Daz al die *Ggg*. 22. Dannoch twanc *g*, Twanch iedoch *Gg*. 24. dem *G*. hin *fehlt Gg*. 25. = fuorte *Ggg*. die *D*. 27. zer Leoplane *Dg*, zer lewe planie *Ggg*, zuo ir lewen plangen *g*, zuo der (auff die) planie *dg*. 28. Da *Ggg*. 29. = fuoren *Ggg*. 30. trurigen chunge (kunege *D*) *DG*.

94 als der benditz wart getân,
dô kom frou Herzeloyde sân.
an Gahmuretes lîp si sprach:
si gerte als ir diu volge jach.
dô sprach er 'frouwe, ich hân ein wîp:
diu ist mir lieber danne der lîp.
ob ich der âne wære,
dennoch wess ich ein mære,
dâ mit ich iu enbræste gar,
næm iemen mînes rehtes war.'
'Ir sult die Mœrinne
lân durch mîne minne.
des toufes segen hât bezzer kraft.
nu ânet iuch der heidenschaft,
und minnet mich nâch unser ê:
wan mirst nâch iwerr minne wê.
oder sol mir gein iu schade sîn
der Franzoyser künegîn?
der boten sprâchen süeziu wort,
si spiltn ir mære unz an den ort.'
'jâ diu ist mîn wâriu frouwe.
ich brâht in Anschouwe
ir rât und mîner zühte site:
mir wont noch hiute ir helfe mite,
dâ von daz mich mîn frouwe zôch,
die wîbes missewende ie flôch.
wir wâren kinder beidiu dô,
unt doch ze sehen ein ander vrô.
diu küneginne Amphlîse
wont an wîplîchem prîse.
95 mir gap diu gehiure
vom lande de besten stiure:
(ich was dô ermer denne nuo)
dâ greif ich willeclîchen zuo.
zelt mich noch für die armen.
ich solt iuch, frouwe, erbarmen:
mir ist mîn werder bruoder tôt.
durch iwer zuht lât mich ân nôt.
kêrt minne dâ diu freude sî:
wan mir wont niht wan jâmer bî.'
'Lât mich den lîp niht langer zern:
sagt an, wâ mite welt ir iuch wern?'
'ich sage nâch iwerre frâge ger.
ez wart ein turney dâ her
gesprochen: des enwart hie niht.
manec geziuc mir des giht.'
'den hât ein vesperîe erlemt.
die vrechen sint sô hie gezemt,
daz der turney dervon verdarp.'
'iwerr stete wer ich warp
mit den diez guot hie hânt getân.
ir sult mich nôtrede erlân:
ez tet hie manec ritter baz.
iwer reht ist gein mir laz;
niwan iwer gemeiner gruoz,
ob ich den von iu haben muoz.'
als mir diu âventiure sagt,
dô nam der ritter und diu magt
einen rihtære übr der frouwen klage.
dô nâhet ez dem mitten tage.
96 man sprach ein urteil zehant,
'swelch ritter helm hie ûf gebant,
der her nâch rîterschaft ist komn,
hât er den prîs hie genomn,
den sol diu küneginne hân.'
dar nâch diu volge wart getân.
dô sprach si 'hêr, nu sît ir mîn.
ich tuon iu dienst nâch hulden schîn,
und füege iu sölher fröuden teil,
daz ir nâch jâmer werdet geil.'

94, 1. Und als *d* = Do *Ggg*. benditz *G*, bendiz *D*, benediz do *g*, beneditz das *d*, benedicite *gg*. 2. = Fro herzeloide chom da (do *g*, du *g*) san *Ggg*. 3. gahmurets *G*. 4. = Unde *Ggg*. 5. ich *fehlt G*. 6. Diu mir ist *Gg*. 9. enbrêste *D*. 10. Nem *g*, næme *D*, Name *G*. 11. = Si sprach *Dd*. 13. grozer *G*, groze *g*. 14. nu *fehlt G*. 15. und *fehlt G*. unserr *D*. 16. wan *fehlt Gg*. mir ist *alle*. iweren minnen *G*. 20. = Unde *Ggg*. spilten *Ddgg*, spielden *Gg*. 21. Er sprach diu ist min frouwe *Gg*. 23. und] an *Gg*, mit *g*. 26. ie *fehlt Ggg*. 28. zesehne *G*. 29. chungin *G*. amphîse *D*, anflise *G*. 30. Wonet in wibes prise *Gg*.

95, 2. Vom *g*, Von *g*, Von dem *die übrigen*. die *alle*. bestn *D*. 4. = *vor* 3 *Ggg*. 4. Do *Gg*. 5. noch *fehlt Gg*, nu *g*, doch *g*. 8. an *Ggg*, en *g*, ane *die übrigen*. 10. = wan *fehlt Ggg*. wont] ist *G*. niwan *D*. chumber *Gg*. 12. wâ mite] wie, *und dann* erwern, *Gg*. welt ir iuch *Dd*, woltet ir euch *g*, welt irs iuch *G*, ir iuch welt (wolt *g*) *gg*. 13. iwer *G*. 15. newart *G*. 17. vesprie *G*. 18. = Hie sint die frechen so gezemet *Ggg*. sin *D*. 20. Iwere *G*. 24. mir vil laz *Gg*. 27. = Als uns *Ggg*. 29. uber ir beider chlage *Gg*. 30. mitten *D*, miten *G*, mittem *dg*, mitem *g*.

96, 1. urteile *D*. = da (al *G*) zehant *Ggg*. 3. hernâch *Dd* = her dur *Ggg*. was *Ggg*. 4. Hat der *Gg*. 6. Des wart ein urteil (urtaild *g*) getan *Gg*. 7. Si sprach *Gg*. herre *DG*. 10. iamere *G*.

Er het iedoch von jâmer pîn.
dô was des abrillen schîn
zergangen, dar nâch komen was
kurz kleine grüene gras.
daz velt was gar vergrüenet;
daz plœdiu herzen küenet
und in gît hôchgemüete.
vil boume stuont in blüete
von dem süezen luft des meien.
sîn art von der feien
muose minnen oder minne gern.
des wolt in friundîn dâ gewern.
an [frôn] Herzeloyden er dô sach:
sîn süezer munt mit zühten sprach
'frowe, sol ich mit iu genesen,
sô lât mich âne huote wesen.
wan verlæt mich immer jâmers kraft,
sô tæt ich gerne rîterschaft.
lât ir niht turnieren mich,
sô kan ich noch den alten slich,
97 als dô ich mînem wîbe entran,
die ich ouch mit rîterschaft gewan.
dô si mich ûf von strîte bant,
ich liez ir liute unde lant.'
si sprach 'hêr, nemt iu selbe ein zil:
ich lâz iu iwers willen vil.'
'ich wil frumen noch vil der sper enzwei:
aller mânedglîch ein turnei,
des sult ir frouwe ruochen,
daz ich den müeze suochen.'
diz lobte si. wart mir gesagt:
er enphienc diu lant unt och die magt.
Disiu driu junchêrrelîn
Ampflîsen der künegîn
hie stuonden, unde ir kappelân,
dâ volge und urteil wart getân,
aldâ erz hôrte unde sach.
heinlîche er Gahmureten sprach.
'man tet mîner frouwen kunt
daz ir vor Pâtelamunt
den hœhsten prîs behieltet
unt dâ zweir krône wieltet.
si hât ouch lant unde muot,
und gît iu lîp unde guot.'
'dô si mir gap die rîterschaft,
dô muos ich nâch der ordens kraft,
als mir des schildes ambet sagt,
derbî belîben unverzagt.
wan daz ich schilt von ir gewan,
ez wær noch anders ungetân.
98 ich werdes trûric oder geil,
mich behabt hie rîters urteil.
vart wider, sagt ir dienest mîn;
ich sül iedoch ir ritter sîn.
ob mir alle krône wærn bereit,
ich hân nâch ir mîn hœhste leit.'
er bôt in sîne grôze habe:
sîner gebe tâten si sich abe.
die boten fuorn ze lande
gar ân ir frouwen schande.
sine gerten urloubes niht,
als lîhte in zorne noch geschiht.
ir knappen fürsten, disiu kint
wârn von weinen vil nâch blint.
Die den schilt verkêrt dâ hânt getragn
den begunde ir friwent ze velde sagn
'frou Herzeloyd diu künegîn
hât behabt den Anschevîn.'
'wer was von Anschouwe dâ?
unser hêrre ist leider anderswâ,
durch rîters prîs zen Sarrazîn.
daz ist nu unser hôhster pîn.'
'der hie den prîs hât bezalt
unt sô mangen ritter ab gevalt,
unt der sô stach unde sluoc,
unt der den tiwern anker truoc

12. Nu *Ggg*, Ez *gg*. Abrillen *Dg*, apprillen *d*, aberellen *G*, abrellen *gg*, abrullen *g*. 16. herze *Ggg*. 17. 18 *fehlen Gg*. 19. lufte des *D*, luftes *g*. meigen *G*. 20. pheigen *G*, phain *g*, pheien *g*. 23. An die chungin er sach *G*. dô *fehlt Dg*, er ersach *g*. 25. Frouwe *DG*. sul *Gg*. 27. wan *fehlt G*. verlæt *Dg*, verlat *die übrigen*.

97, 1. dô *fehlt Gg*. 4. ir *fehlt D*. lip *Ggg*. 5. Si sprach *fehlt Gg*. herre nu nemt *D*. ein *fehlt Gdgg*. 8. aller *fehlt g*. manedglich *D*, manot glich *g*, man und glich *d*, manodliche *g*, mangelich *G*, mænlich *gg*. einen *G*. 10. die *Gg*. 12. daz lant *G*. 14. Anphl. *G*. 16. urtel *D*. 17. Do das der Cappelan gesach *d* = Der phafe ez horte unde sach *Ggg*. 20. Pautelamunt *D*. 21. behielt *G*. 22. dâ *fehlt Ggg*. zweir *g*, zweier *D*, zweiger *G*. lande *Gg*. 26. ordenes *G*, orden *dg*. 27. schilds ambt *D*.

98, 1. = ich wære des *Dd*. 4. sol *Ggg*. 6. hohest *G*, hohsten *g*, hohstez *dgg*. 8. gabe *Gdgg*. 9. fuoren *DG*. 10. ân *g*, an *D*, ane *G*. 12. ditche *Gg*. 15. dâ *fehlt Gdgg*. 17. Fro *G*. Herzeloyde *D*, herzeloide *G*, *immer*. 18. diu hat *D*. 21. Dur *G*. zesarazin *Ggg*. 23. hie] = da *Ggg*. 24. = sô *fehlt Ggg*. 25. unt *fehlt Gg*. unde] unde der *g*, unt der so *Gg*, unde so *g*. 26. tiwren *G*.

ûf dem helme lieht gesteinet,
daz ist den ir dâ meinet.
mir sagt der künec Kaylet,
der Anschevîn 'wær Gahmuret.
99 dem ist hie wol gelungen.'
nâch den orsen si dô sprungen.
ir wât wart von den ougen naz,
dô si kômen dâ ir hêrre saz.
si enphiengen in, ernphienc ouch sie.
freude und jâmer daz was hie.
dô kuster die getriuwen,
er sprach 'iuch sol niht riuwen
zunmâzer wîs der bruoder mîn:
ich mag iuch wol ergetzen sîn.
kêrt ûf den schilt nâch sîner art,
gehabt iuch an der freuden vart.
ich sol mîns vater wâpen tragn:
sîn lant mîn anker hât beslagn.
der anker ist ein recken zil:
den trage und nem nu swer der wil.
Ich muoz nu lebelîche
gebâren: ich bin rîche.
wan solt ich volkes hêrre sîn?
den tæte wê der jâmer mîn.
frou Herzeloyde, helfet mir,
daz wir biten, ich unt ir,
künge und fürsten die hie sîn,
daz si durch den dienest mîn
belîben, unz ir mich gewert
des minnen werc zer minnen gert.'
die bete warb ir beider munt:
die werden lobtenz sâ ze stunt.
ieslîcher fuor an sîn gemach:
diu künegîn zir friunde sprach
100 'nu habt iuch an mîne phlege.'
si wîst in heinlîche wege.
sîner geste phlac man wol ze frumn,
swar halt ir wirt wære kumn.
daz gesinde wart gemeine:
doch fuor er dan al eine,
wan zwei junchêrrelîn.
juncfrouwen unt diu künegîn
in fuorten dâ er freude vant
und al sîn trûren gar verswant.
entschumphiert wart sîn riwe
und sîn hôchgemüete al niwe:
daz muose iedoch bî liebe sîn.
frou Herzeloyd diu künegîn
ir magettuom dâ âne wart.
die munde wâren ungespart:
die begunden si mit küssen zern
und dem jâmer von den freuden wern.
Dar nâch er eine zuht begienc:
si wurden ledic, dier dâ vienc.
Hardîzen und Kaylet,
seht, die versuonde Gahmuret.
da ergienc ein sölhiu hôhgezît,
swer der hât gelîchet sît,
des hant iedoch gewaldes phlac.
Gahmuret sich des bewac,
sîn habe was vil ungespart.
aræbesch golt geteilet wart
armen rîtern al gemeine,
unt den küngen edel gesteine
101 teilte Gahmuretes hant,
und ouch swaz er dâ fürsten vant.
dâ wart daz varnde volc vil geil:
die enphiengen rîcher gâbe teil.
lât si rîten, swer dâ geste sîn:
den gap urloup der Anschevîn.
dez pantel, daz sîn vater truoc,
von zoble ûf sînen schilt man sluoc.

29. = Uns *Ggg.*
99, 1. = Dem si da wol *Ggg.* 2. = Ze den *gg*, Ze *Ggg.* 5. ernphienc *g*, er enphiench *D*, er enphie *G.* sîe *D*, si *G.* 6. iamer was ta bi *Gg.* 8. iuch en sol *D.* 9. Zeumazer *G*, ze unmaze *oder* zunmazzen (*ohne* wîs) *gg.* wise *Gdg.* 12. = Habet *G*, Und habt *gg.* 13. = wil *Ggg.* 16. neme unde trage *Gg.* dr *D*, da *dgg.* 19. sol *Gg.* 20. Dem *Ggg.* chumber *Gg.* 21. Frouwe chungin helfet mir *G.* 22. bitten *D.* un̄ *DG.* 24. dur *G.* 25. biz *G.* 26. ze *Ggg.* minne *gg.* 28. lobten ez zestunt *Gg.* 29. Iegelicher *G.*
100, 1. halt *Ggg.* 4. chomen *G.* 11. Entschunphiert *G.* 12. und *fehlt Gg.* 13. bi *D*, in *d* (*in d sind* bi *und* in *oft schwer zu unterscheiden*) = von *Gg*, vor *gg.* 14. Fro *G.* 15. magetuoms *Dgg.* 16. dî *D.* münde *dg.* 17. 22. di *D.* 18. Dem amer *G.* 20. ledich di er *D*, ledch die er *G.* 21. Hardiezen *D* = Hardiz *Ggg.* 22. seht *fehlt Gdgg.* 23. ein solch hochzit *G.* 26. des *fehlt D.* 27. was (wart *d*) vil *Dd* = diu was *Ggg.* 28. Aræbsc *D*, Arabesch *d*, Arabisch *gg*, Arabischez *gg*, arabensch *G.* 30. und *fehlt Ggg.* chungen *Ggg*, kunegin *Ddgg.* edele *D.*
101, 2. ouch *fehlt Ggg.* 3. 4 = *fehlen Dd.* 3. vil *fehlt gg.* 4. Si *gg.* 5. si *fehlt Gdg*, nu *g.* swer da *Dd* = die da *Ggg*, da di *g*, die *gg.* 7. Daz *alle außer D.* 8. manz *G.*

al kleine wîz sîdîn
ein hemde der künegîn,
als ez ruorte ir blôzen lîp,
diu nu worden was sîn wîp,
daz was sîns halsperges dach.
ahzehniu manr durchstochen sach
und mit swerten gar zerhouwen,
ê er schiede von der frouwen.
daz leit ouch si an blôze hût,
sô kom von rîterschaft ir trût,
der manegen schilt vil dürkel stach.
ir zweier minne triwen jach.
Er hete werdekeit genuoc,
dô in sîn manlîch ellen truoc
hin über gein der herte.
mich jâmert sîner verte.
im kom diu wâre botschaft,
sîn hêrre der bâruc wær mit kraft
überriten von Babylôn.
einer hiez Ipomidôn,
der ander Pompeius.
den nennet d'âventiure alsus.
102 daz was ein stolz werder man
(niht der von Rôme entran
Julîus dâ bevor):
der künec Nabchodonosor
sîner muoter bruoder was,
der an trügelîchen buochen las
er solte selbe sîn ein got.
daz wære nu der liute spot.
ir lîp, ir guot was ungespart.
die gebruoder wârn von hôher art,
von Nînus, der gewaldes pflac
ê wurde gestiftet Baldac.
der selbe stift ouch Ninnivê.
in tet schade und laster wê:
der jach der bâruc zurborn.
des wart gewunnen unt verlorn
genuoc ze bêden sîten:
man sach tâ helde strîten.
dô schift er sich über mer,
und vant den bâruc mit wer.
mit freuden er enphangen wart,
swie mich jâmer sîner vart.
Waz tâ geschehe, wiez dort ergê,
gewin und flust, wie daz gestê,
desn weiz frou Herzeloyde nieht.
diu was als diu sunne lieht
und hete minneclîchen lîp.
rîcheit bî jugent phlac daz wîp,
und freuden mêre dan ze vil:
si was gar ob dem wunsches zil.
103 si kêrte ir herze an guote kunst:
des bejagte si der werlde gunst.
frou Herzeloyd diu künegin,
ir site an lobe vant gewin,
ir kiusche was für prîs erkant.
küngîn über driu lant,
Wâleys und Anschouwe,
dar über was si frouwe,
si truog ouch krôn ze Norgâls
in der houbetstat ze Kingrivâls.
ir was ouch wol sô liep ir man,
ob ie kein frouwe mêr gewan
sô werden friunt, waz war ir daz?
si möhtez lâzen âne haz.
do er ûze beleip ein halbez jâr,
sîns komens warte si für wâr:
daz was ir lîpgedinge.
dô brast ir freuden klinge
mitten ime hefte enzwei.
ôwê unde heiâ hei,
daz güete alsölhen kumber tregt
und immer triwe jâmer regt!
alsus vert diu mennischeit,
hiute freude, morgen leit.

11. ruote *G.* blozer *D.* 14. maner *Gg*, man ir *g*, man *Ddgg.* dur stochen *G.* 16. schied *D*, schiet (*ohne* ê) *gg.* 17. Daz leite si an ir bloze hut *Ggg.* 18. chom *setzen Dgg vor* ir. 20. minne man *D.* 22. mænlich *Dg.* 25. ein wariu *Gg.* 26. barruch *G.* 27. von *Ggg*, von den *dg*, von dem *D.* 29. ponpeirus *G.* 30. nenet *G.* diu *alle.* sus *Ggg.*

102, 3. Iulúse *d.* 4. de kunech nabuchodonozor *D.* 6. truglichen *D.* 7. wolt *Ggg.* 8. = Ez *Ggg.* 10. gebrûdr *D.* 11. linus *Ggg.* 12. E gestiftet wurde *Ggg.* 13. ninve *G.* 17. beiden *G.* 23. geschæhe *D*, geschahe *G.* wî ez *D.* 24. wî *D.* 25. Des *G*, den en *D.* fro *G.* 26. also *D.* 27. het *G.* 28. tugende *Dg.* 29. mer denne *D.* ze *fehlt Gg.*

103, 2. werelde *D*, werlte *G.* 3. 4. = *fehlen Dd.* 3. Diu vil reine chungin *G.* 5. Ir site *G.* 6. Der ch. *Gg*, Dîu ch. *gg.* kuneginne ubr *D.* 9. chrone *DG.* nurgals *G*, Nuorgals *g.* 10. kinrivals G, Gingrivals *g.* 12. Obe ie dehein *G.* 13. lieben *Gg.* warr ir *g.* 14. mŏhtez *G*, mohtez *D.* 16. wart *G.* 17. wart *D.* 19. Enmiten in dem *G.* 21. guot *Ggg.* treit *G.* 22. amer weiget *G.* 23. menscheit *G.* 24. vro *gg*, liep *Gdg.*

Diu frouwe umb einen mitten tac
eins angestlîchen slâfes pflac.
ir kom ein forhtlîcher schric.
si dûhte wie ein sternen blic
si gein den lüften fuorte,
dâ si mit kreften ruorte
104 manc fiurîn donerstrâle.
die flugen al zemâle
gein ir: dô sungelt unde sanc
von gänstern ir zöphe lanc.
mit krache gap der doner duz:
brinnde zäher was sîn guz.
ir lîp si dâ nâch wider vant,
dô zuct ein grif ir zeswen hant:
daz wart ir verkêrt hie mite.
si dûhte wunderlîcher site,
wie sie wære eins wurmes amme,
der sît zerfuorte ir wamme,
und wie ein trache ir brüste süge,
und daz der gâhes von ir flüge,
sô daz sin nimmer mêr gesach.
daz herze err ûzem lîbe brach:
die vorhte muose ir ougen sehen.
ez ist selten wîbe mêr geschehen
in slâfe kumber dem gelîch.
dâ vor was si ritterlîch:
ach wênc, daz wirt verkêret gar,
si wirt nâch jâmer nu gevar.
ir schade wirt lanc unde breit:
ir nâhent komendiu herzenleit.

Diu frouwe dô begunde,
daz si dâ vor niht kunde,
beidiu zabeln und wuofen,
in slâfe lûte ruofen.
vil juncfrouwen sâzen hie:
die sprungen dar und wacten sie.
105 dô kom geriten Tampanîs,
ir mannes meisterknappe wîs,
und kleiner junchêrren vil.
dâ giengez ûz der freuden zil.
die sagten klagende ir hêrren tôt:
des kom frou Herzeloyde in nôt,
si viel hin unversunnen.
die ritter sprâchen 'wiest gewunnen
mîn hêrre in sîme harnas,
sô wol gewâpent sô er was?'
swie den knappen jâmer jagte,
den helden er doch sagte
'mînen hêrren lebens lenge vlôch.
sîn härsenier von im er zôch:
des twanc in starkiu hitze.
gunêrtiu heidensch witze
hât uns verstoln den helt guot.
ein ritter hete bockes bluot
genomen in ein langez glas:
daz sluoger ûf den adamas:
dô wart er weicher danne ein swamp.
den man noch mâlet für daz lamp,
und ouchz kriuze in sîne klân,
den erbarme daz tâ wart getân.
dô si mit scharn zein ander ritn,
âvoy wie dâ wart gestritn!

26. angeslichen *G*, ængestlichen *Dg*. 28. sternen *Gdg*, stern *D*, sterne *gg*, sternes *gg*. 29. sî *D*. lufeten *G*.

104, 1. donrstrâle *D*, doner stral *G*. 2. dî *D*, *fehlt Ggg*. alzemal *G*. 3. sungelt *D*, sunkelt *g*, funckelt *d*, suncte *gg*, sust *G*. stanc *g*, sangte *g*. 4. gænstern *D*, ganstern *gg*, ganeistern *g*, gnaneiste *G*, gneistern *d*. 5. donr *D*. 6. Brinnde *G*, Brynnede *g*, Brinnende *gg*, brinnendige *D*, Brömen *d*. zahere *G*. 7. dar nach *G*, dannoch *g*. 8. Ir *Ggg*. zuht *D*. grif *gg*. Grife *Dg*, griffe *Gdgg*. zeswe *Ggg*. 9. ir *fehlt Ggg*. = 11. tiers *und* 12. Daz *Ggg*. 12. zerfuote *D*. wambe *G*. 13. und *fehlt G*. 14. Unde wie der *Gg*. 16. err] erre *G*, ir *g*, er ir *die übrigen*. 17. muosen *Dg*, ir ougen muesten *d*. 21. Ach wenc *g*, ahwench *D*, Ach went *d*, Ach wenche *g*, Ach wenke *g*, Ach *g*, Ach laider *g*, Owe *G*. 22. Ich wurde *d* = Si wart *Ggg*. 24. chuomendiu *D*. herzeleit *G*. 27. zabeln *gg*, zabelen *DG*, zaplen *g*. 30. dar] uf *Ggg*.

105, 2. meistr knappe *D*, meister [in] knappen *gg*, maister ein chnappe *gg*, chnappen meister *Gd*, knappe ein maister *g*. 3. iuncheren *G*, iunchfrouwen *D*. 4. gie ez *D*, giez *g*. 5. = Si *Ggg*. 6. Des chom diu kungin in not *G*. 8. wî ist *D*, wie ist *die übrigen*. 9. harnasc *D*, harnasch *G*. 10. So wol also er gewoppen was *d*. so er *D* = er *Ggg*, als er *g*. 14. harsenier *G*, hærserin *D*. = er von im *Ggg*. 16. heidens *gg*, heldes *G*. 17. benomen das *G*. 20. an *D*. 21. warder *G*. 22. fur daz *Ggg*, furz *D*, fur ein *g*, fur ein *g*, also *d*. 23. ouchz *D*, ouch das *d* = daz *Ggg*. in sinen *dgg*, hat under sinen *G*. 24. Dem *Ggg*. = si getan *Ggg*. 26. Aphoy *G*.

Des bâruckes ritterschaft
sich werte wol mit ellens kraft.
vor Baldac ûfme gevilde
durchstochen wart vil schilde,
106 dâ si zein ander gâhten.
die poynder sich tâ flâhten,
sich wurren die banier:
dâ viel manec degen fier.
aldâ worht mîns hêrren hant
dâ von ir aller prîs verswant.
dô kom gevarn Ipomidôn:
mit tôde er mîme hêrren lôn
gap, daz er in nider stach
da'z manec tûsent ritter sach.
von Alexandrîe
mîn hêrre valsches vrîe
gein dem künege kêrte,
des tjost in sterben lêrte.
sînen helm versneit des spers ort
durch sîn houbet wart gebort,
daz man den trunzûn drinne vant.
iedoch gesaz der wîgant,
al töunde er ûz dem strîte reit
ûf einen plân, die was breit.
übr in kom sîn kappelân.
er sprach mit kurzen worten sân
sîne bîhte und sande her
diz hemde unt daz selbe sper
daz in von uns gescheiden hât.
er starp ân alle missetât.
junchêrren und die knappen sîn
bevalch er der künegîn.
Er wart geleit ze Baldac.
diu kost den bâruc ringe wac.
107 mit golde wart gehêret,
grôz rîcheit dran gekêret
mit edelem gesteine,
dâ inne lît der reine.
gebalsemt wart sîn junger rê.
vor jâmer wart vil liuten wê.
ein tiwer rubîn ist der stein
ob sîme grabe, dâ durch er schein.
uns wart gevolget hie mite:
ein kriuze nâch der marter site,
als uns Kristes tôt lôste,
liez man stôzen im ze trôste,
ze scherm der sêle, überz grap.
der bâruc die koste gap:
ez was ein tiwer smârât.
wir tâtenz âne der heiden rât:
ir orden kan niht kriuzes phlegn,
als Kristes tôt uns liez den segn.
ez betent heiden sunder spot
an in als an ir werden got,
niht durch des kriuzes êre
noch durch des toufes lêre,
der zem urteillîchen ende
uns lœsen sol gebende.
diu manlîche triwe sîn
gît im ze himel liehten schîn,
und ouch sîn riwic bîhte.
der valsch was an im sîhte.
In sînen helm, den adamas,
ein epitafum ergraben was,
108 versigelt ûfz kriuze obeme grabe.
sus sagent die buochstabe.
'durch disen helm ein tjoste sluoc
den werden der ellen truoc.
Gahmuret was er genant,
gewaldec künec übr driu lant.

27. Des parruches riterschat *G*. 29. von *D*. ûf dem *alle*. 30. Dur stochen *G*.

106, 1. gæhten *D*. 2. wæhten *D*. 4. vie vil *G*. 5. al da worhte *Dd* = Da worchte ouch *g*, Do worht al da *Ggg*. 7. Sus *Ggg*. 11. vor *alle aufser Dg*. 12. vrige *G*. 16. Dur *G*. 17. daz drumzel *g*. drine *G*. 19. tôwende *D*. 20. eine *Dd*. planie *d*. die] diu *Dd*, der *die übrigen*. 21. = Do chom uber in (ubrin *g*) sin *Ggg*. 22. wort. *D*. 25. Daz uns von im *Ggg*. 27. chnaben *g*, kappellane *D*. 28. bevalh *D*. 30. choste *D*. barruch *G*.

107, 1. wart sin grap (si sarc *g*) gehert *Gg*. 2. gechert *G*. 3. = Von *Ggg*. 4. = Dar *Ggg*. 5. gebalsamt *Ddgg*. 6. Sin tot tet [den *g*] sarazinen we *Gg*. Von *dgg*. luten *dgg*, lüte *gg*, lºute *D*. 11. christ des todes *G*, crist *g*. loste *DG*, erloste *die übrigen*. 13. scherme *G*. 14. barruch *G*. 18. lie *G*. 19. betent *Gg*, bettent *dgg*, betten *D*. 21. 22. dur *G*. 23. der ze Murteillicheni ende *D*. 24. sol der *Ggg*. 25. manlich *D*. 27. riwch bihte *G*. 30. ein *fehlt Gg*. Epytafum *g*, appitasum *d*, Epitaphium *DG*, epitafium *gg*.

108, 1. ûfez *DG*. uf dem grabe *G*. 2. sageten *Gg*. 3. Dur *G*. 4. der ie *g*, helt der *g*. die? 5. er was *Gg*. 6. Gewaltch *G*. künec *fehlt Ggg*.

ieglîchez im der krône jach:
dâ giengen rîche fürsten nâch.
er was von Anschouwe erborn,
und hât vor Baldac verlorn
den lîp durch den bâruc.
sîn prîs gap sô hôhen ruc,
niemen reichet an sîn zil,
swâ man noch ritter prüeven wil.
er ist von muoter ungeborn,
zuo dem sîn ellen habe gesworn:
ich mein der schildes ambet hât.
helfe und manlîchen rât
gap er mit stæte'n friunden sîn:
er leit durch wîp vil schärpfen pîn.
er truoc den touf und kristen ê:
sîn tôt tet Sarrazînen wê
sunder liegen, daz ist wâr.
sîner zît versunnenlîchiu jâr
sîn ellen sô nâch prîse warp,
mit ritterlîchem prîse er starp.
er hete der valscheit an gesigt.
nu wünscht im heiles, der hie ligt.'
diz was alsô der knappe jach.
Wâleise man vil weinen sach.

109 Die muosen wol von schulden klagn.
diu frouwe hête getragn
ein kint, daz in ir lîbe stiez,
die man ân helfe ligen liez.
ahzehen wochen hete gelebt
des muoter mit dem tôde strebt,
frou Herzeloyd diu künegin.
die andern heten kranken sin,
daz si hulfen niht dem wîbe:
wan si truoc in ir lîbe
der aller ritter bluome wirt,
ob in sterben hie verbirt.
dô kom ein altwîser man
durch klage über die frouwen sân,
dâ si mit dem tôde ranc.
die zene err von ein ander twanc:
man gôz ir wazzer in den munt.
aldâ wart ir versinnen kunt.
si sprach 'ôwê war kom mîn trût?'
diu frouwe in klagete über lût.
'mînes herzen freude breit
was Gahmuretes werdekeit.
den nam mir sîn vrechiu ger.
ich was vil junger danne er,
und bin sîn muoter und sîn wîp.
ich trage alhie doch sînen lîp
und sînes verhes sâmen.
den gâben unde nâmen
unser zweier minne.
hât got getriwe sinne,

110 sô lâzer mirn ze früfte komn.
ich hân doch schaden ze vil genomn
An mînem stolzen werden man.
wie hât der tôt ze mir getân!
er enphienc nie wîbes minnen teil,
ern wære al ir vröuden geil:
in müete wîbes riuwe.
daz riet sîn manlîch triuwe:
wand er was valsches lære.'
nu hœrt ein ander mære,
waz diu frouwe dô begienc.
kint und bûch si zir gevienc
mit armen und mit henden.
si sprach 'mir sol got senden
die werden fruht von Gahmurete.
daz ist mînes herzen bete.
got wende mich sô tumber nôt:
daz wær Gahmurets ander tôt,
ob ich mich selben slüege;
die wîle ich bî mir trüege

7. Ieslichez *Gg*. 9. geboren *alle aufser D*. 11. dur den barruch *G*. 12. rǒch *G*. 13. Daz niemen *Gd*. 14. nu *Ggg*. 16. zuo den *D*. 17. meine *DG*. 18. mænlichen *Dg*, manlich *G*. 19. steten *g*, stæte (state *Gg*) den *Ggg* = stæte *Dd*. 20. scharfen *G*. 22. Zarrazinen *D*, sarazinen *G*. 23. Ane *Ggg*. 24. versunnchlichiu *G*. 27. E hete *G*. = der *fehlt Ggg*. 28. nu *fehlt G*. wunschet *G*, wnschet *D*. der] da er *G*. 29. als der knape *G*. 30. Vil waleise *G*. man vil *Dgg*, vil man *dg*, man da *G*, man da vil *gg*.

109, 1. = Si *Ggg*. 7. Fro *G*. 9. hulfen niht *Ggg*, nicht hulfen *Ddgg*. 10. diu *D*. 12. = Obe in ein *Ggg*. 13. = altwise *Ggg*. 14. Dur *G*. gan *G*. 15. = Alda *Ggg*. diu *D*. 16. err] er ir *alle*. von ander *G*. 18. al *fehlt Ggg*. Do *Ggg*. 20. chlagte in *Ggg*. 21. mins *D*. 23. den] daz *D*. 24. dann *D*, dane *G*. 30. Habe *Ggg*.

110, 1. laz erz mir *D*. zefruht *G*. 3. lieben werden *G*. 5. Der *Ggg*. enphinch *D*, gewan *Gg*. 9. = Er was gar *Ggg*. 12. buch *Ddg*, lip *Ggg*. 16. mins *D*. bet *G*. 18. gahmuretes *D*. 20. ich bî mir] daz ich *Ggg*, so ich *gg*.

daz ich von sîner minne enphienc,
der mannes triwe an mir begienc.'
diu frouwe enruochte wer daz sach,
daz hemde von der brust si brach.
ir brüstel linde unde wîz,
dar an kêrte si ir vlîz,
si dructes an ir rôten munt.
si tet wîplîche fuore kunt.
alsus sprach diu wîse.
'du bist kaste eins kindes spîse:
111 die hât ez vor im her gesant,
sît ichz lebende im lîbe vant.'
Diu frouwe ir willen dar an sach,
daz diu spîse was ir herzen dach,
diu milch in ir tüttelîn:
die druete drûz diu künegîn.
si sprach 'du bist von triwen komn.
het ich des toufes niht genomn,
du wærest wol mîns toufes zil.
ich sol mich begiezen vil
mit dir und mit den ougen,
offenlîch und tougen:
wande ich wil Gahmureten klagn.'
diu frouwe hiez dar nâher tragn
ein hemde nâch bluote var,
dar inne ans bâruckes schar
Gahmuret den lîp verlôs,
der werlîchen ende kôs
mit rehter manlîcher ger.
diu frouwe vrâgte ouch nâch dem sper,
daz Gahmurete gab den rê.
Ipomidôn von Ninnivê
gap alsus werlîchen lôn,
der stolze werde Babylôn:
daz hemde ein hader was von slegn.
diu frouwe woldez an sich legn,
als si dâ vor hete getân,
sô kom von ritterschaft ir man:
dô nâmen siz ir ûzer hant.
die besten über al daz lant
112 bestatten sper und ouch daz bluot
ze münster, sô man tôten tuot.
in Gahmuretes lande
man jâmer dô bekande.
Dann übr den vierzehenden tac
diu frouwe eins kindelîns gelac,
eins suns, der sölher lide was
daz si vil kûme dran genas.
hiest der âventiure wurf gespilt,
und ir begin ist gezilt:
wand er ist alrêrst geborn,
dem diz mære wart erkorn.
sîns vater freude und des nôt,
beidiu sîn leben und sîn tôt,
des habt ir wol ein teil vernomn.
nu wizzet wâ von iu sî komn
diss mæres sachewalte,
und wie man den behalte.
man barg in vor ritterschaft,
ê er kœme an sîner witze kraft.
dô diu küngîn sich versan
und ir kindel wider zir gewan,
si und ander frouwen
begunde betalle schouwen
zwischen beinn sîn visellîn.
er muose vil getriutet sîn,
do er hete manlîchiu lit.
er wart mit swerten sît ein smit,
vil fiwers er von helmen sluoc:
sîn herze manlîch ellen truoc.

21. 22. enphie-begie *G oft.* 23. enruoht *G.* 24. = si von der bruste *Ggg.* 25. brustel *Dd*, brústelin *g*, bruste *Ggg*, brust *g.* 29. = Also *Ggg.*
111, 2. lebendich *Ddgg.* ime *D*, in me *g*, in minem *g*, in dem *Gdgg.* vant] han *D.* 5. diu *D*, Die *Gg.* tútt. *gg*, tutt. *Dg*, tett. *d*, tutelin *Ggg.* 6. di *Dd* = *fehlt Ggg.* 16. ans *D*, ons *d*, eins *g*, in des *gg*, des *Ggg.* parruches *G.* 18. werdchlichen *G.* 20. vragete *D*, fragete *G.* 22. ninve *G.* 24. werde stolze *G.* 25. hemede *DG.* hadr *D.* 26. woldz *D*, woltz *G.* 27. Alsi dafor *G.* 28. Swene *Ggg.* chom *Gdgg*, *vor* ir *Dg.* 29. brachen *Ggg.*
112, 1. Bestaten *G.* ouch *fehlt Ggg.* daz *fehlt G.* 2. man *Gdgg*, man die *Dgg*, man den *g.* 5. Dannen *Dd* = Dar nach *Ggg.* 6. kindes *Ggg.* 9. Explizit Gahmüret Incipit parcifal *die Hamburger hds.* Hie ist *alle.* 10. begin ist *Dd*, beginnen ist *g*, begenist *g*, beginnens *Ggg*, beginnes *g.* 11. alrest *Dgg.* 14. bede *D.* unde sinen *G.* 15. wol *Dd* = e *Ggg*, hie *g*, *fehlt gg.* 17. Dises mars sachwalte *G.* 19. von *Gdg.* 22. chint *g*, kindelin *die übrigen.* wider *fehlt Gdg.* zuo ir *G.* 24. Alenthalben sin begunden schouwen *G.* begunden *alle.* betalle] in allenthalben *alle*, *g ohne* in. 25. Zwischen *gg*, zwischen den *DGd.* bainn *g*, beinen *die übrigen.* viselin *alle außer D*, *fehlt g.* 26. Daz muose *gg*, Do muoser *G.* gebriset *G.* 29. v[i]urs *G* helme *Ggg.* 30. mænlich *Dgg.*

113 die küngîn des geluste
daz sin vil dicke kuste.
si sprach hinz im in allen flîz
'bon fîz, scher fîz, bêâ fîz.'
Diu küngîn nam dô sunder twâl
diu rôten välwelohten mâl:
ich meine ir tüttels gränsel:
daz schoup sim in sîn vlänsel.
selbe was sîn amme
diu in truoc in ir wamme:
an ir brüste si in zôch,
die wîbes missewende vlôch.
si dûht, si hete Gahmureten
wider an ir arm erbeten.
si kêrt sich niht an lôsheit:
diemuot was ir bereit.
[frou] Herzeloyde sprach mit sinne
'diu hœhste küneginne
Jêsus ir brüste bôt,
der sît durch uns vil scharpfen tôt
ame kriuze mennischlîche enphienc
und sîne triwe an uns begienc.
swes lîp sîn zürnen ringet,
des sêle unsamfte dinget,
swie kiuscher sî und wære.
des weiz ich wâriu mære.'
sich begôz des landes frouwe
mit ir herzen jâmers touwe:
ir ougen regenden ûf den knabn.
si kunde wîbes triwe habn.
114 beidiu siufzen und lachen
kunde ir munt vil wol gemachen.
si vreute sich ir suns geburt:
ir schimph ertranc in riwen furt.

113, 1. Die kuneginne *Dd* = Sine muoter *Ggg*. 3. Diu chungin sprac enallen fliz *Ggg*. 4. scer *D*, tschier *Ggg*. beanfiz *Gg*. 6. = Ir *gg*, Iriu *Gg*. rotiu *gg*. velewelohten *G*. 7. tuttels *g*, tettels *d*, tuttelines *Dg*, tutelins *G*, tûtten *g*, roͮten *g*. grensel-flensel *gg*, gransel-vlansel *G*, grans-vlans (*und* in sinen) *g* = grænselin-vlænselin *Dd*. 8. Si *G*, Die *gg*. 10. wambe *G*. 13. sie *D*. duhte *DG*. 15. 16 *fehlen D*. 15. Sin *gg*. cherte *G*. 16. Ir was die demuot bereit *d*. 17. Fro *G*. 21. menischliche *D*, mensliche *G*. 23. swes sin lip *D*. sinen zoren erringet *Gd*, sin zorn ringet *g*, sin zorn erringet *g*, in zorne ringet *g*. 24. Diu sele unsanfte *G*. 25. Wie *Gg*.

114, 1. Bediu *G*. sûfzen *D*, suften *G*.

Swer nu wîben sprichet baz,
deiswâr daz lâz ich âne haz:
ich vriesche gerne ir freude breit.
wan einer bin ich unbereit
dienstlîcher triuwe:
mîn zorn ist immer niuwe
gein ir, sît ich se an wanke sach.
ich bin Wolfram von Eschenbach,
unt kan ein teil mit sange,
unt bin ein habendiu zange
mînen zorn gein einem wîbe:
diu hât mîme lîbe
erboten solhe missetât,
ine hân si hazzens keinen rât.
dar umb hân ich der andern haz.
ôwê war umbe tuont si daz?

alein sî mir ir hazzen leit,
ez ist iedoch ir wîpheit,
sît ich mich versprochen hân
und an mir selben missetân;
daz lîhte nimmer mêr geschiht.
doch sulen si sich vergâhen niht
mit hurte an mîn hâmît:
si vindent werlîchen strît.
ine hân des niht vergezzen,
ine künne wol gemezzen
115 beide ir bærde unt ir site.
swelhem wîbe volget kiusche mite,
der lobes kemphe wil ich sîn:
mir ist von herzen leit ir pîn.

Sîn lop hinket ame spat,
swer allen frouwen sprichet mat
durch sîn eines frouwen.
swelhiu mîn reht wil schouwen,
beidiu sehen und hœren,
dien sol ich niht betœren.
schildes ambet ist mîn art:
swâ mîn ellen sî gespart,
swelhiu mich minnet umbe sanc,
sô dunket mich ir witze kranc.
ob ich guotes wîbes minne ger,
mag ich mit schilde und ouch mit sper
verdienen niht ir minne solt,
al dar nâch sî sie mir holt.
vil hôhes topels er doch spilt,
der an ritterschaft nâch minnen zilt.

hetens wîp niht für ein smeichen,
ich solt iu fürbaz reichen
an disem mære unkundiu wort,
ich spræche iu d'âventiure vort.
swer des von mir geruoche,
dern zels ze keinem buoche.
ine kan decheinen buochstap.
dâ nement genuoge ir urhap:
disiu âventiure
vert âne der buoche stiure.
116 ê man si hete für ein buoch,
ich wære ê nacket âne tuoch,
sô ich in dem bade sæze,
ob ichs questen niht vergæze.

5. spricht *G*. 6. Daz laze ich weiz got ane haz *G*. 7. ir ere *G*. 9. Dienslicher *G*. 11. sie *D*. 12. Volfram *D*, Wolvram *g*. Eschelbach *g*. 15. Mit zorne *Ggg*. 18. Ich *Ggg*. hazenes deheinen *G*. 19. dar umbe *DG*. hant min die *D*. 21. si *Dd* = ist *Ggg*. 24. sebem *G*. 26. idoch ensuln si *D*. 29. Ich *G*. 30. Ichne *G*.

115, 1. Beidiu *G*. berde *g*, gebære *D*, gebarde *Gg*, geberde *dgg*. 5. Ein *(E blau gemahlt) D*. 6. Der *Gg*. wiben *Ggg*. 10. diene *D*, Die *G*. = wil *Ggg*. 11. Schiltes *G*. ambt *D*. 14. Diu *Ggg*. 15. = werdes *Ggg*. 16. = Muge *Ggg*. schilt *G*. = ouch *fehlt Ggg*. 17. minnen *Gdgg*. 18. sie *fehlt G*. 19. topeles *G*. 20. = Der mit *Ggg*. 21. = diu wip *Ggg*. 22. = wolt *Ggg*. iu *fehlt Ggg*. 24. spreche *D*, spriche *dg*. iu *fehlt Gg*. die *G*. 25. es *G*. 26. der en *D*, Der *G*. zel si *DG*. zecheinen *D*, zedeheinem *G*. 27. = Wan ich chan *Ggg*.

116, 2. nachent *Ggg*, ck *haben dgg*, ch *DGg*. 4. ichs *g*, ich des *DG*. questen *D*, chosten *Ggg*, kostens *d*.

III.

Ez machet trûric mir den lîp,
daz alsô mangiu heizet wîp.
ir stimme sint gelîche hel:
genuoge sint gein valsche snel,
etslîche valsches lære:
sus teilent sich diu mære.
daz die gelîche sint genamt,
des hât mîn herze sich geschamt.
wîpheit, dîn ordenlîcher site,
dem vert und fuor ie triwe mite.
genuoge sprechent, armuot,
daz diu sî ze nihte guot.
swer die durch triwe lîdet,
hellefiwer die sêle mîdet.
die dolte ein wîp durch triuwe:
des wart ir gâbe niuwe
ze himel mit endelôser gebe.
ich wæne ir nu vil wênic lebe,
die junc der erden rîhtuom
liezen durch des himeles ruom.
ich erkenne ir nehein.
man und wîp mir sint al ein:
die mitenz al gelîche.
frou Herzeloyd diu rîche
ir drîer lande wart ein gast:
si truoc der freuden mangels last.
117 der valsch sô gar an ir verswant,
ouge noch ôre in nie dâ vant.
ein nebel was ir diu sunne:
si vlôch der werlde wunne.
ir was gelîch naht unt der tac:
ir herze niht wan jâmers phlac.
Sich zôch diu frouwe jâmers balt
ûz ir lande in einen walt,
zer waste in Soltâne;
niht durch bluomen ûf die plâne.
ir herzen jâmer was sô ganz,
sine kêrte sich an keinen kranz,
er wære rôt oder val.
si brâhte dar durch flühtesal
des werden Gahmuretes kint.
liute, die bî ir dâ sint,
müezen bûwn und riuten.
si kunde wol getriuten
ir sun. ê daz sich der versan,
ir volc si gar für sich gewan:
ez wære man oder wîp,
den gebôt si allen an den lîp,
daz se immer ritters wurden lût.
'wan friesche daz mîns herzen trût,
welch ritters leben wære,
daz wurde mir vil swære.
nu habt iuch an der witze kraft,
und helt in alle rîterschaft.'
der site fuor angestlîche vart.
der knappe alsus verborgen wart
118 zer waste in Soltâne erzogn,
an küneclîcher fuore betrogn;
ez enmöht an eime site sîn:
bogen unde bölzelîn

6. = Daz so *Ggg*. mængiu *D*. 7. stime *G*. 10. Hie *Gg*, Da *gg*. 11. = Daz si *Ggg*. gelich *G*. genant *G*. 13. din ordenlicher *Dd*, din ordenlichen (*aber* 14. Dem) *g*, in (in ir *g*) ordenlichem *Ggg*. 15. gnuoge *D*. 16. sîe *D*. zue nihten *g*. 17. 18 *fehlen Gg*. 18. nîdet *D*. 19. ein *fehlt G*. 22. wæne *fehlt D*. 23. erde *Gg*. 24. Lazen *Ggg*. 26. sint mir *Ggg*. 27. mitenz] mitten es *g*, muotenz g, mident ez *g*, midens *Dd*, midez *g*, maint ez *g*, meine ih *G*. 28. Fro *G*.

117, 1. so gar *Ddg*, vil gar *Ggg*, *nach* ir *Dg*. 3. = Ir was ein nebel *Ggg*. 4. werelde *D*. 5. geliche *D*. der *fehlt Gdgg*. 6. wan *fehlt D*. 9. waste in *D*, wuestin *d*, wuosten *Ggg*, wuste *g*, wüestinne? soltane *D*, soldane *g*, soltanie *Ggg*, soltanîe *g*, sollich anye *d*, Solatanie *g*. 10. planie *G*. 12. Si *G*. deheinen *G*. 14. fluhte sal (*getrennt*) *Gg*, fluhtsal *g*, fluhsal *D*. 16. da bi ir *Gg*. 17. Muosen *Ggg*. buwen *D*, bwen *G*. 29. sit fuor angesliche *G*. 30. chnabe *Gdgg*. geborgen *D*.

118, 1. waste in *D*, wasten *g*, wuest in *dg*, wuosten *Ggg*. soltane *Dg*, soltanie *Ggg*, soltanîe *g*, solitanie *dg*. 2. chundchlicher *G*. 4. lölzelin *D*.

die sneit er mit sîn selbes hant,
und schôz vil vogele die er vant.
Swenne abr er den vogel erschôz,
des schal von sange ê was sô grôz,
sô weinder unde roufte sich,
an sîn hâr kêrt er gerich.
sîn lîp was clâr unde fier:
ûf dem plân am rivier
twuog er sich alle morgen.
erne kunde niht gesorgen,
ez enwære ob im der vogelsanc,
die süeze in sîn herze dranc:
daz erstracte im sîniu brüstelîn.
al weinde er lief zer künegîn.
sô sprach si 'wer hât dir getân?
du wære hin ûz ûf den plân.'
ern kunde es ir gesagen niht,
als kinden lîhte noch geschiht.
dem mære gienc si lange nâch.
eins tages si in kapfen sach
ûf die boume nâch der vogele schal.
si wart wol innen daz zeswal
von der stimme ir kindes brust.
des twang in art und sîn gelust.
frou Herzeloyde kêrt ir haz
an die vogele, sine wesse um waz:
119 si wolt ir schal verkrenken.
ir bûliute unde ir enken
die hiez si vaste gâhen,
vogele würgn und vâhen.
die vogele wâren baz geriten:
etslîches sterben wart vermiten:
der bleip dâ lebendic ein teil,
die sît mit sange wurden geil.
Der knappe sprach zer künegîn
'waz wîzet man den vogelîn?'
er gert in frides sâ zestunt.
sîn muoter kust in an den munt:
diu sprach 'wes wende ich sîn gebot,
der doch ist der hœhste got?
suln vogele durch mich freude lân?'
der knappe sprach zer muoter sân
'ôwê muoter, waz ist got?'
'sun, ich sage dirz âne spot.
er ist noch liehter denne der tac,
der antlitzes sich bewac
nâch menschen antlitze.
sun, merke eine witze,
und flêhe in umbe dîne nôt:
sîn triwe der werlde ie helfe bôt.
sô heizet einr der helle wirt:
der ist swarz, untriwe in niht verbirt.
von dem kêr dîne gedanke,
und och von zwîvels wanke.'
sîn muoter underschiet im gar
daz vinster unt daz lieht gevar.
120 dar nâch sîn snelheit verre spranc.
er lernte den gabilôtes swanc,
dâ mit er mangen hirz erschôz,
des sîn muoter und ir volc genôz.
ez wære æber oder snê,
dem wilde tet sîn schiezen wê.
nu hœret fremdiu mære.
swennerrschôz daz swære,
des wære ein mûl geladen genuoc,
als unzerworht hin heim erz truoc.
Eins tages gieng er den weidegang
an einer halden, diu was lanc:
er brach durch blates stimme en zwîc.
dâ nâhen bî im gienc ein stîc:
dâ hôrter schal von huofslegen.
sîn gabylôt begunder wegen:

5. = die *fehlt Ggg.* 12. ame *D*, an eim *g*, an dem *gg*, an der *g*, in der *d*, bi einem *G.* 14. Er chunde wench sorgen *Gg.* 15. vogele (voglein *g*) chlanc *Gg.* 16. Die *Gg*, diu *Dg.* 17. prustelin *D.* 18. weinde *g*, weinende *DG.* 21. Er *G.* es *fehlt Dg.* 22. = lihte chinden *Ggg.* 26. swal *g*, et swal *G*, er swal *gg.* 28. twanch ir art *D.* 29. Diu chunginne cherte *Gg.* 30. A die *G.* um] umb *Dgg.* umbe *G.*

119, 1. verchenchen *D.* 2. buoliute *D.* 3. die *Dg*, *fehlt Ggg.* Sú hiesse faste gohen *d.* = balde *Ggg.* 4. wrgen *DG.* 5. die *fehlt D.* 7. = Ir *Ggg.* beleip *DG.* lebendch *G.* 12. Diu *Gg.* 13. diu *D*, Und *d* = Si *Ggg.* 15. sulen *DG.* dur *G.* 17. was *D.* 20. antlitzes *d*, antluzes *DG.* 21. mennischen *D*, mannes *dgg.* antlitze *dg*, antluzze *DG.* 22. su *D.* 23. und *fehlt G.* flege *Gg.* ime *d.* umb *D.* 24. triuwe der werlt *G.* 25. einer *DG.* 27. chere *DG.* 30. unde och daz *G.*

120, 2. lernete *G.* Gabylots *D.* 3. manegn *D.* 4. Des er unde sin volch (unde sin muoter wol *g*) genoz *Gg.* 5. aber *G*, regen *d*, eber oder re *gg.* 8. Swenner erschoz *Gdgg*, swenne er schoz *Dgg.* 9. Es *G.* gnuoch *Dgg.* 11. 14. gie *D.* 12. eine *Ggg.* 13. blate stimme *G*, blatstimme *gg.* en] ein *alle.* 14. = Bi im nahen giench *Ggg.*

dô sprach er 'waz hân ich vernomn?
wan wolt et nu der tiuvel komn
mit grimme zornecl̂iche!
den bestüende ich sicherlîche.
mîn muoter freisen von im sagt:
ich wæne ir ellen sî verzagt.'
alsus stuont er in strîtes ger.
nu seht, dort kom geschûftet her
drî ritter nâch wunsche var,
von fuoze ûf gewâpent gar.
der knappe wânde sunder spot,
daz ieslîcher wære ein got.
dô stuont ouch er niht langer hie,
in den phat viel er ûf sîniu knie.
121 lûte rief der knappe sân
'hilf, got: du maht wol helfe hân.'
der vorder zornes sich bewac,
dô der knappe im phade lac:
'dirre tœrsche Wâleise
unsich wendet gâher reise.'
ein prîs den wir Beier tragn,
muoz ich von Wâleisen sagn:
die sint tœrscher denne beiersch her,
unt doch bî manlîcher wer.
swer in den zwein landen wirt,
gefuoge ein wunder an im birt.
Dô kom geleischieret
und wol gezimieret
ein ritter, dem was harte gâch.
er reit in strîteclîchen nâch,
die verre wâren von im komn:
zwên ritter heten im genomn
eine frouwen in sîm lande.
den helt ez dûhte schande:
in müete der juncfrouwen leit,
diu jæmerlîche vor in reit.
dise drî wârn sîne man.
er reit ein schœne kastelân:
sîns schildes was vil wênic ganz.
er hiez Karnahkarnanz
leh cons Ulterlec.
er sprach 'wer irret uns den wec?'
sus fuor er zuome knappen sân.
den dûhter als ein got getân:
122 ern hete sô liehtes niht erkant.
ûfem touwe der wâpenroc erwant.
mit guldîn schellen kleine
vor iewederm beine
wârn die stegreife erklenget
unt ze rehter mâze erlenget.
sîn zeswer arm von schellen klanc,
swar ern bôt oder swanc.
der was durch swertslege sô hel:
der helt was gein prîse snel.
sus fuor der fürste rîche,
gezimiert wünneclîche.
Aller manne schœne ein bluomen kranz,
den vrâgte Karnahkarnanz
'junchêrre, sâht ir für iuch varn
zwên ritter die sich niht bewarn
kunnen an ritterlîcher zunft?
si ringent mit der nôtnunft
und sint an werdekeit verzagt:
si füerent roubes eine magt.'
der knappe wânde, swaz er sprach,
ez wære got, als im verjach
frou Herzeloyd diu künegîn,
do sim underschiet den liehten schîn.
dô rief er lûte sunder spot
'nu hilf mir, hilferîcher got.'
vil dicke viel an sîn gebet
fil li roy Gahmuret.
der fürste sprach 'ich pin niht got,
ich leiste ab gerne sîn gebot.

17. spracher *G.* 19. grime *G.* zornes riche *Ggg.* 20. ich bestuonde in *Gdg.* 21. fraise *Ggg.* 22. er ellens *g*, si ellens *G.* 24. geschuft *Dg*, geschauftet *g.* 25. Dri *dgg*, Drie *gg*, Zwene *G*, *fehlt D.* 26. fuoz *D*, vuezzen *g.* 29. er ouch *d*, ouch *Gg*, er *gg.* lenger *Ggg.* 30. in daz phat *D*, In dem phade *Ggg.*

121, 1. Vil lute *Ggg.* 3. vordr *D*, vordere *G*, voder *g.* 4. ime *D*, in dem *die übrigen.* 6. Uns *alle aufser D.* gaher *Dgg*, gahe *Gg*, gehe *gg.* 7. Einen *d* = Den *Ggg.* beiger *G.* 9. beigesch *G.* 13. geleisiert *g*, geloisiert *G.* 17. waren von im *Dg*, von im (fur in *G*) waren *Gdgg.* 19. = eine iunchfrouwen *Dd.* sim *g.* 22. iamelichen *G.* im *Gdgg.* 25. schilte *G.* 26. karnakarnanz *Ggg.* 27. Leh *g*, Lech *Ggg* = Lah *D*, La *d.* = cuns *Ggg.* ultrech *Gg.* 29. zuo dem *G.* 30. ein *fehlt G.*

122, 1. eren *D*, Er *G.* 2. uofem *D*, Uf dem *G.* 3. guldinen *DG.* 4. ietwederm *G.* 5. stegereif *dgg.* 8. ern *g*, er in *Ggg*, er den *Ddgg.* 14. karnak. *G.* 15. Iunch herre *D*, iucherre *G.* 21. chappe *G.* 22. ez *Dg*, Er *Gdgg.* got *Ddg*, ein got *Ggg.* 24. lihten *D.* 26. helfe richer *G.* 28. viliroys *G*, Fillii roy *D.* 30. abr *D*, aver *g*, aber *die übrigen.*

123 du maht hie vier ritter sehn,
ob du ze rehte kundest spehn.'
der knappe frâgte fürbaz
'du nennest ritter: waz ist daz?
hâstu niht gotlîcher kraft,
sô sage mir, wer gît ritterschaft?'
'daz tuot der künec Artûs.
junchêrre, komt ir in des hûs,
der bringet iuch an ritters namn,
daz irs iuch nimmer durfet schamn.
ir mugt wol sîn von ritters art.'
von den helden er geschouwet wart:
Dô lac diu gotes kunst an im.
von der âventiure ich daz nim,
diu mich mit wârheit des beschiet.
nie mannes varwe baz geriet
vor im sît Adâmes zît.
des wart sîn lob von wîben wît.
aber sprach der knappe sân.
dâ von ein lachen wart getân.
'ay ritter guot, waz mahtu sîn?
du hâst sus manec vingerlîn
an dînen lîp gebunden,
dort oben unt hie unden.
aldâ begreif des knappen hant
swaz er îsers ame fürsten vant:
dez harnasch begunder schouwen.
'mîner muoter juncfrouwen
ir vingerlîn an snüeren tragnt,
diu niht sus an einander ragnt.'

124 der knappe sprach durch sînen muot
zem fürsten 'war zuo ist diz guot,
daz dich sô wol kan schicken?
ine mages niht ab gezwicken.'
der fürste im zeigete sâ sîn swert:
'nu sich, swer an mich strîtes gert,
des selben wer ich mich mit slegn:
für die sîne muoz ich an mich legn,
und für den schuz und für den stich
muoz ich alsus wâpen mich.'
aber sprach der knappe snel
'ob die hirze trüegen sus ir vel,
so verwunt ir niht mîn gabylôt.
der vellet manger vor mir tôt.'
Die ritter zurnden daz er hielt
bî dem knappen der vil tumpheit wielt.
der fürste sprach 'got hüete dîn.
ôwî wan wær dîn schœne mîn!
dir hete got den wunsch gegebn,
ob du mit witzen soldest lebn.
diu gotes kraft dir virre leit.'
die sîne und och er selbe reit,
unde gâhten harte balde
zeinem velde in dem walde.
dâ vant der gefüege
frôn Herzeloyden phlüege.
ir volke leider nie geschach;
die er balde eren sach:
si begunden sæn, dar nâch egen,
ir gart ob starken ohsen wegen.

125 der fürste in guoten morgen bôt,
und frâgte se, op si sæhen nôt
eine juncfrouwen lîden.
sine kunden niht vermîden,
swes er vrâgt daz wart gesagt.
'zwêne ritter unde ein magt
dâ riten hiute morgen.
diu frouwe fuor mit sorgen:
mit sporn si vaste ruorten,
die die juncfrouwen fuorten.'

123, 2. du *Ddg*, duse *G*, du si *g*, duz *gg*. 5. Habestu *Ggg*. gotelicher *G*. 9. Er *Gdgg*. 10. ninder durft *G*. 12. beschouwet *Ggg*. 13. gots *G*. = gunst *Dd*. 14. aventiure *D*, aventure *G*, *meistens*. 15. mit] der *Gdg*. 18. lop *G*. 21. aî *G*. guot *Ggg*, got *Ddgg*. mahte sin *G*. 25. aldâ *fehlt G*, Da *gg*, Do *g*. begreif gar *Gg*. 30. Diu *Ggg*, die *D*.

124, 1. chnapp *G*. 2. = Ia herre war zuo *Ggg*. 3. sus *Ggg*. 5. zeigete im *Ggg*. 6. = strites an mich *Ggg*. 9. und (*das erste*) *fehlt Gg*. für (*das zweite*) fûf *D*. 10. wapennen *G*. 13. sone *DG*. 14. Der (Ir *g*) lit vil manger *Gg*. von *D*. 15. zurendn *D*. 16. tumpheite *D*, tumbe *g*. 18. Owe *G*. 20. bi witzen *Gg*. 21. verre *Gdgg*. 23. gæhten *D*. = danen *Ggg*, alle *g*, fúrbas *g*. 25. sach *Ggg*. 26. frou *D*. herzeloide *G*. phuege *D*. 28. êren *G*, ern *d*, erren *g*. 29. vñ dar nach *Ggg*. egên *G*. 30. ir gart *fehlt D*.

125. *Bis hieher folgen meine zahlen den absätzen in Bernh. Püterichs handschrift: die folgenden hundert sind auch in dieser unregelmäſsig. von 224 an setzen fast alle handschriften immer an gleichen stellen ab: G stimmt mit ihnen erst von 435 an, wo die zweite hand anfängt.* 2. se *fehlt Ddgg*. 5. = er si *Ggg*. vragete *DG*. = ez *Ggg*. 7. = Hie *Ggg*. bŏte *G*. hiut enmorgen *gg*. 10. di die *D*.

ez was Meljahkanz.
den ergâhte Karnachkarnanz,
mit strîte er im die frouwen nam:
diu was dâ vor an freuden lam.
si hiez Imâne
von der Bêâfontâne.
Die bûliute verzagten,
do die helde für si jagten.
si sprâchen 'wiest uns sus geschehen?
hât unser junchêrre crsehen
ûf disen rittern helme schart,
sone hân wir uns niht wol bewart.
wir sulen der küneginne haz
von schulden hœren umbe daz,
wand er mit uns dâ her lief
hiute morgen dô si dannoch slief.'
der knappe enruochte ouch wer dô schôz
die hirze kleine unde grôz:
er huop sich gein der muoter widr,
und sagt ir mær. dô viel si nidr:
126 sîner worte si sô sêre erschrac,
daz si unversunnen vor im lac.
dô diu küneginne
wider kom zir sinne,
swie si dâ vor wære verzagt,
dô sprach si 'sun, wer hât gesagt
dir von ritters orden?
wâ bist dus innen worden?'
'muoter, ich sach vier man
noch liehter danne got getân:
die sagten mir von ritterschaft.
Artûs küneclîchiu kraft
sol mich nâch rîters êren
an schildes ambet kêren.'
sich huop ein niwer jâmer hie.
diu frouwe enwesse rehte, wie
daz si ir den list erdæhte
unde in von dem willen bræhte.
Der knappe tump unde wert
iesch von der muoter dicke ein pfert.
daz begunde se in ir herzen klagn.
si dâhte 'in wil im niht versagn:
ez muoz abr vil bœse sîn.'
do gedâhte mêr diu künegîn
'der liute vil bî spotte sint.
tôren kleider sol mîn kint
ob sîme liehten lîbe tragn.
wirt er geroufet unt geslagn,
sô kumt er mir her wider wol.'
ôwê der jæmerlîchen dol!
127 diu frouwe nam ein sactuoch:
si sneit im hemde unde bruoch,
daz doch an eime stücke erschein,
unz enmitten an sîn blankez bein.
daz wart für tôren kleit erkant.
ein gugel man obene drûfe vant.
al frisch rûch kelberîn
von einer hût zwei ribbalîn
nâch sînen beinen wart gesnitn.
dâ wart grôz jâmer niht vermitn.
diu küngîn was alsô bedâht,
si bat belîben in die naht.
'dune solt niht hinnen kêren,
ich wil dich list ê lêren.
an ungebanten strâzen
soltu tunkel fürte lâzen:
die sîhte und lûter sîn,
dâ solte al balde rîten in.
du solt dich site nieten,
der werlde grüezen bieten.
Op dich ein grâ wîse man
zuht wil lêrn als er wol kan,

11. Daz *Ggg*. Meliakanz *D*, Melyakanz *gg*, meliagantz *dg*. 12. karnakarnanz *G*. 14. was gar an *G*. 15. 16 *fehlen Gd*. 17. boulîute *D*. sere verz. *Ggg*. 18. riter *Gg*. 21. an *D*. helmschart *Gg*. 22. So haben *Ggg*. 24. umb *D*. 25. da her mit uns *Gg*. 26. hiüten morgen *gg*. 27. enruohte *G*. ouch *Dg*, *fehlt Gdgg*. 30. mære *DG immer*.

126, 2. vor im *fehlt G*. 4. ze sinne *Gdgg*. 5. vore wer *g*. 6. Doch *G*. 11. sagetn *D*, seiten *G*. 12. artuses *G*. 16. enwese *G*, enweste *D*. 17. daz *fehlt Gg*. sir *G*. der liste *Ggg*. 22. ine *D*, ichne *G*. 23. vil] harte *Ggg*. 24. dahte *Ggg*.

127, 3. schein *Ggg*. 6. Ein *gg*, eiͤn *D*, Eine *Gdgg*. gugel *gg*, kugel *g*, kogel *d*, gugelen *D*, gugelin (*und* ein) *g*, chugelen *G*, kugeln *g*. obene *fehlt G*. 7. = Al ruch frisch *Ggg*. 8. = Uz *Ggg*. hûte *Ddgg*. ribalin *Ggg*. 9. sinem beine *Ggg*. 10. Dane *Gg*. 14. list ê] site *Gg*, wîtze *g*, liste *die übrigen*. 15. unbechanten *G*. 16. tunchele *G*. fürte *mit* ü *dgg*. 18. solte *G*, solt *gg*, solt du *Ddgg*. 20. werelde *D*. 21. grawe *g*, alt *Ggg*. 22. leren *DG*.

dem soltu gerne volgen,
und wis im niht erbolgen.
sun, lâ dir bevolhen sîn,
swa du guotes wîbes vingerlîn
mügest erwerben unt ir gruoz,
daz nim: ez tuot dir kumbers buoz.
du solt zir kusse gâhen
und ir lîp vast umbevâhen:
128 daz gît gelücke und hôhen muot,
op si kiusche ist unde guot.
du solt och wizzen, sun mîn,
der stolze küene Lähelîn
dînen fürsten ab ervaht zwei lant,
diu solten dienen dîner hant,
Wâleis und Norgâls.
ein dîn fürste Turkentâls
den tôt von sîner hende enphienc:
dîn volc er sluoc unde vienc.'
'diz rich ich, muoter, ruocht es got:
in verwundet noch mîn gabylôt.'
des morgens dô der tag erschein,
der knappe balde wart encin,
im was gein Artûse gâch.
[frou] Herzeloyde in kuste und lief im nâch.
der werlde riwe aldâ geschach.
dô si ir sun niht langer sach
(der reit enwec), wemst deste baz?
dô viel diu frouwe valsches laz
ûf die erde, aldâ si jâmer sneit
sô daz se ein sterben niht vermeit.
ir vil getriulîcher tôt
der frouwen wert die hellenôt.
ôwol si daz se ie muoter wart!
sus fuor die lônes bernden vart
ein wurzel der güete
und ein stam der diemüete.
ôwê daz wir nu niht enhân
ir sippe unz an den eilften spân!
129 des wirt gevelschet manec lîp.
doch solten nu getriwiu wîp
heiles wünschen disem knabn,
der sich hie von ir hât erhabn.
Dô kêrt der knabe wol getân
gein dem fôrest in Brizljân.
er kom an einen bach geritn.
den hete ein han wol überschritn:
swie dâ stuonden bluomen unde gras,
durch daz sîn fluz sô tunkel was,
der knappe den furt dar an vermeit.
den tager gar derneben reit,
alsez sînen witzen tohte.
er beleip die naht swier mohte,
unz im der liehte tag erschein.
der knappe huob sich dan al ein
zeime furte lûter wol getân.
dâ was anderhalp der plân
mit eime gezelt gehêret,
grôz rîcheit dran gekêret.
von drîer varwe samît
ez was hôh unde wît:
ûf den næten lâgen borten guot.
dâ hienc ein liderîn huot,
den man drüber ziehen solte
immer swenne ez regenen wolte.
duc Orilus de Lalander,
des wîp dort unde vander
ligende wünneclîche,
die herzoginne rîche.

30. und *fehlt Gg.* vaste *DG.*

128, 4. daz der stolze lehelin *Gg.* 6. Diu *G*, die *Dg*, Di *g.* 7. nurgals *Gg*, nuorgals *g.* 7. 8. -âls *D.* 11. wilz got *G.* 13. tach *G.* 14. = wart vil balde *Ggg.* en *fehlt D.* 15. gegen *D.* 16. Die frouwe in kust (kuste in *g*) und lieff ime nach *dg*, Diu chunginne lief im nach *G*, Herzelaude lief im nach *g.* 17. werelde *D.* dâ] do *d*, *fehlt D* = hie *Ggg.* 18. niht mere *Ggg.* 19. = Der vert von ir *Ggg.* wem ist *alle.* des *g.* 20. da *D.* 21. An *G.* 25. ie *fehlt Dg.* 26. diu *Dg.* bernde *Ddgg.* 28. und *fehlt Ggg.* stein *Dgg.* 30. eilften *g*, elften *D*, eiliften *g*, einliften *G*, einleften *g.*

129, 3. Wunschen heiles *G.* 4. hat von ir *G.* 5. Do reit *D.* chnappe *Ggg.* 6. voreise *G.* ze *Ggg*, gein *g.* Prizlian *D*, brizlian *Gg*, Brezilian *gg.* 9. In *Ggg.* hane *G.* 10. sîn] der *Ggg.* fliez *G.* 15. Des morgens do der tach erschein *Ggg.* 16. huop *setzt D vor z.* 17. 17. luter *Dd*, *fehlt Gg*, luter unde *gg.* 23. neten *D.* porten *Ddg.* 26. Imer soz regnen wolte *Gg.* 27. Duc *g*, Duch *G*, Durch *gg*, Untze (*für* cuns?) *d*, Der herzoge *D.* Ôrilus *D*, orillus *G.* lalânder *D.* 28. unde *D*, unden *Gg*, under *dgg.* 29. minnecliche *D.* 30. diu *D.*

130 glîch eime rîters trûte.
si hiez Jeschûte.
Diu frouwe was entslâfen.
si truoc der minne wâfen,
einen munt durchliuhtic rôt,
und gerndes ritters herzen nôt.
innen des diu frouwe slief,
der munt ir von einander lief:
der truoc der minne hitze fiur.
sus lac des wunsches âventiur.
von snêwîzem beine
nâhe bî ein ander kleine,
sus stuonden ir die liehten zene.
ich wæn mich iemen küssens wene
an ein sus wol gelobten munt:
daz ist mir selten worden kunt.
ir deckelachen zobelîn
erwant an ir hüffelîn,
daz si durch hitze von ir stiez,
dâ si der wirt al eine liez.
si was geschicket unt gesniten,
an ir was künste niht vermiten:
got selbe worht ir süezen lîp.
och hete daz minneclîche wîp
langen arm und blanke hant.
der knappe ein vingerlîn dâ vant,
daz in gein dem bette twanc,
da er mit der herzoginne ranc.
dô dâhter an die muoter sîn:
diu riet an wîbes vingerlîn.
131 ouch spranc der knappe wol getân
von dem teppiche an daz bette sân.
Diu süeze kiusche unsamfte erschrac,
do der knappe an ir arme lac:
si muost iedoch erwachen.
mit schame al sunder lachen
diu frouwe zuht gelêret
sprach 'wer hât mich entêret?
junchêrre, es ist iu gar ze vil:
ir möht iu nemen ander zil.'
diu frouwe lûte klagte:
ern ruochte waz si sagte,
ir munt er an den sînen twanc.
dâ nâch was dô niht ze lanc,
er druct an sich die herzogîn
und nam ir och ein vingerlîn.
an ir hemde ein fürspan er dâ sach:
ungefuoge erz dannen brach.
diu frouwe was mit wîbes wer:
ir was sîn kraft ein ganzez her.
doch wart dâ ringens vil getân.
der knappe klagete'n hunger sân.
diu frouwe was ir lîbes lieht:
si sprach 'ir solt mîn ezzen nieht.
wært ir ze frumen wîse,
ir næmt iu ander spîse.
dort stêt brôt unde wîn,
und ouch zwei pardrîsekîn,
alss ein juncfrouwe brâhte,
dius wênec iu gedâhte.'
132 Ern ruochte wâ diu wirtin saz:
einen guoten kropf er az,
dar nâch er swære trünke tranc.
die frouwen dûhte gar ze lanc
sîns wesens in dem poulûn.
si wânde, er wære ein garzûn
gescheiden von den witzen.
ir scham begunde switzen.
iedoch sprach diu herzogîn
'junchêrre, ir sult mîn vingerlîn
hie lâzen unt mîn fürspan.
hebt iuch enwec: wan kumt mîn man,
ir müezet zürnen lîden,
daz ir gerner möhtet mîden.'
dô sprach der knappe wol geborn
'wê waz fürht ich iurs mannes zorn?

130, 1. Gelich *G*, geliche *D*. 4. minnen *G*. 5. Einemunt durluhtch rot *G*. 6. gernde *G*. 7. In des do *Gg*, Innen des do *gg*. 9. minnen *Gdg*. viur *G*, fiwer (*und* aventiwer) *D*. 11. = Mit snewizen *Ggg*. 12. Nahen *Ggg*. 14. wæne *DG*. imen *D*. chusses *dgg*, chuses *G*. 15. einen *DG*. wol *fehlt D*. 17. dechlachen *Gg*. 18. ir an ir *Gg*. hufelin *G*. 20. Die der wirt *Ggg*. wirt *fehlt D*. al eine ligen liez *G*. 21. geschicht *G*. 22. chunste *G*. 27. gein] doch zuo *G*. 28. do *D*.

131, 1. = Do *Ggg*. 2. tepech *G*. an *Ddg*, uf *Ggg*. 6. Alschamende sunder lachen *G*. 10. moht *G*, meht *g*, mohte *g*, mohtet *D*. = spil *Ggg*. 12. Erenruohte *G*. 14. Dar nach *G*. 15. ê er druhte *D*. 16. ein] ir *G*. 17. da *Dg*, do *G*, *fehlt den übrigen*. 21. = vil ringens da *Ggg*. 22. 'n hunger] den hunger *Dg*, hunger *dgg*, hungern *G*. 23. liebes *D*. liht *fast alle außer G*. 24. meht *g*, niht *die übrigen*. 26. næmet *DG*. 28. ouch *fehlt G*. par drisekin *gg*, parelin *g*, rephuonlin *G*, legelin *g*. 29. Als *Ggg*.

132, 1. Done ruohter *Ggg*. 5. wesenes-bavelun *G*. 6. ez *G*. garzuon *D*. 12. Hefet iuch den wech *G*. 14. gerne *Gd*. moht *G*. 16. We *gg*, Wie *G*, owe *D*, *fehlt dgg*. iwers *DG*. mans *G*.

wan schadet ez iu an êren,
sô wil ich hinnen kêren.'
dô gienger zuo dem bette sân:
ein ander kus dâ wart getân.
daz was der herzoginne leit.
der knappe ân urloup dannen reit:
iedoch sprach er 'got hüete dîn:
alsus riet mir diu muoter mîn.'
der knappe des roubes was gemeit.
do er eine wîl von dan gereit,
wol nâch gein der mîle zil,
dô kom von dem ich sprechen wil.
der spürte an dem touwe
daz gesuochet was sîn frouwe.
133 der snüere ein teil waz ûz getret:
dâ hete ein knappe dez gras gewet.
Der fürste wert unt erkant
sîn wîp dort unde al trûric vant.
dô sprach der stolze Orilus
'ôwê frowe, wie hân ich sus
mîn dienst gein iu gewendet!
mir ist nâch laster gendet
manec rîterlîcher prîs.
ir habt ein ander âmîs.'
diu frouwe bôt ir lougen
mit wazzerrîchen ougen
sô, daz sie unschuldic wære.
ern geloubte niht ir mære.
iedoch sprach si mit forhten siten
'dâ kom ein tôr her zuo geriten:
swaz ich liute erkennet hân,
ine gesach nie lîp sô wol getân.
mîn fürspan unde ein vingerlîn
nam er âne den willen mîn.'
'hey sîn lîp iu wol gevellet.
ir habt iuch zim gesellet.'
dô sprach si 'nune welle got.
sîniu ribbalîn, sîn gabilôt
wârn mir doch ze nâhen.
diu rede iu solte smâhen:
fürstinne ez übele zæme,
op si dâ minne næme.'
aber sprach der fürste sân
'frouwe, ich hân iu niht getân:
134 irn welt iuch einer site schamn:
ir liezet küneginne namn
und heizt durch mich ein herzogin,
der kouf gît mir ungewin.
Mîn manheit ist doch sô quec,
daz iwer bruoder Erec,
mîn swâger, fil li roy Lac,
iuch wol dar umbe hazzen mac.
mich erkennet och der wîse
an sô bewantem prîse
der ninder mag entêret sîn,
wan daz er mich vor Prurîn
mit sîner tjoste valte.
an im ich sît bezalte
hôhen prîs vor Karnant.
ze rehter tjost stach in mîn hant
hinderz ors durh fîanze:
durch sînen schilt mîn lanze
iwer kleinœte brâhte.
vil wênc ich dô gedâhte
iwerr minne eim anderm trûte,
mîn frouwe Jeschûte.
frouwe, ir sult gelouben des
daz der stolze Gâlôes

17. Schadet aber ez iu *G*. 19. = spranger *Ggg*. gein *Ggg*. 22. Ane urloup er danen reit *Ggg*. 24. Also *Gg*. = mir *fehlt Ggg*. 26. wile *DG*. 27. = Vil nahen *Ggg*. 29. Er *Ggg*. spurt *Gg*. 30. geschouwet *G*.

133, 1. 2. getretet-gewetet *g*, getreten-geweten *Ggg*. 2. daz *DG*. 4. un̄ *D*, unden *g*, under *g*, in *dg*, *fehlt Ggg*. 5. = der herzoge *Ggg*. Ôrilus *D*, orillus *G*. 6. frouwe *DG*. 9. Vil manch *Ggg*. lobelicher bris *Gg*. 11. *nach* 12 *D*. 13. So dazse unschulch wære *G*. 14. Er *G*. 15. forhten *Gdgg*, vorchte *g*, forte *D*, vorht *g*. 16. tore *DG*. 17. ich noch *G*. 18. Ich *G*. 19. ein] = min *Ggg*. 20. daz nam er *D*. 21. Owe *G*. 22. iu *D*. 23. si *fehlt G*. 24. ribalin *Ggg*. 25. iedoch *G*, gar *gg*. 26. solt *G*. = versmahen *Ggg*. 27. ubel *G*. 30. ine han *D*.

134, 1. iren *D*, Irne *G*. 2. kunneginne *D*. 3. hiezet *Dg*, heizet *die übrigen*. 5. . . in *D*, Min *gg*, Sin *Gdgg*. diu ist *Gg*. doch] wol *Gg*. qwech *D*, chech *G*. 7. geswige *G*. fillii roy *D*, silli roy *d*, fil fily) de Roy *gg*, vili roys *G*, fillurois *g*. 8. *vor* 7. *Gg*. 9. oh *G*, auch *gg*, wol *g* = idoch *Dd*. 10. gewandem *Ggg*. 11. nindr mach entæret *D*. 12. průrin *G*. 15. = Vil hohen *Ggg*. 18. sin *D*. mit *Dgg*. 19. cleinœte *d*, chleinode *DG*. 21. Iwerre *G*. eim *gg*, einem *DG*. anderen *G*. truote *D*. 22. Jescuote *D*.

fil li roy Gandîn
tôt lac von der tjoste mîn.
ir hielt ouch dâ nâhen bî,
dâ Plihopliherî
gein mir durch tjostieren reit
und mich sîn strîten niht vermeit.
135 mîn tjoste in hinderz ors verswanc,
daz in der satel ninder dranc.
ich hân dicke prîs bezalt
und manegen ritter ab gevalt.
des enmoht ich nu geniezen niht:
ein hôhez laster mir des giht.
Si hazzent mich besunder,
die von der tavelrunder,
der ich ähte nider stach,
da'z manec wert juncfrouwe sach,
umben spärwær ze Kanedic.
ich behielt iu prîs und mir den sic.
daz sâhet ir unt Artûs,
der mîne swester hât ze hûs,
die süezen Cunnewâren.
ir munt kan niht gebâren
mit lachen, ê si den gesiht
dem man des hôhsten prîses giht.
wan kœm mir doch der selbe man!
sô wurde ein strîten hie getân,
als hiute morgen, dô ich streit
und eime fürsten frumte leit,
der mir sîn tjostieren bôt:
von mîner tjoste lager tôt.
ich enwil iu niht von zorne sagen,
daz manger hât sîn wîp geslagen
umb ir krenker schulde.
het ich dienst od hulde,
daz ich iu solte bieten,
ir müest iuch mangels nieten.
136 ich ensol niht mêr erwarmen
an iweren blanken armen,
dâ ich etswenn durch minne lac
manegen wünneclîchen tac.
ich sol velwen iweren rôten munt,
[und] iwern ougen machen rœte kunt.
ich sol iu fröude entêren,
[und] iwer herze siuften lêren.'
Diu fürstin an den fürsten sach:
ir munt dô jæmerlîchen sprach
'nu êret an mir ritters prîs
ir sît getriuwe unde wîs,
und ouch wol sô gewaldic mîn,
ir muget mir geben hôhen pîn.
ir sult ê mîn gerihte nemn.
durch elliu wîp lâts iuch gezemn:
ir mugt mir dannoch füegen nôt.
læge ich von andern handen tôt,
daz iu niht prîs geneicte,
swie schier ich denne veicte,
daz wære mir ein süeziu zît,
sît iwer hazzen an mir lît.'
aber sprach der fürste mêr
'frouwe, ir wert mir gar ze hêr:
des sol ich an iu mâzen:
geselleschaft wirt lâzen
mit trinken und mit ezzen:
bî ligens wirt vergezzen.
ir enphâhet mêr dehein gewant,
wan als ich iuch sitzen vant.
137 iwer zoum muoz sîn ein bästîn seil,
iwer phert bejagt wol hungers teil,
iwer satel wol gezieret
der wirt enschumphieret.'
vil balder zarte unde brach
den samît drabe: dô daz geschach,

25. Fillii roy *D*, fili roys *dy*, villiroys; *G*, Fil lo Roys *g*, Fillurois *g*. 27—135,6. *fehlen G*.

135, 9. ahte *G*. 10. da ez *D*, Daz es *dg*. frouwe *Gg*. 11. umbe den *DG*. spærwære *D*, sparware *G*, sparwer *g*. chanadich *Ggg*. 15. kunewaren *G*. 17. lachene e *G*. 18. brises iehet *G*. 19. chœme *DG*. doch] = nu *Ggg*. 21. hiüten *gg*, hüte en *g*. 25. en *fehlt Ggg*. 26. Wan *G*. 27. ir *Dd* = michel *Ggg*, michels *g*, *fehlt gg*. 28. odr *D*, oder *G*. 30. muost *D*, muoset *G*. siuch *G*.

136, 1. en *fehlt Gg*. 2. iwerem *D*. 3. etswenne *D*, etewenne *G*. 4. = Vil mangen *Ggg*. 6. und *fehlt G*. 7. iu *Dgg*, iuch *G*. 8. und *fehlt Gg*. 10. iamerl. *G immer*. 12. getriwe *D*, getriu *G*. 13. Unt doch *Ggg*. 14. fuogen *G*. 16. lats iuch *G*, lat sin euch *g*, lat es eu *g*, lat iuchs *g*, lat iuch *Ddgg*. 19. enneichte *G*. 20. dane veigete *G*. 21. liebiu *G*. 23. 24. mere-here *alle aufser Gd*. 24. wert *g*, wæret *D*, waret *g*, warent *dg*, wart *g*, wern *g*, sit *G*. 29. Irn phahet me *G*. 30. sizzent *D*, sitzende *gg*.

137, 1. bastin *G*, pæstin *D*. 2. pharit *G*. 4. der *fehlt Ggg*. entschunfieret *G*. 6. drab *D*.

er zersluoc den satel dâ se inne reit
(ir kiusche unde ir wîpheit
Sîn hazzen lîden muosten):
mit bästînen buosten
bant ern aber wider zuo.
ir kom sîn hazzen alze fruo.
dô sprach er an den zîten
'frowe, nu sulen wir rîten.
kœme ich ann, des wurde ich geil,
der hie nam iwerre minne teil.
ich bestüende in doch durch âventiur,
ob sîn âtem gæbe fiur,
als eines wilden trachen.'
al weinde sunder lachen
diu frouwe jâmers rîche
schiet dannen trûreclîche.
sine müete niht, swaz ir geschach,
wan ir mannes ungemach:
des trûren gap ir grôze nôt,
daz si noch sampfter wære tôt.
nu sult ir si durch triwe klagn:
si begint nu hôhen kumber tragn.
wær mir aller wîbe haz bereit,
mich müet doch froun Jeschûten leit.

138 sus riten si ûf der slâ hin nâch:
dem knappen vorn ouch was vil gâch.
doch wesse der unverzagte
niht daz man in jagte:
wan swen sîn ougen sâhen,
so er dem begunde nâhen,
den gruozte der knappe guoter,
und jach 'sus riet mîn muoter.'
sus kom unser tœrscher knabe
geriten eine halden abe.
wîbes stimme er hôrte
vor eines velses orte.
ein frouwe ûz rehtem jâmer schrei:
ir was diu wâre freude enzwei.
der knappe reit ir balde zuo.
nu hœret waz diu frouwe tuo.
dâ brach frou Sigûne
ir langen zöpfe brûne
vor jâmer ûzer swarten.
der knappe begunde warten:
Schîânatulander
den fürsten tôt dâ vander
der juncfrouwen in ir schôz.
aller schimphe sị verdrôz.
'er sî trûric od freuden var,
die bat mîn muoter grüezen gar.
got halde iuch,' sprach des knappen munt.
'ich hân hie jæmerlichen funt
in iwerm schôze funden.
wer gap iun ritter wunden?'

139 der knappe unverdrozzen
sprach 'wer hât in erschozzen?
geschahez mit eime gabylôt?
mich dunket, frouwe, er lige tôt.
welt ir mir dâ von iht sagn,
wer iu den rîter habe erslagn?
ob ich in müge errîten,
ich wil gerne mit im strîten.'
Dô greif der knappe mære
zuo sîme kochære:
vil scharphiu gabylôt er vant.
er fuort ouch dannoch beidiu phant,

10. bastinen *Ggg*. 11. er in *G*. 12. al *Dgg*, gar *Gdgg*. 13. spracher *G*. 14. Frouwe *DG*. 15. Chomer mir (nu *g*) des *Ggg*. ann] an *D*, an in *dg*, in an *g*. 16. minnen *Ggg*. 17. doch *fehlt Ggg*. durch *Dg*, uf *Gdgg*. 18. Op halt *G*, Ob ioch *g*. 20. weinende *DG*. 21. was iamers *D*. 23. si nemuete *D*, Sin moht *gg*. 24. wan *Dg*, Wenne ech (*d. i.* wan et) *d*, Wan allein *g*, Niwan *G*, Niht wan *gg*. manns *G*. 25. = solhe not *Ggg*. 26. sanfer *G*. 27. dur *G*. 28. beginnet *DG*. hoher *D*, hœher *g*. 30. muete *Gg*. doch *fehlt Ggg*. fron *G*.

138, 2. vorn] vor in *alle; Ddg nach* knappen, *Ggg vor* gach. ouch was vil *D*, ouch was *d* = was och *Ggg*. 3. Done *Ggg*. 5. wan swenne *Ddg*. 6. den *G*. 8. riet *Gdgg*, riet mir *Dgg*. 9. Alsus *Ggg*. 10. enine halden *D*, einhalben *G*. 11. stime *G*. 12. veleses *G*, velsen *g*. 17. Ez brach fro *G*. 18. = lange *Ggg*. 19. ûzer] uz ir *Ddgg*, uz der *Ggg*. 20. cbnabe *G*. 21. Scianatulandr *D*, tschinnatulander *G*, shinadulander *g*, Tschion. *g*, Schynat. *g*, Scian atukalander *g*, Schienot de lander *g*. 23. tot *widerholt D vor* in. 24. = Alles schimphes *Ggg*. 25. trurich odr *D*, trurech oder *G*. 29. iwer schoze *gg*, iweren schozen *Gg*. 30. iu den *alle*.

139, 1. 2 *fehlen D*. 4. lige] si *Gg*. 5. = Chunnet *Ggg*, Chundet *gg*. da von iht *D*, da von *d*, iht der von *Gg*, iht von im *gg*, von im iht *g*, von im *g*. = gesagen *Ggg*. 6. Der *gg*. den man *D*. 7. Obe ih in *G*. mag *D*, moht *g*. 10. ze sinem *Gg*.

diu er von Jeschûten brach
unde ein tumpheit dâ geschach.
het er gelernt sîns vater site,
die werdeclîche im wonte mite,
diu bukel wære gehurtet baz,
da diu herzoginne al eine saz,
diu sît vil kumbers durch in leit.
mêr danne ein ganzez jâr si meit
gruoz von ir mannes lîbe.
unrehte geschach dem wîbe.
nu hœrt ouch von Sigûnen sagn:
diu kunde ir leit mit jâmer klagn.
si sprach zem knappen 'du hâst tugent.
gêret sî dîn süeziu jugent
unt dîn antlütze minneclîch.
deiswâr du wirst noch sælden rîch.
disen ritter meit dez gabylôt:
er lac ze tjostieren tôt.

140 du bist geborn von triuwen,
daz er dich sus kan riuwen.'
ê si den knappen rîten lieze,
si vrâgte in ê wie er hieze,
und jach er trüege den gotes vlîz.
'bon fîz. scher fîz, bêâ fîz,
alsus hât mich genennet
der mich dâ heime erkennet.'
Dô diu rede was getân,
si erkant in bî dem namen sân.
nu hœrt in rehter nennen,
daz ir wol müget erkennen
wer dirre âventiur hêrre sî:
der hielt der juncfrouwen bî.
ir rôter munt sprach sunder twâl
'deiswâr du heizest Parzivâl.
der nam ist rehte enmitten durch.
grôz liebe ier solch herzen furch
mit dîner muoter triuwe:
dîn vater liez ir riuwe.
ichn gihe dirs niht ze ruome,
dîn muoter ist mîn muome,
und sag dir sunder valschen list
die rehten wârheit, wer du bist.
dîn vater was ein Anschevîn:
ein Wâleis von der muoter dîn
bistu geborn von Kanvoleiz.
die rehten wârheit ich des weiz.
du bist och künec ze Norgâls:
in der houbetstat ze Kingrivâls

141 sol dîn houbet krône tragen.
dirre fürste wart durch dich erslagen,
wand er dîn lant ie werte:
sîne triwe er nie verscherte.
junc vlætic süezer man,
die gebruoder hânt dir vil getân.
zwei lant nam dir Lähelîn:
disen ritter unt den vetern dîn
ze tjostiern sluoc Orilus.
der liez och mich in jâmer sus.
Mir diende ân alle schande
dirre fürste von dîm lande:
dô zôch mich dîn muoter.
lieber neve guoter,
nu hœr waz disiu mære sîn.
ein bracken seil gap im den pîn.
in unser zweier dienste den tôt
hât er bejagt, und jâmers nôt
mir nâch sîner minne.
ich hete kranke sinne,
daz ich im niht minne gap:
des hât der sorgen urhap
mir freude verschrôten:
nu minne i'n alsô tôten.'

14. = Unde im ein *Ggg.* dran *Gg.* 16. Der *Gg.* wonte *dgg*, volgte *Gg*, wonten *Dg.* 17. gehurt *DG.* 18. Do *Gg.* herzogin *G.* 23. nu *fehlt D.* 28. Des war *G immer.* 30. an (zuo *g*, von *g*) einer tioste *Ggg.*

140, 1. 2. = *fehlen Dd.* 4. frageten e *g*, vragete (vragte *G*) in (*ohne* ê) *die übrigen.* wier *G.* 5. Si iach *Ggg.* gots *G.* 6. scher] iera *Dd*, tschier *G*, schere *g*, schera *g*, tschir *g*, chier *g.* beanfiz *Gg.* 7. Sus *Gg.* genenet *G.* 8. Swer *Ggg.* 11-14. *Ddgg*, *fehlen Ggg.* 12. Sú mügent wol erkennen *d.* ir] in *D*, ir in (*ohne* wol) *die beiden übrigen.* 13. Aventiure *alle.* 14. helt? 16. Des war *G.* Parzival *DG*, parzifal *g*, parcifal *dg.* 17. ist] ir *D.* en *fehlt D.* 18. ier *Gg*, ir *Dgg*, er *g*, in *d.* solch *Ggg*, selich *g*, solhe *Dg*, sollichem *d.* 21. ich engihe *D*, Ichne gihe *G.* 23. 24 *fehlen d.* 23. und sag *D* = Ich sage *Ggg.* 26. waleise *G.* 27. Du bist *Gd.* 29. zenurgals *G.* 30. houpt stat *D.* zekinrivals *G.*

141, 2. dur *G.* 3. Daz *Gg.* 4. verzerte *alle außer D.* 5. flatch *G.* 8. vater *D.* 9. zetiustieren *D*, zer tioste *G*, Zu tyoste er *g.* Ôrilus *D*, orrillus *G.* 11. Dir (D *blau*) *D.* 12. dime *Ddg*, dem *gg*, dinem *Ggg.* 13. mich] min *D.* 15. hore *G*, *fehlt D.* 16. im dem *D.* 18. jâmers] imer *Ggg.* 21. in *G*, ich in *die übrigen.*

dô sprach er 'niftel, mir ist leit
dîn kumber und mîn laster breit.
swenne ich daz mac gerechen,
daz wil ich gerne zechen.'
dô was im gein dem strîte gâch.
si wîste in unrehte nâch:
142 si vorht daz er den lîp verlür
unt daz si grœzeren schaden kür.
eine strâze er dô gevienc,
diu gein den Berteneysen gienc:
diu was gestrîcht unde breit.
swer im widergienc od widerreit,
ez wære rittr od koufman,
die selben gruozter alle sân,
und jach, ez wær sînr muoter rât.
diu gabn ouch âne missetât.
der âbent begunde nâhen,
grôz müede gein im gâhen.
Do ersach der tumpheit genôz
ein hûs ze guoter mâze grôz.
dâ was inne ein arger wirt,
als noch ûf ungeslähte birt.
daz was ein vischære
und aller güete lære.
den knappen hunger lêrte
daz er dergegene kêrte
und klagte dem wirte hungers nôt.
der sprach 'in gæbe ein halbez brôt
iu niht ze drîzec jâren.
swer mîner milte vâren
vergebene wil, der sûmet sich.
ine sorge umb niemen danne um mich,
dar nâch um mîniu kindelîn.
iren komt tâlanc dâ her în.
het ir phenninge oder phant,
ich behielt iuch al zehant.'
143 dô bôt im der knappe sân
froun Jeschûten fürspan.
dô daz der vilân ersach,
sîn munt derlachte unde sprach
'wiltu belîben, süezez kint,
dich êrent al die hinne sint.'
'wiltu mich hînt wol spîsen
und morgen rehte wîsen
gein Artûs (dem bin ich holt),
sô mac belîben dir daz golt.'
'diz tuon ich,' sprach der vilân.
'ine gesach nie lîp sô wol getân.
ich pringe dich durch wunder
für des künges tavelrunder.'
Die naht beleip der knappe dâ:
man sah in smorgens anderswâ.
des tages er kûme erbeite.
der wirt ouch sich bereite
und lief im vor, der knappe nâch
reit: dô was in beiden gâch.
mîn hêr Hartmann von Ouwe,
frou Ginovêr iwer frouwe
und iwer hêrre der künc Artûs,
den kumt ein mîn gast ze hûs.
bitet hüeten sîn vor spotte.
ern ist gîge noch diu rotte:
si sulen ein ander gampel nemn:
des lâzen sich durch zuht gezemn.
anders iwer frouwe Enîde
unt ir muoter Karsnafîde
144 werdent durch die mül gezücket
unde ir lop gebrücket.

29. dem *fehlt Ggg.*

142, 1. vorht *g*, vorhte *DG*. 2. grozen *Ddgg*. 4. bertenoysen *D*, britoneisen *G*, brituneisen *gg*, britaneysen *d*. 5. gestrichet *g*, ge estrichet *D*, gestrichen *dgg*, gebert *G*. 6. 7. odr *D*, oder *G*. 9. daz *D*. siner *alle*. 10. gaben (gap in *dg*, gab im *g*, gap in im *g*) ouch *Ddgg*, gaben (gab *g*) im *Ggg*. 13. = Do sach *Ggg*. gnoz *Dg*. 15. = Dar inne was *Ggg*. 16. ungeslahte *G*. 18. manger *Ggg*. 19. hungeren *G*. 20. dergein *D*. 22. Er *Gdgg*. ine *DG*. 23. Iu *Gdgg*, *setzen Dgg vor* ein *z.* 22. 25. vergebn *D*. 26. Ich *G*. umb *D*, umbe *G*, *alle drei mahle.* nimen *G*, niemn *D*. danne *D*, dan *g*, wan *Gdgg*, nun *g*, nuͤn *g*. 28. en *fehlt g*. dalanc *g*, doling *d*, dolenc *g*. dà *fehlt Gg*. 29. Hiet *g*. pheninge *G*.

143, 1. = Im bot der chnape wolgetan *Ggg*. 3. do ez *D*. villan *g*. 4. derlachte] der lahte *g*, erlachet *d*, do lachete *oder* do lachte *DG und die übrigen.* 5. 7. Wil du *G*. 5. liebez *D*. 6. alle *die handschriften.* alle die hie sint *dgg*. 9. Artuse *DG*. 11. diz *Dg*, Daz *Gdgg*. villan *g*. 12. Ichne *G*. 16. sach ins morgens *G*. 17. er vil chume enbeit (erbeit *g*) *Gg*. 18. Nu was ouch der wirt bereit *G*. 19. Der lief *G*. 22. und frou *Dg*. schinover *G*. 24. Dem *Gg*. = vriunt *Ggg*. 25. bitt D, Bit *G*. spote-rote *G*. 29. Andrs iwer frou *D*. enite *Gdgg*. 30. karsinifite *g*, kursenite *G*.

144, 1. mule *G*. 2. gebruchet *Gg*, gebuchet *Dgg*, gelucket *d*.

sol ich den munt mit spotte zern,
ich wil mînen friunt mit spotte wern.
dô kom der vischære
und ouch der knappe mære
einer houptstat sô nâhen,
aldâ si Nantes sâhen.
dô sprach er 'kint, got hüete dîn.
nu sich, dort soltu rîten în.'
dô sprach der knappe an witzen laz
'du solt mich wîsen fürbaz.'
'wie wol mîn lîp daz bewart!
diu mässenîe ist sölher art,
genæht ir immer vilân,
daz wær vil sêre missetân.'
Der knappe al eine fürbaz reit
ûf einen plân niht ze breit:
der stuont von bluomen lieht gemâl.
in zôch nehein Curvenâl:
er kunde kurtôsîe niht,
als ungevarnem man geschiht.
sîn zoum der was pästîn,
und harte kranc sîn phärdelîn:
daz tet von strûchen manegen val.
ouch was sîn satel über al
unbeslagen mit niwen ledern.
samît, härmîner vedern
man dâ vil lützel an im siht.
ern bedorfte der mantelsnüere niht:
145 für suknî und für surkôt,
dâ für nam er sîn gabylôt.
des site man gein prîse maz.
sîn vater was gekleidet paz
ûfem tepch vor Kanvoleiz.
der geliez nie vorhtlîchen sweiz.
im kom ein ritter widerriten.
den gruozter nâch sînen siten,
'got hald iuch, riet mîn muoter mir.'
'junchêrre, got lôn iu unt ir,'
sprach Artûses basen sun.
den zôch Utepandragûn:
ouch sprach der selbe wîgant
erbeschaft ze Bertâne ûfez lant.
ez was Ithêr von Gaheviez:
den rôten rîter man in hiez.
Sîn harnasch was gar sô rôt
daz ez den ougen rœte bôt:
sîn ors was rôt unde snel,
al rôt was sîn gügerel,
rôt samît was sîn covertiur,
sîn schilt noch rœter danne ein fiur,
al rôt was sîn kursît
und wol an in gesniten wît,
rôt was sîn schaft, rôt was sîn sper,
al rôt nâch des heldes ger
was im sîn swert gerœtet,
nâch der scherpfe iedoch gelœtet.
der künec von Kukûmerlant,
al rôt von golde ûf sîner hant
146 stuont ein kopf vil wol ergrabn,
ob tavelrunder ûf erhabn.
blanc was sîn vel, rôt was sîn hâr.
der sprach zem knappen sunder vâr
'gêret sî dîn süezer lîp:
dich brâht zer werlde ein reine wîp.
wol der muoter diu dich bar!
ine gesach nie lîp sô wol gevar.

3. den lip *Gg*. 4. vern *D*. 7. Der burch als nahen *G*. 8. Daz si *G*. nantys *G*, nantis *gg*. 13. hei min lip daz vil wol bewart *Gg*. = Hei wie wol *gg*. 14. messnie *G*. ist al *D*, ist in *g*. 15. genæhete *D*, Genahet *G*, æ *hat nur D*. 16. ist *Ggg*. vil *fehlt Ggg*. 20. noch hin *d*, dehein *D*. curfenal *G*. 21. Erne *G*. curtose *G*, kurtoyse *gg*. 22. ungevarnen *D*. 23. bastin *G*. 24. hart *G*. phard. *G*. 25. struche *Gg*. 26. sattel *D*. 27. Umbe slagen *G*. lederen *G*. 28. harminer vederen *G*. 29. man da vil *(fehlt d)* luzzel (wenic *g*) an im siht *Ddg*, Der zweiger man wench an im siht *Gg*, Der zweier man luzel (lutzel man) an im da siht *gg*, Der zwaier wenich man da siht *g*. 30. Er *G*. mandel snuoner *G*.

145, 1. suknei *g*, sukenîe *D*, suggenie *gg*, rok *Gg*, mantel *d*. 5. uofem *D*, Uf dem *G*. teppiche *D*. 6. gelie *G*. vorthlichen *D*. 8. geruozter *D*. 10. lone iu uñ ir *DG*. 11. artus *D*. 12. In *Ggg*. Ûtep. *D*, utp. *Ggg*, utrep. *g*, uter p. *dg*. 13. = der werde *Ggg*. 14. êrbeschaft ce *D*. britanie *alle außer D*. 15. = Daz *Ggg*. ŷther *D*. kahaviez *Ggg*. 17. daz was gar *G*. 20. gügerel *mit* ü *g*, gugrel *D*. 21. 22. covertîurefîure *D*. 22. noch *fehlt g*, was *Gdg*. 24. an im *Ggg*. 28. nach *Dd*, Al nach *g*, Gein *Ggg*. scerpfe idoch *Ddg*, scherphe *gg*, scherphe herte *G*, scharfen herte *g*, hert sharf *g*. 29. Chuchûmerlant *D*, chukunberlant *g*, kummerl. *g*.

146, 2. tafelrunder *G*, tavelrunde *Dg*, der toffelrunden *d*. 3. Rot *G*. 4. Er *Ggg*. 5. ge êrt *D*. 6. werelde *Dg*. 7. ôwol *mit* ô *D*, owol *G*. gebar *alle außer G*.

du bist der wâren minne blic,
ir schumphentiure unde ir sic.
vil wîbes freude an dir gesigt,
der nâch dir jâmer swære wigt.
lieber friunt, wilt du dâ hin în,
sô sage mir durch den dienest mîn
Artûse und den sînen,
ine süle niht flühtic schînen:
ich wil hie gerne beiten
swer zer tjost sich sol bereiten,
Ir neheiner habz für wunder.
ich reit für tavelrunder,
mîns landes ich mich underwant:
disen koph mîn ungefüegiu hant
ûf zucte, daz der wîn vergôz
froun Ginovêrn in ir schôz.
underwinden mich daz lêrte.
ob ich schoube umbe kêrte,
sô wurde ruozec mir mîn vel.
daz meit ich,' sprach der degen snel.
'ine hânz ouch niht durch roup getân:
des hât mîn krône mich erlân.
147 friunt, nu sage der künegîn,
ich begüzzes ân den willen mîn,
aldâ die werden sâzen,
die rehter wer vergâzen.
ez sîn künge od fürsten,
wes lânt se ir wirt erdürsten?
wan holent sim hie sîn goltvaz?
ir sneller prîs wirt anders laz.'
der knappe sprach 'ich wirbe dir
swaz du gesprochen hâst ze mir.'
er reit von im ze Nantes în.
dâ volgeten im diu kindelîn
ûf den hof für den palas,
dâ maneger slahte fuore was.
schiere wart umb in gedranc.
Iwânet dar nâher spranc:
der knappe valsches vrîe
derbôt im kumpânîe.
Der knappe sprach 'got halde dich,
bat reden mîn muoter mich,
ê daz ich schiede von ir hûs.
ich sihe hie mangen Artûs:
wer sol mich ritter machen?'
Iwânet begunde lachen,
er sprach 'dun sihst des rehten niht;
daz aber schiere nu geschiht.'
er fuort in în zem palas,
dâ diu werde massenîe was.
sus vil kund er in schalle,
er sprach 'got halde iuch [hêrren] alle,
148 benamn den künec und des wîp.
mir gebôt mîn muoter an den lîp,
daz ich die gruozte sunder:
unt die ob [der] tavelrunder
von rehtem prîse heten stat,
die selben si mich grüezen bat.
dar an ein kunst mich verbirt,
ine weiz niht welher hinne ist wirt.
dem hât ein ritter her enboten
(den sah ich allenthalben roten),
er well sîn dûze bîten.
mich dunct er welle strîten.
im ist ouch leit daz er den wîn
vergôz ûf die künegîn.
ôwî wan het ich sîn gewant
enphangen von des künges hant!
sô wær ich freuden rîche:
wan ez stêt sô rîterlîche.'
Der knappe unbetwungen
wart harte vil gedrungen,

9. minnen *Gdgg.* 10. scumphentiwr *D*, tschumphenture *G.* 11. liget *dg.* 12. Der *g*, *fehlt d*, dar *die übrigen.* dir *Dgg*, dir in *d*, der *Ggg.* swere *dgg*, swer *g*, sware *Gg*, swærer *D.* 13. wil du *DG.* 14. dur *G.* 15. Könnig artusen *d*, dem kunege *D.* un̄ al den *D.* 16. Ich ensul *G.* 18. wil *Gdgg.* 19. deheiner *G.* 23. dern? 24. Der chunginne in *G.* 26. schoup *Ggg.* 27. ruessig *d.* 29. Ich *G.*

147, 1. saget *D.* 5. odr *D*, oder *G.* 6. lazent si *D.* 11. vor *Ggg.* zenanes *G.* 12. Do *G.* 14. hande *alle außer D.* 15. = Vil schiere *Ggg.* 16. Ìwanet *D*, Ywanet *G.* 17. der] ein *D.* 18. der bot *D*, Ert bot *d*, Got *g*, Unde bot *Ggg.* 19. = Do sprach der gast *Ggg.* 20. = Alsus bat *Ggg.* 25. dun *g*, dune *Dd*, du *Ggg.* 27. er fuorten *D*, Do fuortern *Ggg.* hinzem *Gg.* 28. Da manger hande fuore was *G.* massenide *D.* 30. er sprach *fehlt g.* hêrren *fehlt dgg.*

148, 3. = si *Ggg.* 4. unt *fehlt D.* 5. = Mit *Ggg.* 8. Ichen *G.* hînne *D.* 9. 10. enbôtn-rôtn *D.* 11. welle *DG.* da ûze *D.* 12. dunchet *DG.* 15. Owe *G.* 17. froude *G.* 18. sô *fehlt Gg.* 19. unbedwngen *G.*

gehurtet her unde dar.
sie nâmen sîner varwe war.
diz was selpschouwet,
gehêrret noch gefrouwet
wart nie minneclîcher fruht.
got was an einer süezen zuht,
do'r Parzivâlen worhte,
der vreise wênec vorhte.
sus wart für Artûsen brâht
an dem got wunsches het erdâht.
149 im kunde niemen vîent sîn.
do besah in ouch diu künegîn,
ê si schiede von dem palas,
dâ si dâ vor begozzen was.
Artûs an den knappen sach:
zuo dem tumben er dô sprach
'junchêrre, got vergelt iu gruoz,
den ich vil gerne dienen muoz
mit [dem] lîbe und mit dem guote.
des ist mir wol ze muote.'
'wolt et got, wan wær daz wâr!
der wîle dunket mich ein jâr.
daz ich niht ritter wesen sol,
daz tuot mir wirs denne wol.
nune sûmet mich niht mêre,
phlegt mîn nâch ritters êre.'
'daz tuon ich gerne,' sprach der wirt,
'ob werdekeit mich niht verbirt.
Du bist wol sô gehiure,
rîch an koste stiure
wirt dir mîn gâbe undertân.
dêswâr ich solz ungerne lân.
du solt unz morgen beiten:
ich wil dich wol bereiten.'
der wol geborne knappe
hielt gagernde als ein trappe.
er sprach 'in wil hie nihtes biten.
mir kom ein ritter widerriten:
mac mir des harnasch werden niht,
ine ruoch wer küneges gâbe giht.
150 sô gît mir aber diu muoter mîn:
ich wæn doch diust ein künegîn.'
Artûs sprach zem knappen sân
'daz harnasch hât an im ein man,
daz ich tirs niht getörste gebn.
ich muoz doch sus mit kumber lebn
ân alle mîne schulde,
sît ich darbe sîner hulde.
ez ist Ithêr von Gaheviez,
der trûren mir durch freude stiez.'
'ir wært ein künec unmilte,
ob iuch sölher gâbe bevilte.
gebtz im dar,' sprach Keye sân,
'und lât in zuo zim ûf den plân.
sol iemen bringen uns den kopf,
hie helt diu geisel, dort der topf:
lâtz kint in umbe trîben:
sô lobt manz vor den wîben.
ez muoz noch dicke bâgen
und sölhe schanze wâgen.
Ine sorge umb ir deweders lebn:
man sol hunde umb ebers houbet gebn.'
'ungerne wolt ich im versagn,
wan daz ich fürhter werde erslagn,
dem ich helfen sol der rîterschaft,'
sprach Artûs ûz triwen kraft.
der knappe iedoch die gâbe enphienc,
dâ von ein jâmer sît ergienc.
dô was im von dem künege gâch.
junge und alte im drungen nâch.
151 Iwânet in an der hende zôch
für eine louben niht ze hôch.

21. gehurt *D*, Gehuret *G*. unn̄ *G*. 23. = Daz *Ggg*. 24. gehert *D*. 26. in *D*. einer reiner *Gg*, einer reinen *gg*. 29. = wart er *Dd*.

149, 2. Nu *G*. sach *Gg*. 4. Dar uffe si begozen was *Ggg*. 5. = Der chunch *Ggg*. an dem *D*. 7. vergelde *D*. 8. vil *fehlt D*. 9. demdem *Dgg*, *fehlen Gdgg*. 11. wolt et *D*, Wolte *d* = Daz wolt *Ggg*. wan *fehlt g*, unde *dg*. 15. Nu *G*. 20. = choste tiure *Ggg*, kostiwere *gg*. 23. unze *Ddg*, biz *Ggg*. 26. gagerende *G*. 27. ine *DG*. nihts *G*. 30. ruoche *DG*.

150, 1. mir abe *g*, aber mir *D*. 2. wæne *DG*. 4. Dez *G*. fuert *D*. 5. dirz *D*. 9. J'ther *D*. kahaviez *G*. 11. wæret *DG*. milte *D*. 13. gebts *D*. kai *Gg*, key *gg*. 14. und *fehlt Ggg*. zuo im *G*. 16. helt diu *Dg*, haltet die *d*, ist die *g*, haltet *Gg*, haldet *gg*. 17. Lat daz chint umbe triben *G*. 19. = doch *Ggg*. 20. scanze *D*, tschanze *G*. 21. sorge niht *gg*. dewedrs *D*, twedrs *g*, twerders *g*. 22. umbe *G*. nach *D*. houbt *G*, houpte *D*. 23. = solt *Ggg*. imz *Ggg*. 30. liefen *Ggg*.

151, 2. ze groz *D*.

dô saher für unde widr:
ouch was diu loube sô nidr,
daz er drûffe hôrte unde ersach
dâ von ein trûren im geschach.
  dâ wolt ouch diu künegîn
selbe an dem venster sîn
mit rittern und mit frouwen.
die begundenn alle schouwen.
dâ saz frou Cunnewâre
diu fiere und diu clâre.
diu enlachte decheinen wîs,
sine sæhe in die den hôhsten prîs
hete od solt erwerben:
si wolt ê sus ersterben.
allez lachen si vermeit,
unz daz der knappe für si reit:
do erlachte ir minneclîcher munt.
des wart ir rükke ungesunt.
  Dô nam Keye scheneschlant
froun Cunnewâren de Lâlant
mit ir reiden hâre:
ir lange zöpfe clâre
die want er umbe sîne hant,
er spancte se âne türbant.
ir rüke wart kein eit gestabt:
doch wart ein stap sô dran gehabt,
unz daz sîn siusen gar verswanc,
durch die wât unt durch ir vel ez dranc.
152 dô sprach der unwîse
'iwerm werdem prîse
ist gegebn ein smæhiu letze:
ich pin sîn vängec netze,
ich soln wider in iuch smiden
daz irs enpfindet ûf den liden.
ez ist dem künge Artûs
ûf sînen hof unt in sîn hûs
sô manec werder man geriten,
durch den ir lachen hât vermiten,
und lachet nu durch einen man
der niht mit ritters fuore kan.'
  in zorne wunders vil geschiht.
sîns slages wær im erteilet niht
vorem rîche ûf dise magt,
diu vil von friwenden wart geklagt.
op si halt schilt solde tragn,
diu unfuoge ist dâ geslagn:
wan si was von arde ein fürstîn.
Orilus und Lähelîn
ir bruoder, hetenz die gesehen,
der slege minre wære geschehen.
  Der verswigen Antanor,
der durch swîgen dûht ein tôr,
sîn rede unde ir lachen
was gezilt mit einen sachen:
ern wolde nimmer wort gesagn,
sine lachte diu dâ wart geslagn.
dô ir lachen wart getân,
sîn munt sprach ze Keyen sân
153 'got weiz, hêr scheneschlant,
daz Cunnewâre de Lâlant
durch den knappen ist zerbert,
iwer freude es wirt verzert

4. = Diu loube diu (*so Ggg*, diu *fehlt gg*) was wol so nider *Ggg*. 5. erhorte *Ggg*. uñ ouch *D*. sach *Gdgg*. 8. = in *Ggg*. den venstern *Gdgg*. 10. begunden *Gg*, begunden in *die übrigen*. 11. fro kuneware *G*. 12. phier *G*. 13. enlachete *Dgg*, lachte *g*, enlahte niht *g*, erlacht nit *g*, lachte niht *Gg*. deheinen *g*, dehein *g*, neheine *G*, do keine *d*. gwîs *D*. 14. in] den *Gg*. die] diu *D*, der *die übrigen*. 15. odr *D*, oder *G*. 18. = Biz daz *g*, Biz *Ggg*, Untz *g*. 21. kai *G*. scheneschlant] sine tschalant *g*, sinetschant *g*, thsenethsant *g*, scenescalt *D*, senschalt *G*, tschinet schalt *g*, zehant *g*. 22. Fron kunwaren *G*. 23. reidem *G*. 25. die *fehlt Ggg*. 26. Unde *Gg*. spanctese *D*, spengtes *g*, spranct es *g*, spantese *G*, spantes *g*, spantez *g*, spante sú *d*, spien sy *g*. ane *DGg*, an *d*, an ein *gg*. türbant *mit* ů *oder* ú *Ddgg*, tûr bant *g*, ture bant *G*. 27. dechein *D*, dehein *G*. 28. stab *D*. 29. = Biz *Ggg*. daz *fehlt G*. siûsen *D*, seusen *g*, susen *Gg*. 30. Dur die *G*.

152, 2. Iweren *G*. werden *Gdgg*. 4. vench *Gg*, vanch *g*, vinchen *g*. 5. = Unde *Ggg*. soln *g*, solen *DG*, sol in *gg*, sol *dg*. hin wider *Ggg*. in iuch] în *g*. 6. irz *D*. 9. wert *Gdg*. 10. Dur *G*. habet *G*. 14. erteilt *G*. 15. Vor dem *G*. 16. wirt *Gdgg*. 18. = Diu ungefuoge ist hie geslagen *Ggg*. 22. minrre *D*, miner *G*. geschen *G*. 23. verswigene Anth. *D*. anthenor *dg*. 24. duoht *D*. 26. einer *d* = zwein *Ggg*. 27. Er wolte nimer *G*. 28. Si nen lachte ê diu wart geslagen *g*. 30. kain *G*, kay *g*, key *g*.

153, 1. Goteweiz *G*. sciniscant *d*, key senetzant *g*, smetschant *g*, Scenescalt *D*, seneschalt *G*, sineshalt *g*, schinneschalt *g*. 2. = Daz frou *Ggg*. kunew. *G*. 3. zebert *G*. 4. ês *D*.

noch von sîner hende,
ern sî nie sô ellende.'
'sît iwer êrste rede mir dröut,
ich wæne irs wênic iuch gevröut.'
sîn brât wart gâlûnet,
mit slegen vil gerûnet
dem witzehaften tôren
mit fiusten in sîn ôren:
daz tet Kaye sunder twâl.
dô muose der junge Parzivâl
disen kumber schouwen
Antanors unt der frouwen.
im was von herzen leit ir nôt:
vil dicker greif zem gabilôt.
vor der künegîn was sölch gedranc,
daz er durch daz vermeit den swanc.
urloup nam dô Iwânet
zem fil li roy Gahmuret:
Des reise al eine wart getân
hin ûz gein Ithêr ûf den plân.
dem sagter sölhiu mære,
daz niemen dinne wære
der tjostierens gerte.
'der künec mich gâbe werte.
ich sagte, als du mir jæhe,
wiez âne danc geschæhe
154 daz du den wîn vergüzze,
unfuoge dich verdrüzze.
ir decheinen lüstet strîtes.
gip mir dâ du ûffe rîtes,
unt dar zuo al dîn harnas:
daz enpfieng ich ûf dem palas:
dar inne ich ritter werden muoz.
widersagt sî dir mîn gruoz,
ob du mirz ungerne gîst.
wer mich, ob du bî witzen sîst.'
der künec von Kukûmerlant
sprach 'hât Artûses hant
dir mîn harnasch gegebn,
dêswâr daz tæter ouch mîn lebn,
möhtestu mirz an gewinnen.
sus kan er friwende minnen.
was er dir abr ê iht holt,
dîn dienst gedient sô schiere den solt.'
'ich getar wol dienen swaz ich sol:
ouch hât er mich gewert vil wol.
gip her und lâz dîn lantreht:
ine wil niht langer sîn ein kneht,
ich sol schildes ambet hân.'
er greif im nâch dem zoume sân:
'du maht wol wesen Lähelîn,
von dem mir klaget diu muoter mîn.'
Der rîter umbe kêrt den schaft,
und stach den knappen sô mit kraft,
daz er und sîn pfärdelîn
muosen vallende ûf die bluomen sîn.
155 der helt was zornes dræte:
er sluog in daz im wæte
vome schafte ûzer swarten bluot.
Parzivâl der knappe guot
stuont al zornic ûf dem plân.
sîn gabylôt begreif er sân.
dâ der helm unt diu barbier
sich locheten ob dem härsnier,
durchz ouge in sneit dez gabylôt,
unt durch den nac, sô daz er tôt
viel, der valscheit widersatz.
[wîbe] siufzen, herzen jâmers kratz
gap Ithêrs tôt von Gaheviez,
der wîben nazziu ougen liez.
swelhiu sîner minne enphant,
durch die freude ir was gerant,
unde ir schimpf enschumphiert,
gein der riwe gecondewiert.

6. Er si *g*, er ist *G*, Ern ist *g*. noch nie ell. *g*. 7. erstiu *G*. drot *D*. 9. gealunet *G*. 11. wizzehaftem *D*. 13. kai *G*. 16. Anthanors *D*. 20. dur *G*. 21. urlop *D*. 22. Ze *Ggg*. fillu roy *D*, viliroys *G*. 26. nîemn *D*; *nach* daz *Dd* = *nach* inne *Ggg*, *nach* da *g*, *fehlt g*. dinne *D*, inne *g*, da inne *die übrigen*. 27. 28 *fehlen D*. 27. tiostierns *G*. 28. mich gewerte *d*. 29. gahe *G*, veriæhe *Dg*. 30. wi ez *D*.
154, 2. Ungefuoge *Ggg*. 3. Irne heinen *G*. 4. Gim mir *G*. da du uoffe *Ddg*, da du uf *g*, da uffe du *Gg*, dar uf du *g*, daz du *g*. 5. = Unt *fehlt Ggg*. harnasc *D*, harnasch *G*. 12. Artus *D*. 14. = Des war *fehlt Dd*. ouch] licht ouch *d*. 21. la *Ggg*. 22. Ich *G*. 25. wesen] sin *Gg*. 29. phardelin *G*, pfæredliu *D*. 30. *mit DG stimmt keine der sechs übrigen*. Muesen ir val an der erde sin *g*, Musten (Muose *g*) vallen (Vielen *g*) uf (in *g*) der bluomen schîn (uff die blůmen hin *d*) *dgg*.
155, 3. wome *D*. uz der *G*. swarte *gg*. 4. der helt *Ggg*. 6. Zem gabilote greif *Ggg*. 7. diu *DGg*, der *dgg*, daz *gg*. 8. locheten *Dd*, lohten *g*, löcherten *g*, luhten *g*, luchent *Gg*. umbe den harsnier *G*. 9. Dur daz *G*. 10. dur *G*. 11. valscheite *D*, valsche *Gg*, valsches *gg*. 12. Bibes *g*. suften *Gg*. 13. gahaviez *G*. 17. entscumpfieret *D*. 18. = rîuhe *Dd*. gekondiwiert *g*, gegondewiert *G*, gecondwîeret *D*.

Parzivâl der tumbe
kêrt in dicke al umbe.
er kunde im ab geziehen niht:
daz was ein wunderlîch geschiht:
helmes snüer noch sîniu schinnelier,
mit sînen blanken handen fier
kund ers niht ûf gestricken
noch sus her ab gezwicken.
vil dickerz doch versuochte,
wîsheit der umberuochte.
Daz ors unt daz phärdelîn
erhuoben ein sô hôhen grîn,
156 daz ez Iwânet erhôrte
vor der stat ans graben orte,
froun Ginovêrn knapp unde ir mâc.
do'r von dem orse erhôrte den bâc,
und dô er niemen drûffe sach,
von sînen triwen daz geschach
die er nâch Parzivâle truoc,
dô gâhte dar der knappe kluoc.
er vant Ithêren tôt,
unt Parzivâln in tumber nôt.
snellîch er zin beiden spranc:
dô sageter Parzivâle danc
prîses des erwarp sîn hant
an dem von Kukûmerlant.
'got lôn dir. nu rât waz ich tuo:
ich kan hie harte wênic zuo:
wie bringe ichz ab im unde an mich?'
'daz kan ich wol gelêren dich,'
sus sprach der stolze Iwânet
zem fil li roy Gahmuret.
entwâpent wart der tôte man
aldâ vor Nantes ûf dem plân,
und an den lebenden geleget,
den dannoch grôziu tumpheit reget.
Iwânet sprach 'diu ribbalîn
sulen niht underem îsern sîn:
du solt nu tragen ritters kleit.'
diu rede was Parzivâle leit:
Dô sprach der knappe guoter
'swaz mir gap mîn muoter,
157 des sol vil wênic von mir komn,
ez gê ze schaden odr ze fromn.'
daz dûhte wunderlîch genuoc
Iwâneten (der was kluoc):
iedoch muos er im volgen,
ern was im niht erbolgen.
zwuo liehte hosen îserîn
schuohterm über diu ribbalîn.
sunder leder mit zwein porten
zwêne sporen dar zuo gehôrten:
er spien im an daz goldes werc.
ê erm büte dar den halsperc,
er stricte im umb diu schinnelier.
sunder twâl vil harte schier
von fuoze ûf gewâpent wol
wart Parzivâl mit gernder dol.
dô iesch der knappe mære
sînen kochære.
'ich enreiche dir kein gabylôt:
diu ritterschaft dir daz verbôt'
sprach Iwânet der knappe wert.
der gurte im umbe ein scharpfez swert:
daz lêrt ern ûz ziehen
und widerriet im fliehen.
dô zôher im dar nâher sân
des tôten mannes kastelân:

20. cherten *D*. 23. Helm *Ggg*. snuer *g*, snuor *g*, snuere *die übrigen*. noch sîniu *fehlt G*, noch diu *g*. scinnelîer *D*, schinilier *d* = tschillier *gg*, tschilier *G*, schillier *gg*. 25. abe *Ggg*. 27. dichers *D*, ditchez *G*, dicke erz *die übrigen*. versuohte-unberuohte *G*. 29. un̄ sin *Ggg*. phardelin *G*, phæredlin *D*. 30. ein *g*, einen *DG*.

156, 2. der stat *fehlt G*. 3. Fron schinoveren chnape *G*. knappe *D*. 4. Dor *G*, der *D*, Do er *die meisten*. 5. do *Dd* = daz *gg*, *fehlt Gg*. 8. do dahte *D*. 9. Da vant er *Ggg*. Jthern *D*. 10. Parzifaln *g*, Parzivalen *DG*. 11. Sneliche er zuo in *G*. 12. Unde sagete *Ggg*. parcifalen *gg*. 13. priss *D*. 15. lone *DG*. nu *fehlt G*. rate *D*. 17. unde *fehlt Gd*. 19. sus *fehlt Gdgg*. 20. = Ze *Ggg*. filli roy *g*, fillu roy *D*, vilirois *Gd*, fillo Roys *g*. 22. nantis *Ggg*. den *G*. 23. geleît *D*. 24. tumpeit reît *D*. 25. ribbalîn *Dd* = ribalin *Ggg*. 26. under dem *G*, unden *d*. isern *D*, yser *Gg*, ysen *gg*, ysin *d*. 27. muost *Ggg*.

157, 2. zefrumen *G*. 4. ywaneten *G*, Jwanet *Ddgg*. 6. Er *G*. 7. zwo *D*. 8. schuoht erem *D*, Schuohter *Gg*. ribalin *G*. 11. an] umbe *Ggg*. 12. ê er im butte dar (dar bitte *d*) *Dd*, E er bute im dar *g und ohne* dar *G*, Er bot im dar *gg*. halperch *D*. 13. umbe *DG*. tschillier *Ggg*. 14. twale *D*. vil *D*, *fehlt dg*, wart (*welches dann z.* 16 *fehlt*) *Ggg*. 15. fuoz *D*, vuezen *g*. 16. gerendr *D*. 19. en *fehlt G*. dechein *D*, nehein *G*. 22. Er *Gdgg*. scharfez *G*. 25. zôch er *G*.

daz truoc pein hôh unde lanc.
der gewâpent in den satel spranc:
ern gerte stegereife niht,
dem man noch snelheite giht.
158 Ywâneten niht bevilte,
ern lêrte in underm schilte
künsteclîch gebâren
und der vînde schaden vâren.
er bôt im in die hant ein sper:
daz was gar âne sîne ger:
doch vrâgt ern 'war zuo ist diz frum?'
'swer gein dir zer tjoste kum,
dâ soltuz balde brechen,
durch sînen schilt verstechen.
wiltu des vil getrîben,
man lobt dich vor den wîben.'
als uns diu âventiure giht,
von Kölne noch von Mâstrieht
kein schiltære entwürfe in baz
denn alser ûfem orse saz.
dô sprach er ze Ywânete sân
'lieber friunt, mîn kumpân,
ich hân hie 'rworben des ich pat.
du solt mîn dienst in die stat
dem künege Artûse sagen
und ouch mîn hôhez laster klagen.
bring im widr sîn goltvaz.
ein ritter sich an mir vergaz,
daz er die juncfrouwen sluoc
durch daz si lachens mîn gewuoc.
mich müent ir jæmerlîchen wort.
diun rüerent mir kein herzen ort:
jâ muoz enmitten drinne sîn
der frouwen ungedienter pîn.
159 Nu tuoz durch dîne gesellekeit,
und lâz dir [sîn] mîn laster leit.
got hüet dîn: ich wil von dir varn:
der mag uns bêde wol bewarn.'
Ithêrn von Gaheviez
er jæmerlîche ligen liez.
der was doch tôt sô minneclîch:
lebende was er sælden rîch.
wær ritterschaft sîn endes wer,
zer tjost durch schilt mit eime sper,
wer klagte dann die wunders nôt?
er starp von eime gabylôt.
Iwânet ûf in dô brach
der liehten bluomen zeime dach.
er stiez den gabylôtes stil
zuo zim nâch der marter zil.
der knappe kiusche unde stolz
druete en kriuzes wîs ein holz
durch des gabylôtes snîden.
done wolt er niht vermîden,
hin in die stat er sagte
des manec wîp verzagte
und manec ritter weinde,
der klagende triwe erscheinde.
dâ wart jâmers vil gedolt.
der tôte schône wart geholt.
diu künegîn reit ûz der stat:
daz heilictuom si füeren bat.
ob dem künege von Kukûmerlant,
den tôte Parzivâles hant,
160 Vrou Ginovêr diu künegin
sprach jæmerlîcher worte sin.
'ôwê unde heiâ hei,
Artûss werdekeit enzwei
sol brechen noch diz wunder,
der ob der tavelrunder

28. der gewapent *Dg*, Do er gewapent *G*, Do er *g*, Gewaffent er *dgg*. 29. Er *G*. stegereif *dg*, stegreifes *Dg*.

158, 2. Er *G*. lertn *D*. under dem *G*. 3. Chunstlîch *g*. 4. und *fehlt Ggg*. 7. er *alle außer D*. frûm *G*. 8. = ze *Ggg*. tiost *DG*, tiostiern *gg*. chume *G*. 9. berchen *G*. 10. Dur *G*. 11. Wil du *G*. 13. giht *alle außer D*. 15. dechein *D*, Dehein *G*. entwrfen baz *D*. 17. zywaneten *Dg*. 19. hie erw. *DG*. 23. Bringe im *G*. 25. die] eine *G*. 26. Dur *G*. 28. dine *D*, Diu *G*. ruoren *G*. dechein *D*, dehein *G*. 29. enmiten drine *G*.

159, 1. Nu *Ddg*, *fehlt Ggg*. tůez *D*, tǒ ez *G*. durh gesellcheit *G*. 2. La dir *G*. La dir min laster wesen leit *g*. 3. 4 *fehlen Ggg*. 3. huete *D*. 5. Itheren *G*. un̄ *D*. kahaviez *G*. 6. iamerlichen *G*. hiez *D*. 7. tôt *fehlt gg*, wol *Gg*. 9. wære *DG*. sins *g*, sines *Ggg*. 10. dur *G*. 11. chlagetiu *D*. dane *G*, denne *D*. 14. liehehten *G*. 16. Zuo im *G*. 18. enchruzewis *G*. 19. Durh die *G*. 20. = Eren wolt niht *Ggg*. 21. = hin *fehlt Ggg*. 23. unt des *D*. 27. kuneginne *Dd*. 28. heiltuom *dg*.

160, 1. schinover *G*. 4. Artuses *G*.

den hœhsten prîs solde tragn,
daz der vor Nantes lît erslagn.
sîns erbeteils er gerte,
dâ man in sterbens werte.
er was doch mässenîe alhie
alsô daz dechein ôre nie
dehein sîn untât vernam.
er was vor wildem valsche zam:
der was vil gar von im geschabn.
nu muoz ich alze fruo begrabn
ein slôz ob dem prîse.
sîn herze an zühten wîse,
obem slôze ein hantveste,
riet im benamn daz beste,
swâ man nâch wîbes minne
mit ellenthaftem sinne
solt erzeigen mannes triuwe.
ein berendiu fruht al niuwe
ist trûrens ûf diu wîp gesæt.
ûz dîner wunden jâmer wæt.
dir was doch wol sô rôt dîn hâr,
daz dîn bluot die bluomen clâr
niht rœter dorfte machen.
du swendest wîplich lachen.'

161 Ithêr der lobes rîche
wart bestatet küneclîche.
des tôt schoup siufzen in diu wîp.
sîn harnasch im verlôs den lîp:
dar umbe was sîn endes wer
des tumben Parzivâles ger.
sît dô er sich paz versan,
ungerne het erz dô getân.
daz ors einer site pflac:
grôz arbeit ez ringe wac:
ez wære kalt oder heiz,
ezn liez durch reise keinen sweiz,
ez træte stein oder ronen.
er dorft im keines gürtens wonen
doch eines loches nâher baz,
swer zwêne tage drûffe saz.
gewâpent reitz der tumbe man
den tac sô verre, ez hete lân
ein blôz wîser, solt erz hân geriten
zwêne tage, ez wære vermiten.
er lie'z et schûften, selten drabn:
er kunde im lützel ûf gehabn.
hin gein dem âbent er dersach
eins turnes gupfen unt des dach.
den tumben dûhte sêre,
wie der türne wüehse mêre:
der stuont dâ vil ûf eime hûs.
dô wânder si sæt Artûs:
des jaher im für heilikeit,
unt daz sîn sælde wære breit.

162 Alsô sprach der tumbe man.
'mîner muoter volc niht pûwen kan.
jane wehset niht sô lanc ir sât,
swaz sir in dem walde hât:
grôz regen si selten dâ verbirt.'
Gurnemanz de Grâharz hiez der wirt

8. von *Dg*. nantis *Ggg*. 9. erbteils *D*, erbeteiles *G*. 10. Do *Gg*. 11. massnie *G*, mæssenide *D*. 13. deheine *D*. 14. wilden *G*. 18. Unt sin *Ggg*. 19. ob emslozze *D*. 24. berdiu *G*. 29. liehter *Eg*. dorften *E*. 30. wiplic *E*.

161, 1. lobs *D*. 2. bestattet *D*. wnnecliche *Eg*, minnechliche *g*. 3. = Sin *EGgg*. suften *EG*. 4. ime v. ten *E*. 5. Dar unde *E*. sins *Eg*. 6. tunben *E immer*. 7. baz *D*. 8. ungern *D*. to *E*. 12. Ezn *E*, ez en *D*, Ez *G*. lie dur *G*. deheinen *EG*. 14. Man *alle aufser Dg*. dorfte ìme *E*. deheins *G*, deheines *E*. 16. so er *D*, Der *G*. zwe *E*. gesaz *EGg*. 17. reitz *g*, reit ez *DEG*. ter *E*. iunge *G*. 18. so sere *Eg*. 19. bloze *g*, *fehlt G*. 21. er liez et *D*, Er liesse es *d*, Er liez *g*, Ez wolte *EGgg*, Er wolte *g*, Wolt ez *g*. selten] oder *EG und alle die vorher* wolte *haben*. 22. ime *E*. luzzel *Ddgg*, wenic *Egg*, wench *G*. 23. dem *fehlt Dg*. abende *Dg*. dersach] resach *D*, erschach *g*, gesach *d*, do sach *EGgg*, doc sach *g*, do gesach *g*. 24. eines *DG*. turns *E*. gůppfen *E*, gúpffen *d*, gupf *g*, chuphen *Gg*. unt tes dah *E*. 26. wo̊sche (sch *unterstrichen*) *E*. 27. eineme *E*, einem (*wie immer*) *G*. 28. wandr *D*, wande er des *E*. daz si *gg*. sæte *D*, sate *E*. 29. iach er *EG*. ime vvr *E*. heilcheit *EG*. 30. taz *E*. salde *EG*. ware *E*.

162, 2. nih *E*. půven *D*, buwen *E*, bwen *G*. 3. Ezn *Egg*, Ez *Ggg*. wechset *D*, wahset *G*, waschet *E*. so hohe ir sæt *G*. 4. si ir *DE*. indme *E*. 6. Gurnamanz *E*, Gurnomanz *G*. hiez ter *E*.

ûf dirre burc dar zuo er reit.
dâ vor stuont ein linde breit
ûf einem grüenen anger:
der was breiter noch langer
niht wan ze rehter mâze.
daz ors und ouch diu strâze
in truogen dâ er sitzen vant
des was diu burc unt ouch daz lant.
ein grôziu müede in des betwanc,
daz er den schilt unrehte swanc,
ze verre hinder oder für,
et ninder nâch der site kür
die man dâ gein prîse maz.
Gurnamanz der fürste al eine saz:
ouch gap der linden tolde
ir schaten, als si solde,
dem houbetman der wâren zuht.
des site was vor valsche ein fluht,
der enpfienc den gast: daz was sîn reht.
bî im was ritter noch kneht.
sus antwurt im dô Parzivâl
ûz tumben witzen sunder twâl.
'mich pat mîn muoter nemen rât
ze dem der grâwe locke hât.
163 dâ wil ich iu dienen nâch,
sît mir mîn muoter des verjach.'
'Sît ir durch râtes schulde
her komen, iwer hulde
müezt ir mir durch râten lân,
und welt ir râtes volge hân.'
dô warf der fürste mære
ein mûzerspärwære
von der hende. in die burc er swanc:
ein guldîn schelle dran erklanc.
daz was ein bote: dô kom im sân
vil junchêrren wol getân.
er bat den gast, den er dâ sach,
în füern und schaffen sîn gemach.
der sprach 'mîn muoter sagt al wâr:
altmannes rede stêt niht ze vâr.'
hin în sin fuorten al zehant,
da er manegen werden ritter vant.
ûf dem hove an einer stat
ieslîcher in erbeizen bat.
dô sprach an dem was tumpheit schîn
'mich hiez ein künec ritter sîn:
swaz halt drûffe mir geschiht,
ine kum von disem orse niht.
gruoz gein iu riet mîn muoter mir.'
si dancten beidiu im unt ir.
dô daz grüezen wart getân
(daz ors was müede und ouch der man),
maneger bete si gedâhten,
ê sin von dem orse brâhten
164 in eine kemenâten.
si begundn im alle râten
'lâtz harnasch von iu bringen
und iweren liden ringen.'
Schiere er muose entwâpent sîn.
dô si diu rûhen ribbalîn
und diu tôren kleit gesâhen,
si erschrâken die sîn pflâgen.
vil blûgez wart ze hove gesagt:
der wirt vor schame was nâch verzagt.

7. dirre *Ddg*, der *Ggg*, ter *E*. da zuo *G*. 9. Ef *E*. einen *D*, eineme *E*. gruenem *D*. 10. Er *Eg*, Ern *gg*. 11. niht wan *Ddg*, Niwan *Gg*, Niuwan *Eg*, Nie wan *g*, Niur *g*, Neur *g*. 12. ouch *haben nur Ddg*. unt tiu *E*. 14. tiu *E*. un̄ *DE*. taz *E*. 15. bedwanc *E*. 16. twanch *G*. 18. nieder (*vor* d *ein angefangenes* n) nach ter *E*. 19. do *E*. 20. Gurnomanz *G*. wrste *E*. 22. scaten *D*, schate *EG*, schat *g*. wolde *Eg*. 23-28 *weggeschnitten von E*. 23. houptman *D*. 25. Er *Ggg*. enphie *G*. 26. noch *Dgg*, noch der *Gdgg*. 27. = Des *Ggg*. 29. bat *EG*.

163, 1. ih *E*. 3. 5. dur *G*. 5. Muozt *EG*, muezzet *D*. 6. und *fehlt Gg*. wolt *D*. 7. ter wrste *E*. mare *EG*. 8. einen *DG*. muozer *DE*, muz *Gg*, gemuzten *g*. sparware *G*, spareware *E*. 11. quam *D*. ime *E*, in *Ddg*. 13. hiez *EGgg*. 14. fůren *D*, fǒren *G*, vǒren *E*. 16. = Altes mannes *EGgg*. 17. sim vuorten *E*, sú fuortent in *d*, fuorten si in *D*. 18. mangen *G*. rittr *D*, riter *EG*. 19. Uf den (ten *E*) hof *EGg*. 21. deme *E*. tunpheit *E* 23. halte *E*. 24. Ichen *G*. chume abe *E*. 25-28 *Ddgg*, *fehlen EGgg*. 26. un̄ *D*. 29. manegr *D*, Manger *G*. si doch *G*, sy do *g*, si in *gg*. 30. Unz *Egg*, Unze *G*. si in *D*.

164, 2. begunden *DEG*. 3. Latz *g*, Lat dez *G*, Lat daz *Edgg*, Lat den *Dgg*. 4. un̄ *D*, Unde *EG*. iuweren *E*. 5. = Vil schiere er *E*, Vil schierer *Ggg*. 6. die riuhen *E*. ribalin *DE*. 7. Unt diu roten chleit *E*. = ersahen *EGgg*. 8. do erscrachen *D*. 9. blwech ez *D*. zehofe *G*.

ein ritter sprach durch sîne zuht
'deiswâr sô werdeclîche fruht
erkôs nie mîner ougen sehe.
an im lît der sælden spehe
mit reiner süezen hôhen art.
wiest der minnen blic alsus bewart?
mich jâmert immer daz ich vant
an der werlde freude alsölh gewant.
wol doch der muoter diu in truoc,
an dem des wunsches lît genuoc.
sîn zimierde ist rîche:
dez harnasch stuont rîterlîche
ê ez kœm von dem gehiuren.
von einer quaschiuren
bluotige amesiere
kôs ich an im schiere.'
der wirt sprach zem ritter sân
'daz ist durch wîbe gebot getân.'
'nein, hêrre: erst mit sölhen siten,
ern kunde nimer wîp gebiten
165 daz si sîn dienst næme.
sîn varwe der minne zæme.'
der wirt sprach 'nu sule wir sehn
an des wæte ein wunder ist geschehn.'
Si giengen dâ si funden
Parzivâln den wunden
von eime sper, daz bleip doch ganz.
sîn underwant sich Gurnemanz.
sölch was sîn underwinden,
daz ein vater sînen kinden,
der sich triwe kunde nieten,
möhtez in niht paz erbieten.
sîne wunden wuosch unde bant
der wirt mit sîn selbes hant.
dô was ouch ûf geleit daz prôt.
des was dem jungen gaste nôt,
wand in grôz hunger niht vermeit.
al vastende er des morgens reit
von dem vischære.
sîn wunde und harnasch swære,
die vor Nantes er bejagete,
im müede unde hunger sagete;
unt diu verre tagereise
von Artûse dem Berteneise,
dâ mann allenthalben vasten liez.
der wirt in mit im ezzen hiez:
der gast sich dâ gelabte.
in den barn er sich sô habte,
daz er der spîse swande vil.
daz nam der wirt gar zeime spil:
166 dô bat in vlîzeclîche
Gurnemanz der triwen rîche,
daz er vaste æze
unt der müede sîn vergæze.
Man huop den tisch, dô des wart zît.
'ich wæne daz ir müede sît'
sprach der wirt: 'wært ir iht fruo?'
'got weiz, mîn muoter slief duo.
diu kan sô vil niht wachen.'
der wirt begunde lachen,
er fuort in an die slâfstat.
der wirt in sich ûz sloufen bat:

11. dur *G*. 12. Deswar *EG*. 15. Von reine *EGg*. suezen hohen *Dgg*, hohen suessen *d*, suezen *g*, suoze hoher *EGg*, suesser hoher *g*. 16. wi ist *D*, Vvie ist *E*, Wie ist *G*. alsus *fehlt Edg*. 17. imer *G*, iemer *E*. 18. werlte *E*. al *fehlt Edgg*. solich *E*. 19. doch ter *E*. 20. dem *Ddg*, im *Ggg*, ime *E*. 21. zimier daz *g*, zimierde diu? 22. daz *DE*. 23. ê ez chœme *D*, Ez chome *E*, Ez chom *Ggg*. 24. quatschuren *E*, quatschiuren *G*. 25. Bluotic *E*, Bluotch *G*. amesîere *D*, amasier *d*, amisiere *Eg*, amisier *Ggg*. 26. Chos ih an ime *E*. schier *G*. 27-165, 2 *weggeschnitten von E*. 28. Ez ist lihte *(fehlt g)* durh *Ggg*. 29. er ist *D*. in *G*, ninder in *g*. 30. Er *G*. nimer *D*.

165, 3. = Do sprach der (ter *E*) wirt *EGgg*. sulen *G*. 4. des varwe ein *Eg*, dem solch *G*. 6. Parzivaln *g*, Parzivalen *DEG*. 7. eineme *E*. beleip *DEG*. 8. gurnomanz *G*, Gurnamanz *E*. 9. Solch *G*, sôlh *D*, Solich *E*, Selich *g*. 12. môhtez in *D*, Moht ez im *g*, Moht inz *Ggg*, Moht imz *Egg*. baz *EG*. 15. Nu *EGgg*. brot *EG*. 16. teme *E*. 17. Vvande *E*, Wan *(wie immer) G*. 19. deme *E*. 21. nantis *EGg*. 23. tiu *E*. tagreise *D*. 24. beriteneise *D*, britoneise *E*, britaneise *G*. 25. man in *alle*. allent halbn *D*, alent halben *G*, allez *Eg*. betalle? 27. sich tagelabete *E*. do *Gg*. 28. bran *E*. 30. zeinem *G*, ze heinem *E*.

166, 2. Gurnamanz *E*, Curnomanz *G*. 3. waste *E*. 4. Unt *G*, uñ *D*, Unde *E*. 5. dô des] do do d· *E*, des *g*. was *EGgg*. 7. sus sprach *D*. ter *E*. wæret *D*, wart *Eg*, waret *Gdgg*. vro *Eg*. 8. Gotewaiz *E*. sliefe *G*, slafet *Eg*. duo *D*, nuo *dg*, nu *EGgg*. 9. Si *EGgg*. 11. fuorten an *D*.

ungernerz tet, doch muosez sîn.
ein declachen härmîn
wart geleit übr sîn blôzen lîp.
sô werde fruht gebar nie wîp.
grôz müede und slâf in lêrte
daz er sich selten kêrte
an die anderen sîten.
sus kunder tages erbîten.
dô gebôt der fürste mære
daz ein bat bereite wære
reht umbe den mitten morgens tac
zende am teppich, da er dâ lac.
daz muose des morgens alsô sîn.
man warf dâ rôsen oben în.
swie wênic man umb in dâ rief,
der gast erwachte der dâ slief.
der junge werde süeze man
gienc sitzen in die kuofen sân.
167 ine weiz wer si des bæte:
juncfrowen in rîcher wæte
und an lîbes varwe minneclîch,
die kômen zühte site gelîch.
Si twuogn und strichen schiere
von im sîn amesiere
mit blanken linden henden.
jane dorft in niht ellenden
der dâ was witze ein weise.
sus dolter freude und eise,
tumpheit er wênc gein in enkalt
juncfrouwen kiusche unde balt
in alsus kunrierten.
swâ von si parlierten,
dâ kunder wol geswîgen zuo.
ez dorft in dunken niht ze fruo:
wan von in schein der ander tac.
der glast alsus en strîte lac,
sîn varwe laschte beidiu lieht:
des was sîn lîp versûmet nieht.
man bôt ein badelachen dar:
des nam er vil kleine war.
sus kunder sich bî frouwen schemn,
vor in wolt erz niht umbe nemn.
die juncfrouwen muosen gên:
sine torsten dâ niht langer stên.
ich wæn si gerne heten gesehn,
ob im dort unde iht wære geschehn
wîpheit vert mit triuwen:
si kan friwendes kumber riuwen.
168 der gast an daz bette schreit.
al wîz gewant im was bereit.
von golde unde sîdîn
einen bruochgürtel zôch man drîn.
scharlachens hosen rôt man streich
an in dem ellen nie gesweich.
Avoy wie stuonden sîniu bein!
reht geschickede ab in schein.
brûn scharlachen wol gesniten,
(dem was furrieren niht vermiten)
beidiu innen härmîn blanc,
roc und mantel wâren lanc:
breit swarz unde grâ
zobel dervor man kôs aldâ.

13. Ungerne erz *E*. muost ez *D*, muose ez *E*. 14. hermin *G*, harmin *E*. 15. sinen *DEG*. blôzen *fehlt Eg*. 16. wrht *E*. 17. unde *E*. 19. = Umbe (Ube *E*) an *EGgg*. 20. chunde er *E*. = biten *EGgg*. 22. bereit *EG*. 23. unbe *E*. mitten *D*, miten *E*. 24. ze ende *DE*. an dem *Gdgg*, an deme *E*, an den *D*. tepich *E*, tepche *G*. da er *EGgg* = der *Dd*. 25. morgns *E*. 26. dâ *fehlt*, *am ende* drin *EGg*. 27. man- 167, 2 *weggeschnitten von E*. 30. dî, *und* kuofen sân *fehlt*, *D*. daz bade *g*, die schiff *d*, die bat stanben *g*.

167, 2. junchfrouwen *DG*. mit *D*. 3. und *fehlt G*. 4. zuhtte *E*. 5. twuogen *G*, twgen *E*, truogen *Dg*, twungen *g*. uñ *DG*, unde *E*. schier *EG*. 6. ime *E*. sin amisier *EG*. 7. Mit ir blanchen *E*. 9. do *D*. 11. Tunpheit *E*, Tupheit *G*. wench *G*, wenic *E*, wenich *D*. engalt *EG*. 12. chusche *EG*. 16. Iane (Ian *G*) dorfte in *EGgg*. 17. ime *Egg*. der] ein *G*. 18. in strite *E*. 20. niht *E*. 21. im ein *E*, im *g*. badlachen *Dg*. 23. sich pi *E*. 24. volt ers *D*. 25. die *fehlt D*. 26. Si *G*. torstn *D*, getorsten *EG und die übrigen*. lenger *G*. 27. Die wane ich gerne *EGg*. wæne *D*. 28. Obe *G*. ime *E*. unden *EGgg*. 30. friundes *G*, vriundes *E*. chunber *E*. triwen-riwen *DG*.

168, 1. anz *G*. pette *E*, bete *G*. screit *DE*. 2. = was im (ime *E*) *EGgg*. 5. swarz *G*. 7-13. *wenig lesbar in E*. 7. Avoi *G*. stonden *E*. 8. Rehte *G*. gescichede *D*, geschichet *EGgg*. abe *G*. = im *Ggg*, ime *E*. 9. Brun scharlach *G*. 10. Deme was fůrrieren *E*. 11. harmin *EG*. 12. mandel *G*. 13. Brun *EGg*. 14. dr vor *D*, der wr *E*.

daz leit an der gehiure.
undr einen gürtel tiure
wart er gefischieret,
und wol gezimieret
mit einem tiuren fürspan.
sîn munt dâ bî vor rœte bran.
dô kom der wirt mit triwen kraft:
nâch dem gienc stolziu rîterschaft.
der enphienc den gast. dô daz geschach,
der ritter ieslîcher sprach,
sine gesæhen nie sô schœnen lîp.
mit triwen lobten si daz wîp,
diu gap der werlde alsölhe fruht.
durch wârheit und umb ir zuht
si jâhen 'er wirt wol gewert,
swâ sîn dienst genâden gert:
169 im ist minne und gruoz bereit,
mager geniezen werdekeit.'
ieslîcher im des tâ verjach,
unt dar nâch swer in ie gesach.
Der wirt in mit der hant gevienc,
gesellelîcher dannen gienc.
in vrâgt der fürste mære,
welch sîn ruowe wære
des nahtes dâ bî im gewesen.
'hêr, dan wære ich niht genesen,
wan daz mîn muoter her mir riet
des tages dô ich von ir schiet.'
'got müeze lônen iu unt ir.
hêrre, ir tuot genâde an mir.'
dô gienc der helt mit witzen kranc
dâ man got und dem wirte sanc.
der wirt zer messe in lêrte
daz noch die sælde mêrte,
opfern unde segnen sich,
und gein dem tiuvel kêrn gerich.
dô giengens ûf den palas,
aldâ der tisch gedecket was.
der gast ze sîme wirte saz,
die spîser ungesmæhet az.
der wirt sprach durch höfscheit
'hêrre, iu sol niht wesen leit,
ob ich iuch vrâge mære,
wannen iwer reise wære.'
er saget im gar die underscheit,
wier von sîner muoter reit,
170 umbez vingerl unde umbz fürspan,
und wie erz harnasch gewan.
der wirt erkante den ritter rôt:
er dersiufte, in derbarmt sîn nôt.
sînen gast des namn er niht erliez,
den rôten ritter er in hiez.
Dô man den tisch hin dan genam,
dar nâch wart wilder muot vil zam.
der wirt sprach zem gaste sîn
'ir redet als ein kindelîn.
wan geswîgt ir iwerr muoter gar
und nemet anderr mære war?
habt iuch an mînen rât:
der scheidet iuch von missetât.
sus heb ich an: lâts iuch gezemn.
ir sult niemer iuch verschemn.
verschamter lîp, waz touc der mêr?
der wont in der mûze rêr,
dâ im werdekeit entrîset
unde in gein der helle wîset.
ir tragt geschickede unde schîn,
ir mugt wol volkes hêrre sîn.

16. Under *EG*. gulter *Dg*. 17. gephischieret *EG*. 18. Unde *EG*. 19. tiurem *D*, *in E nicht lesbar*. 20. von *EGdgg*. 22. gie *DG*. groziu *Eg*. 23. Er *EGgg*. = gruozte *EGgg*. 24. iegelicher *E*. 27. werelde *D*, werlte *E*. = al *fehlt EGgg*. 28-169, 2 *weggeschnitten von E*. 29. = sprachen *Ggg*. 30. gnaden *D*.

169, 2. manger *D*. 5. = bi *Ggg*. 7. vragete *D*. 9. nahts *G*. 10. Herre *G*, *fehlt D*. dane *DG*. 13. und *D*, uñ *G*. 15. Sus *Ggg*. gie *D*. 16. gote *G*. 19. Opheren uñ segenen *G*. 20. und *fehlt G*. tiuvele *D*, tiefel *G*. cheren *DG*. 22. Da *Ggg*. verdechet *G*. 23. zuo sinem *G*, zuo dem *gg*. 24. dî *D*. 25. hôfsheit *D*. 26. ensol *D*. 28. Wanenen *G*. 29. seit *D*. die *Gg*, diu *D*. 30. uñ wie er *D*.

170, 1. vingerl] vingelin *G*, vingerlin *die übrigen*. 4. er dersiufte] der ersiufte *Dg*, Erresufte *G*, Er ersufte *g*, Er sufte *oder* Er süfzete *dgg*. in derbarmt sîn nôt] unde erbarmet (erbarmete *D*, erbarmt *gg*) in (im *g*) sin not *die meisten*. 5. = Den *Ggg*. ers namen niht erliez *Ggg*. 7. her dane *Ggg*. gewan *G*. 10. reit *D*, ret *gg*, redt reht *g*. 11. geswiget *D*. iwerre *G*. 12. andere *G*. 13. Halt *Gdgg*. 15. lat iuch *Dg*. 16. nimer *G*. 17. 18. mererere *G*. 18. lebet *G*. muoze *D*. 21. Mich entriege gesiht (geschickete *g*) vñ schin *Ggg*.

ist hôch und hœht sich iwer art,
lât iweren willen des bewart,
iuch sol erbarmen nôtec her:
gein des kumber sît ze wer
mit milte und mit güete:
vlîzet iuch diemüete.
der kumberhafte werde man
wol mit schame ringen kan
171 (daz ist ein unsüez arbeit):
dem sult ir helfe sîn bereit.
swenne ir dem tuot kumbers buoz,
sô nâhet iu der gotes gruoz.
im ist noch wirs dan den die gênt
nâch porte aldâ diu venster stênt.
Ir sult bescheidenlîche
sîn arm unde rîche.
wan swâ der hêrre gar vertuot,
daz ist niht hêrlîcher muot:
sament er ab schaz ze sêre,
daz sint och unêre.
gebt rehter mâze ir orden.
ich pin wol innen worden
daz ir râtes dürftic sît:
nu lât der unfuoge ir strît.
irn sult niht vil gevrâgen:
ouch sol iuch niht betrâgen
bedâhter gegenrede, diu gê
reht als jenes vrâgen stê,
der iuch wil mit worten spehen.
ir kunnet hœren unde sehen,
entseben unde dræhen:
daz solt iuch witzen næhen.
lât derbärme bî der vrävel sîn.
sus tuot mir râtes volge schîn.
an swem ir strîtes sicherheit
bezalt, ern hab iu sölhiu leit
getân diu herzen kumber wesn,
die nemt, und lâzet in genesn.
172 ir müezet dicke wâpen tragn:
so'z von iu kom, daz ir getwagen
undr ougen unde an handen sît,
des ist nâch îsers râme zît.
sô wert ir minneclîch gevar:
des nement wîbes ougen war.
Sît manlîch und wol gemuot:
daz ist ze werdem prîse guot.
und lât iu liep sîn diu wîp:
daz tiwert junges mannes lîp.
gewenket nimmer tag an in:
daz ist reht manlîcher sin.
welt ir in gerne liegen,
ir muget ir vil betriegen:
gein werder minne valscher list
hât gein prîse kurze vrist.
dâ wirt der slîchære klage
daz dürre holz ime hage:
daz pristet unde krachet:
der wahtære erwachet.
ungeverte und hâmît,
dar gedîhet manec strît:
diz mezzet gein der minne.
diu werde hât sinne,
gein valsche listeclîche kunst:
swenn ir bejaget ir ungunst,
sô müezet ir gunêret sîn
und immer' dulten schemeden pîn.
dise lêre sult ir nâhe tragn:
ich wil iu mêr von wîbes orden sagn.
173 man und wîp diu sint al ein;
als diu sunn diu hiute schein,

23. und] oder *Ggg*. hœhet *DG*. 25. ich *D*.

171, 1. ein *fehlt Ggg*. unsuoziu *Ggg*. 5. denne *D*, dene *G*. 6. brote *fast alle außer D*. 8. arem *D*. 9. wan *fehlt G*. 10. herrenlicher *D*. 11. samnet *D*. aber *DG*. scaz ze sere *Ddg*, schazes êre *gg*, schatzes mere *Gg*. 16. nu *fehlt G*. ungefuoge *Ggg*. 17. Iren *D*, Ir *G*. 18. ensol *Dgg*. 20. Rehte *G*. iens *G*, ens *g*, eines *g*. frage *Ggg*. 21. Swer *Ggg*. 23. entseben *Dg*, Entsebe *G*, Bit leben *d*, Entsehen *g*, Entsten *g*. drehen *g*, drahen *Ggg*, trehen *d*, trahen *g*, bræhen *D*. 24. sol *Ggg*. nahen *Ggg*. 25. derbärme] die erbærme *D*, die erbarme *G*, die erbermde *g*, erbarmde *gg*, erbermde *dg*. fravele *G*. 28. Bezelt erne habe iu solch leit *G*. 29. herze chumbr *D*. 30. diu *D*. lat *Ggg*.

172, 1. ouch ditch *G*, doch diche *g*. 3. Undern *gg*, Under den *Ggg*. an den *Ggg*. 5. 6 = *fehlen Dd*. 5. wert *g*, werdet *Ggg*. 7. Weset *Ggg*, West *g*. mænlich *gg*. 8. iu guot *D*. 9. Und *fehlt Ggg*. 12. rehte *Dg*, rehter *dgg*. 16. ze *Ggg*. 19. Ez *fast alle außer DG*. 23. Diz *D*, Die *d* = Daz *Ggg*. zelt *D*. 25. listeclich *D*. 28. schemden *g*, schemenden *Gg*, senden *g*, scamenden *Dgg*, schanden *g*. 29. nahen *Ggg*. 30. iu *fehlt d*, mere iu *g*. me *Gdg*. von wiben sagen *gg*.

173, 1. die *D*. 2. Alsam *gg*, Sam *G*. der sunne die *g*. sunne *alle*. hiute da *Gg*.

und ouch der name der heizet tac.
der enwederz sich gescheiden mac:
si blüent ûz eime kerne gar.
des nemet künsteclîche war.'
Der gast dem wirt durch râten neic.
sîner muoter er gesweic,
mit rede, und in dem herzen niht;
als noch getriwem man geschiht.
der wirt sprach sîn êre.
'noch sult ir lernen mêre
kunst an rîterlîchen siten.
wie kômet ir zuo mir geriten!
ich hân beschouwet manege want
dâ ich den schilt baz hangen vant
denner iu ze halse tæte.
ez ist uns niht ze spæte:
wir sulen ze velde gâhen:
dâ sult ir künste nâhen.
bringet im sîn ors, und mir dez mîn,
und ieslîchem ritterz sîn.
junchêrren sulen ouch dar komn,
der ieslîcher habe genomn
einen starken schaft, und bringe in dar,
der nâch der niwe sî gevar.'
sus kom der fürste ûf den plân:
dâ wart mit rîten kunst getân.
sîme gaste er râten gap,
wierz ors ûzem walap
174 mit sporen gruozes pîne
mit schenkelen fliegens schîne
ûf den poinder solde wenken,
[und] den schaft ze rehte senken,
[und] den schilt gein tjoste für sich nemen.
er sprach 'des lâzet iuch gezemen.'
Unfuoger im sus werte
baz denne ein swankel gerte
diu argen kinden brichet vel.
dô hiez er komen ritter snel
gein im durch tjostieren.
er begunde in condwieren
einem zegegen an den rinc.
dô brâhte der jungelinc
sîn êrsten tjost durch einen schilt,
deis von in allen wart bevilt
unt daz er hinderz ors verswanc
einen starken rîter niht ze kranc.
ein ander tjostiur was komn.
dô het ouch Parzivâl genomn
einen starken niwen schaft.
sîn jugent het ellen unde kraft.
der junge süeze âne bart,
den twanc diu Gahmuretes art
und an geborniu manheit,
daz ors von rabbîne er reit
mit volleclîcher hurte dar,
er nam der vier nagele war.
des wirtes ritter niht gesaz,
al vallende er den acker maz.
175 dô muosen kleiniu stückelîn
aldâ von trunzûnen sîn.
sus stach err fünve nidr.
der wirt in nam und fuorte in widr.
aldâ behielt er schimpfes prîs:
er wart ouch sît an strîte wîs.
Die sîn rîten gesâhen,
al die wîsen im des jâhen,
dâ füere kunst und ellen bî.
'nu wirt mîn hêrre jâmers vrî:

3. Unt der *Gg.* name *Dg*, man *Ggg*, mane *gg*, mon *d*, mone *g.* der *Ddgg*, der de *G*, *fehlt gg.* hezet *G.* 4. enwederz *Dg*, entweders *dg*, dewederz *Ggg*, twerderz *g*, wederz *g.* 5. cheren *G.* 6. chunstechiche *D*, chunstchlichen *G.* 7. wirte *DG.* 10. getriwen *g.* 14. komt *g*, chomet *G*, quamet *D.* 21. mirz min *D.* 22. riter daz sine *G.* 23. = Dar sulen ouch iuncherren chomen *Ggg.* 25. bringen dar *Dd.* 28. ritene *G.* 29. Sinem gaster do *G.* raten *DGg*, ze raten *g*, rate *gg*, rat *gg*, den rat *d.* 30. uf den *Gg*, uf dem *gg.*

174, 2. = Nach *Ggg*, *vergl. W.* 408, 17. schenchelns *g*, schenkelz *g*, schenckel *d.* fliegens *Ggg*, fliegen *Dgg*, fliegende *d.* 3. Uz *Gg*, In *g.* dem *alle außer D.* 4. und *fehlt G.* 5. und *fehlt Ggg.* 6. lat *Ggg.* 7. Unfuoge er *D.* 8. swenchel *G.* 10. rittr *D*, ritere *G.* 12. im *g.* condewieren *G.* 13. Einen *Ggg*, jenen *Wackernagel.* zegagen *G.* 15. erste *Gdgg.* 16. deis *D*, Das *d*, Des *die übrigen.* 19. ander *fehlt D.* tiostiure *D*, tiosture *Gg*, tyostier *g*, justier *d*, tiostiern *gg.* 20. = Nu *Ggg.* 24. Des twangin *Ggg.* diu *hat nur D.* Gahmurets *DG.* 30. valende *G.*

175, 1. Da *G.* 3. Alsus *Ggy.* err] er *gg*, ir *Gg*, er ir *die übrigen.* 4. fuorten *D.* 5. Seht da *Ggg.* 6. Unde wart *Ggg.* 7. sahen *g*, da gesahen *Ggg.* 8. al *fehlt Ggg.* gahen *G.* 10. Min herre wirt nu *Gg.*

sich mac nu jungen wol sîn lebn.
er sol im ze wîbe gebn
sîne tohter, unser frouwen.
ob wirn bî witzen schouwen,
sô lischet im sîn jâmers nôt.
für sîner drîer süne tôt
ist im ein gelt ze hûs geriten:
nu hât in sælde niht vermiten.'
sus kom der fürste sâbents în.
der tisch gedecket muose sîn.
sîne tohter bat er komn
ze tische: alsus hân ichz vernomn.
do er die maget komen sach,
nu hœret wie der wirt sprach
ze der schœnen Lîâzen.
'du solt di'n küssen lâzen,
disen ritter, biut im êre:
er vert mit sælden lêre.
ouch solt an iuch gedinget sîn
daz ir der meide ir vingerlîn
176 liezet, op siz möhte hân.
nune hât sis niht, noch fürspan:
wer gæbe ir sölhen volleist
so der frouwen in dem fôreist?
diu het etswen von dem sie 'npfienc
daz iu zenpfâhen sît ergienc.
ir muget Lîâzen niht genemn.'
der gast begunde sich des schemn,
Iedoch kuster se an den munt:
dem was wol fiwers varwe kunt.
Lîâzen lîp was minneclîch,
dar zuo der wâren kiusche rîch.
der tisch was nider unde lanc.
der wirt mit niemen sich dâ dranc.
er saz al eine an den ort.
sînen gast hiez er sitzen dort
zwischen im unt sîme kinde.
ir blanken hende linde
muosen snîden, sô der wirt gebôt,
den man dâ hiez den ritter rôt,
swaz der ezzen wolde.
nieman si wenden solde,
sine gebârten heinlîche.
diu magt mit zühten rîche
leist ir vater willen gar.
si unt der gast wârn wol gevar.
dar nâch schier gienc diu maget widr.
sus pflac man des heldes sidr
unz an den vierzehenden tac.
bî sîme herzen kumber lac
177 anders niht wan umbe daz:
er wolt ê gestrîten baz,
ê daz er dar an wurde warm,
daz man dâ heizet frouwen arm.
in dûhte, wert gedinge
daz wære ein hôhiu linge
ze disem lîbe hie unt dort.
daz sint noch ungelogeniu wort.
Eins morgens urloubs er bat;
dô rûmter Grâharz die stat.
der wirt mit im ze velde reit:
dô huop sich niwez herzenleit.
dô sprach der fürste ûz triwe erkorn
'ir sît mîn vierder sun verlorn.
jâ wând ich ergetzet wære
drîer jæmerlîchen mære.
der wâren dennoch niht wan driu:
der nu mîn herze envieriu
mit sîner hende slüege
und ieslîch stücke trüege,
daz diuhte mich ein grôz gewin,
einz für iuch (ir rîtet hin),
diu driu für mîniu werden kint
diu ellenthaft erstorben sint.

11. ich mach *D*. wol iungen (iugen *G*, jüngen *g*) nu *Ggg*. 14. wirn *Gg*, wir in *die übrigen*. 15. So erlischet *Ggg*. amers *G*. 19. sabents *D*, des abendes *dg*, wider *Ggg*. 20. verdecht *G*. 21. 22. = Der wirt hiez zetische chomen. Sine tohter *Ggg*. 22. alsus han ichz *D*, also ich han *d*, sus *(fehlt g)* han ich *die übrigen*. 25. zuo der *D*. 26. Nu soltu *Ggg*. di'n] in *D*, dich *dgg*, niht *g*, *fehlt Ggg*. 27. bîut *Dd* = unde biut *Ggg*, unde erbiute *g*.

176, 1. moht *G*. 2. Nu *Ggg*. 3. solhe *g*. 5. etwen *G*. 6. zenpfahene *DG*. 10. viurs *G*. 12. Da bi *Ggg*. 13. nidere *G*. 14. sich da mit niemen *Ggg*. 16. = liez *Ggg*. 19. wirt *fehlt G*. 20. der rittr *D*. 21. = Al daz er *Ggg*. 22. niemen *DG*. sie *D*. 24. Diu maget zuhte riche *Gg*. 27. schiere *DG*. gie *D*. 28. Alsus *Ggg*.

177, 2. wolde gestrîten *D*. 3. 4. warem-arem *D*. 7. hie *fehlt Gg*. 9. Eines *D*, Des *G*. urloubs er *g*, urloubes er *Ddgg*, er urloubes *Gg*. 10. rumder *G*. 12. = Hie *Ggg*. herzeleit *G*. 13. der *fehlt G*. 15. Ich wande [ich *g*] ergetzet ware *Gg*. 17. danoch niwan *G*. 20. ieslichez *Dd*. 21. dîuhte *D*, duhte *G*. 22. Einz *gg*, einez *DG*. 23. minen *G*.

sus lônt iedoch diu ritterschaft:
ir zagel ist jâmerstricke haft.
ein tôt mich lemt an freuden gar,
mînes sunes wol gevar,
der was geheizen Schenteflûrs.
dâ Cundwîr amûrs
178 lîp unde ir lant niht wolte gebn,
in ir helfer flôs sîn lebn
von Clâmidê und von Kingrûn.
des ist mir dürkel als ein zûn
mîn herze von jâmers sniten.
nu sît ir alze fruo geriten
von mir trôstelôsen man.
ôwe daz ich niht sterben kan,
sît Lîâz diu schœne magt
und ouch mîn lant iu niht behagt.
Mîn ander sun hiez cons Lascoyt.
den sluoc mir Idêr fil Noyt
umb einen sparwære.
des stên ich freuden lære.
mîn dritter sun hiez Gurzgrî.
dem reit Mahaute bî
mit ir schœnem lîbe:
wan si gap im ze wîbe
ir stolzer bruoder Ehkunat.
gein Brandigân der houbetstat
kom er nâch Schoydelakurt geritn.
dâ wart sîn sterben niht vermitn:
dâ sluog in Mâbonagrîn.
des verlôs Mahaute ir liehten schîn,
und lac mîn wîp, sîn muoter, tôt:
grôz jâmer irz nâch im gebôt.'
der gast nams wirtes jâmer war,
wand erz im underschiet sô gar.
dô sprach er 'hêrre, in bin niht wîs:
bezal abr i'emer ritters prîs,
179 sô daz ich wol mac minne gern,
ir sult mich Lîâzen wern,
iwerr tohter, der schœnen magt.
ir habt mir alze vil geklagt:
mag ich iu jâmer denne entsagen,
des lâz ich iuch sô vil niht tragen.'
urloup nam der junge man
von dem getriwen fürsten sân
unt zal der massenîe.
des fürsten jâmers drîe
was riwic an daz quater komn:
die vierden flust het er genomn.

25. lont *dgg*, lonet *DG*. 26. iamers *Ggg*. striche haft *Dg*, striches haft *g*, strichehaft *Gg*, strichaft *dg*. 28. mins suns *D*. 29. Scenteflurs *D*, tschentalŏrs *G*, Jentafluors *gg*, shentaflors *g*, stentaflurs *g*, schantaflors *d*, gentaflurs *g*. 30. = Da frau *gg*, Do frou *G*, Diu frowe *g*, Do die schœne *g*.

178, 1. lib *D*. 3. Chlammide *D*. un *G*. kingruon *D*. 4. zŵn *D*. 7. trostelosem *D*, trostlosen *dgg*. 9. liaz *gg*, Liaze *DG*. 11. Coslascoyt *D*, conla scot *d*, kunfiliscot *G*, kunscot *g*, filischot *g*, kunic lascoit *g*, Cunslascunt *g*, kinsot *g*. 12. iders *Gdgg*, Ither *g*, ithers *g*. fil not *Gdg*, vilinot *g*. 15. = Kurzgri *Ggg*. 16. 24. Mahaute *D*, mahante *d*, Mahode *Gg*, mahute *g*, mahŏd (mohot) *g*, mahorte (mahaut) *g*, Mahoube (Mahoude) *g*, mahodi *g*. 20. hobet stat *G*, houbtstat *D*. 21. Scoy delak. *D*, tschoidelak. *G*. 22. Des *Ggg*. 23. slug im *D*. Mŏbon. *G*, mobon. *dg*. 26. ez ir *Gg*, iamers ir *g*. 27. nam sines iamers war *G*. wirts *D*. iamers *gg*. 29. er *fehlt* *G*. ine *D*, ichne *G*. 30. ich immer (imer) *alle*.

179, 1. mach wol *G*. minnen *Gg*. 2. So sult ir mich *Gd*. 3. Iwer *G*. 5. etsagen *D*. 6. iuch niht langer tragen *Gg*. 8. = Zedem *Ggg*. 9. zaldr *D*, zeal der *G*. messenie *G*. 10. Des werden fursten drie *G*. 11. quattr *D*.

IV.

Dannen schiet sus Parzivâl.
ritters site und ritters mâl
sîn lîp mit zühten fuorte,
ôwê wan daz in ruorte
manec unsüeziu strenge.
im was diu wîte zenge,
und ouch diu breite gar ze smal:
elliu grüene in dûhte val,
sîn rôt harnasch in dûhte blanc:
sîn herze d'ougen des bedwanc.
sît er tumpheit âne wart,
done wolt in Gahmuretes art
denkens niht erlâzen
nâch der schœnen Lîâzen,
der meide sælden rîche,
diu im geselleclîche
sunder minn bôt êre.
swar sîn ors nu kêre,
180 er enmages vor jâmer niht enthabn,
ez welle springen oder drabn.
 kriuze unde stûden stric,
dar zuo der wagenleisen bic
sîne waltstrâzen meit:
vil ungevertes er dô reit,
dâ wênic wegerîches stuont.
tal und berc wârn im unkuont.
genuoge hânt des einen site
und sprechent sus, swer irre rite
daz der den slegel fünde:
slegels urkünde
lac dâ âne mâze vil,
sulen grôze ronen sîn slegels zil.
 Doch reit er wênec irre,
wan die slihte an der virre
kom er des tages von Grâharz
in daz künecrîch ze Brôbarz
durch wilde gebirge hôch.
der tac gein dem âbent zôch.
dô kom er an ein wazzer snel:
daz was von sîme duzze hel:
ez gâbn die velse ein ander.
daz reit er nider: dô vander
die stat ze Pelrapeire.
der künec Tampenteire
het si gerbet ûf sîn kint,
bî der vil liute in kumber sint.
 daz wazzer fuor nâch polze siten,
die wol gevidert unt gesniten
181 sint, sô si armbrustes span
mit senewen swanke trîbet dan.
dar über gienc ein brükken slac,
dâ manec hurt ûffe lac:
ez flôz aldâ reht in daz mer.
Pelrapeir stuont wol ze wer.
seht wie kint ûf schocken varn,
die man schockes niht wil sparn:
sus fuor diu brücke âne seil:
diun was vor jugende niht sô geil.

13. sus] do *Ggg*. Parzifal *D*. 16. ouwe *D*. in] ir *G*. 17. Vil manch *Ggg*. 21. duhte in *Ggg*. 22. diu *alle*. betwanch *G*. 24. Sone *Gg*. gahmurets *G*. 25. Gedenchens *Ggg*. 28. geselchliche *G*. 29. minne *DG*.

180, 2. Ezn *g*. schuften *G*. 3. stuoden *D*. 4. wagleisen *G*, wagenleise *gg*. pich *D*, blich *Ggg*. 5. walt straze *Ggg*. 7. lutzel *Ggg*. wegriches *D*, weriches *G*. 8. waren *D*, was *G*. unchunt *DG*. 9. Gnuoge *D*. habent *Ggg*. 10. gehent *oder* iehent *alle außer D*. sus *Dd* = des *gg*, *fehlt Gg*. 15. lutzel *Ggg*. 16. ander *D*. 18. -riche *DG*. = briubarz *G*, briebarz *g*, brubarz *gg*. 20. do gein *Ggg*. abent *gg*, abende *DGdg*. 21. Er chom an *G*. 23. gaben *DG*. 26. tampunteire *Ggg*. 27. geêrbet *D*. 29. polze *D*, boltze *g*, bolzes *Gdgg*.

181, 1. so si *Ddg*, so si des *Gg*, so des *gg*, des des *g*. arembr. *D*. 2. senwe *G*, senwes *g*. 3. dar umbe gie *D*. bruchen *G*. 5, inz mer *D*. 6. Pelrapeire *DG immer*. was *Ggg*. 7. Nu seht *Ggg*. schocken *dgg*, schochen *Gg*, scochen *D*, kochen *g*. 8. di *D*. schokes *gg*, schoches *Gg*, scoches *D*, schockens *dgg*. 10. Dun *g*, Die en *g*, diu *Dgg*, Sine *G*, Sú *d*. von *gg*.

dort anderhalben stuonden
mit helmen ûf gebuonden
sehzec ritter oder mêr.
die riefen alle kêrâ kêr:
mit ûf geworfen swerten
die kranken strîtes gerten.
Durch daz sin dicke sâhen ê,
si wânden ez wær Clâmidê,
wand er sô küneclîchen reit
geiu der brücke ûf dem velde breit.
dô si disen jungen man
sus mit schalle riefen an,
swie vil erz ors mit sporen versneit,
durch vorht ez doch die brüken meit.
den rehtiu zageheit ie flôch,
der rebeizte nider unde zôch
sîn ors ûf der brücken swanc.
eins zagen muot wær alze kranc,
solt er gein sölhem strîte varn.
dar zuo muos er ein dinc bewarn:
182 wander vorhte des orses val.
dô lasch ouch anderhalp der schal:
die ritter truogen wider în
helme, schilde, ir swerte schîn,
und sluzzen zuo ir porten:
grœzer her si vorhten.
sus zôch hin über Parzivâl,
und kom geriten an ein wal,
dâ maneger sînen tôt erkôs,
der durch ritters prîs den lîp verlôs
vor der porte gein dem palas,
der hôch und wol gehêret was.
einen rinc er an der porte vant:
den ruorter vaste mit der hant.
sîns rüefens nam dâ niemen war,
wan ein juncfrouwe wol gevar.
ûz einem venster sach diu magt
den helt haldèn unverzagt.
Diu schœne zühte rîche
sprach 'sît ir vîentlîche
her komen, hêrre, deist ân nôt.
ân iuch man uns vil hazzens pôt
vome lande und ûf dem mer,
zornec ellenthaftez her.'
dô sprach er 'frowe, hie habt ein man
der iu dienet, ob ich kan.
iwer gruoz sol sîn mîn solt:
ich pin iu dienstlîchen holt.'
dô gienc diu magt mit sinne
für die küneginne,
183 und half im daz er kom dar în;
daz in sît wante hôhen pîn.
sus wart er în verlâzen.
iewederthalp der strâzen
stuont von bovel ein grôziu schar.
die werlîche kômen dar,
slingære und patelierre,
der was ein langiu vierre,
und arger schützen harte vil.
er kôs ouch an dem selben zil
vil küener sarjande,
der besten von dem lande,
mit langen starken lanzen
schärpfen unde ganzen.
als ichz mære vernomen hân,
dâ stuont ouch manec koufman
mit hâschen und mit gabilôt,
als in ir meisterschaft gebôt.
die truogen alle slachen balc.
der küneginne marschalc
Muose in durch si leiten
ûffen hof mit arbeiten.

11. anderthalbn *D*. 12. gebunden *DG*. 15. ufgewofenen *G*. 16. strits *G*. 17. Dur *G*. 18. Chlamide *D*. 19. wandr *D*, Wan er *G*. chunstchliche *G*. 21. iugen *G*. 22. Alsus *Gg*. 23. vil *fehlt G*, sere *gg*. 24. bruke *Gdgg*. 25. Der rehte *Gg*. zagheit *D*. 26. rebeiste *D*, erbeizte *G*.

182, 1. orss *D*. 2. = Do erlasch *Ggg*. 4. Helm *alle außer Dg*. schilt *dgg*. ir *Dg*, *fehlt Gg*, und *dgg*. = swertes *Ggg*. 5. ir] die *Ggg*. 9. sinen lip verlos *G*. 10. Unt *Ggg*. 12. wol *fehlt Gg*, vil *g*. gehert *DG*. 13. porten *G*. 15. sines ruoffenes *G*. 17. Von *Ggg*. 20. vigentliche *G*. 21. herre *fehlt Ggg*. deist *G*, dest *g*, dast *g*, daz ist *die übrigen*. an *D*, ein *g*, ane *Gg*, un *g*. 22. hazes *alle außer Dg*. 24. zornech vñ *D*. 25. frouwe *DG*. = halt *G*, helt *g*, haldet *gg*. 28. dienstliche *D*.

183, 2. sint *D*. wande *G*. 4. Ietweder halp *G*. straze *D*. 5. povel *gg*. langiu *Ggg*. 7. und *fehlt Ggg*. patelierre *g*, pateliere *g*, patelirre *Ddgg*, putelirre *G*, patelirære *g*. 8. lengiu *D*. vierre] viere *g*, virre *die übrigen*. 9. (*ohne* und) *nach* 10 *Gg*. atgêrschützen? 10. Ouch schos er (man *Gg*) an dem *Ggg*. 11. scariande *D*. 12. Die *G*. 13. scharfen *Gd*. 14. Starchen *G*, Scharcken *d*. 17. haschen *d*, hascent *D*, hachen *G*, hatschen *gg*, ackesen *g*. 19. swachen *D*, salches *g*. 20. malscalch *D*. 21. dur *G*.

der was gein wer berâten.
türn oben kemenâten,
wîchûs, perfrit, ärkêr,
der stuont dâ sicherlîchen mêr
denn er dâ vor gesæhe ie.
dô kômen allenthalben hie
ritter die in enpfiengen.
die riten unde giengen:
184 ouch was diu jæmerlîche schar
elliu nâch aschen var,
oder alse valwer leim.
min hêrre der grâf von Wertheim
wær ungern soldier dâ gewesn:
er möht ir soldes niht genesn.
der zadel fuogte in hungers nôt.
sine heten kæse, vleisch noch prôt,
si liezen zenstüren sîn,
und smalzten ouch deheinen wîn
mit ir munde, sô si trunken.
die wambe in nider sunken:
ir hüffe hôch unde mager,
gerumphen als ein Ungers zager
was in diu hût zuo den riben:
der hunger het inz fleisch vertriben.
den muosen si durch zadel dolen.
in trouf vil wênic in die kolen.
des twanc si ein werder man,
der stolze künec von Brandigân:
si arnden Clâmidês bete.
sich vergôz dâ selten mit dem mete
der zuber oder diu kanne:
ein Trühendingær phanne
mit kraphen selten dâ erschrei:
in was der selbe dôn enzwei.
wolt ich nu daz wîzen in,
sô het ich harte kranken sin.
wan dâ ich dicke bin erbeizet
und dâ man mich hêrre heizet,
185 dâ heime in mîn selbes hûs,
dâ wirt gefreut vil selten mûs.
wan diu müese ir spîse steln:
die dörfte niemen vor mir heln:
ine vinde ir offenlîche niht.
alze dicke daz geschiht
mir Wolfram von Eschenbach,
daz ich dulte alsolch gemach.
mîner klage ist vil vernomn:
nu sol diz mære wider komn,
wie Pelrapeir stuont jâmers vol.
dâ gap diu diet von freuden zol.
die helde triwen rîche
lebten kumberlîche.
ir wâriu manheit daz gebôt.
nu solde erbarmen iuch ir nôt:
ir lîp ist nu benennet phant,
sine lœse drûz diu hôhste hant.
nu hœrt mêr von den armen:
die solten iuch erbarmen.
Si enphiengen schämlîche
ir gast ellens rîche.
der dûhtes anders wol sô wert,
daz er niht dörfte hân gegert
ir herberge als ez in stuont:
ir grôziu nôt was im unkuont.
man leit ein teppech ûfez gras,
da vermûret und geleitet was

24. Tuorn *g*, turne *DG*. oben *D*, obenan *d*, obe den *die übrigen*. chemnaten *G*. 25. wichûs *D*, Wichhus *G*. perfert *D*, perferit *d*, perfride *g*. ærcher *D*, ærhcger *g*, arch ker *G*, argere *g*.

184, 3. odr als *D*. 4. min herre *Ddg*, *fehlt Ggg*. der grave (grefe *g*, graff *g*) von *Ddgg*, grave (graff *g*) ppope (bopbe *g*, Boppe *g*) von *Ggg*. 5. wære *DG*. ungerne *G*. 7. fuoget *D*. 9-18 *fehlen D*. 9. zensturen *G*, zen stuorn *g*, zen stúrn *d*, zendesturn *g*, zene stürgen *g*, zen stören *g*, zene stúrmen *g*. 10. smalzegeten *g*, smalzigten *g*, smahten *gg*. 13. hufe *G*, huf *dg*. 14. Verrumphen *g*. eins *g*. 16. in daz *alle*. 17. dur *G*. 18. wenig *d* = lutzel *Ggg*. 19. stolzer *Ggg*. 20. werde *Ggg*. bradigan *G*. 21-26 *fehlen D*. 22. Si *G*. 23. der *und* diu *fehlen d*. Zúber *d*. 24. truhendingare *G*, trühendinger *gg*, druhendinger *g*, Truehender *g*, drúhunder *d*. 27. = Solt *Ggg*. daz nu *Ggg*. 29. ditch *G*. 30. und *fehlt G*. dâ *fehlt dgg*. herren *Gg*, nu herre *g*, wirt *gg*.

185, 4. Sine *Ggg*, Sich *gg*. 5. Ich *G*. offenlichen *Gdgg*. 7. Esscenbach *D*, eschenpach *gg*, Eschelbach *g*. 8. dulde *gg* = dolte *Dd*. al *fehlt Ggg*. 13. iamers *Ggg*. 16. solde] lat *D*. 17. 18 *fehlen Dd*. 19. Nu *Ddg*, *fehlt Ggg*. hœret *DG*. mere *DGgg*, me *dgg*. 21. schamliche *G*. 22. elfenes *G*. 23. Er *Ggg*. duohtes *D*, duhte si *G*. 25. im *G*. 26. unchuont *mit* ỏ *G*. 27. einen *DG*. tepch uf dez *G*. 28. geleit *G*.

durch den schaten ein linde.
do entwâpent inz gesinde.
186 er was in ungelîche var,
dô er den râm von im sô gar
getwuoc mit einem brunnen:
dô het er der sunnen
verkrenket nâch ir liehten glast.
des dûhter si ein werder gast.
man bôt im einen mantel sân,
gelîch alsô der roc getân,
der ê des an dem helde lac:
des zobel gap wilden niwen smac.
si sprâchen 'welt ir schouwen
die küngîn, unser frouwen?'
dô jach der helt stæte
daz er daz gerne tæte.
si giengen geinme palas,
dâ hôch hin ûf gegrêdet was.
ein minneclîch antlützes schîn,
dar zuo der ougen süeze sîn,
von der küneginne gienc
ein liehter glast, ê sin enpfienc.
Von Katelangen Kyôt
unt der werde Manpfilyôt
(herzogen beide wâren die),
ir bruoder kint si brâhten hie,
des landes küneginne.
durch die gotes minne
heten se ûf gegebn ir swert.
dâ giengen die fürsten wert
grâ unde wol gevar,
mit grôzer zuht si brâhten dar
187 die frouwen mitten an die stegen.
dâ kuste si den werden degen:
die munde wâren bêde rôt.
diu künegîn ir hant im bôt:
Parzivâln si fuorte wider
aldâ si sâzen beidiu nider.
frouwen unde rîterschaft
heten alle swache kraft,
die dâ stuondn und sâzen:
si heten freude lâzen,
daz gesinde und diu wirtîn.
Condwîr âmûrs ir schîn
doch schiet von disen strîten:
Jeschûten, Enîten,
und Cunnewâren de Lâlant,
und swâ man lobs die besten vant,
dâ man frouwen schœne gewuoc,
ir glastes schîn vast under sluoc,
und bêder Isalden.
jâ muose prîses walden
Condwîr âmûrs:
diu truoc den rehten bêâ curs.
Der name ist tiuschen schœner lîp.
ez wâren wol nütziu wîp,
die disiu zwei gebâren,
diu dâ bî ein ander wâren.
dô schuof wîp unde man
niht mêr wan daz si sâhen an
diu zwei bî ein ander.
guote friunt dâ vander.
188 der gast gedâht, ich sage iu wie.
'Lîâze ist dort, Lîâze ist hie.
mir wil got sorge mâzen:
nu sihe ich Lîâzen,
des werden Gurnemanzes kint.'
Lîâzen schœne was ein wint
gein der meide diu hie saz,
an der got wunsches niht vergaz
(diu was des landes frouwe),
als von dem süezen touwe
diu rôse ûz ir bälgelîn
blecket niwen werden schîn,
der beidiu wîz ist unde rôt.
daz fuogte ir gaste grôze nôt.

29. schate *G*, schat *gg*. 30. entwapende *G*.
186, 1. ungelich gevar *Ggg*. 3. Getuoch *G*. 4. der liehten sunnen *Gg*. 5. verdechet vil nach *D*. 7. = braht *Ggg*. mandel *G*. 8. als *G*. 15. gienen *G*. geinme] gein einem *D*, hinze dem *g*, gein dem *die übrigen*. 16. hohe *G*. 21. katlangen *g*, katelange *Dgg*. 22. Manfiliot *Ggg*, manfilot *gg*. 23. bede *G*.
187, 1. Ir *Ggg*. 3. münde *gg*. 5. Parzivalen *DG*, Parcifal *dgg*. 7. rittr chraft *D*. 8. = Die heten *Ggg*. 9. stuonden *DG*. 10. Die *Ggg*. 11. unde och *Gg*. 14. unde eniten *Gdgg*. 15. kunew. *G*. 16. Oder *Ggg*. 17. = Swa *Ggg*, Und swa *gg*. 19. unde *DG*. beider ysalden *G*. 20. Diu da muoz *Ggg*. priss *D*. 21. Daz was diu chungin condwiramurs *G*. 25. die *Dgg*, Diu *G*. 26. di *D*. 27. Done *Gdgg*. 28. mer *g*, mere *Dd*, me *Ggg*. 30. Guoten *G*. friwent *D*, friunde *gg*.
188, 3. Mich *und* sorgen (leides *Gg*) *Ggg*. 5. gurnomzes *G*. 7. dirre *Gdgg*. 9. Do *Ggg*, Da *g*. 10. also *D*. suezem *D*. 11. balgelin *G*. 12. = Enblechet *Ggg*, Endechet *g*, Erblechet *gg*. 13. wize *D*. 14. fuogete *G*.

sîn manlîch zuht was im sô ganz,
sît in der werde Gurnamanz
von sîner tumpheit geschiet
unde im vrâgen widerriet,
ez enwære bescheidenlîche,
bî der küneginne rîche
saz sîn munt gar âne wort,
nâhe aldâ, niht verre dort.
maneger kan noch rede sparn,
der mêr gein frouwen ist gevarn.
Diu küneginne gedâhte sân
'ich wæn, mich smæhet dirre man
durch daz mîn lîp vertwâlet ist.
nein, er tuotz durch einen list:
er ist gast, ich pin wirtîn:
diu êrste rede wære mîn.
189 dar nâch er güetlîch an mich sach,
sît uns ze sitzen hie geschach:
er hât sich zuht gein mir enbart.
mîn rede ist alze vil gespart:
hie sol niht mêr geswigen sîn.'
zir gaste sprach diu künegîn
'hêrre, ein wirtîn reden muoz.
ein kus erwarp mir iwern gruoz,
ouch but ir dienst dâ her în:
sus sagte ein juncfrouwe mîn.
des hânt uns geste niht gewent:
des hât mîn herze sich gesent.
hêrre, ich vrâge iuch mære,
wannen iwer reise wære.'
'frouwe, ich reit bî disem tage
von einem man, den ich in klage
liez, mit triwen âne schranz.
der fürste heizet Gurnamanz,
von Grâharz ist er genant.
dannen reit ich hiut in ditze lant.'
alsus sprach diu werde magt.
'hetz anders iemen mir gesagt,
der volge wurde im niht verjehn,
deiz eines tages wære geschehn:
wan swelch mîn bote ie baldest reit,
die reise er zwêne tage vermeit.
Sîn swester was diu muoter mîn,
iwers wirtes. sîner tohter schîn
sich ouch vor jâmer krenken mac.
wir haben manegen sûren tac
190 mit nazzen ougen verklaget,
ich und Lîâze diu maget.
sît ir iwerem wirte holt,
sô nemtz hînte als wirz gedolt
hie lange hân, wîp unde man:
ein teil ir dienet im dar an.
ich wil iu unsern kumber klagen:
wir müezen strengen zadel tragen.'
dô sprach ir veter Kyôt
'frouwe, ich sende iu zwelf prôt,
schultern unde hammen drî:
dâ ligent ähte kæse bî,
unt zwei buzzel mit wîn.
iuch sol ouch der bruoder mîn
hînte stiuren: des ist nôt.'
dô sprach Manpfiljôt
'frouwe, ich send iu als vil.'
dô saz diu magt an vreuden zil:
ir grôzer danc wart niht vermitn.
si nâmen urloup unde ritn
dâ bî zir weidehûsen.
zer wilden albe klûsen

15. im *fehlt* Gg. 16. churnomanz *G.* 17. tumpheite schiet *Ggg.* 19. Niwan *G*, Wan *gg*, Dann *gg.* 21. sin muotr *D.* 24. gein *Dg*, ze *Ggg*, zuo den *d.* fræuden *gg.* 25. dahte *Gd.* 26. wæne *D immer.* mih smaht *G.* 27. Dur *G.* vertwalt *DGg*, vertwelt *g.* 30. were billich *d*, solte wesen *G*, ist *g.*

189, 3. enbârt *D*, erbart *gg.* 5. hiene sol *D.* 9. but *Dg*, bútet *dg*, enbut *G*, enbutet *g.* 10. Als *Gg*, Also *gg.* seit *Dg*, seite *d.* 11. Sone *Gg*, So *gg.* habent *Ddgg.* mich *Gg.* 12. = versent *Ggg.* 16. der mich *Ggg.* mit *Ggg.* 17. scanz *D.* 18. gurnom. *G.* 20. Danen rite ih *G.* hiute *D.* diz *G*, daz *dg.* 23. Der volge im nimer wurde vergehen *Gg.* 24. Daz ez *G.* eins *D.* = moht *Ggg.* 25. wan *fehlt G.* bot al baldest *G.* baldeste *D.* 26. = meit *Ggg.* 27. Min muoter was diu swester sin *Ggg.* 29. = von *Ggg.* 30. suoren *D*, swaren *Ggg.*

190, 1. = uber chlaget *Ggg.* 3. iweren *G.* 4. So lidet *Ggg.* hînte *fehlt G.* 5. wib *D.* 7. = muoz *Ggg.* sagen *D.* 11. Schulteren unde hamen *G.* 12. æhte *g*, ahte *Gg*, aht *Dgg*, ouch aht *g*, sehsse *d.* 13. buzel *G*, bussel *g*, bünzel *g.* wine-mine *Ggg.* 14. iuch sol ouch *Dgg*, Ouch sol úch *d*, Iuch sol *gg*, Ouch sol *G.* 15. Hint *G.* 16. manfiliot *Gdgg*, manfilot *g.* 21. weide huosen *D.* 22. zer wildr *D*, ze wilder *gg.* alben *gg*, *in G abgerieben und unlesbar.* chuosen *D.*

die alten sâzen sunder wer:
si heten ouch fride vome her.
ir bote wider quam gedrabt:
des wart diu kranke diet gelabt.
dô was der burgære nar
gedigen an dise spîse gar:
Ir was vor hunger maneger tôt
ê daz in dar kœme'z brôt.
191 teiln ez hiez diu künegîn,
dar zuo die kæse, dez vleisch, den wîn,
dirre kreftelôsen diet:
Parzivâl ir gast daz riet.
des bleip in zwein vil kûme ein snite:
die teiltens âne bâgens site.
diu wirtschaft was ouch verzert,
dâ mite maneges tôt erwert,
den der hunger leben liez.
dem gaste man dô betten hiez
sanfte, des ich wænen wil.
wærn die burgær vederspil,
sine wæren überkrüpfet niht;
des noch ir tischgerihte giht.
si truogen alle hungers mâl,
wan der junge Parzivâl.
der nam slâfes urloup.
ob sîne kerzen wæren schoup?
nein, si wâren bezzer gar.
dô gienc der junge wol gevar
an ein bette rîche
gehêrt küneclîche,
niht nâch armüete kür:
ein teppich was geleit derfür.
er bat die ritter wider gên,
diene liez er dâ niht langer stên.
kint im entschuohten, sân er slief;
unz im der wâre jâmer rief,
und liehter ougen herzen regen:
die wacten schiere den werden degen.

192 Daz kom als ich iu sagen wil.
ez prach niht wîplîchiu zil:
mit stæte kiusche truoc diu magt,
von der ein teil hie wirt gesagt.
die twanc urliuges nôt
und lieber helfære tôt
ir herze an sölhez krachen,
daz ir ougen muosen wachen.
dô gienc diu küneginne,
niht nâch sölher minne
diu sölhen namen reizet
der meide wîp heizet,
si suochte helfe unt friundes rât.
an ir was werlîchiu wât,
ein hemde wîz sîdîn:
waz möhte kampflîcher sîn,
dan gein dem man sus komende ein wîp?
ouch swanc diu frouwe umb ir lîp
von samît einen mantel lanc.
si gienc als si der kumber twanc.
juncfrouwen, kameræere,
swaz der dâ bî ir wære,
die lie si slâfen über al.
dô sleich si lîse ân allen schal
in eine kemenâten.
daz schuofen diez tâ tâten,
daz Parzivâl al eine lac.
von kerzen lieht alsam der tac
was vor sîner slâfstat.
gein sînem bette gieng ir pfat:
193 ûffen teppech kniete si für in.
si heten beidiu kranken sin,
Er unt diu küneginne,
an bî ligender minne.
hie wart alsus geworben:
an freuden verdorben
was diu magt: des twanc si schem:
ober si hin an iht nem?

24. si *Dd*, Unde *Ggg*. Si ouch fride heten *g*. ouch *D*, *fehlt den übrigen*. 25. = Ir boten wider chomen *Ggg*, Ir boten chomen wider *gg*. 30. dar chœme daz (dizze *D*) brot *Dd* = chome dar daz (dis *g*) brot *Ggg*, chome daz brot *gg*.

191, 1-6 *fehlen d*. 1. Teilen *DG*. ez *fehlt Ggg*, *nach* hiez *gg*. 2. Daz fleisch die chase vn̄ den win *G*. dar zuo *fehlt gg*, *die dann für* dez vleisch den *setzen* fleish brot und *oder* fleysch daz brot den *oder* brot dz flaisch den. 5. des *D* = Es *Gg*, Ez *gg*. bleip *g*, beleip *DG*. 10. Ir gaste *Ggg*. beten *G*, beiten *Dg*. 12. wæren d. burgære *D*, Waren d. burgare *G*. 15. hungers mal *Ddgg*, hunger mal *Ggg*. 18. warn *G*. 23. aventure *G*. 24. tepech *G*. 25. Et *D*. = hiez *Ggg*. 26. lenger *G*. 27. in *Ggg*. entscuochten *D*. sa *Gg*. 30. Die erwachten *Ggg*.

192, 1. Hie chom *Ggg*. 5. di *D*, Der *d* = Si *Ggg*. 13. suoche *D*, suohte *G*. friwnts *D*. 17. dan *D*, Dane *G*. 18. = Do *Ggg*. 20. gie *DG*. alsi *G*. dwanch *G*. 24. lîse *fehlt g*, eine *G*. 26. = Ez *Ggg*. 28. alsam *Gdgg*, also *gg*, sam *g*, so *D*. 30. gie *D*.

193, 2. bediu *G*. 7. 8. scheme-neme *G*.

leider des enkan er niht.
âne kunst ez doch geschiht,
mit eime alsô bewanden vride,
daz si diu süenebæren lide
niht zein ander brâhten.
wênc si des gedâhten.
der magede jâmer was sô grôz,
vil zäher von ir ougen vlôz
ûf den jungen Parzivâl.
der rehôrte ir weinens sölhen schal,
daz er si wachende an gesach.
leit und liep im dran geschach.
ûf rihte sich der junge man,
zer küneginne sprach er sân
'frouwe, bin ich iwer spot?
ihr soldet knien alsus für got.
geruochet sitzen zuo mir her'
(daz was sîn bete und sîn ger):
'oder leit iuch hie aldâ ich lac.
lât mich belîben swâ ich mac.'
si sprach 'welt ir iuch êren,
sölhe mâze gein mir kêren
194 daz ir mit mir ringet niht,
mîn ligen aldâ bî iu geschiht.'
des wart ein vride von im getân:
si smouc sich an daz bette sân.
Ez was dennoch sô spæte
daz ninder huon dâ kræte.
hanboume stuonden blôz:
der zadel hüener abe in schôz.
diu frouwe jâmers rîche
vrâgt' in zühteclîche,
ober hœren wolt ir klage.
si sprach 'ich fürhte, ob ichz iu sage,
ez wende iu slâf: daz tuot iu wê.
mir hât der künec Clâmidê
und Kingrûn sîn scheneschlant
verwüestet pürge unde lant
unz an Pelrapeire.
mîn vater Tampenteire
liez mich armen weisen
in vorhteclîchen vreisen.
mâge, fürsten unde man,
rîch und arme, undertân
was mir grôz ellenthaftez her:
die sint erstorben an der wer
halp oderz mêrre teil.
wes möht ich armiu wesen geil?
nu ist ez mir komen an daz zil,
daz ich mich selben tœten wil,
ê daz ich magetuom unde lîp
gebe und Clâmidês wîp
195 werde; wan sîn hant mir sluoc
Schenteflûrn, des herze truoc
manegen rîterlîchen prîs.
er mannes schœne ein blüende rîs,
er kunde valscheit mâzen,
der bruoder Lîâzen.'
Dô Lîâze wart genant,
nâch ir vil kumbers was gemant
der dienst gebende Parzivâl.
sîn hôher muot kom in ein tal:
daz riet Lîâzen minne.
er sprach zer küneginne
'vrouwe, hilft iuch iemens trôst?'
'jâ, hêrre, ob ich wurde erlôst
von Kingrûne scheneschlant.
ze rehter tjost hât mir sîn hant·
gevellet manegen ritter nidr.
der kumt morgen dâ her widr,

11. einem *alle*. so *Ggg*. bewandem *D*, bewunden *d*, bewantem *g*, gewantem *g*, benanten *Gg*, bewarrem *g*. 13. Ninder *Gg*. zuo æin andr *D*. 14. Wie wench *Ggg*. 15. meide *D*. 16. zahere *G*. 17. iugen *G*. 18. horte *Gg*, hort *dgg*. weinen *Gd*, weines *g*. 19. lachende *Ggg*. sach *Ggg*. 20. leide vñ liebe *D*, Liep und leit *gg*. 24. solt *G*. = sus *Ggg*. vor *G*. 26. was *fehlt G*. bet unde och *Ggg*.

194, 2. al bi'v hie geschiht *G*. 7. = Die haneboume *Ggg*. da bloz *D*. 8. huenrre *D*. = von im *Dd*. 9. = maget *Ggg*. 12. si sprach *Dg*, *fehlt den übrigen*. ob *Ddg*, herre obe *Ggg*. 14. Chlammidê *D*. 15. kingruon *D*. scenesclant *D*, senetsachant *g*, sciniscant *d*, schineshant *g*, schinschalt *G*, sineschalt *g*. 18. tampunteire *Ggg*. 19. Lie *G*. 20. forhtlichen *Ggg*. 21. mage. [und *g*] fursten *Ddg*, Fursten mage *Ggg*. vñ *Ddg*, mine *Ggg*. 22. Riche *Gg*. arm *dgg*. 24. ane wer *Ggg*. 25. Wol *G*. halbe *Ggg*. oder dez *G*. mere *Gdg*, merer *gg*. 27. Ez ist mir *G*. ûf *D*. 30. gæbe *D*. Chlammides *D*.

195, 1. wrde. *Dg*. 2. Scenteflorn *D*, Tschentafluren *G*. 4. bluomen ris *G*. 8. wart *Ggg*. 11. des twanch in doch ir minne *Ggg*. riet *D*, rieten *g*, schuoff *d*. 13. hilfet *D*, hulf *Ggg*. 15. kingruone *D*. sciniscant *d*, Scenescalt *D*, senschalt *G*, seneschalt *g*, sinetschalt *g*, dem schineschalt *gg*. 16. 17. mir sin hant Gevellet *Gdg*, mir gevalt Sin hant *g*, er mit gewalt Sin hant vil *g*, er gevalt. mir [vil *D*] *Dg*, mit gewalt Gevellet *g*.

und wænet daz ter hêrre sîn
süle ligen an dem arme mîn.
ir sâht wol mînen palas,
der ninder sô gehœhet was,
ine viel ê nider in den grabn,
ê Clâmidê solde habn
mit gewalt mîn magetuom.
sus wolt ich wenden sînen ruom.'
dô sprach er 'frouwe, ist Kingrûn
Franzoys od Bertûn,
od von swelhem lande er vert,
mit mîner hant ir sît gewert
196 als ez mîn lîp volbringen mac.'
diu naht het ende und kom der tac.
diu vrouwe stuont ûf unde neic,
ir grôzen danc si niht versweic.
dô sleich si wider lîse.
nieman was dâ sô wîse,
der wurde ir gêns dâ gewar,
wan Parzivâl der lieht gevar.
Der slief niht langer dô dernâch.
der sunnen was gein hœhe gâch:
ir glesten durch die wolken dranc.
dô hôrter maneger glocken klanc:
kirchen, münster suocht diu diet
die Clâmidê von freuden schiet.
ûf rihte sich der junge man.
der küneginne kappelân
sanc gote und sîner frouwen.
ir gast si muose schouwen,
unz daz der benediz geschach.
nâch sînem harnasch er sprach:
dâ wart er wol gewâpent în.
er tet ouch ritters ellen schîn
mit rehter manlîcher wer.
dô kom Clâmidês her
mit manger baniere.
Kingrûn kom schiere
vor den andern verre
ûf eim ors von Iserterre,
als i'z mære hân vernomn.
dô was och für die porten komn
197 fil li roy Gahmuret.
der het der burgære gebet.
diz was sîn êrste swertes strît.
er nam den poinder wol sô wît,
daz von sîner tjoste hurt
bêden orsen wart enkurt.
darmgürtel brâsten umbe daz:
ietweder ors ûf hähsen saz.
die ê des ûf in sâzen,
ir swert si niht vergâzen:
In den scheiden si die funden.
Kingrûn truoc wunden
durch den arm und in die brust.
disiu tjost in lêrte flust
an sölhem prîse, des er phlac
unz an sîn hôchvart-swindens tac.
sölch ellen was ûf in gezalt:
sehs ritter solter hân gevalt,
die gein im kœmen ûf ein velt.
Parzivâl im brâhte gelt
mit sîner ellenthaften hant,
daz Kingrûn scheneschlant

21. saht g, sahet DG. 23. ich envìele ê D. 24. Chammide D. 25. gewalte G. minen DG. 27. kingruon D. 28. 29. odr D, oder G. 28. bertuon D, britun G. 30. Von Ggg.

196, 2. hêt g. 6. niemn D, Niemen G. 7. ir gens D, ir genes G. dar Gg. 8. der wolgevar Ggg. 9. Er G, Ern gg. lenger Gg. 10. gein der D. 11. diu Ggg. 12. do erhort er D. mangen gg. 13. suoht G, suochte D. 14. Chlammide D. 17. got G. 18. wolte Ggg. 19. Biz Ggg. daz fehlt Gg. der] daz g. bendizt D, benedig dg, benedicite gg. 22. do Gg. 23. rehte G. 24. Clamides D hier*) und im folgenden immer, auch bei der schreibung mit Chl, mit einem strich rechts am l (nicht über a), der bald mehr einem circumflex gleicht (und eben ein solcher findet sich auch 552, 19 am ersten l in lilachen), bald dem zeichen für e am d, bald der abkürzung für n oder m. 28. ûf einem orse DG. 29. i'z] irz (und dann hant) D, ichz g, ich ez g, ich daz Gg, ich die g, ich dis g, ich dise d. mare DG. 30. borte G.

197, 1. fillu roy D, Fil li Roy gg, Filirois Gdgg. 3. = erster Ggg. 6. Beiden G. engurt G. 7. Darmgurtel dgg, Darmguotel g, taremgurteln D, Darngurtel Ggg. 8. iewederr D, Iwerdez g. hahsen g, haschen Gg. 10. = Der Ggg. swerte si Ggg. 11. die] = si Ggg. 13. Dur G. arem D. dur die G. 16. sinen Gg. swindes Ggg, endes d. 18. Sehes riter er solt G. 22. sinetschaltz lant g, scunscant d, scenescalt D, seneschalt G, tschinetschalt g.

*) So auch schon 181, 18.

wânde vremder mære,
wie ein pfeterære
mit würfen an in seigte.
ander strît in neigte:
ein swert im durch den helm erklanc.
Parzivâl in nider swanc:
er sazt im an die brust ein knie.
er bôt daz wart geboten nie
198 deheinem man, sîn sicherheit.
ir enwolde niht der mit im streit:
er bat in fîanze
bringen Gurnamanze.
'nein, hêr, du maht mir gerner tuon
den tôt. ich sluog im sînen suon,
Schenteflûr nam ich sîn lebn.
got hât dir êren vil gegebn:
swâ man saget daz von dir
diu kraft erzeiget ist an mir,
daz tu mich hâst betwungen,
sô ist dir wol gelungen.'
  Dô sprach der junge Parzivâl
'ich wil dir lâzen ander wal.
nu sicher der künegîn,
der dîn hêrre hôhen pîn
hât gefrumt mit zorne.'
'sô wurde ich der verlorne.
mit swerten wær mîn lîp verzert
klein sô daz in sunnen vert.
wande ich hân herzeleit getân
dort inne manegem küenen man.'
  'sô füer von disem plâne
inz lant ze Bertâne
dîn ritterlîche sicherheit
einer magt, diu durch mich leit
des si niht lîden solde,
der fuoge erkennen wolde.
und sag ir, swaz halt mir geschehe,
daz si mich nimmer vrô gesehe,
199 ê daz ich si gereche
aldâ ich schilt durchsteche.
sage Artûse und dem wîbe sîn,
in beiden, von mir dienest mîn,
dar zuo der mássenîe gar,
und daz ich nimmer kume dar,
ê daz ich lasters mich entsage,
daz ich gesellecîchen trage
mit ir diu mir lachen bôt.
des kom ir lîp in grôze nôt.
sag ir, ich sî ir dienstman,
dienstlîcher dienste undertân.'
der rede ein volge dâ geschach:
die helde man sich scheiden sach.
  Hin wider kom gegangen,
dâ sîn ors was gevangen,
der burgære kampfes trôst.
si wurden sît von im erlôst:
zwîvels pflac daz ûzer her,
daz Kingrûn an sîner wer
was enschumpfieret.
nu wart gecondwieret
Parzivâl zer künegîn.
diu tet im umbevâhens schîn,
si druct in vaste an ir lîp,
si sprach 'in wirde niemer wîp
ûf erde decheines man,
wan den ich umbevangen hân.'
si half daz er entwâpent wart:
ir dienst was vil ungespart.
200 nâch sîner grôzen arbeit
was krankiu wirtschaft bereit.
die burgære sus gefuoren,
daz sim alle hulde swuoren,

24. phetrære *G.* 25. wrfn *D.* uf in *Ggg.* seicte *g*, seigete *D.* 26. neicte *g*, neigete *DG.* 27. dur *G.* 29. satzte *G*, satz *g*, sat *d.*

198, 1. decheinen *D.* 2. Er wolt ir *Gg.* 4. gurnom. *G.* 5. herre *DG.* 7. Scenteflorn *D*, tschantaflur *G*, Sentafloͮrn *g.* ich nam *Ggg.* 9. swa man daz seit von *Dg.* 10. Der *d* = Din *Ggg.* si *Ggg.* 11. habest *G.* 15. = So *Ggg.* sichere *DG.* 17. getan *Ggg.* 18. = ware *Ggg.* 20. Clein *dg*, chleine *DGgg*, *fehlt g.* = als *Ggg*, sam *gg.* in der *alle außer D.* 21. wande *fehlt Ggg.* 22. chuenem *Dg.* 23. fuere *DG.* plnige *G.* 24. In daz lant zebritanige *G.* 25. Din *dg*, dine *DG.* 26. meide diu dur *G.* 28. der unfuoge *D.* 30. nimer froͮ *G.*

199, 1. gerche *G.* 3. 4. Unde sage von minem libe. Artuse unde sinem wibe *Ggg. vergl.* 267,21. 625,17. 5. massenide *D.* 6. und *fehlt Ggg.* nimmer chum *D*, nimmer wil (wil nimer *G*) chomen *Ggg.* 7. daz *fehlt D.* 11. diensman *G.* 12. dienst *G.* 15. widr *D*, widere *G.* 21. enschunpfieret *D*, entschumphiert *G.* 22. Do *Ggg.* 24. Si *Gg.* umbe vahen *Gdgg.* 26. ine *D*, ihne *G.* 27. ûf *Dg*, Uf der *dgg*, Uf dirre *G.*

200, 3. so *Ggg.* 4. swͮren *D*, soͮwren *G.*

und jâhn er müese ir hêrre sîn.
dô sprach ouch diu künegîn,
er solte sîn ir âmîs,
sît daz er sô hôhen prîs
bezalt an Kingrûne.
zwêne segele brûne
die kôs man von der wer hin abe:
die sluoc grôz wint vast in die habe.
die kiele wârn geladen sô
dês die burgær wurden vrô:
sine truogen niht wan spîse.
daz fuogte got der wîse.
Hin von den zinnen vielen
und gâhten zuo den kielen
daz hungerc her durch den roup.
si möhten vliegen sô diu loup,
die magern und die sîhten,
von vleische die lîhten:
in was erschoben niht der balc.
der küneginne marschalc
tet den schiffen sölhen vride,
daz er gebôt bî der wide
daz se ir decheiner ruorte.
die koufliuter fuorte
für sînen hêrren in die stat.
Parzivâl in gelten bat
201 ir habe zwispilte.
[die] koufliute des bevilte:
sus was vergolten in ir kouf.
den burgærn in die kolen trouf.
ich wær dâ nu wol soldier:
wan dâ trinket niemen bier,
si hânt wîns und spîse vil.
dô warp als ich iu sagen wil
Parzivâl der reine.
von êrst die spîse kleine
teilter mit sîn selbes hant.
er sazt die werden dier dâ vant.
er wolde niht ir læren magn
überkrüpfe lâzen tragn:
er gab in rehter mâze teil.
si wurden sînes râtes geil.
hin ze naht schuof er in mêr,
der unlôse niht ze hêr.
Bî ligens wart gevrâget dâ.
er unt diu küngîn sprâchen jâ.
er lac mit sölhen fuogen,
des nu niht wil genuogen
mangiu wîp, der in sô tuot.
daz si durch arbeitlîchen muot
ir zuht sus parrierent
und sich dergegen zierent!
vor gesten sint se an kiuschen siten:
ir herzen wille hât versniten
swaz mac an den gebærden sîn.
ir friunt si heinlîchen pîn
202 füegent mit ir zarte.
des mâze ie sich bewarte,
der getriwe stæte man
wol friwendinne schônen kan.
er denket, als ez lîht ist wâr,
'ich hân gedienet mîniu jâr
nâch lône disem wîbe,
diu hât mîme lîbe
erboten trôst: nu lige ich hie.
des hete mich genüeget ie,
ob ich mit mîner blôzen hant
müese rüeren ir gewant.
ob ich nu gîtes gerte,
untriwe es für mich werte.
solt ich si arbeiten,
unser beider laster breiten?
vor slâfe süeziu mære
sint frouwen site gebære.'

5. iahen *G*, iachen *D*. 7. solt *G*. 11. = die *fehlt Ggg*. her abe *Ggg*. 12. vaste *D*, *fehlt Ggg*. 14. Daz sin die *g*. burgær *gg*, burgære *D immer*. 16. vuochte *G*. 17. Ein *d*, Her *Ggg*, Ser *g*. 18. gein *Gdgg*. 19. hungerge *G*. stoup *D*. 21. Die durren *Ggg*. 23. der] ir *Ggg*. 25. Schuof *Ggg*. scheffen *Gg*. 27. = daz sich ir *Dd*.

201, 1. Ir chouf *Ggg*. zwispilde *G*, zewispilte *D*, mit zwispilde *g*, zezwisbilde *g*, ein zwispilte *d*, zwivilte *g*, zweyevelde *g*. 2. bevilde *gg*. 4. burgæren *D*, burgaren do *Ggg*. 5. wær *g*. 6. trincht *G*. pier *D*. 7. habent *G*. wines (win *g*) vñ spise *Dgg*, spise unde wines (wins *g*) *Gdgg*, spise wines *g*. 10. erste *DG*. 12. Do satzter alle dier [da *g*] vant *Ggg*. sazte di w. di er *D*. 13. wolt nih *G*. 15. Er gap ir *G*. 16. sins *D*. 17. 18. mere-here *DG*. 22. Daz *g*. 23. wib *G*. swer *D*. 25. parriernt *G*. 26. der geine ziernt *G*. 28. herze *Gg*. willen *Gdgg*. 29. mag *G*. 30. friwnt *D*.

202, 1. Fuoget mir ir *G*. 4. scœnen *Dd*. 5. liht is *G*, ist lihte *D*. 10. = Es *Gg*, Ez *gg*. 12. Solte *Ggg*. 13. gites *Dgg*, guotes *dgg*, ihtes *G*. 14. es *fehlt g*. 18. site bare *G*, sitebere *g*.

sus lac der Wâleise:
kranc was sîn vreise.
  Den man den rôten ritter hiez,
die künegîn er maget liez.
si wânde iedoch, si wær sîn wîp:
durch sînen minneclîchen lîp
des morgens si ir houbet bant.
dô gap im bürge unde lant
disiu magetbæriu brût:
wand er was ir herzen trût.
  si wâren mit ein ander sô,
daz si durch liebe wâren vrô,
203 zwên tage unt die dritten naht.
von im dicke wart gedâht
umbevâhens, daz sîn muoter riet:
Gurnemanz im ouch underschiet,
man und wîp wærn al ein.
si vlâhten arm unde bein.
ob ichz iu sagen müeze,
er vant daz nâhe süeze:
der alte und der niwe site
wonte aldâ in beiden mite.
  in was wol und niht ze wê.
nu hœret ouch wie Clâmidê
in krefteclîcher hervart
mit mæren ungetrœstet wart.
sus begund im ein knappe sagen,
des ors zen sîten was durchslagen.
'vor Pelrapeire ûf dem plân
ist werdiu rîterschaft getân,
scharpf genuoc, von ritters hant.
betwungen ist der scheneschlant,
des hers meister Kingrûn
vert gein Artûse dem Bertûn.
Die soldier ligent noch vor der stat,
do er dannen schiet, als er si bat.
ir und iwer bêdiu her
vindet Pelrapeir mit wer.
dort inne ist ein ritter wert,
der anders niht wan strîtes gert.
iwer soldier jehent besunder,
daz von der tavelrunder
204 diu küneginne habe besant
Ithêrn von Kukûmerlant:
des wâpen kom zer tjoste für
und wart getragen nâch prîses kür.'
  der künec sprach zem knappen sân
'Condwîr âmûrs wil mich hân,
und ich ir lîp unt ir lant.
Kingrûn mîn scheneschlant
mir mit wârheit enbôt,
si gæbn die stat durch hungers nôt,
unt daz diu küneginne
mir büte ir werden minne.'
  der knappe erwarp dâ niht wan haz.
der künec mit her reit fürbaz.
im kom ein ritter widervarn,
der ouch daz ors niht kunde sparn:
der sagt diu selben mære.
Clâmidê wart swære
freude und rîterlîcher sin:
ez dûht in grôz ungewin.
  des küneges man ein fürste sprach
'Kingrûnen niemen sach
strîten für unser manheit:
niwan für sich einen er dâ streit.
Nu lât in sîn ze tôde erslagen:
sulen durch daz zwei her verzagen,
diz, und jenez vor der stat?'
sînen hêrrn er trûren lâzen bat:
'wir sulenz noch paz versuochen.
wellnt si wer geruochen,
205 wir geben in noch strîtes vil
und bringenz ûz ir freuden zil.

22. chunginne *G*. 23. ware *G*, wære *D*. 24. Dur *G*. 25. des morgen *D*.
26. purge *Dd* = lute *Ggg*. 27. magetbare *G*.
203, 1. Zwene tage unt dri naht *Gg*. 2. bedaht *G*. 3. Umbe vahen *Ggg*. des *D*. 4. Gurnom. *G*. ouch *fehlt Ggg*. 5. diu waren *Ggg*.
6. sich *DG*. arem *D*. 7. ichez *G*, ich *Dg*. 8. nahen *Ggg*. 10. da *Gg*.
11. ze *fehlt Gg*. 12. ouch] me *Ggg*. 13. An *Ggg*. hohvart *Gg*.
14. geuntrostet *Ggg*. 15. Diz *Ggg*. begunde *DG*. 16. dursl. *G*.
19. 20 *fehlen G*. 20. Scenesclant *D*, smetschalant *g*, schenechant *g*.
21. kingruon *D*. 22. bertune *D*, britun *G*. 23. 24. = *fehlen Dd*.
24. dan *G*. 25. Ir ture beidiu her *G*. 26. Findent *Gg*. ze wer *Ggg*.
29. = Die *Ggg*. soldiere *D*.
204, 1. gesant *Ggg*. 2. Îthern *D*, Itheren *G*. 4. mit *G*. priss *D*, bris *G*, prise *g*. 8. Kingruon *D*. scenescalt *D*, sinschalt *G*, schenetscant *g*.
10. gæben *D*, gaben *G*. von *G*. 12. Mir bute vaste ir minne *Gg*.
13. vant *Gg*. 17. sagte *G*, seit *D*. 21. sprac *G*. 22. da niemen *D*.
24. niwan *D*, Niht wan *Ggg*, *fehlt dgg*. wan? dâ *fehlt Ggg*. 26. dur *G*.
27. ienz *G*. 28. herren *DG*. 30. Unde *Ggg*. wellent *D*, welent *G*.

man und mâge sult ir manen,
und suocht die stat mit zwein vanen.
wir mugen an der lîten
wol ze orse zuo zin rîten:
die porten suochen wir ze fuoz.
deis wâr wir'tuon in schimphes buoz.'
den rât gap Galogandres,
der herzoge von Gippones:
der brâht die burgære in nôt,
er holt och an ir letze en tôt.
als tet der grâve Nârant,
ein fürste ûz Ukerlant,
und manec wert armman,
den man tôten truoc her dan.
nu hœrt ein ander mære,
wie die burgære
ir letze tâten goume.
si nâmen lange boume
und stiezen starke stecken drîn
(daz gap den suochæren pîn),
mit seilen si die hiengen:
die ronen in redern giengen.
daz was gprüevet allez ê
si suochte sturmes Clâmidê,
Nâch Kingrûnes schumpfentiur.
och kom in heidensch wilde fiur
mit der spîse in daz lant.
daz ûzer antwerc wart verbrant:
206 ir ebenhœhe unde ir mangen,
swaz ûf redern kom gegangen.
igel, katzen in den graben,
die kundez fiwer hin dan wol schaben.
Kingrûn scheneschlant
was komen ze Bertâne in daz lant
und vant den künec Artûs
in Brizljân zem weidehûs:
daz was geheizen Karminâl.
dô warber als in Parzivâl
gevangen hete dar gesant.
froun Cunnewâren de Lâlant
brâhter sîne sicherheit.
diu juncfrouwe was gemeit,
daz mit triwen klagt ir nôt
den man dâ hiez den ritter rôt.
über al diz mære wart vernomn.
dô was ouch für den künec komn
der betwungene werde man.
im unt der messenîe sân
sagter waz in was enboten.
Keie erschrac und begunde roten:
dô sprach er 'bistûz Kingrûn?
âvoy wie mangen Bertûn
hât enschumpfieret dîn hant,
du Clâmidês scheneschlant!
wirt mir dîn meister nimmer holt,
dîns amts du doch geniezen solt:
Der kezzel ist uns undertân,
mir hie unt dir ze Brandigân.
207 hilf mir durch dîne werdekeit
Cunnewâren hulde umb krapfen breit.'
er bôt ir anders wandels niht.
die rede lât sîn, hœrt waz geschiht
dâ wir diz mære liezen ê.
für Pelrapeir kom Clâmidê.
dane wart grôz stürmen niht vermiten:
die inren mit den ûzern striten.
si heten trôst unde kraft,
man vant die helde werhaft:
dâ von behabten si daz wal.
ir landes hêrre Parzivâl

205, 4. suocht *dg*, suochet *D*, suochen *Gg*. 5. an einer *Ggg*. 6. zeorsen zuo in *G*. 7. porte *G*. = suoche man *Ggg*. 8. Des *G*. 10. herzog *D*. von *fehlt Gg*. schipones *g*, tschinpones *G*. 12. Unde *Ggg*. entot *G*, den tot *D*. 13. Sam *Ggg*. Nerant *D*, narrant *Ggg*. 15. armer man *D*. 16. truoch toten *Ggg*. 23. die] si *Ggg*. 24. rederen *Gd*. 25. al^{l}z *G*. 26. = Si zesturme (sturmes *g*) suohte clamide *Ggg*. 27. kingruns *G*, kingruons *D*. scumpfentiwer (*und* fiwer) *D*, tschumphen tiur *G*. 28. Och was in—29. braht in *Ggg*.

206, 1. ir *Dd* = *fehlt Ggg*. und ir *Ddgg*, unde *G*, ir *dg*. 2. Soz *g*. 3. Igele *Gdd*. chatzzen *G*. 4. = Daz *Ggg*. chunde daz *DG*. vîur *G*. = her dan *Ggg*. 5. *wie* 204, 8. 6. was chomn *D*. britanie *G*. 8. Ze *Gd*. Prizlian *D*, pricilian *d*, brizilan *G*, brezzilian *gg*, prezilian *d*, brizzian *g*, brezian *g*. zen *G*. 11. gevangenn *D*. 12. kunew. *G*. 16. der rittr *D*. 17. = daz mare *Ggg*. 19. betwungne *G*. 20. mæssenide *D*. 23. doch *D*. 26. duo *D*. scenescalt *D*, schinschalt *G*. 28. amtes *D*, ambtes *G*. 29. = Die chezele sint *Ggg*.

207, 2. Kunwaren *g*. umbe chrapfen *DG*. 5. daz *Gdd*. 7. = Da groz sturm (grozzes stuormen) niht wart vermiten *Ggg*. 8. inneren *G*. uozern *D*, uzeren *G*. 11. Da vor *Ggg*.

streit den sînen verre vor:
dâ stuonden offen gar diu tor.
mit slegen er die arme erswanc,
sîn swert durch herte helme erklanc.
swaz er dâ ritter nider sluoc,
die funden arbeit genuoc:
die kunde man si lêren
zer halsperge gêren:
die burgær tâten râche schîn,
si erstâchen si zen slitzen în.
Parzivâl in werte daz.
do si drumbe erhôrten sînen haz,
zweinzec sir lebende geviengen
ê si vom strîte giengen.
Parzivâl wart wol gewar
daz Clâmidê mit sîner schar
rîterschaft zen porten meit,
unt daz er anderhalben streit.
208 Der junge muotes herte
kêrte anz ungeverte:
hin umbe begunder gâhen,
des küneges vanen nâhen.
seht, dô wart Clâmidês solt
alrêrst mit schaden dâ geholt.
die burgær strîten kunden,
sô daz in gar verswunden
die herten schilde von der hant.
Parzivâles schilt verswant
von slegen und von schüzzen.
swie wênec sis genüzzen,
die suochær die daz sâhen,
des prîss sim alle jâhen.
Galogandres den vanen
truoc: der kundez her wol manen:
der lag ans küneges sîten tôt.
Clâmidê kom selbe in nôt:
im und den sînen wart dâ wê.
den sturm verbôt dô Clâmidê.
die burgær manheite wîs
behielten frum unt den prîs.
Parzivâl der werde degn
hiez der gevangen schône pflegn
unz an den dritten morgen.
daz ûzer her pflac sorgen.
der junge stolze wirt·gemeit
nam der gevangen sicherheit:
er sprach 'als ichz iu 'nbiute,
komt wider, guoten liute.'
209 ir harnasch er behalden bat:
inz her si kêrten für die stat.
Swie si wærn von trünken rôt,
die ûzeren sprâchen 'hungers nôt
habt ir gedolt, ir armen.'
'lat iuch uns niht erbarmen'
sprach diu gevangene ritterschaft.
'dort inne ist spîse alsölhiu kraft,
wolt ir hie ligen noch ein jâr,
si behielten iuch mit in für wâr.
de küngin hât den schœnsten man
der schildes ambet ie gewan.
er mac wol sîn von hôher art:
aller ritter êre ist zim bewart.'
dô diz erhôrte Clâmidê,
alrêrst tet im sîn arbeit wê.
boten sander wider în,
und enbôt, swer bî der künegîn
dâ gelegen wære,
'ist er kampfes bære
sô daz sin dâ für hât erkant
daz er ir lîp unde ir lant
mir mit kampfe türre wern,
sô sî ein fride von bêden hern.'
Parzivâl des wart al vrô,
daz im diu botschaft alsô
gein sîn eines kampfe was gesagt.
dô sprach der junge unverzagt

14. gar] in Gg. 16. Daz Ggg. liehte G. 17. dâ] der Gg. 18. gewunnen Gd. 24. heten g. 25. si ir D, si gg. lebende geviengen dg, lebend viengen Gg, lebendich (lemtich g) geviengen Dgg, vingen d. 26. vome G, von D, von dem *die übrigen*. sturme Gg. 29. zer Gg. 30. anderthalbn D, an der halden dg.

208, 6. alrest D. 9. von Dgg, vor Gddgg. 10. Parzivals G. 13. suochære D. 14. pris G. 15. Galograndres G. den vanen Truoch Ggg, truoch den vanen Dddgg. 16. chunde ouchz D. 17. Er lage G. 20. sturem D. 21. 22. = *fehlen* Ggg. 22. fromen dd. 24. Bat Ggg. 29. enbiute *alle*. 30. guote Ggg.

209, 5. habt gedolt ir D. 8. al *fehlt* Gg. 9. = Welt gg, Wel G. noch ligen hie gg, beliben noch G. 10. behaltent gg. 11. De D, Diu G. kuneginne D. 12. Der ritters namen Gg. 14. Ia ist riters ere Ggg. = an im Ggg. 16. alrest D. 20. champh bare Gdgg. 21. sô *fehlt* Ggg. 22. ir stat g, die stat Gg. 23. mir *fehlt* Gdg. 24. beiden G. 27. eins G, eins champf g. wart Gdgg. geseit G. 28. unverzeit G.

'dâ für sî mîn triwe pfant,
des inren hers dechein hant
210 kumt durch mîne nôt ze wer.'
zwischem graben und dem ûzern her
wart gestætet dirre vride.
dô wâpnden sich die kampfes smide.
Dô saz der künec von Brandigân
ûf ein gewâpent kastelân.
daz was geheizen Guverjorz.
von sîme neven Grîgorz,
dem künec von Ipotente,
mit rîcher prîsente
was ez komen Clâmidê
norden über den Ukersê.
ez brâhte cuns Nârant,
und dar zuo tûsent sarjant
mit harnasche, al sunder schilt.
den was ir solt alsus gezilt,
volleclîchen zwei jâr,
ob d'âventiure sagt al wâr.
Grîgorz im sande ritter kluoc,
fünf hundert: ieslîcher truoc
helm ûf houbt gebunden;
die wol mit strîte kunden.
dô hete Clâmidês her
ûf dem lande und in dem mer
Pelrapeire alsô belegn,
die burgær muosen kumbers pflegn.
ûz kom geriten Parzivâl
an daz urteillîche wal,
dâ got erzeigen solde
ober im lâzen wolde
211 des künec Tampenteires parn.
stolzlîch er kom gevarn,
niwan als dez ors den walap
vor der rabbîne gap.
daz was gewâpent wol für nôt:
von samît ein decke rôt
Lac ûf der îserînen.
an im selben liez er schînen
rôt schilt, rôt kursît.
Clâmidê erhuop den strît.
kurz ein unbesniten sper
brâht er durch tjoste vellen her,
dâ mit er nam den poinder lanc.
Guverjorz mit hurte spranc.
wol dâ getjostieret wart
von den zwein jungen âne bart
sunder fâlieren.
von liuten noch von tieren
wart nie gestriten herter kampf.
ieweder ors von müede dampf.
sus heten si gevohten,
daz diu ors niht mêre enmohten:
dô sturzten si dar under,
ensamt, niht besunder.
ir ieweder des geruochte,
das erz fiwer im helme suochte.
sine mohten vîrens niht gepflegn,
in was ze werke aldâ gegebn.
dô zerstuben in die schilde,
als der mit schimpfe spilde
212 und vedern würfe in den wint.
dennoch was Gahmuretes kint
ninder müede an keinem lide.
dô wânde Clâmidê, der vride
wære gebrochen ûz der stat:
sînen kampfgenôz er bat
daz er sich selben êrte
und mangen würfe werte.

210, 1. = chumt *vor* ze wer *Ggg*. dur *DG*. 2. Zwischem] Zwischen *g*, Zwischen (Zwischn *g*) dem *die übrigen*. dem] des *G*. ûzerem *D*, uezrem *g*. 3. gestetget *g*. 4. wapenden *D*, wapenten *G*, waffentn *g*. champf smide *ddgg*. 7. Guferschurz *G*. 8-26. Im sandez sin neve gregurz *G*. 9. kunege *D*. 12. Nordern *g*. 13. cuns] der kunec *D*, der grave *die übrigen*. narrant *g*. 14. sargant *g*, scariant *D immer*. 16. = sus *gg*. 17. wollecl. *D*. 18. seit *Dg*. 21. houbet *D*. 24. = Von dem *gg*, Vom *g*, Von *g*. in *Dd*, von *g*, uf *dgg*. 27. Hie chom och der junge parzival *G*. 28. urteiliche *Gd*, urtelliche *Dg*. 29. 30. solde-wolde *Dgg*, solte-wolte *Gddgg*.

211, 1. tampunteirs barn *G*. 3. Wan *gg*, Neur *g*. als *fehlt G*. 4. Von *Gd*. 5. = Ez *Ggg*. 9. rot *Dg*, Roten *Gddgg*. roten *d*. 10. der huob *d*. 12. dur tiostevelen *G*. 14. Guferschurz *Gg*, Kuvershurz *g*, Schufertschurz *g*. 17. valieren *G*, failieren *dgg*. 20. iweder *D*, Ietweder *G*. tamph *G*. 22. = nimere *G*, nimer *g*, nimmer *g*. mohten *Gddgg*. 24. Sament *G*. 25. ir *fehlt Gd*. iwedr *D*, ietwedere *G*. 26. erz swert *Gg*. ime (in dem *ddgg*, in *gg*) helme *Dddgg*, in der scheide *G*. 29. Daz *G*. schilte-spilte *G*. 30. = So *Ggg*, So als *g*.

212, 1. vedere *G*, veder *gg*. 3. dech. *D*, deh. *G*. 4. der *Gdgg*, daz der *Ddg*. 5. = zerbrochen *Ggg*. 6. champfgnoz *D*. 8, mangen wurf *G*, manigen wurf *dg*, mangem wurf (werfen) *gg*.

Ez giengen ûf in slege grôz:
die wârn wol mangen steins genôz.
sus antwurt im des landes wirt.
'ich wæn dich mangen wurf verbirt:
wan dâ für ist mîn triwe pfant.
hetest et vride von mîner hant,
dirn bræche mangen swenkel
brust houbet noch den schenkel.'
Clâmidê dranc müede zuo:
diu was im dennoch gar ze fruo.
sic gewunnen, sic verlorn,
wart sunder dâ mit strîte erkorn.
doch wart der künec Clâmidê
an schumpfentiur beschouwet ê.
mit eime niderzucke
von Parzivâles drucke
bluot wæte ûz ôrn und ûz der nasen:
daz machte rôt den grüenen wasen.
er enblôzt imz houbet schier
von helme und von herssenier.
gein slage saz der betwungen lîp.
der sigehafte sprach 'mîn wîp

213 mac nu belîben vor dir vrî.
nu lerne waz sterben sî.'
'neinâ, werder degen balt.
dîn êre wirt sus drîzecvalt
vast an mir rezeiget,
sît du mich hâst geneiget.
wâ möht dir hôher prîs geschehn?
Condwîr âmûrs mac wol jehn
daz ich der unsælige bin
unt dîn gelücke hât gewin.
Dîn lant ist erlœset,
als der sîn schif erœset:
ez ist vil deste lîhter.
mîn gewalt ist sîhter,
reht manlîchiu wünne
ist worden an mir dünne.
durch waz soltstu mich sterben?
ich muoz doch laster erben
ûf alle mîne nâchkumn.
du hâst den prîs und den frumn.
tuostu mir mêr, deist ân nôt.
ich trage den lebendigen tôt,
sît ich von ir gescheiden bin,
diu mir herze unde sin
ie mit ir gewalt beslôz,
unt ich des nie gein ir genôz.
des muoz ich unsælic man
ir lîp ir lant dir ledec lân.'
dô dâhte der den sic hât
sân an Gurnemanzes rât,

214 daz ellenthafter manheit
erbärme solte sîn bereit.
sus volget er dem râte nâch:
hin ze Clâmidê er sprach
'ine wil dich niht erlâzen,
ir vater, Lîâzen,
dune bringest im dîn sicherheit.'
'nein, hêr, dem hân ich herzeleit
getân, ich sluog im sînen suon:
dune solt alsô mit mir niht tuon.
durch Condwîr âmûrs
vaht ouch mit mir Schenteflûrs:
Ouch wær ich tôt von sîner hant,
wan daz mir half mîn scheneschlant.

9. wurfe *Gg*. 10. wol *fehlt Ggg*. mangen steins *D*, in angesteines *g*, maniges steins *gg*, mangen steine *G*, mangen stein *dg*, der steine *d*. gnoz *DG*. 12. wæne *D*. manigen *d*, manch *Ggg*. 14. Hetstet fride *G*. 15. diren bræche *D*, Dir enbrache *G*. 22. en tschunfenture *G*, In tschumpfentiwr *gg*, an scumpfentiwer *D*. = geschouwet *Ggg*. 23. = Von einem *Ggg*. 25. orn *g*, oren *DG*. ûz dr *Dgg*, uz *Gdgg*, *fehlt d*. 27. sciere *D*. 28. hersseniere *D*, harsenier *G*. 29. slege *Gg*. betwungene *G*.

213, 1. von *Gdg*. 2. was *D*. 3. Næine *g*. = marer *Gg*, mær *g*, merre *g*, kuner *g*. 4. Din er *G*. 5. erzeiget *G*. 7. Wie *Gg*. mohte *Dd*, mac *Gdgg*. 8. Kondwiramurs mach nu wol sehen *G*. 9. unsalge *G*, unselig *g*. 11. eroset *G*. 12. verœset *dgg*. 13. Daz *Gg*. ist *Dd*, wirt *Gdgg*. 14. = ist worden *Ggg*. 15. manlich *Gg*, manlicher *g*. 17. soldestu *Dddg*, woltstu *Ggg*. 21. deist *G*, dest *g*, des *d*, daz ist *Ddgg*. ane *alle außer DG*. 22. lebendegen *G*. 24. min *Gg*. un minen sin *G*. 27. unsalch *G*. 28. lib *D*. dir *fehlt d*, ir *Ggg*. 29. sig *D*. 30. sa *DG*. Gurnom. *G*, Gurnemanzs *D*.

214, 2. Erbarmde *G*. 7. dine *DG*. 8. Neina *Dg*. herre *DG*. = ich han im *Ggg*. 11. condwieren *D*, kundwirn *g*. 12. tschentaflurs *G*, 13. wære *D*. 14. smetschalant *g*, scenescalt *D*, schinschalt *G*.

in sande inz lant ze Brôbarz
Gurnemanz de Grâharz
mit werdeclîcher heres kraft.
dâ tâten guote ritterschaft
niun hundert ritter die wol striten
(gewâpent ors die alle riten)
und fünfzehn hundert sarjant
(gewâpent ich se in strîte vant:
den gebrast niht wan der schilte).
sîns heres mich bevilte:
ir kom ouch kûme der sâme widr.
mêr helde verlôs ich sidr.
nu darbe ich freude und êre.
wes gerstu von mir mêre?'
'ich wil senften dînen vreisen:
var gein den Berteneisen
215 (dâ vert och vor dir Kingrûn)
gein Artûse dem Bertûn.
dem soltu mînen dienest sagen:
bit in daz er mir helfe klagen
laster daz ich fuorte dan.
ein juncfrowe mich lachte an:
daz man die durch mich zeblou,
sô sêre mich nie dinc gerou.
der selben sage, ez sî mir leit,
und bring ir dîne sicherheit
sô daz du leistes ir gebot:
oder nim alhie den tôt.'
'sol daz geteilte gelten,
sone wil ichz niht beschelten:'
Sus sprach der künec von Brandigân:
'ich wil die vart von hinnen hân.'
mit gelübde dô dannen schiet
den ê sîn hôchvart verriet.
Parzivâl der wîgant
gienc da er sîn ors al müede vant.
sîn fuoz dernâch nie gegreif,
er spranc drûf âne stegreif,
daz alumbe begunden zirben
sîn verhouwene schildes schirben.
des wârn die burgære gemeit:
daz ûzer her sach herzeleit.
brât und lide im tâten wê:
man leite den künec Clâmidê
dâ sîne helfær wâren.
die tôten mit den bâren
216 frümt er an ir reste.
dô rûmdenz lant die geste.
Clâmidê der werde
reit gein Löver ûf de erde.
ensamt, niht besunder,
die von der tavelrunder
wârn ze Dîanazdrûn
bî Artûse dem Bertûn.
ob ich iu niht gelogen hân,
von Dîanazdrûn der plân
muose zeltstangen wonen
mêr dan in Spehteshart sî ronen:
mit sölher messnîe lac
durch hôchkezît den pfinxtac
Artûs mit maneger frouwen.
ouch mohte man dâ schouwen
Mange baniere unde schilt,
den sunderwâpen was gezilt,
manegen wol gehêrten rinc.
ez diuhten nu vil grôziu dinc:
wer möht diu reiselachen
solhem wîbe her gemachen?
och wânde dô ein frouwe sân,
si solt den prîs verloren hân,

15. Brubarz *gg*, briubarz *G*, briafarz *g*. 16. Kurnomanze *G*. = von *Ggg*. 17. Mit werdechlier herschaft *G*. 18. Die *Ggg*. 19. wol *fehlt Gg*. 20. = si *Ggg*. 21. funfzehen hundert *Gdgg*, zwelf hundert *D*, wol Tusent *g*. 23. = In *Ggg*. niwan *G*. 24. sins hers *D*. 25. ouch *D*, doch *dgg*, vil *Gg*. 29. dine *G und* (freise-dem britaneise) *gg*. 30. den *fehlt G*. Beriteneisen *D*, pritaneisen *G*.

215, 2. Berituon *D*, britun *G*. 3. min *Gg*. 6. lachet *gg*. 7. dur *G*. 11. leistest *G*. ir] sin *D*. 12. Oder du nim *Ggg*. 13. geteilt *G*. 14. iches *G*. 15. Do *G*. 16. reise *Ggg*. 17. urloube *Ggg*. do *Dg*, *fehlt Gdg*, er *gg*. 18. sin hoher muot *Gg*. 20. Sin ors er almuode vant *G*. giech *D*. 21. dar naher *Gdgg*. 22. steigreif *D*. 23. = al *fehlt Ggg*. umbe in *Gg*. gegunden *g*, begunde *gg*. 24. sine *D*, Sines *Gg*. verhowen *dg*, verhowenz *g*, *fehlt Ggg*. 27. prât *D*. 29. helfære *D*, helfare *G*, *immer in dieser endung*.

216, 1. Fuorter *Gg*. 4. Löver *mit* o̊ *Dg*. die *alle*. 5. Ensament *G*. 8. Beritun *D*. 10. von *DGg*, Vor *dgg*. dianazadrun *G*, dianazrun *g*, dienazarun *g*. 11. zeltstange *G*. 12. imme *g*. Spehtshart *D*, spehshart *g*. 13. massinide *D*. er lach *Gg*. 14. hochzit *G*. pfichest tach *G*. 16. maht *Gg*. 19. Unde mangen *Gdgg*. 21. reislachen *D*. 22. wibes *Gdgg*. 24. ir bris *Gg*.

hete si dâ niht ir âmîs.
ich entætes niht decheinen wîs
(ez was dô manec tumber lîp).
ich bræhte ungerne nu mîn wîp
in alsô grôz gemenge:
ich vorht unkunt gedrenge.
217 etslîcher hin zir spræche,
daz in ir minne stæche
und im die freude blante:
op si die nôt erwante,
daz dienter vor unde nâch.
mir wære ê mit ir dannen gâch.
  ich hân geredet um mîn dinc:
nu hœrt wie Artûses rinc
sunder was erkenneclîch.
vor ûz mit maneger schoie rîch
diu messnîe vor im az,
manc werder man gein valsche laz,
und manec juncfrouwe stolz,
daz niht wan tjoste was ir bolz:
ir friwent si gein dem vînde schôz:
lêrt in strît dâ kumber grôz,
sus stuont lîht ir gemüete
daz siz galt mit güete.
  Clâmidê der jungelinc
reit mitten in den rinc.
verdecket ors, gewâpent lîp,
sah an im Artûses wîp,
sîn helm, sîn schilt verhouwen:
daz sâhen gar die frouwen.
sus was er ze hove komn.
ir habet ê wol vernomn
daz er des wart betwungen.
er rebeizte. vil gedrungen
wart sîn lîp, ê er sitzen vant
froun Cunnewâren de Lâlant.
218 dô sprach er 'frouwe, sît ir daz,
der ich sol dienen âne haz?
ein teil mich es twinget nôt.
sîn dienst iu'nbôt der ritter rôt.
der wil vil ganze pflihte hân
swaz iu ze laster ist getân,
ouch bitt erz Artûse klagen.
ich wæne ir sît durch in geslagen.
frouwe, ich pring iu sicherheit.
sus gebôt der mit mir streit:
nu leist ichz gerne, swenn ir welt.
mîn lîp gein tôde was verselt.'
  frou Cunnewâre de Lâlant
greif an die gîserten hant,
aldâ frou Ginovêr saz,
diu âne den künec mit ir az.
Keie ouch vor dem tische stuont,
aldâ im wart diz mære kuont.
der widersaz im ein teil:
des wart frou Cunnewâre geil.
  Dô sprach er 'frouwe, dirre man,
swaz der hât gein iu getân,
des ist er vaste underzogen.
doch wæne ich des, erst ûf gelogen.
ich tetz durch hoflîchen site
und wolt iuch hân gebezzert mite:
dar umbe hân ich iwern haz.
iedoch wil ich iu râten daz,
heizt entwâpen disen gevangen:
in mac hie stêns erlangen.'

26. deheine *Gdgg.* gwis *D.* 28. ungern *D.* 29. In alsolch gedr. *G.* 29. 30. gedrenge-gemenge *Ggg.*

217, 2. Unde in *G.* 3. sinne *Ggg.* blande *Ggg.* 4. erchande *Gg.* 5. diender *G.* und *D.* 6. ê *Ddgg*, et *G*, *fehlt gg.* 7. geredet *g*, gereit *DG*, geredt *g*, geret *dg*, geeret *gg.* umbe *DG.* 8. Artuss *D.* 10. ioie *D*, tschoye *G.* 11. mæssenide *D.* 13. werdiu frouwe *G.* 14. niht ein tiost *Gg.* ir *fehlt Ggg.* 15. dem vigende *d*, dem vient *D* = vinde *Gg*, ir veinde *g*, den veienden *gg*, vianden *g.* 16. Wart sin arbeit da groz *Ggg.* 17. lihte *DG.* 18. = Daz si daz *Ggg.* 20. enmiten *Ggg.* 21. Verdaht *G.* 22. Chos *Ggg.* Artuss *D*, artus *Gg.* 23. Sin-sin *dg*, sinensinen *DGgg*, Den-den *gg.* 25. = Alsus *Ggg.* 28. Er erb. *G.* 30. Fron kunew. *G.*

218, 1. spracher *G oft.* 3. mich es (michs *D*) twinget *Dd* = twinget miches (mich sin *gg*, mich des *g*) *Ggg.* 4. sin *D*, Sinen *dg*, *fehlt Ggg.* iu enbot *Dg*, iu enbiut *Ggg*, enbiut eu *dgg.* 5. Unde wil *Ggg.* vil *fehlt Ggg.* 7. bit *G*, hiez *gg.* artusen *dg*, *vergl.* 215, 4. 10. da strît *D.* 11. ich *Gg.* swaz *G.* 14. geserten *Ggg*, gesergeten *g*, sichernde *g.* 15. fro schinover *G.* 17. Kai *G.* ouch *fehlt Ggg.* tissce stunt *D.* 18. diz mære wart *D.* 19. Er *Ggg.* imz *G*, ez im *dg*, es *g.* 20. fro kunew. *G.* 21. Doch *G.* er *fehlt D.* 22. gein iu hat *Ggg.* 23. vast *D.* 24. angelogen *gg.* 25. hofschliche *G.* 26. gezogen der mite *Gg.* 28. Doch *Gg.* 29. heizet *DG.* entwapenen *G.* 30. stende *Gg.*

219 im bat diu juncfrouwe fier
ab nemen helm untz hersnier.
dô manz von im strouft unde bant,
Clâmidê wart schiere erkant.
Kingrûn sach dicke
an in kuntlîche blicke.
dô wurden an den stunden
sîn hende alsô gewunden,
daz si begunden krachen
als die dürren spachen.
den tisch stiez von im zehant
Clâmidês scheneschlant.
sînen hêrren frâgter mære:
den vander freuden lære.
der sprach 'ich pin ze schaden geborn.
ich hân sô wirdic her verlorn,
daz muoter nie gebôt ir brust
dem der erkante hôher flust.
mich enriwet niht mîns heres tôt
dâ gegen: minne mangels nôt
lestet ûf mich sölhen last,
mir ist freude gestîn, hôhmuot gast.
Condwîr âmurs frumt mich grâ.
Pilâtus von Poncîâ,
und der arme Jûdas,
der bî eime kusse was
an der triwenlôsen vart
dâ Jêsus verrâten wart,
swie daz ir schepfær ræche,
die nôt ich niht verspræche,
220 daz Brôbarzære frouwen lîp
mit ir hulden wær mîn wîp,
sô daz ich se umbevienge,
swiez mir dar nâch ergienge.
ir minne ist leider verre
dem künec von Iserterre.
mîn lant untz volc ze Brandigân
müezens immer jâmer hân.
mîns vetern sun Mâbonagrîn
leit och dâ ze langen pîn.
nu bin ich, künec Artûs,
her geriten in dîn hûs,
betwungen von ritters hant.
du weist wol daz in mîn lant
dir manec laster ist getân:
des vergiz nu, werder man,
die wîle ich hie gevangen sî,
lâz mich sölhes hazzes vrî.
mich sol frou Cunnewâre
ouch scheiden von dem vâre,
diu mîne sicherheit enpfienc,
dô ich gevangen für si gienc.'
Artûs vil getriwer munt
verkôs die schulde sâ zestunt.
Dô vriesch wîb unde man
daz der künec von Brandigân
was geriten ûf den rinc.
nu dar nâher dringâ drinc!
schiere wart daz mære breit.
mit zühten iesch gesellekeit
221 Clâmidê der freuden âne:
'ir sult mich Gâwâne
bevelhen, frouwe, bin ichs wert.
sô weiz ich wol daz ers ouch gert.
leist er dar an iwer gebot,
er êrt iuch unt den rîter rôt.'
Artûs bat sîner swester suon
gesellekeit dem künege tuon:

219, 1. Im *Ddg*, In *Ggg*. phier *G*, scier *D*. 2. den helm *Ggg*. unde *Gdgg*. harsnier *G*. 3. abe im *Ggg*. strouft *g*, droufte *D*, strauf *g*, nam *Gg*. und *D*. 6. An im *G*. 7. wart *Ggg*. 8. Sin *dgg*, sine *DG*. so *G*, ser *g*. 10. als *Dg*, Alsam *dgg*, Sam *G*. 11. 12. Ander stunt sin fræude swant Den tisch stiez er von im zehant *gg*. 12. scenescalt *D*, sinschalt *G*. 13. vrâgetr *D*. 14. vant er *G*. 15. = Er *Ggg*. 19. enriuwet *G*, enrewe *dg*. hers *DG*. 20. Da engegene *Ggg*, Da engein und *g*. 21. Læst *gg*. 22. froude in hohem muote *Gg*. gestîn *D*. 24. pocia *G*. 27. triwenloser *D*.

220, 1. brobarzære *Dd* = briubarz der *Gg*, ze brubarz der *gg*. 6. kunege *D*. 7. unt dez folch ze *G*, unde zlant von *g*. bradigan *G*. 8. iamerch stan *G*. 9. veteren *G*, veter *D*. maboagrin *G*, Mubon. *gg*. 10. zelange *Gdg*. 14. in mîme? 16. nu vil *G*. 18. La *Ggg*. 19. fro kunew. *G*. 20. ouch *fehlt Ggg*. 22. gewapent *D*. 23. Artuses *G*. 27 = in *Ggg*. 29. Vil schiere *Ggg*. 30. zuht *Gg*.

221. 5. leistet er *D*. 6. eret *DG*. 8. dem riter *Gg*.

daz wære iedoch ergangen.
dô wart wol enphangen
von der werden massenîe
der betwungene valsches vrîe.
 ze Clâmidê sprach Kingrûn
'ôwê daz ie kein Bertûn
dich betwungen sach ze hûs!
noch rîcher denne Artûs
wær du helfe und urborn,
und hetes dîne jugent bevorn.
sol Artûs dâ von prîs nu tragn,
daz Kai durch zorn hât geslagen
ein edele fürstinne,
diu mit herzen sinne
ir mit lachen hât erwelt
der âne liegen ist gezelt
mit wârheit für den hôhsten prîs?
die Berteneise ir lobes rîs
Wænent nu hôch gestôzen hân:
ân ir arbeit istz getân,
daz tôt her wider wart gesant
der künec von Kukûmerlant,
222 unt daz mîn hêrre im siges jach
den man gein im in kampfe sach.
der selbe hât betwungen mich
gar âne hælingen slich.
man sach dâ fiwer ûz helmen wæn
unt swert in henden umbe dræn.'
 dô sprâchens alle gelîche,
beide arm und rîche,
daz Keie hete missetân.
hie sule wir diz mære lân,
und komens wider an die vart
daz wüeste lant erbûwen wart,
dâ krône truoc Parzivâl:
man sach dâ freude unde schal.
sîn sweher Tampenteire
liez im ûf Pelrapeire
lieht gesteine und rôtez golt:
daz teilter sô daz man im holt
was durch sîne milte.
vil banier, niwe schilte,
des wart sîn lant gezieret.
und vil geturnieret
von im und von den sînen.
er liez dick ellen schînen
an der marc sîns landes ort,
der junge degen unervort.
sîn tât was gein den gesten
geprüevet für die besten.
 Nu hœrt ouch von der künegîn.
wie möht der imer baz gesîn?
223 diu junge süeze werde
het den wunsch ûf der erde.
ir minne stuont mit sölher kraft,
gar âne wankes anehaft.
si het ir man dâ für erkant,
iewederz an dem andern vant,
er was ir liep, als was si im.
swenne ich daz mære an mich nu nim,
daz si sich müezen scheiden,
dâ wehset schade in beiden.
ouch riwet mich daz werde wîp.
ir liute, ir lant, dar zuo ir lîp,
schiet sîn hant von grôzer nôt;
dâ gein si im ir minne bôt.

9. Ez *Ggg*. 10. wart er *Ggg*. 11. messonie *G*. 12. frige *G*. 13. ze *fehlt Ggg*. 14. îe dechein *D*, iedehein *G*. 15. gevangen *Ggg*. 17. Wær *g*, wære *DG*. urbor *alle außer D*. 18. = hetest (het *g*) doch (auch *g*) *Ggg*. dine iugende *Gg*. bevor *d* = vor *Ggg*. 20. kaie *D*. = hat durch zorn *Ggg*. 23. lachene het *Gg*. 24. triegen *G*. 26. di bertenoyse *D*, Die pritanis *G*. 27. Wanenet *G*. hohe *Ggg*. 28. arbeist *D*. istz] ist ez *Gg*, ist *Dgg*, wart *d*. 29. tote her *DGdg*. wart wider *Ggg*.

222, 1. unt *fehlt G*. 2. in champhæ *G*, en chempfe *g*. 4. hælichen *g*. 6. handen *Gg*. 7. sprachen si *Dg*, iahens *Ggg*, sprachen *d*, iahen *g*. algeliche *G*. 8. Beidiu *G*. arme *Dgg*. und *D*, unde *G*. 9. kai het *G*. 10. sulen *G*. 12. erbwen *G*, erbowen *gg*. 15. tampunt. *Ggg immer*. 17. und *fehlt Ggg*. rotes *D*. 19. Was tur *G*. 20. baniere *D*. = niwer *Ggg*. 21. Der *d*, *fehlt Ggg*. 24. lie *G*. diche *D*, ditche *G*. 25. march *g*, marche *D*. 26. unervort *dgg*, unerforht *Ggg*, unvervorht *D*. 27. getat *gg*. wart *G*. von *Ggg*, vor *g*. 28. Gebroet *G*. 29. hœret ouch *Dd* = sprechet *Ggg*.

223, 6. Ietwederz *G*, Ir ietwederz *gg*. 7. also *Dd*, sam *g*. 9. = mih genim *Ggg*. 10. wahset *Gg*. 11. schone *Gg*, suoze *gg*. 13. von] uñ *D*. 14. Da engene (engegen *gg*) sim *Ggg*.

eins morgens er mit zühten sprach
(manc rittr ez hôrte unde sach)
'ob ir gebietet, frouwe,
mit urloube ich schouwe
wiez umbe mîne muoter stê.
ob der wol oder wê
sî, daz ist mir harte unkunt.
dar wil ich zeiner kurzen stunt,
und ouch durch âventiure zil.
mag ich iu gedienen vil,
daz giltet iwer minne wert.'
sus het er urloubs gegert.
er was ir liep, so'z mære giht:
sine wolde im versagen niht.
von allen sînen mannen
schiet er al eine dannen.

16. Daz ez manch riter sach *Gg*, Do er ritter horte und sach *d*. 17. gebiet *G*. 21. harte *DG*, gar *g*, *fehlt dgg*. 22. daz *D*. 24. iu dane *Gg*. 25. gilt *G*. 26. urloubs *g*, urloubes *DG*. 28. woltes im *Ggg*.

V.

224 Swer ruochet hœren war nu kumt
den âventiur hât ûz gefrumt,
der mac grôziu wunder
merken al besunder.
lât rîten Gahmuretes kint.
swâ nu getriwe liute sint,
die wünschn im heils: wan ez muoz sîn
daz er nu lîdet hôhen pîn,
etswenne ouch freude und êre.
ein dinc in müete sêre,
daz er von ir gescheiden was,
daz munt von wîbe nie gelas
noch sus gesagte mære,
diu schœnr und bezzer wære.
gedanke nâch der künegin
begunden krenken im den sin:
den müeser gar verloren hân,
wærz niht ein herzehafter man.
mit gewalt den zoum daz ros
truog über ronen und durchez mos:
wandez wîste niemens hant.
uns tuot diu âventiure bekant
daz er bî dem tage reit,
ein vogel hetes arbeit,
solt erz allez hân erflogen.
mich enhab diu âventiure betrogen,
sîn reise unnâch was sô grôz
des tages do er Ithêren schôz,
unt sît dô er von Grâharz
kom in daz lant ze Brôbarz.

225 Welt ir nu hœrn wiez im gestê?
er kom des âbnts an einen sê.
dâ heten geankert weideman:
den was daz wazzer undertân.
dô si in rîten sâhen,
si wârn dem stade sô nâhen
daz si wol hôrten swaz er sprach.
einen er im schiffe sach:
der het an im alsolch gewant,
ob im dienden elliu lant,
daz ez niht bezzer möhte sîn.
gefurriert sîn huot was pfâwîn.
den selben vischære
begunder vrâgen mære,
daz er im riete durch got
und durch sîner zühte gebot,
wa er herberge möhte hân.
sus antwurte im der trûric man.
er sprach 'hêr, mirst niht bekant
daz weder wazzer oder lant
inre drîzec mîln erbûwen sî.
wan ein hûs lît hie bî:
mit triwen ich iu râte dar:
war möht ir tâlanc anderswar?
dort an des velses ende
dâ kêrt zer zeswen hende.
so'r ûf hin komet an den grabn,
ich wæn dâ müezt ir stille habn.

224, 2. Den die *g*. 7. wunschen *G*, wnscen *D*. heils *gg*, heiles *DG*. wan *fehlt Gd*. 8. Er muoz nu liden *G*. 9. Etswanne *G*. ouch *fehlt Ggg*. 12. man *g*, nyman *d*. 13. nach sus gesagtem (gesagter *g*) mære *Dg*. 14. scœner *D*, schoner *G*. 17. des muoser *D*. 18. Wærz *g*, Warz *G*, wærez *D*. herzenhafter *Ggg*. 20. uber berch *Gg*. durchez *D*, das *d* = uber *Ggg*. 21. enwîste *D*. 24. hets *G*. 25. halbez *Gg*. 26. = Uns habe *Ggg*. 30. Brobarz *Dd*, brovarz *g*, briubarz *G*, brubarz *gg*.

225, 1. hœren *DG*. 2. abents *D*, abendes *G*, abens *g*. 7. waz *Gg*. 8. ime *D*, in dem *G*. scheffe *Gg*. 9. al *fehlt Gdgg*. 12. *punct nach* gefurriert *D*. phawin *Gg*, pfawin *(wie es scheint) D*, phewin *gg*, pfewin *dg*, pfellin *g*. 13. den selhen wiscære *D*. 16. un̄ durch *Dg*, Unde och dur *Gdgg*. zuht *G*. 17. er die *Ggg*. moht *G*. 18. Des *Ggg*. trurige *DG*. 19. er sprach *fehlt gg*. herre *DG*. mir ist *alle außer G*. unerchant *Gg*, umbechant *gg*. 20. oder] noch *Ggg*. 21. inre *D*, Inner *gg*, Inne *g*, In *Gdgg*. milen *DG*. erbŵen *D*, erbowet *g*. 22. burch *Ggg*. daz lit *gg*, diu lit *G*. uns hie bî *D*. 25. veldes *Ggg*. 27. so ir *alle außer G*.

bit die brüke iu nider lâzen
und offen iu die strâzen.'

226 Er tet als im der vischer riet,
mit urlouber dannen schiet.
er sprach 'komt ir rehte dar,
ich nim iwer hînt selbe war:
sô danket als man iwer pflege.
hüet iuch: dâ gênt unkunde wege:
ir muget an der lîten
wol misserîten,
deiswâr des ich iu doch niht gan.'
Parzivâl der huop sich dan,
er begunde wackerlîchen draben
den rehten pfat unz an den graben.
dâ was diu brükke ûf gezogen,
diu burc an veste niht betrogen.
si stuont reht als si wære gedræt.
ez enflüge od hete der wint gewæt,
mit sturme ir niht geschadet was.
vil türne, manec palas
dâ stuont mit wunderlîcher wer.
op si suochten elliu her,
sine gæben für die selben nôt
ze drîzec jâren niht ein brôt.
ein knappe des geruochte
und vrâgte in waz er suochte
od wann sîn reise wære.
er sprach 'der vischære
hât mich von im her gesant.
ich hân genigen sîner hant
niwan durch der herberge wân.
er bat die brükken nider lân,
227 und hiez mich zuo ziu rîten în.'
'hêrre, ir sult willekomen sîn.
sît es der vischære verjach,
man biut iu êre unt gemach
durch in der iuch sande widr,'
sprach der knappe und lie die brükke nidr.
In die burc der küene reit,
ûf einen hof wît unde breit.
durch schimpf er niht zetretet was
(dâ stuont al kurz grüene gras:
dâ was bûhurdiern vermiten),
mit baniern selten überriten,
alsô der anger z'Abenberc.
selten frœlîchiu werc
was dâ gefrümt ze langer stunt:
in was wol herzen jâmer kunt.
wênc er des gein in enkalt.
in enpfiengen ritter jung unt alt.
vil kleiner junchêrrelîn
sprungen gein dem zoume sîn:
ieslîchez für dez ander greif.
si habten sînen stegreif:
sus muoser von dem orse stên.
in bâten ritter fürbaz gên:
die fuorten in an sîn gemach.
harte schiere daz geschach,
daz er mit zuht entwâpent wart.
dô si den jungen âne bart
gesâhen alsus minneclîch,
si jâhn, er wære sælden rîch.

228 Ein wazzer iesch der junge man,
er twuoc den râm von im sân
undern ougen unt an handen.
alt und junge wânden
daz von im ander tag erschine.
sus saz der minneclîche wine.

29. bittet *D*. die bruke (bruk *g*, brucken *gg*) iu *Ggg*, iu die brukken (brucke *d*, brügge *g*, bruchge *g*) *Ddgg*.

226, 1. tet] et *G*. visscære *D*, vischare *G*. 3. reht *G*. 4. So nim ich iwer *Gg*. hinte *D*. 6. huetet *D*. 8. wol *Dg*, Vil wol *die übrigen*. 9. Deswar *G*. = doch *fehlt Ggg*. niene gan *G*. 11. gewarlichen *G*. 13. Do *Gg*. 15. reht *fehlt D*. 16. oder *DG*. hiet *g*, *fehlt G*. wat *G*. 18. mangiu *Gg*, manigen *dg*. 19. Stuonden (Stuent *g*) da *Ggg*. 20. ob sî *D*. suohten *G*, *so auch* 23. 24. 24. was er *D*. 25. odr wannen *D*, oder wanen·*G*. 29. Niwan *Dg*, Niht wan *dgg*, *fehlt Gg*. wan? der *fehlt d*. 30. bruke *Gdgg*.

227, 1. zuo iu *G*. 3. ez *D*. 4. biutet *D*. 6. brukken *gg*. 9. Mit schimpher niht *Ggg*. zetretet *g*, zetret *D*, zertretet *G*. 11. buhurdieren *D*, buhurt gar *Gg*. 12. banieren *DG*. uber geriten *Ggg*. 13. So *Gg*. zuo obenberg *d*, datze babenberch *Gg*. 15. zemanger *Gg*. 17. engalt *G*. 18. iunch *G*. un̄ *DG*. 21. furz *D*, fur daz *G*. 22. halten *G*, habtan *g*. 25. = Si *Ggg*, Und *g*. 26. schier *G*. 29. Sahn *g*. also *Gg*. 30. iahen *DG*. wær *gg*.

228, 3. Under *Gg*. an *DG*, *fehlt d*, an den *gg*. 4. Alte *G*. 5. ein ander *Ggg*. erscin-win *Dg*. 6. Do *Ggg*.

gar vor allem tadel vrî
mit pfelle von Arâbî
man truoc im einen mantel dar:
den legt an sich der wol gevar;
mit offenre snüere.
ez was im ein lobs gefüere.
dô sprach der kamerære kluoc
'Repanse de schoye in truoc,
mîn frouwe de künegîn:
ab ir sol er iu glihen sîn:
wan iu ist niht kleider noch gesniten.
jâ mohte ich sis mit êren biten:
wande ir sît ein werder man,
ob ichz geprüevet rehte hân.'
'got lôn iu, hêrre, daz irs jeht.
ob ir mich ze rehte speht,
sô hât mîn lîp gelücke erholt:
diu gotes kraft gît sölhen solt.'
man schancte im unde pflac sîn sô,
die trûregen wâren mit im vrô.
man bôt im wirde und êre:
wan dâ was râtes mêre
denne er ze Pelrapeire vant,
die dô von kumber schiet sîn hant.

229 Sîn harnasch was von im getragen:
daz begunder sider klagen,
dâ er sich schimpfes niht versan.
ze hove ein redespæher man
bat komn ze vrävellîche
den gast ellens rîche
zem wirte, als ob im wære zorn.
des het er nâch den lîp verlorn
von dem jungen Parzivâl.
dô er sîn swert wol gemâl
ninder bî im ligen vant,
zer fiuste twanger sus die hant
daz dez pluot ûzen nagelen schôz
und im den ermel gar begôz.
'nein, hêrre,' sprach diu ritterschaft,
'ez ist ein man der schimpfes kraft
hât, swie trûrc wir anders sîn:
tuot iwer zuht gein im schîn.
ir sultz niht anders hân vernomn,
wan daz der vischær sî komn.
dar gêt: ir sît im werder gast:
und schütet ab iu zornes last.'
si giengen ûf ein palas.
hundert krône dâ gehangen was,
vil kerzen drûf gestôzen,
ob den hûsgenôzen,
kleine kerzen umbe an der want.
hundert pette er ligen vant
(daz schuofen dies dâ pflâgen):
hundert kulter drûffe lâgen.

230 Ie vier gesellen sundersiz,
da enzwischen was ein underviz.
derfür ein teppech sinewel,
fil li roy Frimutel
mohte wol geleisten daz.
eins dinges man dâ niht vergaz:
sine hete niht betûret,
mit marmel was gemûret
drî vierekke fiwerrame:
dar ûffe was des fiwers name,
holz hiez lign alôê.
sô grôziu fiwer sît noch ê

7. zadel *dg*. 8. Ein phelle *G*. 9. = braht im *Ggg*. mandel *G*. 10. leit *G*. 11. ofner *g*, offener *die übrigen*. 12. Daz *Ggg*. im *fehlt Gg*. ein *fehlt g*. lobs *Dgg*, lobes *G*. 14. Repanse de scoye *Dd* = Urepans de tschoye *g*. Urrepansch detschoy *g*, Urrepanschoye *G*. 15. de *für* diu *hat immer nur D*. 16. Ober iu (Uber euch *g*) sol gelihen sin *Gg*. gelihen *alle, nur* gleichet *g*. 17-24 *fehlen G*. 17. = wan *fehlt gg*. 18. = Ouch *gg*. ir sis *gg*. 19. = sit ouch ein *gg*. 21. daz] sit *gg*. 26. trurigen *G*, truorigen *D*. al vro *D*. 27-229, 18 *fehlen G*.

229, 2. daz begundr sider sere chlagen *D*. 3. Do *g*. 4. wortspeher *g*. 5. ze *fehlt gg*. 12. sus *Dd* = so *gg*. 13. dez *D*, *fehlt gg*, ime daz *dgg*, im *g*. negein *gg*. 17. swi trurech *D*. 18. an im *gg*. 19. iren *D*. 19-22. N wart ouch schiere do vernomen. Daz der vischare ware chomen. Zuo dem gie der werde gast. An dem des wunsches niht gebrast *G*. 20. ist *g*. 21. Zdem get *gg*. im *Dg*, *fehlt g*, im ein *dgg*. 22. schuttet *Dg*, legt *gg*, lat *dg*. ladet? zorens *D*. 23. in *gg*. einen *Dg*. 24. Wol hundert *G*. 27. Vil chleiner cherzen *Ggg*. al umbe *D*. 28. Wol hundert beter ligen vant *G*. 29. 30. Mit gulteren riche. geriht herliche *G*. 29. = Ez *gg*. 30. kolter *g*, golter *g*, gulter *g*.

230, 1. 2 *fehlen G*. 1. 9. fier *D*. 2. da zwiscen *D*. 3. dı fûr *D*, Da vur *G*. tepch sinwel *G*. 4. fillu roy *D*, Fili Roi *g*, Fillurois *g*, Filiroys *Gd*. 5. Maht *G*, Der moht *gg*. 7. 8. betuoret-gemuoret *D*. 9. ram *DG*. 10. fiurs *G*. nam *D*. 11. lingaloe *G*, lignum (lingnum) aloe *dgg*.

sach niemen hie ze Wildenberc:
jenz wâren kostenlîchiu werc.
der wirt sich selben setzen bat
gein der mitteln fiwerstat
ûf ein spanbette.
ez was worden wette
zwischen im und der vröude:
er lebte niht wan töude.
in den palas kom gegangen
der dâ wart wol enpfangen,
Parzivâl der lieht gevar,
von im der in sante dar.
er liez in dâ niht langer stên:
in bat der wirt nâher gên
und sitzen, 'zuo mir dâ her an.
sazte i'uch verre dort hin dan,
daz wære iu alze gastlîch.'
sus sprach der wirt jâmers rîch.
231 Der wirt het durch siechheit
grôziu fiur und an im warmiu kleit.
wît und lanc zobelîn,
sus muose ûze und inne sîn
der pelliz und der mantel drobe.
der swechest balc wær wol ze lobe:
der was doch swarz unde grâ:
des selben was ein hûbe dâ
ûf sîme houbte zwivalt,
von zobele den man tiure galt.
sinwel arâbsch ein borte
oben drûf gehôrte,
mitten dran ein knöpfelîn,
ein durchliuhtic rubîn.
dâ saz manec ritter kluoc,
dâ man jâmer für si truoc.
ein knappe spranc zer tür dar în.
der truog eine glævîn
(der site was ze trûren guot):
an der snîden huop sich pluot
und lief den schaft unz ûf die hant,
deiz in dem ermel wider want.
dâ wart geweinet unt geschrît
ûf dem palase wît:
daz volc von drîzec landen
möhtz den ougen niht enblanden.
er truoc se in sînen henden
alumb zen vier wenden,
unz aber wider zuo der tür.
der knappe spranc hin ûz derfür.
232 Gestillet was des volkes nôt,
als in der jâmer ê gebôt,
des si diu glævîn het ermant,
die der knappe brâhte in sîner hant.
wil iuch nu niht erlangen,
sô wirt hie zuo gevangen
daz ich iuch bringe an die vart,
wie dâ mit zuht gedienet wart.
zende an dem palas
ein stählîn tür entslozzen was:
dâ giengen ûz zwei werdiu kint.
nu hœrt wie diu geprüevet sint.
daz si wol gæben minnen solt,
swerz dâ mit dienste het erholt.
daz wâren juncfrouwen clâr.
zwei schapel über blôziu hâr
bluemîn was ir gebende.
iewederiu ûf der hende
truoc von golde ein kerzstal.
ir hâr was reit lanc unde val.

13. hibtze *G*. wildeberch *g*. 14. îenez *D*. chostchlichiu *G*, chostlichiu *dgg*. 15. sitzen *Ggg*. 16. miteren *Ggg*. hertstat *gg*. 17. An *Ggg*. spanbete (*aber* wette) *G*. 20. tounde *G*, towende *D*. 21. Uf *G*. 25 *nach* 26 *Ggg*. 25. Der *D*. lie *G*. lenger *G*. 27. vñ sizzen *D*, Er sprach sitzen *d* = Sitzet *Ggg*. dâ] hie *G*. 28. ich iuch *alle*. 29. iu *fehlt Gg*. 30. sus *D* = So *Gg*, Do *g*, *fehlt gg*. Der wurt was jomers rich *d*.

231, 1. dur siecheit *G*. 2. an im *fehlt Gdgg*. 3. und *fehlt Gg*. zoblin *D*. 4. uzze und inne *g*, uez und innen *gg*, uzen vñ innen *DGdgg*. 5. der-der *D*, Der-ein *g*, Ein-der *gg*, Ein-ein *Gdgg*. pelliz *D*, bellitz *g*, belz *Gdgg*. 6. swechest *gg*, swechst *g*, swecheste *DG*. was *Ggg*. 8. alda *D*. 11. Sinewel arabensch *G*. porte *D und die meisten*. 13. Dar an was ein *Gg*. kneuflin *g*, chophelin *G*. 17. dar *Dgg*, her *Gdgg*, hin *g*. 18. glevîn *D*, clavin *Ggg*. 21. ûf *Dgg*, an *Gdgg*. 22. deiz *D*, Daze im *G*, Daz *dgg*, Daz ez *gg*. = an dem *Ggg*. 24. In *Ggg*. 26. mohtez *DG*, Moht *g*. 28. Zallen (Zen allen *G*) vier wenden *Ggg*. 29. hin zer (hinz der *gg*) tur *Ggg*.

232, 1. = wart *Ggg*. 3. gleven *D*, glævei *g*, gleve *g*, clavine *G*. 4. der knappe brahte *Dd* = der chnape truoch *Gg*, truoch ein chnappe *gg*. in der hant *Gg*. 6. hie angefangen *Ggg*. 10. stælin *G*. 16. tschapel *G*. blozez *Ggg*, blosz *d*. 17. bluomen *alle außer G*. 18. Ietwedriu *G*, Iewerdriu *g*. der *D*, einer *d*, ir *die übrigen*. 19. cherze stal *G*, kerzenstal *gg*. 20. reit (reid *D*) lanch *Dg*, rot reit *d*, lanch reit (reid *g*) *Ggg*, reit *g*.

si truogen brinnendigiu lieht.
hie sule wir vergezzen nieht
umbe der juncfrowen gewant,
dâ man se kumende inne vant.
de grævîn von Tenabroc,
brûn scharlachen was ir roc:
des selben truoc ouch ir gespil.
si wâren gefischieret vil
mit zwein gürteln an der krenke,
ob der hüffe ame gelenke.
233 Nâch den kom ein herzogîn
und ir gespil. zwei stöllelîn
si truogen von helfenbein.
ir munt nâch fiwers rœte schein.
die nigen alle viere:
zwuo satzten schiere
für den wirt die stollen.
dâ wart gedient mit vollen.
die stuonden ensamt an eine schar
und wâren alle wol gevar.
den vieren was gelîch ir wât.
seht wâ sich niht versûmet hât
ander frouwen vierstunt zwuo.
die wâren dâ geschaffet zuo.
viere truogen kerzen grôz:
die andern viere niht verdrôz,
sine trüegen einen tiuren stein,
dâ tages de sunne lieht durch schein.
dâ für was sîn name erkant:
ez was ein grânât jâchant,
beide lanc unde breit.
durch die lîhte in dünne sneit
swer in zeime tische maz;
dâ obe der wirt durch rîchheit az.
si giengen harte rehte
für den wirt al ehte,
gein nîgen si ir houbet wegten.
viere die taveln legten
ûf helfenbein wîz als ein snê,
stollen die dâ kômen ê.
234 Mit zuht si kunden wider gên,
zuo den êrsten vieren stên.
an disen aht frouwen was
röcke grüener denn ein gras,
von Azagouc samît,
gesniten wol lanc unde wît.
dâ mitten si zesamne twanc
gürteln tiur smal unde lanc.
dise ahte juncfrouwen kluoc,
ieslîchiu ob ir hâre truoc
ein kleine blüemîn schapel.
der grâve Iwân von Nônel
unde Jernîs von Rîl,
jâ was über manege mîl
ze dienst ir tohter dar genomn:
man sach die zwuo fürstîn komn
in harte wünneclîcher wât.
zwei mezzer snîdende als ein grât
brâhten si durch wunder
ûf zwein twehelen al besunder.
daz was silber herte wîz:
dar an lag ein spæher vlîz:
im was solch scherpfen niht vermiten,
ez hete stahel wol versniten.

21. brinnendigiu *D*, brindiu *G*, brinendiu *g*, brinnundiu *g*, brinnende *dgg*. 22. sulen *G*. 24. si chomende *G*. 25. gravin *G*, grævinne *D*. tenebroch *G und alle außer D*. 26. scharlach *Gg*, sharlat *g*. 28. warn *gg*. gefitschiert *G*. 30. huf an dem *G*.

233, 1. den *DG*, den zwein *dg*, der *gg*. = giench *Ggg*. 5. niegen *D*. 6. Zwo *Dd* = Die zwo (zwu *g*, zö *G*) *Ggg*. sasten *d*. 9. = Si *Ggg*. sampt *dgg*, sament *G*. einer *Gdgg*. 12. nu seht *D*. 13. Andere *G*. zŵ *D*, zwo *G*. 14. geschaft *G*. 18. diu *G*. 20. Er *G*. iochant *Ggg*. 21. Beidiu *G*. 22. die lieht *G*, diu lieht *gg*. dune *G*. 24. da (Dar *gg*) obe (oben *g*) *Dgg*, Dar abe *Gdgg*. 25. harte] alle *Ggg*. 26. alle *Gdg*. æhte *D*, ahte *G*. 27. houbt *G*. 28. Vier die tafelen *G*. 29. 30 *fehlen G*.

234, 1. 'chuden *G*. 3. An den *Gdgg*, An *g*. ahte *G*. 6. wol *fehlt Ggg*. 7. Da enmiten *Ggg*. 8. Gurtel *Gdgg*. tiur *gg*, tiure *D*, *fehlt G*. 9. = Die *gg*, Diu *G*. ahte *Gdg*. iunchfrouwen *Gdgg*, frouwen *Dg*. 11. bluomen *dgg*. tschapel *G*. 12. Iwein *Ggg*. 13. unt *D*. = Gernis *gg*, kernis *G*. Rîl *D*, Rile *dgg*, kile *Ggg*. 14. = Ez *Ggg*. mile *alle außer D*. 16. zö *G*, zwo *D*, *oft*. furstinne *G*. 18. snident *g*. 19. = Truogen *Ggg*. 20. = In *Ggg*. al *fehlt Gdg*. sunder *G*. 21. Diu (Sú *d*, Ir sniden *g*) waren von silber (w. silberin herte *d*) wiz *Gdg*. herte *d*, hert vn *Dg*, harte *gg*. 23. In *Gd*. solch] ir *Gg*, sî *g*. scherphe *alle außer D*. 24. Si heten *Gdg*. stal *Gg*. gesniten *Gd*.

vorm silber kômen frouwen wert,
der dar ze dienste was gegert:
die truogen lieht dem silber bî;
vier kint vor missewende vrî.
sus giengen se alle sehse zuo:
nu hœrt was ieslîchiu tuo.

235 Si nigen. ir zwuo dô truogen dar
ûf die taveln wol gevar
daz silber, unde leitenz nidr.
dô giengen si mit zühten widr
zuo den êrsten zwelven sân.
ob i'z geprüevet rehte hân,
hie sulen ahzehen frouwen stên.
âvoy nu siht man sehse gên
in wæte die man tiure galt:
daz was halbez plîalt,
daz ander pfell von Ninnivê.
dise unt die êrsten sehse ê
truogen zwelf röcke geteilt,
gein tiwerr kost geveilt.
nâch den kom diu künegîn.
ir antlütze gap den schîn,
si wânden alle ez wolde tagen.
man sach die maget an ir tragen
pfellel von Arâbî.
ûf einem grüenen achmardî
truoc si den wunsch von pardîs,
bêde wurzeln unde rîs.
daz was ein dinc, daz hiez der Grâl,
erden wunsches überwal.
Repanse de schoy si hiez,
die sich der grâl tragen liez.
der grâl was von sölher art:
wol muoser kiusche sîn bewart,
die sîn ze rehte solde pflegn:
die muose valsches sich bewegn.

236 Vorem grâle kômen lieht:
diu wârn von armer koste nieht;
sehs glas lanc lûter wolgetân,
dar inne balsem der wol bran.
dô si kômen von der tür
ze rehter mâze alsus her für,
mit zühten neic diu künegîn
und al diu juncfröwelîn
die dâ truogen balsemvaz.
diu küngîn valscheite laz
sazte für den wirt den grâl.
dez mære giht daz Parzivâl
dicke an si sach unt dâhte,
diu den grâl dâ brâhte:
er het och ir mantel an.
mit zuht die sibene giengen dan
zuo den ahzehen êrsten.
dô liezen si die hêrsten
zwischen sich; man sagte mir,
zwelve iewederthalben ir.
diu maget mit der krône
stuont dâ harte schône.
swaz ritter dô gesezzen was
über al den palas,
den wâren kameræere
mit guldîn becken swære
ie viern geschaffet einer dar,
und ein junchêrre wol gevar
der eine wîze tweheln truoc.
man sach dâ rîcheit genuoc.

237 Der taveln muosen hundert sîn,
die man dâ truoc zer tür dar în.

25. Vorm *gg*, Vorem *D*, Vor dem *G*. 26. da *alle außer DG*. 29. = Die *Ggg*, Si *gg*. si *D*, *fehlt allen übrigen*. viere *Gg*. 30. iegel. *G*.

235, 1. = Ez nigen *Ggg*. dô] = vñ *Ggg*. 5. Aber zuo den ersten stan *G*. stan *ddg*. 6. iz *g*, ich *D*, ihz *G*, ichz *ddgg*. reht geparliert han *g*. 10. = Ez *Ggg*. blialt *d*. 11. pfelle *DG*. ninve *G*. 13. 14. geteilet-geveilet *alle außer G*. 14. tiur *G*, tiurr *g*, teurre *g*. 15. gie *Ggg*. 16. Der *Ggg*. 19. Phelle *Gdgg*. von arabis *G*. 20. gruenem *D*. achmardis *G*. 21. paradis *alle außer DG*. 22. Beidiu *G*. = wurz *Ggg*. 23. dinch hiez *G*. 24. Erden wunsch *Gdgg*. uber val *g*, uber al *Gdgg*. 25. Repanse de *Ddg*, Urrepanse de *gg*, Urrepan *G*. schoy *g*, schoye *Gdgg*, scoye *D*, shoie *g*, tschoie *g*. = si *fehlt Ggg*. 26. Die man *Gg*. den *Gdgg*. 28. muose ir *Ddgg*. 29. 30. Diu *DG*. 29. zereht solte *G*.

236, 2. die *D*. 3. lanc *fehlt Gddgg*. luter vñ *Gd*. 6. = sus *gg*, *fehlt Gg*. 8. iunchfröwelin *G*. 9. di *D*. balsam *D*. 10. kunigin *dg*, kuneginne *D*, chunginne *G*. = valsches *Ggg*. 12. Dez *G*, Daz *dgg*, diz *Ddg*, Dizze *g*. 16. die selben *Gg*. 19. sich] sie *dg*, in *Gg*. 20. ietwerder halben *G*, iwerderhalben *g*. 23. da *Gg*. 26. guldinen *DG*. 27. vieren *G*, fieren *D*. geschaft *G*. einer *fehlt G*.

237, 1. tavelen *G*. muosen hundrt *G*, hundert muosten *D*. 2. dâ] do *D*. her in *G*.

man sazte ieslîche schiere
für werder ritter viere:
tischlachen var nâch wîze
wurden drûf geleit mit vlîze.
der wirt dô selbe wazzer nam:
der was an hôhem muote lam.
mit im twuoc sich Parzivâl.
ein sîdîn tweheln wol gemâl
die bôt eins grâven sun dernâch:
dem was ze knien für sî gâch.
swâ dô der taveln keiniu stuont,
dâ tet man vier knappen kuont
daz se ir diens niht vergæzen
den die drobe sæzen.
zwêne knieten unde sniten:
die andern zwêne niht vermiten,
sine trüegen trinkn und ezzen dar,
und nâmen ir mit dienste war.
hœrt mêr von rîchheite sagen.
vier karrâschen muosen tragen
manec tiwer goltvaz
ieslîchem ritter der dâ saz.
man zôhs zen vier wenden.
vier ritter mit ir henden
mans ûf die taveln setzen sach.
ieslîchem gieng ein schrîber nâch,
der sich dar zuo arbeite
und si wider ûf bereite,
238 Sô dâ gedienet wære.
nu hœrt ein ander mære.
hundert knappen man gebôt:
die nâmn in wîze tweheln brôt
mit zühten vor dem grâle.
die giengen al zemâle
und teilten für die taveln sich.
man sagte mir, diz sag ouch ich
ûf iwer ieslîches eit,
daz vorem grâle wære bereit
(sol ich des iemen triegen,
sô müezt ir mit mir liegen)
swâ nâch jener bôt die hant,
daz er al bereite vant
spîse warm, spîse kalt,
spîse niwe unt dar zuo alt,
daz zam unt daz wilde.
esn wurde nie kein bilde,
beginnet maneger sprechen.
der wil sich übel rechen:
wan der grâl was der sælden fruht,
der werlde süeze ein sölh genuht,
er wac vil nâch gelîche
als man saget von himelrîche.
in kleiniu goltvaz man nam,
als ieslîcher spîse zam,
salssen, pfeffer, agraz.
dâ het der kiusche und der vrâz
alle gelîche genuoc.
mit grôzer zuht manz für si truoc.
239 Môraz, wîn, sinopel rôt,
swâ nâch den napf ieslîcher bôt,
swaz er trinkens kunde nennen,
daz mohter drinne erkennen
allez von des grâles kraft.
diu werde geselleschaft
hete wirtschaft vome grâl.
wol gemarcte Parzivâl
die rîcheit unt daz wunder grôz:
durch zuht in vrâgens doch verdrôz.
er dâhte 'mir riet Gurnamanz
mit grôzen triwen âne schranz,

3. sazta *g*. 8. hohmuote *D*. 10. eine sidine *D*. twehel *Gddg*. 11. die *Dd*, Do *d* = *fehlt Ggg*. 12. zechomene *Ggg*. 13. do *fehlt Gg*, da *g*, so *g*. dech. *D*, deh. *G*, eineu *g*. 15. diens *D*, dienst *g*, dienstes *die übrigen*. 16. di drob *D*. 19. Si truogen *ddgg*. trinchen vñ ezzen *Dddgg*, spise unde trinchen *Gg*. 21. hœret mer *D*, Hort me *G*. richeit *alle außer D*. 22. karrotschen *g*, craschenære *G*. 24. Ieslich *Gg*. 25. man zohse *D*, Si zugen *Ggg*. zevier *Ggg*. 28. gie *D*. scribære *D*, schribare *G*, schiubær *g*. 29. dar zuo zeigte *Gg*. 30. vн es widr *D*.

238, 1. So gedient ware *G*. 2. horet andriu *Ggg*. 3. Wol hundert *G*. 4. namen *DG*. twehelen *G*, twehln *g*. 6. = Si *Ggg*. 8. seite *Gg*. seit ez *g*. daz *Gdgg*, nuo *d*. 10. vor dem *G*. was *Ggg*. 12. mueзet *DG*. 13. = Wan swa nach *Ggg*. iener *DGgg*, einer *g*, yemer *d*, iegzlicher *dg*. 14. erz *G*, er daz *g*. bereite *D*, bereit *Gdgg*, beraitet *dg*. da vant *G*. 15. warem *D*. 16. unt *fehlt Gd*. 18. Esne w. *G*, es enw. *D*. dech. *D*, deh. *G*. 22. werelde *D*. ein] al *D*. 27. Salsen phepher *G*. 30. Mit zuhten *G*. man *dgg*. fûr sî *D*.

239, 1. = siropel *Ggg*, siropl *g*. 2. Swar nach *Ggg*. 3. moht *Gg*. = genenen *Ggg*. 7. Het *Ggg*, heten *D*. vor dem *G*. 8. gemarhte *G*. 11. gurom. *G*. 12. = guoten *Ggg*, rechten *g*.

ich solte vil gevrâgen niht.
waz op mîn wesen hie geschiht
die mâze als dort pî im?
âne vrâge ich vernim
wiez dirre massenîe stêt.'
in dem gedanke nâher gêt
ein knappe, der truog ein swert:
des palc was tûsent marke wert,
sîn gehilze was ein rubîn,
ouch möhte wol diu klinge sîn
grôzer wunder urhap.
der wirt ez sîme gaste gap.
der sprach 'hêrre, ich prâhtz in nôt
in maneger stat, ê daz mich got
ame lîbe hât geletzet.
nu sît dermit ergetzet,
ob man iwer hie niht wol enpflege.
ir mugetz wol füeren alle wege:
240 Swenne ir geprüevet sînen art,
ir sît gein strîte dermite bewart.'
  ôwê daz er niht vrâgte dô!
des pin ich für in noch unvrô.
wan do erz enpfienc in sîne hant,
dô was er vrâgens mit ermant.
och riwet mich sîn süezer wirt,
den ungenande niht verbirt,
des im von vrâgn nu wære rât.
genuoc man dâ gegeben hât:
dies pflâgen, die griffenz an,
si truognz gerüste wider dan.
  vier karrâschen man dô luot.
ieslîch frouwe ir dienest tuot,
ê die jungsten, nu die êrsten.
dô schuofen se abr die hêrsten
wider zuo dem grâle.
dem wirte und Parzivâle
mit zühten neic diu künegîn
und al diu juncfröwelîn.
si brâhten wider în zer tür
daz si mit zuht ê truogen für.
  Parzivâl in blicte nâch.
an eime spanbette er sach
in einer kemenâten,
ê si nâch in zuo getâten,
den aller schœnsten alten man
des er künde ie gewan.
ich magez wol sprechen âne guft,
er was noch grâwer dan der tuft.
241 Wer der selbe wære,
des freischet her nâch mære.
dar zuo der wirt, sîn burc, sîn lant,
diu werdent iu von mir genant,
her nâch sô des wirdet zît,
bescheidenlîchen, âne strît
unde ân allez für zogen.
ich sage die senewen âne bogen.
  diu senewe ist ein bîspel.
nu dunket iuch der boge snel:
doch ist sneller daz diu senewe jaget.
ob ich iu rehte hân gesaget,
diu senewe gelîchet mæren sleht:
diu dunkent ouch die liute reht.
swer iu saget von der krümbe,
der wil iuch leiten ümbe.
swer den bogen gespannen siht,
der senewen er der slehte giht,
man welle si zer biuge erdenen
sô si den schuz muoz menen.
swer aber dem sîn mære schiuzet,
des in durch nôt verdriuzet:

15. = Der (Inder *g*) maze *Ggg*. 16. fragen *alle außer DG*. ich wol *g*, ich dane wol *G*. 17. massenide *D*. 20. balch *G*. 21. = Daz (Des *g*) geh. *Ggg*, Sin knopf *g*. 24. es *D*. 25. = Er *Ggg*. brahtz *G*, bratz *g*. 26. An *Ggg*. 27. hete *Gg*. 29. pflege *alle außer DG*. 30. wol *fehlt Ggg*.
240, 5. wand erz *D*, Wan daz erz *g*. 6. = dermite gemant *Ggg*. 8. Ungenade in niht *Ggg*. ungenade *alle außer D*. 9. vragen *Dgg*, frage *Gdgg*. nu *fehlt Ggg*. 10. gnuoch *D*. 12. = Unt *Ggg*. truogenz *G*, trugenz *D*. 13. chræschen *G*. dô] ê *D*. 15. iungesten *DG*. 23. im *Gg*. 24. ersach *D*, do sach *gg*. dersach? 25. chemnaten *G*. 26. = taten *Ggg*. 29. muoz wol *Ggg*. 30. wizer *D*. danne ein *Ggg*.
241, 2. freischet ir *Ggg*. 3. diu burch *Gdgg*. 4. di werden *D*. 5. wirt *G*. 7. Unde allez rehte vur gezogen *Gg*. 8. senwe ungelogen *Gg*. 10. = Ouch *Ggg*. duncht *G*. 11. = Noch *Ggg*. 14. di *D*. dunket *dgg*. ouch die] alle *G*. 15. Wan swer *Ggg*. seit *Ggg*. 16. fuoren *G*. 17. Wan swer *gg*. spannen *G*, gespannet *gg*. 18. Der senwe man *Gg*. slehte *Dg*, slihte *die übrigen*. 19. Sine welle sich *Ggg*. zerbuge *G*, zeder luge *g*. denen *Gdgg*. 20. muezze *g*. nemen *Ggg*. 21. = aber *fehlt Ggg*. dem] denne *gg*. dem tôrn? 22. des in *Dd* = Da ins *Ggg*, Des uns *g*. Das ins *g*, denens in? *oder so?* swer ab dem sîn mære schiuzet, dens durch nôt verdriuzet (wan-für).

wan daz hât dâ ninder stat,
und vil gerûmeclîchen pfat,
zeinem ôren în, zem andern für.
mîn arbeit ich gar verlür,
op den mîn mære drunge:
ich sagte oder sunge,
daz ez noch paz vernæme ein boc
odr ein ulmiger stoc.

242 Ich wil iu doch paz bediuten
von disen jâmerbæren liuten.
dar kom geriten Parzivâl,
man sach dâ selten freuden schal,
ez wære buhurt oder tanz:
ir klagendiu stæte was sô ganz,
sine kêrten sich an schimphen niht.
swâ man noch minner volkes siht,
den tuot etswenne vreude wol:
dort wârn die winkel alle vol,
und ouch ze hove dâ man se sach.
der wirt ze sîme gaste sprach
'ich wæn man iu gebettet hât.
sît ir müede, so ist mîn rât
daz ir gêt, leit iuch slâfen.'
nu solt ich schrîen wâfen
umb ir scheiden daz si tuont:
ez wirt grôz schade in beiden kuont.
vome spanbette trat
ûfen tepch an eine stat
Parzivâl der wol geslaht:
der wirt bôt im guote naht.
diu rîterschaft dô gar ûf spranc.
ein teil ir im dar nâher dranc:
dô fuorten si den jungen man
in eine kemenâten sân.
diu was alsô gehêret
mit einem bette gêret,
daz mich mîn armuot immer müet,
sît d'erde alsölhe rîchheit blüet.

243 Dem bette armuot was tiur.
alser glohte in eime fiur,
lac drûffe ein pfellel lieht gemâl.
die ritter bat dô Parzivâl
wider varen an ir gemach,
do'r dâ niht mêr bette sach.
mit urloube se fuoren dan.
hie hebt sich ander dienst an.
vil kerzen unt diu varwe sîn
die gâbn ze gegenstrîte schîn:
waz möhte liehter sîn der tac?
vor sînem bette ein anderz lac,
dar ûfe ein kulter, da er dâ saz.
junchêrren snel und niht ze laz
maneger im dar nâher spranc:
si enschuohten bein, diu wâren blanc.
ouch zôch im mêr gewandes abe
manec wol geborner knabe.
vlætec wârn diu selben kindelîn.
dar nâch gienc dô zer tür dar în
vier clâre juncfrouwen:
die solten dennoch schouwen
wie man des heldes pflæge
und ober sanfte læge.
als mir diu âventiure gewuoc,
vor ieslier ein knappe truoc
eine kerzen diu wol bran.
Parzivâl der snelle man
spranc underz declachen.
sie sagten 'ir sult wachen

244 Durch uns noch eine wîle.'
ein spil mit der île
het er unz an den ort gespilt.
daz man gein liehter varwe zilt,

23. daz *Dd* = ez *Ggg*. enhat *Gg*. 24. Noch vil *gg*, Noch *Ggg*. gerumecl. *dgg*, geruomcl. *D*, geruml. *gg*, gerumgez *G*, gerumez *g*. 30. fulmiger *G*, vil vuler *g*, ulmyner *g*, milwiger *g*.

242, 1. muoz *Ggg*. doch *haben nur Dg*. mere *Ggg*. betuten *G*. 2. iamerbernden *G*. 8. minner] min *D*. 9. etwene *G*. 11. Ein teil man ir zehofe sach *Gg*. 15. legt iuch *gg*, unde legt euch *g*, und ligent *d*, euch legen *g*. 17. Von *Ggg*. 18. = Des *Ggg*. 20. teppech *D*. 27. alsô] wol *D*. 29. immr *D*, imer *G*. 30. al *fehlt Ggg*.

243, 1. was armuot (armuote *G*) *alle außer D*. tîwer *D*. 2. glohte (glueget *d*) in *Dd* = gleste uz *Gg*. dem *g*. fiwer *D*. 3. phelle *Gdgg*. wol *Gg*. 6. niht mere *dg*, nimere *G*. 7. si *DG*. = schieden *Ggg*. 10. gaben *DG*. 11. mahte *G*. 13. gulter *G*. = da er saz *Ggg*. 14. iunchherrn *D*. ze *fehlt Gg*. 15. = Ein teil ir im *Ggg*, Einer ym *g*, Genuog er im *g*. 16. enschuochten *D*, entschuoten *G*. di *D*. 17. zouch *G*. 19. Flatch *G*. diu selben] diu *Ggg*, disiu *g*. 20. Nu seht dort chom. zer tur her in *Ggg*. 21. = vil *Dd*. 22. = Die danoch wolten (solten *g*) schouwen *Ggg*. 26. ieslier *G*, ieslicher *D*. 29. unders *D*. 30. sprachen *alle außer D*.

244, 4. Daz mangen liehter *G*.

daz begunde ir ougen süezen,
ê si enpfiengen sîn grüezen.
ouch fuogten in gedanke nôt,
daz im sîn munt was sô rôt
unt daz vor jugende niemen dran
kôs gein einer halben gran.
dise vier juncfrouwen kluoc,
hœrt waz ieslîchiu truoc.
môraz, wîn unt lûtertranc
truogen drî ûf henden blanc:
diu vierde juncfrouwe wîs
truog obz der art von pardîs
ûf einer tweheln blanc gevar.
diu selbe kniete ouch für in dar.
er bat die frouwen sitzen.
si sprach 'lât mich bî witzen.
sô wært ir diens ungewert,
als mîn her für iuch ist gegert.'
süezer rede er gein in niht vergaz:
der hêrre tranc, ein teil er az.
mit urloube se giengen widr:
Parzivâl sich leite nidr.
ouch sazten junchêrrelîn
ûfen tepch die kerzen sîn,
dô si in slâfen sâhen:
si begunden dannen gâhen.

245 Parzivâl niht eine lac:
geselleclîche unz an den tac
was bî im strengiu arbeit.
ir boten künftigiu leit
sanden im in slâfe dar,
sô daz der junge wol gevar
sîner muoter troum gar widerwac,
des si nâch Gahmurete pflac.
sus wart gesteppet im sîn troum
mit swertslegen umbe den soum,
dervor mit maneger tjoste rîch.
von rabbîne hurteclîch
er leit in slâfe etslîche nôt.
möhter drîzecstunt sîn tôt,
daz heter wachende ê gedolt:
sus teilt im ungemach den solt.
von disen strengen sachen
muos er durch nôt erwachen.
im switzten âdern unde bein.
der tag ouch durch diu venster schein.
dô sprach er 'wê wâ sint diu kint,
daz si hie vor mir niht sint?
wer sol mir bieten mîn gewant?'
sus wart ir der wîgant,
unz er anderstunt entslief.
nieman dâ redete noch enrief:
si wâren gar verborgen.
umbe den mitten morgen
do erwachte aber der junge man:
ûf rihte sich der küene sân.

246 Ufem teppech sach der degen wert
ligen sîn harnasch und zwei swert:
daz eine der wirt im geben hiez,
daz ander was von Gaheviez.
dô sprach er zim selben sân
'ouwê durch waz ist diz getân?
deiswâr ich sol mich wâpen drîn.
ich leit in slâfe alsölhen pîn,
daz mir wachende arbeit
noch hiute wætlîch ist bereit.
hât dirre wirt urliuges nôt,
sô leist ich gerne sîn gebot
und ir gebot mit triuwen,
diu disen mantel niuwen

7. fuogten im *G*, fuogt im *gg*. 8. Daz in die munde waren rot *G*. muot *D*. 10. grane *G*. 11. Die *Ggg*. 12. = Nu horet *Ggg*. was *D*. iegel. *G*. 13. unt *fehlt Ggg*. 16. Truoch obez *G*. pardis *D*, bardis *G*, paris *g*. paradis *die übrigen*. 17. In *Ggg*. = wiz *Ggg*, lieht *gg*. 18. = ouch *fehlt Ggg*. 19. die iuncfrowen *dg*, si alle *Ggg*, sie zu ym *g*. 20. lat uns *G*. 21. So werdet ir dienstlich gewert *G*. wært *gg*, wæret *D*. dienst *g*, dienstes *dgg*. 22. Als unser fur iuch *G*. 23. gein in *Dg*, gein ir *dgg*, *fehlt G*. 24. *nach* tranch *interpungiert D*. 25. si *DG*. schieden *Ggg*. 26. der leit sich nider *Gg*. 27. Do *Gg*. saztan *g*. diu *Gdgg*. iunchfrôwelin *Dg*. 29. si *fehlt G*.

245, 3. ein strengiu *Ggg*. 9. gestept *g*, gestabet *G*. 11. Da vor *G*. mir *D*. 12. Von rabine hurtchliche *G*. 13. etliche *g*, etslich *Dd*, solhe *Ggg*, solhiu *g*. 19. ader *G*, âder *g*, arm *gg*. 24. ir *Ddgg*, in *Ggg*. 25. an derstunt *Ddg*, ander wæide *g*, an der wende *Gg*. 26. niemn *D*, Niemen *G*. rief *G*. 27. Wan si *Ggg*. 28. = Reht *Ggg*, Hin *g*. an dem *Ggg*.

246, 1. teppeche *D*, tepeche *G*. vant *Ggg*. 4. kahav. *G*. 5. Sus *D*. 6. We *G*. warzuo *Ggg*, war uf *g*, warunb *g*. 7. Desw. *G*. 8. = al *fehlt Ggg*, ê *g*. 10. watlich *G*, wænech *D*, wene *g*, wæn ich *die übrigen*. 12. gern *D*.

mir lêch durch ir güete.
wan stüende ir gemüete
daz si dienst wolde nemn!
des kunde mich durch si gezemn,
und doch niht durch ir minne:
wan mîn wîp de küneginne
ist an ir lîbe alse clâr,
oder fürbaz, daz ist wâr.'
er tet alser tuon sol:
von fuoz ûf wâpent er sich wol
durch strîtes antwurte,
zwei swert er umbe gurte.
zer tür ûz gienc der werde degen:
dâ was sîn ors an die stegen
geheftet, schilt unde sper
lent derbî: daz was sîn ger.

247 E Parzivâl der wîgant
sich des orses underwant,
mangez er der gadem erlief,
sô daz er nâch den liuten rief.
nieman er hôrte noch ensach:
ungefüege leit im dran geschach.
daz het im zorn gereizet.
er lief da er was erbeizet
des âbents, dô er komen was.
dâ was erde unde gras
mit tretenne gerüeret
untz tou gar zerfüeret.
al schrînde lief der junge man
wider ze sîme orse sân.
mit pâgenden worten
saz er drûf. die porten
vander wît offen stên,
derdurch ûz grôze slâ gên:
niht langer er dô habte,
vast ûf die brükke er drabte.
ein verborgen knappe'z seil
zôch, daz der slagebrüken teil
hetz ors vil nâch gevellet nidr.
Parzivâl der sach sich widr:
dô wolter hân gevrâget baz.
'ir sult varen der sunnen haz,'
sprach der knappe. 'ir sît ein gans.
möht ir gerüeret hân den flans,
und het den wirt gevrâget!
vil prîss iuch hât beträget.'

248 Nâch den mæren schrei der gast:
gegenrede im gar gebrast.
swie vil er nâch geriefe,
reht alser gênde sliefe
warp der knappe und sluoc die porten zuo.
dô was sîn scheiden dan ze fruo
an der flustbæren zît
dem der nu zins von freuden gît:
diu ist an im verborgen.
umbe den wurf der sorgen
wart getoppelt, do er den grâl vant,
mit sînen ougen, âne hant
und âne würfels ecke.
ob in nu kumber wecke,
des was er dâ vor niht gewent:
ern hete sich niht vil gesent.
Parzivâl der huop sich nâch
vast ûf die slâ dier dâ sach.
er dâht 'die vor mir rîten,
ich wæn die hiute strîten
manlîch um mîns wirtes dinc.
ruochten sis, sô wære ir rinc
mit mir niht verkrenket.
dane wurde niht gewenket,

18. solde *gg*, wolte *G*. dur *G*. 21. alse *D*, als *G*, also *dg*, wol so *gg*, wol also *g*. 24. wapende *D*. 25. = Gein *Ggg*. 27. gieng uz *Ggg*. 28. Do *Gg*. 30. Leint *gg*.

247, 3. gademe *G*, gadm *g*. 5. niemen *DG*. 7. Diz *Ggg*. zoren *D*. 11. tretene *G*, trettenne *g*, tretten *D*. 13. scrig. *D*, schrig. *G*. 16. uf *G*. 17. Vant er wite *G*. 19. da *Gg*. 20. vaste *DG*. porte *(corrigiert) G*. Vast gein der port *g*. drafte *G*. 21. daz *alle*. 22. Zuchte *Ggg*. slagbruken *D*, slage brugen *d*, vallebrucken *g*, slagebrucke ein *gg*, slege bruke ein *Gg*, slegbruke ein *g*. 26. dr *D*. 30. brises *G*.

248, 1. rief *G*. 5. dî *D*. porte *G*. 6. dan sceiden *D*, scheiden gar *gg*. 7. flustebæren *D*. 9. Do *Ggg*. = was *Ggg*. 11. Was *Ggg*. getopelt *Ggg*, getupelt *g*. do ern *g*. 15. = ungewent *Ggg*. 16. eren *D*, Erne *G*. het *G*. 18. vaste *D*, *fehlt Ggg*. 19. dahte *DG*. die hie *G*. for *D*. rîten *D*, riten *Gg*, súllen reiten *g*, ritent *dgg*. 20. ich wæne die *Dd* = Die wane ich *Ggg*, die wellen noch *g* hiute morgen *G*. strîten *Dg*, striten *Gg*, stritent *dgg*. 21. manliche *D*. umbe *DG*. mines wirts *G*. 22. Geruohten *Gdg*. sone *G*, son *g*. 23. ungechrenchet *Gg*. 24. Da *gg* = alda *D*, Also *d*.

ich hulfe in an der selben nôt,
daz ich gediende mîn brôt
und ouch diz wünneclîche swert,
daz mir gap ir hêrre wert.
ungedient ich daz trage.
si wænent lîhte, ich sî ein zage.'

249 Der valscheite widersaz
kêrt ûf der huofslege kraz.
sîn scheiden dan daz riwet mich.
alrêrst nu âventiurt ez sich.
do begunde krenken sich ir spor:
sich schieden die dâ riten vor.
ir slâ wart smal, diu ê was breit:
er verlôs se gar: daz was im leit.
mær vriesch dô der junge man,
dâ von er herzenôt gewan.
do erhôrte der degen ellens rîch
einer frouwen stimme jæmerlîch.
ez was dennoch von touwe naz.
vor im ûf einer linden saz
ein magt, der fuogte ir triwe nôt.
ein gebalsemt ritter tôt
lent ir zwischenn armen.
swenz niht wolt erbarmen,
der si sô sitzen sæhe,
untriwen ich im jæhe.
sîn ors dô gein ir wante
der wênic si bekante:
si was doch sîner muomen kint.
al irdisch triwe was ein wint,
wan die man an ir lîbe sach.
Parzivâl si gruozte unde sprach
'frouwe, mir ist vil leit
iwer senelîchiu arebeit.
bedurft ir mînes dienstes iht,
in iwerem dienste man mich siht.'

250 Si danct im ûz jâmers siten
und vrâgt in wanne er kœme geriten.
si sprach 'ez [ist] widerzæme
daz iemen an sich næme
sîne reise in dise waste.
unkundem gaste
mac hie wol grôzer schade geschehn.
ich hânz gehôrt und gesehn
daz hie vil liute ir lîp verlurn,
die werlîche'n tôt erkurn.
kêrt hinnen, ob ir welt genesn.
saget ê, wâ sît ir hînt gewesn?'
'dar ist ein mîle oder mêr,
daz ich gesach nie burc sô hêr
mit aller slahte rîchheit.
in kurzer wîle ich dannen reit.'
si sprach 'swer iu getrûwet iht,
den sult ir gerne triegen niht.
ir traget doch einen gastes schilt.
iuch möht des waldes hân bevilt,
von erbûwenem lande her geritn.
inre drîzec mîln wart nie versnitn
ze keinem bûwe holz noch stein:
wan ein burc diu stêt al ein.
diu ist erden wunsches rîche.
swer die suochet flîzeclîche,
leider der envint ir niht.
vil liute manz doch werben siht.
ez muoz unwizzende geschehen,
swer immer sol die burc gesehen.

25. in inder *D*. 27. daz *Gdgg*. 29. 30 *fehlen D*.

249, 1. 2. Der valscheite widr sazz. cherte *Ddg*, Sich huop der valscheit (der valsche *G*), der (des *gg*, valsches *gg*) wider satz. Vaste (*so Gg*, *fehlt gg*) *Ggg*. 4. alrest nu aventiwertez sich *D*. 9. mære *DG*. dô *fehlt Ggg*. 11. Ez *Gg*. vernam *Ggg*. = der helt *Ggg*. riche *G*. 12. iamerliche *G*. 15. vuoget *G*. 16. gebalsemet *G*, gebalsenter *g*. 17. zwischen den *alle*, zwischen ir *g*. 18. Den ez *Ggg*, Dem ez *gg*. 19. also *Ggg*. 20. iches im *G*. 24. irdesch *G*. 26. und *D*. 27. = Nu wizet (Vil selig *g*) frouwe mir ist leit *Ggg*. vil *D*, sere *d*. 28. senlichiu arbeit *D*. 29. Geruocht *G*. mins diens *D*.

250, 1. nach *Gg*. 2. Si *G*. vraget *D*, fragte *G*. wanne *gg*, wannen *D*, wanen *G*. 5. Sin *dgg*. 7. groz *G*. 8. gehoret *G*. vñ wol *D*. 10. = werliche den *Dd*. ende *Ggg*. churen *Ggg*. 11. Chert hinnen weit ir genesen *Gg*. 12. hînt *fehlt D*. 16. inre churzen *D*. zit *Ggg*. 17. der *Ggg*. getrwet *D*. 21. erbẘenem *D*, erbouweme *g*, erbuwem *d*, unerbuwenem *G*, unerbuwem *g*. 22. Inner *gg*, In *Gdgg*. milen *DG*. 23. deh. *G*. buowe *Dg*. 24. Niwan *Ggg*, Neur *g*. 25. ist in erden *G*. 27. der invint *g*, dern vindet *D*, der envindet *G*. 30. Der *G*. immer die burc sol *g*, die burch imer sol *G*, die burc sol (wil) *gg*.

251 Ich wæn, hêr, diust iu niht bekant.
Munsalvæsche ist si genant.
der bürge wirtes royâm,
Terre de Salvæsche ist sîn nam.
ez brâhte der alte Tyturel
an sînen sun. rois Frimutel,
sus hiez der werde wîgant:
manegen prîs erwarp sîn hant.
der lac von einer tjoste tôt,
als im diu minne dar gebôt.
der selbe liez vier werdiu kint.
bî rîcheit driu in jâmer sint:
der vierde hât armuot,
durch got für sünde er daz tuot.
der selbe heizet Trevrizent.
'Anfortas sîn bruoder lent:
der mac gerîten noch gegên
noch geligen noch gestên.
der ist ûf Munsalvæsche wirt:
ungenâde in niht verbirt.'
si sprach 'hêr, wært ir komen dar
zuo der jæmerlîchen schar,
sô wære dem wirte worden rât
vil kumbers den er lange hât.'
der Wâleis zer meide sprach
'grœzlîch wunder ich dâ sach,
unt manege frouwen wol getân.'
bî der stimme erkante sie den man.
Dô sprach sie 'du bist Parzivâl.
nu sage et, sæhe du den grâl
252 unt den wirt freuden lære?
lâ hœren liebiu mære.
ob wendec ist sîn freise,
wol dich der sælden reise!
wan swaz die lüfte hânt beslagen,
dar ob muostu hœhe tragen:
dir dienet zam unde wilt,
ze rîcheit ist dir wunsch gezilt.'
Parzivâl der wîgant
sprach 'wâ von habt ir mich erkant?'
si sprach 'dâ bin ichz diu magt
diu dir ê kumber hât geklagt,
und diu dir sagte dînen namn.
dune darft dich niht der sippe schamn,
daz dîn muoter ist mîn muome.
wîplîcher kiusche ein bluome
ist si, geliutert âne tou.
got lôn dir daz dich dô sô rou
mîn friwent, der mir zer tjost lac tôt.
ich hânn alhie. nu prüeve nôt
die mir got hât an im gegebn,
daz er niht langer solde lebn.
er pflac manlîcher güete
sîn sterben mich dô müete:
och hân ich sît von tage ze tage
fürbaz erkennet niwe klage.'
'ôwê war kom dîn rôter munt?
bistuz Sigûne, diu mir kunt
tet wer ich was, ân allen vâr?
dîn reideleht lanc prûnez hâr,
253 Des ist dîn houbet blôz getân.
zem fôrest in Brizljân
sah ich dich dô vil minneclîch,
swie du wærest jâmers rîch.

251, 1. Ich wæne herre *Dgg*, Ich wane *Gdg*, Herre *g*, Sy sprach *g*. diu ist *alle. nur G* sist. iu unbechant *Ggg*. 2. Monsalvasch *d*, Montsalvatsche *g*, Muntschalfatsch *G*, salvæsce *mit* æ *pflegt nur D zu setzen*. 3. burgare *G*, burger *g*. wirtes *Dd*, wirt ist *gg*, wirt was *G*, wirt *g*. roian *G*. 4. Derdeschalvatsche was *G*, Der de salvatsche was *gg*. 5. Daz *Ggg*. 6. rois *fehlt g und ist in G von der ersten hand nachgetragen*, der kunec *D*. 7. sus *fehlt Ggg*. 8. = Vil mangen *Ggg*. 9. an *Ggg*. 10. ein chungin dar *g*, ein chungin *Gg*. 11. lie *G*. fier *D*. 12. dri *G*. mit *Ggg*. 13. hat *Dd*, der hat *gg*, lidet *Gg*. 15. = Der ist geheizen *Ggg*. trevrezent *Ggg*. 17. nemach *Ggg*. 19. muntsalvatsch *G*. 20. ungenande? *s.* 240, 8. 21. si sprach *fehlt Gg*. herre *DG*, *fehlt g*. wart *Gg*, wert *g*, wæret *D*. 24. chumberz *D*. 25. zuo der *D*. 26. Groziu *Gg*, Groz *dgg*. 29. Si sprach *Ggg*. du bist ez *gg*, bistuz *G*. 30. et *Dd* = *fehlt Ggg*, an *gg*, a (*ohne* nu) *g*.

252, 3. = si sin *Ggg*. 6. chrone *Gg*. 7. dient *DG*. 8. Gein *Ggg*. rihtuem *g*, riche *g*, reichen *dg*, raichen *g*. 10. bechant *G*. 11. Si iach im *gg*. iz *g*. 12. hât *fehlt D*. 13. und *fehlt G*. 18. lon *g*, lone *DG*. dô *fehlt Ggg*. 20. Den han ich *G*. hânn] han *gg*, han in *Ddgg*. al *Dgg*, *fehlt Gdgg*. 23. erchenne *D*, erchant *G*. 30. reideloht *Gg*. reideloch *g*.

253, 1. Dest din *g*. 2. In dem *Gg*. voreis *G*, forst *gg*, vorecht *g*. Prizlian *D*, prezilian *g*, brizilan *G*, bricilan *d*, brizilian *g*, brezzilian *g*, Breziliam *g*, Brecilian *g*. 4. warst *G*.

du hâst verlorn varw unde kraft.
dîner herten gesellescaft
verdrüzze mich, solt ich die haben:
wir sulen disen tôten man begraben.'
dô natzten d'ougen ir die wât.
ouch was froun Lûneten rât
ninder dâ bî ir gewesen.
diu riet ir frouwen 'lat genesen
disen man, der den iweren sluoc:
er mag ergetzen iuch genuoc.'
Sigûne gerte ergetzens niht,
als wîp die man bî wanke siht,
manege, der ich wil gedagn.
hœrt mêr Sigûnen triwe sagn.
diu sprach 'sol mich iht gevröun,
daz tuot ein dinc, ob in sîn töun
læzet, den vil trûrgen man.
schiede du helflîche dan,
sô ist dîn lîp wol prîses wert.
du füerst och umbe dich sîn swert:
bekennestu des swertes segen,
du maht ân angest strîtes pflegen.
Sîn ecke ligent im rehte:
von edelem geslehte
worhtez Trebuchetes hant.
ein brunne stêt pî Karnant,
254 dar nâch der künec heizet Lac.
daz swert gestêt ganz einen slac,
am andern ez zevellet gar:
wilt duz dan wider bringen dar,
ez wirt ganz von des wazzers trân.
du muost des urspringes hân,
underm velse, ê in beschin der tac.
der selbe brunne heizet Lac.
sint diu stücke niht verrêrt,
der se reht zein ander kêrt,
sô se der brunne machet naz,
ganz unde sterker baz
wirt im valz und ecke sîn
und vliesent niht diu mâl ir schîn.
daz swert bedarf wol segens wort:
ich fürht diu habestu lâzen dort:
hâts aber dîn munt gelernet,
sô wehset unde kernet
immer sælden kraft bî dir:
lieber neve, geloube mir,
sô muoz gar dienen dîner hant
swaz dîn lîp dâ wunders vant:
ouch mahtu tragen schône
immer sælden krône
hôhe ob den werden:
den wunsch ûf der erden
hâstu volleclîche:
niemen ist sô rîche,
der gein dir koste mege hân,
hâstu vrâge ir reht getân.'
255 Er sprach 'ich hân gevrâget niht.
'ôwê daz iuch mîn ouge siht,'
sprach diu jâmerbæriu magt,
'sît ir vrâgens sît verzagt!
ir sâhet doch sölch wunder grôz:
daz iuch vrâgens dô verdrôz!
aldâ ir wârt dem grâle bî;
manege frouwen valsches vrî,
die werden Garschiloyen
und Repans de schoyen,

5. varwe *alle*. 6. dirre herten selleschaft? 7. di *Dd* = si *Ggg*. 8. den *Ggg*. dîn? 9. nazzeten *D*, naztan *g*. diu *alle*, *fehlt g*. ir diu ougen *G*. ir wat *Gg*. 10. fron *G*. Lunetten *D*. 12. Diu riet frouwe *G*. 13. der iu den iwern *Gg*. 15. Sine gerte *Gg*. 17. Manger der *Ggg*. 18. von sigunen triwe *oder* triwen *gg*, von sigunen *G*. 19. Si *alle aufser D*. gevroun-toun *D*, gefrouwen-touwen *G*. 20. = Daz ist *Ggg*. op sin *Gg*. 21. Lat *Gg*. der *G*. trurigen *Dgg*, truwen *d*, getrúwen *g*, getriwe *G*. 22. helfechliche *Gg*. 25. = Hastu gelernt *Ggg*. 28. geslæhte *D*, geslahte *G*.

254, 2. = bestet *Ggg*. 3. An dem anderm *g*. zerv. *G*. 4. wil duz *DG*. dane *G*, denne *D*. wider *fehlt Gdg*. 5. von dem *G*. 7. underem *D*, Under dem *G*. e ez *Ggg*. beschin *dgg*, bescine *D*, beschine *G*. 8. brunne *fehlt D*. 10. rehte *DG*. 14. verliesent diu mal niht *G*. 16. furhte *DG*. die hastu *D*. 17. Hatse aver *G*. muot *D*. 18. so wechset *D*, Gewurzet (*durchstrichen*, *verbessert* So wahset) *G*. chernt *g*, gechernet *G*, gernet *D*, gernt *g*, geeret *g*, bernt *g*, vernet *g*, schermet *g*. 19. an dir *Ggg*. 23. So *Ggg*. machtu *D*. 24. In zwein (*unterstrichen*) îmer der sælden chrone *G*, der *haben auch dgg*. 27. gewaltchliche *G*. 29. muge *alle aufser D*.

255, 3. iamerbæriu *D*, iamerbere *gg*, iamerbernde *G*, iamerlichen *g*, iæmerliche *dgg*. 4. Daz *Ggg*. 6. da *Gg*. 7. al *fehlt Ggg*. Do *G*. wart *g*, waret *DG*. 9. 10 *fehlen G*. 10. Repanse *D*, repansen *d* = urrepans *gg*, urrepansen *g*. adeschoyen *g*.

und snîdnde silbr und bluotec sper.
ôwê waz wolt ir zuo mir her?
gunêrter lîp, verfluochet man!
ir truogt den eiterwolves zan,
dâ diu galle in der triuwe
an iu bekleip sô niuwe.
iuch solt iur wirt erbarmet hân,
an dem got wunder hât getân,
und het gevrâget sîner nôt.
ir lebt, und sît an sælden tôt.'
dô sprach er 'libiu niftel mîn,
tuo bezzeren willen gein mir schîn.
ich wandel, hân ich iht getân.'
'ir sult wandels sîn erlân,'
sprach diu maget. 'mirst wol bekant,
ze Munsalvæsche an iu verswant
êre und rîterlîcher prîs.
iren vindet nu decheinen wîs
decheine geinrede an mir.'
Parzivâl sus schiet von ir.

256 Daz er vrâgens was sô laz,
do'r bî dem trûregen wirte saz,
daz rou dô grœzlîche
den helt ellens rîche.
durch klage und durch den tac sô heiz
begunde netzen in der sweiz.
durch den luft von im er bant
den helm und fuort in in der hant.
er entstricte die vinteilen sîn:
durch îsers râm was lieht sîn schîn.
er kom ûf eine niwe slâ.
wandez gienc vor im aldâ
ein ors daz was wol beslagen,
und ein barfuoz pfäret daz muose tragen
eine frouwen die er sach.
nâch der ze rîten im geschach.
ir pfärt gein kumber was verselt:
man het im wol durch hût gezelt
elliu sîniu rippe gar.
als ein harm ez was gevar.
ein bästîn halfter lac dar an.
unz ûf den huof swanc im diu man.
sîn ougen tief, die gruoben wît.
ouch was der frouwen runzît
vertwâlet unde vertrecket,
durch hunger dicke erwecket.
ez was dürre als ein zunder.
sîn gên daz was wunder:
wandez reit ein frouwe wert,
diu selten kunrierte pfert.

257 Dâ lac ûf ein gereite,
smal ân alle breite,
geschelle und bogen verrêret,
grôz zadel dran gemêret.
der frouwen trûrec, niht ze geil,
ir surzengel was ein seil:
dem was sie doch ze wol geborn.
ouch heten die este und etslich dorn
ir hemde zerfüeret:
swa'z mit zerren was gerüeret,
dâ saher vil der stricke:
dar unde liehte blicke,
ir hût noch wîzer denn ein swan.
sîne fuorte niht wan knoden an:
swâ die wârn des velles dach,
in blanker varwe er daz sach:
daz ander leit von sunnen nôt.
swiez ie kom, ir munt was rôt:
der muose alsölhe varwe tragen,
man hete fiwer wol drûz geslagen.

11. *das erste* und *fehlt G und (nebst dem zweiten) g.* snidende *D*, sniden *G*, snidic *gg*. silber *alle*. 13. Geunert *Gg*. verfluocht *G*, verfluhter *dgg*. 14. truoget *D*, traget *Ggg*. 15. bi *G*. 16. beleip *Ggg*. 17. iwer *DG*. 23. = Ich wandelz *Ggg*. 26. Zemuntsalvatsche *G*. 28. Ir *Gdgg*. nu *Ddg*, eu *g*, mer *gg*, nimer *G*, niht mer *g*. deheine *Gdgg*. gwîs *D*. 29. gagen rede *G*. 30. do *Ggg*.

256, 1. vas so *D*. 2. daz er bi *D*. turigem *D*. 5. Dur-dur *G*. 7. Dur *G*. er von im *Ggg*. 8. furten in der *D*. 9. Ernstriht *g*. vinteilen *Gg*, finteiln *g*, phintalien *g*, fantailen *dg*, fintalen *D*, vintelen *g*. 12. gienc *fehlt G*. 14. parfuoz *Ddg*. pharit *G*, pferht *g*. daz *fehlt D*. 17. = Daz *Ggg*. pherit *G*. 18. wol *fehlt Gdg*. dur die *Gdgg*. 21. bastin *G*. dar ane-mane *G*. 22. die húf *dg*. 25. Vertwalt *G*.

257, 1. uffe *G*. 2. bereite *G*. 3. 4. verreret-gemeret *alle*, *nur D* verrertgemert, *G* verret-gecheret. 6. surzingel *gg*. 10. Swaz *g*, swa daz *D*, Swa ez *die übrigen*. zerrene *G*. 11. Da sach ouch er vil ditche *G*. 12. Dar under *G*. 14. hete *D*. hadern *g*, knöpffe *g*. swane-ane *G*. 18. ie *Ggg*, ir *D*, echt *g*, *fehlt d*. 20. Wan *g*. = hets *G*, het daz *gg*, hiet daz *g*.

swâ man se wolt an rîten,
daz was zer blôzen sîten:
[nantes iemen vilân,
der het ir unreht getân:]
wan si hete wênc an ir.
durch iwer zuht geloubet mir,
si truoc ungedienten haz:
wîplîcher güete se nie vergaz.
ich saget iu vil armuot:
war zuo? diz ist als guot.
doch næme ich sǫlhen blôzen lîp
für etslîch wol gekleidet wîp.

258 Dô Parzivâl gruoz gein ir sprach,
an in si erkenneclîchen sach.
er was der schönste übr elliu lant;
dâ von sin schiere het erkant.
si sagete 'ich hân iuch ê gesehn.
dâ von ist leide mir geschehn:
doch müez iu freude unt êre
got immer geben mêre
denn ir um mich gedienet hât.
des ist nu ermer mîn wât
denn ir si jungest sâhet.
wært ir niht genâhet
mir an der selben zît,
sô het ich êre âne strît.'
dô sprach er 'frouwe, merket baz,
gein wem ir kêret iwern haz.
jane wart von mîme lîbe
iu noch decheinem wîbe
laster nie gemêret
(sô het ich mich gunêret)
sît ich den schilt von êrst gewan
und rîters fuore mich versan.
mirst ander iwer kumber leit.'
al weinde diu frouwe reit,
daz si begôz ir brüstelîn,
als sie gedræt solden sîn.
diu stuonden blanc hôch sinewel:
jane wart nie dræhsel sô snel
der si gedræt hete baz.
swie minneclîch diu frouwe saz,

259 si muose in doch erbarmen.
mit henden und mit armen
begunde si sich decken
vor Parzivâl dem recken.
Dô sprach er 'frouwe, nemt durch got
ûf rehten dienst sunder spot
an iwern lîp mîn kursît.'
'hêrre, wær daẓ âne strît
daz al mîn freude læge dran,
so getörst ichz doch niht grîfen an.
welt ir uns tœtens machen vrî,
sô rîtet daz i'u verre sî.
doch klagte ich wênec mînen tôt,
wan daz ich fürhte ir komts in nôt.'
'frouwe, wer næm uns ez lebn?
daz hât uns gotes kraft gegebn:
ob des gerte ein ganzez her,
man sæhe mich für uns ze wer.'
si sprach 'es gert ein werder degen:
der hât sich strîtes sô bewegen,
iwer sehsę kœmns in arbeit.
mirst iwer rîten bî mir leit.
ich was etswenne sîn wîp:
nune möhte mîn vertwâlet lîp
des heldes dierne niht gesîn:
sus tuot er gein mir zürnen schîn.'
dô sprach er zuo der frouwen sân
'wer ist hie mit iwerem man?
wan flühe ich nu durch iwern rât,
daz diuht iuch lîhte ein missetât.

23. vil an *Gg*. 25. Wande si het wenc an ir *g*. lutzl *gg*. 27. trug *D*. 28. si *DG*. 29. sagte *G*. iu *fehlt Ggg*. vil *Dg*, vil ir *Ggg*, vil von *d*. 32. gechleit *D*, gekleitz *g*, gevazt *g*.

258, 1. gesprach *G*. 3. uber *alle*. 5. sprach *alle außer D*. 10. = Ez *Ggg*. 11. nahest *G*. 12. 13. ir mir—Do *Gg*, ir mir—Mir *g*. 15. merket baz *dgg*, merchet daz *D*, wizet daz *Ggg*, wiszent basz *g*. 21. Sin ich *G*. 24. wiende *G*, weinende *D*, weinunde *g*. 27. hoch blanch *G*, blanc ioch *g*. sinwel *D*. 28. dræchsel *D*, drahsel *Gg*.

259; 5. dur *G*. 7. iuren *g*. 10. Sone *G*. nemen *G*, legen *g*. 11. tœtens machen *D*, todes machen *g*, machen todes *die übrigen*. 12. rit *g*. i'u] ich *g*, ich iu *die übrigen*. 13. min not *Dg*, *und* 14 ir chiest den tot *D*, euweren tot *g*. 14. chomts *Ggg*, komet sin *g*, komt *dg*. 15. Do sprach er *Ddgg*, Er sprach *g*, *fehlt G*. nem *gg*, næme *DG*. uns ez] unsz *D*, uns *g*, uns daz *gg*, unser *dg*, uns unser *G*. 21. chomens *G*, chœmense *D*. 24. nu *D*. vertwalt *Gg*, vertwalter *gg*, vertailet *g*. 25. dierne] dieren *D*, dirne *Gdgg*, dirn *gg*. 28. zorns *Ggg*. 29. Wan *fehlt Gg*. 30. duht *G*, diuhte *D*. ein *fehlt Gg*.

260 swenne ich fliehen lerne,
sô stirb ich als gerne.'
Dô sprach diu blôze herzogîn
'er hât hie niemen denne mîn.
der trôst ist kranc gein strîtes sige.'
niht wan knoden und der rige
was an der frouwen hemde ganz.
wîplîcher kiusche lobes kranz
truoc si mit armüete:
si pflac der wâren güete
sô daz der valsch an ir verswant.
die finteiln er für sich pant,
gein strîter wolde füeren
den helm er mit den snüeren
eben ze sehne ructe.
innen des daz ors sich pucte,
gein dem pfärde ez schrîen niht vermeit.
der vor Parzivâl dâ reit
und vor der blôzen frouwen,
der erhôrtz und wolde schouwen
wer bî sîme wîbe rite.
daz ors warf er mit zornes site
vaste ûz dem stîge.
gein strîteclîchem wîge
hielt der herzoge Orilus
gereit zeiner tjost alsus,
mit rehter manlîcher ger,
von Gaheviez mit eime sper:
daz was gevärwet genuoc,
reht als er sîniu wâpen truoc.

261 Sînen helm worhte Trebuchet.
sîn schilt was ze Dôlet
in Kailetes lande
geworht dem wîgande:
rant und buckel heten kraft.
zAlexandrîe in heidenschaft
was geworht ein pfellel guot,
des der fürste hôch gemuot
truoc kursît und wâpenroc.
sîn decke was ze Tenabroc
geworht ûz ringen herte:
sîn stolzheit in lêrte,
der îserînen decke dach
was ein pfellel, des man jach
daz der tiwer wære.
rîch und doch niht swære
sîne hosen, halsperc, hersnier:
und in îserîniu schillier
was gewâpent dirre küene man,
geworht ze Bêâlzenân
in der houbetstat zAnschouwe.
disiu blôziu frouwe
fuort im ungelîchiu kleit,
diu dâ sô trûric nâh im reit:
dane hete sis niht bezzer state.
ze Sessûn was geslagen sîn plate;
sîn ors von Brumbâne
de Salvâsche ah muntâne:
mit einer tjost rois Lähelîn
bejagetez dâ, der bruoder sîn.

262 Parzivâl was ouch bereit:
sîn ors mit walap er reit
gein Orilus de Lalander.
ûf des schilde vander
einen trachen als er lebte.
ein ander trache strebte
ûf sîme helme gebunden;
an den selben stunden

260, 1. swenne *D*, Swene *G*, Wan swenn *gg*, Wenne wo *d*. 4. niemens dane *Ggg*, nieman wan *gg*. 6. Niwan *Gg*. unz der *g*, unde an der *G*. 12. finteiln *g*, finteilen *g*, phinteilen *Gg*, fantailen *dg*, fintalen *D*, vintelen *g*. 13. er in *g*. rueren *d*. 14. 15. = Er *vor* eben *Ggg*. 15. ebene *DG*. zesehenne *G*. 17. = Mit *Ggg*. pharde *G*. 18. Der da *G*. Parzivale *DGg*. dâ *fehlt Gg*. 20. erhortez *Dd* = hort ez *gg*, horte *Ggg*. wolt *G*. 22. zorns *DG*. 24. stritchlichen *G*. 25. orillus *G*. 26. Gereht *G*, Bereit *g*. tioste sus *Ggg*. 27. manlichen *G*. 28. kahviez *G*. 29. gevarwet *G*.

261, 1. Trebuchét *D*. 2. Dolêt *D*. 7. phelle *Ggg*. 10. zetenebroch *alle außer D*. 14. phelle *Gg*. 17. harsenier *G*. 18. in *fehlt Gg*, ein yseneyn *g*. iseniniu *G*. scillîer *D*, tschillier *gg*, tschilier *G*, schinnelier *d*. 19. guote *Gg*. 20. beazenan *g*, belzenan *g*, bealzedan *G*. 22. bloze *G*. 23. Truoch *Ggg*. 24. vor im *G*. 25. hete et sis *G*. stat *G*. 26. Zesesune *G*. blate *Dgg*. 27. brunbanige *G*. 28. Desalvasche an *d*, Des salvatsche ah *G*, Der sevatsche *g*, Dehsenahtse ab *g*, Zu salvatsche eh *g*, Lechsa wachtse a *g*, zer wilden *D*. muntanige *G*, montanie *gg*. 29. tioste *G*. rois *fehlt G*, der kunec *D*. 30. Beiagte da *G*.

262, 2. Daz *Ggg*, Ditze *g*. von rabine *G*. 3. Orilus *D*, orillus *G*. 7. Uf sinen helm *Gg*. 8. nâch den selben stuonden?

manec guldîn trache kleine
(mit mangem edelen steine
muosen die gehêret sîn:
ir ougen wâren rubîn)
ûf der decke und ame kursît.
dâ wart genomn der poynder wît
von den zwein helden unverzagt.
newederhalp wart widersagt:
si wârn doch ledec ir triuwe.
trunzûne starc al niuwe
von in wæten gein den lüften.
ich wolde mich des güften,
het ich ein sölhe tjost gesehen
als mir diz mære hât verjehen.
dâ wart von rabbîne geriten,
ein sölch tjoste niht vermiten:
froun Jeschûten muot verjach,
schœner tjost si nie gesach.
diu hielt dâ, want ir hende.
si freuden ellende
gunde enwederm helde schaden.
diu ors in sweize muosen baden.

263 Prîss si bêde gerten.
die blicke von den swerten,
und fiwer daz von helmen spranc,
und manec ellenthafter swanc,
die begunden verre glesten.
wan dâ wâren strîts die besten
mit hurte an ein ander kumen,
ez gê ze schaden odr ze frumen
den küenen helden mæren.
swie willec d'ors in wæren,
dâ sî bêde ûf sâzen,
der sporn si niht vergâzen,
noch ir swerte lieht gemâl.
prîs gedient hie Parzivâl,
daz er sich alsus weren kan
wol hundert trachn und eines man.
ein trache wart versêret,
sîne wunden gemêret,
der ûf Orilus helme lac.
sô durchliuhtec daz der tac
vollecliche durch in schein,
wart drab geslagen manc edel stein.
daz ergienc zorse und niht ze fuoz.
froun Jeschûten wart der gruoz
mit swertes schimphe aldâ bejagt,
mit heldes handen unverzagt.
mit hurt si dicke ein ander schuben,
daz die ringe von den knien zestuben,
swie si wæren îserîn.
ruocht irs, si tâten strîtes schîn.

264 Ich wil iu sagen des einen zorn.
daz sîn wîp wol geborn
dâ vor was genôtzogt:
er was iedoch ir rehter vogt,
sô daz si schermes wart an in.
er wânde, ir wîplîcher sin
wær gein im verkêret,
unt daz si gunêret
het ir kiusche unde ir prîs
mit einem andern âmîs.
des lasters nam er pflihte.
ouch ergienc sîn gerihte
über si, daz grœzer nôt
wîp nie gedolte âne tôt,
unde ân alle ir schulde.
er möht ir sîne hulde
versagen, swenner wolde:
nieman daz wenden solde,
ob [der] man des wîbes hât gewalt.
Parzivâl der degen balt

11. Die muosen wol *Ggg*. gehert *DG*. 13. uf dem cursit *Gg*. 16. Newed. *DG*, Entwed. *g*, Dewed. *gg*, Dwed. *g*, Da wed. *g*, Ietwed. *d*. 18. stach *D*. 21. eine *DG*. 22. marere (*für* mære ir?) hat vergiehen *G*. 25. munt *g*. 26. Daz si nie schoner tiost gesach *Gg*. 27. da unt want *gg*, und wand *g*, da bar *g*. 29. Engunde *dg*. enwederm *Dg*, dewedrem *g*, dewerem *G*, twederm *gg*, yetwederem *d*. riter *Gg*.

263, 1. Brises *G*. 3. Unde daz viur *Gg*. daz *fehlt Gg*. uz *Gg*. sprach *G*. 7. chomen *G*. 10. willch diu ors *G*. 11. uffe *G*. 13. = Unt *Ggg*. 14. gedient hie *dgg*, gediende hie *g*, gediende *Dg*, begie hie *Gg*. 16. trachen *oder* tracken *alle*. eins *D*. 19. uffe orillus *G*. 22. Drabe wart *Ggg*. edel *fehlt dgg*. 23. Ditze ergie *Ggg*. und *fehlt dgg*. 24. Fron *G*. 26. Von *gg*. 27. hurte *DG*. an einander schuben *g*, zein andr (zeiner *G*) flugen *die übrigen*. 28. vor *Ggg*. 30. Ruocht *G*, Ruohte *g*, ruochet *D*.

264, 1. Ich sag iu des *D*. zoren-wolgeboren *G*. 12. Doch *Ggg*, Do *g*. ergie *DGg*. 14. Nie wip *Gdgg*. gedolte *D*, gedulte *d*, erdolte *g*, erleit *Ggg*, der leit *g*. = an (ane *G*) den tot *Ggg*. 16. Ern *g*. 18. Niemen *G*, niemn *D*. 19. der *Ddg*, *fehlt Ggg*, ein *g*. het *gg*, habe *Gg*.

Oriluses hulde gerte
froun Jeschûten mit dem swerte.
des hôrt ich ie güetlîche bitn:
ez kom dâ gar von smeiches sitn.
mich dunket si hân bêde reht.
der beidiu krump unde sleht
geschuof, künner scheiden,
sô wender daz an beiden,
deiz âne sterben dâ ergê.
si tuont doch sus ein ander wê.

265 Da ergienc diu scharpfe herte.
iewederr vaste werte
sînen prîs vor dem ander.
duc Orilus de Lalander
streit nâch sîme gelêrten site.
ich wæne ie man sô vil gestrite.
er hete kunst unde kraft:
des wart er dicke sigehaft
an maneger stat, swiez dâ ergienc.
durch den trôst zuo zim er vienc
den jungen starken Parzivâl.
der begreif ouch in dô sunder twâl
unt zucte in ûz dem satel sîn:
als ein garbe häberîn
vastern under de arme swanc:
mit im er von dem orse spranc,
und druct in über einen ronen.
dâ muose schumpfentiure wonen
der sölher nôt niht was gewent.
'du garnest daz sich hât versent
disiu frouwe von dîm zorne.
nu bistu der verlorne,
dune lâzest sî dîn hulde hân.'
'daz enwirt sô gâhes niht getân'
sprach der herzoge Orilus:
'ich pin noch niht bedwungen sus.'
Parzivâl der werde degen
druct in an sich, daz bluotes regen
spranc durch die barbiere.
dâ wart der fürste schiere

266 bedwungen swes man an in warp.
er tet als der ungerne starp.
Er sprach ze Parzivâle sân
'ôwê küene starker man,
wa gedient ich ie dise nôt
daz ich vor dir sol ligen tôt?'
'jâ lâze ich dich vil gerne lebn'
sprach Parzivâl, 'ob tu wilt gebn
dirre frouwen dîne hulde.'
'ich entuons niht: ir schulde
ist gein mir ze grœzlîch.
si was werdekeite rîch:
die hât si gar verkrenket
und mich in nôt gesenket.
ich leiste anders swes du gerst,
op du mich des lebens werst.
daz het ich etswenn von gote:
nu ist dîn hant des worden bote
daz ichs danke dîme prîse.'
sus sprach der fürste wîse.
'mîn leben kouf ich schône.
in zwein landen krône
treit gewaldeclîche
mîn bruoder, der ist rîche:
der nim dir swederz du wellest
daz du mich tôt niht vellest.
ich pin im liep, er lœset mich
als ich gedinge wider dich.

21. Oriluses *d*, Orillus *Gg*, Ôrilus *Dgg*. 23. guotlichen *G*. 24. ez chom *D*. da *Ddgg*, doch *g*, hie *G*. uz *g*. smeiches *Gg*, smeichens *gg*, swachen *g*, smehen *g* = scimpfes *Dd*. 25. duncht *g*. han *Gg*, habn *Dg*, haben *gg*, habent *d*, haten *g*. 28. wender *gg*, wendr *D* wende er *dg*, went er *g*, wende *G*, wendet *g*.

265, 1. = ergie *Ggg*. scherphe *G*. 2. ietwedere *G*. 4. duc] Auch *g*, Untze (*für* Cuns) *d*, der herzoge *D*, *fehlt den übrigen*. 6. so wol *Ggg*. 12. ouch in diu *Gg*, ouch do *D*, ouch in *gg*, in ouch *dg*. 13. zuchten *D*. 14. eine *Dg*. garben *D*. hæbrin *D*, haberin *G*. 15. Vast ern *gg*, Vaster in *G*, vast er in *D*. undr di *D*, under die *G*, den arm *gg*. 16. von dem orse er *G*. 17. druchten *D*. eine *G*, ein *gg*. 18. Do *Gg*. muoser *Ggg*. 19. = nœte *Dd*. 21. dime *D*, dinem *G*. 22. Des bistu *Gg*, Nu bistuz *gg*. 23. din *gg*, dine *DGgg*, die *d*, dan *g*. 24. Desn wirt *g*. newirt *G*. so schiere *Ggg*. 26. Ichne bin *G*. doch *Ggg*. unbetwngen *D*. 28. Druct in *gg*, Druht in *g*, druchten *D*. Druchte in daz der bluotes regen *G*. 30. Do *Gg*.

266, 1. betwngen *D*. an im *D*. 2. als *Ggg*, alsam *d*, so *D*. 3. zebarzivale *G*. 4. chuone *Ggg*, kuen *g*, chuoner *dgg*, iunch *D*. 5. Wan (*ohne* ie) *g*. 6. von *Gg*. 7. = Ich laze dich *Ggg*. 8. obe du wil *G*. 10. Ich tuon sin niht *Ggg*. 11. alze *G*, als *g*, so *d*. 13. verchrencht *G*. 17. etswenne *DG*. 20. Do *Ggg*, So *g*, Also *g*.

Dar zuo nim ich mîn herzentuom
von dir. dîn prîslîcher ruom
267 hât werdekeit an mir bezalt.
nu erlâz mich, küener degen balt,
suone gein disem wîbe,
und gebiut mîme lîbe
anders swaz dîn êre sîn.
gein der gunêrten herzogîn
mag ich suone gepflegen niht,
swaz halt anders mir geschiht.'
Parzivâl der hôch gemuot
sprach 'liute, lant, noch varnde guot,
der decheinez mac gehelfen dir,
dune tuost des sicherheit gein mir,
daz du gein Bertâne varst,
unt die reise niht langer sparst,
zeiner magt, die blou durch mich
ein man, gein dem ist mîn gerich
âne ir bete niht verkorn.
du solt der meide wol geborn
sichern und mîn dienest sagen:
oder wirt alhie erslagen.
sage Artûse und dem wîbe sîn,
in beiden, von mir dienest mîn,
daz si mîn dienst sus letzen,
[und] die magt ir slege ergetzen.
dar zuo wil ich schouwen
in dînen hulden dise frouwen
mit suone âne vâre:
ode du muost ein bâre
tôt hinnen rîten,
wiltu michs widerstrîten.
268 Merc diu wort, unt wis der werke ein wer:
des gib mir sicherheit alher.'
dô sprach der herzoge Orilus
zem künege Parzivâl alsus.
'mac niemen dâ für niht gegebn,
sô leist ichz: wande ich wil noch lebn.'
durch die vorhte von ir man
frou Jeschût diu wol getân
strîtscheidens gar verzagte:
ir vîndes nôt si klagte.
Parzivâl in ûf verliez
do'r froun Jeschûten suone gehiez.
der betwungene fürste sprach
'frowe, sît diz durch iuch geschach,
in strît diu schumpfentiure mîn,
wol her, ir sult geküsset sîn.
ich hân vil prîss durch iuch verlorn:
waz denne? ez ist doch verkorn.'
diu frouwe mit ir blôzem vel
was zem sprunge harte snel
von dem pfärde ûf den wasen.
swie dez pluot von der nasen
den munt im hete gemachet rôt,
si kust in dô er kus gebôt.
dâ wart niht langer dô gebitn,
si bêde und ouch diu frouwe ritn
für ein klôsen in eins velses want.
eine kefsen Parzivâl dâ vant:
ein gemâlet sper derbî dâ lent.
der einsidel hiez Trevrizent.
269 Parzivâl dô mit triwen fuor:
er nam daz heiltuom, drûf er swuor.
sus stabter selbe sînen eit.
er sprach 'hân ich werdekeit:

29. ich *fehlt* *Ggg*, ouch *d*. herzogntuom *g*. 30. Von mir *Gg*.

267, 1. an mir werdcheit *Gdgg*. 2. erlaze *D*, erla *Ggg*. 3. Suon *g*. 4. und *fehlt* *Ggg*. gebiute *D*, gebúte du *d*. 7. gepflegen suone *dgg*. 11. deheinz *G*. 14. iht? 15. = Gein einer meide die *Ggg*. 20. wirt *g*, wirde *D*, wurde aber du *d*, du wirst *Ggg*. 22. In *fehlt* *gg*, Den *d*. Beiden sampt den dienst min *g*. den *vor* dienst *alle außer* *DG*. 23. min *DG*, mir *g*, minen *die übrigen*. so *gg*, sol *Gg*. 24. und *fehlt* *Ggg*. 25. beschouwen *Ggg*. 28. Ode *G*, odr *D*. ein *dgg*, eine *DGg*. 29. Toter *Gg*. 30. Wil du miches *G*.

268, 1. Merch *g*, Merche *DG*. 2. gip *G*. 4. Gein dem *Gg*. parzivale sus *Ggg*. 7. die *fehlt* *Ggg*. 8. Fro *G*. Jescute *D*, ieschute *G*, *immer*. = diu *fehlt* *Ggg*. 9. Ir schæidens *gg*, Ir friundes *G*. 12. Dor *G*, Do er *gg*, Da er *gg* = der *Dd*. suon *dgg*, hulde *Gg*. 13. betwungen *dgg*, betwungenne *G*. 15. strîte *DG*. 18. iedoch *Ggg*. 19. blozzen *dgg*. 21. pharde *G*. 22. 23. im *nach* bluot *G*. 22. vor *G*. 23. het *G*, hiet *g*. 25. Ez *Ggg*. lenger *Ggg*. 27. Fúr ein *d*, für eine *D* = Zeiner *Ggg*. 29. gemalt *DG*, gemaltez *g*. da lent *DGdgg*, lent *gg*, gelent? 30. hiez] der hiez *D*. trevrezent *g*, Treverzzent *g*, treverezent *G*.

269, 1. dô *fehlt* *Ggg*. 2. Er nam die chesse dar uffer swuor *G*. heiltuom *dgg*, hailctuem *g*, heilichtum *D*. 4. Er sprach herre han *Gg*.

ich hab se odr enhab ir niht,
swer mich pîme schilde siht,
der prüevet mich gein rîterschaft.
des namen ordenlîchiu kraft,
als uns des schildes ambet sagt,
hât dicke hôhen prîs bejagt:
ez ist ouch noch ein hôher name.
mîn lîp gein werltlîcher schame
immer sî gewenket
und al mîn prîs verkrenket.
dirre worte sî mit werken pfant
mîn gelücke vor der hœhsten hant:
ich hânz dâ für, die treit got.
nu müeze ich flüsteclîchen spot
ze bêden lîben immer hân
von sîner kraft, ob missetân
disiu frouwe habe, dô diz geschach
daz i'r fürspan von ir brach.
och fuort ich mêr goldes dan.
ich was ein tôre und niht ein man,
gewahsen niht pî witzen.
vil weinens, dâ bî switzen
mit jâmer dolte vil ir lîp.
sist benamn ein unschuldic wîp.
dâne scheide ich ûz niht mêre:
des sî pfant mîn sælde und êre.
270 Ruocht irs, si sol unschuldec sîn.
sêt, gebt ir widr ir vingerlîn.
ir fürspan wart sô vertân
daz es mîn tôrheit danc sol hân.'
die gâbe enpfienc der degen guot.
dô streich er von dem munde'z pluot
und kuste sînes herzen trût.
ouch wart verdact ir blôziu hût.
Orilus der fürste erkant
stiez dez vingerl wider an ir hant,
und gap ir an sîn kursît:
die was von rîchem pfelle, wît,
mit heldes hant zerhouwen.
ich hân doch selten frouwen
wâpenroc an gesehen tragn,
die wære in strîte alsus zerslagn:
von ir krîe wart ouch nie turnei
gesamliert noch sper enzwei
gestochen, swâ daz solde sîn.
der guote knappe und Lämbekîn
die tjost zesamne trüegen baz.
sus wart diu frouwe trûrens laz.
dô sprach der fürste Orilus
aber ze Parzivâle alsus.
'helt, dîn unbetwungen eit
gît mir grôz liep und krankez leit.
ich hân schumpfentiure gedolt,
diu mir freude hât erholt.
jâ mac mit êren nu mîn lîp
ergetzen diz werde wîp,
271 Daz ich se hulde mîn verstiez.
dô ich die süezen eine liez
waz mohte si, swaz ir geschach?
dô se aber von dîner schœne sprach,
ich wând dâ wære ein friuntschaft bî.
nu lôn dir got, sist valsches vrî.
ich hân unfuoge an ir getân.
fürz fôrest in Brizljân

5. habs *g*, habese *G*. oder ichne haber niht *Ggg*. 6. bi dem schilte *G*. 8. des nam *D*. 11. 12. nam-scham *G*. 12. wereltlicher *D*, werdechlicher *gg*. 15. wort *D*. 18. So *Gg*. 19. leben *Gg*. 21. daz *Gyg*. 22. i'r] ir *G und* (ich *nach* furspan) *d*, ich *g*, ich ir *die übrigen*. van ir *g*. 23. ih ir me *Ggg*. 25. Gescheiden von den witzen *G*. gewachsen *D*. 27. vil gedolt ir lip *Ggg*. 28. Si ist *alle*. Si ist ein hart unschuldch wip *G*. 30. Es *G*, Ez *gg*.

270, 1. Ruochet *D*, Geruochet *Gg*, Geruocht *gg*. 2. sêt *fehlt Gd*, Seht *gg*. 5. = enphie der helt guot *Ggg*. 6. streicher *D*. munde dez bluot *G*. 8. Do *Gg*. verdact] verdaht *G*, verdechet *Dgg*, bedacht *dg*. 10. dz *D*, daz *G*. vingerlin *alle außer G*. wider *fehlt Gg*. 12. die] Diu *G*, der *D*, Daz *die übrigen*. mit *D*. 13. verhouwen *Gdgg*. 15. wapenroch an gesehen tragn *D*, Gesehen (Sehen *gg*) waffen roch an (wappenrocke an *dg*, wapenroch *G*, wapen roche *g*) tragen (getragen *G*) *Gdgg*. 16. wæren *oder* waren wern warn *alle*. 17. = ouch *fehlt Ggg*. 18. Gesamliert *g*, gesamlieret *D*, Gesambeliert *G*, Gesamenet *g*, Gesampt *g*. 20. und *fehlt Ggg*, oder *d*. læmikin *g*, lemmekin *g*, lambekin *G*. 21. truegen *D*, truogen *g*, tragen *d*, truoge *G*, truog *g*, trage *g*. 23. = herzoge *Ggg*. 24. parzifal *alle außer DG*. sus *Gg*. 29. 30 *fehlen G*.

271, 1. suone min *Gg*, miner suon *gg*. 2. = die guoten *Ggg*. 5. wande *DG*. ein *fehlt Gg*. 6. lone *DG*. sis *G*, so ist *D*. 7. In han *D*, ungefuoge *Ggg*. 8. Durh dez *Ggg*, Durch *gg*. voreist *G*, forst *dgg*. brizilan *G*, Prizlian *D*.

reit ich dô in jûven poys.
Parzivâl diz sper von Troys
nam und fuortez mit im dan.
des vergaz der wilde Taurîân,
Dodines bruoder, dâ.
nu sprechet wie oder wâ
die helde des nahtes megen sîn.
helm unde ir schilde heten pîn:
die sah man gar verhouwen.
Parzivâl zer frouwen
nam urloup unt zir âmîs.
dô ladete in der fürste wîs
mit im an sîne fiwerstat:
daz half in niht, swie vil ers pat.
aldâ schieden die helde sich,
diu âventiur wert mære mich.
dô Orilus der fürste erkant
kom dâ er sîn poulûn vant
und sîner messenîe ein teil,
daz volc was al gelîche geil
daz suone was worden schîn
gein der sældebernden herzogîn.

272 Daz wart niht langer dô gespart,
Orilus entwâpent wart,
bluot und râm von im er twuoc.
er nam die herzoginne kluoc
und fuorte se an die suonstat
und hiez bereiten in zwei bat.
dô lac frou Jeschûte
al weinde bî ir trûte,
vor liebe, unt doch vor leide niht,
als guotem wîbe noch geschiht.
ouch ist genuogen liuten kunt,
weindiu ougn hânt süezen munt.
dâ von ich mêr noch sprechen wil.
grôz liebe ist freude und jâmers zil.
swer von der liebe ir mære
treit ûf den seigære,
oberz immer wolde wegn,
ez enkan niht anderr schanze pflegn.
da ergienc ein suone, des wæn ich.
dô fuorn si sunder baden sich.
zwelf clâre juncfrouwen
man mohte bî ir schouwen:
die pflâgen ir, sît si gewan
zorn ân ir schult von liebem man.
si hete ie snahtes deckekleit,
swie blôz si bîme tage reit.
die batten dô mit freuden sie.
ruochet ir nu hœren (wie
Orilus des innen wart)
âventiur von Artûses vart?

273 Sus begund im ein rîter sagen.
'ich sach ûf einen plân geslagen
tûsent poulûn oder mêr.
Artûs der rîche künec hêr,
der Berteneise hêrre,
lît uns hie niht verre
mit wünneclîcher frouwen schar.
ungevertes ist ein mîle dar.

9. do in ivuen poys *D*, do in dem iovan pois *dg*, do in manie von poys *gg*, von (vor *g*) ir also von poys *Gg*. 10. daz *Gg*, ein *d*. 11. fuotez *G*. 12. Es *G*, Sin *g*, Ez *gg*. Tavrian *Dg*, thavrian *g*, Toyrian *g*, turian *G*, tharian *g*, tarrian *d*, torian *g*. 13. Todines *g*, Toclines *G*, Toclicies *g*. 14. sprecht *G*. 15. megen *D*, mugen *Ggg*, mugin *g*, mohten *dg*. 16. helme *D*. hetan *g*. 17. zerhouwen *Ggg*. 21. Vil ofte an *Ggg*. 22. = Ez *G*, Ezn *gg*. 23. Al da *Dd* = Do *Ggg*, Sus *g*. Al scheiden? 24. Sus wert diu aventure mich *G*. wert mære *D*, wert mere *gg*, wert mer *g*, wert me *d*, werte *g*. 26. = sine *Dd*. pavelun *G*. 27. mæssenide *D*. 29. suon *gg*.

272, 1. Nuo *d* = Ez *Ggg*. 2. Do orillus *Ggg*. 3. von im er *D*, er von im *g*, von im man *Ggg*, man von (ab *g*) im *dgg*. 5. Unde fuortes *G*. 6. Er *Ggg*. in ein *g*, im ein *Ggg*, zway *g*. 7. Da *G*. fro *G*. 8. weinende *DG*. 9. von leide *G*. 12. weinende *D*, Weindiu *G*, Wainunden *g*, Weinundem *g*. ougen *DG*. hant *Dgg*, haben *Gdg*, habent *g*. 18. enchunde *Ggg*. andrr *D*, andere *G*. tsch. *G*. 19. ergie *D*. suone des wæne ich *DG*, suon des wæn ich *g*, sune wen ich *g*. 20. Doch *Ggg*. fuoren si sundr *D*, fuorten sunder (under *G*) handen sich *Gg*. 22. mahte *G*. 24. liebem *Ggg*, lieben *Ddg*. 25. Ir detche [ie *g*, ê *g*] nahtes was bereit *Ggg*. snahtes *Dg*, nachtes *d*. 26. bi dem *G*. 27. badeten *Gg*. 29. des *DGgg*, do *dgg*. 30. Artus *D*.

273, 1. begunde *DG*. 3. Wol tusent *Gd*. poulun *D*, pavelun *G*. 5. bertenoyse *D*, briteneise *g*, britaneisen *g*, brituneiser *d*, britansche *G*, brittanisce *g*. 6. niht ze *G*. 8. ungeverts *D*.

da ist ouch von rîtern grœzlîch schal.
bî dem Plimizœl ze tal
ligents an iewederm stade.'
dô gâhte vaste ûzem bade
der herzoge Orilus.
Jeschûte und er gewurben sus.
diu senfte süeze wol getân
gieng ouch ûz ir bade sân
an sîn bette: dâ wart trûrens rât.
ir lide gedienden bezzer wât
dan si dâ vor truoc lange.
mit nâhem unbevange
behielt ir minne freuden prîs,
der fürstîn und des fürsten wîs.
juncfrouwen kleitn ir frouwen sân.
sîn harnasch truoc man dar dem man.
Jeschûten wât man muose lobn.
vogele gevangen ûf dem klobn
si mit freuden âzen,
dâ se an ir bette sâzen.
frou Jeschûte etslîchen kus
enpfienc: den gab ir Orilus.

274 Dô zôch man der frouwen wert
starc wôl gênde ein schœne pfert,
gesatelt unt gezoumet wol.
man huop si drûf, diu rîten sol
dannen mit ir küenen man.
sîn ors wart gewâpent sân,
reht als erz gein strîte reit.
sîn swert, dâ mit ers tages streit,
man vorn an den satel hienc.
von fuoz ûf gewâpent gienc
Orilus zem orse sîn:
er spranc drûf vor der herzogîn.
Jeschûte und er fuoren dan.
sîne mässenîe sân
gein Lalant bat er alle kêren.
wan ein rîter solt in lêren
gein Artûse rîten:
er bat daz volc des bîten.
si kômen Artûs sô nâhen,
daz si sîniu poulûn sâhen
vil nâhe ein mîle dez wazzer nidr.
der fürste sant den rîter widr,
der in gewîset hete dar:
frou Jeschût diu wol gevar
was sîn gesinde, unt niemen mêr.
der unlôse Artûs niht ze hêr
was gegangen, dô ers âbents gaz,
ûf einen plân. umb in dâ saz
Diu werde massenîe.
Orilus der valsches vrîe

275 kom an den selben rinc geritn.
sîn helm sîn schilt was sô versnitn
daz niemen dran kôs keiniu mâl:
die slege frumte Parzivâl.
vom orse stuont der küene man:
frou Jeschûte enpfiengez sân.
vil junchêrrn dar nâher spranc:
umb in und si was grôz gedranc.
si jâhn 'wir suln der orse pflegn.'
Orilus der werde degn
leit schildes schirben ûfez gras.
nâch ir, durch die er komen was,

9. ouch *fehlt Gg.* grozlich *D*, michel *d* = grozer *Ggg.* 10. Primizœle *D*, plimizol *gg*, plumzol *d*, blimizol *g*, blimzol *G*, blimulzol *g*. 11. ietwederm *G*. 12. = balde *Ggg*, der fúrst *g*. 16. gie *D*. 17. An ir bete *Gg*. 18. dienten *Ggg*. 19. Dane *G*, den *D*, Daz *d*. 21. behîel ir m. *D*. 22. furstinne *D*. ʼchleiten *Gdgg*, cleitan *g*, chleideten *Dg*. 28. Dase *Gg*, do si *D*. 29. frou *fehlt Ggg*.

274, 2. ein *setzen Ggg vor* phert. 4. druof *D*. 5. chůnen *Gdgg*, chuenem *D*, chuone *g*. 6. was *Gdgg*. 8. er des *D*. 9. vorn *D*, vornan *dg*, vor *Ggg*. 10. fuoze *Ggg*, fuezzen *g*. 13-15. Sin gesinde er wider bat cheren *G*, Si shieden dannen alzehant. die andern wider in ir lant. Bat er alle chern *g*, Jescûte vñ er. fuoren (schieden *gg*, schieden sich *g*) dan ce hant. sine (Die *gg*) mæssenie gein Lalant. bat er alle [wider *g*] cheren *D und die fünf übrigen.* 19. Artuse *D*. 20. siniu *D*, sin *Ggg*, die *g*, artus (*z.* 19 *verändert*) *d*. 21. nahe *D*, nahen *g*, nach *Gdgg*. eine *DG*. 22. sande *G*. 24. Fro *G*. 27. er des *D*. abendes *G*, abens *g*. 29. messnie *G*. 30. valsces *D*, valkes *g*.

275, 3. nîemn *D*. dran *fehlt G*. deheiniu *Ggg*, decheiniu *D*, dehein *dg*. 5. Vom *g*, Von *g*, Von dem *DG*. küene *fehlt G*. 8. umb in vñ umbe (*fehlt d*) si *Ddgg*, Umbe si unde umbe in *G*, umbe sie baide *gg*. wart *Ggg*. 9. iahen *DG*. 11. Leit *d*, leite *D* = Læit des *gg*, Leit die *G*. schilts *G*.

begunder vrâgen al zehant.
froun Cunnewâren de Lalant
zeigte man im, wâ diu saz.
ir site man gein prîse maz.
gewâpent er sô nâhe gienc.
der künec, diu küngîn, in enpfienc:
er dancte in, bôt fianze sân
sîner swester wol getân.
bî den trachen ûfem kursît
erkande sin wol, wan ein strît:
si sprach 'du bist der bruoder mîn,
Orilus, od Lähelîn.
ich nim iur dweders sicherheit.
ir wârt mir bêde ie bereit
ze dienste als ich iuch gebat:
mir wære ûf den triwen mat,
solt ich gein iu kriegen,
[und] mîn selber zuht betriegen.'

276 Der fürste kniete vor der magt.
er sprach 'du hâst al wâr gesagt:
ich pinz dîn bruoder Orilus.
der rôte rîter twanc mich sus
daz ich dir sicherheit muoz gebn:
dâ mit erkoufte ich dô mîn lebn.
die enphâch: sô wirt hie gar getân
als ich gein im gelobet hân.'
do enpfienc si triwe in wîze hant
von im der truoc den serpant,
unt liez in ledec. dô daz geschach,
dô stuont er ûf unde sprach
'ich sol und muoz durch triwe klagen.
ôwê wer hât dich geslagen?
dîne slege tuont mir nimmer wol:
wirtz zît daz ich die rechen sol,
ich ginre den, swerz ruochet sehen,
daz mir grôz leit ist dran geschehen.
ouch hilft mirz klagen der küenste man
den muoter ie zer werlt gewan:
der nennet sich der rîter rôt.
hêr künec, frou küngîn, er enbôt
iu beiden samt dienest sîn,
dar zuo benamn der swester mîn.
er bitet sîn dienst iuch letzen,
[und] dise magt ir slege ergetzen.
och het ichs dô genozzen
gein dem helde unverdrozzen,
wesser wie si mich bestêt
und mir ir leit ze herzen gêt.'

277 Keie erwarp dô niwen haz,
von rittern, frouwen, swer dâ saz
am stade bî dem Plimizœl.
Gâwân und Jofreit fîz Idœl,
unt des nôt ir habt gehœret ê,
der gevangene künec Clâmidê,
und anders manec werder man
(ir namn ich wol genennen kan,
wan daz ichz niht wil lengen),
die begunden sich dô mengen.

14. Fron kunew. *G*. 15. = da *Ggg*. 16. Ir guote *Ggg*. 17. er ir so *gg*. nahen *Ggg*. 18. diu] und *dg*, unt diu *die übrigen*. 19. Er neic *Gg*. in] unde *Ggg*, in unde *die übrigen*. 21. = dem *Ggg*. ame *Ggg*. 22. erchanden *D*. wol ane strit *Gdgg*. 24. odr *D*, oder *G*. 25. Ichn *gg*. iwer *DG*. deweders *Gdgg*, dewedrs *D*, tweders *gg*, ietweders *g*. 26. Ir sit *G*. ie] sus *G*. 27-30 *fehlen G*. 27. Mit dienste swes ich *gg*. 28. an *d*. 30. selbes *dgg*.

276, 1. fur die *Gdgg*. 6. = choufte *Ggg*. 9. Doch *D*. 10. serphant *G*. 11. lîezen *D* = lie in *Ggg*. 13. mit triwen *Ggg*, von schulden *d*. 14. ouwe *D*. 15. ninder *Gg*, niht *gg*. 16. Wirt es *G*, Wirt des *gg*, Wirt sin *g*, Wirt *g*. = ich dich *Ggg*. 17. ginres *g*, geinner *g*, innere *G*. 19. hilft *g*, hilfet *DG*. 21. Er *Ggg*. den *Ggg*. 22. unde vrou *Gg*, und *g*. 23. sament *G*. den dienst *alle außer D*. 24. sweter *D*. 25. bitt *D*, bit *Gg*. iuch sin (*oder* sinen) dienst letzen *Ggg*. 26. und *fehlt Gg*. dise *d*, diese *D* = die *Ggg*. 27. hetis do *g*, hiet si do *g*.

277, 1. niwan *Ggg*, niht wan *gg*. 2. vrowen *gg*, von frauwen *d*, vñ von frouwen *Dg*, unde frouwen *Ggg*. swer] swaz ir *Ggg*. 3. Plimizœl *D*, plimizol *gg*, plimzol *d*, blimizol *g*, blimzol *G*. 4. tschofreit *Gg*. visidol *Gg*, œ *hat nur D*. 5. gehort *G*. 6. künec *fehlt Gg*. 7. vñ anders (ander *gg*) manech (manger *g*) werdr *Ddgg*, Unde manch ander werder *G*, Und manic wert (werde *g*) ander *gg*. 8. ir namn *Dg*, Der namen *dgg*, Den *G*, Die *gg*. genenen wol chan *G*. 10. dô *fehlt Ggg*.

ir dienst mit zühten wart gedolt.
frou Jeschûte wart geholt
ûf ir pfärde, aldâ si saz.
der künec Artûs niht vergaz,
und ouch diu künegîn sîn wîp,
si enpfiengen Jeschûten lîp.
von frouwen dâ manc kus geschach.
Artûs ze Jeschûten sprach
'iwern vater, den künec von Karnant,
Lacken, hân ich des erkant,
daz ich iwern kumber klagte
sît man mirn zem êrsten sagte.
ouch sît ir selb sô wol getân,
es solt iuch friwent erlâzen hân.
wan iwer minneclîcher blic
behielt den prîs ze Kanedic:
durch iwer schœne mære
bleip iu der sparwære,
Iwer hant er dannen reit.
swie mir von Oriluse leit
278 geschæhe, in gunde iu trûrens niht,
noch engetuon swa'z geschiht.
mirst liep daz ir die hulde hât,
unt daz ir frowenlîche wât
tragt nâch iwer grôzen nôt.'
si sprach 'hêr, daz vergelt iu got:
dar an ir hœhet iwern prîs.'
Jeschûten unt ir âmîs
frou Cunnewâre de Lalant
dannen fuorte sâ zehant.
einhalp an des küneges rinc
über eins prunnen ursprinc
stuont ir poulûn ûf dem plân,
als oben ein trache in sînen klân
hets ganzen apfels halben teil.
den trachen zugen vier wintseil,
reht alser lebendec dâ flüge
untz poulûn gein den lüften züge.
dâ bî erkandez Orilus:
wan sîniu wâpen wâren sus.
er wart entwâpent drunde.
sîn süeziu swester kunde
im bieten êre unt gemach.
über al diu messenîe sprach,
des rôten rîters ellen
næm den prîs zeime gesellen.
Des jâhen se âne rûnen.
Kei bat Kingrûnen
Orilus dienn an sîner stat.
er kundez wol, den ers dâ bat:
279 wander hetes vil getân
vor Clâmidê ze Brandigân.
Kei durch daz sîn dienst liez:
unsælde ins fürsten swester hiez
ze sêre âlûnn mit eime stabe:
durch zuht entweich er diens abe.
ouch was diu schulde niht verkorn
von der meide wol geborn.
doch schuof er spîse dar genuoc:
Kingrûnz für Orilusen truoc.
Cunnewâr diu lobes wîse
sneit ir bruoder sîne spîse
mit ir blanken linden hant.
frou Jeschûte von Karnant

11. ir *fehlt gg*, E *Gg*. zuht *Ggg*. 12. Fro *G*. 13. pharide da *Gg*. 14. Artus der chunch *Ggg*. 16. Die *Gg*. 19. karnant *D*. 20. Lange han *Gg*. des] den *Ggg*, so *d*. 22. miren *D*. von erste *Gd*, erste *gg*. 23. selbe *DG*. 26. kanedîch *D*, chanadich *Ggg*. 28. beleib *D*, Beleip *G*. 30. Oriluse *g*, Orilus *D*, orillus *G*.

278, 1. Geschach *Gg*. ine *D*, ichne *G*, ich *gg*. 2. Unde *Gg*. engetuon *D*, getün *g*, entuon ouch noch *Gg*, entuon [halt *gg*, ouch *d*] nimmer *dgg*. swaz *dgg*, swa ez *D*, swaz mir *Ggg*. geschit *G*. 3. Mirst *g*. 4. fraweliche *g*, foliche *G*. 6. = si sprach *fehlt Ggg*. herre *DG*. 8. = Frowen ieschuten *gg*, Fro ieschute *G*. 9. Fro kuneware delant *G*. 10. sa *Dd* = al *Ggg*. 11. ans chunges *G*. 13. palun *G*. 14. Als *d*, als ez *die übrigen*. oben *gg*, obene *D*, ob *d*, *fehlt Gg*. 15. hete des *DG*, Hiet des *g*. ganzes *D*, *fehlt Gg*. 17. lebende *Ggg*. fluge *G*. 18. Unt daz pavelun *G*. 19. orrilus *G*. 24. mæssenide *D*. 25. 26. Zuo des roten riters ellen. Mŏhte sich niht gezellen *G*. 26. næme *D*. Nempt den pris zesellen *g*. 29. dien *g*, dienen *DG*.

279, 4. tohter *G*. 5. ze sêre *fehlt g*. alûnen *DG*, bluwen *g*. mit dem *Gg*. 6. entweicher *D*, tet er sich *Gg*. dienstes *alle außer D*. 10. Kingrûn ez *DG*. ez *oder* sy *nach* Orilus *gg*. = orillus *oder* Orilus *Ggg*. 11. Cunneware *Dd* = Fro kuneware *Ggg*. lobs *D*, *fehlt Gg*.

mit wîplîchen zühten az.
Artûs der künec niht vergaz,
ern kœm dâ diu zwei sâzen
und friwentlîchen âzen.
dô sprach er 'gezt ir übele hie,
ez enwart iedoch mîn wille nie.
irn gesâzt nie über wirtes brôt,
derz iu mit bezzerem willen bôt
sô gar ân wankes vâre.
mîn frou Cunnewâre,
ir sult iurs bruoder hie wol pflegn.
guote naht geb iu der gotes segn.'
Artûs fuor slâfen dô.
Orilus wart gebettet sô
daz sîn frou Jeschûte pflac
geselleclîch unz an den tac.

17. eren *DG*. chœm *g*. 18. lieplichen *gg*, mit ein ander *Gg*. 19. Er sprach *Gdg*. gezt *gg*, gezzet *DG*. ir hinte ubel hie *D*. 20. = Daz *Ggg*. wart *G*. 21. Irn *gg*, iren *D*, Ir *G*. gesazt *gg*, gesazet *DG*. 23. ane *DG*. 25. iwers *DG*. 26. Guot *gg*. 28. Oriluse *D*. gebet *G*. 29. Daz *Ggg*, da *Dg*, Do *dg*.

VI.

280 Welt ir nu hœrn wie Artûs
von Karidœl ûz sîme hûs
und ouch von sîme lande schiet,
als im diu messenîe riet?
sus reit er mit den werden
sîns lands und anderr erden,
diz mære giht, den ahten tac
sô daz er suochens pflac
den der sich der rîter rǫ̂t
nante und im solh êre bôt
daz er in schiet von kumber grôz,
dô er den künec Ithêren schôz
und Clâmidên und Kingrûn
ouch sande gein den Bertûn
in sînen hof besunder.
über die tafelrunder
wolt er in durch gesellekeit
laden. durch daz er nâch im reit,
  alsô bescheidenlîche:
beide arme und rîche,
die schildes ambet ane want,
lobten Artûses hant,
swâ si sæhen rîterschaft,
daz si durch ir gelübde kraft
decheine tjost entæten,
ez enwære op si in bæten
daz er se lieze strîten.
er jach 'wir müezen rîten
in manec lant, daz rîters tât
uns wol ze gegenstrîte hât:
281 Uf gerihtiu sper wir müezen sehn.
welt ir dan für ein ander schehn,
als vreche rüden, den meisters hant
abe stroufet ir bant,
dar zuo hân ich niht willen:
ich sol den schal gestillen.
ich hilf iu swa's niht rât mac sîn:
des wartet an daz ellen mîn.'
  dise gelübde habt ir wol vernomn.
welt ir nu hœren war sî komn
Parzivâl der Wâleis?
von snêwe was ein niwe leis
des nahtes vast ûf in gesnît.
ez enwas iedoch niht snêwes zît,
istz als ichz vernomen hân.
Artûs der meienbære man,
swaz man ie von dem gesprach,
zeinen pfinxten daz geschach,
odr in des meien bluomenzît.
waz man im süezes luftes gît!
diz mære ist hie vast undersniten,
ez parriert sich mit snêwes siten.
  sîne valkenær von Karidœl
riten sâbnts zem Plimizœl

280, 1. hœren *DG*. 2. Ze *Ggg*. karidol *D*, charidol *G*, -ol *alle*. 3. Mit riteren vñ mit frouwen schiet *G*. 4. massenide *D*. 6. Sines landes unde uf der erden *Gg*. 7. Daz *Gg*. giht naht vñ tach *Ggg*. 8. = Also *Ggg*. suochenens *G*. 9. Den [den *g*] man [da *G*] den *Ggg*. der *Dd* = den *Ggg*. 13. clamide *Gg*. chingrun *Gg*, kingrune *g*, kingrunen *Ddgg*. 14. den britun *G*, britun *g*, britune *g*, den bertunen *D*, den britunen *dg*, pritunen *gg*. 16. taffelrunder *G*. 22. Die lobten *Ggg*. Artuss *D*. 24. gelubedes *G*, glubdes *g*. 25. da tæten *G*. 26. sis in *G*, si ins *g*, si *g*. 28. sprach *alle außer D*. 30. zegagen strite stat *G*.

281, 2. danne *D*, dane *G*, da *g*. wider *G*. 3. also *D*. den *Dd* = in *Ggg*, ausz *g*, *fehlt gg*. 4. ab stroufet *Dd* = Abe zuckent *gg*, Abzuchtan *gg*, Abzuchende *g*, Son abe gezuchet wirt *G*. iriu *g*, die *d*. 5. trag ich *D*. 7. swas *G*, waz *g*, swa sin *g*, swa ez *D*. 9. Disiu *g*, Diz *g*. 12. snêwe *mit* ê *D*, sne *dgg*. niwiu *G*. 14. was *G*. 15. Istez *D*, Ez ist *g*, Ist *G*. ich *Ggg*. 16. = mêige bære *G*, mægebære *g*, meibere *g*. 18. pfingsten *g*, phinchesten *G*. 21. Daz *Gdgg*. vaste *DG*. 23. valchenære *D*, valchnære *G*. ze *G*. -ol *alle*. 24. Waren *G*. sabents *D*, s habenden *g*, des (eins *g*) abendes *Gdgg*. zem] zuo einem *d*, zuo dem *Dg*, bi dem *Ggg*, vorm *g*. Plimizol *D*, blimzol *G*, brimizol *g*.

durch peizen, dâ si schaden kuren.
ir besten valken si verluren:
der gâhte von in balde
und stuont die naht ze walde.
von überkrüphe daz geschach
daz im was von dem luoder gâch.

282 Die naht bî Parzivâle er stuont,
da in bêden was der walt unkuont
und dâ se bêde sêre vrôs.
dô Parzivâl den tac erkôs,
im was versnît sîns pfades pan:
vil ungevertes reit er dan
über ronen und [über] manegen stein.
der tac ie lanc hôher schein.
ouch begunde liuhten sich der walt,
wan daz ein rone was gevalt
ûf einem plân, zuo dem er sleich:
Artûs valke al mite streich;
dâ wol tûsent gense lâgen.
dâ wart ein michel gâgen.
mit hurte vlouger under sie,
der valke, und sluog ir eine hie,
daz sim harte kûme enbrast
under des gevallen ronen ast.
an ir hôhem fluge wart ir wê.
ûz ir wunden ûfen snê
vieln drî bluotes zäher rôt,
die Parzivâle fuogten nôt.
von sînen triwen daz geschach.
do er die bluotes zäher sach
ûf dem snê (der was al wîz),
dô dâhter 'wer hât sînen vlîz
gewant an dise varwe clâr?
Cundwier âmûrs, sich mac für wâr
disiu varwe dir gelîchen.
mich wil got sælden rîchen,

283 Sît ich dir hie gelîchez vant.
gêret sî diu gotes hant
und al diu crêatiure sîn.
Condwîr âmûrs, hie lît dîn schîn.
sît der snê dem bluote wîze bôt,
und ez den snê sus machet rôt,
Cundwîr âmûrs,
dem glîchet sich dîn bêâ curs:
des enbistu niht erlâzen.'
des heldes ougen mâzen,
als ez dort was ergangen,
zwên zaher an ir wangen,
den dritten an ir kinne.
er pflac der wâren minne
gein ir gar âne wenken.
sus begunder sich verdenken,
unz daz er unversunnen hielt:
diu starke minne sîn dâ wielt,
sölhe nôt fuogt im sîn wîp.
dirre varwe truoc gelîchen lîp
von Pelrapeir diu künegin:
diu zuct im wizzenlîchen sin.
sus hielt er als er sliefe.
wer dâ zuo zim liefe?
Cunnewâren garzûn was gesant:
der solde gegen Lalant.
der sach an den stunden
einen helm mit maneger wunden
und einen schilt gar verhouwen
in dienste des knappen frouwen.

284 Dâ hielt gezimiert ein degn,
als er tjostierns wolde pflegn
gevart, mit ûf gerihtem sper.
der garzûn huop sich wider her.
het in der knappe erkant enzît,
er wær von im vil unbeschrît,

27. gahete *D.* 29. uberchruffe *D.*

282, 2. beiden *G.* 5. sines *Gdgg*, des *yg*, sin *D.* 7. *das zweite* über *fehlt Gd.* 8. ielanch *G*, ie langer *g.* 9. louhten *g.* 12. al mite *Ddg*, mit *G*, mit im *gg*, als mit im *g.* 14. gragen *g*, bagen *Gg.* 19. hohem *Ddgg*, hohen *Gdgg.* 21. Vieln *g.* bluots *DG.* 21. 24. zahere *G.* 22. Parzivalen *D.* fuogeten *G.* 24. bluots *D.* 25. snewe *D.* die *d.* 27. Gewant *Gdg*, Gewent *g*, gewendet *Ddgg.* 28. Condwiramurs *G immer.* sich *Ddgg*, ich (*und* 29 Disse) *d*, ia *Ggg.*

283, 2. ge ert *D.* 5. buote die wize *G.* 6. = so *Ggg.* 7. Suoziu *G*, Froue *g*, Ahy *g.* 8. gelîchet *DG.* 11. = Wiez *Ggg*, Waz *g.* 12. zahr *d*, zeher *dgg.* 15. gar *Dgg*, *fehlt Gddg.* 17. Unz *dg*, unze *D*, Fúr *d*, So *Ggg.* 19. Alsolher not half im *Ggg.* fuogte im sin pris *D.* 20. Diu dirre *G.* gelîchen lip *D.* 22. wizenl. *G*, wizzel. *g*, wizechl. *g*, wissecl. *d.* 23. hiel *G.* slieft *D.* 24. im *G.* lief *D.* 26. solt gein *G.* 27. Er *Ggg.* 28. mangen *Gd.* 29. und *fehlt dg.* gar *fehlt Gg.*

284, 2. tiustierens *D.* phelgen *G.* 3. gevart] geværwet *Dddgg*, Genart *g*, Gereht *G*, Das pfert *g*, Mit gevartem *g.* 6. wær *G.*

deiz sîner frouwen ritter wære.
als gein einem æhtære
schupfterz volc hin ûz an in:
er wolt im werben ungewin.
sîne kurtôsîe er dran verlôs.
lât sîn: sîn frouwe was ouch lôs.
sölch was des knappen krîe.
'fiâ fiâ fîe,
fî ir vertânen!
zelent si Gâwânen
und ander dise rîterschaft
gein werdeclîcher prîses kraft,
und Artûs den Bertûn?'
alsus rief der garzûn.
'tavelrunder ist geschant:
iu ist durch die snüere alhie gerant.'
dâ wart von rittern grœzlîch schal:
si begunden vrâgen über al,
ob rîterschaft dâ wære getân.
dô vrieschen si daz einec man
dâ hielt zeiner tjost bereit.
genuogen was gelübde leit,
die Artûs von in enphienc.
sô balde, daz er niht engienc,

285 Beide lief unde spranc
Segramors, der ie nâch strîte ranc.
swâ der vehten wânde vinden,
dâ muose man in binden,
odr er wolt dermite sîn.
ninder ist sô breit der Rîn,
sæher strîtn am andern stade,
dâ wurde wênec nâch dem bade
getast, ez wær warm oder kalt:
er viel sus dran, der degen balt.
snellîche kom der jungelinc
ze hove an Artûses rinc.
der werde künec vaste slief.
Segramors im durch die snüere lief,
zer poulûns tür dranger în,
ein declachen zobelîn
zuct er ab in diu lâgen
und süezes slâfes pflâgen,
sô daz si muosen wachen
und sînre unfuoge lachen.
dô sprach er zuo der niftel sîn.
'Gynovêr, frouwe künegîn,
unser sippe ist des bekant,
man weiz wol über manec lant
daz ich genâden wart an dich.
nu hilf mir, frouwe, unde sprich
gein Artûse dînem man,
daz ich von im müeze hân
(ein âventiure ist hie bî)
daz ich zer tjost der êrste sî.'

286 Artûs ze Segramorse sprach
'dîn sicherheit mir des verjach,
du soltst nâch mînem willen varn
unt dîn unbescheidenheit bewarn.
wirt hie ein tjost von dir getân,
dar nâch wil manc ander man
daz ich in lâze rîten
und ouch nâch prîse strîten:
dâ mite krenket sich mîn wer.
wir nâhen Anfortases her,

7. deiz *D*, Daz *g*, Daz ez *g*, Daz er *Gddgg*. 8. eim *g*. ahtære *Gdg*. 11. churtoise *Gg*. 12. lat wesen *D*. doch *Gg*. 13. Selich *g*. 14. Phia phia phige *G*. 15. Pfi *g*. 15-19. vertane. Zelent si (Zêlt si *g*, Untsaget ist *d*) gawane. Unde andere dirre (ander siner *g*, al disser *d*) riterschaft. Gein werdchlichem (*so Gg*, werdiclicher *dgg*) prise (*so Gd*, prises *gg*) chraft. Unde artus (ouch arthuse *d*) dem (der *g*, den *g*) britun *Gdgg*. 16. Zelt ir *d*. 19. Artusen *Ddg*. den *dg*, der *D*. 21. Diu *Ggg*. tavelrunde *Ddgg*. 23. grœzlich *D*, michel *d*, grozer *Ggg*, grosz geschal *dg*. 28. was daz (*und doch* 29 Die) *g*. 29. Das *d*.

285, 1. Beidiu *Gg*. 2. 14. Segremors *Gdg*, Saigrimors *g*. ie *vor* ranch *Gg*. 3. Sa *G*. 5. Olde *G*, Ob *g*. 7. striten *DG*. an dem *alle außer D*. 9. Getast *gg*, getastet *Dd*, Gerastet *Gg*, Gedacht *d*. iz *D*. wær *g*. warem odr *D*. 10. viele *Gg*, vielle *g*. helt *Ggg*. 11. = Sus chom der snelle iungelinch *Ggg*. 12. Artuss *D*, artus *G*. 15. bavelunes *G*, paulun *d*. hin *G*. 16. zoblin *D*. 17. diu *D*, die *g*, die da *Gddgg*. 20. siner *DG*. 21. niftel *Dgg*, niftelen *Ggg*, nyftelin *dd*, nifteln *g*. 22. Schinover *G*, Kynover *g*. 23. erchant *Ggg*. 24. mengiu *D*. 26. Unde hilf *G*. und *D*. 28. muose *G*. 29. diu ist *Ggg*.

286, 1. Segram. *Dd*, segrem. *Gdg immer*, Saigrim. *g*. 3. soldest *D*, soltest *G*, soldes *g*, soltes *d*, solt *g*. 4. din *dgg*. bescheidenheit *dg*. 6. dar nâch] So *G*. wænt *g*, wanet *Ggg*. 9. Da mit *G*. 10. anfortasses *gg*, Amfortases *dg*, Anfortas *DG*.

daz von Munsalvæsche vert
untz fôrest mit strîte wert:
sît wir niht wizzen wâ diu stêt,
ze arbeit ez uns lîhte ergêt.'
Gynovêr bat Artûsen sô
dês Segramors wart al vrô.
dô sim die âventiure erwarp,
wan daz er niht vor liebe starp,
daz ander was dâ gar geschehen.
ungerne het er dô vergehen
sîns kumenden prîses pflihte
ieman an der geschihte.
der junge stolze âne bart,
sîn ors und er gewâpent wart.
ûz fuor Segramors roys,
kalopierende ulter juven poys.
sîn ors übr hôhe stûden spranc.
manc guldîn schelle dran erklanc,
ûf der decke und an dem man.
man möht in wol geworfen hân
287 zem fasân inz dornach.
swems ze suochen wære gâch,
der fünde in bî den schellen:
die kunden lûte hellen.
Sus fuor der unbescheiden helt
zuo dem der minne was verselt.
wedr ern sluoc dô noch enstach,
ê er widersagen hin zim sprach.
unversunnen hielt dâ Parzivâl.
daz fuogten im diu bluotes mâl
und ouch diu strenge minne,
diu mir dicke nimt sinne
unt mir daz herze unsanfte regt.
ach nôt ein wîp an mich legt:
wil si mich alsus twingen
unt selten hilfe bringen,
ich sol sis underziehen
und von ir trôste vliehen.
nu hœret ouch von jenen beiden,
umb ir komn und umb ir scheiden.
Segramors sprach alsô.
'ir gebâret, hêrre, als ir sît vrô
daz hie ein künec mit volke ligt.
swie unhôhe iuch daz wigt,
ir müezt im drumbe wandel gebn,
odr ich verliuse mîn lebn.
ir sît ûf strît ze nâhe geriten.
doch wil ich iuch durch zuht biten,
ergebet iuch in mîne gewalt;
odr ir sît schier von mir bezalt,
288 daz iwer vallen rüert den snê.
sô tæt irz baz mit êren ê.'
Parzivâl durch drô niht sprach:
frou minne im anders kumbers jach.
durch tjoste bringen warf sîn ors
von im der küene Segramors.
umbe wande ouch sich dez kastelân,
dâ Parzivâl der wol getân
unversunnen ûffe saz,
sô daz erz bluot übermaz.
sîn sehen wart drab gekêret:
des wart sîn prîs gemêret.

12. Unt daz voreist *G*, Unde ditze forest *gg*, Ünde dissen forest (forst) *dg*. 13. Welt ir niht *Ggg*. wa daz stêt *Ggg*. 14. zarbeîte *Dg*. 15. Schinover *G*. sprach zeartuse so *Ggg*. 16. Daz *d*. 19. dâ] im *G*. 20. ungern *D*. 21. Sines niwen chomens phlihte *Gg*. priss *D oft*. 22. îemen *DG*. ander *D*. 25. = chom *Ggg*. roys *Ddg*, de roys *Ggg*, der roys *gg*, von Roys *d*. 26. Galopiernde *gg*, Galopiert *Ggg*. ultr *D*, uber ulter *g*. ívuen *D*, io von *g*, ionan *d*, jona *d*, lo von *Ggg*, la von *g*. 27. uber *DG*. 29. unde uf *Ggg*. der man *Gg*. 30. mohten *D*, maht in *g*.

287, 1. Zem vashan *g*, Zeinem phaysan *d*, Zen vasanen *G*, Nach fasan *g*. in *d*, in daz *Ggg*. 2 2. s] sin *Dddgg*, nach in *g*, *fehlt G*. 3. funden *D*. von *Ggg*. 5. unbescheidene *G*. 6. Zedem *G*. minnen *Gd*. 7. do *Dd*, *fehlt Gdgg*. 9. do *G*. 10. Da *d*. 12. nimt dicke *g*. sinne *D*, die sinne *Gdgg*, mine s. *dg*. 15. also *G*. 16. helfe *Gdgg*. 17. muoz *Ggg*. 19. Horet nu *g*, Horet *Ggg*. ouch *Dgg*, *fehlt Gddg*. îenen *D*. in *ddg*. 20. und ir *dd*. 22. hêrre] reht *Gg*. unfro *Ggg*. 23. mit vorche (*vor* e *ein* t *von anderer hand*) *D*. 24. iu *G*. 25. muezet *DG*. = wandel drumbe *Ggg*. 27. = dur strit *Ggg*. zenahen *Ggg*. 28. Nu *Ggg*. biten *Dgg*, des biten *Gddgg*. 29. ergebt *D*, Ir gebet *Gg*, Gebt uch her an *d*. mine *DGdgg*, min *dgg*, meinen *g*. 30. sciere *DG*.

288, 1. iuer *G*. 2. tet *dg*, tætet *DG*. 7. sichz *D*, sich daz *G*. 10. Do er daz *Ggg*. 12. Hie sin sin gemeret *G*, Sin wizze hie gem. *g*, Hie wart sin pris gem. *gg*.

do er der zaher niht mêr sach,
frou witze im aber sinnes jach.
hie kom Segramors roys.
Parzivâl daz sper von Troys,
daz veste unt daz zæhe,
von värwen daz wæhe,
als erz vor der klûsen vant,
daz begunder senken mit der hant.
ein tjost enpfienger durch den schilt:
sîn tjost hin wider wart gezilt,
daz Segramors der werde degen
satel rûmens muose pflegen,
und daz dez sper doch ganz bestuont,
dâ von im wart gevelle kuont.
Parzivâl reit âne vrâgen
dâ die bluotes zäher lâgen.
do er die mit den ougen vant,
frou minne stricte in an ir bant.
289 weder ern sprach dô sus noch sô:
wan er schiet von den witzen dô.
Segramors kastelân
huop sich gein sînem barne sân.
er muose ûf durch ruowen stên,
ober inder wolde gên.
sich legent genuoc durch ruowen nidr:
daz habt ir dicke freischet sidr.
waz ruowe kôs er in dem snê?
mir tæte ein ligen drinne wê.
der schadehafte erwarp ie spot:
sælden pflihtær dem half got.
daz her lac wol sô nâhen
daz sie Parzivâlen sâhen
haben als im was geschehen.
der minne er muose ir siges jehen,
diu Salmônen ouch betwanc.
dâ nâch was dô niht ze lanc,
ê Segramors dort zuo zin gienc.
swer in hazte od wol enpfienc,
den was er al gelîche holt:
sus teilter bâgens grôzen solt.
er sprach 'ir habt des freischet vil,
rîterschaft ist topelspil,
unt daz ein man von tjoste viel.
ez sinket halt ein mers kiel.
lât mich nimmer niht gestrîten,
daz er mîn getorste bîten,
ober bekande mînen schilt.
des hât mich gar an im bevilt,
290 der noch dort ûze tjoste gert.
sîn lîp ist ouch wol prîses wert.'
Keye der küene man
brâhtz mære für den künec sân,
Segramors wære gestochen abe,
unt dort ûze hielt ein strenger knabe,
der gerte tjoste reht als ê.
er sprach, 'hêr, mir tuot immer wê,
sol ers genozzen scheiden hin.
ob ich iu sô wirdec pin,
lât mich versuochen wes er ger,
sît er mit ûf gerihtem sper
dort habt vor iwerm wîbe.
nimmer ich belîbe
in iwerem dienste mêre:
tavelrunder hât unêre,

13. niht mer *Dd*, nicht me en *d*, nimmer *g*, niht en *gg*, niene *G*. 15. de roys *Ggg*, der roys *gg*. 16. sin sper *Ggg*. 18. Mit *Ggg*. værwen *D*, varwen *G*, varwe *die übrigen*. 19. cluse *gg*, chlosen *D*. 22. hin *fehlt Ggg*. 23. der werdegen *G*. 24. Satel rumes *G*. 25. Und *fehlt G*. dz *D*, daz *Ggg*, *fehlt dg*. 26. Da mit *Ggg*. 27. bagen *G*. 28. bluots *DG*. zaher *G*. 29. da *D*. 30. Fro *G*. stricke in *d*, in striche *D*.

289, 1. Sin munt sprach weder sus noch so *Ggg*. 2. den *fehlt Gdgg*. 4. dem *g*. barne *Gg*, barn *dgg*, baren *D*, barnen *g*. 5. dur *G*. ruowe *Ggg*, triwe *g*. 7. genuc *g*, genuoge *G*, gnuoge *Dg*. ruowe *Ggg*. 8. Des habt ir vil gefreischet sider *Ggg*. freiscet *D*, gefreiset *d*. 11. scadhafte *D*. warb *Gg*. 12. phlihtær *G*, pflihtære *D*. 15. = Halden *Ggg*. 16. Der minne muoser siges iehen *Ggg*. 17. salmonen *G*, Salemonen *g*, Salomonen *die übrigen*. 18. = Dar nach *Ggg*. ouch *Ggg*. 19. ê *fehlt Ggg*. = dar *Ggg*, da *gg*. zuo in *G*. 20. Der [in *g*] wol oder ubel enphiench *Gg*. = Dern *gg*. hazzte *g*, hetz *g*, hazzete *D*, haszet *dgg*. oder *dgg*, odr der in *D*. 23. des *fehlt Gdgg*. gefreischet *alle aufser D*. 26. Ezn *g*. 27. Lat in nyemer gestriten *d*. 29. erchande *Ggg*, kande *g*.

290, 1. Der dort noch *Gg*. deuze *G*. 2. doch *Ggg*. 4. Brahtez *G*, braht diz *D*, braht daz *die übrigen*. mære *fehlt G*. 6. unt *fehlt Gg*. 7. gerte *Dg*, gert *Gdgg*. 8. Herre sprach er mir tuot we *gg*. herre *DG*, *fehlt g*. immer *Dgg*, *fehlt Gd*. 13. halt *G*, helt *g*, haltet *gg*. 16. tafelrunde *D*. hats *Gg*.

ob manz im niht bezîte wert.
ûf unsern prîs sîn ellen zert.
nu gebt mir strîtes urloup.
wær wir alle blint oder toup,
ir soltz im weren: des wære zît.'
Artûs erloubte Keien strît.
gewâpent wart der scheneschalt.
dô wolder swenden den walt
mit tjost ûf disen kumenden gast.
der truoc der minne grôzen last:
daz fuogte im snê unde bluot.
ez ist sünde, swer im mêr nu tuot.
ouch hâts diu minne kranken prîs:
diu stiez ûf in ir krefte rîs.

291 Frou minne, wie tuot ir sô,
daz ir den trûrgen machet vrô
mit kurze wernder fröude?
ir tuot in schiere töude.
wie stêt iu daz, frou minne,
daz ir manlîche sinne
und herzehaften hôhen muot
alsus enschumpfieren tuot?
daz smæhe unt daz werde,
und swaz ûf der erde
gein iu decheines strîtes pfligt,
dem habt ir schiere an gesigt.
wir müezen iuch pî kreften lân
mit rehter wârheit sunder wân.
frou minne, ir habt ein êre,
und wênc decheine mêre.
frou liebe iu gît geselleschaft:
anders wær vil dürkel iwer kraft.
frou minne, ir pflegt untriuwen
mit alten siten niuwen.
ir zucket manegem wîbe ir prîs,
unt rât in sippiu âmîs.
und daz manec hêrre an sînem man
von iwerr kraft hât missetân,
unt der friunt an sîme gesellen
(iwer site kan sich hellen),
unt der man an sîme hêrren.
frou minne, iu solte werren
daz ir den lîp der gir verwent,
dar umbe sich diu sêle sent.

292 Frou minne, sît ir habt gewalt,
daz ir die jugent sus machet alt,
dar man doch zelt vil kurziu jâr,
iwer werc sint hâlscharlîcher vâr.
disiu rede enzæme keinem man,
wan der nie trôst von iu gewan.
het ir mir geholfen baz,
mîn lop wær gein iu niht sô laz.
ir habt mir mangel vor gezilt
und mîner ougen ecke alsô verspilt
daz ich iu niht getrûwen mac.
mîn nôt iuch ie vil ringe wac.
doch sît ir mir ze wol geborn,
daz gein iu mîn kranker zorn
immer solde bringen wort.
iwer druc hât sô strengen ort,
ir ladet ûf herze swæren soum.
hêr Heinrich von Veldeke sînen boum
mit kunst gein iwerm arde maz:
het er uns dô bescheiden baz
wie man iuch süle behalten!
er hât her dan gespalten
wie man iuch sol erwerben.
von tumpheit muoz verderben
maneges tôren hôher funt.
was od wirt mir daz noch kunt,
daz wîze ich iu, frou minne.
ir sît slôz ob dem sinne.

17. enzit *Ggg.* 19. = nu *fehlt Ggg.* 20. Wer *gg*, wære *D*, Waren *Gg*, Weren *dg*, Wern *g.* alle *fehlt G.* blint odr *D.* 21. = Man *Ggg.* wer zit *gg.* 22. keyn den *dgg*, im den *Ggg.* 23. scenescalt *D*, sinschalt *G*, sinetschalt *gg.* 25. chuonen *Gg.* 26. = swaren last *Ggg.* 28. Es *G.* nu mere *Gg*, iht mer *gg*, nu iht mer *g*, mere *d.* 29. 30 = *fehlen Ggg.*

291, 2. die *G.* trûrigen *D.* 3. churze werendr *D*, kurzwernder *dgg*, churzer werder *g.* 4. tounde *DG.* 5. 15. 17. 19. 28. fro *G.* 7. herzenhaften *Ggg.* 8. entschunphieren *G.* 11. deh. *G*, decheins *D.* 14. reiner *G.* 19. pfligt *D.* 21. zucht mangem *G.* 22. ratet *DG.* ir *Gg.* 23. daz *fehlt G.* 24. iwere *G.* 28. solt weren *G.* 30. = Da von *Ggg.*

292, 1. 27. Fro *G.* 2. iungde sus *g*, iungen *Gg.* 3. dar *D*, der *dgg*, Den *Gg.* 4. Iwer *Ggg*, iweriu *D.* wer *Gg.* valschlichiu *G*, valscheu *g.* 5. = Diu *Ggg.* zame *Gdgg.* dehæinem *dgg*, deheinen *G.* 10. und *fehlt Ggg.* 11. getrŵen *D*, getrewen *g.* 16. der hat *Gg.* 18. hêr Henrc von Veldeke einen boum? *s. Eneide* 1824. Maister *g.* Veldeke *D*, veldeche *g*, velde eke *G*, veldek *g*, Veldeck *gg*, veldeg *d*, veldechin *g.* sin toum *d.* 19. chûnste *Ddg.* orden *d*, arme *g.* 21. solde *gg.* 23. sul *gg.* 26. odr *D*, oder *G.* 28. = ein sloz *Ggg.*

ezen hilfet gein iu schilt noch swert,
snell ors, hôch purc mit türnen wert:
293 ir sît gewaldec ob der wer.
bêde ûf erde unt in dem mer
waz entrinnet iwerm kriege,
ez flieze oder fliege?
Frou minne, ir tâtet ouch gewalt,
dô Parzivâl der degen balt
durch iuch von sînen witzen schiet,
als im sîn triwe dô geriet.
daz werde süeze clâre wîp
sand iuch ze boten an sînen lîp,
diu künegîn von Pelrapeire.
Kardeiz fîz Tampenteire,
ir bruoder, nâmt ir och sîn lebn.
sol man iu sölhe zinse gebn,
wol mich daz ich von iu niht hân,
iren wolt mir bezzer senfte lân.
ich hân geredet unser aller wort:
nu hœrt ouch wiez ergienge dort.
Keie der ellens rîche
kom gewâpent rîterlîche
ûz, alser strîtes gerte:
ouch wæne in strîtes werte
des künec Gahmuretes kint.
swâ twingende frouwen sint,
die sulen im heiles wünschen nuo:
wande in brâht ein wîp dar zuo
daz minne witze von im spielt.
Keie sîner tjost enthielt,
unz er zem Wâleise sprach
'hêrre, sît iu sus geschach,
294 Daz ir den künec gelastert hât,
welt ir mir volgen, so ist mîn rât
unt dunct mich iwer bestez heil,
nemt iuch selben an ein brackenseil
unt lât iuch für in ziehen.
iren megt mir niht enpfliehen,
ich bringe iuch doch betwungen dar:
sô nimt man iwer unsanfte war.'
den Wâleis twanc der minnen kraft
swîgens. Keie sînen schaft
ûf zôch und frumt im einen swanc
anz houbet, daz der helm erklanc.
dô sprach er 'du muost wachen.
âne lînlachen
wirt dir dîn slâfen hie benant:
ez zilt al anders hie mîn hant:
ûf den snê du wirst geleit.
der den sac von der müle treit,
wolt man in sô bliuwen,
in möhte lazheit riuwen.'
frou minne, hie seht ir zuo:
ich wæn manz iu ze laster tuo:
wan ein gebûr spræche sân,
mîme hêrrn sî diz getân.
er klagt ouch, möhter sprechen.
frou minne, lât sich rechen
den werden Wâleise:
wan liez in iwer vreise
unt iwer strenge unsüezer last,
ich wæn sich werte dirre gast.
295 Keie hurte vaste an in
unt drang imz ors alumbe hin,
unz daz der Wâleis übersach
sîn süeze sûrez ungemach,
sînes wîbes glîchen schîn,
von Pelrapeir der künegîn:
ich meine den geparrierten snê.
dô kom aber frou witze als ê,
diu im den sin her wider gap.
Keie ez ors liez in den walap:

29. Ez *Gg*. 30. snell *D*, Snelle *dg*, Snelez *Ggg*. hohiu burch *Ggg*.

293, 2. Beidiu *G*. uf der *dgg*, hin *g*. 5. Fro *G*. 9. süeze] chiusce *D*. 10. Sand *g*. 12. roys *vor* tampunt. *übergeschrieben G*. 13. namt *g*. 16. welt *Ggg*. 17. geredet *g*, gereit *DG*, geret *g*, geeret *d*, gesprochen *g*, gesait *g*. unser wort? 18. ouch *fehlt Ggg*. 22. = Ich *Ggg*. ich in *d*. 23. Gahmurets *DG*. 24. Swa nu *Gdgg*. dwing. *G*. 29. Biz *Ggg*. = ze parzivale *Ggg*.

294, 2. im wandelen *Ggg*. 3. duncht *Gg*, dunchet *D*. beste *G*. 4. So nempt *gg*, Ir nemet *G*. Lat euch nemen *g*. = selben *fehlt Ggg*. 6. muget *Ggg*. 7. = gevangen *Ggg*. 12. = Uf daz *Ggg*, Uf *g*. houbt *DG*. 14. lîn lachen *D*, lilachen *die übrigen*. 16. hie *fehlt Gdgg*. 18. mul *D*. 19. wolte *DG*. so *D*, also *d* = sus *g*, alsus *Ggg*. 21. 26. Fro *G*. 22. man iuz *Ggg*. 23. gebuor *D*, gebure *die übrigen*. 24. herren *DG*. 28. frieise *G*.

295, 2. Er *Ggg*. ore *D*. 3. unze *Dd* = So *Ggg*. 4. surz *G*, fûrez *D*. 5. sins *Dg*. glichen *g*. 8. im aber *Gg*. frou *fehlt Ggg*. 10. = Kay lie daz ors in *Ggg*.

der kom durch tjostieren her.
von rabîn sancten si diu sper.
Keie sîne tjoste brâhte,
als im der ougen mez gedâhte,
durchs Wâleis schilt ein venster wît.
im wart vergolten dirre strît.
Keie Artûs schenescalt
ze gegentjoste wart gevalt
übern ronen dâ diu gans entran,
sô daz dez ors unt der man
liten beidiu samt nôt:
der man wart wunt, dez ors lac tôt.
zwischen satelbogen und eime stein
Keyn zeswer arm und winster bein
zebrach von disem gevelle:
surzengel, satel, geschelle
von dirre hurte gar zebrast.
sus galt zwei bliwen der gast:
daz eine leit ein maget durch in,
mit dem andern muoser selbe sîn.

296 Parzivâl der valscheitswant,
sîn triwe in lêrte daz er vant
snêwec bluotes zäher drî,
die in vor witzen machten vrî.
sîne gedanke umben grâl
unt der küngîn glîchiu mâl,
iewederz was ein strengiu nôt:
an im wac für der minnen lôt.
trûren unde minne
brichet zæhe sinne.
sol diz âventiure sîn?
si möhten bêde heizen pîn.
küene liute solten Keien nôt
klagen: sîn manheit im gebôt
genendeclîche an manegen strît.
man saget in manegen landen wît
daz Keie Artûs scheneschalt
mit siten wære ein ribbalt:
des sagent in mîniu mære blôz:
er was der werdekeit genôz.
swie kleine ich des die volge hân,
getriwe und ellenthaft ein man
was Keie: des giht mîn munt.
ich tuon ouch mêre von im kunt.
Artûses hof was ein zil,
dar kom vremder liute vil,
die werden unt die smæhen,
mit siten die wæhen.
Swelher partierens pflac,
der selbe Keien ringe wac:

297 an swem diu kurtôsîe
unt diu werde cumpânîe
lac, den kunder êren,
sîn dienst gein im kêren.
ich gihe von im der mære,
er was ein merkære.
er tet vil rûhes willen schîn
ze scherme dem hêrren sîn:
partierre und valsche diet,
von den werden er die schiet:
er was ir fuore ein strenger hagel,
noch scherpfer dan der bîn ir zagel.
seht, die verkêrten Keien prîs.
der was manlîcher triwen wîs:

12. rabine *DG*. 15. Dur des waleis *Gdgg*, durch Parzivalen *D*. 16. vergolden *D*. 17. Kay artuses sineschalt *G*. 19. Ubern *g*, Uber *g*, uber den *DG*. 20. daz dz *D*, daz daz *G*. 21. = Beidiu sament liten not *Ggg*. 22. was wunt *Ggg*. 23. Zwischeme *G*, Zwischen *gg*, zwiscen dem *Ddgg*. und *fehlt Gg*. 24. Keyn (Kayen *g*, Keys *g*, Kay *Gg*) zeswer *Ggg* = Keie der zeswe *Dd*. arem *D*. und *g*, vn̄ daz *Dg*, das *d*, unde sin *Gg*, sin *g*. 25. Zer brast *Ggg*. 26. Surzingel *g*. = unde satel geschelle *Ggg*, und satelgeschelle *g*. 27. hurt *D*. zerbrast *G*. 28. do der *d*, dirre *gg*. 29. ein magedin? 30. selbe *fehlt Gg*.

296, 1. Ane parzivale valscheit swant *G*. 3. Snebich *g*, Sin sne *d*, Sine *Gg*. 4. Die in machten witze vri *Ggg*. 5. sine gedanche *D*, Sin gedang *g*, Ein gedanc in pausieren *g*, Sin pensieren *Ggg*, Sin pansieren *gg*. 7. Ietw. *G*. 9. wan truren und minne *D*. 11. daz *Ggg*. 12. Si mohtenz *gg*. beidiu *G*. 13. kays *G*. 17. sinschalt *G*. 18. ribalt *Ggg*. 19. saget in min *Ggg*. 22. ellenthafter man *Ggg*. 23. min *Dgg*, im min *Gdgg*, *fehlt g*. 24. ouch *D*, ime (*d. i.* iu) *d* = noch *Ggg*, eu noch *g*. mer *G*. 25. Artus hoff *D*. 26. vremdr rittr vil *D*. 28. Mit varwen *G*. 29. partierns *G*, partiers *d*. 30. Der selben key krîegens wach *g*. Kay *G*.

297, 1. die *D*. curtoysie *Gg*. 2. cumponie *G*. 9. Partierre *D*, Paratierre *g*, Partiere *d*, Partierære *Ggg*, Partîrer *g*. 11. strenge *G*. 12. scarpfer *D*. der bin ir *Dg*, der by ir *dg*, der pîn der *g*, ein pin ir *G*, ein pigen *g*, des pigen *g*. 13. Keyen] sinen *Gg*. 14. Er *Ggg*.

vil hazzes er von in gewan.
von Dürgen fürste Herman,
etslîch dîn ingesinde ich maz,
daz ûzgesinde hieze baz.
dir wære och eines Keien nôt,
sît wâriu milte dir gebôt
sô manecvalten anehanc,
etswâ smæhlîch gedranc
unt etswâ werdez dringen.
des muoz hêr Walther singen
'guoten tac, bœs unde guot.'
swâ man solhen sanc nu tuot,
des sint die valschen gêret.
Kei hets in niht gelêret,
noch hêr Heinrich von Rîspach.
hœrt wunders mêr, waz dort geschach

298 Uf dem Plimizœles plân.
Keie wart geholt sân,
in Artûs poulûn getragen.
sîne friunt begunden in dâ klagen,
vil frouwen unde manec man.
dô kom ouch mîn hêr Gâwân
über in,. dâ Keie lac.
er sprach 'ôwê unsælic tac,
daz disiu tjost ie wart getân,
dâ von ich friunt verloren hân.'
er klagt in senlîche.
Keie der zornes rîche
sprach 'hêrre, erbarmet iuch mîn lîp?
sus solten klagen altiu wîp.
ir sît mîns hêrren swester suon:
möht ich iu dienst nu getuon,
als iwer wille gerte
do mich got der lide werte!
sone hât mîn hant daz niht vermiten,
sine habe vil durch iuch gestriten:
ich tæte ouch noch, unt solt ez sîn.
nune klagt nimêr, lât mir den pîn.
iwer œheim, der künec hêr,
gewinnet nimmer sölhen Keien mêr.
ir sît mir râch ze wol geborn:
het ab ir ein vinger dort verlorn,
dâ wâgte ich gegen mîn houbet.
seht ob ir mirz geloubet.
kêrt iuch niht an mîn hetzen.
er kan unsanfte letzen,

299 der noch dort ûze unflühtec habt:
weder ern schûftet noch endrabt.
Och enist hie ninder frouwen hâr
weder sô mürwe noch sô clâr,
ez enwære doch ein veste bant
ze wern strîtes iwer hant.
swelch man tuot solhe diemuot schîn,
der êret ouch die muoter sîn:
vaterhalb solter ellen hân.
kêrt muoterhalp, hêr Gâwân:
sô wert ir swertes blicke bleich
und manlîcher herte weich.'
sus was der wol gelobte man
gerant zer blôzen sîten an
mit rede: er kunde ir gelten niht,
als wol gezogenem man geschiht,
dem scham versliuzet sînen munt,
daz dem verschamten ist unkunt.
Gâwân ze Keien sprach
'swâ man sluog oder stach,

16. durgen *G*, duringen *die übrigen.* marcgrefe *g*. 17. Etlich *G*. 19. eins *D*. kayn *G*. 24. hêr] er *g*. 25. bœse *DG*. 29. Rîspach *mit* î *D*.

298, 1. Plimizœls *D*, plimizoles *g*, plimizolles *g*, plimizols *g*, blimzoles *G*, Brimizols *g*. 4. do *G*. 6. = Dar *Ggg*. mîn *fehlt Gg*. 7. = Uber kain alda (da *G*) er lach *Ggg*. 12. zorns *G*, zorens *D*. 13. iu *g*. 17. Als ich (irs *Gg*, ir *g*) etswene gert *Ggg*. 18. So *g*. wert *Ggg*. 19. Do hette *d*. daz min hant *D*. 20. Sú hat *d*. durch iu *D*. 21. = Si *Ggg*. unt solt ez *D*, *ohne* unt *d* = moht ez *Ggg*, ob ez mohte *g*. 22. = nune *fehlt Ggg*. ni mere *D*, min ere *d* = niht mer *gg*, niht me *G*. 23. 24 *hier Dd* = *nach z.* 30 *Ggg*. 24. nimmr sôlhen *D*, nimer deheinen *Ggg*. kai *G*. 25. rache *DG*, rich *d*. zehoch geboren *G*. 26. abr ir *D*, aber ir *Ggg*, ir aber *dg*, ir *gg*. einen *alle*. dort *Dgg*, *fehlt Gdgg*. floren *G*. 27. Da engene waget ih min houbet *G*.

299, 1. Der dort noch deuze *G*, Der dor uze noch *g*. 2. Er enschuftet *G*, ern scûft *D*. 4. murge *G*. 5. doch *D*, ye doch *d* = iu doch *Ggg*. 6. Zebewarne *Gg*. Iwerm strît zewerr hant *g*. 7. solch dimuot *g*, solhe diemuete *D*. 8. = iedoch *Ggg*. 9. vaterhalbn *D*. 11. wert *g*, wêrt *g*, werdet *DG*. swerts *D*. 17. = Dem versliuzet schame *Ggg*. 19. = Gawan iedoch ze kain sprach *Ggg*. 20. swa man [ie *g*] sluog odr stach *Ddg*, Swa man ie striten (ie gestrîten *g*) sach *gg*, Swa man mich striten ie gesach *G*, Swan man mich ie in strite sach *g*.

swaz des gein mir ist geschehn,
swer mîne varwe wolde spehn,
diu wæne ich ie erbliche
von slage odr von stiche.
du zürnest mit mir âne nôt:
ich pin der dir ie dienst pôt.'
ûzem poulûn gienc hêr Gâwân,
sîn ors hiez er bringen sân:
sunder swert und âne sporn
saz drûf der degen wol geborn.

300 Er kêrt ûz da er den Wâleis vant,
des witze was der minnen pfant.
er truoc drî tjoste durch den schilt,
mit heldes handen dar gezilt:
ouch het in Orilus versniten.
sus kom Gâwân zuo zim geriten,
sunder kalopieren
unt âne punieren:
er wolde güetlîche ersehen,
von wem der strît dâ wære geschehen.
dô sprach er grüezenlîche dar
ze Parzivâl, dies kleine war
nam. daz muose et alsô sîn:
dâ tet frou minne ir ellen schîn
an dem den Herzeloyde bar.
ungezaltiu sippe in gar
schiet von den witzen sîne,
unde ûf gerbete pîne
von vater und von muoter art.
der Wâleis wênec innen wart,
waz mîns hêrn Gâwânes munt
mit worten im dâ tæte kunt.
dô sprach des künec Lôtes suon
'hêrre, ir welt gewalt nu tuon,
sît ir mir grüezen widersagt.
ine bin doch niht sô gar verzagt,
ine bringz an ander vrâge.
ir habet man und mâge
unt den künec selbe entêret,
unser laster hie gemêret.

301 Des erwirbe ich iu die hulde,
daz der künec læt die schulde,
welt ir nâch mîme râte lebn,
geselleschaft mir für in gebn.'
des künec Gahmuretes kint,
dröwen und vlêhn was im ein wint.
der tavelrunder hôhster prîs
Gâwân was solher nœte al wîs:
er het se unsanfte erkant,
do er mit dem mezer durh die hant
stach: des twang in minnen kraft
unt wert wîplîch geselleschaft.
in schiet von tôde ein künegîn,
dô der küene Lähelîn
mit einer tjoste rîche
in twanc sô vollecliche.
diu senfte süeze wol gevar
ze pfande sazt ir houbet dar,
roin Ingûse de Pahtarliez:
alsus diu getriwe hiez.
dô dâhte mîn hêr Gâwân
'waz op diu minne disen man
twinget als si mich dô twanc,
und sîn getriulîch gedanc
der minne muoz ir siges jehen?'
er marcte des Wâleises sehen,
war stüenden im diu ougen sîn.
ein failen tuoches von Sûrîn,

21. = von mir ist *gg*, ist von mir *Ggg*. 22. Der *Ggg*. = chunde spehen *Ggg*. 23. ie derbliche *g*. 24. slegen *Ggg*. noch *Ggg*. 25. zunst *G*. an *D*. 30. = der helt *Ggg*.

300, 3. Der *gg*. driu venster *Ggg*. 5. Sus het *Ggg*. 6. = Gawan chom zuo im geriten *Ggg*. 7. galop. *Ggg*. 10. dâ *fehlt Ggg*. ware *DG*, wer *gg*. 11. gruessechlichen *d* = gruozliche *Ggg*. 12. ce Parzivale ders (des *g*) *Ddg*, Parzival des *Ggg*. 13. muoset also *G*. 14. Do tet fro *G*. 15. An im *Ggg*. 17. sin *alle*. 18. unde ûf geerbetr (uf gerbeter *G*, uf ge erbter *g*, ouf gerebter *g*, uf geborner *g*) pin (bin *G*) *alle*. 21. mîns *fehlt dg*, des *G*. Gawans *DG*. 23. loths *D*. 26. Ich *G*. 27. Ichen *G*. bringz *g*, bringez *DG*. 29. selbe *Ggg*, selb *dg*, selben *D*. 30. hie *fehlt Ggg*. gemert *G*.

301, 1. erwibe *D*, erbirwe *g*. 2. læt *mit* æ *D*. 4. = Unde geselleschaft *Ggg*. mir] her *Ggg*. 6. Dron *Gg*. flehn *g*. 7. Tafelrunde *D*. hoster bris *G*. 8. = dirre note *Ggg*. 9. Er hetse ouch *G*. 16. sus *Ggg*. 19. 20 *fehlen G*. 19. de kunegin *Ddg*. Jnguose *D*, ingûze *gg*, ingwiz *g*. de *gg*, von *Dg*, *fehlt dg*. paterlies *g*, phaterliez *g*, pauterliez *g*. 21. sprach *Ggg*. 26. marhte *Gg*. Waleis *DG*. 27. im *fehlt Ggg*. 28. Ein failen *d*, eine failen *D*, Eine vale *G*, Ein valen *g*, Ein vêl *g*, Eins væilen *gg*, Ein pfellel (*und* tuoch) *g*. tuoches *fehlt G*. von einen sigelatin *g*. forin *d*.

gefurriert mit gelwem zındâl,
die swanger über diu bluotes mâl.

302 Dô diu faile wart der zaher dach,
sô daz ir Parzivâl niht sach,
im gap her wider witze sîn
von Pelrapeir diu künegîn:
diu behielt iedoch sîn herze dort.
nu ruochet hœren sîniu wort.
er sprach 'ôwê frowe unde wîp,
wer hât benomn mir dînen lîp?
erwarp mit rîterschaft mîn hant
dîn werde minn, krôn unde ein lant?
bin ichz der dich von Clâmidê
lôste? ich vant ach unde wê,
und siufzec manec herze frebel
in dîner helfe. ougen nebel
hât dich bî liehter sunnen hie
mir benomn, jan weiz ich wie.'
er sprach 'ôwê war kom mîn sper,
daz ich mit mir brâhte her?'
dô sprach mîn hêr Gâwân
'hêrre, ez ist mit tjost vertân.'
'gein wem?' sprach der degen wert.
'irn habt hie schilt noch dez swert:
waz möht ich prîss an iu bejagen?
doch muoz ich iwer spotten tragen:
ir biet mirz lîhte her nâch paz.
etswenne ich ouch vor tjost gesaz.
vinde ich nimmer an iu strît,
doch sint diu lant wol sô wît,
ich mac dâ prîs und arbeit holen,
beidiu freude und angest dolen.'

303 Mîn hêr Gâwân dô sprach
'swaz hie mit rede gein iu geschach,
diu ist lûter unde minneclîch,
und niht mit stæter trüebe rîch.
ich ger als ichz gedienen wil.
hie lît ein künec und rîter vil
und manec frouwe wol gevar:
geselleschaft gib ich iu dar,
lât ir mich mit iu rîten.
da bewar ich iuch vor strîten.'
'iwer genâde, hêrre: ir sprechet wol,
daz ich vil gerne dienen sol.
sît ir cumpânîe bietet mir,
nu wer ist iur hêrre oder ir?'
'ich heize hêrre einen man
von dem ich manec urbor hân.
ein teil ich der benenne hie.
er was gein mir des willen ie
daz er mirz rîterlîche bôt.
sîne swester het der künec Lôt,
diu mich zer werlde brâhte.
swes got an mir gedâhte,
daz biutet dienst sîner hant.
der künec Artûs ist er genant.
mîn nam ist ouch vil unverholn,
an allen steten unverstoln:
liute die mich erkennent,
Gâwân mich die nennent.
iu dient mîn lîp und der name,
welt irz kêren mir von schame.'

304 Dô sprach er 'bistuz Gâwân?
wie kranken prîs ich des hân,
op du mirz wol erbiutes hie!
ich hôrte von dir sprechen ie,
du erbütesz allen liuten wol.
dîn dienst ich doch enpfâhen sol

29. Geturriet von *G*. zendal *Gg*. 30. die *D*. bluots *DG*.

302, 1. diu faile *D*, die vaile *d*, die feile *g*, diu væle *G*, die vale *g*, diu vêl *g*, das vel *g*, di zeher *g*. 6. = disiu wort *Ggg*. 7. ouwe *D*, *fehlt dgg*. frouwe *D*, minne *G*. 10. Din *dgg*, dine *DG*. minne *alle*. kron *gg*, chrone *DG*. ein *Dgg*, zway *g*, *fehlt Gdg*, *und* (*nebst* und) *g*. 12. vn̄ owê *D*. 13. sîufzech *Dg*, súfftze *d*, suften *Gg*, seuften *g*, sŭftzen *gg*. 16. iane (nune *Ggg*) weiz ich *DGgg*, ich en (*fehlt d*) weiz [niht *g*] *dgg*. 18. braht *G*. 22. = traget hie *Ggg*. dz *D*, daz *G*. 24. wil *Ggg*. 26. von *Ggg*. 29. umb *g*, mit *G*. 30. vn̄ beidiu *D*.

303, 1. Des chunges lotes sun do sprach *Ggg*. 3. Daz *Gd*. 4. = und *fehlt Ggg*. = valscher *Ggg*. 7. Mit wunnchlicher frouwen schar *Ggg*. 9. ir *fehlt Gdg*. 10. = So *Ggg*. 11. = Got lone iu herre *Ggg*. sprecht *G*. 13. conpanie biet *G*. 14. nu *fehlt Ggg*. iwer *DG*. odr *D*. 15. herren *Gg*. 17. benne *G*. 18. = phlach *Ggg*. 19. willichlichen *Gg*. 20. hat *Ggg*. 21. werelde *D*. 23. biut *G*. 25. = Ouch ist min name *Ggg*. vil *fehlt Ggg*. 25. unverholn-26. unverstoln *Ddg*, unferstolen-vil unferholen *Ggg*. 26. = An manger stat *Ggg*. 29. der *Dd* = ouch min *Ggg*, min *g*, *fehlt g*.

304, 2. Vil *alle aufser D*. 3. erbiutst *G*. 4. hort *G*. 5. erbütesz] erbiutez *D*, erbútest *d*, erbutest ez *gy*, erbeutest ez *g*, erbietst ez *g*, butest ez *G*, beútestes *g*.

niwan ûf gegendienstes gelt.
nu sage mir, wes sint diu gezelt,
der dort ist manegez ûf geslagn?
lît Artûs dâ, sô muoz ich klagn
daz ich in niht mit êren mîn
mac gesehen, noch die künegîn.
ich sol rechen ê ein bliuwen,
dâ von ich sît mit riuwen
fuor, von solhen sachen.
ein werdiu magt mir lachen
bôt: die blou der scheneschalt
durch mich, daz von ir reis der walt.'
'unsanfte ist daz gerochen,'
sprach Gâwân: 'imst zebrochen
der zeswe arm untz winster bein.
rît her, schouw ors und ouch den stein.
hie ligent ouch trunzûne ûf dem snê
dîns spers, nâch dem du vrâgtest ê.'
dô Parzivâl die wârheit sach,
dô vrâgter fürbaz unde sprach
'diz lâze ich an dich, Gâwân,
op daz sî der selbe man
der mir hât laster vor gezilt:
sô rît ich mit dir swar du wilt.'
305 'Ine wil gein dir niht liegens pflegn,'
sprach Gâwân. 'hiest von tjost gelegn
Segramors ein strîtes helt,
des tât gein prîse ie was erwelt.
du tætz ê Keie wart gevalt:
an in bêden hâstu prîs bezalt.'
si riten mit ein ander dan,
der Wâleis unt Gâwân.
vil volkes zorse unt ze fuoz
dort inne bôt in werden gruoz,
Gâwâne und dem rîter rôt,
wande in ir zuht daz gebôt.
Gâwân kêrt da er sîn poulûn vant.
froun Cunnewâren de Lalant
ir snüere unz an die sîne gienc:
diu wart vrô, mit freude enpfienc
diu magt ir rîter, der si rach
daz ir von Keien ê geschach.
si nam ir bruoder an die hant,
unt froun Jeschûten von Karnant:
sus sach si komen Parzivâl.
der was gevar durch îsers mâl
als touwege rôsen dar gevlogen.
im was sîn harnasch ab gezogen.
er spranc ûf, do er die frouwen sach:
nu hœrt wie Cunnewâre sprach.
'Got alrêst, dar nâch mir,
west willekomen, sît daz ir
belibt bî manlîchen siten.
ich hete lachen gar vermiten,
306 unz iuch mîn herze erkande,
dô mich an freuden pfande
Keie, der mich dô sô sluoc.
daz habt gerochen ir genuoc.

7. uf dienstes gelt *Ggg*, uf dienstes widergelt *g*, auff dienst gegen gelt *g*. 8. mir *fehlt* *G*. 9. = Der dort manigez ist *g*, Der mangez ist dort *Ggg*, Der manges dort ist *gg*. 11. 12. = in mit den eren min. Niht mach *Ggg*. daz i'n niht mac mit êren mîn gesehen, noch die künegîn? 13. ê] noch *G*. blŏwen (*aber* riwen) *G*. 14. = Dar umbe *Ggg*, Daz *g*. 16. 17. = ir lachen Mir bot die sluoch *Ggg*. sinschalt *G*. 18. daz von ir der (*übergeschrieben* swant der) walt *G*, daz von ir der walt. ershal *g*. 19. daz ist *Gg*. 20. im ist *alle*. zerbr. *G*, gebr. *dgg*, gestochen *g*. 21. arem *D*. unde daz *DGgg*, daz *dg*. 22. schow *g*, scouwe *DG*. = ouch *fehlt* *Ggg*. 23. drunzune *G*. 24. von dem *Gg*. du *fehlt* *D*. vragtest *D*, vragtast *g*, fragest *die fünf übrigen*. 26. vrageter *Ddg*, dahter *Ggg*. furbaz *Dd* = mer *Ggg*. 27. Daz *Gg*.

305, 1. Ich nemach *Ggg*. 2. hie ist *DG*. 4. = gezelt *Ggg*. 5. du tætezwart (was *d*) *Ddg*, Daz was-wurde *Ggg*. 6. beid. *G*. 12. *vor* 11 *Gg*. 13. kert *g*, cherte *DG*. 14. Fron *G*. 15. ir *D*, *fehlt* *d* = Der *Ggg*. 16. = Si *Ggg*. vil vro *D*. freude enpfiench *D*, freuden phiench *g*, freuden enpfienc *dgg*, freuden si in (*fehlt* *G*) enphiench *Ggg*. 18. kei *G*. gescach *D*. 19. ande hant *D*. 23. tôwige *D*, touwich *g*. dar] *davor nachgetragen* warn *G*, wæren (wêrn *g*, wer *d*) dar *Ddgg*, dar weren *gg*, weren *g*. 25. = do er si chomen sach *Ggg*. 27. alrerst *g*. 28. west *fehlt* *Gg*, Sit *gg*.

306, 1. = E iuch *Ggg*. 2. Sit *Ggg*.

ich kust iuch, wære ich kusses wert.'
'des het ich hiute sân gegert,'
sprach Parzivâl, 'getorst ich sô:
wand ich pin iwers enpfâhens vrô.'
si kust in unde sazt in nider.
eine juncfrowen si sande wider
und hiez ir bringen rîchiu kleit.
diu wârn gesniten al gereit
ûz pfelle von Ninnivê:
si solde der künec Clâmidê,
ir gevangen, hân getragen.
diu magt si brâhte und begunde klagen,
der mantel wære âne snuor.
Cunnewâre sus gefuor,
von blanker sîte ein snüerelîn
si zucte und zôhez im dar în.
mit urloube er sich dô twuoc,
den râm von im: der junge truoc
bî rôtem munde liehtez vel.
gekleidet wart der degen snel:
dô was er fier unde clâr.
swer in sach, der jach für wâr,
er wære gebluomt für alle man.
diz lop sîn varwe muose hân.
Parzivâl stuont wol sîn wât.
einen grüenen smârât
307 spien sim für sîn houbtloch.
Cunnewâr gap im mêr dennoch,
einen tiweren gürtel fier.
mit edelen steinen manec tier
muose ûzen ûf dem borten sîn:
diu rinke was ein rubîn.
wie was der junge âne bart
geschicket, do er gegürtet wart?
diz mære giht, wol genuoc.
daz volc im holdez herze truoc:
swer in sach, man oder wîp,
die heten wert sînen lîp.
der künec messe het gehôrt:
man sach Artûsen komen dort
mit der tavelrunder diet,
der neheiner valscheit nie geriet.
die heten alle ê vernomn,
der rôte rîter wære komn
in Gâwânes poulûn.
dar kom Artûs der Bertûn.
der zerblûwen Antanor
spranc dem künege allez vor,
unz er den Wâleis ersach.
den vrâgter 'sît irz der mich rach,
und Cunnewâren de Lalant?
vil prîses giht man iwerre hant.
Keie hât verpfendet:
sîn dröun ist nu gelendet.
ich fürhte wênec sînen swanc:
der zeswe arm ist im ze kranc.'
308 Dô truoc der junge Parzivâl
âne flügel engels mâl
sus geblüet ûf der erden.
Artûs mit den werden
enpfieng in minneclîche.
guots willen wâren rîche
alle dien gesâhen dâ.
ir herzen volge sprâchen jâ,

5. chuss wert *D*. 6. sa *G*. 8. iwers chusses *G*. 9. chusten *D*. saztin *gg*, satzte in *Gg*, saste in *d*, sazen *Dg*. 12. albereit *G*, al gemæit *g*. 13. ninve *G*. 17. mandel *Gg*. 18. = alsus *Ggg*. 19. = Uz *Ggg*, Uzer *g*. sîte *DGg*, siden *dgg*. 20. zohez im *D*, zoch im ez *gg*, zoch im si *g*, zoch im daz *Gdg*, zoch daz *g*. 21. sich *fehlt d*. 23. liehtz *G*. 24. gechleit *D*, Gechlet *G*. 27. Gebluomet in vur alle man *G*, *ohne* er wære. *so auch g*, *aber ohne* in, *und z.* 28 daz lop: *dann ist zu lesen* müese. gebluemt *g*, gebluemet *D*, gelobt *g*. 28. Daz *dgg*. 29. Parzivale *DG*. 30. = tiuren *Ggg*.

307, 2. Cunneware *D immer*, Kunwar *g*. Diu frouwe gap im me danoch *G*. 3. vier *G*. 4. Von (Ausz *g*) edelem gesteine *alle außer DGd*. 5. borten *Gg*, porten *Ddgg*. 6. ringe *gg*. 8. gechleidet wart *Gg*. 9. Daz *Gg*. 11. swer in sach. (gesach *dg*) man odr wip *Ddg*, Beidiu man unde wip *Ggg*. 15. Tafelrunde *D oft*. 16. Der deheine vascheit *G*. 17. alle e wol *Gg*. 19. Gawans *DG*. 21. zerblŵen *D*, zerblŏwen *G*. Anthanor *D*, anthenor *dg*. 25. Unde mine frouwen de lalant *G*. 26. prîs *D*, brises *G*. iwerr *D*. 28. droun *g*, drouwen *D*, dron *Gg*. 29. furht wench *G*. 30. arem *D*.

308, 2. fluge *G*. 3. gebluomet *G*, gluet *D*. 5. = riterliche *Ggg*. 6. guotes *D*. 7. di in *D*, die in *G*. sahen *Gg*. 8. herce *gg*, hertze ime *d*. volgen *gg*. sprach *g*, diu sprach *G*.

gein sîme lobe sprach niemen nein:
sô rehte minneclîcher schein.
Artûs sprach zem Wâleis sân
'ir habt mir lieb und leit getân:
doch habt ir mir der êre
brâht unt gesendet mêre
denne ich ir ie von manne enpfienc.
da engein mîn dienst noch kleine gienc,
het ir prîss nimêr getân,
wan daz diu herzogîn sol hân,
frou Jeschût, die hulde.
ouch wære iu Keien schulde
gewandelt ungerochen,
het ich iuch ê gesprochen.'
Artûs saget im wes er bat,
war umbe er an die selben stat
und ouch mêr landes was geritn.
si begunden in dô alle bitn
daz er gelobte sunder
den von der tavelrunder
sîn rîterlîch gesellekeit.
im was ir bete niht ze leit:

309 Ouch moht ers sîn von schulden vrô.
Parzivâl si werte dô.
nu râtet, hœret unde jeht,
ob tavelrunder meg ir reht
des tages behalden. wande ir pflac
Artûs, bî dem ein site lac:
nehein rîter vor im az
des tages swenn âventiure vergaz
daz si sînen hof vermeit.
im ist âventiure nu bereit:
daz lop muoz tavelrunder hân.
swie si wær ze Nantes lân,
man sprach ir reht ûf bluomen velt:
dane irte stûde noch gezelt.
der künec Artûs daz gebôt
zêren dem rîter rôt:
sus nam sîn werdekeit dâ lôn.
ein pfelle von Acratôn,
ûz heidenschefte verre brâht,
wart zeime zil aldâ gedâht,
niht breit, sinewel gesniten,
al nâch tavelrunder siten;
wande in ir zuht des verjach:
nâch gegenstuol dâ niemen sprach,
diu gesitz wârn al gelîche hêr.
der künec Artûs gebôt in mêr
daz man werde rîtr und werde frouwen
an dem ringe müese schouwen.
die man dâ gein prîse maz,
magt wîb und man ze hove dô az.

310 Dô kom frou Gynovêr dar
mit maneger frouwen lieht gevar;
mit ir manc edel fürstîn:
die truogen minneclîchen schîn.
ouch was der rinc genomn sô wît
daz âne gedrenge und âne strît
manc frouwe bî ir âmîs saz.
Artûs der valsches laz
brâht den Wâleis an der hant.
frou Cunnewâre de Lalant
gieng im anderthalben bî:
diu was dô trûrens worden vrî.
Artûs an den Wâleis sach;
nu sult ir hœren wie er sprach.

11. = sprach zeim [do *g*] san *Ggg*, zuo im sprach san *g*. 16. Min dienst da gein (*oder* da engein) noch chleine giench *Ggg*. 17. nimer *D*, mynre *d* = niht me *Ggg*. 20. kay *G*. 21. ungerochen *Ggg*, unt gerochen *Ddgg*. 29. Sin *dgg*, sine *DG*. riterliche sicherheit *G*.

309, 1. = Er mohts *Ggg*, Si möchten *g*. 3. râtet] = sprechet *Ggg*. 4. muge *G*. 5. wande *fehlt G*, ob *g*. er *d*. 7. Dehein *Gg*. 8. swenne *D*, so *Gg*. 10. nu aventiwer *g*. 11. muoz *d*, muose *die übrigen*. 12. da ce *D*. zenantis *Ggg*. 18. acredon *G*, achgregon *gg*. 20. Des was da zeinem zil gedaht *Ggg*. 21. sînwel *D*. 22. der tav. *Gdgg*. 23. vergach *G*. 24. gegen stuole *D*, gagensidel *G*. 25. di gesizze (gesesse *d*) waren *Ddg*, Ir gesitz (gesitze *gg*, sitzen *g*) was *Ggg*. 27. werde — werde *Dgg*, *daz zweite fehlt dgg*, *beide fehlen G*. 28. Am *g*. = solt *oder* solde *Ggg*.

310, 1. Ouch *Ggg*. fro schinovere *G*, frou gynofere *g*. 3. manech *D*. edele *G*. 4. lieht gevarwen schin *g*. 5. = Der rinch was wol genomen so wit *Ggg*. 7 *nach* 8 *Gg*. amise *g*. 9. Do brahte *Gg*. 11. 12 *fehlen G*. 11. Gein im *g*. anderhalben *g*. 12. worden trurens *gg*. 14. wier sprach *G*.

'ich wil iweren clâren lîp
lâzen küssen mîn [altez] wîp.
des endorft ir doch hie niemen bitn,
sît ir von Pelrapeire geritn:
wan da ist des kusses hôhstez zil.
eins dinges ich iuch biten wil:
kôm ich imer in iwer hûs,
gelt disen kus,' sprach Artûs.
'ich tuon swes ir mich bitet, dâ,'
sprach der Wâleis, 'unde ouch anderswâ.'
ein lützel gein im si dô gienc,
diu küngîn in mit kusse enpfienc.
'nu verkiuse ich hie mit triwen,'
sprach si, 'daz ir mich mit riwen
liezt: die het ir mir gegebn,
dô ir rois Ithêr nâmt sîn lebn.'

311 Von der suone wurden naz
der küngîn ougen umbe daz,
wan Ithêrs tôt tet wîben wê.
man sazte den künec Clâmidê
anz uover zuo dem Plimizœl:
bî dem saz Jofreit fîz Idœl.
zwischen Clâmidê und Gâwân
der Wâleis sitzen muose hân.
als mir diu âventiure maz,
an disem ringe niemen saz,
der muoter brust ie gesouc,
des werdekeit sô lützel trouc.
wan kraft mit jugende wol gevar
der Wâleis mit im brâhte dar.
swer in ze rehte wolde spehn,
sô hât sich manec frouwe ersehn
in trüeberm glase dan wær sîn munt.
ich tuon iu vonme velle kunt
an dem kinne und an den wangen:
sîn varwe zeiner zangen
wær guot: si möhte stæte habn,
diu den zwîvel wol hin dan kan schabn.
ich meine wîp die wenkent
und ir vriuntschaft überdenkent.
sîn glast was wîbes stæte ein bant:
ir zwîvel gar gein im verswant.
ir sehen in mit triwe enpfienc:
durch diu ougen in ir herze er gienc.
Man und wîp im wâren holt.
sus het er werdekeit gedolt,

312 unz ûf daz siufzebære zil.
hie kom von der ich sprechen wil,
ein magt gein triwen wol gelobt,
wan daz ir zuht was vertobt.
ir mære tet vil liuten leit.
nu hœrt wie diu juncfrouwe reit.
ein mûl hôch als ein kastelân,
val, und dennoch sus getân,

16. küszen lan *dg*. altz *D*, *fehlt g*. 17. en *fehlt G*. durft *g*, dürft *g*, durfet *Gg*. hie *fehlt Ggg*. 19. wan *fehlt Gg*. hohstez *gg*, hohestez *G*, hoste *gg* = hohster *D*, hœhester *d*. 20. ih iuh *G*, ich *gg*. bitten *D*. 21. immer *D*. 23. bittet *D*. 24. ouch *fehlt Ggg*. 25. = Ein wench *Ggg*. gein im si do *D*, sú gegen im do *d* = naher si im do *gg*, si naher im do *gg*, sie im do naher *g*, sim dar naher *G*. 28. mich *gg*, *fehlt Gg gänzlich* = *vor z.* 29 *Dd*. 30. rois *fehlt Gg*, dem kunege *die übrigen*.

311, 1. = Von dirre *Ggg*. 3. wande *D*, *fehlt G*. wibe *D*. 5. Ans *d*, an daz *DG*. over *dg*, ower *g*, ur var *G*. blimzol *G*, primizol *g*. 6. Bi im *Ggg*. schofreit *G*. vizidol *Gg*. Jdol *auch D*. 10. dem *Ggg*. 12. = so wench *Ggg*. 13. = Wan *fehlt Ggg*. iugent *D*, iunge *g*. 15. = chunde spehen *Ggg*. 17. truoberm *g*, truobrem *Gg*, trueberme *g*, trubern *gg*, trueber *Dd*: glase *D*, glasz *d* = glast *g*, spiegl *gg*, velle *G*. dane *G*, denne *D*. 18. iu *fehlt Ggg*. von sinen *G*, von sime *oder* sinem *die übrigen*. 19. 20. dem wange-zange *Gg*. 21. si] = diu *Ggg*. mehte *g*, moht *G*. 22. Die der *Ggg*, Der *g*. zwifel chunde dan hin schaben *Gg*. 24. Unt an ir *Ggg*. friwentscaft *D*. 30. erholt *d*.

312, 1-4. Parzifâl der werde degen. Nu müez sîn der ouch fürbaz pflegen, Der sîn unz her gepflegen hât. Des wirt nôt, wan ez hie gât An solhiu hovemære, Der ich ze sagen wol enbære, Und enmages doch niht verdagen: Man muoz freud und unfreude sagen. Swie trûric uns diz mære tuo, Dâ hœret doch ein swîgen zuo: Nu merket ez mit schœnen siten. Hie komet ein maget zuo geriten, Gein zuht vil dicke wol gelobet, Wan daz ir zuht hie wirt vertobet. *d*. 1. suftebare *G*, seuftzeberez *g*. 3. Ein man *G*. 5. tet *D*, tuot *d*. 6. nu *fehlt Ggg*. 7. Ein *gg*, Einen *DG*.

nassnitec unt verbrant,
als ungerschiu marc erkant.
ir zoum und ir gereite
was geworht mit arbeite,
tiwer unde rîche.
ir mûl gienc volleclîche.
si was niht frouwenlîch gevar.
wê waz solt ir komen dar?
si kom iedoch: daz muose et sîn.
Artûs her si brâhte pîn.
der meide ir kunst des verjach,
alle sprâche si wol sprach,
latîn, heidensch, franzoys.
si was der witze kurtoys,
dîaletike und jêometrî:
ir wâren ouch die liste bî
von astronomîe.
si hiez Cundrîe:
surziere was ir zuoname;
in dem munde niht diu lame:
wand er geredet ir genuoc.
vil hôher freude se nider sluoc.

313 Diu maget witze rîche
was gevar den unglîche
die man dâ heizet bêâ schent.
ein brûtlachen von Gent,
noch plâwer denne ein lâsûr,
het an geleit der freuden schûr:
daz was ein kappe wol gesniten
al nâch der Franzoyser siten:
drunde an ir lîb was pfelle guot.
von Lunders ein pfæwîn huot,
gefurriert mit einem blîalt
(der huot was niwe, diu snuor niht alt),
der hieng ir an dem rücke.
ir mære was ein brücke:
über freude ez jâmer truoc.
si zuct in schimpfes dâ genuoc
über den huot ein zopf ir swanc
unz ûf den mûl: der was sô lanc,
swarz, herte und niht ze clâr,
linde als eins swînes rückehâr.
si was genaset als ein hunt:
zwên ebers zene ir für den munt
giengen wol spannen lanc.
ietweder wintprâ sich dranc
mit zöpfen für die hârsnuor.
mîn zuht durch wârheit missefuor,
daz ich sus muoz von frouwen sagen:
kein andriu darf ez von mir klagen.
Cundrî truoc ôren als ein ber,
niht nâch friundes minne ger:

314 Rûch wâs ir antlütze erkant.
ein geisel fuorte se in der hant:
dem wârn die swenkel sîdîn
unt der stil ein rubbîn.
gevar als eines affen hût
truoc hende diz gæbe trût.

9. Nase snitch *G*, Nas sneitich *g*, Nase gesniten *g*, Nase geschúrpffet *g*. 10. Als ein *G*. ungers *Gd*, ungrischeu *g*, ungerischiu *gg*. marh *D*. 11. toum *D*. unde ir phardes gereite *Gg*. 13. Tiur *G*. 14. muol *D*. 15. Sine *G*. frouwenliche *D*, frowelich *g*, frowlich *G*, freulich *g*. var *D*. 16. Owe *Ggg*. 17. muoset *G*, muose *dgg*. 18. Artuses *G*. bin *G oft*. 19. Der frouwen *G*. zuht *Gg*. verach *G*. 21. Latine *G*. 23. Dialetik *g*, Dyaletike *g*, Dialetiche *g*, Dioletche *G*, dialetice *D*. Jeometrî *D*, ieometrie *G*, die iemotri *g*, Giometri *g*, geometrie *g*. 24. 25 *fehlen Gg*. 24. ouch *fehlt gg*. bie *g*. 26. gundrie *G immer*. 27. Surzier *alle außer D*. zuo nam-lam *D*. 29. wan der *D*, Wan er *die übrigen*. gereit *D*, geret *d*. 30. si *DG*.

313, 2. dem *Ggg*. ungeliche *DG*. 3. di *D*, Diu *g*. beascent *Dd*, beadschent *G*, beagent *g*. 5. laswr *D*, lazur *Ggg*. 6. Het an ir *gg*, Fuort an im *G*. scwr *D*. 9. = Unde *gg*, Unden *Ggg*. libe *DG*, *fehlt g*. was *fehlt G*. 10. phawen *G*. 11. Gefurriet *G*. blialt *Gd*, plialt *gg*, Pliât *Dgg*. 18. mwl *D*. 19. und *fehlt Gdg*. 20. ein *dg*, *fehlt g*. swins *D*. rücke *fehlt Gg*. 21. genast *D*. 22. zen *G*. 23. spanne *Ggg*. 25. hars snuor *D*. 26. mit warheit *Dg*. 28. nechein *D*, Dehein *G*. enderiu darfez *D*. 29. Cundrîe *mit* e *alle immer*, Si *G*. 30. friwents *D*. minnen *G*.

314, 2. Ein *dgg*, Einen *D*, Eine *Gg*. geiselen *Gg*. si fuorte *D*. 3. Der *Ggg*. was der *Ggg*. 4. rubin *G*. 5. aven (v *in* f *verändert*) *G*. huot-truot *D*.

die nagele wâren niht ze lieht;
wan mir diu âventiure gieht,
si stüenden als eins lewen klân.
nâch ir minn was selten tjost getân.
sus kom geriten in den rinc
trûrens urhap, freuden twinc.
si kêrte aldâ se den wirt vant.
frou Cunnewâre de Lalant
az mit Artûse:
de küngîn von Janfûse
mit froun Ginovêren az.
Artûs der künec schône saz.
Cundrî hielt für den Bertenoys,
si sprach hin zim en franzoys:
ob ichz iu tiuschen sagen sol,
mir tuont ir mære niht ze wol.
'fil li roy Utpandragûn,
dich selbn und manegen Bertûn
hât dîn gewerp alhie geschant.
die besten über elliu lant
sæzen hie mit werdekeit,
wan daz ein galle ir prîs versneit.
tavelrunder ist entnihtet:
der valsch hât dran gepflihtet.
315 Künc Artûs, du stüent ze lobe
hôhe dînn genôzen obe:
dîn stîgnder prîs nu sinket,
dîn snelliu wirde hinket,
dîn hôhez lop sich neiget,
dîn prîs hât valsch erzeiget.
tavelrunder prîses kraft
hât erlemt ein gesellescharft
die drüber gap hêr Parzivâl,
der ouch dort treit diu rîters mâl.
ir nennet in den ritter rôt,
nâch dem der lac vor Nantes tôt:
unglîch ir zweier leben was;
wan munt von rîter nie gelas,
der pflæg sô ganzer werdekeit.'
vome künge se für den Wâleis reit,
si sprach 'ir tuot mir site buoz,
daz ich versage mînen gruoz
Artûse unt [der] messnîe sîn.
gunêrt sî iwer liehter schîn
und iwer manlîchen lide.
het ich suone oder vride,
diu wærn iu beidiu tiure.
ich dunke iuch ungehiure,
und bin gehiurer doch dann ir.
hêr Parzivâl, wan sagt ir mir
unt bescheidt mich einer mære,
dô der trûrge vischære
saz âne freude und âne trôst,
war umb irn niht siufzens hât erlôst.
316 Er truog iu für den jâmers last.
ir vil ungetriwer gast!
sîn nôt iuch solt erbarmet hân.
daz iu der munt noch werde wan,
ich mein der zungen drinne,
als iuz herze ist rehter sinne!
gein der helle ir sît benant
ze himele vor der hôhsten hant:
als sît ir ûf der erden,
versinnent sich die werden.

7. = Ir *Ggg.* wæren *G.* warn crimp und nih lieht *g.* 8. Als *Ggg.* giht *alle.* 9. stuenden *mit* ue *D.* 10. minne *alle.* 11. geritten *D.* an *G.* 12. Truren *G.* 13. al *fehlt Gdgg.* si *DG.* 14. Fro kunew. *G.* 16. Jamfuse *dg*, lanfuse *Ggg*, Lamfuse *g.* 17. Mit fron schinoveren *G.* 18. Der chunch artus *Ggg.* 19. britoneys *G.* 21. ihez *G.* tîuscen *D*, tuschen (*vor* s *ein* t *übergeschrieben*) *G*, deutsch *g.* 22. tuot *Ggg.* 23. Fillu roy *D*, Fillu rois *g*, Filiroys *G.* utp. *Ggg*, urp. *g*, Uotep. *D*, utrep. *g*, uter p. *dg.* 24. selben *Ddg*, *fehlt Ggg.* 25. dîn] ein *Gg.* gewerf *g*, gewerft *g.* alhie] gar *G.* 27. sæzen *Ddg*, Sazen *Ggg.* 29. 30. ent- niht-gepfliht *D.*

315, 1. stuende *alle.* 2. dinen *DG.* gnozen *D.* 3. stigender *DG.* 4. sneliu *G.* 7. Der tav. *Gdgg.* 10. ouch *fehlt Ggg.* diu riters man *G.* 11. der rittr *D.* 12. nantis *Ggg.* 13. ungelich *DG.* 14. wan *fehlt Ggg.* 15. pfiæge *D*, phlage *G*, pflach *g.* grozer (*ohne* sô) *G.* 16. si *DG.* 19. Dem chunge *Ggg*, Dem chunge Artus *g.* Massenide *D.* 21. manliche *G*, manlich *dg*, mænlichen *gg.* 23. die *D.* 25. gehiwerr *D*, geheurre *g.* doch *fehlt g.* 27. besceidet *DG.* der mare *Gg.* 28. trurige *G*, truorige *D.* 29. = ane helfe *Ggg.* 30. iren *D*, ir in *G.* süftens *g*, *fehlt G.* habt *G.* erost *D.*

316, 1. = iu vor *Ggg.* 4. = Daz iwer munt *Ggg.* 5. mæin *g*, meine *DG.* 6. = guoter *Ggg.* 8. von *G.* 9. also *D.* 10. Vesinnent *G*, Versument *dgg.*

ir heiles pan, ir sælden fluoch,
des ganzen prîses reht unruoch!
ir sît manlîcher êren schiech,
und an der werdekeit sô siech,
kein arzet mag iuch des ernern.
ich wil ûf iwerem houbte swern,
gît mir iemen des den eit,
daz grœzer valsch nie wart bereit
necheinem alsô schœnem man.
ir vederangl, ir nâtern zan!
iu gap iedoch der wirt ein swert,
des iwer wirde wart nie wert:
da erwarb iu swîgen sünden zil.
ir sît der hellehirten spil.
gunêrter lîp, hêr Parzivâl!
ir sâht ouch für iuch tragen den grâl,
und snîdnde silbr und bluotic sper.
ir freuden letze, ir trûrens wer!
wær ze Munsalvæsche iu vrâgen mite,
in heidenschaft ze Tabronite
317 Diu stat hât erden wunsches solt:
hie het iu vrâgen mêr erholt.
jenes landes künegîn
Feirefîz Anschevîn
mit herter rîterschefte erwarp,
an dem diu manheit niht verdarp,
die iwer bêder vater truoc.
iwer bruoder wunders pfligt genuoc:
ja ist beidiu swarz unde blanc
der küngîn sun von Zazamanc.
nu denke ich ave an Gahmureten,
des herze ie valsches was erjeten.
von Anschouwe iwer vater hiez,
der iu ander erbe liez
denn als ir habt geworben.
an prîse ir sît verdorben.
het iwer muotr ie missetân,
sô solt ichz dâ für gerne hân,
ir möht sîn sun niht gesîn.
nein, si lêrte ir triwe pîn:
geloubet von ir guoter mære,
unt daz iwer vater wære
manlîcher triwe wîse
unt wîtvengec hôher prîse.
er kunde wol mit schallen.
grôz herze und kleine gallen,
dar ob was sîn brust ein dach.
er was riuse und vengec vach:
sîn manlîchez ellen
kund den prîs wol gestellen.
318 Nu ist iwer prîs ze valsche komn.
ôwê daz ie wart vernomn
von mir, daz Herzeloyden barn
an prîse hât sus missevarn!'
Cundrî was selbe sorgens pfant.
al weinde si die hende want,
daz manec zaher den andern sluoc:
grôz jâmer se ûz ir ougen truoc.
die maget lêrt ir triuwe
wol klagen ir herzen riuwe.
wider für den wirt si kêrte,
ir mær si dâ gemêrte.
si sprach 'ist hie kein rîter wert,
des ellen prîses hât gegert,

14. ander *G*. 15. nehein *D*, Dehein *G*. 19. An *G*. deheinem *Gdgg*. als *Gg*. scœnem *Ddg*, schonen *Gg*. 20. veder angel *G*, vedr angel *D*. nateren *G*, notern *d*. 24. der helle hirt ein spil *g*. 25. Geunert *G*, Guneret *g*. 26. saht *gg*. = doch *Ggg*. 27. und *fehlt Gdg*. snîdende *Dgg*, sniden *G*, snidic *g*. silber *alle*. und *fehlt Gg*. 28. truren *g*. 29. frage *G*. 30. Thabronît *D*, tabrunit *Gg*.

317, 1. 2 *fehlen Gg*. 3. Eines *Gg*, Gein des *g*. 4. Veirefiz *G*. 5. riterschaft *Gdgg*. 7. bedr *D*, beider *G*. 9. Derst *Ggg*. und *D*. 11. denche ih *Gg*, denche *D*, gedencke ich *dg*, gedenchet ich *g*, denct ir *g*. aber *alle außer D*. 12. = ie *fehlt Ggg*. er iëten *D*, ergeten *G*. 17. Hiet *g*. muoter *DG*. 18. wolt ihez *Gg*. da fur gerne *D*, da vur *Ggg*, gerne da fur *dgg*. 19. Irn *g*. moht *Ggg*, mæht *D*, meht *g*, möchtent *dg*. sin *Gdgg*, ir *Dgg*. ir êsun? 21. Geloubt *Gg*. guot *G*, guotiu *gg*. 23. triwe *Dg*, triwen *Gdgg*. 24. witvenge *Gg*. 25. 26. schalle-chleiniu galle *Gdgg*. 27. Dar uber *Ggg*. 28. rivse *D*, reuse *g*, rúse *d*, russe *G*, rusche *gg*. 29. Sin wert manlich ellen *G*. 30. chunde *DG*. stellen *Gg*.

318, 3. herzeloyde *Gg*, herzenlauden *g*. 4. = An triwen *Ggg*. 5-8. = *fehlen Ggg*. 5. sorgen *d*. 6. al weinende *Dd*. 8. si *Dd*. 10. Al chlagende herze riuwe *Ggg*. 11. chunch *Ggg*. 12. mær *g*. 13. dehein *G*. 14. habe *Ggg*.

unt dar zuo hôher minne?
ich weiz vier küneginne
unt vier hundert juncfrouwen,
die man gerne möhte schouwen.
ze Schastel marveil die sint:
al âventiure ist ein wint,
wan die man dâ bezalen mac,
hôher minne wert bejac.
al hab ich der reise pîn,
ich wil doch hînte drûffe sîn.'
diu maget trûrec, niht gemeit,
ân urloup vome ringe reit.
al weinde se dicke wider sach:
nu hœrt wie si ze jungest sprach.
'ay Munsalvæsche, jâmers zil!
wê daz dich niemen trœsten wil!'

319 Cundrîe la surziere,
diu unsüeze und doch diu fiere,
den Wâleis si beswæret hât.
waz half in küenes herzen rât
unt wâriu zuht bî manheit?
und dennoch mêr im was bereit
scham ob allen sînen siten.
den rehten valsch het er vermiten:
wan scham gît prîs ze lône
und ist doch der sêle krône.
scham ist ob siten ein güebet uop.
Cunnewâr daz êrste weinen huop,
daz Parzivâl den degen balt
Cundrîe surzier sus beschalt,
ein alsô wunderlîch geschaf.
herzen jâmer ougen saf
gap maneger werden frouwen,
die man weinde muose schouwen.
Cundrîe was ir trûrens wer.
diu reit enwec: nu reit dort her
ein rîter, der truoc hôhen muot.
al sîn harnasch was sô guot
von den fuozen unz ans houbtes dach,
daz mans für grôze koste jach.
sîn zimierd was rîche,
gewâpent rîterlîche
was dez ors und sîn selbes lîp.
nu vander magt man unde wîp
trûrec ame ringe hie:
dâ reit er zuo, nu hœret wie.

320 Sîn muot stuont hôch, doch jâmers vol.
die bêde schanze ich nennen sol.
hôchvart riet sîn manheit,
jâmer lêrt in herzenleit.
er reit ûz zem ringe.
op man in dâ iht dringe?
vil knappen spranc dar nâher sân,
do enpfiengen si den werden man.
sîn schilt unt er wârn unbekant.
den helm er niht von im bant:
der vreuden ellende
truoc dez swert in sîner hende,
bedecket mit der scheiden.
dô vrâgter nâh in beiden,
'wa ist Artûs unt Gâwân?'
junchêrren zeigten im die sân.
sus gienger durch den rinc wît.
tiwer was sîn kursît,
mit liehtem pfelle wol gevar.
für den wirt des ringes schar
stuont er unde sprach alsus.
'got halt den künec Artûs,
dar zuo frouwen unde man.
swaz ich der hie gesehen hân,

19. = Uf *Ggg*. Scastel *D*, schathal *d*, tschahtel *gg*, tschater *Gg*, kastelle *g*. Marveil *g*, marnail *d*, marveile *g*, marfeile *Gg*, Marvale *D*, mærval *g*. si sint *Gg*. 22. Werder minne hoch beiach *Ggg*. 23. dar der *Gg*. 24. noch *Gdgg*. hint *G*, hinde *g*. dar uffe *G*. 26. an urloup dannen reit *D*. 27. weinde *g*, wende *g*. si diche *DG*, si hin *g*. 29. Aÿ *D*, A *G*, Ey *dgg*, Hey *g*, Auch *g*.

319, 3. beswart *G*. 6. und *fehlt Gg*. 9. wan *fehlt G*. 11. an *G*. siten rehter uop *Gg*. 13. parzivalen *Gd*, parcifaln *gg*. 14. surzir *gg*, surziere *Dd*, surtziere *g*, *fehlt Ggg*. alsus *Ggg*. 15. Umbe *Ggg*. alsus *Gg*. 17. Gab do *g*. 18. Man muose hie weinen schouwen *Ggg*. weinde *g*, weinende *Dd*. 20. Si reit den wech (ein weg *g*, ein wench *g*) *Ggg*. 22. daz was guot *G*. 23. von den fuozen *Dg*, Von dem fuosz *dg*, Von fuoze *Ggg*. an des *alle*. houpts *D*, haups *g*. 25. zimierde *Dd* = zimier daz *Ggg*. 27. dez *Dd* = sin *Ggg*, *fehlt g*. unde och *Ggg*. 28. 29. Manch maget unde wip. Was trurch an dem ringe hie *Gg*. 28. = Do *gg*.

320, 4. herzeleit *Gdgg*. 5. ûz zem] ůzen zǒme *D*, uszen dem *g*, uzzen zuo dem *die übrigen*. 12. dz *D*. 13. Verdechet *Ggg*. 14. nach den *G*. 22. halde *D*.

den biut ich dienstlîchen gruoz.
wan einem tuot mîn dienst buoz,
dem wirt mîn dienst nimmer schîn.
ich wil bî sîme hazze sîn:
swaz hazzes er geleisten mac,
mîn haz im biutet hazzes slac.

321 Ich sol doch nennen wer der sî.
ach ich arman unde ôwî,
daz er mîn herze ie sus versneit!
mîn jâmer ist von im ze breit.
daz ist bie hêr Gâwân,
der dicke prîs hât getân
und hôhe werdekeit bezalt.
unprîs sîn het aldâ gewalt,
dô in sîn gir dar zuo vertruoc,
ime gruozer mînen hêrren sluoc.
ein kus, den Jûdas teilte,
im solhen willen veilte.
ez tuot manc tûsent herzen wê
daz strenge mortlîche rê
an mîme hêrren ist getân.
lougent des hêr Gâwân,
des antwurte ûf kampfes slac
von hiute [über] den vierzegisten tac,
vor dem künec von Ascalûn
in der houbetstat ze Schanpfanzûn.
ich lade in kampflîche dar
gein mir ze komenne kampfes var.
kan sîn lîp des niht verzagen,
ern welle dâ schildes ambet tragen,
sô man i'n dennoch mêre
bî des helmes êre
unt durch ritter ordenlîchez lebn:
dem sint zwuo rîche urbor gegebn,
rehtiu scham und werdiu triwe
gebent prîs alt unde niwe.

322 Hêr Gâwân sol sich niht verschemn,
ob er geselleschaft wil nemn
ob der tavelrunder,
diu dort stêt besunder.
der reht wære gebrochen sân,
sæze drob ein triwenlôser man.
ine bin her niht durch schelten komn:
geloubet, sît irz habt vernomn,
ich vorder kampf für schelten,
der niht wan tôt sol gelten,
oder lebn mit êren,
swenz wil diu sælde lêren.'
der künec swîgt und was unvrô,
doch antwurte er der rede alsô.
'hêrre, erst mîner swester suon:
wær Gâwân tôt, ich wolde tuon
den kampf, ê sîn gebeine
læge triwenlôs unreine.
wil glücke, iu sol Gâwânes hant
mit kampfe tuon daz wol bekant
daz sîn lîp mit triwen vert
und sichs valsches hât erwert.
hab iu anders iemen leit
getân, sô machet niht sô breit
sîn laster âne schulde:
wan erwirbt er iwer hulde
sô daz sîn lîp unschuldec ist,
ir habt in dirre kurzen vrist
von im gesagt daz iweren prîs
krenket, sint die liute wîs.'

323 Bêâcurs der stolze man,
des bruoder was hêr Gâwân:
der spranc ûf, sprach zehant
'hêrre, ich sol dâ wesen pfant,

27. im enwirt dienst nimer scin *D*. 30. biut *G*.

321, 1. wer er *Gdg*. 2. Owe ich *G*. 4. riwe *Ggg*. ce *D*, so *d*, alze *gg*, aze *G*, worden *g*. zü arbeit *g*. 5. Ez *G*. hie *Dg*, *fehlt d*, hie mein *g*, min *Ggg*. 10. Imme *g*, Inme *g*. 13. tet *G*. 14. strenger mortlicher *gg*. 15. Daz an minem *Gdg*. 17. So *Ggg*. 18. Von hiut an dem *g*. vierzgesten *G*, viertzehenten *gg*, XIIIJ *d*. 19. kunege *D*, chunge *G*. aschalun *G meistens*. 20. haupstat *g*, hohen stat *D*. schanfezûn *g*, tschanfanzun *g*, tschanfenzun *G*. 22. ce chomn in *Dg*. kampfar *d*. 24. dâ] des *g*. och? 25. i'n] ich *g*, ich in *oder* ih in *die übrigen*. 27. riters *Ggg*. 28. zwo *D*. zwei richiu urbor *Ggg*. 29. werdiu *Ddgg*, wariu *gg*, rehtiu *Gg*. 30. Gebirt *g*.

322, 2. gesellcheit *Ggg*. 5. = Ir *Ggg*. 6. 18. triwenl. *D*, triwel. *Gdgg*, triwl. *g*. 9. vordr *D*, vordere *G*. 11. nach *Ggg*. 12. Swen ez *Ggg*. 13. swigt *g*, swîgete *Dg*, sweich *die übrigen*. wart *Gg*. 15. er ist *alle*. 19. wil gelucke *DG*, *fehlt g*. Gawans *D*. 24. sone *D*. 26. erwirbet er *D*, er erwirbet *d* = gewint er *g*, gewinner (t *über* e *übergeschrieben*) *G*, gewinnet er *gg*, er gewinnet *g*. 28. an *Gdgg*. 29. von im *fehlt D*.

323, 1. Deacors *D*. 3. = stuont uf *Ggg*. unde sprach *alle außer D*.

swar Gâwâne ist der kampf gelegt.
sîn velschen mich unsanfte regt:
welt irs niht erlâzen in,
habt iuch an mich: sîn pfant ich pin,
ich sol für in ze kampfe stên.
ez mac mit rede niht ergên
daz hôher prîs geneiget sî,
der Gâwân ist ledeclîche bî.'
er kêrte aldâ sîn bruoder saz,
fuozvallens er dâ niht vergaz.
den bat er sus, nu hœret wie.
'gedenke, bruoder, daz du ie
mir hülfe grôzer werdekeit.
lâ mich für dîn arbeit
ein kampflîchez gîsel wesn.
ob ich in kampfe sol genesn,
des hâstu immer êre.'
er bat in fürbaz mêre
durch bruoderlîchen rîters prîs.
Gâwân sprach 'ich pin sô wîs
daz ich dich, bruoder, niht gewer
dîner bruoderlîchen ger.
ine weiz war umbe ich strîten sol,
ouch entuot mir strîten niht sô wol:
ungerne wolt ich dir versagn,
wan daz ich müesez laster tragn.'

324 Bêâcurs al vaste bat.
der gast stuont an sîner stat:
er sprach 'mir biutet kampf ein man,
des ich neheine künde hân:
ine han och niht ze sprechen dar.
starc, küene, wol gevar,
getriuwe unde rîche,
hât er diu volleclîche,
er mac porgen deste baz:
ine trage gein im decheinen haz.
er was mîn hêrre und mîn mâc,
durch den ich hebe disen bâc.
unser vätr gebruoder hiezen,
die nihts ein ander liezen.
nehein man gekrœnet wart
nie, ichn het im vollen art
mit kampfe rede ze bieten,
mich râche gein im nieten.
ich pin ein fürste ûz Ascalûn,
der lantgrâve von Schanpfanzûn,
und heize Kingrimursel.
ist hêr Gâwân lobes snel,
der mac sich anders niht entsagn,
ern müeze kampf dâ gein mir tragn.
ouch gib i'm vride übr al daz lant,
niwan von mîn eines hant:
mit triwen ich vride geheize
ûzerhalp des kampfes kreize.
got hüete al der ich lâze hie;
wan eins, er weiz wol selbe wie.'

325 Sus schiet der wol gelobte man
von dem Plimizœles plân.
dô Kingrimursel wart genant,
ohteiz dô wart er schiere erkant.
werden virrigen prîs
het an im der fürste wîs:
si jâhen daz her Gâwân
des kampfes sorge müese hân
gein sîner wâren manheit,
des fürsten der dâ von in reit.
och wante manegen trûrens nôt,
daz man im dâ niht êren bôt.

5. geleit *G*. 6. reiget *G*, wegt *g*. 7. 8. = *fehlen Ggg*. 9. ze champfe für in *alle außer DGd*. 10. mit rede] so lihte *G*. 12. derst Gâwân? ledechliche ist *Gg*, ewecliche ist *g*. 13. al *fehlt G*. 14. dâ *fehlt Gg*. 15. Er bat in sus *Ggg*. 17. = rehter *Ggg*. 20. an *Ggg*. sule *Ggg*. 24. Her gawan *Ggg*. 28. Doch *Ggg*. tuot *Gdgg*. 29. ungern *D*. dirz *dg*. 30. ich muesez laster] ich muosz laster *d*, ich muose daz laster *Gg*, ich muz daz laster *gg*, ich müste laster *g*, ichz lastr muose *D*.

324, 1. Deachors *D*. 4. deheine *Gg*. 5. zesprechenne *G*. 6. Stæte *Gg*. 9. destebaz *DG*. 10. Ichne han *Ggg*. 11. unde och *Gg*. 13. veter *gg*, vatere *G*. = bruoder *Ggg*. 15. So hoher man *Ggg*. gechront *G*. 16. Nîe. ichn hiet im *g*. 17. mit champfe (kamppff *d*) rede *Ddg*, Im champfes rede *gg*, In kamphes rede *gg*. 18. Min *gg*, Mit *g*. zuo nieten *g*. 20. Scampf. *D*, tschanvenzun *G*. 23. = Er *Gg*, Ern *gg*. 24. ern mueze *D*, Er muz *dg*, Erenwelle da *Gg*, Ern welle den *gg*. da *Dd* = *fehlt Ggg*. 25. Ich gibe im *Ggg*. i'm] ich im *Ddgg*, ich *g*. 27. truwe *d*. 30. An *g*. eins *gg*, eines *DG*.

325, 2. plimizols *gg*, blimzoles *G*, Primizols *D*, Brimizols *g*. 4. Otheis do *g*, Got weiz du *g*. 9. Von *Ggg*. werden *Gg*. 11. mante *d*. truns *G*. 12. ere *D*.

dar wâren solhiu mære komn
als ir wol ê hât vernomn,
die lîhte erwanden einen gast
daz wirtes gruozes im gebrast.
von Cundrîen man och innen wart
Parzivâls namn und sîner art,
daz in gebar ein künegîn,
unt wie die 'rwarp der Anschevîn.
maneger sprach 'vil wol ichz weiz
daz er si vor Kanvoleiz
gediende hurteclîche
mit manegem poynder rîche,
und daz sîn ellen unverzagt
erwarp die sældebæren magt.
Amphlîse diu gehêrte
ouch Gahmureten lêrte,
dâ von der helt wart kurtoys.
nu sol ein ieslîch Bertenoys
326 sich vröun daz uns der helt ist komn,
dâ prîs mit wârheit ist vernomn
an im und ouch an Gahmurete.
reht werdekeit was sîn gewete.'
Artûss her was an dem tage
komen freude unde klage;
ein solch geparriertez lebn
was den helden dâ gegeben.
si stuonden ûf über al:
dâ was trûren âne zal.
ouch giengen die werden sân
da der Wâleis und Gâwân
bî ein ander stuonden:
si trôsten se als si kuonden.
Clâmidê den wol geborn
dûht, er hete mêr verlorn
dan iemen der dâ möhte sîn,
unt daz ze scharpf wær sîn pîn.
er sprach ze Parzivâle
'wært ir bî dem grâle,
sô muoz ich sprechen âne spot,
in heidenschaft Tribalibot,
dar zuo'z gebirge in Kaukasas,
swaz munt von rîcheit ie gelas,
und des grâles werdekeit,
dine vergülten niht mîn herzeleit
daz ich vor Pelrapeire gewan.
ach ich arm unsælic man!
mich schiet von freuden iwer hant.
hie ist vrou Cunwâr de Lalant:
327 och wil diu edele fürstîn
sô verre ziwerm gebote sîn
daz ir diu niemen dienen lât,
swie vil si dienstgeltes hât.
Si möht iedoch erlangen
daz ich pin ir gevangen
alsus lange hie gewesen.
ob ich an freuden sol genesen,
sô helft mir daz si êre sich
sô daz ir minne ergetze mich
ein teil des ich von iu verlôs,
dâ mich der freuden zil verkôs.
ich hetz behalten wol, wan ir:
nu helfet dirre meide mir.'
'daz tuon ich,' sprach der Wâleis,
'ist si bete volge kurteis.
ich ergetze iuch gern: wan sist doch mîn,
durch die ir welt pî sorgen sîn.

13. Da *Ggg*. 14. wol ê *D*, e wol *dg*, e *Ggg*. habet *Gdgg*. 15. einem gast *D*. 17. An *Ggg*. 18. Parzifals *gg*, Parzivales *DG*, Des waleis *d*. 20. die erwarp *DG*. 21. Vil m. *Gg*, Wie m. *g*. vil *DG*, wie *dgg*, *fehlt g*. ichz *Dgg*, ih *Gdgg*. 24. Mit manger ponder *Ggg*. 25. verzaget *G*. 26. sælde benden *G*, selden bernden *gg*. 27. Anflise *Ggg*. 30. ein- 1. sich *D*, ein-Hie *G*, sich-Hie *dgg*, sich- (*ohne* Hie) *g*. britoynois *G*.

326, 1. vroun *D*, frouen *G*. 5. 6. was *vor* chomen *Ggg*. 5. Artus *Gdgg*. bi *Ggg*. 7. geparriertz *D*, geparrieret *gg*, geparriet *G*. 11. = Si giengen mit ein ander san *Ggg*. 12. der Wâleis] Parzival *D*. 13. stunden *D*. 14. Die *Ggg*. alsi *D*. chunden *alle*. 15. Cl'amiden *Dd*. 18. zescharf *G*. 20. wæret *D*, Wart *gg*, Waret *Gdgg*. pi *D*. 21. = wil ich *Ggg*. âne *fehlt G*. 23. zuoz gebirge] zuo zegirbe *g*, zü zü gebirge *g*, zuo daz gebirge *die meisten*. von *G*. kaukasas *dgg*, kausakas *G*, koukesas *D*. 25. Dar zuo des *Ggg*. 26. Die *d* = *fehlt Ggg*. 28. Owe ich *G*. arem *D*. 30. Cunneware *D*, kuneware *G*.

327, 2. in iwerem *Gdg*, mit eúwerem *g*. 3. = Daz si ir *Ggg*. 4. dienstes geltes *Ggg*. 7. Als *Ggg*, Also *dg*. 8. sule *Ggg*. 10. ergtze *G*. 12. Do *Gg*. 14. dirre mære *G*. 16. Si ist bete wol so kurteis *Gg*, Uwer bet ist wol kurteis *g*. volge *Ddg*, wol *g*. 17. gerne *DG*. wan *fehlt Ggg*. si ist *DG*. doch *fehlt dg*. 18. Mit (*oder* Bi) der ir *Ggg*.

ich mein diu treit den bêâ curs,
Condwîren âmûrs.'
von Janfûse de heidenîn,
Artûs unt daz wîp sîn,
und Cunnewâre de Lalant,
und frou Jeschûte von Karnant,
die giengen dâ durch trœsten zuo.
waz welt ir daz man mêr nu tuo?
Cunnewârn si gâben Clâmidê:
wan dem was nâch ir minne wê.
sînen lîp gap err ze lône,
unde ir houbet eine krône,

328 Da'z diu von Janfûse sach.
diu heidenîn zem Wâleis sprach
'Cundrîe nant uns einen man,
des ich iu wol ze bruoder gan.
des kraft ist wît unde breit.
zweier krône rîcheit
stêt vorhteclîche in sîner pflege
ûf dem wazzer und der erden wege.
Azagouc und Zazamanc,
diu lant sint kreftec, ninder kranc.
sîme rîchtuom glîchet niht
ân den bâruc, swâ mans giht,
und âne Tribalibot.
man bett in an als einen got.
sîn vel hât vil spæhen glast:
er ist aller mannes varwe ein gast,
wîz unde swarz [ist er] erkant.
ich fuor dâ her durch ein sîn lant.
er wolde gern erwendet hân
mîn vart diech her hân getân:
daz warber, dône mohter.
sîner muoter muomen tohter
bin ich: er ist ein künec hêr.
ich sage iu von im wunders mêr.
nie man gesaz von sîner tjost,
sîn prîs hât vil hôhe kost,
sô milter lîp gesouc nie brust,
sîn site ist valscheite flust,
Feirefîz Anschevîn,
des tât durch wîp kan lîden pîn.

329 Swie fremdez mir hie wære,
ich kom ouch her durch mære
unt zerkennen âventiure.
nu lît diu hœhste stiure
an iu, des al getouftiu diet
mit prîse sich von laster schiet,
sol guot gebærde iuch helfen iht,
unt daz man iu mit wârheit giht
liehter varwe und manlîcher site.
kraft mit jugende vert dâ mite.'
diu rîche wîse heidenin
het an künste den gewin
daz si wol redete franzeis.
dô antwurt ir der Wâleis:
solch was sîn rede wider sie.
'got lône iu, frouwe, daz ir hie
mir gebt sô güetlîchen trôst.
ine bin doch trûrens niht erlôst,
und wil iuch des bescheiden.
ine mages sô niht geleiden

19. meine *DG*. 20. Die schonen *Gg*, Die raîne *g*. Condwiren *D*, Condewiren *d*, Kundewiren *g*, Kundwirn *g*, condwir *Ggg*. 21. lanfuse *Gg*, lanfusen *gg*, ianfusen *g*. *so auch* 328, 1. diu *alle*. 22. vñ Artus *D*. 25. di *D*. do *G*. trosten *G*. 27. -waren *DG immer*. gabn *D*. 28. wan *fehlt Ggg*. minnen *Gg*. 29. err] er *D*, er ir *die übrigen*. 30. hobet *D*. ein *d*.

328, 1. Daz *Dg*, Do das *d*, Daz ez *Ggg*. 2. heideninne zem waleise *D*. 7. vorteclich *g*, vorhtliche *Ggg*. 8. unde uf der *Gdgg*. 11. Sim *g*. richtuom *dgg*, richtuome *D*, rihtuome *G*. glichet *dg*, gelichet *D*, gelicht *G*. 12. Ane *alle außer D*. der *g*. barruch so man giht *G*. 14. betten an *D*, bet (betet, bettet) in an *gg*, bet an in *Gg*, bat *d*. als an einen *dg*, als an *G*. 15. = Sin varwe hat so *Ggg*. 16. Diust *Gg*, Diu *g*, Sie ist g. manne *Gdg*, minne *g*. 17. = Er ist (Si ist *g*, Beide *gg*) wiz (Er wiz ist *g*) unde swarz erchant *Ggg*. 19. Do wolter gerne *Gdgg*. 20. Min *dg*, mine *D*, Die *Ggg*. die ich *alle*. han her *g*, da her han *D*. 21. mohter *G*. 22. muoter *fehlt d*. muontohter *G*. 24. iu *fehlt d*. = wunders von im *Ggg*. 25. Niemn *D*, Nieniem *G*. vor *d*. 27. 28. *Ddg*, *fehlen Ggg*. 28. sine site *D*.

329, 5. An iu der getouften diet *Gg*. des al *Dd* = daz ist alle *g*, deist gar *g*, daz ist gar die *g*, der ist *g*. 6. sich *Ddg*, ih *Ggg*, üch *g*. 7. gebære *gg*. niht *Ggg*. 11. wise riche *G*. 12. chunst *Gg*, kúnsten *d*. 13. reite *D*, reitte *g*, rette *dg*. franzoys *G*. 14. antwrte *DG*. 15. Selîch *g*. 17. guotl. *D*, guotel. *G*. 18. Ich bin doch trurenes unerlost *G*.

als ez mir leide kündet,
daz sich nu manger sündet
an mir, der niht weiz mîner klage
und ich dâ bî sîn spotten trage.
ine wil deheiner freude jehn,
ine müeze alrêrst den grâl gesehn,
diu wîle sî kurz oder lanc.
mich jaget des endes mîn gedanc:
dâ von gescheide ich nimmer
mînes lebens immer.

330 Sol ich durch mîner zuht gebot
hœren nu der werlte spot,
sô mac sîn râten niht sîn ganz:
mir riet der werde Gurnamanz
daz ich vrävellîche vrâge mite
und immer gein unfuoge strite.
vil werder rîter sihe ich hie:
durch iwer zuht nu rât mir wie
daz i'uwern hulden næhe mich.
ez ist ein strenge schärpf gerich
gein mir mit worten hie getân:
swes hulde ich drumbe vloren hân,
daz wil ich wênec wîzen im.
swenne ich her nâch prîs genim,
sô habt mich aber denne dernâch.
mir ist ze scheiden von iu gâch.
ir gâbt mir alle geselleschaft,
die wîle ich stuont in prîses kraft:
der sît nu ledec, unz ich bezal
dâ von mîn grüeniu freude ist val.
mîn sol grôz jâmer alsô pflegn,
daz herze geb den ougen regn,
sît ich ûf Munsalvæsche liez
daz mich von wâren freuden stiez,
ohteiz wie manege clâre magt!
swaz iemen wunders hât gesagt,
dennoch pflît es mêr der grâl.
der wirt hât siufzebæren twâl.
ay helfelôser Anfortas,
waz half dich daz ich pî dir was?'

331 Sine mugen niht langer hie gestên:
ez muoz nu an ein scheiden gên.
dô sprach der Wâleise
zArtûse dem Berteneise
unt zen rittern und zen frouwen,
er wolt ir urloup schouwen
unt mit ir hulden vernemn.
des moht et niemen dâ gezemn:
daz er sô trûrec von in reit,
ich wæn, daz was in allen leit
Artûs lobt im an die hant,
kœm imer in sölhe nôt sîn lant
als ez von Clâmidê gewan,
des lasters wolder pflihte hân:
im wære ouch leit daz Lähelîn
im næm zwuo rîche krônen sîn.
vil diens im dâ maneger bôt:
den helt treip von in trûrens nôt.
frou Cunnewâr diu clâre magt
nam den helt unverzagt
mit ir hant unt fuort in dan.
dô kust in mîn hêr Gâwân:
dô sprach der manlîche
ze dem helde ellens rîche
'ich weiz wol, friwent, daz dîn vart
gein strîtes reise ist ungespart.
dâ geb dir got gelücke zuo,
und helfe ouch mir daz ich getuo

25. Ich wil neheiner *G*. frouden *Gg*. phlegen *Ggg*. 26. Ich muoz *Ggg*. alrerst *G*, alrest *Ddgg*, al erst *g*. 27. wil *gg*. 29. geude ich *g*. nimmr-immr *D*, nimer-imer *G*. 30. mins *D*. lebns *g*, libes *g*.

330, 2. Dulten *G*. werelde *D*. 3. Sone *G*. 4. gurnomantz *g*, kurnomanz *G*. 5. vraveliche *G*. 6. unfuogen *D*. 8. rât (rat *g*, ratet *gg*) mir *Dgg*, ratet *Gdgg*. 9. daz *fehlt d*. i'uwern] iwern *gg*, ich iwern *Ddgg*, ih iweren *G*. næhe *D*, genehe *d*, nahe *Gg*, nahen *gg*, nehen *g*, nehene *g*. 10. scærpf *D*, scharpfe *dg*, scherpher *g*, scharf *G*. 12. vloren *G*, verlorn *D*. 15. dane *G*, *fehlt gg*. dar nach *D*. 18. an *Ggg*. 25-30 *fehlen G*. 25. Ahteiz wie manich chlariu magt *g*. 27. pflits *D*, phligt sin *dgg*. 28. seúfftzebere *g*, sufftenbar *g*. 29. Hai *g*, Ey *gg*.

331, 1 *nach* 2 *G*. Ezne mach *Gg*. hie] so *Gg*, sust *g*. gan-gestan *Ggg*. 2. nu *fehlt Gg*, et *g*. 3. aber der *Gg*. waleis *Ggg*. 4. Ze artus dem britaneis *Ggg*. 5. unt *fehlt Gdgg*. zen-zen *D*, zuo-zuo den *g*, ze-ze *Gdgg*. 8. dorfte *Ggg*. = et *fehlt Ggg*. 10. wæne *DG immer*. = ez was *Ggg*, ez wer *gg*. 12. Chœm *g*. imer *G*, iemer *D*, immer *gg*. 14. chumbers *Ggg*. 16. nem *g*, næme *DG*. zwo *D*. chrone *Ggg*. 17. diens *D*, dienst *g*, dienstes *die übrigen*. 21. hende *gg*, *fehlt Gg*. 22. chusten *D*. 23. Unde sprach manliche (gezogenliche *d*) *Gdg*. 25. = Friunt (Helt *g*) ich weiz wol *Ggg*.

dir noch den dienst als ich kan gern.
des müeze mich sîn kraft gewern.'
332 Der Wâleis sprach 'wê waz ist got?
wær der gewaldec, sölhen spot
het er uns pêden niht gegebn,
kunde got mit kreften lebn.
ich was im diens undertân,
sît ich genâden mich versan.
nu wil i'm dienst widersagn:
hât er haz, den wil ich tragn.
friunt, an dînes kampfes zît
dâ nem ein wîp für dich den strît:
diu müeze ziehen dîne hant;
an der du kiusche hâst bekant
unt wîplîche güete:
ir minn dich dâ behüete.
ine weiz wenn ich dich mêr gesehe:
mîn wünschen sus an dir geschehe.'
ir scheiden gap in trûren
ze strengen nâchgebûren.
frou Cunnewâre de Lalant
in fuorte dâ se ir poulûn vant,
sîn harnasch hiez si bringen dar:
ir linden hende wol gevar
wâpnden Gahmuretes suon.
si jach 'ich solz von rehte tuon,
sît der künec von Brandigân
von iwern schulden mich wil hân.
grôz kumber iwer werdekeit
gît mir siufzebærez leit.
swenne ir sît trûrens niht erwert,
iwer sorge mîne freude zert.'
333 Nu was sîn ors verdecket,
sîn selbes nôt erwecket.
ouch het der degen wol getân
lieht wîz îsernharnasch an,
tiwer ân aller slaht getroc:
sîn kursît, sîn wâpenroc,
was gehêrt mit gesteine.
sînen helm al eine
het er niht ûf gebunden:
dô kuster an den stunden
Cunnewârn die clâren magt.
alsus wart mir von ir gesagt.
da ergienc ein trûrec scheiden
von den gelieben beiden.
hin reit Gahmuretes kint.
swaz âventiure gesprochen sint,
diene darf hie niemen mezzen zuo,
irn hœrt alrêrst waz er nu tuo,
war er kêre und war er var.
swer den lîp gein rîterschefte spar,
der endenk die wîle niht an in,
ob ez im râte stolzer sin.
Condwier âmûrs,
dîn minneclîcher bêâ curs,
an den wirt dicke nu gedâht.
waz dir wirt âventiure brâht!
schildes ambet umben grâl
wirt nu vil güebet sunder twâl
von im den Herzeloyde bar.
er was ouch ganerbe dar.
334 Dô fuor der massnîe vil
gein dem arbeitlîchen zil,
ein âventiur ze schouwen,
dâ vier hundert juncfrouwen
und vier küneginne
gevangen wâren inne,
ze Schastel marveile.
swaz in dâ wart ze teile,

332, 1. wê *fehlt Gg.* 2. = er *Ggg.* 3. beiden *G.* 5. *wie* 331, 17. 6. Die wile ich *Ggg.* 7. Ich wil im dienst *G.* i'm] ich *d*, ich im *die übrigen.* dienstes *g.* 12. habest *Gg.* erchant *Ggg.* 14. minne *alle.* dâ *fehlt dg.* 15. Ich wæiz *g.* wenne *D*, wene *G.* 16. wunsch *Ggg.* alsus *G.* 22. = blanchen *Ggg.* hande *D.* 23. wapenden *D*, Wapenten *G*, Wapheten *g.* sun *DG.* 24. Si sprach *Ddg.* tûn *D.* 28. Ist mir ein (und *g*) *Gg.* siufzebæres *D*, suftebarz *G.* seuftwereu *g.* 29. So *G.* niht trurens sit *Gd.*

333, 3. helt *Gg.* 4. îsern *D*, iserin *Gg*, ysenin *g*, *fehlt dg.* 5. slahte troch *g.* 7. steine *g.* 12. Sus *Ggg.* ir *DGg*, in *dgg*, im *gg.* 13. ergie *DG.* 17. dine *D.* 18. iren *D*, Irne *G.* alrerst *Gd*, alrest *Dgg.* 21. endenche *D*, denche *G.* niht die wile *Ggg.* 22. rætet *D.* 23. Suoze *G*, Owe *g.* 26. Daz im wirt *Ggg.* 27. = Des schiltes *Ggg.* umbe engral *G.* 28. vil] wol *Gg.* 30. ouch *fehlt Gg.* ganerbe *D*, gan erbe *G*, ge anerbet *g*, gar erbe *g*, rechter erbe *g*, erbe *g*, geferwet *d.*

334, 1. Ouch *Ggg*, Sust *g.* = chert *gg*, chom *g*, begunde *G.* mæssenide *D.* 2. arbeitlichem *Dg.* 3. ein *fehlt G.* ze *fehlt d.* 7. = Uf *Ggg.* Scastel *D*, schahteil *d*, tschatel *g*, tschater *G*, tschahtez *g*, kastel *g.*

daz haben âne mînen haz:
ich pin doch frouwen lônes laz.
dô sprach der Krieche Clîas
'ich pin der dâ versûmet was.'
vor in allen er des jach.
'der turkoyte mich tâ stach
hinderz ors, ich muoz mich schamn.
doch sagter mir vier vrouwen namn,
die dâ krônebære sint.
zwuo sint alt, zwuo sint noch kint.
der heizet einiu Itonjê,
diu ander heizet Cundrîê,
diu dritte heizt Arnîve,
diu vierde Sangîve.'
daz wolt ieslîcher dâ besehn.
ez enmoht ir reise niht volspehn:
si muosten schaden dâ bejagn.
den sol ouch ich ze mâzen klagn.
wan swer durch wîp hât arbeit,
daz gît im freude, etswenne ouch leit
an dem orte fürbaz wigt:
sus dicke minne ir lônes pfligt.

335 Do bereite ouch sich hêr Gâwân
als ein kampfbære man
hin für den künec von Ascalûn.
des trûrte manec Bertûn
und manec wîp unde magt.
herzenlîche wart geklagt
von in sîn strîtes reise.
der werdekeit ein weise
wart nu diu tavelrunder.
Gâwân maz besunder
wâ mit er möhte wol gesign.
alt herte schilde wol gedign
(ern ruochte wie si wârn gevar)
die brâhten koufliute dar
ûf ir soumen, doch niht veile:
der wurden im drî ze teile.
do erwarp der wâre strîtes helt
siben ors ze kampfe erwelt.
ze sînen friwenden er dô nam
zwelf schärpfiu sper von Angram,
starc rœrîne schefte drîn
von Oraste Gentesîn
ûz einem heidenschen muor.
Gâwân nam urloup unde fuor
mit unverzagter manheit.
Artûs was im vil bereit,*
er gap im rîcher koste solt,
lieht gesteine und rôtez golt
und silbers manegen stærlinc.
gein sorgen wielzen sîniu dinc.

336 Ekubâ diu junge
fuor gein ir schiffunge:
ich mein die rîchen heidenin.
dô kêrte manegen ende hin
daz volc von dem Plimizœl.
Artûs fuor gein Karidœl.
Cunnewâre und Clâmidê
die nâmn ouch sînen urloup ê.
Orilus der fürste erkant
und frou Jeschûte von Karnant
die nâmn ouch sînen urloup sân,
doch beliben se ûf dem plân
bî Clâmidê den dritten tac,
wand er der brûtloufte pflac,
niht mit benanter hôhgezît:
si wart dâ heime grœzer sît.
wand im sîn milte daz geriet,
vil ritter, kumberhaftiu diet,

11. Ouch *Ggg.* chrîeche *D*, fier *G.* 14. Ein *G.* 16. Er seite mir *Gg.* 18. zwo-zwo *D*, Zwo-zŏ *G.* 19. Diu ein heizt Itonie *G.* Itonîe *D.* 20. heizet *fehlt Gd.* Cundrîe *D*, gundrie *G.* 21. heizt *fehlt D.* sangie *d.* 22. Sangîve *D*, haizt saive *g*, saivie *G*, haizet salive *g*, Seive *g*, Seyve *g*, haisset saffie *g*, armye *d.* 23. ieslicher sehen *Ggg.* 24. = Ir reise moht ez niht *Ggg.* 25. muosen *Gg.* 26. ze maze *Ggg.* 28. = Ez git froude *Ggg.* 29. = orte ez *Ggg.*

335, 1. = Nu *Ggg.* 2. champfbære *mit einem* er-*strich über* æ *D.* 3. den *DGdgg*, der *gg.* asch. *G.* 5. Und *fehlt Gg.* 6. Herzenlichen *G.* 7. sines *Ggg.* 12. alt. *Dgg*, Alte *Gdg*, Hie *g.* 14. Si *Ggg.* 17. = Och *Ggg.* der mære strits *D.* 18. gein *Ggg.* strite wol *G.* 20. scharphiu *G*, starke *dgg.* 21. Starch *Ggg*, starche *Ddgg.* 23. heidenischem *gg*, heidniscem *D.* 24. urloub und *D.* 27. richer gabe *G.* 28. und *fehlt Ggg.* 29. stærlinch *mit* æ *auch G.*

336. 337. *diese beiden abschnitte haben nur D*, *d* (*Heidelberg* 339), *g* (*Heidelb.* 364) *und* g^2 (*der alte druck*). 3. meîne di *D.* 5. 6. plimizol-karidol *alle.* 8. die *fehlt* gg^2. sein g^2, ir *d.* urloub *D.* 11. die *fehlt* g^2. sein g^2, den *d.* 12. Iedoch blibens *dg.* 14. wandr *D.* der *Dd*, da gg^2. brutloufte *g*, bruotlofte *D*, brutlofft *d*, brautlaufftes g^2.

beleib in Clâmidês schar,
und ouch daz varende volc vil gar.
die fuorter heim ze lande:
mit êren âne schande
wart in geteilet dâ sîn habe,
mit valsche niht gewîset abe.
dô fuor frou Jeschûte
mit Orilus ir trûte
durch Clâmidên ze Brandigân.
daz wart zeinen êrn getân
froun Cunnewârn der künegîn.
dâ krônte man die swester sîn.

337 Nu weiz ich, swelch sinnec wîp,
ob si hât getriwen lîp,
diu diz mære geschriben siht,
daz si mir mit wârheit giht,
ich kunde wîben sprechen baz
denne als ich sanc gein einer maz.
de küngîn Belakâne
was missewenden âne
und aller valscheite laz,
dô si ein tôter künec besaz.
sît gap froun Herzeloyden troum
siufzebæren herzeroum.
welch was froun Ginovêren klage
an Ithêres endetage!
dar zuo was mir ein trûren leit,
daz alsô schamlîchen reit
des künges kint von Karnant,
frou Jeschûte kiusche erkant.
wie wart frou Cunnewâre
gâlûnet mit ir hâre!
des sint si vaste wider komn:
ir bêder scham hât prîs genomn.
ze machen nem diz mære ein man,
der âventiure prüeven kan
unde rîme künne sprechen,
beidiu samnen unde brechen.
ich tætz iu gerne fürbaz kunt,
wolt ez gebieten mir ein munt,
den doch ander füeze tragent
dan die mir ze stegreif wagent.

19. an *dg*^{2}. 20. vil *fehlt d.* 27. clamide *d.* 28. eren *alle.*

337, 1. ich wol *dg.* 7. kuneginne *D.* belankane *g.* 8. missewende *gg*^{2}. 9. valscheite *g*, valscheit *D.* 11. hertzenlouden *g.* 12. Vil seúfftzberes *g*^{2}. hertzen *d.* 13. Ginovern *D.* 14. ĵthers *alle.* 16. scheml *g.* 17. kuneges *D.* 18. kusche *dg*, von chiusce *D*, die wol *g*^{2}. 23. ze machene *D.* nam *g*^{2}. 24. erkiesen *g*^{2}. 25. Und der reime wol kan *g*^{2}. 26. samenen *dgg*^{2}. vñ ce brechen *D.* 27. tætez *D.* 28. erlouben *g.* 30. denne *D.* stegereiff *d*, stegereife *gg*^{2}, stegreifen *D.*

VII.

338 Der nie gewarp nâch schanden,
ein wîl zuo sînen handen
sol nu dise âventiure hân
der werde erkande Gâwân.
diu prüevet manegen âne haz
derneben oder für in baz
dan des mæres hêrren Parzivâl.
swer sînen friunt alle mâl
mit worten an daz hœhste jagt,
der ist prîses anderhalp verzagt.
im wære der liute volge guot,
swer dicke lop mit wârheit tuot.
wan, swaz er sprichet oder sprach,
diu rede belîbet âne dach.
wer sol sinnes wort behalten,
es enwelln die wîsen walten?
valsch lügelîch ein mære,
daz wæn ich baz noch wære
âne wirt ûf eime snê,
sô daz dem munde wurde wê,
derz ûz für wârheit breitet:
sô het in got bereitet
als guoter liute wünschen stêt,
den ir triwe zarbeite ergêt.
swem ist ze sölhen werken gâch,
dâ missewende hœret nâch,
pfliht werder lîp an den gewin,
daz muoz in lêren kranker sin.
er mîdetz ê, kan er sich schemn:
den site sol er ze vogte nemn.

339 Gâwân der reht gemuote,
sîn ellen pflac der huote,
sô daz diu wâre zageheit
an prîse im nie gefrumte leit.
sîn herze was ze velde ein burc,
gein scharpfen strîten wol sô kurc,
in strîts gedrenge man in sach.
friunt und vîent im des jach,
sîn krîe wær gein prîse hel,
swie gerne in Kingrimursel
mit kampfe hete dâ von genomn.
nu was von Artûse komn,
des enweiz ich niht wie mangen tac,
Gâwân, der manheite pflac.
sus reit der werde degen balt
sîn rehte strâze ûz einem walt
mit sîme gezog durch einen grunt.
dâ wart im ûf dem bühel kunt
ein dinc daz angest lêrte
und sîne manheit mẹrte.
dâ sach der helt für umbetrogn
nâch manger baniere zogn
mit grôzer fuore niht ze kranc.
er dâhte 'mirst der wec ze lanc,
flühtic wider geim walde.'
dô hiez er gürten balde
einem orse daz im Orilus
gap: daz was genennet sus,
mit den rôten ôren Gringuljete:
er enpfiengz ân aller slahte bete.

338, 1. gewarb *D*. 2. Ein *dgg*, eine *DG*. wile *alle*. ze *G*. 5. bruevet *D*. an haz *G*. 7. Dane *G*, den *D*. hern *g*. 11. im] nu *D*. = ist *Ggg*. 12. der *Gg*. 13. spricht *G*. 16. es] E *G*. E sin wöllen *g*. enwellen *DG*. 17. lügelich *g*, luglich *D*. 24. ze arbeit *G*. 26. hort *G*. 27. pflihtet *D*. 28. charger *Gg*. 29. midetez *D*, *getrennt G*.

339, 3. sô *fehlt Gg*. 5. půrch *G*. 6. kǒrch *G*. 7. strites *DG*. 8. vigent *G*. 9. snel *Gdgg*. 10. kingrimurzel *D*. 12. = Nu was ouch *Ggg*. 13. neweiz ih *G*. manegen *D*, manich *gg*. 15. ware *gg*, mare *G*. 16. Sin *dg*. reht *G*. strazen *D*. ûz einem *D*, uz einen *dg*, auff einen *g*, fur einen *G* 17. vur *G*, in *g*. 18. bühel *mit* ü *dg*, buhele *G*. 21. da ersach *D*. 23. Vil grozer *Ggg*. 24. = Do dahter *Ggg*. mir *G*, mir ist *die übrigen*. 25. wider *fehlt G*. gein *g*, gein dem *die übrigen*. 27. Sinem *Gd*, Sim *g*. 28. gennet *G*. 29. Gringuliet *D*, gringülget *g*, gringulete *d*, kringuliet *Ggg*, kringulet *gg*. 30. er enpfiengez *DG*, Er phiench ez *g*, Ernphiez *g*. an alle bet *G*, ân sine bet *g*, bete *nur d*.

340 Ez was von Muntsalvâsche komn,
unt hetz Lehelîn genomn
ze Brumbâne bîme sê:
eime rîter tet sîn tjost wê,
den er tôt derhinder stach;
des sider Trevrizent. verjach.
Gâwân dâhte 'swer verzagt
sô daz er fliuhet ê man jagt,
dês sîme prîse gar ze fruo.
ich wil in nâher stapfen zuo,
swaz mir dâ von nu mac geschehn.
ir hât michz mêrre teil gesehen.
des sol doch guot rât werden.'
do erbeizter zer erden,
reht als er habete einen stal.
die rotte wâren âne zal,
die dâ mit cumpânîe riten.
er sach vil kleider wol gesniten
und mangen schilt sô gevar
daz err niht bekande gar,
noch keine baniere under in.
'disem her ein gast ich pin,'
sus sprach der werde Gâwân
'sît ich ir keine künde hân.
wellent siz in übel wenden,
eine tjost sol ich in senden
deiswâr mit mîn selbes hant,
ê daz ich von in sî gewant.'
dô was ouch Gringuljeten gegurt,
daz in mangen angestlîchen furt
341 gein strîte was zer tjoste brâht:
des wart och dâ hin zim gedâht.
Gâwân sach geflôrieret
unt wol gezimieret
von rîcher koste helme vil.
si fuorten gein ir nîtspil
wîz niwer sper ein wunder,
diu gemâlt wârn besunder
junchêrrn gegeben in die hant,
ir hêrren wâpen dran erkant.
Gâwân fil li roy Lôt
sach von gedrenge grôze nôt,
mûl die harnasch muosen tragen,
und manegen wol geladen wagen:
den was gein herbergen gâch.
ouch fuor der market hinden nâch
mit wunderlîcher pârât:
des enwas et dô kein ander rât.
ouch was der frouwen dâ genuoc:
etslîchiu'n zwelften gürtel truoc
ze pfande nâch ir minne.
ez wârn niht küneginne:
die selben trippäniersen
hiezen soldiersen.
hie der junge, dort der alde,
dâ fuor vil ribalde:
ir loufen machte in müede lide.
etslîcher zæm baz an der wide,
denne er daz her dâ mêrte
unt werdez volc unêrte.
342 Für was geloufen unt geriten
daz her, des Gâwân het erbiten.
von solhem wâne daz geschach:
swer den helt dâ halden sach,
der wânde er wære des selben hers.
disehalp noch jensît mers
gefuor nie stolzer rîterschaft:
si heten hôhes muotes kraft.

340, 2. hete *Gdgg*. 3. Zebrunbane bi dem se *G*. 4. so we *Gg*. 6. trevrezent *G*. 8. vlîuht *D*. man *DGgg*, man in *dgg*. 9. Des *G*, Dest *g*, daz ist *die übrigen*. 10. Ich sol *Ggg*. in] hin *Ggg*. 12. habt *dgg*. mih dez mere *G*. 13. De sol *G*. 14. ze der *D* = uf die *Ggg*, uf der *g*. 15. hete *G allein*. 16. rote *Gd*. 17. conp. *G*. 19. so *Gd*, so wol *g*, wol *Dgg*. 20. err] er *Dg*, er ir *die übrigen*. = erchande *Ggg*. 21. noch deheine *D*, Unde neheine *G*. 23. sus *fehlt Ggg* 24. deh. *DG*. 27. Desw. *G*. 29. = Nu *Ggg*. Gringulieten *D*, Gringûliet *g*, gringulet *d*, kringuliet *Ggg*, kringulet *gg*.

341, 3. gefloieret *G*. 5. helm *Gg*. 8. Diu gemalten *Ggg*. 9. iuncherren *DG*. gegebn *D*, geben *d*, gaben *g*. 10. dar an bechant *D*. 11. filli roy *g*, fillu roy *D*, fili roy *d*, fyz luroy *g*, fiez lyroi *g*, filiroys *Gg*, filli roys *g*. 13. mûle *Dd* = Vil mule *Ggg*. 14. geladenen *Gdgg*. 16. = Da *Ggg*, Den *g*. 18. en *fehlt G*. et *fehlt gg*, ouch *d* doch *D*. dehein *DG*. 19. = Er sach der *Ggg*. 20. etslichiu *DG*, Etlich *d*. den *DdGg*. 23. trippeniersen *Ggg*. 27. = Den machet ir loufen *Ggg*. muediu *Dg*. 28. zæme *DG*.

342, 5. Daz er wande *Gg*. 6. iensît *dgg*, ensit *G*, iene sîte *D*. mêrs *D*. 8. hohmuotes *D*.

nu fuor in balde hinden nâch
vast ûf ir slâ (dem was vil gâch)
ein knappe gar unfuoge vrî.
ein ledec ors gieng im bî:
einen niwen schilt er fuorte,
mit bêden sporen er ruorte
âne zart sîn runzît,
er wolde gâhen in den strît.
wol gesniten was sîn kleit.
Gâwân zuo dem knappen reit,
nâch gruozer vrâgte mære,
wes diu massenîe wære.
dô sprach der knappe 'ir spottet mîn.
hêrre, hân ich sölhen pîn
mit unfuoge an iu erholt,
het ich dann ander nôt gedolt,
diu stüende mir gein prîse baz.
durch got nu senftet iwern haz.
ir erkennt ein ander baz dan ich:
waz hilft dan daz ir frâget mich?
ez sol iu baz wesen kunt
zeinem mâle und tûsentstunt.'

343 Gâwân bôt des mangen eit,
swaz volkes dâ für in gereit,
daz er des niht erkande.
er sprach 'mîn varn hât schande,
sît ich mit wârheit niht mac jehn
daz ich ir keinen habe gesehn
vor disem tage an keiner stat,
swar man mîn dienst ie gebat.'
der knappe sprach ze Gâwân
'hêr, sô hân ich missetân:
ich soltz iu ê hân gesagt.
dô was mîn bezzer sin verzagt.
nu rihtet mîne schulde
nâch iwer selbes hulde.
ich solz iu dar nâch gerne sagn:
lât mich mîn unfuoge ê klagn.'
'junchêr, nu sagt mir wer si sîn,
durch iwern zuhtbæren pîn.'
'hêr, sus heizt der vor iu vert,
dem doch sîn reise ist unrewert:
roys Poydiconjunz,
und duc Astor de Lanverunz.
dâ vert ein unbescheiden lîp,
dem minne nie gebôt kein wîp:
er treit der unfuoge kranz
unde heizet Meljacanz.
ez wære wîb oder magt,
swaz er dâ minne hât bejagt,
die nam er gar in nœten:
man solt in drumbe tœten.

344 Er ist Poydiconjunzes suon
und wil ouch rîterschaft hie tuon:
der pfligt der ellens rîche
dicke unverzagetlîche.
waz hilft sîn manlîcher site?
ein swînmuoter, lief ir mite
ir värhelîn, diu wert ouch sie.
ine hôrte man geprîsen nie,
was sîn ellen âne fuoge:
des volgent mir genuoge.
hêr, noch hœrt ein wunder,
lât iu daz sagen besunder.
grôz her nâch iu dâ füeret
den sîn unfuoge rüeret,

9. Do *Ggg*. 10. vaste *Dd* = *fehlt Ggg*. vil *D*, *fehlt d* = ouch *Ggg*. 14. Mit sporen er vaste ruorte *G*. 19. = fragte in *Ggg*, in fragte *g*, fragt er der *g*, frogete er *d*. 20. diu massenide *D* = daz gesinde *Ggg*. 21. = Der chnape sprach *Ggg*. spotet *Gg*, spott *g*. 22. diesen pin *Gg*. 23. ungefuoge *Gg*. an iuch *Ggg*. verholt *gg*. 24. dane andere *G*. 26. nu *fehlt Gg*. 27. erchennet *DG*, kennet *g*, bekennet *dg*. dan *g*, dane *G*, denne *D*. 28. hilfet *DG*. dane *G*, denne *D*, *fehlt gg*. vragt *D*. 29. chûnt *D*. 30. tûsent stuont *D*.

343, 2. reit *dgg*. 5. darf *D*. 6. 7. deh. *G*. 10. 19. Herre *DG*. 11. soldez *D*. 12. bezzer *D*, bœser *d* = bester *Ggg*. 13. riht *G*. 14. ewers *g*. 16. 25. ungefuoge *Gg*. 17. Iuncherre *DG*. nu *fehlt Gdg*. 18. zuhtebæren *D*, zuhtbwernden *g*. 19. heizet *DG*. 20. noch *Gg*. 21. der kunec *Dg*. poideconiunz *Ggg immer*. 22. duc astor *gg*, ouch astor *d*, auch kastur *g*, de chastor *G*, der herzoge Astor *D*. von *D*. lunfarunz *Gg*. 24. dehein *DG*, ein *g*. 26. Meliahcanz *gg*, meliabganz *G*. 29. gar enoten *G*.

344, 1. Der *G*, Ez *g*. = Poydiconiunz *Dd*. 2. Der *G*, Er *g*. da *G*. 5. hilfet *Dd* = touch *Ggg*. 6. swine muoter *Ggg*. im *Ggg*. 7. verh. *G*. diu *Ggg*, die *D*, *fehlt g*, das *d*. werte *Gdgg*. 8. gehorte *Ddg*. 10. mir] noch *Ggg*, auch *g*, ouch noch *g*. 11. noch] = nu *Ggg*. 13. da nach iu *Ggg*. 14. ungefuoge *Gg*.

der künec Meljanz von Lîz.
hôchvartlîchen zornes vlîz
hât er gevrumet âne nôt:
unrehtiu minne im daz gebôt.'
der knappe in sîner zuht verjach
'hêrre, ich sagez iu, wand i'z sach.
des künec Meljanzes vater,
in tôdes leger für sich bater
die fürsten sînes landes.
unerlœset pfandes
stuont sîn ellenthaftez lebn:
daz muose sich dem tôde ergebn.
in der selben riuwe
bevalher ûf ir triuwe
Meljanzen den clâren
allen den die dâ wâren.
345 Er kôs im einen sunder dan:
der fürste was sîn hôhster man,
gegen triwe alsô bewæret,
aller valscheit erlæret:
den bater ziehen sînen suon.
er sprach 'du maht an im nu tuon
dîner triwe hantveste.
bit in daz er die geste
unt die heinlîchen habe wert:
swenne es der kumberhafte gert,
dem bit in teilen sîne habe.'
sus wart bevolhen dâ der knabe.
dô leiste der fürste Lyppaut
al daz sîn hêrre der künec Schaut
an tôdes legere gein im warp:
harte wênec des verdarp,
endehaft ez wart geleistet sidr.
der fürste fuorte den knappen widr.
der hete dâ heime liebiu kint,
als sim noch pillîche sint;
ein tohter der des niht gebrach,
wan daz man des ir zîte jach,
si wære wol âmîe.
si heizet Obîe
ir swester heizet Obilôt.
Obîe frumt uns dise nôt.
eins tages gedêhez an die stat
daz si der junge künec bat
nâch sîme dienste minne.
si verfluochte im sîne sinne,
346 unde vrâgte in wes er wânde,
war umb er sich sinnes ânde.
Si sprach hin zim 'wært ir sô alt,
daz under schilde wære bezalt
in werdeclîchen stunden,
mit helm ûf houbt gebunden
gein herteclîchen vâren,
iwer tage in fünf jâren,
daz ir den prîs dâ het genomn,
und wært ir danne wider komn
ze mîm gebote gewesen dâ,
spræche ich denne alrêste jâ,
des iwer wille gerte,
alze fruo ich iuch gewerte.
ir sît mir liep (wer lougent des?)
als Annôren Gâlôes,
diu sît den tôt durch in erkôs,
dô sin von einer tjost verlôs.'
'ungern ich,' sprach er 'frouwe,
iuch sô bî liebe schouwe
daz iwer zürnen ûf mich gêt.
genâde doch bîm dienste stêt,
swer triwe rehte mezzen wil.
frouwe, es ist iu gar ze vil
daz ir mînen sin sus smâhet:
ir habt iuch gar vergâhet.
ich möht doch des genozzen hân,
daz iwer vater ist mîn man,
unt daz er hât von mîner hant
manege burc und al sîn lant.'

16. Hochvertchlichen *G und alle außer D.* zorns *G*, zorens *D.* 17. ân *D*, gar an *G*, gar ane *gg.* 20. i'z] ihz *G*, ich *g*, ichez *D*, ichz *gg.* 22. Ans todes legere *Gg.* 24. unerlost *D*, unerlostes *dg.* 30. den *fehlt dg.*

345, 3. Gein *Ggg.* 7. triwen *Ggg.* 8. bitte *D.* 11. Den bit im *G.* bitte *Dd.* 13. Lyppaut] Lyppaôt *D*, lipaot *d*, lybaot *g*, libot *g*, libaut *Ggg*, Libaût *g.* 14. Schaut] Scôt *D*, Tschot *g*, schot *g*, tschaut *Gg*, tschût *g.* 15. Am *gg*, An des *Gg.* 20. alsi im *D.* billichen *G*, billîch *dgg.* 21. eine *DG allein.* 24. hiez *D*, hies die schœne *g.* 29. ir minne *Ggg.*

346, 1. Unt *G.* 8. = gein funf *Ggg.* 9. hetet *D.* 10. und *fehlt Gg.* 11. = In *Ggg.* mim *g*, minem *DG.* 12. alrest *G.* 14. alze fruo i'uch werte? 16. = Sam *Ggg.* annorn *gg.* Galûes *g.* 18. an einer *Ggg.* tioste vlos *G.* 22. gnade *D.* bime *D*, bi dem *gg*, bi *Ggg.* 24. des *D.* 25. 26. smæhet-vergæhet *gg.* 27. des *fehlt G.*

347 'Swem ir iht lîht, der diene ouch daz,'
sprach si. 'mîn zil sich hœhet baz.
ine wil von niemen lêhen hân:
mîn vrîheit ist sô getân,
ieslîcher krône hôch genuoc,
die irdisch houbet ie getruoc.'
er sprach 'ir sîtz gelêret,
daz ir hôchvart sus mêret.
sît iwer vater gap den rât,
er wandelt mir die missetât.
ich sol hie wâpen alsô tragn
daz wirt gestochen unt geslagn.
ez sî strîten oder turnei,
hie belîbet vil der sper enzwei.'
mit zorne schiet er von der magt.
sin zürnen sêre wart geklagt
von al der massenîe:
in klagt ouch Obîe.
gein dirre ungeschihte
bôt sîn gerihte
und anders wandels genuoc
Lyppaut, der unschulde truoc.
ez wære krump oder sleht,
er gerte sînre genôze reht,
hof dâ die fürsten wæren:
und er wær zuo disen mæren
komen âne schulde.
genædeclîcher hulde
er vaste sînen hêrren bat.
dem tet der zorn ûf freuden mat.

348 Man kunde dâ niht gâhen
sô daz Lyppaut wolt vâhen
sînen hêrren: wander was sîn wirt;
als noch getriwer man verbirt.
der künec ân urloup dannen schiet,
als im sîn kranker sin geriet.
sîne knappen, fürsten kindelîn,
al weinde tâten klagen schîn,
die mit dem künec dâ wârn gewesen.
vor den mac Lyppaut wol genesen,
wand ers mit triwe hât erzogen,
gein werder fuore niht betrogen;
ez ensî dan mîn hêrre al ein,
an dem dochs fürsten triwe erschein.
mîn hêrre ist ein Franzeys,
li schahteliur de Bêâveys:
er heizet Lisavander.
die eine unt die ander
muosen dem fürsten widersagn,
do si schildes ambet muosen tragn.
bîme künege ritter worden sint
vil fürsten hiute und ander kint.
des vordern hers pfligt ein man
der wol mit scharpfen strîten kan,
der künec Poydiconjunz von Gors:
der füert manc wol gewâpent ors.
Meljanz ist sîns bruoder suon:
si kunnen bêde hôchvart tuon,
der junge und ouch der alde.
daz es unfuoge walde!

349 Sus hât der zorn sich für genomn,
daz bêde künege wellent komn
für Bêârosche, dâ man muoz
gedienn mit arbeit wîbe gruoz.

347, 1. lîhet *DG*. ouch *fehlt Gd*. 3. Ich *G*. 4. also *Gdg*. 6. irdesch *G*. 7. sitz *D*, sit *die übrigen*. 13. strit *Gg*. 19. gegen dirre ungesîhte *D*. 22. Lyppaot *Dd*, Libaut *Ggg*, Lybayt *g*. 24. siner *alle*. gnoze *D*. 26. und *fehlt G*. ze *G*. 27. chômen *G*. 29. Er ditche *G*.

348, 2. wolde *D*, wolte *G*. 3. Sin *g*. 5. da dannen sciet *D*. 7. Chnapen fursten siniu chindelin *Ggg*. 8. weinende *DG meistens*. tæten *G*. chlagen *D*, chlagens *Ggg*, klage *dgg*. 9. chunege *DG*. dâ *fehlt gg*. 11. wanderse mit triwe hat *Dd* = Wan er si hat (erz hat *g*, er hat si *g*) mit triwe *Ggg*. 12. = An *Ggg*. 13. Ez si *dg und ohne* dan *g*. *denne *Ddg*, *dane *G*, danne *gg*. hêrre *fehlt D*. 14. doch des *alle*. schein *Ggg*. 15. franzoys *G*. 16. Li tschatelurre *Ggg*, Lihtschahtelurre *g*, Lesach de lurre *g*, der burcgrave *Ddg*. von *Dg*. beaveis *G*. 17. = Der *Ggg*. 18. ein *dg*, einen *G*. = unde ouch *Ggg*. 20. solten *Ggg*. 21. = Mit dem *Ggg*. 22. = Manch furste *Ggg*. hiute *fehlt gg*. andr *D*, anderiu *G*, andriu *g*, andru *g*. 23. vodern *g*. 24. scharfen *G*. 25. 26. Görs-örs *gg*. 26. = der *fehlt Ggg*. Fuort *gg*, fueret *DG*. 29. ouch *fehlt G*. 30. ungefuoge *Ggg*.

349, 2. daz *fehlt Ggg*. 3. bearotsche *Ggg immer*. 4. Mit arbeit dienen *Ggg*. gedienen *Ddgg*.

vil sper muoz man dâ brechen,
bêdiu hurtn und stechen.
Bêârosche ist sô ze wer,
ob wir heten zweinzec her,
ieslîchez grœzer dan wir hân,
wir müesens unzerfüeret lân.
mîn reise istz hinder her verholn:
disen schilt hân ich dan verstoln
ûz von andern kinden,
ob mîn hêrre möhte vinden
ein tjost durch sînen êrsten schilt,
mit hurtes poynder dar gezilt.'
der knappe hinder sich dô sach.
sîn hêrre fuor im balde nâch:
driu ors unt zwelf wîziu sper
gâhten mit im balde her.
ich wæn sîn gir des iemen trüge,
er wolde gern ze vorvlüge
die êrsten tjost dâ hân bejagt.
sus hât mir d'âventiure gesagt.
der knappe sprach ze Gâwân
'hêr, lât mich iwern urloup hân.'
der kêrte sîme hêrren zuo.
waz welt ir daz Gâwân nu tuo,
ern besehe waz disiu mære sîn?
doch lêrt in zwîvel strengen pîn.
350 Er dâhte 'sol ich strîten sehn,
und sol des niht von mir geschehn,
sost al mîn prîs verloschen gar.
kum ab ich durch strîten dar
und wirde ich dâ geletzet,
mit wârheit ist entsetzet
al mîn werltlîcher prîs.
ine tuon es niht decheinen wîs:
ich sol ê leisten mînen kampf.'
sîn nôt sich in ein ander klampf.
gegen sîner kampfes verte
was ze belîben alze herte:
ern moht ouch dâ niht für gevarn.
er sprach 'nu müeze got bewarn
die kraft an mîner manheit.'
Gâwân gein Bêârosche reit.
burg und stat sô vor im lac,
daz niemen bezzers hûses pflac.
ouch gleste gein im schône
aller ander bürge ein krône
mit türnen wol gezieret.
nu was geloschieret
dem her derfür ûf den plân.
dô marcte mîn hêr Gâwân
mangen rinc wol gehêrt.
dâ was hôchvart gemêrt:
wunderlîcher baniere
kôs er dâ mange schiere,
und manger slahte fremden bovel.
der zwîvel was sîns herzen hovel,
351 Dâ durch in starkiu angest sneit.
Gâwân mitten durch si reit.
doch ieslîch zeltsnuor de andern dranc,
ir her was wît unde lanc.
dô saher wie si lâgen,
wes dise und jene pflâgen.
swer byen sey venûz dâ sprach,
gramerzîs er wider jach.
grôz rotte an einem orte lac,
sarjande von Semblidac:

5. = Man muoz vil sper da *Ggg*. 6. Beidiu *G*. hurten *alle*. unde *D*. 9. gro^{v}zer dane *G*, grozer denne *D*. 10. unzerfuort *D*. 11. istz] ist dez *G*, ist des *g*, ist daz *die übrigen*. 15. eine *DG allein*. 16. hurten *D*, hurtens *g*. 19. driu] diu *D*. 20. gaheten *D*. = vaste mit im her *Ggg*. 21. niemen *Gg*. 24. = Als mir *gg*, So mir *Gg*. diu aventiure *DG*. saget *Ggg*. 25. Do sprach der knappe zuo gawan *d*. 26. herre *fehlt G*. iwer *Ggg*. 27. Er *Ggg*.

350, 2. soldes *D*. 3. = erloschen *Ggg*. 4. aber *DG*, aver *g*. 7. wereltl. *D*, werdechl. *gg*. 8. Ich entuon sin niht neheine wis *G*. gwis *D*. 11. Gein *Ggg*. 12. was ce *D*, Was *die übrigen*. 13. Er *G*. ouch *Ggg* = ot *D*, *fehlt d*. do *D*. 17. Burch unde hus *G*. 18. hûs'*D*. 19. glaste *Gg*. 20. andr *D*, anderen *Ggg*, *fehlt g*. eine *D*. 21. turen *G*, truren *D*. 22. gelotsch. *Ggg*, geloisiert *g*. 23. der fuor ûf *D*. 24. do *Dg*, Da *G*. marhte *D* = sach *Ggg*. 25. gehêret *D*. 26. gemêret *DG*. 29. fromden pofel *Gg*. 30. hofel *G*.

351, 1. in] sin *d*, ein *g*. = groziu *Ggg*. 2. enmiten dur *Ggg*. sie *D*. 3. de *G*, die *D*. 7. byen seyven^{o}uz *D*, biensevenuz *Gg*, se *alle außer D*. 8. Gramerzis *dgg*, gramærzys *D*, grantmerzis *Gg*. 10. semlidach *Ggg*.

den lac dâ sunder nâhen bî
turkople von Kahetî.
unkünde dicke unminne sint.
sus reit des künec Lôtes kint:
belîbens bete in niemen bat.
Gâwân kêrte gein der stat.
er dâhte 'sol ich kipper wesn,
ich mac vor flüste baz genesn
dort in der stat dan hie bî in.
ine kêr mich an dehein gewin,
wan wiech dez mîn behalde
sô deis gelücke walde.'
Gâwân gein einer porten reit.
der burgær site was im leit:
sine hete niht betûret,
al ir porten wârn vermûret
und al ir wîchûs werlîch,
dar zuo der zinnen ieslîch
mit armbruste ein schütze pflac,
der sich schiezens her ûz bewac:
352 Si vlizzen sich gein strîtes werc.
Gâwân reit ûf an den berc.
swie wênec er dâ wære bekant,
er reit ûf da er die burc vant.
sîn ougen muosen schouwen
mange werde frouwen.
diu wirtîn selbe komen was
durch warten ûf den palas
mit ir schœnen tohtern zwein,
von den vil liehter varwe schein.
schier het er von in vernomn,
si sprâchen 'wer mac uns hie komn?'
sus sprach diu alte herzogîn.
'waz gezoges mac diz sîn?'
dô sprach ir elter tohter sân
'muoter, ez ist ein koufman.'
'nu füert man im doch schilde mite.'
'daz ist vil koufliute site.'
ir junger tohter dô sprach
'du zîhst in daz doch nie geschach:
swester, des mahtu dich schamen:
er gewan nie koufmannes namen.
er ist sô minneclîch getân,
ich wil in zeime ritter hân.
sîn dienst mac hie lônes gern:
des wil ich in durch liebe wern.'
sîne knappen nâmn dô goume
daz ein linde und ölboume
unden bî der mûre stuont.
daz dûhte si ein gæber fuont.
353 Waz welt ir daz si mêr nu tuon?
wan do'rbeizte der künec Lôtes sun,
alda er den besten schaten vant.
sîn kameræer truoc dar zehant
ein kulter unde ein matraz,
dar ûf der stolze werde saz.
ob im saz wîbe hers ein fluot.
sîn kamergewant man nider luot
unt dez harnasch von den soumen.
hin dan undern andern boumen
herberge nâmen sie,
knappen die dâ kômen hie.

11. do *G*. 12. Turchopel *Ggg*, Durkopele *g*. kahetí *Dd* = kahadi *gg*, kabadi *G*, kabali *g*. 15. bilibens *D*, Belibenes *G*. bet *G*, *fehlt dgg die zum theil den vers anders ausfüllen*. 17. chipper *G*, kypper *D*. 20. Ich *G*. ker *dg*. deheinen *DG*. gwin *D*. 21. wi ich *D*, deich *G*. daz mine *D*. 22. deis *G*, des *g*, daz es *D*. 23. 26. porte *G*. 25. betẘert *D*. *so auch* 26. 26. alle ir *D*. 27. elliu iriu *Gg*. 28. Da zuo *G*. iegelich *G*. 29. arembr. *D*. 30. der schiezens her ûz sich bewac? her *fehlt g*. her ûz *fehlt d*.

352, 2. = cherte uf *Ggg*. 4. cherte *Gg*. 5. Siniu *Gg*. 6. Vil mange *gg*. 8. uf dem *G*. 9. schœnen *fehlt G*. tohteren *G*. 11. Sciere het er von in *Dd* = Von (Ay von *g*) den het er vil schier *gg*, Von den er schiere hete *G*. 12. Si fragten *Ggg*. wage *G*, was *D*, ist *g*. 13. So *G*. 14. zoges mach ditze *D*. 15. = Ir alter tohter sprach do (sprach al *g*, die sprach *gg*) san *Ggg*. 18. daz *DGd*, We daz *gg*, Muter ez *g*. 20. zihest *DG*. 22. koufmans *gg*. 25. diens *G*. 27. taten *Ggg*. = dô *fehlt Ggg*. goum *d*. 28. Daz linde oder olbome *g*. unde oleboume *G*, und oleboum *d*, und ein ölboume *gg*. 30. sîe *D*. funt *G*, fûnt *D*.

353, 1. mer tuon *Gg*. 2. Wan *fehlt Ggg*. rebeizte *D*, erb. *G*. des *Ggg*. lotes sun *G*, Lôts sûn *D*. 3. aldaer *G*. schate *G*, schat *g*. 5. einen *DGg*. gulter *G*, golter *g*. einen *g*. 7. = was *Ggg*. 8. kamergwant *D*. 9. untz *D*, Untze *d*. 10. undern *g*, undr den *Dd*, under *Ggg*.

diu alte herzogîn sprach sân
'tohter, welch koufman
kunde alsus gebâren?
dune solt sîn sus niht vâren.'
dô sprach diu junge Obilôt
'unfuoge ir dennoch mêr gebôt:
geim künege Meljanz von Lîz
si kêrte ir hôchverte vlîz,
dô er si bat ir minne.
gunêrt sîn sölhe sinne!'
dô sprach Obîe,
vor zorne niht diu vrîe,
'sîn fuore ist mir unmære.
dort sitzt ein wehselære:
des market muoz hie werden guot.
sîn soumschrîn sint sô behuot,
dîns ritters, tœrschiu swester mîn:
er wil ir selbe goumel sîn.'

354 Gar dirre worte hôre
kom Gâwân in sîn ôre.
die rede lât sîn als si nu stê:
nu hœret wiez der stat ergê.
ein schefræh wazzer für si flôz
durch eine brükke steinîn grôz,
niht gein der vînde want:
anderhalp was unverhert daz lant.
ein marschalc kom geriten sân:
für die brücken ûf den plân
nam er herberge wît.
sîn hêrre kom an rehter zît,
und ander die dâ solden komn.
ich sagez iu, hât irs niht vernomn,
wer ins wirtes hilfe reit,
und wer durch in mit triwen streit.
im kom von Brevigariez
sîn bruoder duc Marangliez.
durch den kômn zwên ritter snel,
der werde künec Schirnîel:
der truoc krôn ze Lyrivoyn:
als tet sîn bruoder ze Avendroyn.
dô die burgære sâhen
daz in helfe wolde nâhen,
daz ê des was ir aller rât,
daz dûht si dô ein missetât.
der fürste Lyppaut dô sprach
'ôwê daz Bêârosche ie geschach
daz ir porten suln vermûret sîn!
wan swenne ich gein dem hêrren mîn

355 Schildes ambet zeige,
mîn bestiu zuht ist veige.
ez hulfe mich und stüende ouch baz
sîn hulde dan sîn grôzer haz.
wie stêt ein tjost durch mînen schilt,
mit sîner hende dar gezilt,
odr ob versnîden sol mîn swert
sînen schilt, mîns hêrren wert!
gelobt daz iemer wîse wîp,
diu treit alze lôsen lîp.
nu lât mich mînen hêrren hân
in mîme turne: ich müeste in lân
und mit im in den sînen.
swar an er mich wil pînen,
des stên ich gar ze sîme gebote.
doch sol ich gerne danken gote
daz er mich niht gevangen hât,
sît in sîn zürnen niht erlât
eren well mich hie besitzen.
nu râtet mir mit witzen,'

13. alt *G*. 19. Gegen einem *g*, gein dem *die übrigen*. gein rois? Melianze *DG*. de liz *g*. 22. Geungert *G*. 25. = Mir ist sin vuore unmare *Ggg*. 26. sitzt *g*. wechslære *D*. 27. Der *gg*, Sin *G*. = mach *Ggg*. 28. Sin *dg*, sine *D*, Siniu *G*. 29. tôrsciu *D*. 30. geumel *gg*.

354, 2. Gawane *D*. 4. Unde *Gdgg*. hort ouch *Ggg*. 5. schifrahe *G*, schef reht *D*, schifrætich *g*, schifrehez *g*, schifrich *dgg*, schifriche *g*. 8. derhalp? *s*. 663, 24. 9. marscal *D*. 10. brucken *D*, brucke *gg*, burch *Gdgg*. 14. habt *G*. 15. in des *D*. helfe *alle aufser D*. 17. brevegariez *Ggg*, Brevgariez *g*. 18. tuc *g*, der herzoge *D*. maragliez *G*. 19. chomen zwene *DG*. kom zwên? 20. Scirniel *D*, scirmel *d*, schirmel *gg*, tschirmel *gg*, tschirviel *g*, tschirnel *G*. 21. chrone *DG immer*. = liravoyn *Ggg*. 23. sahen *Gd*, gesahen *D*, alle sahen *gg*. 26. duhte *DG*. ein *fehlt Gg*. Ich meine daz si dâ vor Vermûret heten ir tor *d*. 27. do *DG*, selbe *die übrigen*. 29. borte sulen *G*. vermuort *D*.

355, 3. 4 *fehlen Gg*. 4. dan *g*, den *D*. 7. Olde obe *G*. 9. imer *G*. 10. diu hat *D*. 12. muoste *D*, muose *G*. 14. Swar er *Ggg*. pinenen *G*. 15. ich im *D*. gar] gerne *G*. sime *d*, sim *g*, sinem *DG*. 16. = wil *Ggg*. ichs *D*. imer *G*. 19. well *g*.

sprach er zen burgæren,
'gein disen strengen mæren.'
dô sprach dâ manc wîse man
'möht ir unschult genozzen hân,
ez enwær niht komn an disiu zil.'
si gâben im des râtes vil,
daz er sîn porte ûf tæte
und al die besten bæte
ûz gein der tjoste rîten.
si jâhn 'wir mugen sô strîten,
356 E daz wir uns von zinnen wern
Meljanzes bêden hern.
ez sint doch allez meistec kint,
die mit dem künec dâ komen sint:
da erwerbe wir vil lîhte ein pfant,
dâ von ie grôzer zorn verswant.
der künec ist lîhte alsô gemuot,
swenn er hie ritterschaft getuot,
er sol uns nôt erlâzen
und al sîn zürnen mâzen.
veltstrîts sol uns doch baz gezemen,
dan daz se uns ûz der mûre nemen.
wir solten wol gedingen
dort in ir snüeren ringen,
wan Poydiconjunzes kraft:
der füert die herten ritterschaft.
dâ ist unser grœster freise
die gevangen Berteneise,
der pfligt der herzoge Astor:
den siht man hie gein strîte vor.
da ist och sîn sun Meljacanz.
het den erzogen Gurnamanz,
sô wær sîn prîs gehœhet gar:
doch siht man in in strîtes schar.
da engegen ist uns grôz helfe komn.'
ir habt ir râten wol vernomn:
der fürste tet als man im riet.
die mûre er ûzen porten schiet.
die burgære ellens unbetrogn
begunden ûz ze velde zogn,
357 Hie ein tjost, diu ander dort.
daz her begunde ouch trecken vort
her gein der stat durch hôhen muot.
ir vesprîe wart vil guot.
ze bêder sîte rotten ungezalt,
garzûne krîe manecvalt.
bêde schottesch und walsch
wart dâ gerüefet sunder valsch.
der ritter tât was âne vride:
die helde erswungen dâ die lide.
ez wârn doch allez meistec kint,
die ûzem her dar komen sint.
die begiengen dâ vil werde tât,
die burgær pfanten se ûf der sât.
der nie gediende an wîbe
kleinœt, der möhte an sîme lîbe
niemer bezzer wât getragen.
von Meljanze hôrt ich sagen,
sîn zimierde wære guot:
er het och selbe hôhen muot
und reit ein schœne kastelân,
daz Meljacanz dort gewan,
do'r Keyn sô hôhe derhinder stach
daz mann am aste hangen sach.

25. en *fehlt* *G*. 27. Daz man *G*. sin *dgg*, sine *D*, die *G*. porten *D*. 30. iahen *DG* *immer*.

356, 1. E *fehlt* *Gg*. 2. beiden *G*. 3. Wenne es sint das merteil kint *d*. meistech *D*, meiste *Ggg*, mæist *g*, maistel *g*. 4. di *D*. kunege *alle*. da *DGg*, *fehlt* *dgg*. 5. erwerben *G*. ein *fehlt* *G*. 7. so *Ggg*. 8. So er *Gg*. 11. velt strites *DG*, Velt strit *g*. doch *fehlt* *Ggg*. 12. Dane *G*, den *D*. daz *fehlt* *Gg*. si *DG*, *fehlt* *g*. muore *D*, *fehlt* *G*. 14. snuoren *DG*, snuere *dg*. 15. poidek. *G*, -iunzs *D*. 17. = Deist *G*, Daz ist *gg*. grôster *Dg*, grǒzestiu *G*, grozstiu *g*, groste *gg*, grozeu *g*, grosse *d*. 20. = da *Ggg*. gegen *Dd* = in *Ggg*. 21. Melyacanz *D*, Meliahganz *G*. 22. kurnom. *G*. 28. er *fehlt* *G*. schriet *Gg*. 30. zogn] chomen *G*.

357, 1. diu andr *D*, diu andere *G*, ein andriu *gg*. 2. ouch *fehlt* *Gg*. treken *D*, trechen *G*, strecken *dg*. 5. iewedersît rotten ungezalt? beider *G*. roten *G*, rotte *Dg*, rot *d*. 7. Beidiu schotsch *G*. 8. geruoffen *Gg*. 9. *nach* 10 *Ggg*. 11. Es was doch das merteil kint *d* = wol tatenz och diu selben chint *Ggg*. 12. Diu *G*. da *G*. 13. begunden *D*. da vil werde tât *Dd* = werdchlie tat *Ggg*, werdelich getat *g*. 14. burgær *G*. 15. 16. der nie kleinœte an wîbe gedient, der möhte an sîme lîbe? 16. chleinot *Dg*, Cleinœte *d*, Chleinode *Ggg*, Cleinod *g*. = der endorfte *Ggg*. sime *Dg*, *fehlt den übrigen*. 17. Nimer *G*. 18. Melyanze *D oft mit* y. hore *Ggg*. 19. zimere wær *G*. 20. ouch *G*. 21. = Er *Ggg*. 22. meliahganz *G*. 23. keyn *gg*, kain *G*, keyen *D*. hohe *D*, hoch *gg*, ho *g*, verre *Gg*. dr hindr *D*. 24. manen ame *G*.

do ez Meljacanz dort erstreit,
Meljanz von Lîz ez hie wol reit.
sîn tât was vor ûz sô bekant.
al sîn tjost in ir ougen vant
Obî dort ûf dem palas,
dar si durch warten komen was.

358 'Nu sich,' sprach si, 'swester mîn.
deiswâr mîn ritter unt der dîn
begênt hie ungelîchiu werc.
der dîne wænt daz wir den berc
unt die burc sülen verliesen.
ander wer wir müezen kiesen.'
diu junge muose ir spotten doln:
si sprach 'er mac si's wol erholn:
ich gib im noch gein ellen trôst,
daz er dîns spottes wirt erlôst.
er sol dienst gein mir kêren,
unde ich wil im freude mêren.
sît du gihst er sî ein koufman,
er sol mîns lônes market hân.'
ir bêder strît der worte
Gâwân ze merke hôrte.
als ez im dô getohte
übersaz erz, swie er mohte.
sol lûter herze sich niht schemen,
daz muoz der tôt dervon ê nemen.
daz grôze her al stille lac,
des Poydiconjunz dort pflac:
wan ein werder jungelinc
was im strîte und al sîn rinc,
der herzoge von Lanverunz.
dô kom Poydiconjunz:
ouch nam der alt wîse man
die eine und die andern dan.
diu vesperîe was erliten
und wol durch werdiu wîp gestriten.

359 Dô sprach Poydiconjunz
zem herzogen von Lanverunz
'geruocht ir mîn niht bîten,
so ir vart durch rüemen strîten?
sô wænt ir daz sî guot getân.
hie ist der werde Lahedumân
unde ouch Meljacanz mîn suon:
swaz die bêde solden tuon,
und ich selbe, ir möht dâ strîten sehn,
ob ir strîten kundet spehn.
ine kum nimer von dirre stat,
ine mache uns alle strîtes sat:
ode mir gebent man unde wîp
her ûz gevangn ir bêder lîp.'
dô sprach der herzoge Astor
'hêr, iwer neve was dâ vor,
der künec, und al sîn her von Lîz:
solt iwer her an slâfes vlîz
die wîl sich hân gekêret?
habt ir uns daz gelêret?
sô slâf ich dâ man strîten sol:
ich kan bî strîte slâfen wol.
doch gloubt mir daz, wær ich niht komn,
die burgær heten dâ genomn
frumen und prîs zir handen:
ich bewart iuch dâ vor schanden.
durch got nu senftet iwern zorn.
da ist mêr gewunnen dan verlorn
von iwerre massenîe,
wils jehen frou Obîe.'

25. Daz *Ggg.* Melyac. *D*, meliahk. *G.* 26. Melyanz von Lŷz *D.* 27. sô *fehlt gg.* 28. alle *DG.* sin *g*, sine *DG.* tioste *D.* 29. Obie *G*, Obŷe *D.*

358, 1. = Do sprach si sihestu swester min *Ggg.* 2. Desw. *G.* 4. wênt *gg*, wænet *DG.* 8. diu sprach *D.* sis *gg*, sichs *Dd*, sihes *G*, sich *gg.* 9. doch *Gg.* gegen *D.* 10. spottens *gg.* 12. unde *fehlt d.* ih sol *Gg.* 14. lotes *g.* 15. beider *G.* 17. gedohte *G.* 18. Ubersach *g*, Versaz *Ggg.* 20. mueze *D.* 22. dort] = da *Ggg.* 25. dr herz. *D.* lanvarunz *Ggg immer.* 27. alte *alle außer DG.* 28. = Die einen *Ggg.* 29. vesprîe *Dg.*

359, 5. wênt *dgg*, wænet *DG.* 6. der *fehlt G.* = grave *Ggg.* = lahdoman *gg*, lachdoman *G.* 7. vñ *Dd* = Hie ist *Ggg.* meliahg. *G.* sin sun *Gg.* 9. moht *Gg*, möchte *d*, mohtet *Dg*, mueset *g.* da *D*, *fehlt dg*, doch *gg*, ouch *G.* 11. Ich *G.* nimer *G*, niemer *D.* 12. Ich engemache iuch alle *G*, Ich gemach euch *g.* strits *D*, vehtens *Ggg.* 13. odr *D.* = git *Ggg.* 14. gevangen *alle.* ir bedr *Dg*, beider *d*, bede ir *Ggg.* 18. slaffes *G.* 19. wile *DG immer.* haben gechert. Habet-gelert *G.* 21. slave ich *G.* = swa *Ggg.* 23. doch gloubet mir *Dd* = Nu wizt *Ggg.* 24. = dâ *fehlt Ggg.* 25. Frum *Gg.* 26. bewarte *Gg*, bewar *die übrigen.* 28. = Hiest *Ggg.* 29. Von iwere messnie *G.* 30. iehen *D*, gehen *G.* frou *fehlt Ggg.*

360 Poydiconjunzes zorn was ganz
ûf sînen neven Meljanz.
doch brâht der werde junge man
vil tjost durch sînen schilt her dan:
daz endorft sîn niwer prîs niht klagn.
nu hœret von Obîen sagn.
diu bôt ir hazzes genuoc
Gâwân, dern âne schulde truoc:
si wolt im werben schande.
einen garzûn si sande
hin ze Gâwân, dâ der saz:
si sprach 'nu vrâge in fürbaz,
ob diu ors veile sîn,
und ob in sînen soumschrîn
lige inder werdez krâmgewant.
wir frowen koufenz al zehant.'
der garzûn kom gegangen:
mit zorn er wart enpfangen.
Gâwâns ougen blicke
in lêrten herzen schricke:
der garzûn sô verzagte
daz ern vrâgte noch ensagte
al daz [in] sîn frouwe werben hiez.
Gâwân die rede ouch niht enliez,
er sprach 'vart hin, ir ribbalt.
mûlslege al ungezalt
sult ir hie vil enpfâhen,
welt ir mir fürbaz nâhen.'
der garzûn dan lief oder gienc:
nu hœret wiez Obîe an vienc.

361 Einen junchêrrn si sprechen bat
den burcgrâven von der stat:
der was geheizen Scherules.
si sprach 'du solt in biten des
daz erz durch mînen willen tuo
und manlîche grîfe zuo.
undern ölboumen bîme grabn
stênt siben ors: diu sol er habn,
und ander rîcheite vil.
ein koufman uns hie triegen wil:
bit in daz er daz wende.
ich getrûw des sîner hende,
si nemez unvergolten:
ouch hât erz unbescholten.'
der knapp hin nider sagte
al daz sîn frowe klagte.
'ich sol vor triegen uns bewarn,'
sprach Scherules, 'ich wil dar varn.'
er reit hin ûf dâ Gâwân saz,
der selten ellens ie vergaz;
an dem er vant krancheite flust,
lieht antlütze und hôhe brust,
und einen ritter wol gevar.
Scherules in pruovte gar,
sîn arme unde ieweder hant
und swaz geschickede er dâ vant.
dô sprach er 'hêrre, ir sît ein gast:
guoter witze uns gar gebrast,
sît ir niht herberge hât.
nu prüevetz uns für missetât.

362 Ich sol nu selbe marschalc sîn:
liute und guot, swaz heizet mîn,
daz kêr ich iu gein diens siten.
nie gast zuo wirte kom geriten,
der im wære als undertân.'
'hêr, iwer genâde,' sprach Gâwân.
'daz hân ich ungedient noch:
ich sol iu gerne volgen doch.'
Scherules der lobs gehêrte
sprach als in sîn triwe lêrte.
'sît ez sich hât an mich gezogt,
ich pin vor flust nu iwer vogt;

360, 1. -iunzs *D*. 3. iunge werde *Gg*. 4. = Mange *Ggg*. tioste *Dg*. 5. endorfte *Dd* = endarf *Ggg*. 6. = ouch von *Ggg*. 8. 11. Gawane *DG allein*. 11. der *Dgg*, er *Gdgg*. 12. = Sage im unde frage in *Ggg*. 14. Olde *G*, Oder *gg*. sinem *dgg*. 15. chram gwant *D*. 18. Mit haze *Ggg*. 22. Daz er *G*. 23. al *D*, Also *d* = *fehlt Ggg*. in *fehlt g*. 24. = doch *Ggg*. niht liez *Dgg*. 27. hie vil *Dd* = von mir *Gg*, vil von mir *gg*, von mir vil *g*. 29. dan *Ggg*, dannen *Ddg*. = unde *Ggg*. gîe-an vîe *D*.

361, 1. iuncherren *DG*. 2. burgr. *G*. 3. Scer. *D*, tscher. *Ggg*. 4. bitten *D*. 7. Under dem olbaum *gg*. ame *Gg*. 8. sten *D*. 11. bitte *D*. erz wende *Gg*. 12. getruwe *G*, getrůe *D*. 14. umb. *G*. 15. knappe *DG*. 21. chrancheit *Ggg*, chranche *dg*. 24. bruovte *G*, pruovete *D*. 25. Sine *G*. ietwedere *G*. 30. pruovetz *D*.

362, 1. nu *Ddg*, iu *Gg*, ewer *g*, *fehlt g*, selbe iwer *g*. 3. diens *D*, dienst *g*, dienste *g*, dienstes *Gdgg*. 5. = Der im so gar wær (wære *G*) under tan *Ggg*. 6. herre iwer gnade sprach *Dd* = Iwer gnade herre sprach *gg*, Genade (Eúwer gnade *g*) sprach her *Ggg*. 7. unferdient *Ggg*. 8. Unde sol *Ggg*. 10. sîn *fehlt Ggg*. 11. an] uf *Gg*. 12. fluste *Dg*.

ezen nem iu dan daz ûzer her:
dâ bin ich mit iu an der wer.'
mit lachendem munde er sprach
hin zal den knappen dier dâ sach
'ladet ûf iur harnasch über al:
wir sulen hin nider in daz tal.'
Gâwân fuor mit sîme wirt.
Obîe nu daz niht verbirt,
ein spilwîp si sande,
die ir vater wol erkande,
und enbôt im solhiu mære,
dâ füere ein valschære:
'des habe ist rîche unde guot:
bit in durch rehten rîters muot,
sît er vil soldiere hât,
ûf ors, ûf silber unde ûf wât,
daz diz sî ir êrste gelt.
ez frumt wol siben ûfez velt.'

363 Daz spilwîp zem fürsten sprach
al des sîn tohter dar verjach.
swer ie urliuges pflac,
dem was vil nôt, ob er bejac
möhte an rîcher koste hân.
Lyppauten den getriwen man
überlesten soldiere,
daz er gedâhte schiere
'ich sol diz guot gewinnen
mit zorne od abe mit minnen.'
die nâchreiser niht vermeit.
Scherules im widerreit,
er vrâgte war im wær sô gâch.
'ich rîte eim trügenære nâch:
von dem sagt man mir mære,
ez sî ein valschære.'
unschuldec was hêr Gâwân:
ezen hete niht wan d'ors getân,
und ander daz er fuorte.
Scherulesn lachen ruorte:
er sprach 'hêrre, ir sît betrogen:
swerz iu saget, er hât gelogen,
ez sî maget man oder wîp.
unschuldec ist mîns gastes lîp:
ir solt in anders prîsen.
ern gewan nie münzîsen,
welt ir der rehten mære losen,
sîn lîp getruoc nie wehselpfosen.
seht sîn gebâr, hœrt sîniu wort:
in mîme hûs liez ich in dort:

364 Kunt ir dan ritters fuore spehen,
ir müezt im rehter dinge jehen.
sîn lîp gein valsche nie wart palt.
swer im dar über tuot gewalt,
wærz mîn vater ode mîn kint,
al die gein im in zorne sint,
mîn mâge ode mîn bruoder,
die müesn diu strîtes ruoder
gein mir ziehn: ich wil in wern,
vor unrehten strîten nern,
swa ich, hêr, vor iwern hulden mac.
ûz schildes ambt in einen sac
wolt ich mich ê ziehen,
sô verre ûz arde fliehen
dâ mich niemn erkande,
ê daz ir iwer schande,

13. dane G, denne D. 14. bi iu G. 15. = Sin munt do lachende sprach Ggg. 16. hin Dd, Hie g, *fehlt den übrigen.* zal den (Zue den gg, Ze allen gg) knappen Ddgg, Zen chnapen allen G. 17. iwer Dd = dez Ggg. 18. inz tal DG *allein.* 19. mit sinen wirt G. 20. daz nu Ggg. 21. spile wip G. *so auch* 363, 1. 22. bechande Ggg. 23. = Dem enbot si (er G) solhiu mare Ggg. 24. vaschare G. 26. bitte D. 29. erster D, erstez dg. 30. sibene uf daz G.

363, 1. spilwip D. 2. al daz D. 5. = An richer choste mohte han Ggg. 9. daz guot D. 10. odr aber D, olde abe G. 13. Unde Ggg. 14. eim] dem D, einem *die übrigen.* trugnære Dd = triegare Ggg, valschære gg. 16. Er Ggg. triegare Ggg. 18. en *fehlt* G. heten *alle aufser* D. niwan Gg. diu ors DG. 20. Tscherulesen Ggg. 21. Do sprach er D. 22. sagete D. der Ggg. hatz g. 23. ez wære magt D. 26. er eng. D, Er g. G. münze isen g. 27. mære] warheit G. 28. nie valshen phosen g. 29. sine DG *allein.* gebære Dg, gebærde Gdgg. horet *oder* hort Gdgg, vñ hœret Dgg. 30. ih liez in G.

364, 1. Kunt g, Chunnet DG. dann g, danne D, *fehlt* G. 3. = Sin lip wart nie gein valsche balt Ggg. 4. = tæte Ggg. 5. = Ez ware Ggg, Ez si g. odr D, oder G. miniu Gg. 6. Alle die *alle.* in haze G. 7. Min dgg, mine DGgg. odr D. min Ddg, mine Ggg. 8. muosen DG. diu DGgg, *fehlt* dgg. strîts D. 9. ziehen DG. neren G. 10. Von G. weren G.

hêrre, an im begienget.
güetlîch ir enpfienget
billîcher al die her sint komn
und iwern kumber hânt vernomn,
dan daz irs welt rouben.
des sult ir iuch gelouben.'
  der fürste sprach 'nu lâz mi'n sehn.
dâ mac niht arges ûz geschehn.'
er reit da er Gâwânen sach.
zwei ougen unde ein herze jach,
diu Lyppaut mit im brâhte dar,
daz der gast wær wol gevar
und rehte manlîche site
sînen gebærden wonten mite.

365 Swem wâriu liebe ie erholte
daz er herzeminne dolte,
herzeminne ist des erkant,
daz herze ist rehter minne ein pfant,
alsô versetzet unde verselt,
kein munt ez nimmer gar volzelt
waz minne wunders füegen kan.
ez sî wîb oder man,
die krenket herzeminne
vil dicke an hôhem sinne.
Obîe unt Meljanz,
ir zweier minne was sô ganz
und stuont mit solhen triuwen,
sîn zorn iuch solde riuwen,
daz er mit zorne von ir reit:
des gab ir trûren solhez leit
daz ir kiusche wart gein zorne balt.
unschuldec Gâwân des enkalt,
und ander diez mit ir dâ liten.
si kom dicke ûz frouwenlîchen siten:
sus flaht ir kiusche sich in zorn.
ez was ir bêder ougen dorn,
swâ si den werden man gesach:
ir herze Meljanze jach,
er müest vor ûz der hôste sîn.
si dâhte 'ob er mich lêret pîn,
den sol ich gerne durch in hân.
den jungen werden süezen man
vor al der werlt ich minne:
dar jagent mich herzen sinne.'

366 Von minn noch zornes vil geschiht:
nune wîzetz Obîen niht.
  nu hœret wie ir vater sprach,
do er den werden Gâwân sach
undern in daz lant enpfienc,
wie erz mit rede dô ane vienc.
dô sprach er 'hêrre, iwer kumn
daz mac an sælden uns gefrumn.
ich hân gevaren manege vart:
sô suoze in mînen ougen wart
nie von angesihte.
zuo dirre ungeschihte
sol iwer kümfteclîcher tac
uns trœsten, wander trœsten mac.'
er bat in tuon dâ ritters tât.
'ob ir harnaschs mangel hât,
des lât iuch wol bereiten gar.
welt ir, sît, hêrre, in mîner schar.'
  dô sprach der werde Gâwân
'ich wær des ein bereiter man:

18. guotliche *D*, Billiche *G*. 19. pillicher *D*, Guotliche *G*. al *g*, alle *die übrigen*. her sint *D*. 20. habent *G*. 21. Dane *G*, denne *D*. irs *g*, irse *D*, ir si *dgg*, ir uns *G*. wellet *D*. 23. la *Ggg*. mi'n] mih *Ggg*, mich in *Ddgg*. gesehn *D*. 24. Dane *G*. ûz] zuo *Gg*. 25. = Er fuort in *Ggg*. daer *G*. 27. di *D*. 29. = Unt daz *Ggg*. manlich *Gdgg*. 30. wonte *Gdg*.

365, 1. = rehtiu *Ggg*. erholt-dolt *gg*. 2. herze liebe *Ggg*. 3. 9. hercen minne *D*. 3. = bechant *Ggg*. 4. = ein *fehlt Ggg*. 6. dech. *D*, Deh. *G*. 9. di *D*. 12. = Der *Ggg*. 15. = er so zornich *gg*, er so trurch *G*. 16. ir *Ggg* = in *Dd*. 18. Unschulch *G*. engalt *G*. 19. mit im *dgg*. 20. frouwenlichen *Dg*, vrowel. *g*, fröml. *d*, frol. *g*, frevel *g*, frúntl. *g*, frouwen *G*. 22. bedr *D*, beider *G*. 24. melianz *G*. 25. muose *Dd* = solt *Ggg*. der beste *Gg*. 27. = Den wil ich gerne von im han *Ggg*. 28. werde iunge *Gg*. 29. vor aldr werlde *D*.

366, 1. minnen *Ddgg*, minne *G*, manne *g*, minem *g*. noch zorns *DGg*, zornes *g*, zorn noch *gg*. 2. wîztez *D*, wizet ez *G*, wizet *g*. 3. Und *gg*. hort *G*, hort ouch *gg*. 4. Do er gawanen sach *G*. 7. chomen *G*. 8. mach mit sælden *D*. 11. Nye man von *dg*. 12. = Gein *Ggg*. 13. chunftchl. *G*. 16. harnascs *D*, harnasch *dgg*, harnasches *Gg*, harnaisches *g*. magel *G*. 17. lat iuch wol *Dd* = lat iuch uns *gg*, heize (wil *g*) ih iuh *Gg*. 20. bereîter *Ddg*, bereite *G*, bereit *gg*.

ich hân harnasch und starke lide;
wan daz mîn strîten stêt mit fride
unz an eine benante stunde.
ir læget ob odr unde,
daz wolt ich durch iuch lîden:
nu muoz ichz durch daz mîden,
hêrre, unz ein mîn kamph ergêt,
dâ mîn triwe sô hôhe pfandes stêt,
durch aller werden liute gruoz
ichs mit kamphe lœsen muoz
367 (Sus pin ich ûf der strâzen),
odr ich muoz den lîp dâ lâzen.'
daz was Lyppaute ein herzeleit.
er sprach 'hêr, durch iur werdekeit
unt durch iwerre zühte hulde
sô vernemet mîn unschulde.
ich hân zwuo tohter die mir sint
liep: wan si sint mîniu kint.
swaz mir got hât an den gegebn,
dâ wil ich pî mit freuden lebn.
ôwol mich daz ich ie gewan
kumber den ich von in hân!
den streit iedoch diu eine
mit mir al gemeine.
unglîch ist diu gesellekeit:
mîn hêrre ir tuot mit minnen leit,
und mir mit unminne.
als ich michs versinne,
mîn hêrre mir gewalt wil tuon
durch daz ich hân decheinen suon.
mir sulen ouch tohter lieber sîn:
waz denne, ob ichs nu lîde pîn?
den wil ich mir ze sælden zeln.
swer sol mit sîner tohter weln,
swie ir verboten sî dez swert,
ir wer ist anders als wert:
si erwirbt im kiuscheclîche
einen sun vil ellens rîche.
des selben ich gedingen hân.'
'nu gewers iuch got,' sprach Gâwân.
368 Lyppaut der fürste al vaste bat.
'hêr, durch got, die rede lât:'
sus sprach des künec Lôtes suon:
'durch iwer zuht sult ir daz tuon,
und lât mich triwe niht enbern.
eins dinges wil ich iuch gewern:
ich sage iu hînt bî dirre naht,
wes ich mich drumbe hân bedâht.'
Lyppaut im dancte und fuor zehant.
ame hove er sîne tohter vant,
unt des burcgrâven tohterlîn:
diu zwei snalten vingerlîn.
dô sprach er Obilôte zuo
'tohter, wannen kumest duo?'
'vatr, ich var dâ nider her.
ich getrûwe im wol daz er michs wer:
ich wil den fremden ritter biten
dienstes nâch lônes siten.'
'tohter, sô sî dir geklagt,
ern hât mir an noch ab gesagt.
kum mîner bete anz ende nâch.'
der meide was zem gaste gâch.
dô se in die kemenâten gienc,
Gâwân spranc ûf. dô er sie 'nphienc,
zuo der süezen er dô saz.
er danct ir daz si niht vergaz
sîn dâ man im missebôt.
er sprach 'geleit ie ritter nôt
durch ein sus wênec frouwelîn,
dâ solt ich durch iuch inne sîn.'

22. daz *fehlt G.* 23. ein *dgg.* benant *G.* 24. obe olde *G.* 25. mit iu *Ggg.* 28. hohes *Gd.* 30. ichse *D*, Ich sú *d* = Ich die *gg*, Die ich *g*, Den ih *G.*

367, 1. *nach* 2 *Ggg.* 2. Ode *G.* 3. lippaote *d*, Lyppaoten *D*, libaute *G*, lybaut *gg.* 4. iwer *DG.* 5. iwer *G.* zühte *fehlt d.* 6. sô *fehlt Gg.* 7. zw *G*, zwo *D.* 9. an in *Gg.* 11. ôwol *mit* ô *D*, Wol *Ggg.* 15. ungelich *DG.* gesellecheit *D.* 18. = mich *Ggg.* 21. = doch *Ggg*, *fehlt g.* 22. = Waz dar umbe *Ggg.* ob ichs nu *D*, obe ihes nu *G*, ob ich nu *dgg*, ob ich sin (des) *gg.* 25. dz *D*, daz *G.* 27. erwirbt *G.* chiuscechliche *D*, keuschliche *dgg*, chusliche *Ggg.* 30. wers *G.* wærs *g.*

368, 1. der fürste *fehlt G.* 3. = sus *fehlt Ggg.* Lots *DG.* 6. Eins *gg*, eines *DG.* 9. Er danchte im unde *G.* 10. = Uf dem hofer *Ggg.* 11. burgr. *G.* tôhterlin *Ddg.* 12. diu zwei diu *D.* 14. chumest duo *g*, chumest du *G*, chumstu *D.* 16. trouwe *g.* = mih *Ggg.* gewer *Ddg.* 17. fromeden *G.* 20. abe noch ane *Ggg.* 26. Und *gg.* 27. do *Gg.* 29. so *G.* chleine *Gg.* freuwelin *gg.* 30. durch iu *D*, bi iu *G.*

369 Diu junge süeze clâre
sprach ân alle vâre
'got sich des wol versinnen kan:
hêrre, ir sît der êrste man
der ie mîn redegeselle wart:
ist mîn zuht dar an bewart,
und och mîn schamlîcher sin,
daz gît an freuden mir gewin:
wan mir mîn meisterin verjach,
diu rede wære des sinnes dach.
hêr, ich bit iwer unde mîn:
daz lêrt mich endehafter pîn.
den nenne ich iu, geruochet irs:
habt ir mich ihtes deste wirs,
ich var doch ûf der mâze pfat,
wande ich dâ ziu mîn selber bat.
ir sît mit der wârheit ich,
swie die namen teilen sich.
mîns lîbes namen sult ir hân:
nu sît maget unde man.
ich hân iwer und mîn gegert.
lât ir mich, hêrre, ungewert
nu schamlîche von iu gên,
dar umbe muoz ze rehte stên
iwer prîs vor iwer selbes zuht,
sît mîn magtuomlîchiu fluht
iwer genâde suochet.
ob ir des, hêrre, ruochet,
ich wil iu geben minne
mit herzenlîchem sinne.

370 Ob ir manlîche site hât,
sô wæne ich wol daz ir niht lât
irn dient mir: ich pin diens wert.
sît och mîn vater helfe gert
an friwenden unde an mâgen,
lât iuch des niht betrâgen,
irn dient uns beiden ûf mîn [eins] lôn.'
er sprach 'frouwe, iurs mundes dôn
wil mich von triwen scheiden.
untriwe iu solde leiden.
mîn triwe dolt die pfandes nôt:
ist si unerlœset, ich pin tôt.
doch lât mich dienst unde sinne
kêren gegen iwerre minne:
ê daz ir minne megt gegebn,
ir müezet fünf jâr ê lebn:
deist iwerr minne zît ein zal.'
nu dâhter des, wie Parzivâl
wîben baz getrûwt dan gote:
sîn bevelhen dirre magde bote
was Gâwân in daz herze sîn.
dô lobter dem freuwelîn,
er wolde durch si wâpen tragen.
er begunde ir fürbaz mêre sagen
'in iwerre hende sî mîn swert.
ob iemen tjoste gein mir gert,
den poynder müezt ir rîten,
ir sult dâ für mich strîten.
man mac mich dâ in strîte sehn:
der muoz mînhalp von iu geschehn.'

371 Si sprach 'vil wênc mich des bevilt.
ich pin iur scherm und iwer schilt
und iwer herze und iwer trôst,
sît ir mich zwîvels hât erlôst.
ich pin für ungevelle
iwer geleite und iwer geselle,
für ungelückes schûr ein dach
bin ich iu senfteclîch gemach.
mîn minne sol iu fride bern,
gelückes vor der angest wern,
daz iwer ellen niht verbirt
irn wert iuch vaste unz an den wirt.
ich pin wirt und wirtîn
und wil in strîte bî iu sîn.

369, 7. schemlicher *G*. 9. wande *D*. meistrinne *D*, meisterinne *Gg*. iach *Gg*. 11. bitte *D*. 14. ihts *D*, ichtes *d* = iht *Ggg*. 16. Unde ich *g*. datze iu *G*. 23. schemelichen *G*. 25. vur *Gdg*. 26. magtetuomlichiu *G*. 27. = Genade an iuch suochet *Ggg*. gnade *D*.

370, 2. = weiz ih *Ggg*. 3. dienstes *alle außer D*. 7. beiden *fehlt g*. eins *DG*, eines *dgg*, einer *g*, ein *g*. 8. iwers *DG*. 11. dulte die *d* = dolt ie *gg*, ie dolte *g*, dolet *Gg*. 12. unerlost *D*. 14. gein iwere *G*. 15. muget *G*. geben *Gdg*. 17. dar ist *D*. iwere minnen *G*. 18. = Do *Ggg*. wi Parcival *D*. 19. getrwete *DG*. denne *D*, dene *G*. got *G*. 20. 21. was *setzen alle vor* dirre, *wofür d* der *hat*. 20. magde *gg*, megede *d*, meigde *g*, meide *DGg*. ein bote *D allein*, gebote (ge *durchstrichen*) *G*, gebot *g*. 23. = Er wolt da wapen dur si tragen *Ggg*. 24. mer *D*. 25. iwere *G*. 27. muozzet *Dd* = sult *Ggg*. 28. = Ir muozet (muezt *gg*) da *Ggg*.

371, 2. iwer *DG*. 3. Und *fehlt Gd*. 4. habet *G*. 7. scwr *D*. 10. vur die *Gg*. 12. Irne *G*, iren *D*. 14. = bi iu in strite *Ggg*.

swenne ir des gedingen hât,
sælde und ellen iuch niht lât.'
dô sprach der werde Gâwân
'frouwe, ich wil beidiu hân,
sît ich in iwerm gebote lebe,
iwer minne und iwers trôstes gebe.'
die wîle was ir händelîn
zwischen den handen sîn.
dô sprach si 'hêr, nu lât mich varn.
ich muoz ouch mich dar an bewarn.
wie füert ir âne mînen solt?
dar zuo wære i'u alze holt.
ich sol mich arbeiten,
mîn kleinœte iu bereiten.
swenne ir daz traget, decheinen wîs
überhœht iuch nimmer ander prîs.'

372 Dan fuor diu magt und ir gespil.
si buten beide ir dienstes vil
Gâwâne dem gaste:
der neig ir hulden vaste.
dô sprach er 'sult ir werden alt,
trüeg dan niht wan sper der walt
als erz am andern holze hât,
daz wurde iu zwein ein ringiu sât.
kan iwer jugent sus twingen,
welt irz inz alter bringen,
iwer minne lêrt noch ritters hant
dâ von ie schilt gein sper verswant.'
dan fuorn die magede beide
mit fröuden sunder leide.
des burcgrâven tohterlîn
diu sprach 'nu saget mir, frouwe mîn,
wes habt ir im ze gebne wân?
sît daz wir niht wan tocken hân,
sîn die mîne iht schœner baz,
die gebt im âne mînen haz:
dâ wirt vil wênec nâch gestriten.'
der fürste Lippaut kom geriten
an dem berge enmitten.
Obylôt und Clauditten
saher vor im ûf hin gên:
er bat si bêde stille stên.
dô sprach diu junge Obilôt
'vater, mir wart nie sô nôt
dîner helfe: dar zuo gip mir rât.
der ritter mich gewert hât.'

373 'Tohter, swes dîn wille gert,
hân ichz, des bistu gewert.
ôwol der fruht diu an dir lac!
dîn geburt was der sælden tac.'
'vater, sô wil ich dirz sagen,
heinlîche mînen kumber klagen:
nâch dînn genâden dar zuo sprich.'
er bat si heben für sich:
si sprach 'war kœm dan mîn gespil?'
dô hielt der ritter bî im vil:
die striten wer si solde nemen.
des moht ieslîchen wol gezemen:
iedoch bôt man se einem dar:
Clauditte was och wol gevar.
al rîtnde sprach ir vater zir
'Obylôt, nu sage mir
ein teil von dîner nœte.'
'dâ hân ich kleinœte

16. niht enlat *D*, niht verlat *gg*. 18. bediu *G*. 19. iwerem *D*, iurem *g*. 20. Iwer *dgg*, iwerr *D*, Iwere *G*. iwers *Gdgg*, iwerre *D*, uwer *g*. 21. waren *D*. handelin *Gg*. 24. = Ich sol *Ggg*. 26. = bin *Ggg*. ich iu *alle*. al *fehlt Gdg*, gar *g*. 28. cleinœte *d*, chleînote *Dg*, chleinode *Ggg*, cleinœde *g*, chleinuode *g*. 29. deheine *Gdg*, nehain *g*. gwis *D*. 30. uber hohet *DG*. nimmr *D*, dehein *Gg*.

372, 1. Dan *g*, Dane *G*, Dannen *D*. 2. butten *D*. bede *G*. 5. do sprach er *D*, Und sprach *d* = Er sprach und *gg*, Er sprach *G*. 6. truoge dane (denne *D*) *DG*. 7. am (an dem *d*) andern *Dd* = an anderm *Gg*, in anderme *g*, anderm *gg*. 8. Daz ware *Gg*. in zwein *G*. 11. lert *dgg*. 13. Dann *g*, Dane *G*, Dannen *D*. fuoren *DG*. magede *Gg*, megde *dgg*, meide *D*. 14. = ane leide *Ggg*. 16. = diu *fehlt Ggg*. 17. zegebene *G*. 18. wan *fehlt G*. 23. enmitten *D*, enmiten *G*. 24. = Obyloten *Dd*. Claudítten *D*, clauditen *G*. 26. = Die bat er bede *Ggg*. 29. gim mir *G*.

373, 7. dinen *DG*. gn. *Dgg*. dar nach *G*. 8. hebn *D*, heven *g*. 9. kom *g*, chœme *DG*. dan *g*, dane *G*, denne *D*. 10. = Do hielt da *(fehlt g)* bi im riter vil *Ggg*. 11. wer die solte *G*. 14. Claudîte *D und ohne circumflex Gdg*, Claudit *g*. 15. Al ritende *D*, Alritende *G*. = sprach der furste zir *Ggg*. 17. note *DG*. 18. chlæinœte *dgg*, chleinote *Dgg*, chleinode *G*.

dem fremden ritter gelobt.
ich wæn mîn sin hât getobt.
hân ich im niht ze gebenne,
waz toug ich dan ze lebenne,
sît er mir dienst hât geboten?
sô muoz ich schämeliche roten,
ob ich im niht ze gebne hân.
nie magede wart sô liep ein man.'
dô sprach er 'tohter, wart an mich:
ich sol des wol bereiten dich.
sît du diens von im gerst,
ich gib dir daz du in gewerst,
374 Ob dich halt dîn muoter lieze.
got gebe daz ichs genieze.
ôwî er stolz werder man,
waz ich gedingen gein im hân!
nie wort ich dennoch zim gesprach:
in mîme slâfe i'n hînte sach.'
Lyppaut gienc für die herzogîn,
unt Obylôt diu tohter sîn.
dô sprach er 'frouwe, stiurt uns zwei.
mîn herze nâch freuden schrei,
dô mich got dirre magt beriet
und mich von ungemüete schiet.'
diu alte herzogîn sprach sân
'waz welt ir mînes guotes hân?'
'frouwe, sît irs uns bereit,
Obylôt wil bezzer kleit.
si dunket si's mit wirde wert,
sît sô werder man ir minne gert
und er ir biutet dienstes vil
und ouch ir kleinœte wil.'
dô sprach der magede muoter
'er süezer man vil guoter!
ich wæne, ir meint den fremden gast.
sîn blic ist reht ein meien glast.'
dô hiez dar tragen diu wîse
samît von Ethnîse.
unversniten wât truoc man dâ mite.
pfelle von Tabronite
ûzem lande ze Trîbalibôt.
an Kaukasas daz golt ist rôt,
375 Dar ûz die heiden manege wât
wurkent, diu vil spæhe hât,
mit rehter art ûf sîden.
Lyppaut hiez balde snîden
sîner tohter kleider:
er miste gern ir beider,
der bœsten unt der besten.
einen pfell mit golde vesten
den sneit man an daz freuwelîn.
ir muose ein arm geblœzet sîn:
dâ was ein ermel von genomn,
der solte Gâwâne komn.
daz was ir prîsente,
pfell von Neurîente,
verre ûz heidenschaft gefuort.
der het ir zeswen arm geruort,
doch an den roc niht genæt:
dane wart nie vadem zuo gedræt.
den brâhte Clauditte dar
Gâwâne dem wol gevar.
dô wart sîn lîp gar sorgen vrî.
sîner schilde wâren drî:
ûf einen sluogern al zehant.
al sîn trûren gar verswant:

20. min zuht si vertobet *Gg*. 21. cegebne *D*. 22. dane *G*, denne *D*. zelebene *G*, celebne *D*. 24. = Nu *Ggg*. schamelichen *G*. 25. cegebn *D*, zegebene *G*. 26. meide *D*. 28. soles *G*. 29. du *fehlt G*. diens *D*, dienst *g*, dienstes *die übrigen*. an in *Ggg*.

374, 2. ihez *G*. 3. Owe *Gdgg*. er stolz (stolze *g*) werder *Dg*, er stolzer werder *dgg*, der stolze werder *g*, der stolze werde *G*. 5. 6 *fehlen G* 6. i'n] ich in *alle*. hint *gg*. 7. = Libaut reit (quam *g*) zer herzogin *Ggg*. gie *D*. 9. Er sprach *G*. stîwert *D*. 14. mîns *Dd*. 16. bezriu *g*. 17. sis *gg*, sichs *D*, sihes *G*, sich *d*, mich *g*. 18. wert *G*. 19. Under ir biut *G*. 20. chleinode *DG*. 21. meide *D*. 23. meint *dgg*. 24. Sin varwe *G*. meigen *G*. 25. dar tragen *Ggg*, tragen dar *Ddgg*. 26. entyse *G*. 28. Thabr. *Dd*, taprunit *G*. 30. koukesas *D allein*.

375, 1. heidene *G*. 2. Wurchet *Gd*. spehe stat *gg*. 3. = Von *Ggg*. ûf *D*, uz *die übrigen*. 4. balde *fehlt G*. 6. miste *G*, mishte *g*, missete *Ddg*, misset *gg*. = ir *fehlt Ggg*. 7. bosten *D*, bosesten *G*. 8. = Von golde einen phelle vesten *Ggg*. pfelle *D*. 9. = den *fehlt Ggg*. 10. 16. arem *D*. geblœzet *mit* œ *g*. 11. vone *G*. 13. = presente *Ggg*. 14. pfelle *D*, Ein phelle *G*. neuriente *Ggg*, Nouriente *D*, Nauriente *g*, noriente *d*, oriente *g*, grigente *g*. 16. = Er *Ggg*. 17. = Doch niht an den roch genat *Ggg*. 19. claudite *G*.

sînen grôzen danc er niht versweic,
vil dicke er dem wege neic,
den diu juncfrouwe gienc,
diu in sô güetlîche enpfienc
und in sô minneclîche
an fröuden machte rîche.
376 Der tac het ende und kom diu naht.
ze bêder sît was grôziu maht,
manec werlîch ritter guot.
wær des ûzern hers niht solhiu fluot,
sô heten die inren strîtes vil.
dô mâzen si ir letze zil
bî dem liehtem mânen.
si kunden sich wol ânen
vorhteclîcher zageheit.
vor tages wart von in bereit
zwelf zingel wîte,
vergrabet gein dem strîte,
daz ieslîch zingel muose hân
ze orse ûz drî barbigân.
Kardefablêt de Jâmor,
des marschalc nam dâ vier tor,
dâ man smorgens sach sîn her
wol mit ellenthafter wer.
der herzoge rîche
streit dâ rîterlîche.
diu wirtîn was sîn swester.
er was des muotes vester
denne anders manec strîtec man,
der wol in strîte tûren kan:
des leit er dicke in strîte pîn.
sîn her dâ zogete snahtes în.
er was verre dar gestrichen,
wander selten was entwichen
strîteclîcher herte.
vier porte er dâ wol werte.
377 Swaz hers anderhalp der brücken lac,
daz zogete über, ê kom der tac,
ze Bêârosche in die stat,
als sie Lyppaut der fürste bat.
dô wâren die von Jâmor
geriten über die brücken vor.
man bevalh ieslîche porten sô,
daz si werlîche dô
stuonden, dô der tag erschein.
Scherules der kôs im ein,
die er und mîn hêr Gâwân
niht unbehuot wolden lân.
man hôrt dâ von den gesten
(ich wæn daz wârn die besten),
die klagten daz dâ was geschehn
ritterschaft gar ân ir sehn,
unt daz diu vesperîe ergienc
daz ir deheiner tjost da enpfienc.
diu klage was gar âne nôt:
ungezalt mans in dâ bôt,
allen den dies ruochten
unts ûz ze velde suochten.
in den gazzen kôs man grôze slâ:
ouch sach man her unde dâ
mange banier zogen în
allez bî des mânen schîn,
und mangen helm von rîcher kost
(man wolt si füeren gein der tjost)
und manec sper wol gemâl.
ein Regenspurger zindâl
378 Dâ wær ze swachem werde,
vor Bêârosche ûf der erde:

26. Vil ditcher dem *G.*

376, 2. Zebeider site *G.* 5. innren *G.* 7. liehten *Gdg.* 9. Vorhtlicher *Ggg.* zagheit *D.* 12. Vergraben *dgg.* geim *g.* 14. barbegan *D allein.* 15. von Lamor *Dg.* 17. man sm. *Dgg*, mans m. *Gg*, man m. *dg.* 18. enllent hafter *G.* 23. strîtec *fehlt G.* 24. in *fehlt G.* tuoren *D.* 26. des nahtes *alle.* 30. porte *gg*, borte *G*, porten *Ddgg.*

377, 1. derhalp? *s.* 354, 10. 8. 1. 6. bruke *G.* 2. zogete *D*, zogte ê *g*, zogete och *Gdgg.* chom *Ddg*, chœm *gg*, chome *Gg.* 3. ce Bearoscê *D.* 4. = Libaut der furste si des bat *Ggg.* alsî *D.* 5. = Ouch *Ggg.* amor *Gg*, lamor *g*, *nun immer.* 7. porte *G.* 9. = Stuont also (als *Gg*) der tach *Ggg.* 11. min herr *D*, *fehlt d*, her *Ggg.* 14. warn *D.* 15. = Si *Ggg.* wære *D.* 17. diu] da *G.* vesprie *D.* 18. da *Dg*, *fehlt Gdgg.* 19. an not *D.* 20. = Wan ung. *Ggg.* 21. den *fehlt Gd.* dîs *D.* geruochent *D*, geruochten *die übrigen.* 22. unt es *D*, Und es *d*, Unde si *die übrigen.* ûz *fehlt Gg.* suohten *G*, suochent *D.* 25. = trechen in *Ggg.* 26. dem *dgg.* mane *g.* 30. -gare *G*, -gær *g.* zendal *G.*

378, 1. Dâ *fehlt Ggg.* Wære gewesen zeswachen werde *G.* 2. von *D.*

man sach dâ wâpenrocke vil
hôher an der koste zil.
diu naht tet nâch ir alten site:
am orte ein tac ir zogte mite.
den kôs man niht bî lerchen sanc:
manc hurte dâ vil lûte erklanc.
daz kom von strîtes sachen.
man hôrt diu sper dâ krachen
reht als ez wære ein wolken rîz.
dâ was daz junge her von Lîz
komn an die von Lirivoyn
und an den künec von Avendroyn.
da erhal manc rîchiu tjoste guot,
als der würfe in grôze gluot
ganze castâne.
âvoy wie ûf dem plâne
von den gesten wart geriten
und von den burgærn gestriten!
Gâwân und der schahteliur,
durch der sêle âventiur
und durch ir sælden urhap
ein pfaffe in eine messe gap.
der sanc se beide got unt in:
dô nâhte ir werdekeit gewin:
wand ez was ir gesetze.
dô riten se in ir letze.
ir zingel was dâ vor behuot
mit mangem werden ritter guot:
379 Daz wâren Scherules man:
von den wart ez dâ guot getân.
waz mag ich nu sprechen mêr?
wan Poydiconjunz was hêr:
der reit dar zuo mit solher kraft,
wær Swarzwalt ieslîch stûde ein schaft,
man dorft dâ niht mêr waldes sehn,
swer sîne schar wolde spehn.
der reit mit sehs vanen zuo,
vor den man strîts begunde fruo.
pusûner gâben dôzes klac,
alsô der doner der ie pflac
vil angestlîcher vorhte.
manc tambûrr dâ worhte
mit der pusûner galm.
wart inder dâ kein stupfen halm
getretet, des enmoht ich niht.
Erffurter wîngarte giht
von treten noch der selben nôt:
maneg orses fuoz die slâge bôt.
dô kom der herzoge Astor
mit strîte an die von Jâmor.
dâ wurden tjoste gewetzet,
manc werder man entsetzet
hinderz ors ûfn acker.
si wârn ir strîtes wacker.
vil fremder krîe man dâ rief.
manc volc ân sînen meister lief,
des hêrre dort ze fuoze stuont:
ich wæn dem was gevelle kuont.
380 Dô ersach mîn hêr Gâwân
daz geflohten was der plân,
die friunde in der vînde schar:
er huob ouch sich mit poynder dar.

4. = Wol richer *Ggg.* 5. altem *Gg.* 9. chom *D.* 10. diu] vil *Gg.* 11. reht *fehlt G.* riz *D.* 15. riche *G.* 16. Also *Gg.* 17. chastange *G*, kostanîe *g.* 18. Avy *G*, Awe *g*, Owi *d.* 20. burgæren *D*, buraren *G.* 21. tschatalur *G*, tschatelur *gg.* 25. Er *Ggg.* si beidiu *G.* uñ *DG.* 26. nahet *G.* in *Ggg.* 27. wandz *D*, wenne es *d* = Und daz *g*, Daz *Ggg.*

379, 3. = Waz magih da von sprchen mer *G*, Waz welt ir daz ich spreche mer *gg.* 4. wan *fehlt G.* 5. da zuo *Ggg.* 6. stuode *g*, stuonde *D.* 7. dorft *gg.* nimer *Gdg*, nimmer *g.* 8. sin *dgg.* 9. sehes *G.* 10. Vor dem *G.* 11. Pusonerr *D*, Busunare *Ggg*, Busunen *g*, Busune *dg.* duzzes *gg*, gedozes *G.* 12. Als *Gg.* doner *G*, donrr *D*, donr *gg*, *fehlt g*, donre *g*, turn *d.* der ie da phlach *G.* 13. angesl. *G.* 14. tambuorr da *D*, thambur do *d* = tambur *G*, tamburre *g*, tambure *gg.* worte *D.* 15. der pusonrr *D*, der pusmur *d* = den busunaren *Ggg*, den busunren *g*, den busunieren *g*, den busunen *g.* 16. îndr *ohne* dâ *D.* dehein *G*, ein *gg.* stupfen *Dd*, stopfen *g*, stophel *Gg*, stopel *g*, stüpfel *gg.* 17. getreít *D*, Getrette *g.* enmach *gg.* 18. Erffurter *D*, Erphurtare *G*, Ertfurter *g*, Ertfürter *gg*, Erpfúrter *gg*, Ein pfurrater *g.* 19. tretten *D*, tretene *G.* 20. = Vil orse vuoze (fuoz *g*) die *(fehlt G)* sla da bot *Ggg.* slage bot *Dd.* 21. = Nu *Ggg.* 23. tiost *Ggg.* 24. = gesetzet *Ggg.* 25. uofen *D*, uf den *die übrigen.* 27. vil werdr *D.* 28. vole ane *D.* 29. zefuozen *Ggg.*

380, 1. = Nu sach *Ggg.* min herr *D.* 3. friwnt *D.* under der *Gg.* 4. sich des endes dar *Gg.*

müelîch sîn was ze warten:
diu ors doch wênec sparten
Scherules unt die sîne:
Gâwân si brâht in pîne.
waz er dâ ritter nider stach,
und waz er starker sper zebrach!
der werden tavelrunder bote,
het er die kraft niht von gote,
sô wær dâ prîs für in gegert.
dô wart erklenget manec swert.
im wârn al ein beidiu her:
gein den was sîn hant ze wer;
die von Lîz und die von Gors.
von bêder sît er manec ors
gezogen brâhte schiere
zuo sînes wirts baniere.
er frâgte obs iemen wolte dâ:
der was dâ vil, die sprâchen jâ.
si wurden al gelîche
sîner gesellescheфte rîche.
  dô kom ein ritter her gevarn,
der ouch diu sper niht kunde sparn.
der burcgrâve von Bêâveis
und Gâwân der kurteis
kômen an ein ander,
daz der junge Lysavander
381 Hinderm orse ûf den bluomen lac,
wan er von tjost gevelles pflac.
daz ist mir durch den knappen leit,
ders änderen tages mit zühten reit
und Gâwân sagte mære,
wâ von diz komen wære.
der erbeizte über sîn hêrren nider.
Gâwânn erkante und gab im wider
daz ors daz dâ wart bejagt.
der knappe im neic, wart mir gesagt.
  nu seht wâ Kardefablêt
selbe ûfem acker stêt
von einer tjost mit hurt erkant:
die zilte Meljacanzes hant.
dô zucten in die sîne enbor.
dâ wart dicke Jâmor
mit herten swertslegen geschrît.
dâ wart enge, und niht ze wît,
dâ hurte gein der hurte dranc.
manc helm in in diu ôren klanc.
Gâwân nam sîne gesellescheft:
do ergienc sîn poynder mit kraft,
mit sînes wirts baniere
beschutter harte schiere
von Jâmor den werden.
dô wart ûf die erden
ritter vil gevellet.
geloubetz, ob ir wellet:
geziuge sint mir gar verzagt,
wan als diu âventiure sagt.
382 Leh kuns de Muntâne
fuor gein Gâwâne.
dâ wart ein rîchiu tjost getân,
daz der starke Lahedumân
hinderm orse ûfm acker lac;
dar nâch er sicherheite pflac,
der stolze degen wert erkant:
diu ergienc in Gâwânes hant.
  dô streit der herzoge Astor
den zingeln aller næhste vor:
da ergienc manc hurteclîcher strît.
dicke Nantes wart geschrît,

5. mueliche *D*. was sin *Gg*. 6. do *Ggg*. 7. und al *dgg*. 10. und *fehlt Gg*. er da *Ggg*. zerbr. *G*, zustach *g*. 11. werde *Ggg*. tafelrunde *D*. 14. Da *Gg*. 15. al eine *gg*, gelic *G*. 18. beider site *G*. maneg *D*, mangen *G*. 20. sins *D*. wirtes *DG*. 21. = Unde *Ggg*. opse *G*. 22. = Ir was genuoch die *Ggg*. 25. Nu *Ggg*. 27. 28. beavoys (beanoys *G*) -kurtoys *Gdg*. 29. Die chomen *Ggg*.

381, 2. wandr von tioste *D*. 4. ânderen *D*, anderen *d* = vorderen *Ggg*. 5. Gawane *DG allein*. seite *G*. 6. Wie diz *Gg*. ergangen *G*. 7. sinen *alle*. 8. Gawan in *alle*. 9. was *gg*. 11. Nu seheht wa kardefabelet (e *vor* l *übergeschrieben*) *G*. 14. = Die tet *Ggg*. Melyacanzs *D*, melyahganzes *G*. 16. ditch amor *G*. 17. Bi *Ggg*. 18. = Da was *Ggg*. 22. poindier *g*. so mit *G*, da mit *g*. 23. *wie* 380, 20. 24. Beschuter *G*. 26. Da *Gg*. 27. = Manch riter nider gevellet *Ggg*. 29. = Mir sint geziuge *Ggg*.

382, 1. Lehkons *gg*, Lechkuns *G*, Lacontz *d*, Der grave *D*. demontange *g*, de funtane *d*, emontane *gg*, emuntage *G*, von der Muntane *D*. 2. gegen *D*. 4. = lahdoman *Ggg*. 5. ûfem *D*, uf dem *G*. 7. = Der starche *Ggg*. 8. Gawans *DG oft*. 10. Dem zingel *G*. nahest *G*, næhest, *g*. 11. = herticlicher *gg*, riterlicher *G*, herter *gg*. 12. Dicke do *d* = Vil ditche *Ggg*. nantis *Gg*.

Artûss herzeichen.
die herten, niht die weichen,
was dâ manc ellender Berteneis,
unt die soldier von Destrigleis
ûz Erekes lande;
der tât man dâ bekande.
ir pflac duc de Lanverunz.
ouch möhte Poydiconjunz
die Berteneis hân ledec lân:
sô wart ez dâ von in getân.
si wâren Artûse
zer muntâne Clûse
ab gevangen, dâ man strîten sach:
in eime sturme daz geschach.
si schrîten Nantes nâch ir siten
hie od swâ si strîtes biten:
daz was ir krîe unde ir art.
etslîcher truoc vil grâwen bart.

383 Ouch het ieslîch Bertûn
durch bekantnisse ein gampilûn
eintwedr ûf helm odr ûf den schilt
nâch Ilinôtes wâpne gezilt:
daz was Artûs werder suon.
waz mohte Gâwân dô tuon,
ern siufzete, do er diu wâpen sach,
wande im sîn herze jâmers jach.
sîn œheimes sunes tôt
brâht Gâwânn in jâmers nôt.
erekande wol der wâpen schîn:
dô liefen über diu ougen sîn.
er liez die von Bertâne
sus tûren ûf dem plâne:
er wolde mit in strîten niht,
als man noch friwentschefte giht.
er reit gein Meljanzes her.
dâ wârn die burgær ze wer,
daz mans in danken mohte;
wan daz in doch niht tohte
daz velt gein überkraft ze behaben:
si wârn entwichen geime graben.
den burgærn manege tjost dâ bôt
ein ritter allenthalben rôt:
der hiez der ungenante,
wande in niemen dâ bekante.
ich sagz iu als ichz hân vernomn.
er waz zuo Meljanze komn
dâ vor ame dritten tage.
des kômn die burgære in klage:

384 Meljanze er helfe sich bewac.
der erwarb ouch im von Semblidac
zwelf knappen, die sîn nâmen war
an der tjoste und an der poynder schar:
swaz sper gebieten moht ir hant,
diu wurden gar von im verswant.
sîn tjoste wârn mit hurte hel,
wand er den künec Schirnîel
und sînen bruoder dâ vienc.
dennoch dâ mêr von im ergienc.
sicherheit er niht erliez
den herzogen Marangliez.

13. Artuss *D*, Artus *gg*, Artuses *Gdgg*. 15. ellendr *D*. 16. die *fehlt Ggg*. soldiere *DG*, soldirre *g*. = destrigeis *Ggg*. 19. = Der *Ggg*. duch de *Ggg*, duc von *g*, die *d*, der herzoge von *Dg*. lanvarunz *Ggg*. 21. bertenoise *D*, pritaneys *G*, britaneyse *g*, brituneis *g*. han *Dg*, in *d*, all *gg*, alle *G*. 23. = wurden *Ggg*. 24. montanie *Gdg*. 26. In einem strume *G*. 28. = Da *gg*. Do vñ swa si sider striten *Gg*. odr *D*. strits *D*. 29. = Ez *Ggg*.

383, 1. Ez fuort ouch *Gg*. etslich britun *Gdgg*. 2. bechantnusse *gg*, bechantnuse *G*. gampelun *d*, kanpelun *g*, chappelun *gg*, capelun *G*. 3. ûf-ûf den *Dd* = ufem-ufeme *G*, ufm-ufm *g*, uf-uf *g*. 4. Jlynots *D*. wapen *D*, waben *G*. 5. = Der *Ggg*. artuses *alle außer D*. 6. mach *Ggg*. = nu *Ggg*. 7. ern siuofzete *D*, Er súfftzet *d*, Er süfcte *g*, Er sufte *G*, Er seuft *gg*. 9. Sins *dgg*. ôheims *D*. 10. in groze not *G*. 11. er bechande *Dg*. 12. = Do uber liefen im (*fehlt G*) diu *Ggg*. 13. lie *G*. 14. sus *fehlt Ggg*. Tûren *mit* û *Gg*, tuoren *D*, túren *d*, Turnieren *g*. uf der planige *G*. 15. Erne wolte *Gg*. 16. noch] nach *D*. 18. = Die (Do *G*) burgare waren so zewer *Ggg*. waren di burgære *D*. 20. = Wan in doch niht getohte *Ggg*. 21. gegen *D*. haben *Ggg*. 22. geime *G*. 27. als ich *G*. 30. chomen *DG*.

384, 1. Melyanze er *D*, Melianz der *Gg*. 2. Dem erwarb ouch er *gg*. ouch *fehlt G*. semlidach *Ggg*. 4. ander-and r *D* = Zer-in der *Ggg*. 6. di *D*. von] vil *G*. 7. Sin *dgg*. von *dgg*. snel *Gg*. 8. Scirniel *D*, Tschirniel *g*, schirmel *dgg*, tschirnel *G*. 10. = da *fehlt gg*, *nach* im *Gg*, *nach* mer *g*. 11. Der sicherheit *Gg*.

die wârn des ortes herte.
ir volc sich dennoch werte.
Meljanz der künec dâ selbe streit:
swem er lieb od herzeleit
hete getân, die muosen jehn
daz selten mêre wære geschehn
von deheinem alsô jungen man,
als ez dâ von im wart getân.
sîn hant vil vester schilde kloup:
waz starker sper vor im zestoup,
dâ sich poynder in den poynder slôz!
sîn jungez herze was sô grôz
daz er strîtes muose gern:
des enmoht in niemen dâ gewern
volleclîch (daz was ein nôt),
unz er Gâwân tjostieren bôt.
Gâwân ze sînen knappen nam
der zwelf sper einz von Angram,

385 als erz erwarp zem Plymizœl.
Meljanzes krî was Barbygœl,
diu werde houptstat in Lîz.
Gâwân nam sîner tjoste vlîz:
dô lêrte Meljanzen pîn
von Oraste Gentesîn
der starke rœrîne schaft,
durch den schilt in dem arme gehaft.
ein rîchiu tjost dâ geschach:
Gâwân in flügelingen stach,
unde enzwei sîn hindern satelbogn,
daz die held für unbetrogn
hindern orsen stuonden.
dô tâten se als si kuonden,
mit den swerten tûren.
dâ wære zwein gebûren
gedroschen mêr denne genuoc.
iewedr des andern garbe truoc:
stuckoht die wurden hin geslagn.
Meljanz ein sper ouch muose tragn,
daz stacte dem helde durch den arm:
bluotec sweiz im machte warm.
dô zuct in mîn hêr Gâwân
in Brevigariezer barbigân
unt twanc in sicherheite:
der was er im bereite.
wære der junge man niht wunt,
dane wær nie man sô gâhes kunt
daz er im wurde undertân:
man müese'in langer hân erlân.

386 Lyppaut der fürste, des landes wirt,
sîn manlîch ellen niht verbirt.
gein dem streit der künec von Gors.
dâ muosen beidiu liute unt ors
von geschütze lîden pîne,
dâ die Kahetîne
unt die sarjant von Semblydac
ieslîcher sîner künste pflac:
turkople kunden wenken.
die burgær muosen denken,

15. dâ *Dg*, *fehlt Gdgg*. 16. od] vñ *D*, oder *die übrigen*. 17. = der muose gehen *Ggg*. 18. mêre wære] = e was *Ggg*. 19. decheinem *D*, dehaim *g*. als *Ggg*. iungem *g*. 20. da wart von im *Gg*, von im da wart *g*. 21. starcher-22. vester *Gg*. 22. von *Ggg*. in zerstoup *G*. 26. nemoht *G*, enmahte *g*. 27. vollechliche *DG*. 28. Gawane *DG*. 29. = Von sinen chnapen er do nam *Ggg*. sime *D*.

385, 1. erwarf *G*. blimzol *G*. 2. chrie *DG*. barbigol *Ggg* = Parb. *Dd*. 5. = Diu *Ggg*. 7. ror ime schaft *G*. *nach* 7 = Wart da (*oder* dar *gg*) getriben mit hurte chraft. Daz tet gawan der werde gast *Ggg*. 8. in den arm *Ggg*. gehaft] er gehaft *D*, brast *d* = er brast *Ggg*. 9. al da *Ggg*. 10. flugl. *D*, flugenlichen *g*. 11. unden *Dg*. sinen *alle*. 12. helde *DG*. 13. Hindern *gg*, hinder den *DG*. 14. si alsi *D*. chunden *alle*. 15. twͦren *D*. *so auch* 16. 18. Ietwedere *G*. 19. = Die wurden stuchoht *Ggg*. 20. ouch *fehlt Ggg*. 21. stachte *g*, stecte *g*, stechete *D*, stecket *g*, stach *und dann* den helt *Gg*. 24. Brevegarsszare *g*, preregariezare *G*, prevegariezzerte *g*. Barbegan *D*. 25. betwang *D*. sicherheite-bereite *D*, sicherheitbereit *oder* vil bereit *gg*, umbe sicherheit-do bereit *G*. 28. niemn so gahes *Dd* = so gahes (hahes *G*, gahens *g*) niemen *Ggg*. 30. muoses in *g*, mueste es in *dg*, mueste ins *gg*. lenger *G*.

386, 1. der fürste *fehlt Gg*. 2. sin *DGd*, Des *die übrigen*. = manheit *Ggg*. 3. = Mit *Ggg*. 4. vñ *DG*. 5. = geschoze *Ggg*. 6. = kahadine *Ggg*. 7. sariande *alle*. semlidach *Ggg*. 9. Turcopel *G*, Turkoppel *g*, Türchopel *g*.

waz vînde von ir letzen schiet.
si heten sarjande ad piet:
ir zingel wâren sô behuot
als dâ man noch daz beste tuot.
swelch wert man dâ den lîp verlôs,
Obîen zorn unsanfte er kôs,
wande ir tumbiu lôsheit
vil liute brâht in arbeit.
wes enkalt der fürste Lyppaut?
sîn hêrre der alte künec Schaut
hetes in erlâzen gar.
do begunde müeden ouch diu schar:
dennoch streit vaste Meljacanz.
op sîn schilt wære ganz?
des enwas niht hende breit belibn:
dô het in verr hin dan getribn
der herzoge Kardefablêt.
der turnei al stille stêt
ûf einem blüemînen plân.
dô kom ouch mîn hêr Gâwân.

387 Des kom Meljacanz in nôt,
daz im der werde Lanzilôt
nie sô vaste zuo getrat,
do er von der swertbrücke pfat
kom und dâ nâch mit im streit.
im was gevancnusse leit,
die frou Ginovêr dolte,
dier dâ mit strîte holte.
dô punierte Lôtes suon.
waz mohte Meljacanz nu tuon,
ern tribe ochz ors mit sporen dar?
vil liute nam der tjoste war.
wer dâ hinderm orse læge?
den der von Norwæge
gevellet hete ûf de ouwe.
manc ritter unde frouwe
dise tjost ersâhen,
die Gâwân prîses jâhen.
den frowen ez guot ze sehne was
her nider von dem palas.
Meljacanz wart getretet,
durch sîn kursît gewetet
maneg ors daz sît nie gruose enbeiz:
ez reis ûf in der bluotec sweiz.
da ergienc der orse schelmetac,
dar nâch den gîren ir bejac.
dô nam der herzoge Astor
Meljacanzen den von Jâmor:
der was vil nâch gevangen.
der turney was ergangen.

388 Wer dâ nâch prîse wol rite
und nâch der wîbe lône strite?
ine möht ir niht erkennen.
solt ich se iu alle nennen,
ich wurde ein unmüezec man.
inrehalp wart ez dâ guot getân
durch die jungen Obilôt,
und ûzerhalb ein ritter rôt,
die zwêne behielten dâ den prîs,
für si niemen keinen wîs.
dô des ûzern hers gast
innen wart daz im gebrast
dienstdankes von dem meister sîn
(der was gevangen hin în),
er reit da er sîne knappen sach.
ze sîn gevangen er dô sprach

11. = letze *Ggg.* 12. sarieande *G.* ad piet *Dd* = aphiet *gg*, apiet *g*, anphiet *G.* 13. 14 *fehlen Gg.* 16. erchos *Dgg.* 19. Es (Des *g*) engalt *Ggg.* = ir vater *Ggg.* 20. alte *fehlt Ggg.* Scôt *D*, scaot *d*, tschaut *Ggg*, tschout *gg.* 22. begunden *Gg.* ouch] al *Gg.* di *D*, die *G.* 23. 387, 1. 10. 21. 28. Melyacanz *D*, Meliahganz *G.* 25. = Esn was *gg*, Sin was *Gg.* 26. verre *DG.* 27. kat defablet *G.* 29. bluominem *D*, bluomeinen *G.* 30. ouch *Dg*, *fehlt den übrigen.*

387, 2. Wan im *Ggg.* lanzelot *Gdgg.* 5. und *fehlt Gg.* danach *D*, dar nah *Ggg*, dannoch *dgg.* 6. vanchnusse *Ggg.* 7. tschinovere *G.* 9. pungierte *g*, pungnierte *G.* 10. mach *Ggg.* 11. och (ouch *D*) dez *DG.* 12. der] = ir *Ggg.* 13. dâ *fehlt Gg.* = gelage *Ggg.* 15. Gevalt het *G.* de *D.* 17. tioste sahen *Gdg.* 18. di (Und *d*) Gawane priss iahen *Dd* = Gawan (Gawane *G*) si prises (*oder* priss *gg*) iahen *Ggg.* 19. cesehn *D*, zesehene *G.* 21. Daz mel. *Ggg.* -etet *G*, -ettet *g*, -et *dgg*, -ett *D.* 22. = Dur sinen wapen roch *Ggg.* 23. Mange *G.* 24. = Da viel *Ggg.* 25. scelm tach *D.* 28. den von *Ggg*, von *Dg*, de *d.* 29. Die heten in nach *Ggg.*

388, 3. irn möht ir niht? Lat michse wol *Ggg.* 5. umuozch *G.* 6. Inner halp *G.* dâ *fehlt Gdg.* 8. Unt der vor ein *Gg.* 10. = Unde fur si *Ggg.* niemn *D.* keinen *g*, decheinen *D*, deheinen *g*, deheine *Gdgg.* gwis *D.* 16. sinen *DG.* gevangenen *G.*

'ir hêrren gâbt mir sicherheit.
mir ist hie widervaren leit,
gevangen ist der künec von Lîz:
nu kêret allen iwern flîz,
ober ledec müge sîn,
mager sô vil geniezen mîn,'
sprach er zem künec von Avendroyn
unt ze Schirnîel von Lyrivoyn
unt zem herzogen Marangliez.
mit spæher glübde er si liez
von im rîten in die stat:
Meljanzen er si lœsen bat,
oder daz si erwurben im den grâl.
sine kunden im ze keinem mâl
389 Niht gesagen wâ der was,
wan sîn pflæge ein künec hiez Anfortas.
dô diu rede von in geschach,
der rôte ritter aber sprach
'ob mîner bete niht ergêt,
sô vart dâ Pelrapeire stêt.
bringt der küngîn iwer sicherheit,
und sagt ir, der durch si dâ streit
mit Kingrûne und mit Clâmidê,
dem sî nu nâch dem grâle wê,
unt doch wider nâch ir minne.
nâch bêden i'emer sinne.
nu sagt ir sus, ich sant iuch dar.
ir helde, daz iuch got bewar.'
mit urloube se riten în.
dô sprach ouch er zen knappen sîn
'wir sîn gewinnes unverzagt.
nemt swaz hie orse sî bejagt.
wan einz lât mir an dirre stunt:
ir seht wolz mîn ist sêre wunt.'
dô sprâchen die knappen guot
'hêr, iwer genâd daz ir uns tuot
iwer helfe sô grœzlîche.
wir sîn nu immer rîche.'
er welt im einz ûf sîne vart,
mit den kurzen ôren Inglîart,
daz dort von Gâwâne gienc,
innen des er Meljanzen vienc.
dâ holtz des rôten ritters hant:
des wart verdürkelt etslîch rant.
390 Mit urloub tet er dankêre.
fünfzehn ors oder mêre
liez er in âne wunden.
die knappen danken kunden.
si bâten in belîben vil:
fürbaz gestôzen was sîn zil.
dô kêrte der gehiure
dâ grôz gemach was tiure:
ern suochte niht wan strîten.
ich wæn bî sînen zîten
ie dechein man sô vil gestreit.
daz ûzer her al zogende reit
ze herbergen durch gemach.
dort inne der fürste Lyppaut sprach,
und vrâgte wiez dâ wære komn:
wander hête vernomn,
Meljanz wære gevangen.
daz was im liebe ergangen:
ez kom im sît ze trôste.
Gâwân den ermel lôste
âne zerren vonme schilte
(sînen prîs er hôher zilte):

17. herrn *D*. gabet *D*, gebent *d* = ir gabt *g*, ir gabet *Ggg*. 22. sô vil] = dar an *Ggg*. 23. kunege *DG*. 24. tschirnel von liaravoin *G*. 25. Meriangliez *G*. 26. gelubde *alle*. 29. Oder daz sim wurben umbe den gral *Ggg*. odr *D*. 30. Si *Ggg*. zedeheinen *G*, zdem einen *g*.

389, 1. = Niht gezeigen *g*, Gezeigen ninder *Ggg*. 3. = Do disiu *Ggg*. 5. bet *G*. = erge-ste *Ggg*. 7. bringet *DG*. 8. und *fehlt G*. 9. kyngruone *D*. 11. Unde ouch *Ggg*. wider *fehlt Gg*. 12. beiden *G*. immer *g*, ich immer *die übrigen*. 13. nu sagt ir sus *Ddg*, Sagt ir von mir *gg*, Saget ir *G*. 15. urloub *g*. si *DG*. 16. ouch *fehlt Gd*. 17. gwinnes *D*. = niht verzaget *Ggg*. 18. sin *Gg*. 19. 25. einez *DG*. 20. wol dez *DG*. mine *D*. sêre *fehlt dgg*. 22. herre iwer gnade *Dd* = Iwer (*fehlt Gg*) genade herre *Ggg*. 23. 24. grozlich-rich *Dd*. 26. = Inguliart *Ggg*. 28. in des *D*. er] = dor *Ggg*. 29. holt ez *Ddg*, erholz *g*, erholt ez *g*, erholte *Gg*, erholt *g*. rites *G*. 30. verdurkelet *mit* k *G*, verdürkelt *mit* ü *gg*.

390, 1. urloub *g*. dane chere *G*, danne kere *gg*. 8. = guot gemach *Ggg*. 9. Er suohte *G*. 13. *fehlt d*. ze *D* = Gein *Ggg*. herben dur *G*. 14. Dort inne libbaut do sprach *G*. 16. Wenne er *d*, wandr er *D* = Ich waner *G*, Ich wæn er *gg*. 21. vome *G*.

den gap er Clauditten:
an dem orte und ouch dâ mitten
was er durchstochen und durchslagn:
er hiez in Obilôte tragen.
dô wart der magede freude grôz.
ir arm was blanc unde blôz:
dar über hefte sin dô sân.
si sprach 'wer hât mir dâ getân?'

391 Immer swenn si für ir swester gienc,
diu disen schimpf mit zorn enpfienc.
den rittern dâ was ruowe nôt,
wande in grôz müede daz gebôt.
Scherules nam Gâwân
unt den grâven Lahedumân.
dennoch mêr ritter er dâ vant,
die Gâwân mit sîner hant
des tages ûf dem velde vienc,
dâ manec grôziu hurte ergienc.
dô sazte se ritterlîche
der burcgrâve rîche.
er und al sîn müediu schar
stuonden vor dem künege gar,
unze Meljanz enbeiz:
guoter handelunge er sich dâ vleiz.
des dûhte Gâwân ze vil:
'obez der künec erlouben wil,
hêr wirt, sô sult ir sitzen.'
sprach Gâwân mit witzen:
sîn zuht in dar zuo jagte.
der wirt die bete versagte:
er sprach 'mîn hêrre ist skünges man.
disen dienst het er getân,
ob den künec des gezæme
daz er sînen dienst næme.
mîn hêr durch zuht sîn niht ensiht:
wand ern hât sîner hulde niht.
gesament die friuntschaft iemer got,
sô leist wir alle sîn gebot.'

392 Dô sprach der junge Meljanz
'iwer zuht was ie sô ganz,
die wîle daz ich wonte hie,
daz iwer rât mich nie verlie.
het ich iu baz gevolget dô,
sô sæhe man mich hiute frô.
nu helft mir, grâve Scherules,
wande ich iu wol getrûwe des,
um mînen hêrrn der mich hie hât,
(si hœrnt wol bêde iwern rât)
und Lyppaut, der ander vater mîn,
der tuo sîn zuht nu gein mir schîn.
sîner hulde het ich niht verlorn,
wold es sîn tohter hân enborn.
diu prüevete gein mir tôren schimpf:
daz was unfrouwenlîch gelimpf.'
dô sprach der werde Gâwân
'hie wirt ein suone getân,
die niemen scheidet wan der tôt.'
dô kômen, die der ritter rôt
hin ûz hete gevangen,
ûf für den künec gegangen:
die sageten wiez dâ wære komn.
dô Gâwân hête vernomn
sîniu wâpen, der mit in dâ streit,
und wem si gâben sicherheit,

24. ouch da *Dg*, aldo *d*, an dem *Gg*, den *g*, en *gg*. 26. = Den bat er *Ggg*. 27. meide *Dg*. 29. hafte *G*.

391, 1. Immr *D*, *fehlt G*. swen *g*, swenne *Dd*, so *Ggg*. 3. was da *g*, den was *Gg*. 6. = lahdoman *Ggg*. 7. Dan och mer *G*. 10. manch groz hurt *G*. 11. satzzte si *G*. 12. burgr. *G*. 15. Unze *G*, unz *Dd*, Unz daz *gg*. 16. dâ *fehlt Gdgg*. 17. gawan *gg*, gawanen *Gdgg*, Gawane *D*. 18. = Obe iuz *Ggg*. 23. skünges] chuniges *gg*, des kuniges (chunges *G*) *die übrigen*. 26. sin *Ggg*. 27. herre *DG*. = sin dur zuht niht siht *Ggg*. 28. er *G*. 29. gesamnet *D*, Gesamnt *g*. iemr *Dd*, imer *Gg*, immer *gg*. 30. so leiste (leisten *d*) wir *Dd*, So leisten *g*. Wir leisten *Ggg*.

392, 2. zuht was ie *Ddg*, triwe diu ist *Ggg*, triwe ist *g*, treúwe was *g*. 7. helft *g*. 9. Umb *g*, umbe *DG*. herren *G*. 10. so *D*. hœrent *Dd* = vernement *Ggg*. 11. = und *fehlt Ggg*. 12. der *fehlt Ggg*. sine *DG allein*. nu *Ddg und (hier, und nochmals übergeschrieben nach* mir*) G*, *fehlt den übrigen*. = an mir *Ggg*. 13. = Ichne hete siner hulde niht verloren *Ggg*. 14. woldes *Ddg*, Wolte *oder* Wolt *Ggg*. haben *G*. verboren *alle aufser DG*. 16. unfræuwelich *g*, unfroulich *G*. 19. di nimmer *D*. dan *dg*. 20. qwamen di *D*. 22. ûf *fehlt Gg*, Ouch *gg*. 23. = Unde *Ggg*.

und dô sim sagten umben grâl,
dô dâhter des, daz Parzivâl
diss mæres wære ein urhap.
sîn nîgen er gein himel gap,

393 Daz got ir strîtes gegenniet
des tages von ein ander schiet.
des was ir helendiu zuht ein pfant,
daz ir neweder wart genant.
sine erkande ouch niemen dâ:
daz tet man aber anderswâ.
zuo Meljanz sprach Scherules
'hêrre, muoz i'uch biten des,
sô ruochet mînen hêrren sehn.
swes friunt dâ bêdenthalben jehn,
des sult ir gerne volgen,
unt sît im niht erbolgen.'
daz dûhte se guot über al.
dô fuorens ûf des küneges sal,
daz inner her von der stat:
des fürsten marschalc si des bat.
dô nam mîn hêr Gâwân
den grâven Lahedumân
und ander sîne gevangen
(die kômn dar zuo gegangen):
er bat si geben sicherheit,
die er des tages ab in erstreit,
Scherulese sîme wirt.
männeglîch nu niht verbirt,
sine füern, als dâ gelobet was,
ze Bêârosche ûfen palas.
Meljanze gap diu burcgrâvîn
rîchiu kleider unde ein rîselîn,
da'r sînen wunden arm în hieuc,
dâ Gâwâns tjoste durch gienc.

394 Gâwân bî Scherulese enbôt
sîner frouwen Obilôt,
daz er si gerne wolde sehn
und ouch mit wârheite jehn
sînes lîbes undertân,
und er wolt ouch ir urloup hân.
'und sagt, ich lâze irn künec hie:
bit si sich bedenken wie
daz sin alsô behalte
daz prîs ir fuore walte.'
dise rede hôrte Meljanz.
er sprach 'Obilôt wirt kranz
aller wîplîchen güete.
daz senft mir mîn gemüete,
ob ich ir sicherheit muoz gebn,
daz ich ir frides hie sol lebn.'
'ir sult si dâ für hân erkant,
iuch envienc hie niemen wan ir hant:'
sus sprach der werde Gâwân
'mînen prîs sol si al eine hân.'
Scherules kom für geriten.
nune was ze hove niht vermiten,
dane wære magt man unde wîp
in solher wæte ieslîches lîp,
daz man kranker armer wât
des tages dâ hete lîhten rât.

27. dô *fehlt* Gdg. sim g, si im DG. umbe engral G. 28. daz] wie Ggg. 29. Dises G. mærs DG.

393, 1. gegen bîet Ggg. 4. newedr D, dewere G, deweder gg, tweder g, twederre g, yetweder d. bechant G. 7. Ze Gg. Melianze DG *allein*. 8. muoz ich iuch Ddgg, ich muoz iuch g, ih wil iuh G. bitten D. 9. sô *und* hêrren *fehlt* G. 10. frîwnt D. bedenthen iehen G. 14. fuorens dgg, fuoren si D, fuorten sin G. = des vursten Ggg. 15. Unde daz Ggg, Untz g. inrre D. 16. = Libauts marschalch Ggg. sie D. 18. = Lahedoman g, Lahdoman gg, lachdoman G. 20. di chomen Dd = Er chom Ggg. 21. = Unde bat Ggg. 23. Tscherules Ggg, *so auch* 394, 1. 24. Mannegelich G, Menneclich gg. 25. sine fuoren D, Sú fuoren d = Eren chom Ggg, Er chom gg, Er enkome g. gelobt D, geboten Gg. 26. ce Bearoscê D. 27. purcgravin D, burchræviu G. 29. da er D. arem D. 30. tiost durh G. erging d. Diu von Gawans Tiost ergienc g.

394, 6. Under welle Gg, Und ich welle gg. ouch *fehlt* Gg. 7. = und *fehlt* Ggg. ir den *alle*. 8. bittet D. 9. Si in (*ohne* daz) Ggg. 11. = Des antwurte Melianz Ggg. 12. der D. Er obilote wirdet chranz G. 14. senftet DG. 15. = Daz ih Ggg. sol Gg. 16. = Unde och ir Ggg. muoz gg. 18. viench G. dan dgg. 19. = So Ggg. 23. vñ D. 24. iêslichs D, yesliches g, iegliches g, ieslich Ggg, yegelicher d. 25. man D, man da *die übrigen*. chranch gg. 26. da hete Ddg, het da g, hete Ggg.

mit Meljanz ze hove reit
al die dort ûze ir sicherheit
ze pfande heten lâzen.
dort elliu vieriu sâzen,

395 Lyppaut, sîn wîp und sîniu kint.
ûf giengen die dâ komen sint.
der wirt gein sîme hêrren spranc:
ûf dem palase was grôz gedranc,
da ern vînt und die friunde enpfienc.
Meljanz bî Gâwâne gienc.
'kund ez iu niht versmâhen,
mit kusse iuch wolt enpfâhen
iwer altiu friwendîn:
ich mein mîn wîp, die herzogîn.'
Meljanz antwurt dem wirte sân
'ich wil gern ir kus mit gruoze hân,
zweier frouwen diech hie sihe:
der dritten ich niht suone gihe.'
des weinten die eltern dô:
Obilôt was vaste vrô.
der künec mit kusse enpfangen wart,
unt zwên ander künege âne bart
als tet der herzog Marangliez.
Gâwânn man kuss ouch niht erliez,
und daz er næm sîn frouwen dar.
er dructez kint wol gevar
als ein tockn an sîne brust:
des twang in friwentlîch gelust.
hin ze Meljanze er sprach
'iwer hant mir sicherheite jach:
der sît nu ledec, und gebt si her.
aller mîner freudėn wer
sitzet an dem arme mîn:
ir gevangen sult ir sîn.'

396 Meljanz durch daz dar nâher gienc.
diu magt Gâwânn zuo zir gevienc:
Obilôt doch sicherheit geschach,
da ez manc werder ritter sach.
'hêr künec, nu habt ir missetân,
sol mîn ritter sîn ein koufman,
des mich mîn swester vil an streit,
daz ir im gâbet sicherheit.'
sus sprach diu maget Obilôt:
Meljanze si dâ nâch gebôt
daz er sicherheit verjæhe,
diu in ir hant geschæhe
ir swester Obîen.
'zeiner âmîen
sult ir si hân durch ritters prîs:
zeim hêrren und zeim âmîs
sol si iuch immer gerne hân.
ine wils iuch dwederhalb erlân.'
got ûz ir jungen munde sprach:
ir bete bêdenthalp geschach.
dâ meistert frou minne
mit ir krefteclîchem sinne,
und herzenlîchiu triuwe,
der zweier liebe al niuwe.

27. melianze *G*, Melyanze *D*. 28. = Alle die *Ggg*.

395, 1. = Der wirt sin wip *Ggg*. und *fehlt D*. 2. = Fur giengen *Ggg*. 3. = Libaut *Ggg*. 4. balase *G*. 5. er den vient *Dd* = er die vinde *Ggg*, er viende *gg*. die friunde *G*, di friwnde *D*, friunde *die übrigen*. 6. Gawan bi Melianze giench *Ggg*. 10. mein *dgg*. 11. antwrte *D*, antwurte *G*. dem wirte] im *G*. 12. = gern *fehlt Ggg*. 13. zweir *D*, Zweiger *G*. di ich *D*, die ih *G*. 15. = die elteren (elter *g*) bede do *Ggg*. 16. vaste] vil *D*. frô *G*. 19. herzoge *DG*. 20. Gawan *Gdg*. chusses *DG*. ouch = *fehlt gg*, e *G*. 21. daz *fehlt Ggg*. næme sine *DGg*, neme sin *d*, næme ouch sîn *gg*. 22. druchte daz *DG*. 23. eine *Dgg*. tochen *Ddgg*, tochelin *G*. sin *dg*. 25. = Gawan zemelianze sprach *Ggg*. 30. = Der *Ggg*, Ir sult ir gevangen sin *g*.

396, 2. gawanen *alle außer D*. zuo zir geviench *D*, zuo ir geving *d* = vaste (*fehlt g*) umbe viench *Ggg*. 3. Obilote *D und mit übergeschriebenem* e *G allein*. = da *Ggg*. 4. Daz ez *alle außer DG*. wert *Gg*. 7. vil gestreit *G*. 9. magt *D* = iunge *Ggg*. 10. dar nach *Ggg*. 11. vergahe *G*. 15. si nemen *Ggg*. 16. zeinem-zeinem *DG*. 18. Ich wiles *Ggg*. deweder halb *Gg*, twederhalp *g*, wederhalp *gg*, enwederthalp *D*, ye wider halp *d*. 19. ir] der *Gg*. iugen *G*. 20. bet *Ggg*. iewederhalp *G*. 21. Do *Gg*. meisterte *DG*. fro *G*. 22. chreftechlichem *D*, friuntlichem (*ohne* ir) *Ggg*. 24. zweir *D*, zweiger *G*.

Obîen hant fürn mantel sleif,
dâ si Meljanzes arm begreif:
al weinde kust ir rôter munt
dâ der was von der tjoste wunt.
manc zaher im den arm begôz,
der von ir liehten ougen vlôz.
397 Wer macht si vor der diet sô balt?
daz tet diu minne junc unt alt.
Lyppaut dô sînen willen sach,
wande im sô liebe nie geschach.
sît got der êrn in niht erliez,
sîn tohter er dô frouwe hiez.
wie diu hôchzît ergienc,
des vrâgt den der dâ gâbe enpfienc:
und war dô männeglîch rite,
er hete gemach odr er strite,
des mag ich niht ein ende hân.
man sagte mir daz Gâwân
urloup nam ûf dem palas,
dar er durch urloup komen was.
Obilôt des weinde vil:
si sprach 'nu füert mich mit iu hin.'
dô wart der jungen süezen magt
diu bete von Gâwâne versagt:
ir muoters kûm von im gebrach.
urloup er dô zin allen sprach.
Lyppaut im diens bôt genuoc,
wand er im holdez herze truoc.
Scherules, sîn stolzer wirt,
mit al den sînen niht verbirt,
ern rîte ûz mit dem degene balt.
Gâwâns strâze ûf einen walt
gienc: dar sander weideman
und spîse verre mit im dan.
urloup nam der werde helt:
Gâwân gein kumber was verselt.

25. fürn] vuf den *G*. 26-28. = Melianzes arm si begreif. Unde druchte in an ir roten munt. Al da er was zer (ze *g*) tioste wunt *Ggg*. 27. weinende *D*. 29. zæher *g*. im] ir *G*.

397, 1. = Waz *Ggg*. macht *dg*, machte *DG*. 2. uñ *DG*. 3. do *d und* (*vor* sach) *D* = nu *Ggg*. 5. = Daz in got der eren *Ggg*. eren *DGgg*, ere *dg*. 6. sine *DGg*. frouwen *Gdgg*. 8. fragt *gg*, vraget *DG*. dâ] die *Gg*. 9. Und wer mannechliche rite *gg*. do *D und nach* mennic-lich *dg*, *fehlt Gg*. mannegelich *G*. 13. = Nam urloup *Ggg*. 15. = Daz was obilote leit. Wan si groz weinen niht vermeit *Ggg*. 16. si sprach. nu fuoret mich mit iu hin *D*, Sú sprach mit úch ich hinnen wil *d* = do sprach si (Si sprach *g*) herre sit ih bin. iwer so fuoret (fuert *gg*) mich mit iu hin *Ggg*. 17. iunge *G*. 18. bet *Ggg*. gawan gar *gg*. 19. muotr sî *D*, muoter si *die übrigen*. chum *gg*, chume *DG*. brach *D*. 21. = Libaut im danchte genuoch *Ggg*. 22. wandr *D*. 25. degn *D*. 27. sant er *D*. 28. mit in *D*.

VIII.

398 Swer was ze Bêârosche komn,
doch hete Gâwân dâ genomn
den prîs ze bêder sît al ein;
wan daz dervor ein ritter schein,
bî rôtem wâpen unrekant,
des prîs man in die hœhe bant.
Gâwân het êre unde heil,
ieweders volleclîchen teil:
nu nâht och sînes kampfes zît.
der walt was lanc unde wît,
dâ durch er muose strîchen,
wolder kampfes niht entwîchen:
âne schulde er was derzuo erkorn.
nu was ouch Inglîart verlorn,
sîn ors mit kurzen ôren:
in Tabronit von Môren
wart nie bezzer ors ersprenget.
nu wart der walt gemenget,
hie ein schache, dort ein velt,
etslîchz sô breit daz ein gezelt
vil kûme drûffe stüende.
mit sehn gewan er küende
erbûwens lands, hiez Ascalûn.
dâ frâgter gegen Schanpfanzûn
swaz im volkes widerfuor.
hôch gebirge und manec muor,
des het er vil durchstrichen dar.
dô nam er einer bürge war:
âvoy diu gap vil werden glast:
dâ kêrte gegen des landes gast.
399 Nu hœrt von âventiure sagen,
und helfet mir dar under klagen
Gâwâns grôzen kumber.
mîn wîser und mîn tumber,
die tuonz durch ir gesellekeit
und lâzen in mit mir [sîn] leit.
ôwê nu solt ich swîgen.
nein, lât fürbaz sîgen
der etswenne gelücke neic
und nu gein ungemache seic.
disiu burc was gehêret sô,
daz Enêas Kartâgô
nie sô hêrrenlîche vant,
dâ froun Dîdôn tôt was minnen pfant.
waz si palase pflæge,
und wie vil dâ türne læge?
ir hete Acratôn genuoc,
diu âne Babylône ie truoc
ame grif die grœsten wîte
nâch heiden worte strîte.
si was alumbe wol sô hôch,
unt dâ si gein dem mer gezôch:
decheinen sturm si widersaz,
noch grôzen ungefüegen haz.
dervor lac raste breit ein plân:
dar über reit hêr Gâwân.
fünf hundert ritter oder mêr
(ob den alln was einer hêr)
die kômen im dâ widerriten
in liehten kleidern wol gesniten.
400 Als mir d'âventiur sagete,
ir vederspil dâ jagete

398, 5. roten *D*. 8. Ietw. *G*. 9. nahet *alle*. sins *dg*, sin *g*, des *g*. 14. inguliart *Gg*. 16. Thabr. *D*, tabrunit *Ggg*. 22. sehenne *G*. 23. erb°wens *D*, Erbuwenes *G*, Erbuens *g*. landes daz hiez *alle*. Ascaluon *D*, aschalun *G*. 24. Do *Gg*. vragetr *D*. tschanfenzun *G*, -zuon *D*. 25. im da *D*. 26. und *fehlt Gg*. 30. cherte gegen *D*, keret gein *g*, kert er gein *gg*, kert engegen *dgg*, engene cherte *G*.

399, 1. Aventîuren *D*. 6. lazenz in *g*. sin *DGgg*, wesen *dgg*. 9. Dar *G*, Dem *g*. 11. gehert *DG*. 12. kartigo *G*. 13. herrnliche *D*. herrenlichen *g*, herliche *gg*, herlichen *Gdgg*. 14. didon *Gg*, Dydon *gg*, Tydon *D*, dido *d*, didonen *g*. 16. und *fehlt Ggg*. 18. Babylonie *D*, babilonie *G*. 19. Anme *Ggg*. griffe *DG*, begriff *d*. grosten *D*, hohesten *Ggg*. 20. heidene *G*. 24. ungefiu°gen *D*. 28. allen *DG*. 29. di chomn *D*.

400, 1. diu Aventiure *DG*.

den kranch od swaz vor in dâ vlôch.
ein râvît von Spâne hôch
reit der künec Vergulaht.
sîn blic was tac wol bî der naht.
sîn geslähte sante Mazadân
für den berc ze Fâmorgân:
sîn art was von der feien.
in dûhte er sæhe den meien
in rehter zît von bluomen gar,
swer nam des küneges varwe war.
Gâwânen des bedûhte,
do der künec sô gein im lûhte,
ez wære der ander Parzivâl,
unt daz er Gahmuretes mâl
hete alsô diz mære weiz,
dô der reit în ze Kanvoleiz.
ein reiger tet durch fluht entwîch
in einen muorigen tîch:
den brâhten valken dar gehurt.
der künec suochte unrehten furt,
in valken hilfe wart er naz:
sîn ors verlôs er umbe daz,
dar zuo al diu kleider sîn
(doch schiet er valken von ir pîn):
daz nâmn die valkenære.
op daz ir reht iht wære?
ez was ir reht, si soltenz hân:
man muose och si bî rehte lân.

401 Ein ander ors man im dô lêch:
des sînen er sich gar verzêch.
man hienc ouch ander kleit an in:
jenz was der valkenære gewin.
hie kom Gâwân zuo geriten.
âvoy nu wart dâ niht vermiten,
erne wurde baz enpfangen
dan ze Karidœl wære ergangen
Ereckes enpfâhen,
dô er begunde nâhen
Artûs nâch sîme strîte,
unt dô frou Enîte
sîner freude was ein condewier,
sît im Maliclisier
daz twerc sîn vel unsanfte brach
mit der geisel da'z Gynovêr sach,
unt dô ze Tulmeyn ein strît
ergienc in dem kreize wît
umben spärwære.
Idêr fil Noyt der mære
im sîne sicherheit dâ bôt:
er muose'im bieten für den tôt.
die rede lât sîn, und hœrtz och hie:
ich wæne sô vriescht ir nie
werdern antpfanc noch gruoz.
ôwê des wirt unsanfte buoz
des werden Lôtes kinde.
rât irz, ich erwinde
unt sag iu fürbaz niht mêre.
durch trûren tuon ich widerkêre.

402 Doch vernemt durch iwer güete,
wie ein lûter gemüete
fremder valsch gefrumte trüebe.
ob ich iu fürbaz üebe
diz mære mit rehter sage,
sô kumt irs mit mir in klage.
dô sprach der künec Vergulaht
'hêrre, ich hân mich des bedâht,
ir sult rîten dort hin în.
magez mit iweren hulden sîn,
ich priche iu nu gesellekeit.
ist ab iu mîn fürbaz rîten leit,

3. krang *d*, chranich *gg*. odr *D*, oder *G*. da vor in floc *G*. 4. spange *G*. 7. geslahte *G*. 8. ze *fehlt g*. feimurgan *g*, phimurgan *G*. 9. art *fehlt G*. von den *dg*. pheigen *G*. 10. In duhter sahe den meigen *G*. 13. beduohte *D*. 15. andr Parzifal *D*. 17. = als *Ggg*. 18. Do er *Gg*. 19. reger *Gd*. 20. muorgen *G*. 22. suohte *G*. 24. verloser *G*. 25. di chleidr *D*. 26. sciet *D*. 27. Ez *G*. namen *alle*. die *fehlt gg*. 30. ouch sie *D*.

401, 3. man hing ouch andr chleider an in *D*. 4. ienez *D*, Daz *Gg*. valchnare *G*. 6. Aphoy *G*. 7. ern *D*. 8. Dane *G*, den *D*. 11. Artuse *G*, Artuose *D*. 13. frouden *Gg*. kundwir *D*. 14. in *G*. Maliclisciêr *D*, malaclisier *d*, Maliachlisir *g*. 15. = getwerch *Ggg*, gedwerch *g*. 16. daz *Gg*, da ez *Dd*, daz ez *gg*. kinovere *G*. 17. tulmen *g*, tulmein *G*. 19. sparw. *G*. 20. Ieders *d*. filnot *Gg*. 22. muose *G*, muosese *D*, mustez *g*, muose si *g*. 23. und] nu *G*. hortse *D*. 24. sone *G*. vrîesct *D*, friescht *g*, frieschet *g*, gefrieschet *Gdgg*. 25. werdn *D*. antvanch *G*. 26. ouwe *D*.

402, 2. luoter *D*. 3. fremdr *D*. gefrumte *D*. 6. chomt *G*. 12. ab *D*, abe *G*.

ich lâz swaz ich ze schaffen hân.'
dô sprach der werde Gâwân
'hêr, swaz ir gebietet,
billîche ir iuch des nietet:
daz ist och âne mînen zorn
mit guotem willen gar verkorn.'
dô sprach der künec von Ascalûn
'hêrre, ir seht wol Schamfanzûn.
dâ ist mîn swester ûf, ein magt:
swaz munt von schœne hât gesagt,
des hât si volleclîchen teil.
welt irz iu prüeven für ein heil,
deiswâr sô muoz si sich bewegen
daz se iwer unz an mich sol pflegen.
ich kum iu schierre denn ich sol:
ouch erbeit ir mîn vil wol,
gesehet ir die swester mîn:
irn ruocht, wolt ich noch lenger sîn.'

403 'Ich sihe iuch gern, als tuon ich sie.
doch hânt mich grôze frouwen ie
ir werden handelunge erlân.'
sus sprach der stolze Gâwân.
der künec sande ein ritter dar,
und enbôt der magt daz si sîn war
sô næm daz langiu wîle
in diuhte ein kurziu île.
Gâwân fuor dar der künec gebôt.
welt ir, noch swîg ich grôzer nôt.
nein, ich wilz iu fürbaz sagen.
strâze und ein pfärt begunde tragen
Gâwân gein der porte
an des palas orte.
swer bûwes ie begunde,
baz denne ich sprechen kunde
von dises bûwes veste.
dâ lac ein burc, diu beste
diu ie genant wart ertstift:
unmâzen wît was ir begrift.
der bürge lop sul wir hie lân,
wande ich iu vil ze sagen hân
von des küneges swester, einer magt.
hie ist von bûwe vil gesagt:
die prüeve ich rehte als ich sol.
was si schœn, daz stuont ir wol:
unt hete si dar zuo rehten muot,
daz was gein werdekeit ir guot;
sô daz ir site und ir sin
was gelîch der marcgrâvin,

404 Diu dicke vonme Heitstein
über al die marke schein.
wol im derz heinlîche an ir
sol prüeven! des geloubet mir,
der vindet kurzewîle dâ
bezzer denne anderswâ.
ich mac des von frouwen jehn
als mir diu ougen kunnen spehn.
swar ich rede kêr ze guote,
diu bedarf wol zühte huote.
nu hœr dise âventiure
der getriwe unt der gehiure:
ich enruoche umb d'ungetriuwen.
mit dürkelen riuwen
hânt se alle ir sælekeit verlorn:
des muoz ir sêle lîden zorn.
ûf den hof dort für den palas reit
Gâwân gein der gesellekeit,
als in der künec sande,
der sich selben an im schande.

13. laze *DGdg*, laz ez *gg*. zeschafene *G*. 15. 16. gebiet-niet *Gg*. 16. pillîche *D*. 20. tschanphenzun *G*. 24. iu *Ddg*, nu *Ggg*. 26. unze ane *G*. 27. schierre *g*, scirre *D*, schiere *gg*, schirer *g*, schier *Gd*. 30. iren *DG*. ruocht *dgg*, ruoht *Gg*, ruochtet *D*.

403, 4. der werde *dgg*, min her *G*. 5. einen *DG*. 6. meide *DGgg*, megede *dgg*. 7. næme *DG*. 9. Er fuor dar als der *Gg*. 10. *D interpungiert hinter* noch. 12. pharit *G*. begunde *Dgg*, begunden *Gdgg*. 14. palases *Gdg*. 15. bůwes *D*, *so auch* 17 *und* 24. 17. diss *D*. 20. Umazen *G*. 21. sul *g*, sule *D*, suln *g*; sulen *Gdg*, *fehlt g*. hie *fehlt g*, nu *Gg*. 22. cesagn *D*, zesagene *Gg*. 25. reht *G*. 26. schone *G*, scœne *D*. 27. und *fehlt Gg*. 30. margravin *G*.

404, 1. vome *G*. aitsteine *g*, beitstein *g*, hertstein *dg*. 2. erschein *gg*, liehte schein *Gg*. 4. solde *D*. daz *Ggg*. 5. vant *D*. churze wile *Gdg*, churzw. *Dgg*. 6. Bezere vil dane *Gg*. 7. des *Dg*, des wol *Ggg*, wol des *dg*. 9. cher *g*, chere *DG*. 11. hœre *Dd* = horet *Ggg*, hort *gg*. 13. di *D*, die *G*. 14. triuwen?

ein ritter, der in brâhte dar,
in fuorte dâ saz wol gevar
Antikonîe de künegin.
sol wîplich êre sîn gewin,
des koufes het si vil gepflegn
und alles valsches sich bewegn:
dâ mite ir kiusche prîs erwarp.
ôwê daz sô fruo erstarp
von Veldeke der wîse man!
der kunde se baz gelobet hân.

405 Dô Gâwân die magt ersach,
der bote gienc nâher unde sprach
al daz der künec werben hiez.
diu künegin dô niht enliez,
sine spræche 'hêr, gêt nâher mir.
mîner zühte meister daz sît ir:
nu gebietet unde lêret.
wirt iu kurzewîle gemêret,
daz muoz an iwerm gebote sîn.
sît daz iuch der bruoder mîn
mir bevolhen hât sô wol,
ich küsse iuch, ob ich küssen sol.
nu gebiet nâch iweren mâzen
mîn tuon odr mîn lâzen.'
mit grôzer zuht sî vor im stuont.
Gâwân sprach 'frouwe, iwer munt
ist sô küssenlîch getân,
ich sol iweren kus mit gruoze hân.'
ir munt was heiz, dick unde rôt,
dar an Gâwân den sînen bôt.
da ergienc ein kus ungastlîch.
zuo der meide zühte rîch
saz der wol geborne gast.
süezer rede in niht gebrast
bêdenthalp mit triuwen.
si kunden wol geniuwen,
er sîne bete, si ir versagen.
daz begunder herzenlîchen klagen:
ouch bat er si genâden vil.
diu magt sprach als i'u sagen wil.

406 'Hêrre, sît ir anders kluoc,
sô mages dunken iuch genuoc.
ich erbiutz iu durch mîns bruoder bete,
daz ez Ampflîse Gamurete
mînem œheim nie baz erbôt;
âne bî ligen. mîn triwe ein lôt
an dem orte fürbaz wæge,
der uns wegens ze rehte pflæge:
und enweiz doch, hêrre, wer ir sît;
doch ir an sô kurzer zît
welt mîne minne hân.'
dô sprach der werde Gâwân
'mich lêret mîner künde sin,
ich sage iu, frouwe, daz ich pin
mîner basen bruoder suon.
welt ir mir genâde tuon,
daz enlât niht durch mînen art:
derst gein iwerm sô bewart,
daz si bêde al glîche stênt
unt in rehter mâze gênt.'
ein magt begunde in schenken,
dar nâch schier von in wenken.
mêr frowen dennoch dâ sâzen,
die och des niht vergâzen,
si giengn und schuofen umb ir pflege.
ouch was der ritter von dem wege,
der in dar brâhte.
Gâwân des gedâhte,

22. diu wolgevar *Gg*. 23. Antyg. *g*, Antikonye *D*. diu *DG*. 27. Da mit *G*. 28. daz ie so *Gg*. 29. veldeke *Gg*, Veldekke *D*, veldecke *gg*, veldechin *g*, veldich *g*, feldig *d*. 30. si *DG*.

405, 5. Si sprach *Gdg*. 7. 13. gebietet *dgg*, gebiet *DGgg*. 8. churzew. *Gdg*, churzw. *Dgg*. 9. iwerem *DG*; iurem *g*. 13. iweren *Ggg*, iwerr *D*, iwer *dgg*. 14. unde *Gg*. 16. Er sprach *Gg*. 17. chussenlich *Ddgg*, chuslich *Ggg*. 18. Ih wil iweren gruoz mit chusse han *G*. 19. diche *D*, ditche *G*. 25. Beid. *G*. 26. chunde *DGg*. 27. Gegen siner bette er (*d. i.* ir) versagen *d*. 28. hercenliche *D allein*. 30. i'u] ich iu *Ddg*, ich nu *g*, ih *Ggg*, si *g*.

406, 3. erbiuotez iu *D*, erbiut iuz *gg*. 4. ez *Gdgg*, er *D*, ichz *g*, *fehlt g*. anphl. *G*. gamurete *D*. 5. Minen *G*. œheime *D*, oheime *G*, *allein*. 7. Ame orte *G*. 8. ce *D*, *fehlt G*. 9. = Unt (*fehlt g*) ih neweiz doch *Ggg*. 10. Daz *dg*, Unt *G*. 13. Mich lert muoter chunde sin *G*, Mich lerte min mueter kundic sin *g*. 14. daz *Ddg*, wer *Ggg*. 16. Welt ir genade an mir tuon *G*. 18. iurem *g*, dem iweren *Ggg*. 19. bêde al] vil nach *G*. geliche *DG*. gent *G*. 20. in ir rehter *g*, in einer *Gg*. 22. schier *dgg*. 24. nich *D*. 25. giengen *DG*. und schuofen *fehlt g*, schaffen *dg*. si giengen schuofen *Wackernagel*.

do si alle von im kômen ûz,
daz dicke den grôzen strûz
407 væhet ein vil kranker ar.
er greif ir undern mantel dar:
Ich wæne, er ruort irz hüffelîn.
des wart gemêret sîn pîn.
von der liebe alsölhe nôt gewan
beidiu magt und ouch der man,
daz dâ nâch was ein dinc geschehen,
hetenz übel ougen niht ersehen.
des willn si bêde wârn bereit:
nu seht, dô nâht ir herzeleit.
dô gienc zer tür în aldâ
ein ritter blanc: wand er was grå.
in wâfenheiz er nante
Gâwânen, do ern erkante.
dâ bî er dicke lûte schrei
'ôwê unde heiâ hei
mîns hêrren den ir sluoget,
daz iuch des niht genuoget,
irn nôtzogt och sîn tohter hie.'
dem wâfenheiz man volget ie:
der selbe site aldâ geschach.
Gâwân zer juncfrouwen sprach
'frowe, nu gebet iweren rât:
unser dwederz niht vil wer hie hât.'
er sprach 'wan het ich doch mîn swert!'
dô sprach diu juncfrouwe wert
'wir sulen ze wer uns ziehen,
ûf jenen turn dort fliehen,
der bî mîner kemenâten stêt.
genædeclîchez lîhte ergêt.'
408 Hie der ritter, dort der koufman,
diu juncfrouwe erhôrte sân
den bovel komen ûz der stat.
mit Gâwân si geim turne trat.
ir friunt muost kumber lîden.
si bat siz dicke mîden:
ir kradem unde ir dôz was sô
daz ez ir keiner marcte dô.
durch strît si drungen gein der tür:
Gâwân stuont ze wer derfür.
ir în gên er bewarte:
ein rigel dern turn besparte,
den zucter ûz der mûre.
sîn arge nâchgebûre
entwichn im dicke mit ir schar.
diu künegin lief her unt dar,
ob ûf dem turn iht wær ze wer
gein disem ungetriwen her.
dô vant diu maget reine
ein schâchzabelgesteine,
unt ein bret, wol erleit, wît:
daz brâht si Gâwâne in den strît.
an eim îsenînem ringez hienc,
dâ mit ez Gâwân enpfienc.
ûf disen vierecken schilt
was schâchzabels vil gespilt:
der wart im sêr zerhouwen.
nu hœrt och von der frouwen.
ez wære künec oder roch,
daz warf si gein den vînden doch:
409 ez was grôz und swære.
man sagt von ir diu mære,

407, 1. Væhet *gg*, Vahet *dgg*, væht *D*, Vaht *G*. 2. grief *Gg*. 3. ir *dg*. 4. gemert *DG allein*. 5. al *fehlt Ggg*. 6. ouch der *fehlt Ggg*, der *g*. 7. nach ein dinch was *gg*, was nah ein dinch *Gg*. geschen *G*. 8. Hetz *Gd*. uͤbliu *g*. ouge *G*. gesehen *dgg*. 9. willen *DG*. si warn beidiu *gg*, was er gar *G*. 10. naht (e *über* t *wie* 396, 3) *G*, nahet *Dgg*. ir *Dgg*, in *Gdgg*. 14. Gawan *gg*. bechande *Gg*. 15. erschrei *g*. 16. ouwe *D*. 19. sine *DGg*. 20. wafem heiz *D*. 23. iuren *g*. 24. twederz *gg*, dewederz *Gdgg*, enwederz *D*, ietwederz *g*. 28. turen *G*. 29. bi der chemenate *Gg*. dort stet *Ggg*. 30. Genadchliche ez *G*, genædechliez *D*.

408, 3. Einen *Gg*. povel *Gdgg*. 4. Gawane *DGg*. gein dem *G*, gegen dem *D*. 5. muose *DG*, muosen *gg*. 8. ez ir *Dgg*, echt ir *d*, irz *g*, ir *Gg*. dech. *D*, deh. *G*. marhte *Gg*, mercte *g*. 9. giengen *Gg*. 10. Gawan spranch hin uz der fur *G*. 12. Ein *gg*, einen *DGdg*. der den *alle*. turen *G*. 15. entwichen *alle*. scharen *G*. 17. turne *G*. 18. ungetrîwem *Dgg*. 19. magt *D*, iunge *Gg*. 21. erleget *gg*. 22. brahte *DG*. 23. In *g*. eime *D*, einem *die übrigen*. iseninem *D*, isenim *g*, iseninen *Ggg*, ysennen *g*, eisenen *g*, isen *d*. 24. Da bi *Gg*. 26. Wart *Gd*. schahtzabels *G*. 27. ser *g*. verhouwen *dg*. 29. kúnig alt oder *d*. rok *G*.

Swen dâ erreichte ir wurfes swanc,
der strûchte âne sînen danc.
diu küneginne rîche
streit dâ ritterlîche,
bî Gâwân si werlîche schein,
daz diu koufwîp ze Tolenstein
an der vasnaht nie baz gestriten:
wan si tuontz von gampelsiten
unde müent ân nôt ir lîp.
swâ harnaschrâmec wirt ein wîp,
diu hât ir rehts vergezzen,
sol man ir kiusche mezzen,
sine tuoz dan durch ir triuwe.
Antikonîen riuwe
wart ze Schanfanzûn erzeiget
unt ir hôher muot geneiget.
in strît si sêre weinde:
wol si daz bescheinde,
daz friwentlîch liebe ist stæte.
waz Gâwân dô tæte?
swenne im diu muoze geschach,
daz er die maget reht ersach;
ir munt, ir ougen, unde ir nasen.
baz geschict an spizze hasen,
ich wæne den gesâht ir nie,
dan si was dort unde hie,
zwischen der hüffe unde ir brust.
minne gerende gelust
410 kunde ir lîp vil wol gereizen.
irn gesâht nie âmeizen,
Diu bezzers gelenkes pflac,
dan si was dâ der gürtel lac.
daz gap ir gesellen
Gâwâne manlîch ellen.
si tûrte mit im in der nôt.
sîn benantez gîsel was der tôt,
und anders kein gedinge.
Gâwânen wac vil ringe
vînde haz, swenn er die magt erkôs;
dâ von ir vil den lîp verlôs.
dô kom der künec Vergulaht.
der sach die strîteclîchen maht
gegen Gâwâne kriegen.
ich enwolt iuch denne triegen,
sone mag i'n niht beschœnen,
ern well sich selben hœnen
an sînem werden gaste.
der stuont ze wer al vaste:
dô tet der wirt selbe schîn,
daz mich riwet Gandîn
der künec von Anschouwe,
daz ein sô werdiu frouwe
sîn tohter, ie den sun gebar,
der mit ungetriwer schar
sîn volc bat sêre strîten.
Gâwân muose bîten
unzé der künec gewâpent wart:
er huop sich selbe an strîtes vart.
411 Gâwân dô muose entwîchen,
doch unlasterlîchen:
Unders turnes tür er wart getân.
nu seht, dô kom der selbe man,
der in kampflîche an ê sprach:
vor Artûse daz geschach.
der lantgrâve Kyngrimursel
gram durch swarten unt durch vel,
durch Gâwâns nôt sîn hende er want:
wan des was sîn triwe pfant,
daz er dâ solte haben vride,
ezen wær daz eines mannes lide
in in kampfe twungen.
die alten unt die jungen
treib er vonme turne wider:
den hiez der künec brechen nider.
Kyngrimursel dô sprach
hin ûf da er Gâwânen sach
'helt, gib mir vride zuo dir dar în.
ich wil gesellecliîchen pîn

409, 4. struochte *D*, struhte *G*. 7. Gawane *DGg*. werlichen *Ggg*, so werlich *d*, ze wer *g*. 8. zetollen steine *Gg*, ze tolnstein *gg*. 10. tuondez *G*. 15. tuoez *D*, *getrennt G*. dane *G*, denne *D*, *fehlt g*. ir *fehlt Gg*. 16. Antig. *g*. 17. zetschanfenzun *G*. erzeigt-geneigt *g*. 19. strite *DG*. 26. geschicht *G*, gescichet *D*. spize *G*, spitze *d*. 27. gesahet *DG*, *auch* 410, 2. 28. Danne *G*, denne *D*. 29. huffe *D*, hufe *g*, hüff *d*, huf *Ggg*. 30. gernde *Ggg*, gerenden *d*, gerender *gg*.

410, 4. Dane *G*, denne *D*. 7. turte *dgg*, tůerte *D*, trurte *Ggg*. 9. dech. *D*, deh. *G*. 11. swenn *Dg*, do *G*. 14. stritl. *alle außer DG*. 15. Gein *Ggg*. 16. Ihne welle iuh dane triegen *G*. 17. in *g*, ich *gg*, ich in *oder* ih in *die übrigen*. 18. welle *DG*. 30. Der *Gg*.

411, 2. Iedoch *G*. 5. an ê *D*, e. an *g*, ane *gg*, an *Gdgg*. 9. Durh gawanes not er sine hende want *G*. sine *D*, die *g*. 13. twüngen *g*. 19. gim mir *G*. dar *Ddgg*, hin *Ggg*.

mit dir hân in dirre nôt.
mich muoz der künec slahen tôt,
odr ich behalde dir dîn lebn.'
Gâwân den vride begunde gebn:
der lantgrâve spranc zuo zim dar.
des zwîvelte diu ûzer schar
(er was ouch burcgrâve aldâ):
si wæren junc oder grâ,
die blûgten an ir strîte.
Gâwân spranc an die wîte,
412 als tet ouch Kyngrimursel:
gein elln si bêde wâren snel.
Der künec mant die sîne.
'wie lange sulen wir pîne
von disen zwein mannen pflegen?
mîns vetern sun hât sich bewegen,
er wil erneren disen man,
der mir den schaden hât getân,
den er billîcher ræche,
ob im ellens niht gebræche.'
genuoge, dens ir triwe jach,
kurn einen der zem künege sprach
'hêrre, müeze wirz iu sagn,
der lantgrâve ist unerslagn
hie von manger hende.
got iuch an site wende,
die man iu vervâhe baz.
werltlîch prîs iu sînen haz
teilt, erslaht ir iwern gast:
ir ladet ûf iuch der schanden last.
sô ist der ander iwer mâc,
in des geleite ir disen bâc
hebt. daz sult ir lâzen:
ir sît dervon verwâzen.
nu gebt uns einen vride her,
die wîl daz dirre tac gewer:
der vride sî och dise naht.
wes ir iuch drumbe habt bedâht,
daz stêt dannoch ziwerre hant,
ir sît geprîset odr geschant.

413 Mîn frouwe Antikonîe,
vor valscheit diu vrîe,
dort al weinde bî im stêt.
ob iu daz niht ze herzen gêt,
sît iuch pêde ein muoter truoc,
so gedenket, hêrre, ob ir sît kluoc,
ir sandet in der magede her:
wær niemen sîns geleites wer,
er solt iedoch durch si genesen.'
der künec liez einen vride wesen,
unz er sich baz bespræche
wier sînen vater ræche.
unschuldec was hêr Gâwân:
ez hete ein ander man getân,
wande der stolze Ehcunat
ein lanzen durch in lêrte pfat,
do er Jofreyden fîz Ydœl
fuorte gegen Barbigœl,
den er bî Gâwâne vienc.
durch den disiu nôt ergienc.
dô der vride wart getân,
daz volc huop sich von strîte sân,
manneglich zen herbergen sîn.
Antikonîe de künegîn
ir vetern sun vast umbevienc:
manc kus an sînen munt ergienc,
daz er Gâwânen het ernert
und sich selben untât erwert.
si sprach 'du bist mîns vetern suon:
du kundst durch niemen missetuon.'
414 Welt ir hœrn, ich tuon iu kunt
wâ von ê sprach mîn munt
daz lûtr gemüete trüebe wart.
gunêrt sî diu strîtes vart,
die ze Schampfanzûn tet Vergulaht:
wan daz was im niht geslaht
von vater noch von muoter.
der junge man vil guoter
von schame leit vil grôzen pîn,
dô sîn swester diu künegîn

25. im *G.* 26. zwifelt *gg*, zer spielte *d.* 29. blugten *G*, bluctan *g*, bluegten *g*, blougen *g*, bluogeten *D*, bluegeten *dg*, bluogenten *g*.

412, 2. ellen *DG.* 8. Der uns *Gg.* 9. billichen *Ggg.* 11. Gnuoge *D*, Gegnuogen *g*, Gnuc *g.* 18. wereltl. *D.* 19. teilet. erslahet ir *D allein.* 23. Hevet *G.* 25. nu *fehlt G.* 26. wer *Ggg.* 29. ziwrre *g*, ziwerr *D*, datze iwere *G.*

413, 3. weinende *D.* bi iu *Gg.* 6. So denchet *G.* 7. meide *D.* 15. ekunat *Ggg.* 16. eine *DG allein.* 18. fuorte *G.* 23. Manegelich *G*, Mennechlich *g.* zeherbergen *Gg*, zur herberge *dgg.* 24. Antyk. *D.* diu *DG.* 25. vaste *DG.* 28. und *fehlt Gg.* selb *d.* 30. Dune *Gdgg.* chundest *Ddgg*, chanst *Gg.*

414, 1. ir nu *Ggg.* hœrn *g.* 3. luter *G*, luoter *D.* getruobet wart *Gg.* 4. Geunert *G.* 9. schem *G*, scheme *g*, schemde *d.* 10. swestr *D.*

in begunde vêhen:
man hôrt in sêre vlêhen.
dô sprach diu juncfrouwe wert
'hêr Vergulaht, trüege ichz swert
und wær von gotes gebot ein man,
daz ich schildes ambet solde hân,
iwer strîten wær hie gar verzagt.
dô was ich âne wer ein magt,
wan daz ich truoc doch einen schilt,
ûf den ist werdekeit gezilt:
des wâpen sol ich nennen,
ob ir ruochet diu bekennen.
guot gebærde und kiuscher site,
den zwein wont vil stæte mite.
den bôt ich für den ritter mîn,
den ir mir sandet dâ her în:
anders schermes het ich niht.
swâ man iuch nu bî wandel siht,
ir habt doch an mir missetân,
op wîplîch prîs sîn reht sol hân.
415 Ich hôrt ie sagen, swa ez sô gezôch
daz man gein wîbes scherme vlôch,
dâ solt ellenthaftez jagen
an sîme strîte gar verzagen,
op dâ wære manlîch zuht.
hêr Vergulaht, iurs gastes vluht,
dier gein mir tet für den tôt,
lêrt iwern prîs noch lasters nôt.'
Kingrimursel dô sprach
'hêrre, ûf iwern trôst geschach
daz ich hêrn Gâwân
ûf dem Plimizœles plân
gap vride her in iwer lant.
iwer sicherheit was pfant,
ob in sîn ellen trüege her,
daz ich des für iuch wurde wer,
in bestüend hie niht wan einec man.
hêr, dâ bin ich bekrenket an.
hie sehen mîne genôze zuo:
diz laster ist uns gar ze fruo.
kunnet ir niht fürsten schônen,
wir krenken ouch die krônen.
sol man iuch bî zühten sehn,
sô muoz des iwer zuht verjehn
daz sippe reicht ab iu an mich.
wær daz ein kebeslîcher slich
mînhalp, swâ uns diu wirt gezilt,
ir hetet iuch gâhs gein mir bevilt:
wande ich pin ein ritter doch,
an dem nie valsch wart funden noch:
416 Ouch sol mîn prîs erwerben
daz ichs âne müeze ersterben;
des ich vil wol getrûwe gote:
des sî mîn sælde gein im bote.
ouch swâ diz mære wirt vernomen,
Artûs swester sun sî komen
in mîme geleite ûf Schanpfanzûn,
Franzoys od Bertûn,
Provenzâle od Burgunjoys,
Galiciâne unt die von Punturtoys,
erhœrent die Gâwânes nôt,
hân ich prîs, derst denne tôt.
mir frümt sîn angestlîcher strît
vil engez lop, mîn laster wît.
daz sol mir freude swenden
und mich uf êren pfenden.'
dô disiu rede was getân,
dô stuont dâ einer sküneges man,
der was geheizen Liddamus.
Kyôt in selbe nennet sus.
Kyôt la schantiure hiez,
den sîn kunst des niht erliez,
er ensunge und spræche sô
dês noch genuoge werdent frô.

12. flegen *G*. 14. ichz *Dgg*, ih dez *G*, ich *dgg*. 15. gots *G*. 17. ferdaget *alle außer D*. 21. wil ih *Gg*.

415, 5. manlichiu *Dg*. 6. iwers *DG*. 10. gesach *G*. 11. hern *Dgg*, dem hern *G*, dem herren *dgg*. Gawane - plane *D*. 12. Plimizœls *D*, blimzoles *G*. 13. her *fehlt Gg*. 17. ich *D*. bestuende *DG*. einc *G*, ein *gg*. 18. gechrenchet *Gd*. 19. gnoze *D*, genozzen *dgg*. 22. úch *dg*. 27. wirt] ware *G*. 28. gahes *Ddg*, gahens *Ggg*, gahen *g*. an mir *D*.

416, 2. = sterben *Ggg*. 3. getrůwe *D*, getrowe *g*, getrewe *g*. 5. Doch *Gg*. 8. oder *D*, olde *G*. pritun *G*. 9. oder *DG*. Burguniôys *D*, burgunois *d*, purgunoys *g*, burgonois *G*, burgomois *gg*. 10. Galciane *g*. unt di von *Dg*, oder die von *gg*, ode von *Gg*, oder *d*. ponturtois *Gd*, Eunturtôys *D*. 11. Gawans *DG*. 13. angesl. *G*. 18. = dâ *fehlt Ggg*. des k. *alle*. 19. lidamus *G immer, fast allein*. 20. Kiot nenet in selbe sus *Gg*. 21. lascantiure *Dd*, latschanture *G*, latschantur *g*. 22. des *fehlt Gg*. 23. Ern sünge *gg*. 24. frou *G*.

Kyôt ist ein Provenzâl,
der dise âventiur von Parzivâl
heidensch geschriben sach.
swaz er en franzoys dâ von gesprach,
bin ich niht der witze laz,
daz sage ich tiuschen fürbaz.

417 Dô sprach der fürste Liddamus
'waz solt der in mîns hêrren hûs,
der im sînen vater sluoc
und daz laster im so nâhe truoc?
ist mîn hêrre wert bekant,
daz richt alhie sîn selbes hant.
sô gelt ein tôt den andern tôt.
ich wæne gelîche sîn die nôt.'
nu seht ir wie Gâwân dô stuont:
alrêst was im grôz angest kuont.
dô sprach Kingrimursel
'swer mit der drô wær sô snel,
der solt och gâhen în den strît.
ir habt gedrenge oder wît,
man mac sich iwer lîhte erwern.
hêr Liddamus, vil wol ernern
trûwe ich vor iu disen man:
swaz iu der hete getân,
ir liezetz ungerochen.
ir habt iuch gar versprochen.
man sol iu wol gelouben
daz iuch nie mannes ougen
gesâhn ze vorderst dâ man streit:
iu was ie strîten wol sô leit
daz ir der fluht begundet.
dennoch ir mêr wol kundet:
swâ man ie gein strîte dranc,
dâ tæt ir wîbes widerwanc.
swelch künec sich læt an iwern rât,
vil twerhes dem diu krône stât.

418 Dâ wær von mînen handen
in kreize bestanden
Gâwân der ellenthafte degen:
des het ich mich gein im bewegen,
daz der kampf wære alhie getân,
wolt es mîn hêrre gestatet hân.
der treit mit sünden mînen haz:
ich trûwte im ander dinge baz.
hêr Gâwân, lobt mir her für wâr
daz ir von hiute über ein jâr
mir ze gegenrede stêt
in kampfe, ob ez sô hie ergêt
daz iu mîn hêrre læt dez lebn:
dâ wirt iu kampf von mir gegebn.
ich sprach iuch an zem Plimizœl:
nu sî der kampf ze Barbigœl
vor dem künc Meljanze.
der sorgen zeime kranze
trag ich unz ûf daz teidinc
daz ich gein iu kum in den rinc:
dâ sol mir sorge tuon bekant
iwer manlîchiu hant.'
Gâwân der ellens rîche
bôt gezogenlîche
nâch dirre bete sicherheit.
dô was mit rede aldâ bereit
der herzoge Liddamus
begunde ouch sîner rede alsus
mit spæhlîchen worten,
aldâ siz alle hôrten.

419 Er sprach: wand im was sprechens zît:
'swâ ich kum zuome strît,
hân ich dâ vehtens pflihte
ode fluht mit ungeschihte,

28. en *fehlt g.* der von *gg*, *fehlt Gg.* sprach *d.*

417, 4. nahen *Ggg.* 5. wert *Dg*, wer *Ggg*, wær *g*, an wer *d.* 6. Ez *Gg.* richet *DG*, reche *g.* selbes *fehlt gg.* 8. gelich *G.* sin di *Ddg*, si diu *gg*, sin dise *Gg.* 9. ir *fehlt Ggg.* 12. der rede *Gg.* 14. odr *D*, olde *G.* 15. eu vil lihte *g.* 18. Swaz er iu hete *Gg.* 19. unerochen *G.* 23. gesahen *DG.* zevorderste *G*, *fehlt (dann* so streit *g) gg.* 28. tætet *D*, tatet *die übrigen.* 29. swelech *D.* lat *alle.* 30. dwerhes *g.* im *dgg.* sin *Ggg.*

418, 1. Ia *gg*, So *d.* 5. daz *fehlt G.* 6. gestattet *D*, gestat *gg.* 8. trwete *D*, trewet *g*, getruwte *G*, getruwete *dgg.* anderre *Dg.* 13. lat *alle aufser D.* 16. barbigol *Ggg* = Parb. *Dd.* 17. kunige *alle.* 19. tagedinch *g*, degdinc *g.* 20. chum gein iu *Gdg.* 22. werlichiu *Gg.* 25. bet *DGgg.* 28. Er begunde *d.* ouch *fehlt dgg.* 29. spehelichen *dgg.*

419, 1. wande *D*, wan *(wie immer) G.* 2. chom *G.* 3. hân] wan *D.* 4. odr *D.*

bin ich verzagetlîche ein zage,
ode ob ich prîs aldâ bejage,
hêr lantgrâve, des danket ir
als irz geprüeven kunnt an mir.
enpfâhe ichs nimmer iweren solt,
ich pin iedoch mir selben holt.'
sus sprach der rîche Liddamus.
'welt irz sîn hêr Turnus,
sô lât mich sîn hêr Tranzes,
und strâft mich ob ir wizzet wes,
unde enhebt iuch niht ze grôze.
ob ir fürsten mînre genôze
der edelste und der hœhste birt,
ich pin ouch [landes] hêrre und landes wirt.
ich hân in Galicîâ
beidiu her unde dâ
mange burc reht unz an Vedrûn.
swaz ir unt ieslîch Bertûn
mir dâ ze schaden meget getuon,
ine geflœhe nimmer vor iu huon.
her ist von Bertâne komn
gein dem ir kampf hât genomn:
nu rechet hêrren unt den mâc.
mich sol vermîden iwer bâc.
iwern vetern (ir wârt sîn man),
swer dem sîn leben an gewan,

420 Dâ rechetz. ich entet im niht:
ich wæne mirs och iemen giht.
iwern vetern sol ich wol verklagn:
sîn sun die krôn nâch im sol tragn:
derst mir ze hêrren hôch genuoc.
diu küngîn Flûrdamûrs in truoc:
sîn vater was Kingrisîn,
sîn an der künec Gandîn.
ich wil iuch baz bescheiden des,
Gahmuret und Gâlôes
sîn œheime wâren.
ine wolt sîn gerne vâren,
ich möht mit êrn von sîner hant
mit vanen enpfâhen mîn lant.
swer vehten welle, der tuo daz.
bin ich gein dem strîte laz,
ich vreische iedoch diu mære wol.
swer prîs ime strîte hol,
des danken im diu stolzen wîp.
ich wil durch niemen mînen lîp
verleiten in ze scharpfen pîn.
waz Wolfhartes solt ich sîn?
mirst in den strît der wec vergrabt,
gein vehten diu gir verhabt.
wurdet ir mirs nimmer holt,
ich tæte ê als Rûmolt,
der künec Gunthere riet,
do er von Wormz gein Hiunen schiet:
er bat in lange sniten bæn
und inme kezzel umbe dræn.'

421 Der lantgrâve ellens rîche
sprach 'ir redet dem glîche

5. 6 *fehlen D.* 5. verzagetliche *G*, verzagelich *dgg*, verzegliche *g*. 6. Olde obe ih *G*. 7. dancht *G*. 8. gepruoven chunnet *DG*. 14. strafet *D*, stravet *G*, strapfet *g*. ob *fehlt Ggg*. 15. unde *fehlt d*. = en *fehlt Ggg*. hevet *Gg*. 16. miner *alle*, *nur G* unsere. 17. edelst *gg*, edeleste *G*. hoheste *G*, richste *D*. 18. landes herre. vn̄ landes wirt *DGg*, *ohne* herre *g*, landes herre und wirt *dgg*. 20. unt da *D*. 21. Manch *g*. reht *fehlt Ggg*. vederun *G*. 23. muget *G*. 24. ich engeflœhe *Dg*, Ih engeflohen *Gg*, Ich en flœhe *g*, Ich geflœh *dg*. 25. britanie *G*. 26. habet *alle aufser D*. 27. den *D*, ouch den *g*, *fehlt Gdgg*. 28. vergen *Gg*. 29. wart *g*. 30. Swer im *G*.

420, 1. recht ez *G*. 2. niemen *g*. 8. Und sin *dgg*. ane der *Gd*, andr (*dann* chunne *g*) *Dgg*. 9. iuh gar *Gg*. 11. sine *DGd*. oheim *gg*. 12. Ich enwelle sin anders varen *G*, Ich well sin den gerne varn *g*. wolte *D*. 13. mohte *D*, mahte *G*. eren *DG*. 14. miniu *g*. 18. erhol *Gg*. 22. Wolfharts *DGg*, wolfartes *g*. 23. vergrabn *D*. 24. gegen *D*. vehtene *G*. 26. Ruomolt *Dgg*. 27. der kunec *Ddgg*, Dem chunge *Ggg*. Gunthere] Gunther *DGg*, Günther *dgg*, Gunter *g*, Gunthern *g*. 28. wormz *g*, wurms *d*, wormeze *DG*, Wormesze *g*, wormze *g*, wͦrmze *g*, wormsze *g*. gein] gegen *g*, gein den *die übrigen*. hiunen *D*, húnen *dgg*, huonen *g*, hunen *Ggg*. 29. im *Gg*. 30. und *fehlt G*. inme] in einem *Gg*, in sime *D*, in sinem *dgg*, in sinen *g*.

421, 2. ir reit *G*. geliche *fast alle*. rîch-gelîch *keine*.

als manger weiz an iu für wâr
iwer zît unt iwer jâr.
ir rât mir dar ich wolt iedoch,
unt sprecht, ir tæt als riet ein koch
den küenen Nibelungen,
die sich unbetwungen
ûz huoben dâ man an in rach
daz Sîvride dâ vor geschach.
mich muoz hêr Gâwân slahen tôt,
odr ich gelêre in râche nôt.'
'des volge ich,' sprach Liddamus.
'wan swaz sîn œheim Artûs
hât, unt die von Indîâ,
der mirz hie gæbe als siz hânt dâ,
der mirz ledeclîche bræhte,
ich liezez ê daz ich væhte.
nu behaldet prîs des man iu giht.
Segramors enbin ich niht,
den man durch vehten binden muoz:
ich erwirbe sus wol küneges gruoz.
Sibche nie swert erzôch,
er was ie bî [den] dâ man vlôch:
doch muose man in vlêhen,
grôz gebe und starkiu lêhen
enpfienger von Ermrîche genuoc:
nie swert er doch durch helm gesluoc.
mir wirt verschert nimmer vel
durch iuch, hêr Kyngrimursel:

422 Des hân ich mich gein iu bedâht.'
dô sprach der künec Vergulaht
'swîget iwerr wehselmære.
ez ist mir von iu bêden swære,
daz ir der worte sît sô vrî.
ich pin iu alze nâhen bî
ze sus getânem gebrehte:
ez stêt mir noch iu niht rehte.'
diz was ûf dem palas,
aldâ sîn swester komen was.
bî ir stuont hêr Gâwân
und manec ander werder man.
der künec sprach zer swester sîn
'nu nim den gesellen dîn
und ouch den lantgrâven zuo dir.
die mir guotes günn, die gên mit mir,
und rât mirz wægest waz ich tuo.'
si sprach 'dâ lege dîn triwe zuo.'
nu gêt der künec an sînen rât.
diu küneginne genomen hât
ir vetern sun unt ir gast:
dez dritte was der sorgen last.
ân alle missewende
nam si Gâwânn mit ir hende
unt fuort in dâ si wolte wesn.
si sprach zim 'wært ir niht genesn,
des heten schaden elliu lant.'
an der küneginne hant
gienc des werden Lôtes suon:
er mohtz och dô vil gerne tuon.

423 In die kemenâten sân
gienc diu küngîn unt die zwêne man:
vor den andern bleip si lære:
des pflâgen kameræere.
wan clâriu juncfröwelîn,
der muose vil dort inne sîn.
diu künegin mit zühten pflac
Gâwâns, der ir ze herzen lac.

5. ratet *alle.* wolde *gg.* idoch *Dd* = doch *Ggg.* 6. sprechet ir tætet *oder* tatet *alle.* 7. nibelungen *Ggg*, Nybel. *gg*, Nibl. *D*, nebulungen *g*, nebelingen *d.* 10. Sîvr. *D*, sifr. *Gg*, Syfr. *gg*, syfrit *d.* 12. Olde *G.* 15. Hant *G.* 18. daz *Dg*, danne *dg*, dann das *g*, *fehlt Ggg.* 23. Sîbche *D*, Sybche *g*, Sibeche *Gdg*, Sybeche *g*, Sibich *gg.* 24. bî den *fehlt dg*, gerne *G.* 25. flegen *G.* 26. groze *Ddgg*, Groziu *g.* gebe *D*, geb *g*, gabe *die übrigen.* 27. Enpfienge er *g*, Enphie er *Ggg.* Ermriche *g*, Ermēriche *D*, Ermerich *g*, ermenrich *Gdg*, Ermentriche *g*, einē reiche *g.* gnuoch *D.* 29. versert *d*, verschertet *dgg.*

422, 3. iwere *G.* wechsel m. *D.* 4. beiden *G.* 7. gebræhte *D*, brahte *G.* 8. iu noch mir *G*, mir doch *g.* 10. Da *Gg.* 11. Bi der *Gg.* 12. Unde anders manch werder man *Gg.* 15. Unt den *Gg.* ze dir *g.* 16. gunnen *D*, gunen *G.* die *fehlt dg.* 17. wegest *gg*, wægeste *DG*, wægst *g.* daz ih *G.* 18. dine *DGg.* 19. gie *G.* 22. des *D.* 23. Ane missewende *Gg.* 24. Si nam *Gg.* Gawann *D*, Gawan *gg und* (en *übergeschrieben*) *G*, gawanen *dg.* mit der *d*, bi der *gg.* 25. fuorten *D.*

423, 1. chemnaten *G.* 2. keneginne *D.* 3. beleip *DG.* 5. Chleiniu iuchfrouwelin *G.* 6. Vil dort inne muose sin *Gg.* 8. Gawanes der in ir herzen lach *G.*

dâ was der lantgrâve mite:
der schiet si ninder von dem site.
doch sorgte vil diu werde magt
umb Gâwâns lîp, wart mir gesagt.
sus wærn die zwên dâ inne
bî der küneginne,
unz daz der tac liez sînen strît.
diu naht kom: dô was ezzens zît.
môraz, wîn, lûtertranc,
brâhten juncfrowen dâ mitten kranc,
und ander guote spîse,
fasân, pardrîse,
guote vische und blankiu wastel.
Gâwân und Kyngrimursel
wâren komn ûz grôzer nôt.
sît ez diu künegin gebôt,
si âzen als si solten,
unt ander dies iht wolten.
Antikonîe in selbe sneit:
daz was durch zuht in bêden leit.
swaz man dâ kniender schenken sach,
ir deheim diu hosennestel brach:

424 Ez wâren meide, als von der zît,
den man diu besten jâr noch gît.
ich pin des unerværet,
heten si geschæret
als ein valke sîn gevidere:
dâ rede ich niht widere.
nu hœrt, ê sich der rât geschiet,
waz man des landes künege riet.
die wîsen heter zim genomn:
an sînen rât die wâren komn.
etslîcher sînen willen sprach,
als im sîn bester sin verjach.
dô mâzen siz an manege stat:
der künec sîn rede och hœren bat.
er sprach 'ez wart mit mir gestriten.
ich kom durch âventiure geriten
inz fôrest Læhtamrîs.
ein ritter alze hôhen prîs
in dirre wochen an mir sach,
wand er mich flügelingen stach
hinderz ors al sunder twâl,
er twanc mich des daz ich den grâl
gelobte im zerwerben.
solt ich nu drumbe ersterben,
sô muoz ich leisten sicherheit
die sîn hant an mir erstreit.
dâ râtet umbe: des ist nôt.
mîn bester schilt was für den tôt
daz ich dar um bôt mîne hant,
als iu mit rede ist hie bekant.

425 Er ist manheit und ellens hêr.
der helt gebôt mir dennoch mêr
daz ich ân arge liste
inre jâres vriste,
ob ichs grâls erwurbe niht,
daz ich ir kœme, der man giht
der krôn ze Pelrapeire
(ir vater hiez Tampenteire);
swenne si mîn ouge an sæhe,
daz ich sicherheit ir jæhe.
er enbôt ir, ob si dæhte an in,
daz wære an freuden sîn gewin,
und er wærez der si lôste ê
von dem künege Clâmidê.'
dô si die rede erhôrten sus,
dô sprach aber Liddamus
'mit dirre hêrrn urloube ich nuo
spriche: och râten si derzuo.
swes iuch dort twanc der eine man,
des sî hie pfant hêr Gâwân:

10. sîe *g*, sich *Gg*. 11. sorgte *G*, sorgt *g*, sorgete *Dd*, sorget *gg*. werdiu *D*. 12. umbe *DG allein*. 13. waren *alle*. 15. lie *Gg*. 17. luoter tranch *Dg*. 18. da enmiten *Ggg*. 20. Vasan *G*, Vashan *g*, Vasande *g*, Fasant *g*. perdrise *g*. 21. 22. wastêl-mursêl *D*. 25. alsi *D*. 28. beiden *G*. 29. da chinder senchen sach *G*. 30. Ir deheim *g*, ir decheinem *D*, Irne heinen *G*. hosenestel *Gg*, hosnestel *gg*.

424, 1. als *fehlt Gg*. 2. noch *fehlt g*, da *G*. 5. 6. gevider-wider *Ddgg*. 7. ê] wi *D*. 11. Ieslicher *G*. 14. sin *dgg*. 16. aventiwr *D*, aventure *G*. 17. voreis *G*. læhtamrîs *D*, *mit* æ *auch G*. 18. Einem (em *übergeschrieben G*) riter alzehoher (r *aus* n *gemacht G*) bris- 19. geschach *Gg*. 20. flugl. *D*. 23. im erwerben *Gg*. 24. sterben *Gdg*. 25. muose *Ggg*. 29. dar umbe *DG*. min hant *gg*.

425, 4. Inner *Gg*, In der *g*, In des *d*. iars *DG*. 5. Obe ih erwurbe des grales niht *Gg*. 6. der man da *Gg*. 13. und *fehlt G*. warz *G*. 14. Chlammide *D*. 15. horten *Gg*. 17. herrn *D*.

der vederslagt ûf iweren klobn.
bitt in iu vor uns allen lobn
daz er iu den grâl gewinne.
lât in mit guoter minne
von iu hinnen rîten
und nâch dem grâle strîten.
die scham wir alle müesen klagn,
wurd er in iwerem hûs erslagn.
nu vergebt im sîne schulde
durch iwerre swester hulde.

426 Er hât hie'rliten grôze nôt
und muoz nu kêren in den tôt.
swaz erden hât umbslagenz mer,
dane gelac nie hûs sô wol ze wer
als Munsalvæsche: swâ diu stêt,
von strîte rûher wec dar gêt.
bî sîme gemach in hînte lât:
morgen sag man im den rât.'
des volgten al die râtgeben.
sus behielt hêr Gâwân dâ sîn leben.
man pflac des heldes unverzagt
des nahts aldâ, wart mir gesagt,
daz harte guot was sîn gemach.
dô man den mitten morgen sach
unt dô man messe gesanc,
ûf dem palase was grôz gedranc
von bovel unt von werder diet.
der künec tet als man im riet,
er hiez Gâwânen bringen:
den wolter nihtes twingen,
wan als ir selbe hât gehôrt.
nu seht wâ in brâhte dort
Antikonî diu wol gevar:
ir vetern sun kom mit ir dar,
unt andr genuoge des küneges man.
diu küngîn fuorte Gâwân
für den künec an ir hende.
ein schapel was ir gebende.
ir munt den bluomen nam ir prîs:
ûf dem schapele decheinen wîs

427 Stuont ninder keiniu alsô rôt.
swem si güetlîche ir küssen bôt,
des muose swenden sich der walt
mit manger tjost ungezalt.
mit lobe wir solden grüezen
die kiuschen unt die süezen
Antikonîen,
vor valscheit die vrîen.
wan si lebte in solhen siten,
daz ninder was underriten
ir prîs mit valschen worten.
al die ir prîs gehôrten,
ieslîch munt ir wunschte dô
daz ir prîs bestüende alsô
bewart vor valscher trüeben jehe.
lûter virrec als ein valkensehe
was balsemmæzec stæte an ir.
daz riet ir werdeclîchiu gir:
diu süeze sælden rîche
sprach gezogenlîche
'bruoder, hie bring ich den degen,
des du mich selbe hieze pflegen.
nu lâz in mîn geniezen:
des ensol dich niht verdriezen.
denke an brüederlîche triwe,
unde tuo daz âne riwe.
dir stêt manlîchiu triwe baz,
dan daz du dolst der werlde haz,
und mînen, kunde ich hazen:
den lêr mich gein dir mâzen.'

21. iurem *dgg*. cholbn *D*. 22. Bit *G*. 30. iwere *G*.

426, 1. hie erl. *alle*, *nur d* erl. hie. 2. vn̄ er *D*. 3. erde *dg*. umb slagen hat das *d*. umbe slagenz *Dgg*, umbe slagen daz *Ggg*. 4. dane gelach *D*, Da gelach *dg*, Da lac *g*, So gelach *g*, Son lac *g*, So lag *g*, Sone gestuont *G*. huos *D*. 6. ruoher *D*. 7. hint hie lat *G*. 9. volgten *Ggg*, volgeten *D*. 12. nahts *G*. al *fehlt Gdgg*. 14. miteren *G*. 15. dô *fehlt Gg*. 16. wart *Gg*. 17. povel *Ggg*. 20. dwingen *G*. 21. habet *Ggg*. 23. Antikonie *alle*. 25. gnuoge *D*. 26. Gawann *D*. 28. scapel *D*, schappel *dgg*, tschapel *g*, tschappel *G*. 29. bluoen *G*. ir *Dg*, den *Gdgg*. 30. tschappele *G*. e *haben nur DG*. deheine *Gdgg*. gwîs *D*.

427, 1. dech. *Dd*, deh. *Gg*, kein *g*, einiu *gg*. als *Ggg*. 2. guotl. *D*. 7. Antykonîen *gg*, froun Ant. *D*, Die maget a. *G*, Maget a. *d*, Die schonen a. *g*, Die reinen a. *g*. 9. lebet in solher siten *G*. 12. Alle die *alle*. 15. Bewart vor aller valschen iehe *G*. truoben *Dg*, truober *g*, truobe *dgg*. 21. bring *g*. 23. laze *G*. genzien *G*. 25. brůd. *D*. 26. unt *DG*. 28. Dan *gg*. 29. Unt den minen *Gg*. hazzen-mazen *D*. 30. lere *DG*.

428 Dô sprach der werde süeze man
'daz tuon ich, swester, ob ich kan:
dar zuo gip selbe dînen rât.
dich dunket daz mir missetât
werdekeit habe underswungen,
von prîse mich gedrungen:
waz töht ich dan ze bruoder dir?
wan dienden alle krône mir,
der stüende ich ab durch dîn gebot:
dîn hazzen wær mîn hôhstiu nôt.
mirst unmære freude und êre,
niht wan nâch dîner lêre.
hêr Gâwân, ich wil iuch des biten:
ir kômt durch prîs dâ her geriten:
nu tuotz durch prîses hulde,
helft mir daz mîn schulde
mîn swestr ûf mich verkiese.
ê daz ich si verliese,
ich verkiuse ûf iuch mîn herzeleit,
welt ir mir geben sicherheit
daz ir mir werbet sunder twâl
mit guoten triwen umben grâl.'
dâ wart diu suone gendet
unt Gâwân gesendet
an dem selben mâle
durch strîten nâch dem grâle.
Kyngrimursel och verkôs
ûf den künec, der in dâ vor verlôs,
daz er im sîn geleite brach.
vor al den fürsten daz geschach;

429 Dâ ir swert wârn gehangen:
diu wârn in undergangen,
Gâwâns knappn, ans strîtes stunt,
daz ir decheinr was worden wunt:
ein gewaltec man von der stat,
der in vrides vor den andern bat,
der vienc se und leit se in prîsûn.
ez wær Franzeis od Bertûn,
starke knappn unt kleiniu kint,
von swelhen landen sie [komen] sint,
die brâhte man dô ledeclîchen
Gâwâne dem ellens rîchen.
dô in diu kint ersâhen,
dâ wart grôz umbevâhen.
ieslîchz sich weinende an in hienc:
daz weinn iedoch von liebe ergienc.
von Çurnewâls mit im dâ was
cons Lîâz fîz Tînas.
ein edel kint wont im och bî,
duk Gandilûz, fîz Gurzgrî
der durch Schoydelakurt den lîp verlôs,
dâ manec frouwe ir jâmer kôs.
Lyâze was des kindes base.
sîn munt, sîn ougen unt sîn nase
was reht der minne kerne:
al diu werlt sah in gerne.
dar zuo sehs andriu kindelîn.
dise ahte junchêrren sîn
wârn gebürte des bewart,
elliu von edeler hôhen art.

430 Si wâren im durch sippe holt
unt dienden im ûf sînen solt.
werdekeit gap er ze lône,
unt pflac ir anders schône.
Gâwân sprach zen kindelîn
'wol iu, süezen mâge mîn!
mich dunket des, ir wolt mich klagn,
ob ich wære alhie erslagn.'

428, 7. denne *D*, dane *G*. 9. Der stuode ih abe durh *G*. 10. hostiu *g*, grosteu *g*, meistiu *G*. 12. niht *fehlt G*, Nîe *g*, Nu *g*. 14. durh pris *G*. 15. durch brises *G*. 16. Helft *g*. mine *DG allein*. 17. swester *alle*. 18. E dane ih *G*. 28. da vor *DGg*, da *die übrigen*.

429, 3. 9. knappen *alle*. 3. ans] an *g*, an des *Dgg*, an der *Gg und* (*ohne* strîtes) *dg*. strîts *D*. 4. decheiner *D*, deheiner *G*. 5. vor *dgg*. 6. der *fehlt D*. 7. viese *G*. leîtese *D*. 8. franzieis *G*. ode *G*, oder *D*. pritun *G*. 10. swelhen landen si *Dgg*, swelhem lande si *Gdg*. 11. di braht *D*. dô *fehlt Gg*. 14. Do *Gg*. 15. ieslichez *D*, Ieslich *g*, Etslichez *Gg*. 16. woinen *DG*. idoch *Dgg*, doch *Gdgg*. 18. Laŷz *D*, liaz *G*. Tynâs *D*. 21. durh tschoidelahgurt *G*. 25. Was zereht *G*. minnen *Gd*. cherngern *DGg*. 27. sehes *G*. andr *D*. 28. Die *Gg*. aht *D*, echt *d*. 29. begurte *D*. 30. edel *G*. hoher *Gdgg*.

430, 1. durch] umbe *Gg*. 6. Owol *Gg*. sueze *dgg*, lieben *G*. 7. dunket *fehlt G*.

man moht in klage getrûwen wol:
si wârn halt sus in jâmers dol.
er sprach 'mir was umb iuch vil leit.
wâ wârt ir dô man mit mir streit?'
si sagtenz im, ir keiner louc.
'ein mûzersprinzelîn enpflouc
uns, dô ir bî der künegin
sâzt: dâ lief wir elliu hin.'
die dâ stuondn und sâzen,
die merkens niht vergâzen,
die prüeveten daz hêr Gâwân
wære ein manlîch höfsch man.
urloubes er dô gerte,
des in der künec gewerte,
unt daz volc al gemeine,
wan der lantgrâve al eine.
die zwêne nam diu künegîn,
unt Gâwâns junchêrrelîn:
si fuorte se dâ ir pflâgen
juncfrouwen âne bâgen.
dô nam ir wol mit zühten war
manc juncfrouwe wol gevar.

431 Dô Gâwân enbizzen was
(ich sage iu als Kyôt las),
durch herzenlîche triuwe
huop sich dâ grôziu riuwe.
er sprach zer küneginne
'frouwe, hân ich sinne
unt sol mir got den lîp bewaren,
sô muoz ich dienstlîchez varen
unt rîterlîch gemüete
iwer wîplîchen güete
ze dienste immer kêren.
wande iuch kan sælde lêren,
daz ir habt valsche an gesigt:
iwer prîs für alle prîse wigt.
gelücke iuch müeze sælden wern.
frowe, ich wil urloubes gern:
den gebt mir, unde lât mich varn.
iwer zuht müez iwern prîs bewarn.'
ir was sîn dan scheiden leit:
dô weinden durch gesellekeit
mit ir manc juncfrouwe clâr.
diu küngîn sprach ân allen vâr
'het ir mîn genozzen mêr,
mîn fröude wær gein sorgen hêr:
nu moht iur vride niht bezzer sîn.
des gloubt ab, swenne ir lîdet pîn,
ob iuch vertreit ritterschaft
in riwebære kumbers kraft,
sô wizzet, mîn hêr Gâwân,
des sol mîn herze pflihte hân

432 Ze flüste odr ze gewinne.'
diu edele küneginne
kuste den Gâwânes munt.
der wart an freuden ungesunt,
daz er sô gâhes von ir reit.
ich wæne, ez was in beiden leit.
sîn knappen heten sich bedâht,
daz sîniu ors wâren brâht
ûf den hof für den palas,
aldâ der linden schate was.
ouch wârn dem lantgrâven komn
sîn gesellen (sus hân ichz vernomn):
der reit mit im ûz für die stat.
Gâwân in zühteclîchen bat
daz er sich arbeite
unt sîn gezoc im leite
ze Bêârosch. 'da ist Scherules:
den sulen si selbe biten des
geleites ze Dîanazdrûn.
dâ wonet etslîch Bertûn,

9. trwͦen *D*. 10. halt *Dg*, *fehlt g*, doch *Gg*, ouch *d*. sus halt *gg*. 12. wart *DG*. 13. ir deh. *G*. 14. muozer sp. *D*, muz sp. *G*, gemuoztez sp. *g*. 16. sazet *DG*. do *g*. lief *g*, liefe *D*, liefen *Gdgg*. wir alhin *d*. 17. stuonden *alle*. unde *D*. 19. Do *G*. pruoveten *DG*, bruovent *g*. 20. hubscher *g*. 24. al *fehlt Gg*. 25. Die zwene man unde diu chungin *G*. 26. iuncherrnlin *D*. 30. frouwe *Gg*.

431, 6. ih han *Ggg*. die sinne *Gg*. 7. unt *fehlt G*. 10. iwerre *G*. 18. muoze *DG*. 20. weinde *Ggg*. 21. frouwe *Gg*. 25. maht *G*. iwer *DG*. 26. des *fehlt d*, Daz *gg*, Unde *Gg*. geloubt *gg*, geloubet *DG*. aber *alle*, *fehlt Gg*. 28. riwebare *Ggg*, triwewere *g*, riwebæren *D*, riwebarn *g*, reúweberm *g*, unberendem *d*.

432, 1. olde *G*. 3. Gawans *DG*. 5. gahs *g*, gahens *g* 7. Sin *gg*. 12. Sin *dgg*. sus han ih *Gg*, han ich *d*, als ichz han *gg*. 17. Bearosce *D*, bearotsche *G*. daz ist *D*. 18. selbe *Ddg*, bede *Ggg*, von mir *g*. bitten *D*.

der se bringet an den hêrren mîn
oder an Ginovêrn die künegîn.'
 daz lobt im Kyngrimursel:
urloup nam der degen snel.
Gringuljet wart gewâpent sân,
daz ors, und mîn hêr Gâwân.
er kust sîn mâg diu kindelîn
und ouch die werden knappen sîn.
nâch dem grâle im sicherheit gebôt:
er reit al ein gein wunders nôt.

22. tschinoveren *G*, Gynover *g*. 27. chuste sine mage *DG*. 28. die starchen *G*. 30. al eine *DG*.

IX.

433 'Tuot ûf.' wem? wer sît ir?
'ich wil inz herze hin zuo dir.'
sô gert ir zengem rûme.
'waz denne, belîbe ich kûme?
mîn dringen soltu selten klagn:
ich wil dir nu von wunder sagn.'
jâ sît irz, frou âventiure?
wie vert der gehiure?
ich meine den werden Parzivâl,
den Cundrîe nâch dem grâl
mit unsüezen worten jagte,
dâ manec frouwe klagte
daz niht wendec wart sîn reise.
von Artûse dem Berteneise
huop er sich dô: wie vert er nuo?
den selben mæren grîfet zuo,
ober an freuden sî verzagt,
oder hât er hôhen prîs bejagt?
oder ob sîn ganziu werdekeit
sî beidiu lang unde breit,
oder ist si kurz oder smal?
nu prüevet uns die selben zal,
waz von sîn henden sî geschehen.
hât er Munsalvæsche sît gesehen,
unt den süezen Anfortas,
des herze dô vil siufzec was?
durch iwer güete gebt uns trôst,
op der von jâmer sî erlôst.
lât hœren uns diu mære,
ob Parzivâl dâ wære,
434 Beidiu iur hêrre und ouch der mîn.
nu erliuhtet mir die fuore sîn:
der süezen Herzeloyden barn,
wie hât Gahmurets sun gevarn,
sît er von Artûse reit?
ober liep od herzeleit
sît habe bezalt an strîte.
habt er sich an die wîte,
oder hât er sider sich verlegn?
sagt mir sîn site und al sîn pflegn.
nu tuot uns de âventiure bekant,
er habe erstrichen manec lant,
zors, unt in schiffen ûf dem wâc;
ez wære lantman oder mâc,
der tjoste poinder gein im maz,
daz der decheiner nie gesaz.
sus kan sîn wâge seigen
sîn selbes prîs ûf steigen
und d'andern lêren sîgen.
in mangen herten wîgen
hât er sich schumpfentiure erwert,
den lîp gein strît alsô gezert,
swer prîs zim wolte borgen,
der müesez tuon mit sorgen.
sîn swert, daz im Anfortas
gap dô er bîme grâle was,
brast sît dô er bestanden wart:
dô machtez ganz des brunnen art
bî Karnant, der dâ heizet Lac.
daz swert gehalf im prîss bejac.
435 Swerz niht geloubt, der sündet.
diu âventiure uns kündet
daz Parzivâl der degen balt
kom geriten ûf einen walt,
ine weiz ze welhen stunden;
aldâ sîn ougen funden

433, 8. die g. *g*. 18. Olde *G*. 19. Unt *Gg*. 20. sî] ist *D*. 21. Olde-olde *G*, Oder-unde *dg*. 23. sin *G*. handen *Gdgg*. 26. vil] so *G*. suffic *g*, trurch *G*. 28. chumber *G*.

434, 2. Erluht (*ohne* nu) *Gg*. 3. herzeloide *G*. 6. 9. oder *D*, olde *G*. 10. sine *D*. 11. diu *D*. 13. zorse *D*, Ze orse *G*. scheffen *G*. 19. und *fehlt G*. di *D*, die *G*. 21. schunpheture *G*. 23. ze im wolde *G*. porgen *D*. 24. muosez *D*. 26. bime *Dg*, bi dem *G*. 28. macht ez *g*, mahtez *gg*, macht enzt *G*, machet ez *D*. der *G*. 29. dâ *fehlt Gg*. 30. pris *g*, brise *G*.

435, 1. geloubet *D*, geloubit *G* (*von nun an sehr oft* i *für* e). 3. parzivâl *G*, Parzifal *D*. degin palt *G*. 5. Ih ne *G*. 6. sin *dg*, sinin *DGg*.

ein klôsen niwes bûwes stên,
dâ durch ein snellen brunnen gên:
einhalp si drüber was geworht.
der junge degen unervorht
reit durch âventiur suochen:
sîn wolte got dô ruochen.
er vant ein klôsnærinne,
diu durch die gotes minne
ir magetuom unt ir freude gap.
wîplîcher sorgen urhap
ûz ir herzen blüete alniuwe,
unt doch durch alte triuwe.
Schîânatulander
unt Sigûnen vander.
der helt lac dinne begraben tôt:
ir leben leit ûf dem sarke nôt.
Sigûne doschesse
hôrte selten messe:
ir leben was doch ein venje gar.
ir dicker munt heiz rôt gevar
was dô erblichen unde bleich,
sît werltlîch freude ir gar gesweich.
ez erleit nie magt sô hôhen pîn:
durch klage si muoz al eine sîn.

436 Durch minne diu an im erstarp,
daz si der fürste niht erwarp,
si minnete sînen tôten lîp.
ob si worden wær sîn wîp,
dâ hete sich frou Lûnete
gesûmet an sô gæher bete
als si riet ir selber frouwen.
man mac noch dicke schouwen
froun Lûneten rîten zuo
etslîchem râte gar ze fruo.
swelch wîp nu durch geselleschaft
verbirt, und durch ir zühte kraft,
pflihte an vremder minne,
als ich michs versinne,
læt siz bî ir mannes lebn,
dem wart an ir der wunsch gegebn.
kein beiten stêt ir alsô wol:
daz erziuge ich ob ich sol.
dar nâch tuo als siz lêre:
behelt si dennoch êre,
sine treit dehein sô liehten kranz,
gêt si durch freude an den tanz.
wes mizze ich freude gein der nôt
als Sigûn ir triwe gebôt?
daz möht ich gerne lâzen.
über ronen âne strâzen
Parzivâl fürz venster reit
alze nâhn: daz was im leit.
dô wolter vrâgen umben walt,
ode war sîn reise wære gezalt.

437 Er gerte der gegenrede aldâ:
'ist iemen dinne?' si sprach 'jâ'
do er hôrt deiz frouwen stimme was,
her dan ûf ungetretet gras

7. eine *DGg.* nǐwes *G* (*die zweite hand setzt immer* iuw, *die erste nur selten; beide immer* ouw). bẘes *D*, bouwes *G*, *so auch* 438, 28. 8. einen *DG.* 9. drubir was giworht *G.* 10. unervorhte *G.* 11. suochen *gg*, ce versuochen *Ddgg*, ziversuechen *G.* 12. wolt *G.* do geruochen *Gd.* 13. eine *DGg.* chlosenarinne *G*, kloserinne *g.* 15. Ir froude unde ir magetuome gap *G.* 17. bluote *DG.* 19. Scianatulandr *D*, Schinatulander *g*, Schion. *dg.* 20. unt siguonen da vandı *D.* 23. Siguone *D*, Sigenune *G.* doscesse *Dg*, duscesse *g*, ducesse *gg*, dezesse *G.* 24. Hort *Gg.* 25. veinie *G.* 28. wertlich *G.* 30. muose *Gdgg.*

436, 3. minte *dg.* senen *G.* 5. fro lunet *G.* 6. an ir gahen bet *Gg.* 7. alsi *D.* ir selbin *G.* 8. doch *D.* 9. Frouwe *G.* zů-frǒ *G* (*für* uo üe *setzt die zweite hand* ů ǒ ue, *für* ou öu *die beiden ersten*). 10. râte] rait *G.* 12. 13. verbirt *setzt D nach* pfliht. 13. frǒmeder *G.* 14. mih *Ggg.* 15. Lat *alle ausser D.* sis *G.* 17. dech. *D*, Deh. *G.* als *Ggg.* 18. ob] als *Ggg.* 19. als iz *G*, als ez *g.* 20. beheltet *Dg*, Behalt *Ggg*, Behaltet *dg.* 21. dehein *gg*, deheinen *DG*, dekeinen *d*, keinen *gg.* 23. zuo der nôt *Gg.* 24. Siguonen *D*, sigenun *G.* 26. an *G.* 27. Parcifal *D nun oft.* fur daz *G.* 28. nahen *Ggg* = nahe *Dd.* 30. oder *D.* gizalt *G.*

437, 1. Er vragte der *D.* 2. drinne *Ggg.* 3. horte daz ez *DG.* 4. Her dân *G.* ungetretet *gg*, ungetrett *D*, ungetret *Gg*, ungetreten *dg.*

warf erz ors vil drâte.
ez dûht in alze spâte:
daz er niht was erbeizet ê,
diu selbe schame tet im wê.
er bant daz ors vil vaste
zeins gevallen ronen aste:
sînen dürkeln schilt hienc er ouch dran.
dô der kiusche vrävel man
durch zuht sîn swert von im gebant,
er gienc fürz venster zuo der want:
dâ wolter vrâgen mære.
diu klôs was freuden lære,
dar zuo aller schimpfe blôz:
er vant dâ niht wan jâmer grôz.
er gert ir anz venster dar.
diu juncfrouwe bleich gevar
mit zuht ûf von ir venje stuont.
dennoch was im hart unkuont
wer si wære od möhte sîn.
si truog ein hemde hærîn
under grâwem roc zenæhst ir hût.
grôz jâmer was ir sundertrût:
die het ir hôhen muot gelegt,
vonme herzen siufzens vil erwegt.
mit zuht diu magt zem venster gienc,
mit süezen worten sin enpfienc.

438 Si truoc ein salter in der hant:
Parzivâl der wîgant
ein kleinez vingerlîn dâ kôs,
daz si durch arbeit nie verlôs,
sine behieltz durch rehter minne rât.
dez steinlîn was ein grânât:
des blic gap ûz der vinster schîn
reht als ein ander gänsterlîn.
senlîch was ir gebende.
'dâ ûzen bî der wende,'
sprach si, 'hêr, dâ stêt ein banc:
ruocht sitzen, lêrtz iuch iwer gedanc
unt ander unmuoze.
daz ich her ziwerem gruoze
bin komen, daz vergelt iu got:
der gilt getriulîch urbot.'
der helt ir râtes niht vergaz,
für daz venster er dô saz:
er bat ouch dinne sitzen sie.
si sprach 'nu hân ich selten hie
gesezzen bî decheinem man.'
der helt si vrâgen began
umbe ir site und umb ir pflege,
'daz ir sô verre von dem wege
sitzt in dirre wilde.
ich hânz für unbilde,
frouwe, wes ir iuch begêt,
sît hie niht bûwes umb iuch stêt.'
Si sprach 'dâ kumt mir vonme grâl
mîn spîs dâ her al sunder twâl.

439 Cundrîe la surziere
mir dannen bringet schiere
alle samztage naht
mîn spîs (des hât si sich bedâht),
die ich ganze wochen haben sol.'
si sprach 'wær mir anders wol,
ich sorgete wênec umb die nar:
der bin ich bereitet gar.'
dô wânde Parzivâl, si lüge,
unt daz sin anders gerne trüge.

8. scham *G*. vil we *Gg*. 10. Zeins *G*. 11. Sin *g*. hienger *D*. der an *g*. 12. fravil *G*. 13. zuhte *G*. 14. gie fur daz *G*. 16. chlose *DGgg*, closen *g*, chluse *dg*. 21. zuhten *Ggg*. 22. Danch *G*. harte *Gdgg*. 23. Vver *G*. *so zuweilen*. ode *G*, oder *D*. 24. hemede *G*. 25. grawen *Gg*. roche *DG*. zenæhst *Ddgg*, zenaheste *G*, zü nahest *g*. 26. sunder *fehlt G*, herzen *g*. 27. Diu *Ggg*, Der *die übrigen*. 28. Von dem *Gdgg*, Von *g*. vil suftens *Gg*. 29. Mit zuhtin *Gg*. gie-enphie *G*.

438, 1. ein *gg*, einen *DG*. saltir *G*. 3. Einz chleinez *G*. 4. verchôs *Gg*. 5. behieltz *g*, behieltez *DG*. minnen *G*. 6. dz *D*, Daz *G*. 8. Rehte *G*, *fehlt D*. gensterlin *G*, ganaisterlin *g*, ganesterlin *g*. 12. ruochet *DG*. lertz *g*, lerz *D*, lertez *Gdgg*, lerez *g*. iuwer danc *G*. 13. Unde ander iuwer unmuoze *G*. 14. ze iuwern *G*. 15. Pin chomin *G*. 16. giltet *alle*. getriulîch] getrîulichen *Dg*, getriuwelichen *Gdg*, trewelichen *gg*, trûwe *g*. 19. sitze *G*. 25. sizzet *D*, Sitzet *G*. 27. iuwech *G*, euch hie *g*. 28. Sit hie bouwes umbe iuch niht stet *G*, Sit nih buowes hie bi eu stet *g*. 29. Do sprach si mir chumit vome grâl *Gg*. 30. Ein *G*. spîse *alle*. al *fehlt dgg*.

439, 1. Cundrîe (*nicht mit* G) *G*. 3. samzetaginne *G*. 4. spise *alle*. 5. die ganzen *gg*, die *g*. 8. ich *Dg*, ich wol *die übrigen*. beraten *g*, gereit *G*. 9. want *G*. 10. gerne *fehlt G*.

er sprach in schimpfe zir dar în
'durch wen tragt ir daz vingerlîn?
ich hôrt ie sagen mære,
klôsnærinne und klôsnære
die solten mîden âmûrschaft.'
si sprach 'het iwer rede kraft,
ir wolt mich velschen gerne.
swenne ich nu valsch gelerne,
sô hebt mirn ûf, sît ir dâ bî.
ruochts got, ich pin vor valsche vrî:
ich enkan decheinen widersaz.'
si sprach 'disen mähelschaz
trag ich durch einen lieben man,
des minne ich nie an mich gewan
mit menneschlîcher tæte:
magtuomlîchs herzen ræte
mir gein im râtent minne.'
si sprach 'den hân ich hinne,
des kleinœt ich sider truoc,
sît Orilus tjost in sluoc.

440 Mîner jæmerlîchen zîte jâr
wil ich im minne gebn für wâr.
der rehten minne ich pin sîn wer,
wand er mit schilde und ouch mit sper
dâ nâch mit ritters handen warp,
unz er in mîme dienste erstarp.
magetuom ich ledeclîche hân:
er ist iedoch vor gote mîn man.
ob gedanke wurken sulen diu werc,
sô trag ich niender den geberc
der underswinge mir mîn ê.
mîme leben tet sîn sterben wê.
der rehten ê diz vingerlîn
für got sol mîn geleite sîn.
daz ist ob mîner triwe ein slôz,
vonme herzen mîner ougen vlôz.
ich pin hinne selbe ander:
Schîânatulander
ist daz eine, dez ander ich.'
Parzivâl verstuont dô sich
daz ez Sigûne wære:
ir kumber was im swære.
den helt dô wênec des verdrôz,
vonme hersenier dez houbet blôz
er macht ê daz er gein ir sprach.
diu juncfrouwe an im ersach
durch îsers râm vil liehtez vel:
do erkande si den degen snel.
si sprach 'ir sîtz hêr Parzivâl.
sagt an, wie stêtz iu umben grâl?

441 Habt ir geprüevet noch sîn art?
oder wiest bewendet iwer vart?'
er sprach zer meide wol geborn
'dâ hân ich freude vil verlorn.
der grâl mir sorgen gît genuoc.
ich liez ein lant da ich krône truoc,
dar zuo dez minneclîchste wîp:
ûf erde nie sô schœner lîp
wart geborn von menneschlîcher fruht.
ich sen mich nâch ir kiuschen zuht,
nâch ir minne ich trûre vil;
und mêr nâch dem hôhen zil,
wie ich Munsalvæsche mege gesehn,
und den grâl: daz ist noch ungeschehn.

11. sprache *G*. 14. Chlosænærinne vn̄ closenær *G*. 15. di *D*. 19. hevet *G*. 20. Ruchts *g*, ruochtes *D*, Ruochet es *G*. von falsche *Gg*. 21. deheiner *G*. hindersatz *g*. 22. mæheln schatz *G*, michelen sch. *d*. 25. mennischl. *G*. 26. Magetuomes h. *Ggg*. 27. gegen *G*. 28. hieinne *D allein*. 29. cleinœte *d*, chleinot *Dg*, chleinode *Ggg*, chleinœde *g*. 30. orlûs *G*. zer tiost *gg*. ersluoch *Gg*.

440, 4. wander *D*, Wan er *G*. schilte *G*. ouch *fehlt Gdgg*. 5. riters hande erwarp *G*. 6. Unze *G meistens*. minen *G immer*. 7. ledichlichen *G*. 8. got *G*. 9. Obe gedanch suln diu werch *G*. 10. Sone *Ggg*. niendr *D*, niemer *G*. den berch *G*. 12. Minem lebinne *(vermutlich) G*. tét *D*. 13. ditze fing. *G*. 14. Vor got *Ggg*. 16. Vom *gg*, Von dem *G*. mîner] immer *G*. 17. selbânder *D*. 18. Tshian. *G*. 19. ein *dgg*. dz *D*, daz *G*. 24. Vom *g*, Vom dem *G*. harsenier *G*, hersnîere *D*. des huop bloz *G*. 25. machte *gg*, machet *G*, machete *D*. ę *G*. 27. ysen *g*. liehtz *D*, liehtiz *G*.

441, 1. Habe ir gebruvet *G*. sin *dgg*, sinen *DGgg*. 2. wi ist *D*, wie ist *G*. 4. vil virflorn *G*. 5. sorge gite ginuoch *G*. 6. ih chron *G*. 7. Da zuo daz minneclicheste wip *G*. 9. mennischelicher *G*, menslicher *gg*, menchen *dgg*. 12. dem hohem *G*. 13. Munsælvæsce *D (so, oder* munsælvæsche, *immer in diesem buche)*, muntsalvatsche *G*. muge *G*. 14. Und dem grâl *G*.

niftel Sigûn, du tuost gewalt,
sît du mîn kumber manecvalt
erkennest, daz du vêhest mich.'
diu maget sprach 'al mîn gerich
sol ûf dich, neve, sîn verkorn.
du hâst doch freuden vil verlorn,
sît du lieze dich betrâgen
umb daz werdeclîche vrâgen,
unt dô der süeze Anfortas
dîn wirt unt dîn gelücke was.
dâ hete dir vrâgen wunsch bejagt:
nu muoz dîn freude sîn verzagt,
unt al dîn hôher muot erlemt.
dîn herze sorge hât gezemt,
diu dir vil wilde wære,
hetest dô gevrâgt der mære.'

442 'Ich warp als der den schaden hât,'
sprach er. 'liebiu niftel, [gip mir] rât,
gedenke rehter sippe an mir,
und sage mir ouch, wie stêt ez dir?
ich solte trûrn umb dîne klage,
wan daz ich hœhern kumber trage
danne ie man getrüege.
mîn nôt ist zungefüege.'
si sprach 'nu helfe dir des hant,
dem aller kumber ist bekant;
ob dir sô wol gelinge,
daz dich ein slâ dar bringe,
aldâ du Munsalvæsche sihst,
dâ du mir dîner freuden gihst.
Cundrîe la surziere reit
vil niulîch hinnen: mir ist leit
daz ich niht vrâgte ob si dar
wolte kêrn ode anderswar.
immer swenn si kumt, ir mûl dort stêt,
da der brunne ûzem velse gêt.
ich rât daz du ir rîtes nâch:
ir ist lîhte vor dir niht sô gâch,
dune mügest si schiere hân erriten.
dane wart niht langer dô gebiten,
urloup nam der helt aldâ:
dô kêrter ûf die niwen slâ.
Cundrîen mûl die reise gienc,
daz ungeverte im undervienc
eine slâ dier het erkorn.
sus wart aber der grâl verlorn.

443 Al sîner vröude er dô vergaz.
ich wæne er het gevrâget baz,
wær er ze Munsalvæsche komn,
denne als ir ê hât vernomn.
nu lât in rîten: war sol er?
dort gein im kom geriten her
ein man: dem was daz houbet blôz,
sîn wâpenroc von koste grôz,
dar underz harnasch blanc gevar:
ânz houbt was er gewâpent gar.
gein Parzivâle er vaste reit:
dô sprach er 'hêrre, mir ist leit
daz ir mîns hêrren walt sus pant.
ir wert schiere drumbe ermant
dâ von sich iwer gemüete sent.
Munsalvæsche ist niht gewent
daz iemen ir sô nâhe rite,
ezn wær der angestlîche strite,
ode der alsolhen wandel bôt
als man vor dem walde heizet tôt.'
einen helm er in der hende
fuorte, des gebende
wâren snüere sîdîn,
unt eine scharpfe glævîn,
dar inne al niwe was der schaft.
der helt bant mit zornes kraft

15. sigun *d.* 16. min *d.* 17. vehes *G.* 18. geriht *G.* 22. Umb *G.* werdeliche fragin *G.* 27. erloͤmet *G.* 28. sorgin *G.* 30. hetest dô] Hetestu do *G*, hetes *und dann* du *nach* gevraget *D*, Hetestu *die übrigen.* gefragt *g.*

442, 2. gib *G.* 4. ouch *fehlt* *G.* stetz *DGg.* 5. truoren (trurin *G*) umbe *DG.* 7. den *D*, Denne *dgg.* 16. Vil *fehlt* *Gg.* Nûliche *G* = muelich *Dd.* 18. chern *g.* oder *DG.* 19. swenne *DG.* muol *D.* 21. rate *DG.* 22. Ir is *G.* 23. schier *G.* 24. Done-lenger da *G.* 27. Cgundrien *G.* můel *D.* 29. Ein sla die er hete *Gg.* jene *Wackernagel.*

443, 1. al *Dgg*, Aller *dgg*, Al nah *G.* 3. Wær *G.* 4. habit virnomin *G.* 6. chome *G.* 8. wappin roch *G.* 9. undenz *D*, under *dgg*, under daz *die übrigen.* 10. Anez *G*, an dez *D*, Onz *g*, Ane daz *die übrigen.* houbet *D*, huopte *G.* gewappent *G.* 11. Gegin parzival *G.* 14. werdet schier *G.* 16. nih *G.* 17. = nahen *Ggg.* 18. Ezn wær *g*, Ezen wære *DG.* angestlichen *G.* 19. oder *D.* ansolhen *D*, einen sollichen *d.* 24. Unde scharfe glavin *G.* 26. zorns *DG.*

den helm ûfz houbet ebene.
ez enstuont in niht vergebene
an den selben zîten
sîn dröun und ouch sîn strîten:

444 Iedoch bereit er sich zer tjost.
Parzivâl mit solher kost
het ouch sper vil verzert:
er dâhte 'ich wære unernert,
rit ich über diss mannes sât:
wie wurde denn sîns zornes rât?
nu trite ich hie den wilden varm.
mirn geswîchen hende, ieweder arm,
ich gibe für mîne reise ein pfant,
daz ninder bindet mich sîn hant.'
daz wart ze bêder sît getân,
diu ors in den walap verlân,
mit sporn getriben und ouch gefurt
vast ûf der rabbîne hurt:
ir enweders tjost dâ misseriet.
manger tjost ein gegenniet
was Parzivâles hôhiu brust:
den lêrte kunst unt sîn gelust
daz sîn tjost als eben fuor
reht in den stric der helmsnuor.
er traf in dâ man hæht den schilt,
sô man ritterschefte spilt;
daz von Munsalvæsche der templeis
von dem orse in eine halden reis,
sô verr hin ab (diu was sô tief),
daz dâ sîn leger wênec slief.
Parzivâl der tjoste nâch
volgt. dem orse was ze gâch:
ez viel hin ab, deiz gar zebrast.
Parzivâl eins zêders ast

445 Begreif mit sînen handen.
nu jehts im niht ze schanden,
daz er sich âne schergen hienc.
mit den fuozen er gevienc
undr im des velses herte.
in grôzem ungeverte
lac daz ors dort niden tôt.
der ritter gâhte von der nôt
anderhalp ûf die halden hin:
wolt er teilen den gewin
den er erwarp an Parzivâl,
sô half im baz dâ heime der grâl.
Parzivâl her wider steic.
der zügel gein der erden seic:
dâ hete daz ors durch getreten,
als ob ez bîtens wære gebeten,
des jener ritter dâ vergaz.
dô Parzivâl dar ûf gesaz,
done was niht wan sîn sper verlorn:
diu vlust gein vinden was verkorn.
ich wæne, der starke Lähelîn
noch der stolze Kyngrisîn
noch roys Gramoflanz
noch cons Lascoyt fîz Gurnemanz
nie bezzer tjost geriten,
denne als diz ors wart erstriten.
dô reit er, ern wiste war,
sô daz diu Munsalvæscher schar
in mit strîte gar vermeit.
des grâles vremde was im leit.

446 Swerz ruocht vernemn, dem tuon ich kuont
wie im sîn dinc dâ nâch gestuont.

27. Dem *G*. ûfez *D*, uf daz *die übrigen*. eben-virgebin *Gdgg*. 30. dron *DG*. ouch *fehlt Gdg*.

444, 1. zetyost *G*. 4. unernerte *G*. 5. disses *G*. 6. denne *DG*. zorens *D*. 7. trit *G*, tritte *D*, tret *dgg*, trette *gg*. dem *G*. 8. gewischen *G*. iwedr *D*, ietweder *dg*, unde ietweder *gg*, unde *Gg*. 9. gib im *g*. min *Gg*. 10. nindr *D*, niender *G*. 11. zebeider site *G*. 13. gefuort *g*, gefuert *G*, gefurt *Dddgg*. 14. rabine *G*. huort *g*, hurt *die übrigen*. 15. enw. *D*, twed. *g*, dewed. *gg*, dewers *G*, ietwed. *dgg*. 16. ein gein niet *G*, engegen biet *g*. 19. al *dg*. ebene *G*. 21. hæht *Dg*, hælt *G*, heft *g*, hapt *d*, hæbet *g*, hencket *d*. 23. tepeleis *G*. 24. ôrse *G*. halde *Gg*. 25. verre *DG*. abe *G*. sô *fehlt Ggg*. 28. Volgte *gg*, Volget *Gdgg*, volgete *D*. ce *D*, ouch *G*. 29. Ez vil hin abe *G*. daz ez *alle*. gar *fehlt Gg*.

445, 2. iehst im *D*, get es im *d*, ieht ez im *g*, gebet sim *G*, iehet sin *g*, geht ims *gg*. 3. an scherigen *G*. 5. Under dem felse herten *Gg*. 8. gahete *D*. 9. anderhalben *Ddgg*. sin *dg und* (*punctiert*, *übergeschrieben* hin) *G*. 10. Wolder *G*. 12. in *G*. 14. gein den *G*. 15. ôrs *G*. 18. druf *G*. 20. Der schade *Gg*. veinden *gg*, veienden *g*, vinde *d*. 21. lehelin *G*. 23. roy Gramovlanz *D*. 24. cons fiz lascheit Gurnomanz *G*. 26. Danne als wart daz ors erstriten *G*. 27. ern (erne *G*) wesse *Gg*, erne-wiste selbe *D*. 28. diu] der *D*. 30. fromede *G*.

446, 1. ruocht *g*. 2. dar nach *Ggg*. stuont *Gg*.

desn prüeve ich niht der wochen zal,
über wie lanc sider Parzivâl
reit durch âventiure als ê.
eins morgens was ein dünner snê,
iedoch sô dicke wol, gesnît,
als' der noch frost den liuten gît.
ez was ûf einem grôzen walt.
im widergienc ein rîter alt,
des part al grâ was gevar,
dâ bî sîn vel lieht unde clâr:
die selben varwe truoc sîn wîp;
diu bêdiu über blôzen lîp
truogen grâwe röcke herte
ûf ir bîhte verte.
sîniu kint, zwuo juncfrowen,
die man gerne mohte schowen,
dâ giengen in der selben wât.
daz riet in kiusches herzen rât:
si giengen alle barfuoz.
Parzivâl bôt sînen gruoz
dem grâwen rîter der dâ gienc;
von des râte er sît gelücke enphienc.
ez mohte wol ein hêrre sîn.
dâ liefen frouwen bräckelîn.
mit senften siten niht ze hêr
gienc dâ rittr und knappen mêr
mit zühten ûf der gotes vart:
genuog sô junc, gar âne bart.

447 Parzivâl der werde degen
het des lîbes sô gepflegen
daz sîn zimierde rîche
stuont gar rîterlîche:
in selhem harnasch er reit,
dem ungelîch was jeniu kleit
die gein im truoc der grâwe man.
daz ors ûzem pfade sân
kêrter mit dem zoume.
dô nam sîn vrâgen goume
umbe der guoten liute vart:
mit süezer rede ers innen wart.
dô was des grâwen rîters klage,
daz im die heileclîchen tage
niht hulfen gein alselhem site,
daz er sunder wâpen rite
ode daz er barfuoz gienge
unt des tages zît begienge.
Parzivâl sprach zim dô
'hêr, ich erkenne sus noch sô
wie des jârs urhap gestêt
ode wie der wochen zal gêt.
swie die tage sint genant,
daz ist mir allez unbekant.
ich diende eim der heizet got,
ê daz sô lasterlîchen spot
sîn gunst übr mich erhancte:
mîn sin im nie gewancte,
von dem mir helfe was gesagt:
nu ist sîn helfe an mir verzagt.'

448 Dô sprach der rîter grâ gevar
'meint ir got den diu magt gebar?
geloubt ir sîner mennescheit,
waz er als hiut durch uns erleit,
als man diss tages zît begêt,
unrehte iu denne dez harnasch stêt.
ez ist hiute der karfrîtac,
des al diu werlt sich freun mac
unt dâ bî mit angest siufzec sîn.
wâ wart ie hôher triwe schîn,
dan die got durch uns begienc,
den man durch uns anz kriuze hienc?
hêrre, pflegt ir toufes,
sô jâmer iuch des koufes:

3 *nach* 4 *G.* 6. eine dunner *G.* 7. wol *fehlt Gg.* 9. einen *Gd.* 11. pârt *G.* 12. lieht *Dg*, linde *Gdgg*, was linde *g.* 14. 18. di *D.* 17. zwͦ *D*, zwô *G.* 20. in *Dgg*, ir *Gdgg.* 23. rîter *mit* î *D.* 24. sît] sin *Ggg.* geluch *G.* 26. brachelin *Gg.* 28. ríter *D*, riter *G.* 30. Genuoge *G*, gnuoge *D.* an bart *G.*

447, 2. lîbes *fehlt G.* 5. solhem harnasche *G.* 6. Dem iungelinge was *G.* warn *gg.* 7. di *D.* gegen *G.* 14. heilchl. *G.* 15. al *fehlt Ggg.* solh. *G.* 17. 22. Oder *G.* 18. enphienge *Gg.* 19. zeim *G.* 20. herre *DG.* sús *G.* 21. iars *g.* zit *Gg.* 24. alliz umbekant *G.* 25. diene *Gg.* einem *alle.* 27. uber *D*, ubir *G*, umb *g.* virhancte *Gdg.*

448, 1. grawær. *G.* 3. Geloubet ir sin *G.* menesceît *D*, mennischeit *G.* 4. hiute *D.* 5. dis *dg*, disses *DG*, dits *g.* 6. danne daz harnachs *G.* 8. alle diu *Gd.* sich frouden mac *G.* 9. suftec *G.* 10. grozer *Gg.* 11. denne *D*, Danne *G.* 12. cruce *G* (*die erste hand immer* chruze, *nie mit* c *oder* tz). 14. iamer *Dg*, iamert *die übrigen.*

er hât sîn werdeclîchez lebn
mit tôt für unser schult gegebn,
durch daz der mensche was verlorn,
durch schulde hin zer helle erkorn.
ob ir niht ein heiden sît,
sô denket, hêrre, an dise zît.
rîtet fürbaz ûf unser spor.
iu ensitzet niht ze verre vor
ein heilec man: der gît iu rât,
wandel für iwer missetât.
welt ir im riwe künden,
er scheidet iuch von sünden.'
  sîn tohter begunden sprechen
'waz wilt du, vater, rechen?
sô bœse weter wir nu hân,
waz râts nimstu dich gein im an?
449 Wan füerstun da er erwarme?
sîne gîserten arme,
swie rîterlîch die sîn gestalt,
uns dunct doch des, si haben kalt:
er erfrüre, wærn sîn eines drî.
du hâst hie stênde nâhen bî
gezelt und slavenîen hûs:
kœm dir der künec Artûs,
du behieltst in ouch mit spîse wol.
nu tuo als ein wirt sol,
füer disen rîter mit dir dan.'
dô sprach aber der grâwe man
'hêr, mîn tohter sagent al wâr.
hie nâhen bî elliu jâr
var ich ûf disen wilden walt,
ez sî warm oder kalt,
immer gein des marter zît,
der stæten lôn nâch dienste gît.
swaz spîse ich ûz brâht durch got,
die teil ich mit iu âne spot.'
  diez mit guoten willen tâten,
die juncfrouwen bâten
in belîben sêre:
unt er hete belîbens êre,
iewederiu daz mit triwen sprach.
Parzivâl an in ersach,
swie tiur von frost dâ was der sweiz,
ir munde wârn rôt, dicke, heiz:
die stuonden niht senlîche,
des tages zîte gelîche.
450 Ob ich kleinez dinc dar ræche,
ungern ich daz verspræche,
ichn holt ein kus durch suone dâ,
op si der suone spræchen jâ.
wîp sint et immer wîp:
werlîches mannes lîp
hânt si schier betwungen:
in ist dicke alsus gelungen.
  Parzivâl hie unde dort
mit bete hôrt ir süezen wort,
des vater, muotr unt [der] kinde.
er dâhte 'ob ich erwinde,
ich gên ungerne in dirre schar.
dise meide sint sô wol gevar,
daz mîn rîten bî in übel stêt,
sît man und wîp ze fuoz hie gêt.
sich füegt mîn scheiden von in baz,
sît ich gein dem trage haz,
den si von herzen minnent
unt sich helfe dâ versinnent.
der hât sîn helfe mir verspart
und mich von sorgen niht bewart.'
  Parzivâl sprach zin dô sân
'hêrre und frouwe, lât mich hân

15. werdelichez *G.* 16. tode *DG.* 17. der mennichs *G.* 22. en *fehlt G.* 27. Sine *DG allein.* begunde *gg.* 28. wil du *DG.* 30. rats *g*, râtes *DG.*

449, 1. Wan fuorstu in da erre warme *G.* 2. geserten *g.* 3. si *Ggg.* sin *G.* 4. dunkt *g.* des *fehlt Ggg.* 5. erfrure *G*, erfrůr *D.* wæren *D*, wære *Ggg.* eines] ein *Gg.* 6. nahe *G.* 7. slavinen *g.* 8. chœme *D*, Chome *(über keinen vocal* e *übergeschrieben) G.* artûs *G.* 9. behieltest *D*, behielst *Gg.* 10. ein wirte *G.* 11. fuere *DG.* 13. mine *Dg.* töhter *dg.* sagt *gg.* ál wâr *G.* 14. nahe *Gdg.* 16. warme *G.* 20. an spot *G.* 21. guotin *G*, guotem *dgg*, *fehlt g.* 23. belibennes *Gdg. so G* 24. 25. Ietwedriu *Gg.* 27. froste *alle.* dâ *fehlt dg.* wære *Ggg.* 28. rôt *fehlt d.* dicke *g*, vn̄ diche *D*, ditche unde *G und die übrigen.* 29. 30. senelich-gelich *G.*

450, 1. chleinz *G.* da *Ggg.* 3. einen *DG.* chuss *D*, cius *G.* sǒene *G.* 5. ét *G.* 6. Wertl. *Ggg*, Werdecbl. *g.* 10. bet *DG.* suoziu *Ggg.* 11. der muoter *gg.* der] ir *d.* 16. zefueze *Ggg*, ze fuozen *g.* 17. fuogt *g*, fueget *DG.* 18. trâge *G.* 19. si] sin *G.* 22. vor *dgg.* 24. Frouwe unde herre lant *Gg.* vrowen *gg.*

iwern urloup. gelücke iu heil
gebe, und freuden vollen teil.
ir juncfrouwen süeze,
iwer zuht iu danken müeze,
sît ir gundet mir gemaches wol.
iwern urloup ich haben sol.'
451 Er neic, unt die andern nigen.
dâ wart ir klage niht verswigen.
hin rîtet Herzeloyde fruht.
dem riet sîn manlîchiu zuht
kiusch unt erbarmunge:
sît Herzeloyd diu junge
in het ûf gerbet triuwe,
sich huop sîns herzen riuwe.
alrêrste er dô gedâhte,
wer al die werlt volbrâhte,
an sînen schepfære,
wie gewaltec der wære.
er sprach 'waz ob got helfe phligt,
diu mînem trûren an gesigt?
wart ab er ie ritter holt,
gedient ie ritter sînen solt,
ode mac schilt unde swert
sîner helfe sîn sô wert,
und rehtiu manlîchiu wer,
daz sîn helfe mich vor sorgen ner,
ist hiut sîn helflîcher tac,
sô helfe er, ob er helfen mac.'
er kêrt sich wider dann er dâ reit.
si stuonden dannoch, den was leit
daz er von in kêrte.
ir triwe si daz lêrte:
die juncfrowen im sâhen nâch;
gein den ouch im sîn herze jach
daz er si gerne sæhe,
wand ir blic in schœne jæhe.
452 Er sprach 'ist gotes kraft sô fier
daz si beidiu ors unde tier
unt die liut mac wîsen,
sîn kraft wil i'm prîsen.
mac gotes kunst die helfe hân,
diu wîse mir diz kastelân
dez wægest umb die reise mîn:
sô tuot sîn güete helfe schîn:
nu genc nâch der gotes kür.'
den zügel gein den ôren für
er dem orse legte,
mit den sporn erz vaste regte.
gein Fontân la salvâtsche ez gienc,
dâ Orilus den eit enpfienc.
der kiusche Trevrizent dâ saz,
der manegen mântac übel gaz:
als tet er gar die wochen.
er hete gar versprochen
môraz, wîn, und ouch dez prôt.
sîn kiusche im dennoch mêr gebôt,
der spîse het er keinen muot,
vische noch fleisch, swaz trüege bluot.
sus stuont sîn heileclîchez lebn.
got het im den muot gegebn:
der hêrre sich bereite gar
gein der himelischen schar.
mit vaste er grôzen kumber leit:
sîn kiusche gein den tievel streit.
an dem ervert nu Parzivâl
diu verholnen mære umben grâl.
453 Swer mich dervon ê frâgte
unt drumbe mit mir bâgte,
ob ichs im niht sagte,
umprîs der dran bejagte.

29. mir gundet *gg*. 30. Iuwern urlop *G*.

451, 2. Do *G*. 3. reit *Ggg*. Herzeloyden *D*. herzenlauden *dgg*. 5. chiusce *D*, Chusche *G*. erbærmunge *G*. 6. Herzeloyde *D*, herzoloyde *G*. 9. alrest *D*. dahte *G*. 10. werlde *G*. 14. mime *g*, minne *G*. 15. aber *g*, aber er *D*, er abir *G*. 16. gedîende *D*. îe *D*, iȩ *G*. 17. schilte *G*. unt *D*, ode *G*. 21. hiute *DG*. helfeclicher *Gg*, helfenlicher *g*. 23. chert *gg*. dan *g*, danne *G*, dannen *D*. dâ *fehlt Gg*. 28. Gen *G*. 30. Wande *G*. schoene *G*, scone *D*.

452, 1. chrast *G*. 3. di *Dg*. liute *D*, lute *G*. 4. sine *DGd*. chrafte *G*. im *G*, ich *g*, ich im *die übrigen*. 5. kunst *DGgg*, kunft *g*, gunst *d*, chraft *gg*. 6. ditze ch. *G*. 7. dz *D*. wegist *G*. 13. fontane *Dg*. funtane *G*, fontanie *gg*, funtanie *d*. 14. orillus *G*. 15. Trefrizent *g*, Treфriszent *g*. 16. mænigen *G*. mântach *Dgg*, mæntac *Gdgg*. 19. ouch dez] ouchz *Dd*, ouch daz *Ggg*, ouch *g*, *fehlt g*. 21. dech. *D*. deh. *G*. 24. dem muot *G*. 27. vasten *alle außer D*. 28. dem *DG*. tîevel *D*, nefel G. 29. dervert *g*. 30. virholnen *Gdgg*, verholn *gg*, verholniu *D*. umb den grâl *G*.

453, 1. drumbe fragite *G*. 2. unt dar umbe *D*. bâget *G*. 3. Ob ih sim *G*. 4. Umbrîs *G*. er *Gg*

mich batez helen Kyôt,
wand im diu âventiure gebôt
daz es immer man gedæhte,
ê ez d'âventiure bræhte
mit worten an der mære gruoz
daz man dervon doch sprechen muoz.
Kyôt der meister wol bekant
ze Dôlet verworfen ligen vant
in heidenischer schrifte
dirre âventiure gestifte.
der karakter â b c
muoser hân gelernet ê,
ân den list von nigrômanzî.
ez half daz im der touf was bî:
anders wær diz mær noch unvernumn.
kein heidensch list möht uns gefrumn
ze künden umbes grâles art,
wie man sîner tougen inne wart.
ein heiden Flegetânîs
bejagte an künste hôhen prîs.
der selbe fisîôn
was geborn von Salmôn,
ûz israhêlscher sippe erzilt
von alter her, unz unser schilt
der touf wart fürz hellefiur.
der schreip vons grâles âventiur.

454 Er was ein heiden vaterhalp,
Flegetânîs, der an ein kalp
bette als ob ez wær sîn got.
wie mac der tievel selhen spot
gefüegen an sô wîser diet,
daz si niht scheidet ode schiet
dâ von der treit die hôhsten hant
unt dem elliu wunder sint bekant?
Flegetânîs der heiden
kunde uns wol bescheiden
ieslîches sternen hinganc
unt sîner künfte widerwanc;
wie lange ieslîcher umbe gêt,
ê er wider an sîn zil gestêt.
mit der sternen umbereise vart
ist gepüfel aller menschlîch art.
Flegetânîs der heiden sach,
dâ von er blûweclîche sprach,
im gestirn mit sînen ougen
verholenbæriu tougen.
er jach, ez hiez ein dinc der grâl:
des namen las er sunder twâl
inme gestirne, wie der hiez.
'ein schar in ûf der erden liez:
diu fuor ûf über die sterne hôch.
op die ir unschult wider zôch,
sît muoz sîn pflegn getouftiu fruht
mit alsô kiuschlîcher zuht:
diu menscheit ist immer wert,
der zuo dem grâle wirt gegert.'

455 Sus schreip dervon Flegetânîs.
Kyôt der meister wîs
diz mære begunde suochen
in latînschen buochen,
wâ gewesen wære
ein volc dâ zuo gebære
daz ez des grâles pflæge
unt der kiusche sich bewæge.

5. Dich *G.* batiz helen *G*, batz heln *D.* kiot *G immer.* 6. Wande *G.* 7. ers *g.* 8. diu Aventiure *DG.* 10. doch] nu *G.* sprechn *D.* 12. Ze dolêt v. liegen vant *G.* 13. heidenscher *D.* 14. stifte *G.* 16. Muese er haben *G.* 17. ane *DG.* nigram. *gg.* 18. touffe *G.* 19. andrs *D.* wære-mære *DG*, *wie gewöhnlich.* ditze *G.* noh unvirnomin *G.* 20. dehein *D*, Nehein *G.* heidenischer *G.* uns *fehlt D.* gefrumin *G*, gefromen *dgg.* 21. umb den *G.* Grals *DG.* 23. hiez fl. *dg.* flegetanis (i *zwischen* e *und* g *übergeschrieben*) *G*, *nachher immer* Fleigetanis. 25. vision *Gd.* 26. salmon *Gg*, Salomon *D*, Salemon *g*, Salomon *dgg.* 27. israhelscher *d*, -lischer *DGgg*, israhels *gg.* diet erzalt *G.* 29. toufe *G.*

454, 1. Ez *G.* 3. ob *fehlt Gg.* 4. sinen sp. *Gg.* 6. oder *G.* 11. Iegel. *G*, Iegesl. *g.* sternes *Gg.* 12. sinen chunste *G.* 13. iegesl. *Gg.* 15. stern *g*, sterne *gg.* 16. gepuͤfel *D*, gepruovet *die übrigen.* menschlich *g.* menneschlicher *Dgg*, mennischen *Gd.* 18. blwecliche *g und* (*mit* o *über* w) *D*, bluchlichen *gg*, bluchelichen *G*, blœdeclichen *d.* 19. in me *D*, Im den *G.* gestirne *DG.* 20. Verholnbaeriu *G.* 21. ezwære *Ggg.* 25. fuer ouͮf *G.* sternen *Gdg*, stern *g.* 29. mennischeit *Gg.*

455, 1. screip *G.* 3. Daz *G.* 4. latinischen *D und die übrigen außer G.* 6. dar zuo *Gdgg.*

er las der lande chrônicâ
ze Britâne unt anderswâ,
ze Francrîche unt in Yrlant:
ze Anschouwe er diu mære vant.
er las von Mazadâne
mit wârheit sunder wâne:
umb allez sîn geslehte
stuont dâ geschriben rehte,
unt anderhalp wie Tyturel
unt des sun Frimutel
den grâl bræht ûf Amfortas,
des swester Herzeloyde was,
bî der Gahmuret ein kint
gewan, des disiu mære sint.
der rît nu ûf die niwen slâ,
die gein im kom der rîter grâ.
er erkande ein stat, swie læge der snê
dâ liehte bluomen stuonden ê.
daz was vor eins gebirges want,
aldâ sîn manlîchiu hant
froun Jeschûten die hulde erwarp,
unt dâ Orilus zorn verdarp.
456 Diu slâ in dâ niht halden liez:
Fontâne la salvâtsche hiez
ein wesen, dar sîn reise gienc.
er vant den wirt, der in enphienc.
der einsidel zim sprach
'ouwê, hêr, daz iu sus geschach
in dirre heileclîchen zît.
hât iuch angestlîcher strît
in diz harnasch getriben?
ode sît ir âne strît beliben?
sô stüende iu baz ein ander wât,
lieze iuch hôchferte rât.
nu ruocht erbeizen, hêrre,
(ich wæne iu daz iht werre)
und erwarmt bî einem fiure.
hât iuch âventiure
ûz gesant durch minnen solt,
sît ir rehter minne holt,
sô minnt als nu diu minne gêt,
als disses tages minne stêt:
dient her nâch umbe wîbe gruoz.
ruocht erbeizen, ob ichs biten muoz.'
Parzivâl der wîgant
erbeizte nider al zehant,
mit grôzer zuht er vor im stuont.
er tet im von den liuten kuont,
die in dar wîsten,
wie die sîn râten prîsten.
dô sprach er 'hêr, nu gebt mir rât:
ich bin ein man der sünde hât.'
457 Dô disiu rede was getân,
dô sprach aber der guote man
'ich bin râtes iwer wer.
nu sagt mir wer iuch wîste her.'
'hêr, ûf dem walt mir widergienc
ein grâ man, der mich wol enpfienc:
als tet sîn massenîe.
der selbe valsches frîe
hât mich zuo ziu her gesant:
ich reit sîn slâ, unz ich iuch vant.'
der wirt sprach 'daz was Kahenîs:
der ist werdeclîcher fuore al wîs.
der fürste ist ein Punturteis:
der rîche künec von Kâreis
sîne swester hât ze wîbe.
nie kiuscher fruht von lîbe
wart geborn dan sîn selbes kint,
diu iu dâ widergangen sint.
der fürste ist von küneges art.
alle jâr ist zuo mir her sîn vart.'
Parzivâl zem wirte sprach
'dô ich iuch vor mir stênde sach,

10. britane g, Brittanie D, britannia G. 11. in ir lant G. 12. anschouwę G. 13. 14. mazadan-sunder wan *alle*. 15. Ubir alliz G. geslæhte D, geslahte G. 16. *fehlt* G. 17. wi D, von G. tit. G. 19. bræhte Dg, braht Ggg. 20. Hercelo^{v}yde D. 23. ritet *alle*, *nur* g rait. 24. ritr grâ D. 27. eins birges G. 28. Da sin G. 29. Fron G. 30. orillus G.

456, 2. Fontane D, Fontanie gg, Funtane G, Funtanie d. lasalvasche G, lasalvasce d. 6. We G. herre *fehlt* g. sus *fehlt* D. 7. heiligen gg. 9. ditze G. 10. Oder G. an G. 13. ruochet DG. 15. erwarmt g. 19. minnet DG. 20. disse g, ditse g. 22. Ruechet G. bitten D. 24. Erbeizzet G. 25. grozir zuhte er von G. 28. brîsten G. 29. nu *fehlt* G.

457, 1. disiu Dg, diu Gdgg. 4. iu D. 5. walde *alle*. 7. mæssinîe G. 8. friç G. 11. kahenis gg, kahnis G, kæhenis g, kehenis d, Gabenîs D. 12. al Gdgg, *fehlt* Dgg. 13. porturteis G. 14. Kareis gg, chareis Dg, Gareis G, sareis g, clareyse d. 17. Nie wart G. dan g, danne G, denne D.

vorht ir iu iht, do ich zuo ziu reit?
was iu mîn komen dô iht leit?'
dô sprach er 'hêrre, geloubet mirz,
mich hât der ber und ouch der hirz
erschrecket dicker denne der man.
ein wârheit ich iu sagen kan,
ichn fürhte niht swaz mennisch ist:
ich hân ouch mennischlîchen list.
458 Het irz niht für einen ruom,
sô trüege ich fluht noch magetuom.
mîn herze enpfienc noch nie den kranc
daz ich von wer getæte wanc.
bî mîner werlîchen zît,
ich was ein rîter als ir sît,
der ouch nâch hôher minne ranc.
etswenne ich sündebærn gedanc
gein der kiusche parrierte.
mîn lebn ich dar ûf zierte,
daz mir genâde tæte ein wîp.
des hât vergezzen nu mîn lîp.
gebt mir den zoum in mîne hant.
dort under jenes velses want
sol iwer ors durch ruowe stên.
bi einer wîle sul wir beide gên
und brechn im grazzach unde varm:
anders fuoters bin ich arm.
wir sulenz doch harte wol ernern.'
Parzivâl sich wolde wern,
daz ers zoums enpfienge niht.
'iwer zuht iu des niht giht,
daz ir strîtet wider decheinen wirt,
ob unfuoge iwer zuht verbirt.'
alsus sprach der guote man.
dem wirte wart der zoum verlân.
der zôch dez ors undern stein,
dâ selten sunne hin erschein.
daz was ein wilder marstal:
dâ durch gienc eins brunnen val.
459 Parzivâl stuont ûffem snê.
ez tæte eim kranken manne wê,
ob er harnasch trüege
da der frost sus an in slüege.
der wirt in fuorte in eine gruft,
dar selten kom des windes luft.
dâ lâgen glüendige koln:
die mohte der gast vil gerne doln.
ein kerzen zunde des wirtes hant:
do entwâpent sich der wîgant.
undr im lac ramschoup unde varm.
al sîne lide im wurden warm,
sô daz sîn vel gap liehten schîn.
er moht wol waltmüede sîn:
wand er het der strâzen wênc geriten,
âne dach die naht des tages erbiten:
als het er manege ander.
getriwen wirt dâ vander.
dâ lac ein roc: den lêch im an
der wirt, unt fuort in mit im dan
zeiner andern gruft: dâ inne was
sîniu buoch dar an der kiusche las.
nâch des tages site ein alterstein
dâ stuont al blôz. dar ûf erschein
ein kefse: diu wart schier erkant;
dar ûffe Parzivâles hant

23. Forhte ir *G*. 26. Mir *G*. bêr *G*. 29. mennisch *G*, mensch *gg*, mensche *Dgg*, menschelich *d*. 30. mennischl. *Gg*, menschl. *Ddgg*.

458, 2. Sone trage ih *Gg*. 3. enphie *G oft*. den] der *D*. 4. von warre *G*. 5. wærlichen *G*, werltlicher *g*. 8. sundebæren *D*, sundebære *G*. danc *g*. 11. gn. *D*. 12. nu virgezzen *G*. 14. iens *DGgg*. vels *G*. 15. rẘen *D*. 16. suln *G*. 17. und *fehlt gg*. brechen *alle*. grazzach *D*, grazzich *G*. grasach *g*, gras abe *d*, grasz *g*, gras *gg*. 18. arme *G*. 19. suln ez *G*. 21. ers *D*, er des *Gdg*, er den zoum *gg*. zoums *g*, zoumes *DGd*. 23. stritet *D*, stritte *G*. 24. Obe ungefuoge iuwer zuhte *G*. 25. Also *G*. 26. zoume *G*. 27. Er *Gd*. dz *D*, daz *G*. ors *fehlt g*. undern] under einen *Gd*, under ienen *die übrigen*.

459, 2. einem *D*, einen *G*. 4. froste *G*. in *fehlt G*. 5. grufte *G*, krufft *dg*. 6. lufte *G*. 7. glundige *g*, gluendich *D*, gluende *Gdgg*, genuoge *g*. 8. Daz *G*. 9. eine *DGg*. zunte *G*, zünt *g*. 11. under *D*, Undir *G*. unt *D*. 12. sin *G*. im *Ddg*, in *G*, *fehlt gg*. 13. gap *setzt D vor z.* 14. 14. mohte *D*. 15. Wan *G*. strazin *G*, straze *gg*. wench *Gg*, wenech *D*. getriten *D*. 16. Ane danc *G*. 18. vande er *G*. 19. rokch *D*. leit *G*. 20. fuortn *D*. 21. grûft *D*, krufft *dg*. 25. chesfe *G*.

swuor einen ungefelschten eit,
dâ von froun Jeschûten leit
ze liebe wart verkêret
unt ir fröude gemêret.
460 Parzivâl zem wirte sîn
sprach 'hêrre, dirre kefsen schîn
erkenne ich, wand ich drûffe swuor
zeinen zîten do ich hie für si fuor.
ein gemâlt sper derbî ich vant:
hêr, daz nam al hie mîn hant:
dâ mit ich prîs bejagte,
als man mir sider sagte.
ich verdâht mich an mîn selbes wîp
sô daz von witzen kom mîn lîp.
zwuo rîche tjoste dermit ich reit:
unwizzende ich die bêde streit.
dannoch het ich êre:
nu hân ich sorgen mêre
denne ir an manne ie wart gesehn.
durch iwer zuht sult ir des jehn,
wie lanc ist von der zîte her,
hêr, daz ich hie nam daz sper?'
dô sprach aber der guote man
'des vergaz mîn friunt Taurîan
hie: er kom mirs sît in klage.
fünfthalp jâr unt drî tage
ist daz irz im nâmet hie.
welt irz hœrn, ich prüeve iu wie.'
ame salter laser im über al
diu jâr und gar der wochen zal,
die dâ zwischen wâren hin.
'alrêrst ich innen worden bin
wie lange ich var wîselôs
unt daz freuden helfe mich verkôs,'
461 Sprach Parzivâl. 'mirst freude ein troum:
ich trage der riwe swæren soum.
hêrre, ich tuon iu mêr noch kuont.
swâ kirchen ode münster stuont,
dâ man gotes êre sprach,
kein ouge mich dâ nie gesach
sît den selben zîten:
ichn suochte niht wan strîten.
ouch trage ich hazzes vil gein gote:
wand er ist mîner sorgen tote.
die hât er alze hôhe erhabn:
mîn freude ist lebendec begrabn.
kunde gotes kraft mit helfe sîn,
waz ankers wær diu vreude mîn?
diu sinket durch der riwe grunt.
ist mîn manlîch herze wunt,
od mag ez dâ vor wesen ganz,
daz diu riuwe ir scharpfen kranz
mir setzet ûf werdekeit
die schildes ambet mir erstreit
gein werlîchen handen,
des gihe ich dem ze schanden,
der aller helfe hât gewalt,
ist sîn helfe helfe balt,
daz er mir denne hilfet niht,
sô vil man im der hilfe giht.'
der wirt ersiuft unt sah an in.
dô sprach er 'hêrre, habt ir sin,
sô schult ir got getrûwen wol:
er hilft iu, wand er helfen sol.
462 Got müeze uns helfen beiden.
hêr, ir sult mich bescheiden

27. ungefelscheten *G*, ungefelschen *d*, ungefalischten *g*. 28. fron *G*. 29. wercherte *G*.

460, 1. sîn] sprach *G*. 3. wan *G*. 4. da *G*. hie fur sî *Dg*, hie (hin *d*) fúr *dgg*, hie *G*, fur sie *g*. 7. brise beiagit *G*. 10. chome *G*. 11. Zu *G*, zwo *D*. 13. ich here *G*. 15. Danne *G immer*. 18. herre *fehlt Gd*. daz selbe sper *d*. 20. thaurian *G*, Turian *g*. 22. Funthalp *g*, Suntehalp *G*. 23. 24. *nach* 25. 26 *G*. 24. hœrn *g*. 25. Ame dem saltir las er im gar. *G*. 26. gar] ouch *G*. 27. di *D*. 28. Alrerste *G*. 29. wislos *Dg*.

461, 1. Parzival sprach *G*. mir ist *alle*. troume *G*. 4. oder *G*. 6. dehein *DG*. 10. 30. Wan *G*. siner *G*. tôte *G*. 14. die *G*. 16. manliche *G*. 17. Ode *G*. vor *Dgg*, von *Gdgg*. 20. ampt *D*. erestreit *G*. 25. danne *G*. 26. holfe *G*. 27. ersufte *Gg*, ersiufzet *D*, erseufzt *g*. 29. sult *alle außer D*. gote *G*. 30. hilfet *DG*, helfe *g*.

(ruochet alrêrst sitzen),
sagt mir mit kiuschen witzen,
wie der zorn sich an gevienc,
dâ von got iwern haz enpfienc.
durch iwer zuht gedolt
vernemt von mir sîn unscholt,
ê daz ir mir von im iht klagt.
sîn helfe ist immer unverzagt.
doch ich ein leie wære,
der wâren buoche mære
kund ich lesen unde schrîben,
wie der mensche sol belîben
mit dienste gein des helfe grôz,
den der stæten helfe nie verdrôz
für der sêle senken.
sît getriwe ân allez wenken,
sît got selbe ein triuwe ist:
dem was unmære ie falscher list.
wir suln in des geniezen lân:
er hât vil durch uns getân,
sît sîn edel hôher art
durch uns ze menschen bilde wart.
got heizt und ist diu wârheit:
dem was ie falschiu fuore leit.
daz sult ir gar bedenken.
ern kan an niemen wenken.
nu lêret iwer gedanke,
hüet iuch gein im an wanke.

463 Irn megt im ab erzürnen niht:
swer iuch gein im in hazze siht,
der hât iuch an den witzen kranc.
nu prüevt wie Lucifern gelanc
unt sînen nôtgestallen.
si wârn doch âne gallen:
jâ hêr, wâ nâmen si den nît,
dâ von ir endelôser strît
zer helle enpfâhet sûren lôn?
Astiroth und Belcimôn,
Bêlet und Radamant
unt ander diech dâ hân erkant,
diu liehte himelische schar
wart durch nît nâch helle var.
dô Lucifer fuor die hellevart,
mit schâr ein mensche nâch im wart.
got worhte ûz der erden
Adâmen den werden:
von Adâms verhe er Even brach,
diu uns gap an daz ungemach,
dazs ir schepfære überhôrte
unt unser freude stôrte.
von in zwein kom gebürte fruht:
einem riet sîn ungenuht
daz er durch gîteclîchen ruom
sîner anen nam den magetuom.
nu beginnt genuoge des gezemen,
ê si diz mære vernemen,
daz si freischen wie daz möhte sîn:
ez wart iedoch mit sünden schîn.'

464 Parzivâl hin zim dô sprach
'hêrre, ich wæn daz ie geschach.
vom wem was der man erborn,
von dem sîn ane hât verlorn
den magetuom, als ir mir sagt?
daz möht ir gerne hân verdagt.'
der wirt sprach aber wider zim
'von dem zwîvel ich iuch nim.
sag ich niht wâr die wârheit,
sô lât iu sîn mîn triegen leit.
diu erde Adâmes muoter was:
von erden fruht Adâm genas.
dannoch was diu erde ein magt:
noch hân ich iu niht gesagt

462, 3. alrêrst *D*, alrerste *G*, alrest *gg*. 4. chûschen *G* (*nie* iu *für umgelautetes* û). 7. zuhte *G*, zûhte *g*. gedult-unschult *alle außer DGg*. 11. leige *G*. 14. mennsch *D*, *fehlt G*. 18. getriu *G*. allez *DGdg*, *fehlt gg*. wechen *G*. 19. selbe *fehlt G*. triwe *DG*. 20. umm. *D*. 25. heizet *G*, heizzet *D*. diu] ein *D*. 29. lert *G*. 30. huetet iuch *D*, Huoten *gg*.

463, 1. muoget *G*. 2. gegem im *G*. 4. pruevet *DG*. Lutzifer *dg*. 7. herre *alle*. 9. enpfæhet *Dgg*, *mit* a *G*. füren *g*, fiurinen *G*. 10. Astaroth *g*. beleimon *G*, Belcunon *g*. 11. Beleth *G*, Bylet *g*. 12. di ich *D*, die ich *G*. 13. Die *G*. liehtiu *D*. 14. nâch *fehlt Gg*. 15. fuor hellewart? 16. schâr *mit* â *G*: *hingegen Dg interpungieren nach* schar. mennsche *D*, mensch *g*, mennicsch *G*. 17. worht *Gg*. 19. adams *g*, Adames *DG*. verhen er *G*. 21. dass *D*, daz *gg*, Daz si *Gdgg*. schepfære *D*. 24. Einen verriet *G*, geriet *gg*. 25. gîtlichen *G*. 27. beginnet *DG*. gnuoge *Dg*. 28. ditze *G*. 30. mit] min *D*.

464, 3. = geborn *Ggg*. 4. an *G*. 5. 15. Dem *G*. 9. iu niht *gg*. war *Dg*, ware *G*, *fehlt dgg*. 14. niht gar *G*.

wer ir den magetuom benam.
Kâins vater was Adâm:
der sluoc Abeln umb krankez guot.
dô ûf die reinen erdenz bluot
viel, ir magetuom was vervarn:
den nam ir Adâmes barn.
dô huop sich êrst der menschen nît:
alsô wert er immer sît.
in der werlt doch niht sô reines ist,
sô diu magt ân valschen list.
nu prüevt wie rein die meide sint:
got was selbe der meide kint.
von meiden sint zwei mennisch komn.
got selbe antlütze hât genomn
nâch der êrsten meide fruht:
daz was sînr hôhen art ein zuht.

465 Von Adâmes künne
huop sich riwe und wünne,
sît er uns sippe lougent niht,
den ieslîch engel ob im siht,
unt daz diu sippe ist sünden wagen,
sô daz wir sünde müezen tragen.
dar über erbarme sich des kraft,
dem erbarme gît gesellescliaft,
sît sîn getriuwiu mennischeit
mit triwen gein untriwe streit.
ir sult ûf in verkiesen,
welt ir sælde niht verliesen.
lât wandel iu für sünde bî.
sît rede und werke niht sô frî:
wan der sîn leit sô richet
daz er unkiusche sprichet,
von des lône tuon i'u kunt,
in urteilt sîn selbes munt.
nemt altiu mær für niuwe,
op si iuch lêren triuwe.
der pareliure Plâtô
sprach bî sînen zîten dô,
unt Sibill diu prophêtisse,
sunder fâlierens misse
si sagten dâ vor manec jâr,
uns solde komen al für wâr
für die hôhsten schulde pfant.
zer helle uns nam diu hôhste hant
mit der gotlîchen minne:
die unkiuschen liez er dinne.

466 Von dem wâren minnære
sagent disiu süezen mære.
der ist ein durchliuhtec lieht,
und wenket sîner minne nieht.
swem er minne erzeigen sol,
dem wirt mit sîner minne wol.
die selben sint geteilet:
al der werlde ist geveilet
bêdiu sîn minne und ouch sîn haz.
nu prüevet wederz helfe baz.
der schuldige âne riuwe
fliuht die gotlîchen triuwe:
swer ab wandelt sünden schulde,
der dient nâch werder hulde.
die treit der durch gedanke vert.
gedanc sich sunnen blickes wert:
gedanc ist âne slôz bespart,
vor aller crêatiure bewart:
gedanc ist vinster âne schîn.
diu gotheit kan lûter sîn,
si glestet durch der vinster want,
und hât den heleden sprunc gerant,
der endiuzet noch enklinget,
sô er vom herzen springet.

17. er sluoch *D.* abel *G.* 18. erden dz *D*, erde daz *Gdg.* 21. erste *G.* mennschen *D*, mennischen *G.* 23. noch *G.* reins *G.* 25. pruevet *DG.* reine *DG.* 27. mennisch *G*, mennsche *D*, mensche *gg*, menschen *dgg.* 30. siner *DG.*

465, 5. ist] is *G.* 6. sunden *G.* 7. des] sin *G*, die *g.* 8. erbærmde *Gdg*, erbarmede *g*, erbermede *g.* geschelleschaft *G.* 9. siniu *G.* mennscheit *D.* 10. untriwe *Dg*, untriuwen *Gdgg.* 12. selbe *g*, sol' *G.* 15. swer *Gdgg.* 17. ich iu *alle.* 18. verteilt *Ggg.* sins *G.* 19. mær *G.* niuwen *G.* 21. parelûre *DGgg*, pavelûre *d.* parlûre *gg.* 23. Sibille *DG.* 24. valierens *G*, fall. *g*, fail. *g.* 25. do vor *G.* 26. geben *G.* 28. die *G.* 29. gotel. *G.* 30. drinne *Gdgg.*

466, 2. süezen *fehlt gg.* 3. durluhtich *G.* 4. Der sinne minne wenchet niht *G.* niht *alle.* 6. sinen minnen *G.* 7. 8. geteilt-geveilt *G.* 8. aller w. *Dg.* 9. Beidiu *G.* min haz *D.* 11. der] du *G.* die? an *Gg.* 12. Fluht *G*, fliuhet *D.* gotel. *G.* 13. aber *alle.* sünden *fehlt g.* 16. Gedanche *G.* sint sunne bliches wert *gg.* 17. 19. an *G.* 17. bespart *dgg*, gesprat *D*, verspart *g*, biwart *G.* 18. *fehlt G.* creature *D*, creatur *gg.* 22. heleden *G*, helden *d*, helnden *Dgg*, ellenden *g.* 24. 26. vom *g*, vome *D.* von dem-vome *G.*

ez ist dechein gedanc sô snel,
ê er vom herzen für dez vel
küm, ern sî versuochet:
des kiuschen got geruochet.
sît got gedanke speht sô wol,
ôwê der brœden werke dol!
467 Swâ werc verwurkent sînen gruoz.
daz gotheit sich schamen muoz,
wem lât den menschlîchiu zuht?
war hât diu arme sêle fluht?
welt ir nu gote füegen leit,
der ze bêden sîten ist bereit,
zer minne und gein dem zorne,
sô sît ir der verlorne.
nu kêret iwer gemüete,
daz er iu danke güete.'
Parzivâl sprach zim dô
'hêrre, ich bin des immer frô,
daz ir mich von dem bescheiden hât,
der nihtes ungelônet lât,
der missewende noch der tugent.
ich hân mit sorgen mîne jugent
alsus brâht an disen tac,
daz ich durch triwe kumbers pflac.'
der wirt sprach aber wider zim
'nimts iuch niht hæl, gern ich vernim
waz ir kumbers unde sünden hât.
ob ir mich diu prüeven lât,
dar zuo gib ich iu lîhte rât,
des ir selbe niht enhât.'
dô sprach aber Parzivâl
'mîn hôhstiu nôt ist umben grâl;
dâ nâch umb mîn selbes wîp:
ûf erde nie schœner lîp
gesouc an keiner muoter brust.
nâch den beiden sent sich mîn gelust.'
468 Der wirt sprach 'hêrre, ir sprechet wol.
ir sît in rehter kumbers dol,
sît ir nâch iwer selbes wîbe
sorgen pflihte gebt dem lîbe.
wert ir erfundn an rehter ê,
iu mac zer helle werden wê,
diu nôt sol schiere ein ende hân,
und wert von bandn aldâ verlân
mit der gotes helfe al sunder twâl.
ir jeht, ir sent iuch umben grâl:
ir tumber man, daz muoz ich klagn.
jane mac den grâl nieman bejagn,
wan der ze himel ist sô bekant
daz er zem grâle sî benant.
des muoz ich vome grâle jehn:
ich weizz und hânz für wâr gesehn.'
Parzivâl sprach 'wârt ir dâ?'
der wirt sprach gein im 'hêrre, jâ.'
Parzivâl versweic in gar
daz ouch er was komen dar:
er frâgte in von der küende,
wiez umben grâl dâ stüende.
der wirt sprach 'mir ist wol bekant,
ez wont manc werlîchiu hant
ze Munsalvæsche bîme grâl.
durch âventiur die alle mâl
rîtent manege reise:
die selben templeise,
swâ si kumbr od prîs bejagent,
für ir sünde si daz tragent.
469 Dâ wont ein werlîchiu schar.
ich wil iu künden umb ir nar.
si lebent von einem steine:
des geslähte ist vil reine.

26. furz *Dgg.* wurze *G.* 27. chuom *D,* Chom *G.* 29. siht *G.*
467, 1. werche *G.* 2. daz diu *Ggg.* 3. mennischl. *G.* 4. warte hat *D.* 7. Zeder *G.* zorn *G.* 9. chert *DG.* 14. Der *dgg,* daz *Dg,* Des *G.* die? nihts *D.* 18. iamers *G.* 19. abe *g.* widr *D, fehlt G.* 20. Nemets *G,* Nempt es *d.* hæle *alle.* 26. umb den *G.* 27. umb *D.* 29. deheiner *DG.*
468, 5. 8. Wert *g,* werdet *DG.* erfunden *D,* sunden *G,* funden *die übrigen.* 6. ze helle *Ggg,* in witze *d.* 7. schier sol *G.* 8. banden *alle.* al *fehlt gg.* 9. als wider twal *G.* 10. Ir gehet ir senet *G.* umbn *D,* umbe den *G.* 12. niemen *DG.* 15. muoze ih von dem *G.* 16. weiz ez *DG.* 17. Parzival sprach zedem wirt. wart ir da *G.* waret *D.* 21. fragit *G.* chûnde-stûnde *D,* chunde-stuende *G.* 25. Zemuntsalfatsch bime grale G. 26. alle male *Gg.* 27. ritten *D.* 28. tepleise *G.* 29. chumber ode *DG.*
469, 2. umb *DG.* 4. geslahte is *G.*

hât ir des niht erkennet,
der wirt iu hie genennet.
er heizet lapsit exillîs.
von des steines kraft der fênîs
verbrinnet, daz er zaschen wirt:
diu asche im aber leben birt.
sus rêrt der fênîs mûze sîn
unt gît dar nâch vil liehten schîn,
daz er schœne wirt als ê.
ouch wart nie menschen sô wê,
swelhes tages ez den stein gesiht,
die wochen mac ez sterben niht,
diu aller schierst dar nâch gestêt.
sîn varwe im nimmer ouch zergêt:
man muoz im sölher varwe jehn,
dâ mit ez hât den stein gesehn,
ez sî maget ode man,
als dô sîn bestiu zît huop an,
sæh ez den stein zwei hundert jâr,
im enwurde denne grâ sîn hâr.
selhe kraft dem menschen gît der stein,
daz im fleisch unde bein
jugent enpfæht al sunder twâl.
der stein ist ouch genant der grâl.
dar ûf kumt hiute ein botschaft,
dar an doch lît sîn hôhste kraft.

470 Ez ist hiute der karfrîtac,
daz man für wâr dâ warten mac,
ein tûb von himel swinget:
ûf den stein diu bringet
ein kleine wîze oblât.
ûf dem steine si die lât:
diu tûbe ist durchliuhtec blanc,
ze himel tuot si widerwanc.
immer alle karfrîtage
bringet se ûf den, als i'u sage,
dâ von der stein enpfæhet
swaz guots ûf erden dræhet
von trinken unt von spîse,
als den wunsch von pardîse:
ich mein swaz d'erde mac gebern.
der stein si fürbaz mêr sol wern
swaz wildes underm lufte lebt,
ez fliege od louffe, unt daz swebt.
der rîterlîchen bruoderschaft,
die pfrüende in gît des grâles kraft.
die aber zem grâle sint benant,
hœrt wie die werdent bekant.
zende an des steines drum
von karacten ein epitafum
sagt sînen namen und sînen art,
swer dar tuon sol die sælden vart.
ez sî von meiden ode von knaben,
die schrift darf niemen danne schaben:
sô man den namen gelesen hât,
vor ir ougen si zergât.

471 Si kômen alle dar für kint,
die nu dâ grôze liute sint.
wol die muoter diu daz kint gebar
daz sol ze dienste hœren dar!
der arme unt der rîche
fröunt sich al gelîche,
ob man ir kint eischet dar,
daz siz suln senden an die schar:
man holt se in manegen landen.
vor sündebæren schanden

5. Habit *G*. 7. lapsit *GDg*, iaspis *gg*, lapis *d*. exillis *Dg*, crillis *G*, exilis *g*, exillix *g*, exilix *dg*. 8. steines *fehlt gg*. der fenis *g*, der fenix *Gdgg*, vil gewis *und dann vor z.* 9 der fenix *D*. 10. Der asche *g*. 11. fenix *alle*. muozze *D*. 14. newart *Gg*. mennschen *D*, mensche *g*. wę *G*. 15. = siht *Ggg*. 16. mag iz *G*. 17. schierste *G*. 18. nimer *G* (*sonst* mm). 19. sehen *G*. 21. magt *D*, magit *G*. 24. Im wurde danne *Ggg*. 25. selhe *Dg*, Solhe *Gg*. mennschen *D*, mennischen *G*. 26. und *D*. 27. enpfæhet al *D*, enphahet al *G*, enpfæhet *gg*, enphahen *gg*. 30. leit sin hohestiu *G*.

470, 3. tube *DG*. 4. si *Gg*. 5. eine *Dgg*. chlein *G*. wiz *DG allein*. obelat *G*. 6. stein *G*. 7. Die *G*. durhluhtich *G*. 9. Imer an dem *Gd*. 10. si *DG*. den stein *alle außer G*. ih iu *G*, ich iu *Ddgg*, ich *g*. 12. guotes *alle*. 14. wunsche *G*. 15. mein *G*. diu *alle*. 17. undirm *G*, underem *D*. 18. ode *DG*, oder *g*. 20. *fehlt G*. Grals *D*. 21. zedem grâl *G*. 23. steins *G*. 24. karachten *G*, karachtern *g*. 21. epitafium *DGgg*, epytafrum *g*, epyscasuom *d*. 26. sol tuon *Gg*. 28. schrifte *G*. dannen *Gg*, ab *g*.

471, 1. chomn *D*, choment g. 2. da nu *G*. 3. Wol der *Gd*. 4. zedienste sol *Gdg*. 6. friunt *D*. 8. siez *G*. sulen *D*. 9. si *DG*. 10. Von *G*.

sint si immer mêr behuot,
und wirt ir lôn ze himel guot.
swennc in erstirbet hie daz lebn,
sô wirt in dort der wunsch gegebn.
di newederhalp gestuonden,
dô strîten beguonden
Lucifer unt Trinitas,
swaz der selben engel was,
die edelen unt die werden
muosen ûf die erden
zuo dem selben steine.
der stein ist immer reine.
ich enweiz op got ûf si verkôs,
ode ob ers fürbaz verlôs.
was daz sîn reht, er nam se wider.
des steines pfligt iemer sider
die got derzuo benande
unt in sîn engel sande.
hêr, sus stêt ez umben grâl.'
dô sprach aber Parzivâl

472 'Mac rîterschaft des lîbes prîs
unt doch der sêle pardîs
bejagen mit schilt und ouch mit sper,
sô was ie rîterschaft mîn ger.
ich streit ie swâ ich strîten vant,
sô daz mîn werlîchiu hant
sich næhert dem prîse.
ist got an strîte wîse,
der sol mich dar benennen,
daz si mich dâ bekennen:
mîn hant dâ strîtes niht verbirt.'
dô sprach aber sîn kiuscher wirt
'ir müest aldâ vor hôchvart
mit senften willen sîn bewart.
iuch verleit lîht iwer jugent
daz ir der kiusche bræchet tugent.
hôchvart ie seic unde viel,'
sprach der wirt: ieweder ouge im wiel,
dô er an diz mære dâhte,
daz er dâ mit rede volbrâhte.
dô sprach er 'hêrre, ein künec dâ was:
der hiez und heizt noch Anfortas.
daz sol iuch und mich armen
immer mêr erbarmen,
umb sîn herzebære nôt,
die hôchvart im ze lône bôt.
sîn jugent unt sîn rîcheit
der werlde an im fuogte leit,
unt daz er gerte minne
ûzerhalp der kiusche sinne.

473 Der site ist niht dem grâle reht:
dâ muoz der rîter unt der kneht
bewart sîn vor lôsheit.
diemüet ie hôchvart überstreit.
dâ wont ein werdiu bruoderschaft:
die hânt mit werlîcher kraft
erwert mit ir handen
der diet von al den landen,
daz der grâl ist unerkennet,
wan die dar sint benennet
ze Munsalvæsche ans grâles schar.
wan einr kom unbenennet dar:
der selbe was ein tumber man
und fuorte ouch sünde mit im dan,
daz er niht zem wirte sprach
umben kumber den er an im sach.
ich ensol niemen schelten:
doch muoz er sünde engelten,
daz er niht frâgte des wirtes schaden.
er was mit kumber sô geladen,
ez enwart nie'rkant sô hôher pîn.
dâ vor kom roys Lähelîn

11. me *G.* 15. neweder h. *G*, newederth. *D*, entwederh. *dg*, twederhalb *gg.* gestunden-begûnden *D*, gestuenden-begunden *G.* 20. Muese *G.* 22. *fehlt G.* 23. Ihne weiz *G.* 26. phlegent *G.* îemr *D*, yemer *g*, imer *G*, immer *die übrigen.* 27. da zuo *G.* 28. sinen *alle.* 29. so *G.* umbe engrâl *G.*

472, 1. Nach *G.* 2. Unde ouch *G.* paradis *alle außer D.* 5. ich] man *gg*, min *G.* 6. mîn *fehlt G.* 7. nahete *Ggg*, nahet *g.* 8. strit *D.* 11. strites *D*, striten *g*, dienst *Gdgg.* 13. mueset *DG*, mueste *d*, muozet *gg.* von *G.* 14. senftem *alle außer DG.* 15. verleit *g*, virleite *Gdg*, verleitet *Dgg.* liht *g.* 16. ir tugent *Ggg.* 18. ietw. *G.* 19. daz *Gdg.* 22. heizt *g.* 25. umb *D.* sine *DGg.* 28. werlte fuegte an im *G.*

473, 4. ie *dgg*, die *Gg*, di *D*, *fehlt g.* 5. wont] von *D.* 9. unbechennet *G.* 12. einer *DG.* ungenant *gg.* 18. sunden engeltin *G.* 19. fragit *G.* 20. Der *d.* 21. erkant *DG.* 22. Da von *Dgg.* Boys *D.* ·lohe-line *hier G*, *sonst* lehelin.

ze Brumbâne an den sê geriten.
durch tjoste het sîn dâ gebiten
Lybbêâls der werde helt,
des tôt mit tjoste was erwelt.
er was erborn von Prienlascors.
Lähelîn des heldes ors
dannen zôch mit sîner hant:
dâ wart der rêroup bekant.
474 Hêrre, sît irz Lähelîn?
sô stêt in dem stalle mîn
den orsn ein ors gelîch gevar,
diu dâ hœrnt ans grâles schar.
ame satel ein turteltûbe stêt:
daz ors von Munsalvæsche gêt.
diu wâpen gap in Anfortas,
dô er der freuden hêrre was.
ir schilte sint von alter sô:
Tyturel si brâhte dô
an sînen sun rois Frimutel:
dar unde vlôs der degen snel
von einer tjoste ouch sînen lîp.
der minnet sîn selbes wîp,
daz nie von manne mêre
wîp geminnet wart sô sêre;
ich mein mit rehten triuwen.
sîne site sult ir niuwen,
und minnt von herzen iwer konen.
sîner site sult ir wonen:
iwer varwe im treit gelîchiu mâl.
der was ouch hêrre übern grâl.
ôwî hêr, wanne ist iwer vart?
nu ruocht mir prüeven iwern art.'
ieweder vaste ann andern sach.
Parzivâl zem wirte sprach
'ich bin von einem man erborn,
der mit tjost hât den lîp verlorn,
unt durch rîterlîch gemüete.
hêr, durch iwer güete
475 Sult ir in nemen in iwer gebet.
mîn vater der hiez Gahmuret,
er was von arde ein Anschevîn.
hêrre, in binz niht Lähelîn.
genam ich ie den rêroup,
sô was ich an den witzen toup.
ez ist iedoch von mir geschehn:
der selben sünde muoz ich jehn.
Ithêrn von Cucûmerlant
den sluoc mîn sündebæriu hant:
ich leit in tôten ûffez gras,
unt nam swaz dâ ze nemen was.'
'ôwê werlt, wie tuostu sô?'
sprach der wirt: der was des mærs unfrô.
'du gîst den liuten herzesêr
unt riwebæres kumbers mêr
dan der freud. wie stêt dîn lôn!
sus endet sich dîns mæres dôn.'
dô sprach er 'lieber swester suon,
waz râtes möht ich dir nu tuon?
du hâst dîn eigen verch erslagn.
wiltu für got die schulde tragn,
sît daz ir bêde wârt ein bluot,
ob got dâ reht gerihte tuot,
sô giltet im dîn eigen leben.
waz wilte im dâ ze gelte geben,
Ithêrn von Kaheviez?
der rehten werdekeit geniez,
des diu werlt was gereinet,
het got an im erscheinet.
476 Missewende was sîn riuwe,
er balsem ob der triuwe.

23. brumbane *d*, Brumbanie *D*, brunbanie *G*. 25. Liebe als G. 27. Prienlaiors *g*, Brienlayörs *g*, prienlacors *G*. 29. dannen doch mit *D*.
474, 3. orsen *DG*. geliche var *g*. 4. horent *alle, nur D* horen. ins *G*. Grals *DG*. 5. eine *G*. 8. wâs *G*. 9. schilde *G*. 11. roy *Gg*. 12. Dar under *alle außer D*. 14. minnete *G*, minte *g*. sines *G*. 18. Sinen *d*. 19. minnet *DG*. 21. treit im gelicheu *G*. 22. Er *G*. 23. Owe *Gdg*, Awi *g*. wanne *D*, von wanne *g*, wannen *die übrigen*. 24. ruochet *D*, ruechet *G*. 25. Ietweder *G*. an den andern *alle, nur g* an ein ander. 27. ainen *G*. 28. tioste *Dd*.
475, 3. Anshevin *D*. 4. ihen binz *G*, ich enbin ez *Dg*, ichn binz *g*, ich binz *dg*, ich enbin *g*. 5. ih hie *G*. 8. sunden *Ggg*. 9. Itheren *G*, Cunchumerl. *g und mit nachgetragenem* n *D*, kamurlant *G*. 10. sundebærhiu *G*, sündenbere *g*. 16. kumbers *fehlt D*. 17. Dane *G*, denne *D*. freude *DGgg*, freuden *dgg*. wi stet *D*. 18. mærs *DG*. 20. ich] ir *G*. 22. wil du *DG*. vor *gg*. 23. wart *G*. 24. rehte *Gg*. 25. giltet *Gd*, gilt *die übrigen*. 26. wilde *G*, wil du *D*, wiltu *die übrigen*. dâ *fehlt gg*. 27. kahaviez *G*. 30. Eh got *G*.
476, 2. balsent *G*.

al werltlîchiu schande in flôch:
werdekeit sich in sîn herze zôch.
dich solden hazzen werdiu wîp
durch sînen minneclîchen lîp:
sîn dienst was gein in sô ganz,
ez machte wîbes ougen glanz,
dien gesâhn, von sîner süeze.
got daz erbarmen müeze
daz de ie gefrumtest selhe nôt!
mîn swester lac ouch nâch dir tôt,
Herzeloyd dîn muoter.'
'neinâ hêrre guoter,
waz sagt ir nu?' sprach Parzivâl.
'wær ich dan hêrre übern grâl,
der möhte mich ergetzen niht
des mærs mir iwer munt vergiht.
bin ich iwer swester kint,
sô tuot als die mit triwen sint,
und sagt mir sunder wankes vâr,
sint disiu mære beidiu wâr?'
dô sprach aber der guote man
'ich enbinz niht der dâ triegen kan:
dîner muoter daz ir triwe erwarp,
dô du von ir schiet, zehant si starp.
du wær daz tier daz si dâ souc,
unt der trache der von ir dâ flouc.
ez widerfuor in slâfe ir gar,
ê daz diu süeze dich gebar.

477 Mînre geswistrede zwei noch sint.
mîn swester Tschoysîâne ein kint
gebar: der frühte lac si tôt.
der herzoge Kyôt
von Katelange was ir man:
dern wolde ouch sît niht freude hân.
Sigûn, des selben tohterlîn,
bevalch man der muoter dîn.
Tschoysîânen tôt mich smerzen
muoz enmitten ime herzen:
ir wîplîch herze was sô guot,
ein arke für unkiusche fluot.
ein magt, mîn swester, pfligt noch site
sô daz ir volget kiusche mite.
Repanse de schoye pfligt
des grâles, der sô swære wigt
daz in diu falschlîch menscheit
nimmer von der stat getreit.
ir bruodr und mîn ist Anfortas,
der bêdiu ist unde was
von art des grâles hêrre.
dem ist leider freude verre:
wan daz er hât gedingen,
in sül sîn kumber bringen
zem endelôsme gemache.
mit wunderlîcher sache
ist ez im komen an riwen zil,
als ich dir, neve, künden wil.
pfligstu denne triuwe,
so erbarmet dich sîn riuwe.

478 Dô Frimutel den lîp verlôs,
mîn vater, nâch im man dô kôs
sînen eltsten sun ze künege dar,
ze vogte dem grâl unts grâles schar.
daz was mîn bruoder Anfortas,
der krône und rîcheit wirdec was.
dannoch wir wênec wâren.
dô mîn bruoder gein den jâren

7. gein im *G*. 8. machet *Ggg*, maht *g*. 9. di in *D*, Die in *G*. gesahen *DG*. 11. de *G*; du *D*. solhe *G immer*. 16. Wær *gg*. danne *G*, denne *D*. ubir den *G*. 18. mir *Ddg*, des mir *gg*, des *Gg*. 21. sunders *G*. valscher var *g*, valschen var *g*. 25. triuwe warp *G*. 26. schiet *Gg*, schiede *Ddgg*. 27. wær *Gg*. 29. ir in slaffe gar *Gg*.

477, 1. Miner *alle*. geswisterde *Ddg*, geswistergide *Gg*, geswistreide *g*, geschwistere *g*. noch zwei *dg*, noch zewei noh *G*, der noch zwei *g*. 2. scoysiane *G*, Tschosiane *gg*, Schosiane *g*, iosyane *g*. scosyan *d*. 3. Gebær *G*. 5. Chatel. *D*, katal. *D*, kathel. *dgg*, katl. *g*. 6. Derne *G*, der en *D*. niht *fehlt D*. 7. Sigunen *Gd*, Sygunen *Dgg*, Sygune *gg*. tôht. *mit* δ *Dg*. 9. Scoys. *G*. 11. wipplich *G*. 13. Ein magit phliget min swester noch site *G*. 14. chusche volget *G*. 15. Repanse *Gdg*, Repansse *D*, Urrepanse *g*, Urrepansa *g*, Urepans *g*. Shôie *Dg*, scoye *d*, tschoie *gg*. 16. 21. Grâls *DG*. 17. mennscheit *D*. 18. stete treit *G*. 19. Unser bruoder Anfortas *g*. bruoder *DG*. und der min *g*. 20. beidiu *G*. 21. arte *G*. 22. is *G*. 25. endelosem *Dg*, endelosen *die übrigen*. 27. in *G*.

478, 3. eldesten *D*, eltesten *gg*, entesten *G*, elsten *g*. 4. vn̄ des Grals (grâles *G*) schar *DGgg*, unde der (siner *d*) schar *dg*. 6. des *D*. Wande er sich ie sêre Vleiz ûf triuwe und êre *d*.

kom für der gransprunge zît,
mit selher jugent hât minne ir strît:
sô twingts ir friunt sô sêre,
man mages ir jehn zunêre.
swelch grâles hêrre ab minne gert
anders dan diu schrift in wert,
der muoz es komen ze arbeit
und in siufzebæriu herzeleit.
  mîn hêrre und der bruoder mîn
kôs im eine friundîn,
des in dûht, mit guotem site.
swer diu was, daz sî dâ mite.
in dir dienst er sich zôch,
sô daz diu zageheit in flôch.
des wart von sîner clâren hant
verdürkelt manec schildes rant.
da bejagte an âventiure
der süeze unt der gehiure,
wart ie hôher prîs erkant
über elliu rîterlîchiu lant,
von dem mær was er der frîe.
Amor was sîn krîe.

479 Der ruoft ist zer dêmuot
iedoch niht volleclîchen guot.
  eins tages der künec al eine reit
(daz was gar den sînen leit)
ûz durch âventiure,
durch freude an minnen stiure:
des twanc in der minnen ger.
mit einem gelupten sper
wart er ze tjostieren wunt,
sô daz er nimmer mêr gesunt
wart, der süeze œheim dîn,
durch die heidruose sîn.
ez was ein heiden der dâ streit
unt der die selben tjoste reit,
geborn von Ethnîse,
dâ ûzzem pardîse
rinnet diu Tigris.
der selbe heiden was gewis,
sîn ellen solde den grâl behaben.
inme sper was sîn nam ergraben:
er suocht die verren ritterschaft,
niht wan durch des grâles kraft
streich er wazzer unde lant.
von sîme strîte uns freude swant.
  dîns œheims strît man prîsen
muoz: des spers îsen
fuort er in sîme lîbe dan.
dô der junge werde man
kom heim zuo den sînen,
dâ sach man jâmer schînen.

480 Den heiden het er dort erslagn:
den sul ouch wir ze mâze klagn.
  dô uns der künec kom sô bleich,
unt im sîn kraft gar gesweich,
in de wunden greif eins arztes hant,
unz er des spers îsen vant:
der trunzûn was rœrîn,
ein teil in den wunden sîn:
diu gewan der arzet beidiu wider.
mîne venje viel ich nider:
dâ lobet ich der gotes kraft,
daz ich deheine rîterschaft
getæte nimmer mêre,
daz got durch sîn êre
mînem bruoder hulfe von der nôt.
ich verswuor ouch fleisch, wîn unde brôt,
unt dar nâch al daz trüege bluot,
daz ichs nimmer mêr gewünne muot.

9. gran sprünge *g*. 11. twingts *g*, twinget si *DG*. 12. mages *G*, mags *g*, mach es *D*. 13. Grals *DG*. aber *D*, abir *G*. 14. danne *G*, denne *D*. 15. des *G*, sin *g*. inarbeit *Ggg*. 16. suftebæriu *G*. 19. duhte *DG*. in *gg*. 20. Das truwe und zucht ime wonte mitte *d*. 21. dienste *G*. 22. zagh. *G*. 24. maniges *Ggg*. 25. beiagit *G*. 27. ie] so *G*. 28. riterlichen *G*. 29. Vor *alle aufser DG*. der *fehlt G*, do *g*.

479, 1. ruofet *G*, ruof *dgg*. diemuot *Gg*. 3. reit al ein *G*. 4. gar leit den sin *G*. 5. durch] der *G*. 6. stûre *G*. 7. gêr *G*. 8. gelupten *gg*, geluptem *D*, geluppetem *G*. 9. ze tyostierne *G*, zder tyost *g*. 12. heidruse *G*. 13. Er *G*. 16. paradise *G*. 17. tygrîs *G*. 20. Imme *g*, In dem *G*. name *G*. 21. suochte *D*, suehte *G*. 27. fuortr *D*. 30. Do *Gg*.

480, 2. Den suln wir ouch zæmazen chlagin *G*. 4. gar. *Dg*, so gar *Gdg*, noch *g*, *fehlt g*. 5. inde *D*, Indie *G*. eines arzates *G*. 9. wan *g*. arzet *G*, arzt *gg*, Arlt *D*, artzat *dgg*. 12. dehein *G*. 13. nimer *D*. 18. nimmer *ohne* mêr *dg*. nimêr?

daz was der diet ander klage,
lieber neve, als ich dir sage,
daz ich schiet von dem swerte mîn.
si sprâchen 'wer sol schirmer sîn
über des grâles tougen?'
dô weinden liehtiu ougen.
si truogenn künec sunder twâl
durch die gotes helfe für den grâl.
dô der künec den grâl gesach,
daz was sîn ander ungemach,
daz er niht sterben mohte,
wand im sterben dô niht dohte,
481 Sît daz ich mich het ergebn
in alsus ärmeclîchez lebn,
unt des edelen ardes hêrschaft
was komen an sô swache kraft.
des küneges wunde geitert was.
swaz man der arzetbuoche las,
diene gâben keiner helfe lôn.
gein aspîs, ecidemon,
ehcontîus unt lisîs,
jêcîs unt mêatrîs
(die argen slangenz eiter heiz
tragent), swaz iemen dâ für weiz,
unt für ander würm diez eiter tragent,
swaz die wîsen arzt dâ für bejagent
mit fisiken liste an würzen,
(lâ dir die rede kürzen)
der keinz gehelfen kunde:
got selbe uns des verbunde.
wir gewunnen Gêôn
ze helfe unde Fîsôn,
Eufrâtes unde Tigrîs,
diu vier wazzer ûzem pardîs,
sô nâhn hin zuo ir süezer smac
dennoch niht sîn verrochen mac,
ob kein wurz dinne quæme,
diu unser trûren næme.
daz was verlorniu arbeit:
dô niwet sich unser herzeleit.
doch versuochte wirz in mangen wîs.
do gewunne wir daz selbe rîs
482 Dar ûf Sibille jach
Enêas für hellesch ungemach
und für den Flegetônen rouch,
für ander flüzze die drin fliezent ouch.
des nâmen wir uns muoze
unt gewunn daz rîs ze buoze,
ob daz sper ungehiure
in dem helschen fiure
wær gelüppet ode gelœtet,
daz uns an freuden tœtet.
dô was dem sper niht alsus.
ein vogel heizt pellicânus:
swenne der fruht gewinnet,
alze sêre er die minnet:
in twinget sîner triwe gelust
daz er bîzet durch sîn selbes brust,
unt lætz bluot den jungen in den munt:
er stirbet an der selben stunt.
do gewunnen wir des vogels bluot,
ob uns sîn triwe wære guot,

22. schirmer *dgg*, schermer *g*, schirmær *G*, schirmære *D*, schirmare *g*. 24. *fehlt G*. weiden liehtiu *D*. 25. trugen den *D*, truogen der *G*. 30. Wan *G*.

481, 2. amerlichez *G*, iamerliches *g*. 6. arzat buoch *D*. 7. dech. *D*, deh. *G*. 9. Ehcuntius *D*, Ehcontinus *G*, Ehconcius *gg*, Ehtoncius *g*, Enchoncius *d*, Echontius *g*. Lysis *D*, lesis *d*. 10. Lecis *Gg*, Jocis *d*, Leatris *g*. 11. armen *D*, alten *g*. z] dez *D*, daz *G*, die es *d*. 13. wrme *Dg*, wûrme *G*. 14. arzt *D*, erzt *g*, arzat *Gdg*, artzet *g*, artzte *g*. 15. fisiche *g*. 17. decheinez *D*, deheinez *G*, in keines *d*. 18. erbunde *Ggg*. 19. gewinnen *Gd*. 20. fision *Ggg*. 22. uz dem bardis *G*. 23. nahe *D*, nahen *G*. swͦzzer *D*. 25. dehein wrz *D*, deheine wurze *G*. chom *G*. 29. virsuehte *G*. in *fehlt gg*. mangen *Ggg*, manege *Ddgg*. 30. gewunnen *Gdgg*.

482, 1. 2. Dar ûf Enêase jach Sibill für hellesch ungemach? 1. iac *G*. 2. helsch *G*, helle *g*. 3. den *Gd*, der *Dg*, des *gg*. flegetanen *gg*, fleigetanen *G*. 4. für d'ander flüzz drin fliezent ouch? alder *g*. drin *Gdg*, drinne *Dgg*. 5. wir unmuoze *g*. 6. 27. gewunnen *G*, gewnnen *D*, *so auch* 483, 6. 8. helschen *G*, helleschen *dg*, hellischen *gg*, hellischem *D*. 9. 10. gelœtet-tœtet *dgg*, gelœt-tœt *Dg*, geluet-toet *G*. 12. 24. heizzet *DG*. Pelic. *D*. 13. fruhte *G*. 14. di *D*, diu *G*. 15. triuwen *Ggg*. 16. durch sines brust *G*. 17. læt dz *D*, lat daz *G*. bluot *fehlt g*. 19. gewunne *Ggg*.

unt strichens an die wunden
sô wir beste kunden.
daz moht uns niht gehelfen sus.
ein tier heizt monîcirus:
daz erkennt der meide rein sô grôz
daz ez slæfet ûf der meide schôz.
wir gewunn des tieres herzen
über des küneges smerzen.
wir nâmen den karfunkelstein
ûf des selben tieres hirnbein,

483 Der dâ wehset under sîme horn.
wir bestrichen die wunden vorn,
und besouften den stein drinne gar:
diu wunde was et lüppec var.
daz tet uns mit dem künege wê.
wir gewunn ein wurz heizt trachontê
(wir hœren von der würze sagen,
swâ ein trache werde erslagen,
si wahse von dem bluote.
der würze ist sô ze muote,
si hât al des luftes art),
ob uns des trachen umbevart
dar zuo möhte iht gefromen,
für der sterne wider komen
unt für des mânen wandeltac,
dar an der wunden smerze lac.
der [würze] edel hôch geslehte
kom uns dâ für niht rehte.
unser venje viel wir für den grâl.
dar an gesâh wir zeinem mâl
geschriben, dar solde ein rîter komn:
wurd des frâge aldâ vernomn,
sô solde der kumber ende hân:
ez wære kint magt ode man,
daz in der frâge warnet iht,
sone solt diu frâge helfen niht,
wan daz der schade stüende als ê
und herzelîcher tæte wê.
diu schrift sprach 'habt ir daz vernomn?
iwer warnen mac ze schaden komn.

484 Frâgt er niht bî der êrsten naht,
sô zergêt sîner frâge maht.
wirt sîn frâge an rehter zît getân,
sô sol erz künecrîche hân,
unt hât der kumber ende
von der hôhsten hende.
dâ mit ist Anfortas genesen,
ern sol ab niemer künec wesen.'
sus lâsen wir am grâle
daz Anfortases quâle
dâ mit ein ende næme,
swenne im diu frâge quæme.
wir strichen an die wunden
swâ mit wir senften kunden,
die guoten salben nardas,
unt swaz gedrîakelt was,
unt den rouch von lign alôê:
im was et zallen zîten wê.
dô zôch ich mich dâ her:
swachiu wünne ist mîner jâre wer.
sît kom ein rîter dar geriten:
der möhtez gerne hân vermiten;
von dem ich dir ê sagte,
unprîs der dâ bejagte,
sît er den rehten kumber sach,
daz er niht zuo dem wirte sprach
'hêrre, wie stêt iwer nôt?'
sît im sîn tumpheit daz gebôt
daz er aldâ niht vrâgte,
grôzer sælde in dô betrâgte.'

21. strichens *Dg*, strichenz *Gd*, strichen *g*. 23. ne mohte *G*. 24. Monîc. *D*. 25. erchennet *DG*. rein *g*, reine *DG*. 26. slaffet *G*. 27. 30. tiers *DG*. 30. selben *fehlt Ggg*. hirenbeîn *D*.

483, 1. 2. horn-vorn *d*, horne-vorne *DG*. 3. drin *G*. 6. eine wrzen *D*. heizt *g*, heizet *D*, diu heizzet *Gg*, *fehlt g*. trachente *G*, draconte *g*. 9. wachse *D*. 11. hate *G*. 13. zuo *fehlt G*. moht *D*. 17. wrzen *g*, wünsche *g*. hohe *G*. geslæhte *D*, geslahte *G*. 19. viel *g*, vieln *Gg*, vielen *Ddg*. 20. gesahe *G*, gesahen *Ddg*, sahen *gg*. 21. rite komin *G*. 22. wrde *DG*. fragin *G*. al *fehlt dg*. 24. magit olde *G*. 25. warnt *Gg*. 26. solt *g*, solde *DG*. 28. herzerlicher *G*, herzenlichen *gg*. 29. schrif *G*. 30. waren *G*.

484, 1. Sagit *G*. 8. aber *D*, abir *G*. niemer *D*, nimer *G*, niht mer *dgg*. 9. las wir an dem *g*. ame *DG*. 10. Anfortas *DG und fast alle. so auch* 487, 30. 488, 30. 12. Svvene im frage quame *G*. 16. gedriachelt *G*, getriachet *g*. 17. ligna loe *G*, lingn aloê *g*. 20. is *G*. 22. mohtiz *G*. 24. er *Gd*. dran *G*. 29. nih fragite *G*. 30. sælden *Ggg* da *G*, *fehlt gg*. bitragite *G*.

485 Si bêde wârn mit herzen klage·
dô nâht ez dem mittem tage.
der wirt sprach 'gê wir nâch der nar.
dîn ors ist unberâten gar:
ich mac uns selben niht gespîsen,
esne welle uns got bewîsen.
mîn küche riuchet selten:
des muostu hiute enkelten,
unt al die wîl du bî mir bist.
ich solt dich hiute lêren list
an den würzen, lieze uns der snê.
got gebe daz der schier zergê.
nu brechen die wîl îwîn graz.
ich wæn dîn ors dicke gaz
ze Munsalvæsche baz dan hie.
du noch ez ze wirte nie
kômt, der iwer gerner pflæge,
ob ez hie bereitez læge.'
si giengen ûz umb ir bejac.
Parzivâl des fuoters pflac.
der wirt gruop im würzelîn:
daz muose ir beste spîse sîn.
der wirt sînr orden niht vergaz:
swie vil er gruop, decheine er az
der würze vor der nône:
an die stûden schône
hienc ers und suochte mêre.
durch die gotes êre
manegen tac ungâz er gienc,
so er vermiste dâ sîn spîse hienc.

486 Die zwêne gesellen niht verdrôz,
si giengen dâ der brunne flôz,
si wuoschen würze unde ir krût.
ir munt wart selten lachens lût.
iewedег sîne hende
twuoc. an eime gebende
truoc Parzivâl îwîn loup
fürz ors. ûf ir ramschoup
giengens wider zuo den koln.
man dorfte in niht mêr spîse holn:
dane was gesoten noch gebrâten,
unt ir küchen unberâten.
Parzivâl mit sinne,
durch die getriwe minne
dier gein sînem wirte truoc,
in dûhte er hete baz genuoc
dan dô sîn pflac Gurnemanz,
und dô sô maneger frouwen varwe glanz
ze Munsalvæsche für in gienc,
da er wirtschaft vome grâle enpfienc.
der wirt mit triwen wîse
sprach 'neve, disiu spîse
sol dir niht versmâhen.
dune fündst in allen gâhen
dehein wirt der dir gunde baz
guoter wirtschaft âne haz.'
Parzivâl sprach 'hêrre,
der gotes gruoz mir verre,
op mich ie baz gezæme
swes ich von wirte næme.'

487 Swaz dâ was spîse für getragen,
beliben si dâ nâch ungetwagen,
daz enschadet in an den ougen niht,
als man fischegen handen giht.
ich wil für mich geheizen,
man möhte mit mir beizen,

485, 1. waren *D*, ware *G*. 5. Ihne mac *G*. selben *fehlt g*. 6. es enwelle *D*, Es welle *g*. wisen *G*. 7. kuchen *dgg*. 8. eng. *G*. 9. wile *DG*. 10. solde *DG*, sol *g*. 13. Nu brechen wir die wile gras *g*, Nu brechent die ewerm ross gras *g*. wile *DG*. Iwin *Dd*, win *G*, üch ein *g*, nüwen *g*. 14. wæne *DG immer*. 15. dane *G*, denne *D*. 17. chomet *DG*. 21. in *G*, do *d*. 22. bestiu *G*. 23. siner *DG*. 24. dehein *Ggg*. 26. stuoden *D*. 27. Hiengc ers unde suehte mer *G*. 29. er ungaz *G*. 30. wa *Gdgg*.

486, 3. wuschen *G*. wurz *G*, wrzen *g*. 5. iweder *D*, Ietweder *G*. sin *G*. 6. Tew^{u}ch *G*. einem *DG*. 7. winloup *G*. 9. giengen si *DG*. den *Gdgg*, den ir *D*, ir *g*. 10. nimer *G*. 12. küchin *g*, chuche *g*. 14. di getriẘe *Dd*, getriuwe *Ggg*, die getrewen *g*. 16. baz] haz *G*. 17. Danne *G*, denne *D*. Gurnom. *G*. 18. und *fehlt G*. manich frowen *dg*, manich frowe *gg*. varwe *D*, farwe *G*, *fehlt den übrigen*. 20. Do *Gg*. vonem *G*, vomme *g*. 24. fundest *Dgg*, vindest *Gdg*. en *g*. 25. Deheine *G*, deheinen *D*. günne *d*. baz gunde *G*. 29. mih hie *G*. 30. Swaz *Gg*.

487, 3. enschat *Gg*. 4. fischigen *D*, vische an den *G*.

wær ich für vederspil erkant,
ich swunge al gernde von der hant,
bî selhen kröpfelînen
tæte ich fliegen schînen.
wes spotte ich der getriwen diet?
mîn alt unfuoge mir daz riet.
ir hât doch wol gehœret
waz in rîcheit hât gestœret,
war umb si wâren freuden arm,
dicke kalt unt selten warm.
si dolten herzen riuwe
niht wan durch rehte triuwe,
ân alle missewende.
von der hôhsten hende
enpfiengens umb ir kumber solt:
got was und wart in bêden holt.
si stuonden ûf und giengen dan,
Parzivâl unt der guote man,
zem orse gein dem stalle.
mit kranker freuden schalle
der wirt zem ors sprach 'mir ist leit
dîn hungerbæriu arbeit
durch den satel der ûf dir ligt,
der Anfortases wâpen pfligt.'

488 Dô si daz ors begiengen,
niwe klage si an geviengen.
Parzivâl zem wirte sîn
sprach 'hêrre und lieber œheim mîn,
getorst ichz iu vor scham gesagn,
mîn ungelücke ich solde klagn.
daz verkiest durch iwer selbes zuht:
mîn triwe hât doch gein iu fluht.
ich hân sô sêre missetân,
welt ir michs engelten lân,
sô scheide ich von dem trôste
unt bin der unerlôste
immer mêr von riuwe.
ir sult mit râtes triuwe
klagen mîne tumpheit.
der ûf Munsalvæsche reit,
unt der den rehten kumber sach,
unt der deheine vrâge sprach,
daz bin ich unsælec barn:
sus hân ich, hêrre, missevarn.'
der wirt sprach 'neve, waz sagestu nuo?
wir sulen bêde samt zuo
herzenlîcher klage grîfen
unt die freude lâzen slîfen,
sît dîn kunst sich sælden sus verzêch.
dô dir got fünf sinne lêch,
die hânt ir rât dir vor bespart.
wie was dîn triwe von in bewart
an den selben stunden
bî Anfortases wunden?

489 Doch wil ich râtes niht verzagn:
dune solt och niht ze sêre klagn.
du solt in rehten mâzen
klagen und klagen lâzen.
diu menscheit hât wilden art.
etswâ wil jugent an witze vart:
wil dennez alter tumpheit üeben
unde lûter site trüeben,
dâ von wirt daz wîze sal
unt diu grüene tugent val,
dâ von beklîben möhte
daz der werdekeit töhte.
möht ich dirz wol begrüenen
unt dîn herze alsô erküenen
daz du den prîs bejagtes
unt an got niht verzagtes,
so gestüende noch dîn linge
an sô werdeclîchem dinge,
daz wol ergetzet hieze.
got selbe dich niht lieze:
ich bin von gote dîn râtes wer.
nu sag mir, sæhe du daz sper

7. rechant *D.* 8. gernde *Dgg*, gerne *Gdgg.* 11. guoten *G.* 12. Min alter ungefuege *G.* 13. habit iedoch *G.* 14. zestoret *Ggy.* 16. unt *fehlt Gg.* 17. herze *Gg.* 18. dur *G.* 22. beiden *G.* 25. gen *g.* 27. orse *DG.* mirs leit *G.*

488, 4. Sprach liebir herre uñ oheim min *G.* 5. schame sagin *G.* 6. ich iu *g.* 7. verchieset *DG.* selbs *Dg.* 15. min *DG.* 22. sament *G.* 25. dih *Ggg.* so *G.* 26. vunfe *G.* 27. gespart *gg*, virspart *G.* 28. im *dgg.*

489, 2. Du solt *G.* 4. chlage lazen *dgg.* 5. mennscheit *D.* 6. etteswa *D.* 8. sinne *G.* 13. dir wol ergruenen *G.* 14. erchuelen *G.* 15. 16. beiagitest-virzagist *G*, beiagste-verzagste *g.* 17. gedinge *gg.* 18 werdelichen *G.* 21. got *Ggg.*

ze Munsalvæsche ûf dem hûs?
dô der sterne Sâturnus
wider an sîn zil gestuont,
daz wart uns bî der wunden kuont,
unt bî dem sumerlîchen snê.
im getet der frost nie sô wê,
dem süezen œheime dîn.
daz sper muos in die wunden sîn:

490 Dâ half ein nôt für d'andern nôt:
des wart daz sper bluotec rôt.
etslîcher sterne komende tage
die diet dâ lêret jâmers klage,
die sô hôhe ob ein ander stênt
und ungelîche wider gênt:
unt des mânen wandelkêre
schadet ouch zer wunden sêre.
dise zît diech hie benennet hân,
sô muoz der künec ruowe lân:
sô tuot im grôzer frost sô wê,
sîn fleisch wirt kelter denne der snê.
sît man daz gelüppe heiz
an dem spers îsen weiz,
die zît manz ûf die wunden leit:
den frost ez ûzem lîbe treit,
al umbez sper glas var als îs.
dazne moht ab keinen wîs
vome sper niemen bringen dan:
wan Trebuchet der wîse man
der worht zwei mezzer, diu ez sniten,
ûz silber, diu ez niht vermiten.
den list tet im ein segen kuont,
der an des küneges swerte stuont,
maneger ist der gerne giht,
aspindê dez holz enbrinne niht:
sô dises glases drûf iht spranc,
fiuwers lohen dâ nâch swanc:
aspindê dâ von verbran.
was wunders diz gelüppe kan!

491 Er mac gerîten noch gegên,
der künec, noch geligen noch gestên:
er lent, âne sitzen,
mit siufzebæren witzen.
gein des mânen wandel ist im wê.
Brumbâne ist genant ein sê:
dâ treit mann ûf durch süezen luft,
durch sîner sûren wunden gruft.
daz heizt er sînen weidetac:
swaz er aldâ gevâhen mac
bî sô smerzlîchem sêre,
er bedarf dâ heime mêre.
dâ von kom ûz ein mære,
er wær ein fischære.
daz mære muoser lîden:
salmen, lamprîden,
hât er doch lützel veile,
der trûrege, niht der geile.'
Parzivâl sprach al zehant
'in dem sê den künec ich vant
gankert ûf dem wâge,
ich wæn durch vische lâge
od durch ander kurzewîle.
ich hete manege mîle
des tages dar gestrichen.
Pelrapeire ich was entwichen
reht umbe den mitten morgen.
des âbents pflac ich sorgen,
wâ diu herberge möhte sîn:
der beriet mich der œheim mîn.'

27. sumerlichem *DG allein.* 29. œheim *oder* oheim *alle.* 30. muese *D*, muoste *G*, must *g*, muosz *dgg.*

490, 1. Ia (I *roth*) *G.* di andern *D*, die andern *G*, ander *g.* 3. chömende *g* chumende *G*, komenden *d.* 4. lert *g*, lerte *G.* 5. hoch bi *g.* 7. namen *Dg.* 8. Schat *G.* 9. di ich *D*, die ih *Gg.* hie *fehlt dgg.* 18. dazn moht *D.* aber *D*, abir *G.* keinen *g*, deheinen *g*, decheine *Ddg*, dehein *Gg.* 19. Von me *G.* 20. Trebucher *G.* 21. worht *g.* zewei *G.* 26. 29. Aspende *Ggg.* enbrene *G.* 27. disses *D.* glas *Dgg.* 28. Fiurs *gg*, fiwers *D.* dar nah *G.*

491, 2. 3. noch geligen noch gestên, der künec; er lent, ân sitzen? 2. der künec *fehlt g.* noch *fehlt Gdg.* ligen *g.* 3. leinet *gg*, lenet gar *d.* 4. sufteb. *G.* 5. Gegen *G.* namen *D.* 6. Brumbane *d*, Brunbanie *G*, Brumbange *D.* 7. man in *alle.* 9. heizet *G*, heizzet *D.* ir *G.* 10. da *Gg.* 11. smerzel. *G*, smertzecl. *dg.* 13. do von *D.* ûz *fehlt G.* 14. = Ez *Ggg.* 16. lantpriden *Gg*, lantfriden *d.* 18. trurige *DG.* 20. Uf *G.* 21. Geanchert *Gdgg.* 23. ode *D*, Olde *G.* churzwile *Dg.* 25. Dæs *G.* 26. Peilr. *G.* 27. Reht *gg.* 28. abindes phlag *G.*

492 'Du rite ein angestlîche vart,'
sprach der wirt, 'durch warte wol bewart.
ieslîchiu sô besetzet ist
mit rotte, selten iemens list
in hilfet gein der reise:
er kêrte ie gein der freise,
swer jenen her dâ zuo zin reit.
si nement niemens sicherheit,
si wâgnt ir lebn gein jenes lebn:
daz ist für sünde in dâ gegebn.'
'nu kom ich âne strîten
an den selben zîten
geriten dâ der künec was,'
sprach Parzivâl. 'des palas
sach ich des âbents jâmers vol.
wie tet in jâmer dô sô wol?
ein knappe aldâ zer tür în spranc,
dâ von der palas jâmers klanc.
der truoc in sînen henden
einen schaft zen vier wenden,
dar inne ein sper bluotec rôt.
des kom diu diet in jâmers nôt.'
der wirt sprach 'neve. sît noch ê
wart dem künige niht sô wê,
wan dô sîn komen zeigte sus
der sterne Sâturnus:
der kan mit grôzem froste komn.
drûf legen moht uns niht gefromn,
als manz ê drûffe ligen sach:
daz sper man in die wunden stach.
493 Sâturnus louft sô hôhe enbor,
daz ez diu wunde wesse vor,
ê der ander frost kœm her nâch.
dem snê was ninder als gâch,
er viel alrêrst an dr andern naht
in der sumerlîchen maht.
dô mans küneges frost sus werte,
die diet ez freuden herte.'
dô sprach der kiusche Trevrizzent
'si enpfiengen jâmers soldiment:
daz sper in freude enpfuorte,
daz ir herzen verch sus ruorte.
dô machte ir jâmers triuwe
des toufes lêre al niuwe.'
Parzivâl zem wirte sprach
'fünf und zweinzec meide ich dâ sach,
die vor dem künege stuonden
und wol mit zühten kuonden.'
der wirt sprach 'es suln meide pflegn
(des hât sich got gein im bewegn),
des grâls, dem si dâ dienden für.
der grâl ist mit hôher kür.
sô suln sîn rîter hüeten
mit kiuscheclîchen güeten.
der hôhen sterne komendiu zît
der diet aldâ grôz jâmer gît,
den jungen unt den alten.
got hât zorn behalten
gein in alze lange dâ:
wenne suln si freude sprechen jâ?
494 Neve, nu wil ich sagen dir
daz du maht wol gelouben mir.
ein tschanze dicke stêt vor in,
si gebent unde nement gewin.
si enpfâhent kleiniu kinder dar
von hôher art unt wol gevar.
wirt iender hêrrenlôs ein lant,
erkennt si dâ die gotes hant,

492, 1. ritte *D*. 2. durch wart *G*. 3. Iegesl. *G*. 4. rote *Gg*. iemens *g*, iemans *D*, ie mannes *G*. 7. ennen *Gg*. zin *Dg*, in *Gg*, im *dg*. 8. niemes *G*. 9. wagent *DG*, wegent *g*. iens *DGgg*, *fehlt d*. 10. is *G*. 15. des amendes *G*. 21. bluote *G*. 23. ê] hîe *D*, *und z.* 24 *endigt bei* nîe. 25. sine *G*. zeigete *D*, zeicte *d*. alsus *G*. 28. gefrum̄ *G*.

493, 1. louffet *DG*. 3. chœm *g*, chome *Dgg*, keme *d*, chom *G*, quam *g*. 5. alrest *Dgg*. an der *alle*. 9. trefrizent *Gdg*. 10. jâmers *fehlt G*. soldment *g*, soldemente *G*. 12. herren *dg*. 16. zeweinzch *G*, zweinzech *D*. 19. es *D*, sin *g*, ez *G*. 20. im *Dg*, in *Gdgg*. 21. den sú do brochten fúr d. 24. chuschecl. *Dd*, chusl. *G*. cheusl. *gg*, küschl. *gg*. 25. Etslicher sterne *gg*. chomen diu *Dd*.

494, 2. wol macht *d*, wohl moht *G*. 3. tschansze *G*. stet von ir. *D*. *dann auf dem rande von anderer hand* So einer stirbet under in. 4. Si enpfahent und gebent *gg*, *dann z.* 5 nement. gwin *D*. 5. cleniu *G*. 7. herrelos *Ggg*. 8. Erchennet si *Gg*, erchennet si *Ddg*, Erchennet man (*z.* 9 *ohne* daz, *z.* 10 si, *z.* 11 Die muozen sin) *gg*. daz *G*. di *D*.

sô daz diu diet eins hêrren gert
vons grâles schar, die sint gewert.
des müezn och si mit zühten pflegn:
sîn hüet aldâ der gotes segn.
got schaft verholne dan die man,
offenlîch gît man meide dan.
du solt des sîn vil gewis
daz der künec Castis
Herzeloyden gerte,
der man in schône werte:
dîne muoter gap man im ze konen.
er solt ab niht ir minne wonen:
der tôt in ê leit in daz grap.
dâ vor er dîner muoter gap
Wâleis unt Norgâls,
Kanvoleis und Kingrivâls,
daz ir mit sale wart gegebn.
der künec niht lenger solde lebn.
diz was ûf sîner reise wider:
der künec sich leite sterbens nider.
dô truoc si krône über zwei lant:
da erwarp si Gahmuretes hant.

495 Sus gît man vome grâle dan
offenlîch meide, verholn die man,
durch fruht ze dienste wider dar,
ob ir kint des grâles schar
mit dienste suln mêren:
daz kan si got wol lêren.
swer sich diens geim grâle hât bewegn,
gein wîben minne er muoz verpflegn.
wan der künec sol haben eine
ze rehte ein konen reine,
unt ander die got hât gesant
ze hêrrn in hêrrenlôsiu lant.
über daz gebot ich mich bewac
daz ich nâch minnen dienstes pflac.
mir geriet mîn flæteclîchiu jugent
unde eins werden wîbes tugent,
daz ich in ir dienste reit,
da ich dicke herteclîchen streit.
die wilden âventiure
mich dûhten sô gehiure
daz ich selten turnierte.
ir minne condwierte
mir freude in daz herze mîn:
durch si tet ich vil strîtes schîn.
des twanc mich ir minnen kraft
gein der wilden verren rîterschaft.
ir minne ich alsus koufte:
der heidn unt der getoufte
wârn mir strîtes al gelîch.
si dûhte mich lônes rîch.

496 Sus pflac ichs durch die werden
ûf den drîn teiln der erden,
ze Eurôpâ unt in Asîâ
unde verre in Affricâ.
so ich rîche tjoste wolde tuon,
sô reit ich für Gaurîuon.
ich hân ouch manege tjoste getân
vor dem berc ze Fâmorgân.
ich tet vil rîcher tjoste schîn
vor dem berc ze Agremontîn.
swer einhalp wil ir tjoste hân,
dâ koment ûz fiurige man:

10. Vones *G.* di sin *D.* 11. muezen oh *G*, muozzen ouch *D.* 12. huetet *DG.* 13. schaffet *D.* virholn *G.* 14. Offenlich *dgg*, offenliche *Dgg*, Offenlichen *G.* git man meide *D*, die meide git man *g*, git man die meide *oder* magde *die übrigen.* 17. Herzeloyde *G.* 19. Din *g.* 20. solt abir *G*, solde aber *D.* 21. leite inz grap *D.* 24. kanrivals *G.* 26. langer *Gdg.* 27. Daz *Ggg.* 28. leite *fehlt Gg.* sterben *gg.* 29. chrôn *G.* 30. gahmures *G.*

495, 1. wan (man) vonem *G.* 2. Offenlich *dgg*, Offenliche *Ggg*, offenlichen *D.* die meide *Ggg.* verholne di *D.* 6. sî *D.* 7. dienstes *alle.* gein me *D*, gein dem *g*, dem *die übrigen.* 8. Gein wibe *Gg*, Wibe *d.* er minne *Ggg.* 9. wan *fehlt G.* 10. ze rehte *fehlt G.* eine *Ddgg.* 11. hât *fehlt D.* 12. herren *DG.* herrelosiu *DGdgg.* 14. = nach minne *Ggg*, durch minne *gg.* 15. flætigiu *gg*, flætiget *G.* 16. eines werdes wibes *G*, eines wibes werdiu *g.* 17. dienst *D.* 18. ditche hertklichen *G.* 22. conduwierte *G.* 23. inz *Dg.* 24. stritens *D.* 25. mich] in *G.* 27. choufete *D.* 28. heiden *DG.* 29. geliche *G.*

496, 1. phlag ihes *G.* 2. teil *G.* 3. Europa *D*, erupe *d*, europia *g*, aropie *G*, arabîa *gg*, Arabie *g.* 4. unt *DG.* hin in *d.* 6. couriun *g*, Gaurian *G.* 7. ouh mange tyoste *G.* 8. berge *Gdg.* ze *fehlt dg.* 10. berge *dgg.* agram. *g*, agrom. *g.* 12. do chomen *D.* fiurine *gg.*

anderhalp si brinnent niht,
swaz man dâ tjostiure siht.
und dô ich für den Rôhas
durch âventiure gestrichen was,
dâ kom ein werdiu windisch diet
ûz durch tjoste gegenbiet.
ich fuor von Sibilje
daz mer alumb gein Zilje,
durch Frîûl ûz für Aglei.
ôwê unde heiâ hei
daz ich dînen vater ie gesach,
der mir ze sehen aldâ geschach.
do ich ze Sibilje zogte în,
dô het der werde Anschevîn
vor mir geherberget ê.
sîn vart tuot mir iemer wê,
die er fuor ze Baldac:
ze tjostiern er dâ tôt lac.

497 Daz was ê von im dîn sage:
es ist imêr mîns herzen klage.
mîn bruodr ist guotes rîche:
verholne rîterlîche
er mich dicke von im sande.
sô ich von Munsalvæsche wande,
sîn insigel nam ich dâ
und fuort ez ze Karchobrâ,
dâ sich sewet der Plimizœl,
in dem bistuom ze Barbigœl.
der burcgrâve mich dâ beriet
ûfez insigl, ê ich von im schiet,
knappn und ander koste
gein der wilden tjoste
und ûf ander rîterlîche vart:
des wart vil wênc von im gespart.
ich muose al eine komen dar:
an der widerreise liez ich gar
bî im swaz ich gesindes pflac:
ich reit dâ Munsalvæsche lac.
nu hœre, lieber neve mîn.
dô mich der werde vater dîn
ze Sibilje alrêste sach,
balde er mîn ze bruoder jach
Herzeloyden sînem wîbe,
doch wart von sîme lîbe
mîn antlütze nie mêr gesehn.
man muose ouch mir für wär dâ jehn
daz nie schœner mannes bilde wart:
dannoch was ich âne bart.

498 In mîne herberge er fuor.
für dise rede ich dicke swuor
manegen ungestabten eit.
dô er mich sô vil an gestreit,
verholn ichz im dô sagte;
des er freude vil bejagte.
er gap sîn kleinœte mir:
swaz ich im gap daz was sîn gir.
mîne kefsen, die du sæhe ê,
(diu ist noch grüener denne der klê)
hiez ich wurken ûz eim steine
den mir gap der reine.
sînen neven er mir ze knehte liez,
Ithêrn, den sîn herze hiez
daz aller valsch an im verswant,
den künec von Kucûmerlant.
wir mohten vart niht lenger sparn,
wir muosen von ein ander varn.
er kêrte dâ der bâruc was,
und ich fuor für den Rôhas.
ûz Zilje ich für den Rôhas reit,
drî mæntage ich dâ vil gestreit.
mich dûhte ich het dâ wol gestriten:
dar nâch ich schierste kom geriten
in die wîten Gandîne,
dâ nâch der ane dîne
Gandîn wart genennet.
dâ wart Ithêr bekennet.
diu selbe stat lît aldâ
dâ diu Greian in die Trâ,

14. tiostiure *mit* iu *G*, tyostiern *gg*. 15. dô *fehlt G*. Rohas *Dg*, roas *die übrigen*. 17. Do *Gg*. windesch *Gdg*, windich *g*. 18. gein bîet *D*. 21. für] durch *G*, gein *g*. 22. Awi *g*. 24. zesehenne *G*. 28. immer *G*.

497, 1. Ez *G*. 2. immer *DG*. 3. bruoder *D*, bruodir *G*. 8. zecharoch bra *G*, ze karchapra *g*. 9. swet der blimezol *G*. 12. uffez *DG*. insigel *DG*. 13. knappen *DG*. anderre *D*. 15. ander *fehlt Gg*. 16. wenech *D*, wenic *G*. 17. muese *D*, mues *G*. ein *G*. 18. In *g*, Uf *G*. 20-23 *fehlen G*. 25. Herzeloude *g*.

498, 2. ditke *G*. 6. beiaget *G*. 7. sine *G*. cleinœte *d*, chleinode *DG*. 10. is *G*. 11. Geworht uz *und* 12. Die gab mir *gg*. eîme *D*, einem *G*. 13. chenehte *G*. 14. Itheren der *G*. 16. kucumerlant *dgg*, Chunchumerl. *DGg*. 19. chert *G*. barǒch *G*. 20. 21. roas *Ggg*, rohas-roas *d*. 21. den *fehlt Gg*. 22. mentage *G*. 26. Ân *D*, æn *g*. 28. Ither da wart *G*. 30. Greîan *D*, gran *g*.

499 Mit golde ein wazzer, rinnet.
dâ wart Ithêr geminnet.
dîne basen er dâ vant:
diu was frouwe überz lant:
Gandîn von Anschouwe
hiez si dâ wesen frouwe.
si heizet Lammîre:
so istz lant genennet Stîre.
swer schildes ambet üeben wil,
der muoz durchstrîchen lande vil.
nu riwet mich mîn knappe rôt,
durch den si mir grôz êre bôt.
von Ithêr du bist erborn:
dîn hant die sippe hât verkorn:
got hât ir niht vergezzen doch,
er kan si wol geprüeven noch.
wilt du gein got mit triwen lebn,
sô solte im wandel drumbe gebn.
mit riwe ich dir daz künde,
du treist zwuo grôze sünde:
Ithêrn du hâst erslagen,
du solt ouch dîne muoter klagen.
ir grôziu triwe daz geriet,
dîn vart si vome leben schiet,
die du jungest von ir tæte.
nu volge mîner ræte,
nim buoz für missewende,
unt sorge et umb dîn ende,
daz dir dîn arbeit hie erhol
daz dort diu sêle ruowe dol.'
500 Der wirt ân allez bâgen
begunde in fürbaz frâgen
'neve, noch hân ich niht vernomen
wannen dir diz ors sî komen.'
'hêrre, daz ors ich erstreit,
dô ich von Sigûnen reit.
vor einer klôsen ich die sprach:
dar nâch ich flügelingen stach
einen rîter drabe und zôch ez dan.
von Munsalvæsche was der man.'
der wirt sprach 'ist ab der genesen,
des ez von rehte solde wesen?'
'hêrre, ich sach in vor mir gên,
unt vant daz ors bî mir stên.'
'wilt dus grâls folc sus rouben,
unt dâ bî des gelouben,
du gewinnest ir noch minne,
sô zweient sich die sinne.'
'hêrre, ich namz in eime strît.
swer mir dar umbe sünde gît,
der prüeve alrêrste wie diu stê.
mîn ors het ich verlorn ê.'
dô sprach aber Parzivâl
'wer was ein maget diu den grâl
truoc? ir mantel lêch man mir.'
der wirt sprach 'neve, was er ir
(diu selbe ist dîn muome),
sine lêch dirs niht ze ruome:
si wând du soltst dâ hêrre sîn
des grâls unt ir, dar zuo mîn.
501 Dîn œheim gap dir ouch ein swert,
dâ mit du sünden bist gewert,
sît daz dîn wol redender munt
dâ leider niht tet frâge kunt.
die sünde lâ bî dn andern stên:
wir suln ouch tâlanc ruowen gên.'
wênc wart in bette und kulter brâht:
si giengn et ligen ûf ein bâht.
daz leger was ir hôhen art
gelîche ninder dâ bewart.
sus was er dâ fünfzehen tage.
der wirt sîn pflac als ich iu sage.
krût unde würzelîn
daz muose ir bestiu spîse sîn.
Parzivâl die swære
truoc durch süeziu mære,

499, 1. *nach* golde *interpungiert D.* 3. dise *D.* 7. Diu hiez (5. 6. *fehlen*) *gg.* 8. ist ez *g*, ist daz *G.* 9. ambit *G*, ampt *D.* 12. grôz] vil *G.* 13. von Ithern *Dgg.* 14. erchorn *G*, verlorn *gg.* 15. din *gg.* niht *fehlt D.* 18. Du solt im drumbe w. g. *gg.* soltu *DG.* 19. triuwen *Gg*, truwe *d.* khunde *D.* 20. zů *G*, zwo *D.* 23. ir daz *g.* 24. voneme lebenne *G.* 27. buz *g*, buoze *G*, buozze *D.* 28. umb *D.*

500, 3. enhan *G.* 5. ditze *Ggg.* 7. Von *G.* = sah *Gg*, gesprach *gg*, besprach *g.* 8. flugl. *D.* 10. muntsalvatsch *G.* 11. Er sprach *d.* aber der *D*, abir der *Gg*, aber er *gg*, aber der man *d.* 12. sol *D.* 13. sahe *G.* vor *Dgg*, von *Gdgg.* 15. wil *DG.* grales *G.* 17. ir noch *DGgg*, sin noch *d*, noch ir *gg.* 18. zeweient *G.* din *Gdg.* 21. alrest *D.* geste *Ggg.* 23. Eins tags fragt in Barcifal *und* 501, 19 Aber sprach do *gg.* 25. mandel *Gg.* 29. wande. du soldest *DG.*

501, 4. fragin *G.* 5. den *alle.* 6. suln *fehlt DG.* talangen *G.* 7. wenech *D*, Wenic *G.* bete unde gulter *G.* 8. giengen *DG.* ûf] in *Gg.* bocht *d.* 9. hoher *d.* 10. niender *G.* 15. diu *g*, din *G.* 16. suezze *D.*

wand in der wirt von sünden schiet
unt im doch rîterlîchen riet.
eins tages frâgt in Parzivâl
'wer was ein man lac vorme grâl?
der was al grâ bî liehtem vel.'
der wirt sprach 'daz was Titurel.
der selbe ist dîner muoter an.
dem wart alrêrst des grâles van
bevolhen durch schermens rât.
ein siechtuom heizet pôgrât
treit er, die leme helfelôs.
sîne varwe er iedoch nie verlôs,
wand er den grâl sô dicke siht:
dâ von mager ersterben niht.

502 Durch rât si hânt den betterisen.
in sîner jugent fürt unde wisen
reit er vil durch tjostieren.
wilt du dîn leben zieren
und rehte werdeclîchen varn,
sô muostu haz gein wîben sparn.
wîp und pfaffen sint erkant,
die tragent unwerlîche hant:
sô reicht übr pfaffen gotes segen.
der sol dîn dienst mit triwen pflegen,
dar umbe, ob wirt dîn ende guot:
du muost zen pfaffen haben muot.
swaz dîn ouge ûf erden siht,
daz glîchet sich dem priester niht.
sîn munt die marter sprichet,
diu unser flust zebrichet:
ouch grîfet sîn gewîhtiu hant
an daz hœheste pfant
daz ie für schult gesetzet wart:
swelch priester sich hât sô bewart
daz er dem kiusche kan gegebn,
wie möht der heileclîcher lebn?'
diz was ir zweier scheidens tac.
Trevrizent sich des bewac,
er sprach 'gip mir dîn sünde her:
vor gote ich bin dîn wandels wer.
und leist als ich dir hân gesagt:
belîp des willen unverzagt.'
von ein ander schieden sie:
ob ir welt, sô prüevet wie.

17. 29. Wan *G*. 23. was *G*. ane-vane *Gdg*. 24. alrest *D*. 25. bevolhens *D*. schermens *D*, schirmens *g*, schermes *Gg*, schirmes *dgg*. 26. siehtuom *Gg*. 27. leme *dg*, lem *DGg*. 29. sihte *G*. 30. er mach *D*.

502, 1. Bêttrisen *D*. 2. fürt *dgg*, fûrt *G*, furt *D*. 4. wil *DG*. 5. werdecliche *D allein*. 9. reichet *DG*. uber *D*, ubir *G*, uber die *gg*. 11. obe *G*, so *d*, *fehlt gg*. dine *G*. 12. zephaphen *Ggg*, zdem pfaffen *g*. 14. glichet *g*. brister *G*. 17. gerifet *G*. 18. hœhste *Dgg*, aller hohste *gg*. 19. wart gesetzet *G*. 20. Swelch priester 'sih hat so biwart *G*. so hat *g*. 21. dem. *D*, der *g*. 22. heiliger lebin *G*. 23. ir beider *Gg*. 25. nu gib mir *G*. 26. got *G*. waldels *g*. 29. 30. sî-pruefet wî *D*.

X.

503 Ez næht nu wilden mæren,
diu freuden kunnen læren
und diu hôchgemüete bringent:
mit den bêden si ringent.
nu wasez ouch über des jâres zît.
gescheiden was des kampfes strît,
den der lantgrâve zem Plimizœl
erwarp. der was ze Barbigœl
von Tschanfanzûn gesprochen:
da beleip ungerochen
der künec Kingrisîn.
Vergulaht der sun sîn
kom gein Gâwâne dar:
dô nam diu werlt ir sippe war,
und schiet den kampf ir sippe maht;
wand ouch der grâve Ehcunaht
ûf im die grôzen schulde truoc,
der man Gâwân zêch genuoc.
des verkôs Kingrimursel
ûf Gâwân den degen snel.
si fuoren beide sunder dan,
Vergulaht unt Gâwân,
an dem selben mâle
durch vorschen nâch dem grâle,
aldâ si mit ir henden
mange tjoste muosen senden.
wan swers grâles gerte,
der muose mit dem swerte
sich dem prîse nâhen.
sus sol man prîses gâhen.

504 Wiez Gâwâne komen sî,
der ie was missewende frî,
sît er von Tschanfanzûn geschiet,
op sîn reise ûf strît geriet,
des jehen diez dâ sâhen:
er muoz nu strîte nâhen.
eins morgens kom hêr Gâwân
geriten ûf einen grüenen plân.
dâ sach er blicken einen schilt:
dâ was ein tjoste durch gezilt;
und ein pfert daz frowen gereite truoc:
des zoum unt satel was tiur genuoc.
ez was gebunden vaste
zuome schilte an einem aste.
dô dâhter 'wer mac sîn diz wîp,
diu alsus werlîchen lîp
hât, daz si schildes pfligt?
op si sich strîts gein mir bewigt,
wie sol ich mich ir danne wern?
ze fuoz trûw ich mich wol ernern.
wil si die lenge ringen,
si mac mich nider bringen,
ich erwerbes haz ode gruoz,
sol dâ ein tjost ergên ze fuoz.
ob ez halt frou Kamille wære,
diu mit rîterlîchem mære
vor Laurente prîs erstreit,
wær si gesunt als si dort reit,
ez wurde iedoch versuocht an sie,
op si mir strîten büte alhie.'

505 Der schilt was ouch verhouwen:
Gâwân begunde in schouwen,

503, 1. næht *D*, nehet *g*, nahent *Gg*. 2. 3. di *D*, die *G*. 4. beiden *G*. 5. was ouch *dg*. ubers *g*, uber *g*. iars *DG*. 6. Daz gesch. *Gg*. kampfs *D*, camphes *G*. 7. blimzol *G*. -ol *auch D*. 11. Der werde k. k. *d*. 15. champhe *G*. 18. 20. Gawan *g*. 19. Do *(aus* Des *gemacht) G*, Daz *g*. 21. fuerin bede *G*. 23. selbem *D*. mâl *G*. 27. Grals *DG*. 28. der] do *D*.

504, 3. tschanfanzune *G*. schiet *Gdgg*. 7. min her *DGg*. 9. blecken *d*. 10. ein *fehlt G*. 11. pharit *G*. gereit *Gg*. 12. *fehlt G*. 14. By den schilt zuo *d*. 15. daz wip *Ggg*. 18. strites *DG*. 19. danne *vor* ir *G*, *fehlt D*. 20. fuozze trwe *D*, fueze trouwe *G*. 24. gen *Gg*. 25. frouwe *G*. komille *d*. 26. redelichem *gg*. 27. lorente *G*, Laurenti *g*. 29. versuoht *gg*, versuochet *DG*. 30. butte *D*.

dô er derzuo kom geriten.
der tjoste venster was gesniten
mit der glâvîne wît.
alsus mâlet si der strît:
wer gults den schiltæren,
ob ir varwe alsus wæren?
der linden grôz was der stam.
och saz ein frouwe an freuden lam
derhinder ûf grüenem klê:
der tet grôz jâmer als wê,
daz si der freude gar vergaz.
er reit hin umbe gein ir baz.
ir lac ein rîter in der schôz,
dâ von ir jâmer was sô grôz.
  Gâwân sîn grüezen niht versweic:
diu frouwe im dancte unde neic.
er vant ir stimme heise,
verschrît durch ir freise.
do erbeizte mîn hêr Gâwân.
dâ lac durchstochen ein man:
dem gienc dez bluot in den lîp.
dô frâgter des heldes wîp,
op der rîter lebte
ode mit dem tôde strebte.
dô sprach si 'hêrre, er lebet noch:
ich wæn daz ist unlenge doch.
got sande iuch mir ze trôste her:
nu rât nâch iwerre triwen ger.
506 Ir habt kumbers mêr dan ich gesehn:
lât iwern trôst an mir geschehn,
daz ich iwer hilfe schouwe.'
'ich tuon,' sprach er, 'frouwe.
  disem rîter wold ich sterben wern,
ich trûwt in harte wol ernern,
het ich eine rœren:
sehen unde hœren
möht ir in dicke noch gesunt.
wan er ist niht ze verhe wunt:
daz bluot ist sînes herzen last.'
er begreif der linden einen ast,
er sleiz ein louft drabe als ein rôr
(er was zer wunden niht ein tôr):
den schoup er zer tjost in den lîp.
dô bat er sûgen daz wîp,
unz daz bluot gein ir flôz.
des heldes kraft sich ûf entslôz,
daz er wol redte unde sprach.
do er Gâwânn ob im ersach,
dô dankte er im sêre,
und jach, er hetes êre
daz er in schied von unkraft,
und frâgt in ober durch rîterschaft
wær komen dar gein Lôgrois.
'ich streich ouch verr von Punturtois
und wolt hie âventiure bejagn.
von herzen sol ichz immer klagn
daz ich sô nâhe geriten bin.
ir sultz ouch mîden, habt ir sin.
507 Ich enwânde niht deiz kœm alsus.
Lishoys Gwelljus
hât mich sêre geletzet
und hinderz ors gesetzet
mit einer tjoste rîche:
diu ergienc sô hurteclîche
durch mînen schilt und durch den lîp.
dô half mir diz guote wîp
ûf ir pfert an diese stat.'
Gâwân er sêre belîben bat.
Gâwân sprach, er wolde sehn
wâ im der schade dâ wære geschehn.

505, 3. was *D*. 5. glevenie *gg*. wite *G*. 6. malet *g*, malt *Dgg*, malte *Gg*. 7. gultes *DGyg*, gúlte sú *d*. schultaren (y *über* u) *G*. 15. in ir schoz *Gdy*. 17. Gewan *G*. si *gg*. 18. danchet *Ggg*. 20. Verschriet *Ggg*. 21. h'er *D*, herre *G*. gawein *G*. 22. durstochen *G*. 23. dz *D*, daz *G*. 30. ratet *DG*. iwer *G*.

506, 1. me *G*. dan *g*. ich muge gesehen *G*. 6. trŵet *D*, trouwete *G*, trewet *g*. 9. *über* ditche *setzt G* machen. 13. einen louft *D*, einen loyft *G*, einen louf *g*, einen loft *g*, ein lust *gg*, ein loup *d*. rôre *G*. 15. tiost niht in *G*. 17. daz bluot *D*, daz daz bluot *gg*, daz bluot wider *Gdyg*. 18. sich wider uf *G*. 19. reite *G*, redet *dg*. 20. gawanen *alle*. sach *Gg*. 21. danchet *g*, genadet *G*. 22. hetes *Ggg*, het sin *dyg*, het des *D*. 23. schiet *g*, schiede *DG*. 26. verrė *DG*. usz *d*. pontorteis *G*. 27. wolde *DG*. 28. muoz *Gg*. ihz *G*, ich *D*. 29. nahe *dg*, nahen *DG*.

507, 1. Ihne wande ouch niht *G*. deiz] der *d*, daz ez *die übrigen*. kœm *gg*, chôm *G*, chœme *D*. 6. Die *G*. 8. ditz *gg*, ditze *G*. dizze *D*, daz *dyg*. 9. pharit *G*, pferde *dgg*. 10. Gawanen *alle außer d*. sêre *fehlt dg*.

'lît Lôgroys sô nâhen,
mac i'n dervor ergâhen,
sô muoz er antwurten mir:
ich frâge in waz er ræche an dir.'
'des entuo niht,' sprach der wunde man.
'der wârheit ich dir jehen kan.
dar engêt niht kinde reise:
ez mac wol heizen freise.'
Gâwân die wunden verbant
mit der frouwen houbtgewant,
er sprach zer wunden wunden segn,
er bat got man und wîbes pflegn.
er vant al bluotec ir slâ,
als ein hirze wære erschozzen dâ.
daz enliez niht irre in rîten:
er sach in kurzen zîten
Lôgroys die gehêrten.
vil liut mit lobe si êrten.

508 An der bürge lâgen lobes werc.
nâch trendeln mâze was ir berc:
swâ si verre sach der tumbe,
er wând si liefe alumbe.
der bürge man noch hiute giht
daz gein ir sturmes hôrte niht:
si forhte wênec selhe nôt,
swâ man hazzen gein ir bôt.
alumben berc lac ein hac,
des man mit edelen boumen pflac.
vîgen boum, grânât,
öle, wîn und ander rât,
des wuohs dâ ganziu rîcheit.
Gâwân die strâze al ûf hin reit:
da ersaher niderhalben sîn
freude und sîns herzen pîn.
ein brunne ûzem velse schôz:
dâ vander, des in niht verdrôz,
ein alsô clâre frouwen,
dier gerne muose schouwen,
aller wîbes varwe ein bêâ flûrs.
âne Condwîrn âmûrs
wart nie geborn sô schœner lîp.
mit clârheit süeze was daz wîp,
wol geschict unt kurtoys.
si hiez Orgelûse de Lôgroys.
och sagt uns d'âventiur von ir,
si wære ein reizel minnen gir,
ougen süeze ân smerzen,
unt ein spansenwe des herzen.

509 Gâwân bôt ir sînen gruoz.
er sprach 'ob ich erbeizen muoz
mit iweren hulden, frouwe,
ob ich iuch des willen schouwe
daz ir mich gerne bî iu hât,
grôz riwe mich bî freuden lât:
sone wart nie rîter mêr sô frô.
mîn lîp muoz ersterben sô
daz mir nimmer wîp gevellet baz.'
'deist et wol: nu weiz ich ouch daz.'
selch was ir rede, dô se an in sach.
ir süezer munt mêr dannoch sprach
'nu enlobt mich niht ze sêre:
ir enpfâhtes lîhte unêre.
ichn wil niht daz ieslîch munt
gein mir tuo sîn prüeven kunt.
wær mîn lop gemeine,
daz hiez ein wirde kleine,
dem wîsen unt dem tumben,
dem slehten und dem krumben:
wâ riht ez sich danne für
nâch der werdekeite kür?
ich sol mîn lop behalten,
daz es die wîsen walten.
ichn weiz niht, hêrre, wer ir sît:
iwers rîtens wære von mir zît.

14. in *G*, ich in *die übrigen.* ich inder vor *D.* 16. Ih fraget in *G.* 22. huopte gewant *G.* 24. mansz *g.* 26. hirze *DGg*, hirtz *dgg.* erslagin *G.* 27. Daz liez in niht irre riten *dg.* 30. lute *D*, lûte *G.*

508, 1. burch lach *g.* 2. En tr. *G.* trendeln *Dg*, trendel *d*, trentel *g*, trenelen *G*, trenel *g*, tremelen *g.* 4. wande *DG.* 6. horte sturmes *G.* hurte *d.* 7. wenic solhe noht *G.* 9. Alumbe enberch *G.* 11. boume *dg.* unde granat *Gdg.* 13. groziu *Ggg.* 17. Eine *G.* 18. Do vant er *G.* 19. alse *G.* 20. mohte *Gdg.* 21. wibe *dgg und ohne* varwe *g.* ein *fehlt Gg.* 22. = condwiramurs *Ggg.* 23. sô *fehlt gg.* 24. clareheit *G.* 25. geschickt *g*, geschiht *g*, geschichet *DG.* kurteis *G.* 27. seit *G.* uns *fehlt dgg.* diu *D*, die *G.* 29. ane *D.* 30. spannesenwe *g*, spansniuwe *G.*

509, 8. Ih muoz sterbin lihte also *G.* 9. gevallet *G.* 11. si *DG.* 13. Nune lobit *G.* 15. 25. Ihne *G.* 16. *fehlt G.* 18. hiezze *D.* ein] ich *gg.* 22. werdecheit *D.* 26. Iwer varn wer van mir zit *g.*

mîn prüeven lât iuch doch niht frî:
ir sît mînem herzen bî,
verre ûzerhalp, niht drinne.
gert ir mîner minne,
510 Wie habt ir minne an mich erholt?
maneger sîniu ougen bolt,
er möhts ûf einer slingen
ze senfterm wurfe bringen,
ob er sehen niht vermîdet
daz im sîn herze snîdet.
lât walzen iwer kranken gir
ûf ander minne dan ze mir.
dient nâch minne iwer hant,
hât iuch âventiure gesant
nâch minne ûf rîterlîche tât,
des lônes ir an mir niht hât:
ir mugt wol laster hie bejagn,
muoz ich iu die wârheit sagn.'
dô sprach er 'frouwe, ir sagt mir wâr.
mîn ougen sint des herzen vâr:
die hânt an iwerem lîbe ersehn,
daz ich mit wârheit des muoz jehn
daz ich iwer gevangen bin.
kêrt gein mir wîplîchen sin.
swies iuch habe verdrozzen,
ir habt mich în geslozzen:
nu lœset oder bindet.
des willen ir mich vindet,
het ich iuch swâ ich wolte,
den wunsch ich gerne dolte.'
si sprach 'nu füert mich mit iu hin.
welt ir teilen den gewin,
den ir mit minne an mir bejagt,
mit laster irz dâ nâch beklagt.
511 Ich wiste gerne ob ir der sît,
der durch mich getorste lîden strît.
daz verbert, bedurft ir êre.
solt ich iu râten mêre,
spræcht ir denne der volge jâ,
sô suocht ir minne anderswâ.
ob ir mîner minne gert,
minne und freude ir sît entwert.
ob ir mich hinnen füeret,
grôz sorge iuch dâ nâch rüeret.'
dô sprach mîn hêr Gâwân
'wer mac minne ungedienet hân?
muoz ich iu daz künden,
der treit si hin mit sünden.
swem ist ze werder minne gâch,
dâ hœret dienst vor unde nâch.'
si sprach 'welt ir mir dienst gebn,
sô müezt ir werlîche lebn,
unt megt doch laster wol bejagn.
mîn dienst bedarf decheines zagn.
vart jenen pfat (êst niht ein wec)
dort über jenen hôhen stec
in jenen boumgarten.
mîns pferts sult ir dâ warten.
dâ hœrt ir und seht manege diet,
die tanzent unde singent liet,
tambûren, floitieren.
swie si iuch condwieren,
gêt durch si dâ mîn pfärt dort stêt,
unt lœst ez ûf: nâch iu ez gêt.'
512 Gâwân von dem orse spranc.
dô het er mangen gedanc,
wie daz ors sîn erbite.
dem brunnen wonte ninder mite
dâ erz geheften möhte.
er dâhte, ob im daz töhte
daz siz ze behalten næme,
ob im diu bete gezæme.

27. pueven *D*.
510, 1. mir *G*. verholt *g*. 4. Ze senferen *G*, zesenftem *D*. 7. chranche *Gdgg*. 8. dann *gg*, danne *DG*. 17. di *D*. habint *G*. 20. wippl. *G*. 22. mir *D*. 23. olde *G*. 25. 26. wolde-dolde *Gg*. 27. mich *fehlt G*. 29. minnen *G*. 30. der nach *G*, dar nach *gg*.
511, 1. wesse *G*. der *Dgg*, daz *Gdgg*. 5. sprœchet *DG*. der volge *fehlt G*. 6. suehte ir *G*. 10. Groze *G*. 11. Da *G*. herr *D*, herre *G*. 12. Swer *Gg*. mag *nach* minne *gg*, wil *nach* minne *g*, wil *vor* han *d*. 16. 20. dienste *G*. 18. muzt *g*. werdechlichen *G*. 19. muget *G*. 20. decheins *D*, neheins *G*. 21. ez ist *alle*, *nur* ez enist *g*. 23. ienen *D*, den *g*, einen *die übrigen*. 24. pfærdes *D*, pharides *G*. 25. ir *fehlt G*. und seht ir *D*. 26. singent mænige liet *G*. 27. unde floyt. *G*. 28. condew. *G*. 29. sie *D*. pharit *G*. 30. *fehlt G*. uf. *D*.
512, 3. sîn] finer *G*. 4. wonet niemer *G*. 6. im *fehlt D*. dohte *G*.

'ich sihe wol wes ir angest hât,'
sprach si. 'diz ors mir stên hie lât:
daz behalt ich unz ir wider kumt.
mîn dienst in doch vil kleine frumt.'
dô nam mîn hêr Gâwân
den zügel von dem orse dan:
er sprach 'nu habt mirz, frouwe.'
'bì tumpheit ich iuch schouwe,'
sprach si: 'wan dâ lac iwer hant,
der grif sol mir sîn unbekant.'
dô sprach der minne gernde man
'frouwe, in greif nie vorn dran.'
'nu, dâ wil ichz enpfâhen,'
sprach si. 'nu sult ir gâhen,
und bringt mir balde mîn pfert.
mîner reise ir sît mit iu gewert.'
daz dûhte in freudehaft gewin:
dô gâht er balde von ir hin
über den stec zer porten în.
dâ saher manger frouwen schîn
und mangen rîter jungen,
die tanzten unde sungen.

513 Dô was mîn hêr Gâwân
sô geziniert ein man,
daz ez si lêrte riuwe:
wan si heten triuwe,
die des boumgarten pflâgen.
si stuonden ode lâgen
ode sæzen in gezelten,
die vergâzen des vil selten,
sine klageten sînen kumber grôz.
man unt wîp des niht verdrôz,
genuoge sprâchen, denz was leit,
'mîner frowen trügeheit
wil disen man verleiten
ze grôzen arbeiten.
ôwê daz er ir volgen wil
ûf alsus riwebæriu zil.'
manec wert man dâ gein im gienc,
der in mit armen unbevienc
durch friwentlîch enpfâhen.
dar nâch begunder nâhen
einem ölboum: dâ stuont dez pfert:
ouch was maneger marke wert
der zoum unt sîn gereite.
mit einem barte breite,
wol geflohten unde grâ
stuont derbî ein rîter dâ
über eine krücken gleinet:
von dem wart ez beweinet
daz Gâwân zuo dem pfärde gienc.
mit süezer rede ern doch enpfienc.

514 Er sprach 'welt ir râtes pflegn,
ir sult diss pfärdes iuch bewegn.
ezn wert iu doch niemen hie.
getât ab ir dez wægest ie,
sô sult irz pfärt hie lâzen.
mîn frouwe sî verwâzen,
daz si sô manegen werden man
von dem lîbe scheiden kan.'
Gâwân sprach, ern liezes niht.
'ôwê des dâ nâch geschiht!'
sprach der grâwe rîter wert.
die halftern lôster vome pfert,
er sprach 'ir sult niht langer stên:
lât diz pfärt nâh iu gên.
des hant dez mer gesalzen hât,
der geb iu für kumber rât.
hüet daz iuch iht gehœne
mîner frouwen schœne:

11. chomet *G*. 12. iuch *G*. doch *fehlt g*. wenic *Gg*. 13. herre *G*. *so* 513, 1. 14. ors san *G*. 16. ih iu *G*. 18. umb. *G*. 20. ine greif *D*, ih engreif *G*. voren *D*. 21. nu. da *D*. 23. brîngt *g*. balde mir *Gg*. pfært *D*. 25. froude hafte *G*. 26. vor ir *D*. 27. Ubir den stek zeder borten in *G*. 28. Do *Gg*. sager mangen *D*. 30. tanzeten *G*. sprungen *Gg*.

513, 2. gezimierte *G*. 4. wande *D*. 6. stuoden *G*. 6. 7. oder *D*. 7. sæzen *Dg*, sæzzen *G*, sazen *die übrigen*. in den *G*. 10. Wip unde man *G*. 11. Gnuoge *D*. den es *DG*. 15. ouwe *D*. 16. also *Ggg*. riuwæriu (ba *über* wæ) *G*, riuberiu *g*. 19. friuntliche *G*. 21. ôlboume *DG*. dez *D*, daz *G*, ez *g*. pharit *G*. 22. mæneger march *G*. 27. gel. *alle*, geleint *G*. 29. pharit *G*.

514, 1. Der *D*. ratis *G*, rats *D*. 2. disses *G*. pfærds *D*, pharides *G*. 4. abir ir daz *G*. wægeste *D*, wagist *G*. 5. pfært *Dg*, *fehlt den übrigen*. 6. sie *G*. 8. Vonem *G*. 9. er *Gdg*. 10. ouwe *D*. = des danne da nah *Ggg*. 12. halfteren lostr *D* 13. lenger *G*. 14. dize pharit *G*. 17. Huete *G*.

wan diu ist bî der süeze al sûr,
reht als ein sunnenblicker schûr.'
'nu waltes got,' sprach Gâwân.
urloup nam er zem grâwen man:
als tet er hie unde dort.
si sprâchen alle klagendiu wort.
daz pfärt gienc einen smalen wec
zer porte ûz nâch im ûf den stec.
sîns herzen voget er dâ vant:
diu was frouwe überz lant.
swie sîn herze gein ir flôch,
vil kumbers si im doch drîn zôch.

515 Si hete mit ir hende
underm kinne daz gebende
hin ûfez houbet geleit.
kampfbæriu lide treit
ein wîp die man vindet sô:
diu wær vil lîhte eins schimpfes vrô.
waz si anderr kleider trüege?
ob ich nu des gewüege,
daz ich prüeven solt ir wât,
ir liehter blic mich des erlât.
dô Gâwân zuo der frouwen gienc,
ir süezer munt in sus enpfienc.
si sprach 'west willekomn, ir gans.
nie man sô grôze tumpheit dans,
ob ir mich diens welt gewern.
ôwê wie gern irz möht verbern!'
er sprach 'ist iu nu zornes gâch,
dâ hœrt iedoch genâde nâch.
sît ir strâfet mich sô sêre,
ir habt ergetzens êre.
die wîl mîn hant iu dienst tuot,
unz ir gewinnet lônes muot.
welt ir, ich heb iuch ûf diz pfert.'
si sprach 'des hân ich niht gegert.
iwer unversichert hant
mac grîfen wol an smæher pfant.'
hin umbe von im si sich swanc,
von den bluomen ûfez pfärt si spranc.
si bat in daz er rite für.
'ez wære et schade ob ich verlür

516 Sus ahtbæren gesellen,'
sprach si: 'got müeze iuch vellen!'
swer nu des wil volgen mir,
der mîde valsche rede gein ir.
niemen sich verspreche,
ern wizze ê waz er reche,
unz er gewinne küende
wiez umb ir herze stüende.
ich kunde ouch wol gerechen dar
gein der frouwen wol gevar:
swaz si hât gein Gâwân
in ir zorne missetân,
ode daz si noch getuot gein im,
die râche ich alle von ir nim.
Orgelûs diu rîche
fuor ungesellecliche:
zuo Gâwân si kom geriten
mit alsô zornlîchen siten,
daz ich michs wênec trôste
daz si mich von sorgen lôste.
si riten dannen beide,
ûf eine liehte heide.
ein krût Gâwân dâ stênde sach,
des würze er wunden helfe jach.
do rebeizte der werde
nider zuo der erde:
er gruop se, wider ûf er saz.
diu frouwe ir rede ouch niht vergaz,
si sprach 'kan der geselle mîn
arzet unde rîter sîn,

517 Er mac sich harte wol bejagn,
gelernt er bühsen veile tragn.'

19. 20. sẘr-scẘr *D.* 20. sunne bliche *g*, sunnen bliche *g.* 21. walts *D.* 23. unt *D.* 24. chlagende *D.* 25. phert *G.* gie *DG.* ein smaln *D.* 26. Zeden borten *G.* porten *D und fast alle.* uf dem *G.* 27. vogit *G*, vogt *D.* 28. ubirz *G*, uber daz *D.* 30. *über* chumbers *setzt G* tiuvelsnezze *G.* doch *DGg, fehlt den übrigen.* gezoch *D.*

515, 2. Underm *g.* 3. huopt *G.* 6. champhes *Gdg.* 7. anderre *G.* 8. des nu *Gd.* 13. west *Dg*, weset *dg*, sit *Ggg.* 14. gedans *dgg.* 15. dienstes *alle aufser D.* wern *Ggg.* 16. ouwe wi *D*, We wie *G*, Owy wie *g*, Owie (*und* moht ichz) *g*, Eya wie *d.* mohte *G.* 17. nu *fehlt D.* zorns *DG.* 19. strapfet mich *g*, mich strafet *G.* 23. pfert *G.*

516, 1. ahpærn *gg.* 4. mide *D*, mit *G.* 11. gein gewan *G.* 13. oder *D.* swaz si noh (tuot *nachgetragen*) gein im *G.* 15. Orgeluse *DG immer.* 17. Gawane *DGg.* 23. da stende Gawan *D*, do g. st. *g.* 21. Des chrut er *G*, Des kraft den *g.* 25. erbeizet *G.* 27. gruop si *G.*

517, 2. veil *Gdg.*

zer frouwen sprach Gâwânes munt
'ich reit für einen rîter wunt:
des dach ist ein linde.
ob ich den noch vinde,
disiu wurz sol in wol ernern
unt al sîn unkraft erwern.'
si sprach 'daz sih ich gerne.
waz ob ich kunst gelerne?'
dô fuor in balde ein knappe nâch:
dem was zer botschefte gâch,
die er werben solte.
Gâwân sîn beiten wolte:
dô dûht ern ungehiure.
Malcrêatiure
hiez der knappe fiere:
Cundrîe la surziere
was sîn swester wol getân:
er muose ir antlütze hân
gar, wan daz er was ein man.
im stuont ouch ietweder zan
als einem eber wilde,
unglîch menschen bilde.
im waz dez hâr ouch niht sô lanc
als ez Cundrien ûf den mûl dort swanc:
kurz, scharf als igels hût ez was.
bî dem wazzer Ganjas
ime lant ze Trîbalibôt
wahsent liute alsus durch nôt.

518 Unser vater Adâm,
die kunst er von gote nam,
er gap allen dingen namn,
beidiu wilden unde zamn:
er rekant ouch ieslîches art,
dar zuo der sterne umbevart,
der siben plânêten,
waz die krefte hêten:
er rekant ouch aller würze maht,
und waz ieslîcher was geslaht.
dô sîniu kint der jâre kraft
gewunnen, daz si berhaft
wurden menneschlîcher fruht,
er widerriet in ungenuht.
swâ sîner tohter keiniu truoc,
vil dicke er des gein in gewuoc,
den rât er selten gein in liez,
vil würze er se mîden hiez
die menschen fruht verkêrten
unt sîn geslähte unêrten,
'anders denne got uns maz,
dô er ze werke übr mich gesaz,'
sprach er. 'mîniu lieben kint,
nu sît an sælekeit niht blint.'
diu wîp tâten et als wîp:
etslîcher riet ir brœder lîp
daz si diu werc volbrâhte,
des ir herzen gir gedâhte.
sus wart verkêrt diu mennischeit:
daz was iedoch Adâme leit,

519 Doch engezwîvelt nie sîn wille.
diu küneginne Secundille,
die Feirefîz mit rîters hant
erwarp, ir lîp unt ir lant,
diu het in ir rîche
hart unlougenlîche
von alter dar der liute vil
mit verkêrtem antlützes zil:
si truogen vremdiu wilden mâl.
dô sagete man ir umben grâl,
daz ûf erde niht sô rîches was,
unt des pflæge ein künec hiez Anfortas.
daz dûhte se wunderlîch genuoc:
wan vil wazzer in ir lant truoc

3. Gawans *DG*. 7. wrce *Dgg*. 11. im *D*. 15. ungehure *G*. 18. Gundrie lansurziere *G*. 22. stuonde *D*. îetsweder *D*, ietwederre *G*. 24. ungelich *DG*. menneschen *D*. 25. dz *D*, daz *G*. 26. gundrien *G*, kundrie *g*. ufen *g*, uf dem *Ggg*. dort *fehlt gg*. 27. scharphe *G*. 28. waszer *G*. 29. lande *alle*. 29. 30. -ôt *und* nôt *G*.

518, 2. got *G*. 5. 9. erchande *G*. 6. stern *D*, sternen *dg*. 7. selben *D*. 9. wrzen *g*. 15. deh. *Gg*, eine *g*. 16. ditke *G*. 18. wurzen er si *Ggg*. 19. mennschen *D*. 20. sine *G*, si *D*. geslahte *G*. 22. uber *D*, ubir *G*. uber uns saz *g*. 23. Do sprach er *g*. min liebiu chint *G*. 26. geriet *D*. 28. des *Dg*, Der *Gdg*, Als *gg*. herze *G*. 29. mennscheit *D*. 30. doch adamen *g*. adam *G*.

519, 1. engezwivelte *D*, gezwifelt *dgg*, gezwischelte *G*, zwifelt *gg*. 2. Die chunegin segundille *G*. 3. ferefiz *g*, fetefiz *G*. 6. Harte *G*. unlogenliche *G*, ungelogenl. *g*, ungelugel. *g*. 7. do *G*, da *g*. 9. fromden *G*. wilden *DG*, wilt *gg*, wilde *dg*. 11. erden *Gg*. 12. Unde es *G*. 13. se] sih *G*. 14. lande *gg*.

für den griez edel gesteine:
grôz, niht ze kleine,
het si gebirge guldîn.
dô dâht diu edele künegîn
'wie gewinne ich künde dises man,
dem der grâl ist undertân?'
si sant ir kleinœte dar,
zwei mennesch wunderlîch gevar,
Cundrîen unde ir bruoder clâr.
si sante im mêr dennoch für wâr,
daz niemen möhte vergelten:
man fündez veile selten.
dô sande der süeze Anfortas,
wand er et ie vil milte was,
Orgelûsen de Lôgroys
disen knappen kurtoys.

520 Von wîbes gir ein underscheit
in schiet von der mennescheit.
der würze unt der sterne mâc
huop gein Gâwân grôzen bâc.
der hete sîn ûfem wege erbitn.
Malcrêatiure kom geritn
ûf eime runzîde kranc,
daz von leme an allen vieren hanc.
ez strûchte dicke ûf d'erde.
frou Jeschût diu werde
iedoch ein bezzer pfärt reit
des tages dô Parzivâl erstreit
ab Orilus die hulde:
die vlôs se ân alle ir schulde.
der knappe an Gâwânen sach:
Malcrêatiur mit zorne sprach
'hêr, sît ir von rîters art,
sô möht irz gerne hân bewart:
ir dunket mich ein tumber man,
daz ir mîne frouwen füeret dan:
och wert irs underwîset,
daz man iuch drumbe prîset,
op sichs erwert iwer hant.
sît ab ir ein sarjant,
sô wert ir gâlûnt mit stabn,
daz irs gern wandel möhtet habn.'
Gâwân sprach 'mîn rîterschaft
erleit nie sölher zühte kraft.
sus sol man walken gampelher,
die niht sint mit manlîcher wer:

521 Ich pin noch ledec vor solhem pîn.
welt ab ir unt diu frouwe mîn
mir smæhe rede bieten,
ir müezt iuch eine nieten
daz ir wol meget für zürnen hân.
swie freislîche ir sît getân,
ich enbær doch sanfte iwer drô.'
Gâwân in bîme hâre dô
begreif und swang in underz pfert.
der knappe wîs unde wert
vorhtlîche wider sach.
sîn igelmæzec hâr sich rach:
daz versneit Gâwân sô die hant,
diu wart von bluote al rôt erkant.
des lachte diu frouwe:
si sprach 'vil gerne ich schouwe
iuch zwêne sus mit zornes site.'
si kêrten dan: dez pfärt lief mite.
si kômen dâ si funden
ligen den rîter wunden.
mit triwen Gâwânes hant
die wurz ûf die wunden bant.
der wunde sprach 'wie'rgienc ez dir,
sît daz du schiede hie von mir?
du hâst eine frouwen brâht,
diu dîns schaden hât gedâht.

18. daht *g*. edil *G*. 19. gwnne *gg*. diss *D*, disses *g*. 21. chleinode *DG*. 22. menschen *Gdg*, mensche *g*. 23. Gundr. *G*. 26. fundz *D*, vunden *G*. 28. Wan *G*. 29. Orgeluosen *D*.

520, 3. stern *g*, sternen *dg*, strenen *G*. 5. uf dem wege biten *G*. 8. lem *Ggg*. uf *g*. 9. struchete *D*, struchet *G*. uf der erde *G*. 10. Iescute *D*, Ieschute *G*. 11. pherit *G*. 13. Abe orillus *G*. di *Dg*, ir die *die übrigen*. 14. vlos si *D*, virlos si *G*, si verlos *g*. an alle ir *Dg*, ane *die übrigen*. 15. ane gewanen *G*. 16. Malcreature *DG immer*. 19. tumpir *G*. 20. dar ir *D*. fuerte *G*. 21. irz *D*. 24. aber *D*, abir *G*. 25. werdet *alle*. ir *fehlt d*. Ir werdet galunet so *gg*. galûnet *D*, gealunt *G*. 26. moht *G*. 29. campel hêr *G*. 30. sint mit *Dd*, sin mit *g*, mit *Ggg*, hant *g*.

521, 2. abir ir *G*. 4. muezet *G*, muozet *D*. 5. muget vur zurne *G*. 6. vreissam *D*, eislich *gg*. 7. ich enbære *D*, Ihne enbær *G*. samfte *G*. iwerr *D*. 9. pfært *D*. 13. also *G*. 15. lachete *G*. 17. zorns *DG*. 18. daz pharit *G*. 21. Gawans *DG oft*. 22. wrce *Ddg*. 23. wi ergie *D*, wie ergienc *G*. 24. daz *fehlt G*. 25. ein *G*.

von ir schuldn ist mir sô wê:
in Âv'estroit mâvoiê
half si mir schärpfer tjoste
ûf lîbs und guotes koste.
522 Wellestu behalten dînen lîp,
sô lâ diz trügehafte wîp
rîten unde kêr von ir.
nu prüeve selbe ir rât an mir.
doch möht ich harte wol genesen,
ob ich bî ruowe solte wesen.
des hilf mir, getriwer man.'
dô sprach mîn hêr Gâwân
'nim aller mîner helfe wal.'
'hie nâhen stêt ein spitâl:
alsô sprach der rîter wunt:
'kœme ich dar in kurzer stunt,
dâ möht ich ruowen lange zît.
mîner friundîn runzît
hab wir noch stênde al starkez hie:
nu heb si drûf, mich hinder sie.'
dô bant der wol geborne gast
der frouwen pfärt von dem ast:
er woldez ziehen nâher ir.
der wunde sprach 'hin dan von mir!
wie ist iuch tretens mich sô gâch?'
er zôhz ir verr: diu frowe gienc nâch,
sanfte unt doch niht drâte,
al nâch ir mannes râte.
Gâwân ûf daz pfärt si swanc.
innen des der wunde rîter spranc
ûf Gâwânes kastelân.
ich wæne daz was missetân.
er unt sîn frouwe riten hin:
daz was ein sündehaft gewin.
523 Gâwân daz klagete sêre:
diu frouwe es lachete mêre
denn inder schimpfes in gezam.
sît man im daz ors genam,
ir süezer munt hin zim dô sprach
'für einen rîter ich iuch sach:
dar nâch in kurzen stunden
wurdt ir arzet für die wunden:
nu müezet ir ein garzûn wesn.
sol iemen sîner kunst genesn,
sô trœst iuch iwerre sinne.
gert ir noch mîner minne?'
'jâ, frouwe,' sprach hêr Gâwân:
'möhte ich iwer minne hân,
diu wær mir lieber danne iht.
ez enwont ûf erde nihtes niht,
sunder krône und al die krône tragent,
unt die freudehaften prîs bejagent:
der gein iu teilte ir gewin,
sô rætet mir mîns herzen sin
daz ichz in lâzen solte.
iwer minne ich haben wolte.
mag ich der niht erwerben,
sô muoz ein sûrez sterben
sich schiere an mir rezeigen.
ir wüestet iwer eigen.
ob ich vrîheit ie gewan,
ir sult mich doch für eigen hân:
daz dunct mich iwer ledec reht.
nu nennt mich rîter oder kneht,
524 Garzûn oder vilân.
swaz ir spottes hât gein mir getân,
dâ mite ir sünde enpfâhet,
ob ir mîn dienst smâhet.
solt ich diens geniezen,
iuch möhte spots verdriezen.

27. ir schulden *DGgg*, ir schulde *d*, der schult *gg*. 28. una stroyt viê (*ohne* in) *D*. 29. scharpher *G*. 30. Gein mines verbes choste *gg*. ûfz *D*. lîbes *DG*. unde uf *Gg*.

522, 3. ker *gg*. 4. ir rate *G*. 7. vil getriuwer *G*. 8. herre *G*, herre her *d oft*. 14. friwendinne *DGg*. 17. wolgeborn *G*. 18. pherit *G*. 19. woltz *D*. 21. inc *Wackernagel*. trettens *D*. mich] noh *G*. 22. zohez *DG*. ir *DGg*, *fehlt den übrigen*. verre *alle*. 23. unt *fehlt G*. doh nih *G*. 25. phert sih *G*. 29. sin frowe *D*, diu frouwe *Gdg*, sin wip *gg*. 30. schadehaft *G*.

523, 3. den ninder *D*, Dane iender *G*. schinphes *G*. 4. Sit daz *Ggg*. 5. munt mit frouden sprach *G*. dô *fehlt dg*. 8. wrdet *DG*. ir ein arzt *gg*. 11. trœst *g*, trœstet *DG*. iwer (*ohne* iuch) *Gg*. 15. dann *D*, danne et *g*. 16. wonte *G*. erden *Gdg*. 17. sunder] under *alle*, *nur g* Und. alle die *alle*. 20. retet *g*, ræt *D*, ratet *die übrigen*. mins *DG*. 24. swerz *D*, swarez *g*. 25. erz. *G*. 26. wuoste *G*. 29. dunchet *DG*. 30. nennet *DG*. cheneht *G*.

524, 2. habit *G*. 5. diens *D*, dienst *d*, dienstes *die übrigen*. 6. mohtes *G*. spottes *DGdg*, spottens *g*, iedoch *gg*. erdr. *g*.

ob ez mir nimmer wurde leit,
ez krenket doch iur werdekeit.'
wider zuo zin reit der wunde man
und sprach 'bistuz Gâwân?
hâstu iht geborget mir,
daz ist nu gar vergolten dir,
dô mich dîn manlîchiu kraft
vienc in herter rîterschaft,
und dô du bræhte mich ze hûs
dînem œheim Artûs.
vier wochen er des niht vergaz:
die zît ich mit den hunden az.'
dô sprach er 'bistuz Urjâns?
ob du mir nu schaden gans,
den trag ich âne schulde:
ich erwarp dir küneges hulde.
ein swach sin half dir unde riet:
von schildes ambet man dich schiet
und sagte dich gar rehtlôs,
durch daz ein magt von dir verlôs
ir reht, dar zuo des landes vride.
der künec Artûs mit einer wide
woltz gerne hân gerochen,
het ich dich niht versprochen.'

525 'Swaz dort geschach, du stêst nu hie.
du hôrtst och vor dir sprechen ie,
swer dem andern half daz er genas,
daz er sîn vîent dâ nâch was.
ich tuon als die bî witzen sint.
sich füeget paz ob weint ein kint
denn ein bartohter man.
ich wil diz ors al eine hân.'
mit sporn erz vaste von im reit:
daz was doch Gâwâne leit.
der sprach zer frowen 'ez kom alsô.
der künec Artûs der was dô
in der stat ze Dîanazdrûn,
mit im dâ manec Bertûn.
dem was ein frouwe dar gesant
durch botschaft in sîn lant.
ouch was dirre ungehiure
ûz komn durch âventiure.
er was gast, unt si gestin.
do geriet im sîn kranker sin
daz er mit der frouwen ranc
nâch sînem willen ân ir danc.
hin ze hove kom daz geschrei:
der künec rief lûte heiâ hei.
diz geschach vor einem walde:
dar gâht wir alle balde.
ich fuor den andern verre vor
unt begreif des schuldehaften spor:
gevangen fuort ich wider dan
für den künec disen man.

526 Diu juncfrouwe reit uns mite:
riwebærec was ir site,
durch daz ir hête genomen
der nie was in ir dienst komen
ir kiuscheclîchen magetuom.
ouch bezalter dâ vil kleinen ruom
gein ir unwerlîchen hant.
mînen hêrren si mit zorne vant,
Artûsen den getriuwen.
er sprach 'die werlt sol riuwen
dirre vermaldîte mein.
ôwê daz ie der tag erschein,
bî des liehte disiu nôt geschach,
unt dâ man mir gerihtes jach,
unt dâ ich hiute rihter bin.'
er sprach zer frouwen 'habt ir sin,
nemt fürsprechen unde klagt.'
diu frouwe was des unverzagt,
si tet als ir der künec riet.
dâ stuont von rîtern grôziu diet.

7. niemer *G.* 9. Wide *G.* 10. Er sprach *g*, do sprach er *D.* 14. vîe *Dgg.* 16. Dinen *G*· 19. frians *d hier, nachher* vrians. 25. saget *G.* rehtelos *dgg.* 27. rehte *G.* 29. woltez *D*, Wold ez *G.*

525, 2. hortest *Gdgg*, horest *D.* 4. = dar *Ggg.* 7. partohtr *D*, bartöhter *g*, barhtohter *G*, berherter *g*, bartherter *d.* 10. gawanen *Gdg.* 11. der *D*, Er *Ggg.* 17. der *Dg.* 21. mit den *G.* 22. sinen *G.* 25. Daz *Gd.* 26. gahte *g*, gahten *DGdg.* Dannen cherten *gg.* 28. Ih *G.* des rehtschuldigen *g.* 29. ih fuorte *G.*

526, 2. Riuwebære *Gg*, Riubære *g.* waren *Gg.* 4. dienste *G.* 5. chuschl. *Gddg*, chůslichen *g.* 6. bizaltir *G.* 8. herrin *G*, herrn *D.* 9. Arth. *G.* 10. er sprach. di werelt sol immer riwen *D.* 11. Disz *gg*, Daz *g*, Dise *d.* vermaldiete *G*, vermaledieten *d*, ver maledite *g*, verfluohte *gg.* 13. lieht *G.* 15. rihtær *Dg*, rihtare *G.* 17. vorsprechen *Gdgg.* 20. was *Gddgg.*

Urjâns der fürste ûz Punturtoys
der stuont dâ vor dem Bertenoys
ûf al sîn êre und ûf den lîp.
für gienc daz klagehafte wîp,
da ez rîche und arme hôrten.
si bat mit klagenden worten
den künec durch alle wîpheit,
daz er im lieze ir laster leit,
unt durch magtuomlîch êre.
si bat in fürbaz mêre
527 Durch der tavelrunder art,
und durch der botschefte vart,
als si wære an in gesant;
wær er ze rihtære erkant,
daz er denne riht ir swære
durch gerihtes mære.
si bat der tavelrunder schar
alle ir rehtes nemen war,
sît daz ir wære ein roup genomn,
der nimmer möhte wider komn,
ir magtuom kiusche reine,
daz si al gemeine
den künec gerihtes bæten
und an ir rede træten.
fürsprechen nam der schuldec man,
dem ich nu kranker êren gan.
der wert in als er mohte.
diu wer im doch niht tohte:
man verteilte imz leben unt sînen prîs,
unt daz man winden solt ein rîs,
dar an im sterben wurd erkant
âne bluotige hant.
er rief mich an (des twang in nôt)
unt mant mich des daz er mir bôt
sicherheit durch genesn.
ich vorhte ân al mîn êre wesn,
ob er verlür dâ sînen lîp.
ich bat daz klagehafte wîp,
sît si mit ir ougen sach
daz ich si manlîche rach,
528 Daz si durch wîbes güete
senfte ir gemüete,
sît daz si müese ir minne jehn
swaz ir dâ was von im geschehn,
unt ir clârem lîbe:
unt ob ie man von wîbe
mit dienste kœme in herzenôt,
ob sim dâ nâch ir helfe bôt,
'der helfe tuot ez zêren,
lât iuch von zorne kêren.'
ich bat den künec unt sîne man,
ob ich im hête getân
kein dienst, daz ers gedæhte,
daz er mir lasters æhte
mit eime site werte,
daz er den rîter nerte.
sîn wîp die küneginne
bat ich durch sippe minne,
wand mich der künec von kinde zôch
und daz mîn triwe ie gein ir vlôch,
daz si mir hulfe. daz geschach.
die juncfrowen si sunder sprach:
do genaser durch die künegîn,
er muose ab lîden hôhen pîn.
sus wart sîn lîp gereinet,
solch wandel im bescheinet:
ez wær vorlouft od leithunt,
ûz eime troge az sîn munt
mit in dâ vier wochen.
sus wart diu frouwe gerochen.

21. ponturtois *G.* 22. bertenois *d.* 23. alle sin *G.* 24. chlagh. *Dd.* 25. Daz reiche *d.* arme unde riche *Gg.* 28. lieze sin ir *d.* leit. Sin *D*, sin leit *g.* Er lieze im sin ir laster leit *G*, Daz im were ir laster (komber *d*) leit *dgg*, Daz im ir laster were leit *g.* 29. magtlich *G.*

527, 1. tavelrundn *Dddg*, tavelrunde *Gg.* 7. Do bat si *G.* tavelrunde *Ddgy.* 10. Der niht wider mohte chomen *G.* 14. Unde alle ir rede tætin *G.* 15. Forsprechen *Ggg.* 19. sine bris *G.* 22. an *D.* 24. mich *fehlt Gg.* des daz *D*, des *d*, daz *Gdgg.* gebot *dg.* 26. alle min *alle.* 27. Ebe er virlûr *G.* 30. manlichen *Ggg.*

528, 3. si *fehlt G.* si im *d.* im iehen *gg.* 4. von im *fehlt G.* von im was *dgg.* 5. An *gg*, Von *d.* 6. ob *fehlt G.* 7. chom *gg.* 8. si im *DG.* 12. in *G*, im ie *g*, in ie *g.* 13. Dehæin *gg*, cheinen *D*, Deheinen *G*, Dekeinen *d.* dienste *G.* 19. wand *Dd.* kinden *d.* 22. diu iunchfrouwe sî *D.* 23. gnaser durh *D.* 24. aber *D*, abir *G.* 27. vorlouf *dgg.* oder *D.* leite hunt *Gdg.* 28. sine munt *G.*

529 Frowe, daz ist sîn râche ûf mich.'
si sprach 'sich twirhet sîn gerich.
ich enwirde iu lîhte nimmer holt:
doch enpfæht er drumbe alsolhen solt,
ê er scheid von mîme lande,
des er jehen mac für schande.
sît ez der künec dort niht rach,
alda'z der frouwen dâ geschach,
und ez sich hât an mich gezogt,
ich pin nu iwer bêder vogt,
und enweiz doch wer ir bêdiu sît.
er muoz dar umbe enpfâhen strît,
durch die frouwen eine,
unt durch iuch harte kleine.
man sol unfuoge rechen
mit slahen unt mit stechen.'
Gâwân zuo dem pfärede gienc,
mit lîhtem sprunge erz doch gevienc.
dâ was der knappe komen nâch,
ze dem diu frouwe heidensch sprach
al daz si wider ûf enbôt.
nu næhet och Gâwânes nôt.
Malcrêatiur ze fuoz fuor dan.
do gesah ouch mîn hêr Gâwân
des junchêrren runzît:
daz was ze kranc ûf einen strît.
ez hete der knappe dort genomn,
ê er von der halden wære komn,
einem vilâne:
do geschach ez Gâwâne
530 Für sîn ors ze behalten:
des geltes muoser walten.
si sprach hin zim, ich wæn durch haz,
'sagt an, welt ir iht fürbaz?'
dô sprach mîn hêr Gâwân
'mîn vart von hinnen wirt getân
al nâch iwerm râte.'
si sprach 'der kumt iu spâte.'
'nu diene ich iu doch drumbe.'
'des dunct ir mich der tumbe.
welt ir daz niht vermîden,
sô müezt ir von den blîden
kêren gein der riuwe:
iwer kumber wirt al niuwe.'
dô sprach der minnen gernde
'ich pin iuch diens wernde,
ich enpfâhes freude ode nôt,
sît iwer minne mir gebôt
daz ich muoz ziwerm gebote stên,
ich mege rîten oder gên.'
al stênde bî der frouwen
daz marc begunder schouwen.
daz was ze dræter tjoste
ein harte krankiu koste,
diu stîcledr von baste.
dem edeln werden gaste
was etswenne gesatelt baz.
ûf sitzen meit er umbe daz,
er forht daz er zetræte
des sateles gewæte.
531 Dem pfärde was der rücke junc:
wær drûf ergangen dâ sîn sprunc,
im wære der rücke gar zevarn.
daz muoser allez dô bewarn.
es het in etswenne bevilt:
er zôhez unde truoc den schilt
unt eine glævîne
sîner scharpfen pîne
diu frouwe sêre lachte,
diu im vil kumbers machte.

529, 2. twirbet *G*. 3. Ihne w. *G*. nimer *G*. 4. Dohne *G*. enpfæhet *D*, enphahet *Gdgg*. al *fehlt Gdgg*. 5. scheide *DG*. 6. iehn *D*. 9. Sit ez *G*. 10. beider *G*. 11. beidiu *G: auch D, aber mit punctiertem* i. 15. ungefuoge *G*, ungefuege *d*. 17. pharide *G*. 18. lihten *G*. 20. heidens *Gg*. 22. nahent *Gg*. 23. fuere *G*. 24. herre *G*. 25. des herren *D*. 26. uf einem *G*. 30. geschahz hern *g*.

530, 1. zbehalten *g*. 4. saget *DG*. 5. herre *G*. 6. varte *G*. 9. iu *fehlt G*. 10. dunchet *DG*. 12. muezt *g*. von dem *G*. 13. gein] von *G*. 15. minne *Ggg*. 16. dienstes *alle außer D*. 17. Ihne enphahes *G*. olde *G*, odr *D*. 19. muoze ze iuwerem bote *G*. 22. marche bigunde er *G*. 24. chleiniu *G*. 25. diu *fehlt Ggg*. 26. edelem werdem *D*, edelm werden *g*. 27. eteswenne gesatel *G*. 28. umb *G*. 29. forhte *D*, vorhte *G*. zertræte *G*. 30. satels *DG*.

531, 1. 2. Do waz daz pfærdelin so chranch. Daz er druf niht en spranch *g*. 1. pharide *G*. rucche *G*. jung *d*, chrump vn̄ iunch *D*, crump *Gdgg*. 4. da *Gd*. 5. etw. *G*. 7. clavine *G*. 8. scharfen *G*.

sînen schilt er ûfez pfärt pant.
si sprach 'füert ir krâmgewant
in mîme lande veile?
wer gap mir ze teile
einen arzet unde eins krâmes pflege?
hüet iuch vor zolle ûfem wege:
eteslîch mîn zolnære
iuch sol machen fröuden lære.'
ir scharpfiu salliure
in dûhte sô gehiure
daz ern ruochte waz si sprach:
wan immer swenner an si sach,
sô was sîn pfant ze riwe quît.
si was im reht ein meien zît,
vor allem blicke ein flôrî,
ougen süeze unt sûr dem herzen bî.
sît vlust unt vinden an ir was,
unt des siechiu freude wol genas,
daz frumt in zallen stunden
ledec unt sêre gebunden.

532 Manec mîn meister sprichet sô,
daz Amor unt Cupîdô
unt der zweier muoter Vênus
den liuten minne gebn alsus,
mit geschôze und mit fiure.
diu minne ist ungehiure.
swem herzenlîchiu triwe ist bî,
der wirt nimmer minne frî,
mit freude, etswenn mit riuwe.
reht minne ist wâriu triuwe.
Cupîdô, dîn strâle
mîn misset zallem mâle:
als tuot des hêrn Amores gêr.
sît ir zwêne ob minnen hêr,
unt Vênus mit ir vackeln heiz,
umb solhen kumber ich niht weiz.
sol ich der wâren minne jehn,
diu muoz durch triwe mir geschehn.
hulfen mîne sinne
iemen iht für minne,
hêrn Gâwân bin ich wol sô holt,
dem wolt ich helfen âne solt.
er ist doch âne schande,
lît er in minnen bande;
ob in diu minne rüeret,
diu starke wer zefüeret.
er was doch ie sô werlîch,
der werden wer alsô gelîch.
daz niht twingen solt ein wîp
sînen werlîchen lîp.

533 Lât nâher gên, hêr minnen druc.
ir tuot der freude alsolhen zuc,
daz sich dürkelt freuden stat
unt bant sich der riwen pfat.
sus breitet sich der riwen slâ:
gienge ir reise anderswâ
dann in des herzen hôhen muot,
daz diuhte mich gein freuden guot.
ist minne ir unfuoge balt,
dar zuo dunket si mich zalt,
ode giht sis ûf ir kintheit,
swem si füeget herzeleit?
unfuoge gan ich paz ir jugent,
dan daz si ir alter bræche tugent.
vil dinges ist von ir geschehn:
wederhalp sol ich des jehen?
wil si mit jungen ræten
ir alten site unstæten,
sô wirt si schiere an prîse laz.
man sol sis underscheiden baz.
lûter minne ich prîse
unt alle die sint wîse,
ez sî wîp oder man:
von den ichs ganze volge hân.

11. uf daz pharit bant *G*. 14. gab *G*. 15. eins chrames *dg*, eins chrams *D*, eines chramers *Gg*, einen cram *g und* (*dann* pflegen *und z.* 16. uf den wegen) *d*. 16. huetet *D*. vor moute *g*. 17. etslich *D*. zollere *d*. 19. saliure *g*, tsalûre *G*. 21. si *fehlt G*. 24. eine *G*. 28. gnas *G*. 30. Leidech *G*.

532, 2. 11. Cupîdo *mit* î *D*. 4. gebent *g*, gæbin *Gg*. 5. schoze *gg*, -zze *DG*. 8. minnen *D*. 9. etswenne *DG*. 10. = Rehtiu *Ggg*. 13. Als *gg*, also *DG*. herrin *Gg*. amoris *G*, amor *g*, amors *die übrigen*. 15. vachel *g*. 16. Umb *G*. selhen *g*. 18. muoze *G*. 21. Minem herren *Gg*. Gawane *DGg*. 22. dienen *D*. 27. ie doch *G*.

533, 2. frouden *Gg*, minne *gg*. al *fehlt gg*. 3. Daz enget sich der *und* 4 meret *g*. der frouden *G*. 4. triuwen *G*. 6. Gene *G*. 8. duhte *DG*. 9. ungefuoge *Gddgg*. 11. odr *D*. 13. Ungefuege *Gg*, Ungfuege *d*. 14. Danne *G*, denne *D*. sy im *g*, si dem *gg*, sú *d*. ir t. *dg*. 15. Vil vil dinges *G*. 16. des nu *G*. 18. sit *D*. 23. Es *G*. ode *Ga*. 24. ich *Gad*.

swâ liep gein liebe erhüebe
lûter âne trüebe,
da newederz des verdrüzze
daz minne ir herze slüzze
mit minne von der wanc ie flôch,
diu minne ist ob den andern hôch.
534 Swie gern ich in næme dan,
doch mac mîn hêr Gâwân
der minn des niht entwenken,
sine welle in freude krenken.
waz hilfet dan mîn underslac,
swaz ich dâ von gesprechen mac?
wert man sol sich niht minne wern:
wan den muoz minne helfen nern.
Gâwân durch minne arbeit enphienc.
sîn frouwe reit, ze fuoz er gienc.
Orgelûse unt der degen balt
die kômn in einen grôzen walt.
dennoch muoser gêns wonen.
er zôch dez pfärt zuo zeime ronen.
sîn schilt, der ê drûfe lac,
des er durch schildes ambet pflac,
nam er ze halse: ûfz pfärt er saz.
ez truog in kûme fürbaz,
anderhalp ûz in erbûwen lant.
eine burg er mit den ougen vant:
sîn herze unt diu ougen jâhen
daz si erkanten noch gesâhen
decheine burc nie der gelîch.
si was alumbe rîterlîch:
türne unde palas
manegez ûf der bürge was.
dar zuo muoser schouwen
in den venstern manege frouwen:
der was vier hundert ode mêr,
viere undr in von arde hêr.
535 Von passâschen ungeverte grôz
gienc an ein wazzer daz dâ flôz,
schefræhe, snel unde breit,
da engein er unt diu frouwe reit.
an dem urvar ein anger lac,
dar ûfe man vil tjoste pflac.
überz wazzer stuont dez kastel.
Gâwân der degen snel
sach einen rîter nâch im varn,
der schilt noch sper niht kunde sparn.
Orgelûs diu rîche
sprach hôchverteclîche
'op mirs iwer munt vergiht,
sô brich ich mîner triwe niht:
ich hets iu ê sô vil gesagt,
daz ir vil lasters hie bejagt.
nu wert iuch, ob ir kunnet wern:
iuch enmac anders niht ernern.
der dort kumt, iuch sol sîn hant
sô vellen, ob iu ist zetrant
inder iwer niderkleit,
daz lât iu durch die frouwen leit,
die ob iu sitzent unde sehent.
waz op die iwer laster spehent?'
des schiffes meister über her
kom durch Orgelûsen ger.
vome lande inz schif si kêrte,
daz Gâwânen trûren lêrte.
diu rîche und wol geborne
sprach wider ûz mit zorne
536 'Ir enkomt niht zuo mir dâ her în:
ir müezet pfant dort ûze sîn.'
er sprach ir trûreclîchen nâch
'frowe, wiest iu von mir sô gâch?

25. lieb gan liebe *G*. 27. *nach* 28 G^a. Da twederz *gg*, denne wederz *D*, Der enwederz (entw.) GG^adg, Der deweders *g*. der G^a. 29. Min minnen *dg*. Mit minnen GG^ag. Mit minne ie der wanch do floch *g*. wanche G^a. ih floc *G*. 30. vil hoch G^a.

534, 1. in nu *G*. 2. herre GG^a. 3. des *fehlt gg*. 4. im GG^adgg. 5. danne G^a, dane *G*, denne *Dd*. 7. ich G^a. minnen *Gg*. 9. arbeite *D*. enpfie G^a. 10. gie G^a. 11. helt G^a. 14. dz pfært *D*, daz pharit GG^a. zuo einen *G*, zuo einer G^ag, zainer *d*. 15. Sinen *ddg*. 16. ammiht *d*. 17. ufez pharit *G*. 18. truege *G*. kumber G^a. 19. anderhalbn *Dd*. unz G^a. erbŵen (*wie gewöhnlich*) *D*, erbouwen GG^a. 21. di *D*. 24. allumbe *G*. 28. vestern *D*. 29. oder *D*. 30. under *alle*.

535, 1. Passascên *D*, passasben GG^ag, passas *g*, passanen *d*. 3. schef ræche *D*, Schif ræhe G^ag, Schif rahe *G*, Schefrich *d*, Schifrich *gg*, Schiffrecht *d*. 4. Dar G^ag. engegen GG^adgg, gegen *dg*. 12. *hinter* Sprach *übergeschrieben* si *G*. hochvertliche *D*. 14. triuwen G^agg. 21. îndr *D*, Iener *G*, Iender G^a. 22. lat DG^ad *und* (sin leit) *g*, si *Ggg*, wirt *g*. 23. sin. di ob *D*. 24. iuvver *G*. 27. indaz schife G^a. 29. und *hat nur g*.

536, 1. IRn chomt niht da her in G^ag. dâ *fehlt Gg*. 4. wi ist *D*, wie ist GG^a.

sol ich iuch immer mêr gesehn?'
si sprach 'iu mac der prîs geschehn.
ich state iu sehens noch an mich.
ich wæn daz sêre lenget sich.'
diu frouwe schiet von im alsus:
hie kom Lischoys Gwelljus.
sagte ich iu nu daz der flüge,
mit der rede ich iuch betrüge:
er gâhte abe anders sêre,
daz es dez ors het êre
(wan daz erzeigte snelheit),
über den grüenen anger breit.
dô dâhte mîn hêr Gâwân
'wie sol ich beiten dises man?
wederz mac dez wæger sîn?
ze fuoz ode ûf dem pfärdelîn?
wil er vollîch an mich varn,
daz er den poinder niht kan sparn,
er sol mich nider rîten:
wes mac sîn ors dâ bîten,
ez enstrûche ouch über daz runzît?
wil er mir denne bieten strît
aldâ wir bêde sîn ze fuoz,
ob mir halt nimmer wurde ir gruoz,
diu mich diss strîtes hât gewert,
ich gib im strît, ob er des gert.'

537 Nu, diz was unwendec.
der komende was genendec:
als was ouch der dâ beite.
zer tjost er sich bereite.
dô sazter die glævîn
vorn ûf des satels vilzelîn,
des Gâwân vor het erdâht.
sus wart ir bêder tjoste brâht:
diu tjost iewedér sper zebrach,
daz man die helde ligen sach.
dô strûchte der baz geriten man,
daz er unt mîn hêr Gâwân
ûf den bluomen lâgen.
wes si dô bêde pflâgen?
ûf springens mit den swerten:
si bêde strîtes gerten.
die schilde wâren unvermiten:
die wurden alsô hin gesniten,
ir bleip in lützel vor der hant:
wan der schilt ist immer strîtes pfant.
man sach dâ blicke und helmes fiur.
ir megts im jehen für âventiur,
swen got den sic dan læzet tragn:
der muoz vil prîses ê bejagn.
sus tûrten si mit strîte
ûf des angers wîte:
es wæren müede zwêne smide,
op si halt heten starker lide,
von alsô manegem grôzem slage.
sus rungen si nâch prîss bejage.

538 Wer solte se drumbe prîsen,
daz di unwîsen
striten âne schulde,
niwan durch prîses hulde?
sine heten niht ze teilen,
ân nôt ir leben ze veilen.
ietweder ûf den andern jach,
daz er die schulde nie gesach.
Gâwân kunde ringen
unt mit dem swanke twingen:
swem er daz swert undergienc
unt in mit armen zim gevienc,
den twanger swes er wolde.
sît er sich weren solde,

5. iemmer *Ga*, me *G*. 7. statte *DG*. selhes *Ga*. 9. von im schiet *Ggg*. 10. chome *G*. Liscoys *Dd* = lishois *GGagg*. *so nun immer* sc = sh: i *und* y *wechseln*. gewellius *Gdg*, Gwellyus *g*. 11. flug *G*. 13. gahete *D*, gahet *Ga*. aber *DGa*, abir *G*. 14. daz orse *Ga*. 17. herre *G oft*. 18. disse *Ga*, diss *D*, disses *gg*. 19. der wægir *G*. 20. ode *Ga*, oder *DG*. zedem *G*. pfærdelin *Ga*, pfærdlin *D*, pharidin *G*. 21. vollich *D*, vollechlich *dgg*, vollecliche *g*, vollechlichen *GGag*. 22. poynder *GGa*. 27. zefueze *G*. 28. nimer *G*. 29. dises *Gg*, dits *g*, disse *Ga*.

537, 2. gendech *G*. 3. also *D*. 5. satzer *Ga*, sazete er *G*. glavîn *Ga*, clavin *G*. 6. Vor *G*. daz satel vizelin *g*. 9. tioste *G*. iw. *D*, ietw. *G*. 11. struochte *D*, strufte *G*. 15. sprunges *G*. 18. also versnîten *Ga*. 19. In beleip ir *Gg*, In bleip *d*. beleip *DGa*. wenich *gg*. in der *g*. 21. 22. fiwer-Aventiwer *D*. 22. mugts *GGa*. ichn *Ga*. 23. da *G*. lat *Gag*. 24. priss *D*, brises *GGa* (*G oft*). 25. tůrten *D*. 27. Es muede warin *G*. 28. stercher *GGagg*. 29. Von manigem also starchem (starcken) slage *gg*. manigem grossem *d*, manegen grozem *D*, manigem grozen *Ga*, mangen groszen *g*, grozzem manigem *g*, grozem *G*. 30. prîses *GGa*.

538, 1. solt *Ga*. si *DGGa*. 4. Niuwen *G*, Niht wan *dg*, Neur *g*. 7. lewer *g*. an *D*. den ander *Ga*. 10. dem *fehlt G*.

do gebârter werlîche.
der werde muotes rîche
begreif den jungen ellenthaft,
der ouch het manlîche kraft.
er warf in balde under sich:
er sprach hin zim 'helt, nu gich,
wellestu genesen, sicherheit.'
der bete volge unbereit
was Lischoys der dâ unden lac,
wand er nie sicherheit gepflac.
daz dûht in wunderlîch genuoc,
daz ie man die hant getruoc,
diu in solte überkomen
daz nie wart von im genomen,
betwungenlîchiu sicherheit,
der sîn hant ê vil erstreit.

539 Swiez dâ was ergangen,
er hete vil enpfangen
des er niht fürbaz wolde gebn:
für sicherheit bôt er sîn lebn,
und jach, swaz im geschæhe,
daz er nimer verjæhe
sicherheit durch dwingen.
mit dem tôde wolder dingen.
dô sprach der unde ligende
'bistu nu der gesigende?
des pflag ich dô got wolte
und ich prîs haben solte:
nu hât mîn prîs ein ende
von dîner werden hende.
swâ vreischet man ode wîp
daz überkomen ist mîn lîp,
des prîs sô hôhe ê swebt enbor,
sô stêt mir baz ein sterben vor,
ê mîne friwent diz mære
sol machen freuden lære.'
Gâwân warp sicherheit an in:
dô stuont sîn gir und al sîn sin
niwan ûffes lîbs verderben
oder ûf ein gæhez sterben.
dô dâhte mîn hêr Gâwân
'durch waz tœte ich disen man?
wolt er sus ze mîme gebote stên,
gesunt lieze i'n hinnen gên.'
mit rede warb erz an in sô:
daz enwart niht gar geleistet dô.

540 Uf liez er doch den wîgant
âne gesicherte hant.
ietweder ûf die bluomen saz.
Gâwân sîns kumbers niht vergaz,
daz sîn phärt was sô kranc:
den wîsen lêrte sîn gedanc
daz er daz ors mit sporn rite
unz er versuochte sînen site.
daz was gewâpent wol für strît:
pfellel unde samît
was sîn ander covertiur.
sît erz erwarp mit âventiur,
durch waz solt erz nu rîten niht,
sît ez ze rîten im geschiht?
er saz drûf: dô fuor ez sô,
sîner wîten sprunge er was al vrô.
dô sprach er 'bistuz Gringuljete?
daz Urjâns mit valscher bete,
er weiz wol wie, an mir rewarp:
dâ von iedoch sîn prîs verdarp.
wer hât dich sus gewâpent sider?
ob duz bist, got hât dich wider
mir schône gesendet,
der dicke kumber wendet.'
er rebeizte drab. ein marc er vant:
des grâles wâpen was gebrant,
ein turteltûbe, an sînen buoc.
Lähelîn zer tjoste sluoc
drûffe den von Prienlascors.
Oriluse wart ditze ors:

15. So *gg.* 18. hete *DG.* 22. bet *G.* 23. under *$GG^a g$.*
24. Wan GG^a (*G meistens*). 26. ie man *G*, ieman G^a, îemn *D.* 28. gnom̅
G^a. 29. Betwungenlicher G^a. 30. Ouch sin G^a. ie *G.*

539, 4. sine lebin *G.* 6. niemmer G^a, nimmer *G.* virgæhe *G.* 7. twingen GG^a.
8. er wolde G^a, wolt er ê *dgg.* 9. do *fehlt* G^a. unde *D*, under GG^a *dgg*,
unden *g.* 12. brise *G.* 15. swa man freischet G^a. odr *D.* 17. Des
brise so hohe ie swebite enbor *G.* so hôhe ê *Dg*, E so hohe *g*, so hohe *dgg.*
19. min *G.* friunt GG^a. 20. Sol *d*, so *D* = Sul *Ggg*, Sus *g und* (*dann*
mache) $G^a g$. 21. erwarp sicherheit *G.* 22. alle *G.* 23. ûfez *D.*
libes *DG.* 24. gahez $GG^a g$. 26. tôete ih (tote ich G^a) den man GG^a.
27. ce minem DG^a, ze minen *G.* gebot *D.* 28. ih in *G*, ich in *die übrigen.*
hin *Ggg.*

540, 6. lert¿ *G.* 8. *fehlt G.* Unze er G^a. sine $G^a g$. 10. Phelle $GG^a gg$.
11. 12. covertiwer-aventiwer *D*, chovirture-aventure *G*, covertîure-aventiure G^a.
13. Dur *G.* 17. Gringuliet *DG*, kring. *gg.* 19. erw. *G.* 22. bist got.
hat *D.* 25. erbeizte drabe *G.* 29. prienlatsors *G*, prienlatsiörs *g*, prien-
laiors *g.* 30. Oriluse *d*, Orilus *D*, Orillus *G.* ditze *G*, diz *D.*

541 Der gabez Gâwâne
ûf dem Plimizœls plâne.
hie kom sîn trûrec güete
aber wider in hôchgemüete;
wan daz in twang ein riuwe
unt dienstbæriu triuwe,
die er nâch sîner frouwen truoc,
diu im doch smæhe erbôt genuoc:
nâch der jaget in sîn gedanc.
innen des der stolze Lischoys spranc
da er ligen sach sîn eigen swert,
daz Gâwân der degen wert
mit strîte ûz siner hende brach.
manec frouwe ir ander strîten sach.
die schilde wâren sô gedigen,
iewеder lie den sînen ligen
und gâhten sus ze strîte.
ietweder kom bezîte
mit herzenlîcher mannes wer.
ob in saz frouwen ein her
in den venstern ûf dem palas
unt sâhen kampf der vor in was.
dô huop sich êrste niwer zorn.
ietweder was sô hôch geborn
daz sîn prîs unsanfte leit
ob in der ander überstreit.
helm unt ir swert liten nôt:
diu wârn ir schilde für den tôt:
swer dâ der helde strîten sach,
ich wæne ers in für kumber jach.

542 Lischoys Gwelljus
der junge süeze warb alsus:
vrechheit und ellenthaftiu tât,
daz was sîns hôhen herzen rât.
er frumte manegen snellen swanc:
dicke er von Gâwâne spranc,
und aber wider sêre ûf in.
Gâwân truoc stætlîchen sin:
er dâhte 'ergrîfe ich dich zuo mir,
ich sols vil gar gelônen dir.'
man sach dâ fiwers blicke
unt diu swert ûf werfen dicke
ûz ellenthaften henden.
si begundn ein ander wenden
neben, für unt hinder sich.
âne nôt was ir gerich:
si möhtenz âne strîten lân.
do begreif in mîn hêr Gâwân,
er warf in under sich mit kraft.
mit halsen solch gesellеschaft
müeze mich vermîden:
ine möht ir niht erlîden.
Gâwân bat sicherheite:
der was als unbereite
Lischoys der dâ unde lac,
als do er von êrste strîtes pflac.
er sprach 'du sûmest dich ân nôt:
für sicherheit gib ich den tôt.
lâz enden dîne werden hant
swaz mir ie prîses wart bekant.

543 Vor gote ich pin verfluochet,
mîns prîss er nimmer ruochet.
durch Orgelûsen minne,
der edelen herzoginne,
muose mir manc werder man
sînen prîs ze mînen handen lân:
du maht vil prîses erben,
ob du mich kanst ersterben.'
dô dâht des künec Lôtes suon
'deiswâr in sol alsô niht tuon:
so verlür ich prîses hulde,
erslüege ich âne schulde
disen küenen helt unverzagt.
in hât ir minne ûf mich gejagt,
der minne mich ouch twinget
und mir vil kumbers bringet:
wan lâze ich in durch si genesn?
op mîn teil an ir sol wesn,
des enmager niht erwenden,
sol mirz gelücke senden.

541, 1. Er *G.* 2. blimzols blane *G.* 3. chome *G.* 10. Inne *G.* Lytschoys *g.* 14. Man frouwe *G.* 18. îetwedr *D.* 24. Ietwerder *g.* 27. Helme *D.* swert *g*, swerte *D*, swert die *die übrigen.* 28. Die *Gg.*

542, 1. . . yshois gewellius *G.* 3. Vercheit *G.* 5. snelen *G.* 7. sere wider *G.* 8. statel. *G.* steticl. *dgg.* 9. ergreif *G.* 10. soles *Gg.* vil wol *Gdg.* 12. unt *fehlt G.* diu *fehlt gg.* 14. begunden *DG.* 16. an *D.* 17. Sine *G.* mohtens *D.* 20. solhe *Ggg*, selich *g.* 23. 24. sicherheit-unbereit *alle außer D.* 25. unde *G*, unden *Ddgg*, under *g.* 27. suomest *Dg.* annôt *G.* 29. Laze *G.*

543, 2. nimer *D.* enruechet *G.* 5. Muos mir manic man *G.* 10. Desw. *G.* ine *D*, ihn *G.* 14. ich han ir *D.* 15. ouch mich *G*, mich da *gg.* 16. vil chumbir *G.* 19. Des mag er *G.*

wær unser strît von ir gesehn,
ich wæn si müese ouch mir des jehn
daz ich nâch minnen dienen kan.'
dô sprach mîn hêr Gâwân
'ich wil durch die herzogîn
dich bî dem leben lâzen sîn.'
grôzer müede se niht vergâzen:
er liez in ûf, si sâzen
von ein ander verre.
dô kom des schiffes hêrre
544 Von dem wazzer ûfez lant.
er gienc unt truog ûf sîner hant
ein mûzersprinzelîn al grâ.
ez was sîn reht lêhen dâ,
swer tjostierte ûf dem plân,
daz er daz ors solte hân
jenes der dâ læge:
unt disem der siges pflæge,
des hende solt er nîgen
und sîn prîs niht verswîgen.
sus zinste man im blüemîn velt:
daz was sîn beste huoben gelt,
ode ob sîn mûzersprinzelîn
ein galandern lêrte pîn.
von anders nihtiu gienc sîn pfluoc:
daz dûht in urbor genuoc.
er was geborn von rîters art,
mit guoten zühten wol bewart.
er gienc zuo Gâwâne,
den zins von dem plâne
den iesch er zühteclîche.
Gâwân der ellens rîche
sprach 'hêrre, in wart nie koufman:
ir megt mich zolles wol erlân.'
des schiffes hêrre wider sprach
'hêr, sô manec frouwe sach
daz iu der prîs ist hie geschehen:
ir sult mir mînes rehtes jehen.
hêrre, tuot mir reht bekant.
ze rehter tjost hât iwer hant
545 Mir diz ors erworben
mit prîse al unverdorben,
wand iwer hant in nider stach,
dem al diu werlt ie prîses jach
mit wârheit unz an disen tac.
iwer prîs, sînhalp der gotes slac,
im freude hât enpfüeret:
grôz sælde iuch hât gerüeret.'
Gâwân sprach 'er stach mich nider:
des erholt ich mich sider.
sît man iu tjost verzinsen sol,
er mag iu zins geleisten wol.
hêr, dort stêt ein runzît:
daz erwarb an mir sîn strît:
daz nemt, ob ir gebietet.
der sich diss orses nietet,
daz pin ich: ez muoz mich hinnen tragn,
solt halt ir niemer ors bejagn.
ir nennet reht: welt ir daz nemn,
sone darf iuch nimmer des gezemn
daz ich ze fuoz hinnen gê.
wan daz tæte mir ze wê,
solt diz ors iwer sîn:
daz was sô ledeclîche mîn
dennoch hiute morgen fruo.
wolt ir gemaches grîfen zuo,
sô ritet ir sanfter einen stap.
diz ors mir ledeclîchen gap
Orilus der Burgunjoys:
Urjâns der fürste ûz Punturtoys

22. doch mir viriehen *G*. 23. = minne *Ggg*. 26. lebn *D*, lebin *G*. 27. si *DG*. 30. sciffes *D*, schefes *G*.

544, 2. gie *D*. 3. mûzsprinzelin *G*. 4. rehte *g*. lehn *D*. 5. tiust. *D*, toyst. *G*. 7. îenes *D*, Iens *G*. 8. dises der *G*, diseme dersz *g*, dem der *d*, der des *gg*. 10. und *fehlt G*. sinen *alle*. virsmigen *G*. 11. zinst *G*, zinsete *D*, zinset *die übrigen*. bluomen *alle aufser DG*. 12. bester *g*. huobn *D*, huobe *gg*. 13. odr *D*. muozer spr. *D*, muozspr. *G*, muzze spr. *g*. 14. eine *D*, Einen *gg*. = galander *Ggg*. 15. niht *Ggg*. 18. An guotir zuht *G*. 23. ine D, ihne *G*. 24. muget *G*. 27. hie ist *G*. 29. rehte *G*.

545, 2. umberdorben (v *über* b) *G*. 5. unz] wen *d*. 10. erholte *D*. 15. gebîet *DGg*. 16. dises *G*, des *dg*. ors *D*. nîet *DG*, geniet *G*. 18. 20. nimer *D*. 19. Ir tuot reht *G*. 21. zefuezen *Gdgg*. hinne *Gd*. 23. Sol *Ggg*. diz *hier G*. 24. 25. Daz so ledichlichen min. Was dannoch hiut *Gdg*, Daz sol ledicliche sin min Dannoch was es hiuten *d*. 26. Welt *Ggg*. 29. Orilius *d*, Der herzoge orilus *Ggg*. der von *G*, de *gg*. Burgunioysz *g*, Burgoniois *g*, burgônoys *g*, purgoniois *G*, burgunscoys *Dd*, burginidiois *d*. 30. puntorteis *G*.

546 Eine wîl het mirz verstolen.
einer mûlinne volen
möht ir noch ê gewinnen.
ich kan iuch anders minnen:
sît er iuch dunket alsô wert,
für daz ors des ir hie gert
habt iu den man derz gein mir reit.
ist im daz liep ode leit,
dâ kêre ich mich wênec an.'
dô freute sich der schifman.
mit lachendem munde er sprach
'sô rîche gâbe ich nie gesach,
swem si rehte wære
zenpfâhen gebære.
doch, hêrre, welt irs sîn mîn wer,
übergolten ist mîn ger.
für wâr sîn prîs was ie sô hel,
fünf hundert ors starc unde snel
ungern ich für in næme,
wand ez mir niht gezæme.
welt ir mich machen rîche,
sô werbet rîterlîche:
megt irs sô gewaldec sîn,
antwurten in den kocken mîn,
sô kunnt ir werdekeit wol tuon.'
dô sprach des künec Lôtes suon
'beidiu drîn unt derfür,
unz innerhalp iwer tür,
antwurte i'n iu gevangen.'
'sô wert ir wol enpfangen,'

547 Sprach der schifman: des grôzer danc
was mit nîgen niht ze kranc.
dô sprach er 'lieber hêrre mîn,
dar zuo ruochet selbe sîn
mit mir hînte durch gemach.
grœzer êre nie geschach
decheinem verjen, mîme genôz:
man prüevet mirz für sælde grôz,
behalt ich alsus werden man.'
dô sprach mîn hêr Gâwân
'des ir gert, des solt ich biten.
mich hât grôz müede überstriten,
daz mir ruowens wære nôt.
diu mir diz ungemach gebôt,
diu.kan wol süeze siuren
unt dem herzen freude tiuren
unt der sorgen machen rîche:
si lônet ungelîche.
ôwê vindenlîchiu flust,
du senkest mir die einen brust,
diu ê der hœhe gerte
dô mich got freuden werte.
dâ lag ein herze unden:
ich wæn daz ist verswunden.
wâ sol ich nu trœsten holn,
muoz ich âne helfe doln
nâch minne alsolhe riuwe?
pfligt si wîplîcher triuwe,
si sol mir freude mêren,
diu mich kan sus versêren.'

548 Der schifman hôrte daz er ranc mit sorge und daz in minne twanc.
dô sprach er 'hêrre, ez ist hie reht,
ûfem plâne unt in dem fôreht
unt aldâ Clinschor hêrre ist:
zageheit noch manlîch list
füegentz anders niht wan sô,
hiute riwec, morgen vrô.
ez ist iu lîhte unbekant:
gar âventiure ist al diz lant:
sus wert ez naht und ouch den tac.
bî manheit sælde helfen mac.
diu sunne kan sô nider stên:
hêrre, ir sult ze schiffe gên.'

546, 1. wile *DG*. hete *D*. 2. muolinne *D*, muelinnen *d*. 4. iuch *fehlt G*. ander *D*. 5. ir *dg*. als *Gg*. 6. diz *Gg*. 8. oder *D*. 9. vil wenic *Gd*. 10. sciffman *D immer*, schef man *G*. 13. reht *Ddg*. 14. zenpfahene *D*, Zem phahen *G*. 16. is *G*. mir *D*. 18. starc *fehlt D*. 23. Mugit *G*. 24. Antwurte in in chuche min *G*. Antwurtet *dgg*. choken *D*. 25. chunnet *DG*. 26. der *Gg*. lotis *G*. Lots *D*. 28. inrehalbn iwerr *D*. 29. ichen iu *D*, ih iun *G*.

547, 6. Gelichiu ere *Gdgg*. 12. Mih hate *G*. 15. suren *G*. 16. unt *fehlt G*. tiwren *D*, tûren *G*. 18. so *D*. 19. vindchlichiu *Ggg*, vindelichiu *g*. 20. Diu senchet *Gdgg*. 27. alsolher *G*. 28. wibes *g*. 30. sus chan *Ggg*.

548, 4. Uffen *G*. ynme *g*, dem *G*. 5. Clynscor *D*, clinsor *d*, klinshor *gg*, Clinshors *g*, clintsor *(so scheints) G*, Clinisor *g*. 7. gefuegentz *D*, Wegntz *g*. 9. lihte iu *G*. 10. = al *fehlt Ggg*. ditze *G*, dizze *D*. 11. vert *D*. 13. senne *G*. 14. zescheffe *G*.

des bat in der schifman.
Lischoysen fuorte Gâwân
mit im dannen ûf den wâc:
gedulteclîch ân allen bâc
man den helt des volgen sach.
der verje zôch daz ors hin nâch.
sus fuorens über an den stat.
der verje Gâwânen bat
'sît selbe wirt in mîme hûs.'
daz stuont alsô daz Artûs
ze Nantes, dâ er dicke saz,
niht dorfte hân gebûwet baz.
dâ fuort er Lischoysen în.
der wirt unt daz gesinde sîn
sich des underwunden.
an den selben stunden

549 Der wirt ze sîner tohter sprach
'du solt schaffen guot gemach
mîme hêrren der hie stêt.
ir zwei mit ein ander gêt.
nu diene im unverdrozzen:
wir hân sîn vil genozzen.'
sîme sune bevalher Gringuljeten.
des diu maget was gebeten,
mit grôzer zuht daz wart getân.
mit der meide Gâwân
ûf eine kemenâten gienc.
den estrîch al übervienc
niwer binz und bluomen wol gevar
wâren drûf gesniten dar.
do entwâppent in diu süeze.
'got iu des danken müeze,'
sprach Gâwân. 'frouwe, es ist mir nôt:
wan daz manz iu von hove gebôt,
sô dient ir mir ze sêre.'
si sprach 'ich diene iu mêre,
hêr, nâch iweren hulden
dan von andern schulden.'
des wirtes sun, ein knappe, truoc
senfter bette dar genuoc
an der want gein der tür:
ein teppich wart geleit derfür.
dâ solte Gâwân sitzen.
der knappe truoc mit witzen
eine kultern sô gemâl
ûfz bet, von rôtem zindâl.

550 Dem wirte ein bette ouch wart geleit.
dar nâch ein ander knappe treit
dar für tischlachen unde brôt.
der wirt den bêden daz gebôt:
dâ gienc diu hûsfrouwe nâch.
dô diu Gâwânen sach,
si enpfieng in herzenlîche.
si sprach 'ir hât uns rîche
nu alrêrst gemachet:
hêr, unser sælde wachet.'
der wirt kom, daz wazzer man dar truoc.
dô sich Gâwân getwuoc,
eine bete er niht vermeit,
er bat den wirt gesellekeit,
'lât mit mir ezzen dise magt.'
'hêrre, ez ist si gar verdagt
daz si mit hêrren æze
ode in sô nâhe sæze:
si wurde lîhte mir ze hêr.
doch habe wir iwer genozzen mêr.
tohter, leist al sîne ger:
des bin ich mit der volge wer.'
diu süeze wart von scheme rôt,
doch tet si daz der wirt gebôt:
zuo Gâwân saz frou Bêne.
starker süne zwêne
het der wirt ouch erzogn.
nu hete daz sprinzelîn erflogn
des âbents drî galander:
die hiez er mit ein ander

551 Gâwân tragen alle drî,
und eine salsen derbî.

15. schefman *G*. 16. Lishosien bat gawan *G*. 17. uf dem wâc *G*. 19. des *fehlt G*. 20. furtez ors *G*. 21. andaz *Gg*. 26. mohte *D*. gebŵet *D*, gebouwet *G*, gebuowen *dg*.

549, 2. guote *G*. 8. diu] du *G*. 9. was *Gg*. 11. chominaten *G*. 13. binez *G*, bimz *g*, pinzen *gg*. 15. da entwapende *G*. 17. es is *G*. 21. iuwern hulde *G*. 22. Danne *G*, denne *D*. 29. Einen (Ein *dg*) kulter (gultir *G*) *Gdgg*. 30. ufez *D*, Ubir *G*. bette *D*, bete *G*. mit rotem zendal *G*.

550, 1. bet *G*. 2. dar naher *D*. 11. wirt *fehlt g*. daz *fehlt gg*. 16. sîe *D*. 18. oder *D*. = nahen *Ggg*. 19. mir lihte *G*. 23. scham *oder* schame *alle außer D*. 24. tet er *G*. 25. Gawane *DG*. fro *G*.

diu juncfrouwe niht vermeit,
mit guoten zühten sie sneit
Gâwân süeziu mursel
ûf einem blanken wastel
mit ir clâren henden.
dô sprach si 'ir sult senden
dirre gebrâten vogel einen
(wan si hât enkeinen),
hêrre, mîner muoter dar.'
er sprach zer meide wol gevar,
daz er gern ir willen tæte
dar an ode swes si bæte.
ein galander wart gesant
der wirtîn. Gâwânes hant
wart mit zühten vil genigen
unt des wirtes danken niht verswigen.
dô brâht ein des wirtes sun
purzeln unde lâtûn
gebrochen in den vînæger.
ze grôzer kraft daz unwæger
ist die lenge solhiu nar:
man wirt ir ouch niht wol gevar.
solch varwe tuot die wârheit kunt,
die man sloufet in den munt.
gestrichen varwe ûfez vel
ist selten worden lobes hel.
swelch wîplîch herze ist stæte ganz,
ich wæn diu treit den besten glanz.

552 Kunde Gâwân guoten willen zern,
des möht er sich dâ wol nern:
nie muoter gunde ir kinde baz
denn im der wirt des brôt er az.
dô man den tisch hin dan enpfienc
unt dô diu wirtîn ûz gegienc,
vil bette man dar ûf dô treit:
diu wurden Gâwâne geleit.
einez was ein pflûmît,
des zieche ein grüener samît;
des niht von der hôhen art:
ez was ein samît pastart.
ein kulter wart des bettes dach,
niht wan durch Gâwâns gemach,
mit einem pfellel, sunder golt
verre in heidenschaft geholt,
gesteppet ûf palmât.
dar über zôch man linde wât,
zwei lîlachen snêvar.
man leit ein wanküssen dar,
unt der meide mantel einen,
härmîn niwe reinen.
mit urloube erz undervienc,
der wirt. ê daz er slâfen gienc.
Gâwân al eine, ist mir gesagt,
beleip aldâ, mit im diu magt.
het er iht hin zir gegert,
ich wæn si hetes in gewert.
er sol ouch slâfen, ob er mac.
got hüete sîn, sô kom der tac.

551, 4. si *DG*. 5. Gawane *D*. 6. einen *G*. blanchem *D*. 7. blanchen *G*. 10. neh. *G*. 14. oder *D*. 16. wirtinne *DG*. Gawans *D*. 20. Porceln *G*, Parceln *dg*, Buceln *g*. 21. Gebrochen in einem ezzich in vineger *g*. 22. Gein *gg*. 23. al solhiu *Gg*, disiu *gg*. 25. Solhe *G*. di *Dg*. 29. wibs *g*. stæte ist *G*.

552, 2. erneren *Gg*, genern *d*. 4. Danne der wirt *G*. 7. truch. *G*. 8. gawanen *G*. 9. pfumit *G*, plumit *d*, blumit *g*. 11. vor *D*. 12. bastart *Gg*, basthart *dgg*. 13. golter *G*. 15. phelle *G*. 16. heindenschaft *G*. 17. uff den *g*, uz *gg*. 20. wanchusse *Gg*, banckusse *g*. 22. Hermin *G*, Herminen *g*. niuwen *Gdgg*. 25. is *G*. 27. ihtes an si *g*. 28. het in *G*.

XI.

553 Grôz müede im zôch diu ougen zuo:
sus slief er unze des morgens fruo.
do rewachete der wîgant.
einhalp der kemenâten want
vil venster hete, dâ vor glas.
der venster eines offen was
gein dem boumgarten:
dar în gienc er durch warten,
durch luft und durch der vogel sanc.
sîn sitzen wart dâ niht ze lanc,
er kôs ein burc, diers âbents sach,
dô im diu âventiure geschach;
vil frouwen ûf dem palas:
mangiu under in vil schœne was.
ez dûht in ein wunder grôz,
daz die frouwen niht verdrôz
ir wachens, daz si sliefen nieht.
dennoch der tac was niht ze lieht.
er dâhte 'ich wil in zêren
mich an slâfen kêren.'
wider an sîn bette er gienc:
der meide mantel übervienc
in: daz was sîn decke.
op man in dâ iht wecke?
nein, daz wære dem wirte leit.
diu maget durch gesellekeit,
aldâ si vor ir muoter lac,
si brach ir slâf des si pflac,
unt gienc hin ûf zir gaste:
der slief dennoch al vaste.

554 Diu magt ir diens niht vergaz:
fürz bette ûfen teppech saz
diu clâre juncfrouwe.
bî mir ich selten schouwe
daz mir âbents oder fruo
sölch âventiure slîche zuo.
bi einer wîl Gâwân erwachte:
er sach an si und lachte,
unt sprach 'got halde iuch, freuwelîn,
daz ir durch den willen mîn
iwern slâf sus brechet
und an iu selber rechet
des ich niht hân gedienet gar.'
dô sprach diu maget wol gevar
'iwers diens wil ich enbern:
ich ensol niwan hulde gern.
hêrre, gebietet über mich:
swaz ir gebiet, daz leist ich.
al die mit mînem vater sint,
beidiu mîn muoter unde ir kint
suln iuch ze hêrren immer hân:
sô liebe habt ir uns getân.'
er sprach 'sît ir iht lange komn?
het ich iwer kunft ê vernomn,
daz wær mir liep durch vrâgen,
wolt iuch des niht betrâgen
daz ir mirz geruochet sagn.
ich hân in disen zwein tagn

553. Die Aventiure von schastelmarvelle *d (bruchst.)*. *nach* 2 Der nu welle, der verneme, Obe ime sîn muot gesteme: Hie slîcht ein âventiure her, (Des bin ich Gâwânes wer) Die prüevet man ze solher nôt Die (Der?) niht gelîchet wan der tôt. Si pfliget angestlîcher site: Doch vert dâ prîs und êre mite Swem aldâ gelinget: Dar nâch si freude bringet. Nu mîn hêr Gâwân gepflac Guoter ruowe unz an den tac *d (Heidelb.)*. 3. entwachete *G*, entwaht *g*, erwachte aber *g*. 5. da vor heten *gg*. 7. gegen *D*. boungarten *g*. 8. gie *D*. 9. Durh luft unde durf der *G*. den *ddg*. 10. do *G*. ze *fehlt Gg*. 11. die ers *gg*, die (di *D*) er des *DG*. abendes *Ggg*. 12. awentiwer *D*. 14. manegiu *D*, Manigiu *G*. 17. niht *alle*. 29. hin zuo ir (dem *d*) gaste *Gddgg*.

554, 1. dienstes *alle außer D*. 2. Fürz *g*, Vurz *G*, fur des *D*. tepich si saz *Gdgg*. 7. Vil schire *gg*. erwachet *G*. 8. an sich unde erlachet *G*. 14. diu *fehlt D*. 15. Iuwer *Gd*. dienst *d*, dienstes *die übrigen außer D*. 16. Ihen sol *G*. niht wan *Gd*, neur *g*. 17. gebîet *D*, gebiette *G*. 18. gebiete daz leiste ih *G*. 24. chumfete ç *G*. 25. dur *G*. 27. geruochte *g*. gerüchtet *g*.

vil frouwen obe mir gesehn:
von den sult ir mir verjehn
555 Durch iwer güete, wer die sîn.'
do erschrac daz juncfreuwelîn,
si sprach 'hêr, nu vrâgt es niht:
ich pin dius nimmer iu vergiht.
ichn kan iu nicht von in gesagn:
ob ichz halt weiz, ich solz verdagn.
lâtz iu von mir niht swære,
und vrâget ander mære:
daz rât ich, welt ir volgen mir.'
Gâwân sprach aber wider zir,
mit vrâge er gienc dem mære nâch
umb al die frouwen dier dâ sach
sitzende ûf dem palas.
diu magt wol sô getriwe was
daz si von herzen weinde
und grôze klage erscheinde.
dennoch was ez harte fruo:
innen des gienc ir vater zuo.
der liezez âne zürnen gar,
ob diu maget wol gevar
ihts dâ wære betwungen,
und ob dâ was gerungen:
dem gebârt se gelîche,
diu maget zühte rîche,
wand si dem bette nâhe saz.
daz liez ir vater âne haz.
dô sprach er 'tohter, wein et niht.
swaz in schimpfe alsus geschiht,
ob daz von êrste bringet zorn,
der ist schier dâ nâch verkorn.'
556 Gâwân sprach 'hiest niht geschehn,
wan des wir vor iu wellen jehn.
ich vrâgte dise magt ein teil:
daz dûhte si mîn unheil,
und bat mich daz ichz lieze.
ob iuch des niht verdrieze,
sô lât mîn dienst umb iuch bejagn,
wirt, daz ir mirz ruochet sagn,
umb die frouwen ob uns hie.
ich enfriesch in al den landen nie
dâ man möhte schouwen
sô manege clâre frouwen
mit sô liehtem gebende.'
der wirt want sîne hende:
dô sprach er 'vrâgets niht durch got:
hêr, dâ ist nôt ob aller nôt.'
'sô muoz ich doch ir kumber klagen,'
sprach Gâwân. 'wirt, ir sult mir sagen,
war umbe ist iu mîn vrâgen leit?'
'hêr, durch iwer manheit.
kunnt ir vrâgen niht verbern,
sô welt ir lîhte fürbaz gern:
daz lêrt iuch herzen swære
und macht uns freuden lære,
mich und elliu mîniu kint,
diu iu ze dienste erboren sint.'
Gâwân sprach 'ir sult mirz sagen.
welt ab ir michz gar verdagen,
daz iwer mære mich vergêt,
ich freische iedoch wol wiez dâ stêt.'
557 Der wirt sprach mit triuwen
'hêr, sô muoz mich riuwen
daz iuch des vrâgens niht bevilt.
ich wil iu lîhen einen schilt:
nu wâpent iuch ûf einen strît.
ze Terre marveile ir sît:
Lît marveile ist hie.
hêrre, ez wart versuochet nie
ûf Schastel marveil diu nôt.
iwer leben wil in den tôt.

20. ob *D.* uns *gg.*

555, 3. vn̄ sprach *D.* fragit es *G.* 7. *so Ddg.* Lat ez iu (Lat eu iz *gg*) niht sin (wesen *g*, sein zuo *g*)$_{d}$sware *Ggg.* niht sin *g.* 8. sin. und *D.* anderre *DG.* 18. Innes *g.* gie *D.* 21. ihtes *DG.* dâ *fehlt gg.* 23. gebarte si *alle.* 25. wande *DG.* nahen *Ggg.* 27. weinet *D*, weint *Ggg*, nu weine *d.* 29. Nu *G.* 30. is *G.* sciere *D*, schiere doh *G.*

556, 1. hies *G*, hie ist *D.* 5. bat michz *Dg.* 9. umbe *DG.* d. fr. die obe uns hie *G.* 10. Ihen gefriesch *Gg*, Ichn friesch *g.* al den *Dg*, allen den *g*, allen *Gdg.* 13. solichem *dg.* 15. Er sprach *dg.* herre vr. *DGg.* fragit es *G*, fragt *dg.* dur *G.* 16. herre *D*, *fehlt Gg.* is not al ubir not *G.* 19. frage *G.* 21. chunnet *DG.* 23. leret *DG.* 24. machet *DG.* 26. di iu *D.* 28. aber *D*, abir *G.* mihez *G*, mirz *dgg.*

557, 4. ein schilt *Gg.* 6. 7. 9. maveile-marveile *G*, Marvale *D*, Marveile-Marvale *g*, marveile *g*, marnaile *d*, marfeile *g.* 7. Lit *D*, Let *Gg*, Lec *g*, Lot *d.* 8. ez *fehlt D.* 9. Scastel *D*, tschastel *G*, Tschahtel *g*, Thsastel *g*, scahel *d*, Tschatel *g.* 10. Juvver *(das* u *übergeschrieben) G.*

ist iu âventiure bekant,
swaz ie gestreit iwer hant,
daz was noch gar ein kindes spil:
nu næhent iu riubæriu zil.'
Gâwân sprach 'mir wære leit,
op mîn gemach ân arbeit
von disen frouwen hinnen rite,
ichn versuocht ê baz ir site.
ich hân ouch ê von in vernomen:
sît ich sô nâhen nu bin komen,
mich ensol des niht betrâgen,
ich enwellez durch si wâgen.'
der wirt mit triwen klagete.
sîme gaste er dô sagete
'aller kumber ist ein niht,
wan dem ze lîden geschiht
disiu âventiure:
diu ist scharpf und ungehiure
für wâr und âne liegen.
hêrre, in kan niht triegen.'

558 Gâwân der prîss erkande
an die vorhte sich niht wande:
er sprach 'nu gebt mir strîtes rât.
ob ir gebietet, rîters tât
sol ich hie leisten, ruochets got.
iwern rât und iwer gebot
wil ich immer gerne hân.
hêr wirt, ez wære missetân,
solt ich sus hinnen scheiden:
die lieben unt die leiden
heten mich für einen zagen.'
alrêrst der wirt begunde klagen,
wand im sô leide nie geschach.
hin ze sîme gaste er sprach
'op daz got erzeige
daz ir niht sît veige,
sô wert ir hêr diss landes:
swaz frouwen hie stêt pfandes,
die starkez wunder her betwanc,
daz noch nie rîters prîs erranc,
manc sarjant, edeliu rîterschaft,
op die hie'rlœset iwer kraft,
sô sît ir prîss gehêret
und hât iuch got wol gêret:
ir muget mit freuden hêrre sîn
über manegen liehten schîn,
frowen von manegen landen.
wer jæhe iu des ze schanden,
ob ir hinnen schiet alsus?
sît Lischoys Gwelljus

559 Iu sînen prîs hie lâzen hât,
der manege rîterlîche tât
gefrümet hât, der süeze:
von rehte i'n alsus grüeze.
mit ellen ist sîn rîterschaft:
sô manege tugent diu gotes kraft
in mannes herze nie gestiez,
ân Ithêrn von Gahaviez.
der Ithêrn vor Nantes sluoc,
mîn schif in gestern über truoc.
er hât mir fünf ors gegebn
(got in mit sælden lâze lebn),
diu herzogen und künege riten.
swaz er hât ab in erstriten,
daz wirt ze Pelrapeire gesagt:
ir sicherheit hât er bejagt.
sîn schilt treit maneger tjoste mâl.
er reit hie vorschen umben grâl.'
Gâwân sprach 'war ist er komn?
saget mir, wirt, hât er vernomn,
dô er sô nâhe was hie bî,
waz disiu âventiure sî.'
'hêrre, ern hâtes niht ervarn.
ich kunde mich des wol bewarn
daz ichs im zuo gewüege:
unfuoge ich danne trüege.

14. nahent *Ggg*, nahet *dg*. riuwebæriu *G*. 16. gemac ane *G*. 17. hin *G*. 18. Ichn *g*. ich env. *D*, Ih en virsuehte *G*. ê *fehlt Gg*. 20. nahe *D*. 23. wirte *G*. 24. dô *fehlt Ggg*. 25. enwiht *g*, ein wicht *d*. 26. ce lidene *D*. 28. is *G*. 29. Fur ware *G*. 30. ine *D*, ihne *G*.

558, 1. brîse *G*. erchant-want *D*. 2. er sich *dgg*. 3. sprac *G*. 4. gebiet *D*. 5. ruechet es *G*. 6. iuwern gebot *G*. 12. Alrest *D*. 17. werdet ir herre *alle*. dises *G*. 22. hie *fehlt d*. loset *G*, erlœset *die übrigen*. 24. geeret *DG*. 25. mugit *G*, möht *d*, *fehlt D*. 29. sciedet *D*. schiedet hin *g*. sus *dg*. 30. gew. *G*.

559, 3. gefrümt *D*, Gefrumet *G*. 4. ihen *G*, ich *g*, ich in *die übrigen*. 8. kahaviez *Gg*, Cahev. *gg*, gahev. *d*. 9. von *Gdg*. Nates *D*, nantis *Gg*. 10. gester *Ggg*. 13. di *D*, Die *G*. kunig und hertzoge *g*. herzogin *Gd*. 14. abe den *G*. gestriten *Gg*. 15. zepeilrap. *G*. 16. er hat *Ggg*. 17. mangir *G*. 18. vorschende *Gd*. umbe engral *G*. 21. nahen *Ggg*. 23. hats *Dgg*. 25. iches *D*, ihes *G*. 26. Ungefuoge *G*.

het ir selbe vrâgens niht erdâht,
nimmer wært irs innen brâht
von mir, waz hie mæres ist,
mit vorhten scharpf ein strenger list.

560 Welt ir niht erwinden,
mir unt mînen kinden
geschach sô rehte leide nie,
ob ir den lîp verlieset hie.
sult ab ir prîs behalten
unt diss landes walten,
sô hât mîn armuot ende.
ich getrûw des iwerr hende,
si hœhe mich mit rîcheit.
mit freuden liep âne leit
mac iwer prîs hie'rwerben,
sult ir niht ersterben.
nu wâpent iuch gein kumber grôz.'
dennoch was Gâwân al blôz:
er sprach 'tragt mir mîn harnasch her.'
der bete was der wirt sîn wer.
von fuoz ûf wâpent in dô gar
diu süeze maget wol gevar.
der wirt nâch dem orse gienc.
ein schilt an sîner wende hienc,
der dicke unt alsô herte was,
dâ von doch Gâwân sît genas.
schilt und ors im wâren brâht.
der wirt was alsô bedâht
daz er wider für in stuont:
dô sprach er 'hêrre, ich tuon iu kuont
wie ir sult gebâren
gein iwers verhes vâren.
mînen schilt sult ir tragn.
dern ist durchstochen noch zerslagn:

561 Wande ich strîte selten:
wes möht er danne enkelten?
hêrre, swenn ir ûf hin kumt,
ein dinc iu zem orse frumt.
ein krâmer sitzet vor dem tor:
dem lât dez ors hie vor.
kouft umb in, enruochet waz:
er behalt iuz ors deste baz,
ob 'irz im versetzet.
wert ir niht geletzet,
ir mugt dez ors gerne hân.'
dô sprach mîn hêr Gâwân
'sol ich niht zorse rîten în?'
'nein, hêrre, al der frouwen schîn
ist vor iu verborgen:
sô næhet ez den sorgen.
den palas vint ir eine:
weder grôz noch kleine
vint ir niht daz dâ lebe.
sô waldes diu gotes gebe,
so ir in die kemenâten gêt
dâ Lît marveile stêt.
daz bette und die stollen sîn
von Marroch der mahmumelîn,
des krône und al sîn rîcheit,
wære daz dar gegen geleit,
dâ mit ez wære vergolten niht.
dar an ze lîden iu geschiht
swaz got an iu wil meinen:
nâch freude erz müeze erscheinen.

562 Gedenket, hêrre, ob ir sît wert,
disen schilt unt iwer swert
lâzet ninder von iu komn.
so ir wænt daz ende habe genomn
iwer kumber grœzlîch,
alrêrst strîte ist er gelîch.'
dô Gâwân ûf sîn ors gesaz,
diu maget wart an freuden laz.

28. wart *G*, wæret *D*. 29. mærs *G*.

560, 3. rehte *fehlt G*. 5. aber *D*, abir *G*, *fehlt d*. 6. dises *G*. 8. getrowe *D*, getruowe *G*. getrauwes *g*. iuwerre *G*. 9. So hohet sih min richeit *G*. 11. erw. *G*, rew. *D*. 14. stuont *G*, sas *g*. 15. minen *Dd*, *fehlt g*. 16. Der wirt was der bete sin wer *G*. 17. wappint *G*, wapende *D*. 20. hende *G*. 21. als *G*. 23. 24. brahte-bidahte *G*. 29. schult ir *G*. 30. Der *Gdg*.

561, 5. kramer *Ggg*, chramære *D*, kremer *d*. 7. choufet *DG*. 8. bihalt *G*, behaltet *Ddg*, behelt *gg*. 10. Wert *g*. 16. nahet *alle außer D*. 17. 19. vindet *alle*. 20. diu gots phlege *G*. 21. kominaten *G*. 22. Lit *D*, let *Gg*, lecte *g*, lot *d*. marvale *Dg*. 24. der] de *G*. 25. Des ere *G*. 26. dar geine *G*.

562, 3. niener *G*. 4. went *g*. 5. Ivuver *G*. 6. Denne alrerst so hebet er sich *d*. alrest *D*. dane (dem *g*) strite ist er *Gg*, danne ist er strite *g*, ist er danne strite *g*.

al die dâ wâren klageten:
wênc si des verdageten.
er sprach zem wirte 'gan mirs got,
iwer getriulîch urbot,
daz ir mîn sus pflâget,
gelts mich niht betrâget.'
urloup er zer meide nam,
die grôzes jâmers wol gezam.
er reit hin, si klageten hie.
ob ir nu gerne hœret wie
Gâwâne dâ geschæhe,
deste gerner i'us verjæhe.
ich sag als ichz hân vernomn.
do er was für die porten komn,
er vant den krâmære,
unt des krâm niht lære.
dâ lac inne veile,
daz ichs wære der geile,
het ich alsô rîche habe.
Gâwân vor im erbeizte abe.
sô rîchen markt er nie gesach,
als im ze sehn aldâ geschach.

563 der krâm was ein samît,
vierecke, hôch unde wît.
waz dar inne veiles læge?
derz mit gelte widerwæge,
der bâruc von Baldac
vergulte niht daz drinne lac:
als tæte der katolicô
von Ranculât: dô Kriechen sô
stuont daz man hort dar inne vant,
da vergultez niht des keisers hant
mit jener zweier stiure.
daz krâmgewant was tiure.
Gâwân sîn grüezen sprach
zuo dem krâmer. do er gesach
waz wunders dâ lac veile,
nâch sîner mâze teile
bat im zeigen Gâwân
gürtelen ode fürspan.
der krâmer sprach 'ich hân für wâr
hie gesezzen manec jâr,
daz nie man getorste schouwen
(niht wan werde frouwen)
waz in mîme krâme ligt.
ob iwer herze manheit pfligt,
sô sît irs alles hêrre.
ez ist gefüeret verre.
habt ir den prîs an iuch genomn,
sît ir durch âventiure komn
her, sol iu gelingen,
lîhte ir megt gedingen

564 Um mich: swaz ich veiles hân,
daz ist iu gar dan undertân.
vart fürbaz, lâtes walten got.
hât iuch Plippalinôt
der verje her gewîset?
manec frouwe prîset
iwer komn in ditze lant,
ob si hie'rlœset iwer hant.
welt ir nâch âventiure gên,
sô lât daz ors al stille stên:
des hüete ich, welt irz an mich lân.'
dô sprach mîn hêr Gâwân
'wærz in iwern mâzen,
ich woltz iu gerne lâzen.
nu entsitze ich iwer rîcheit:
sô rîchen marschalc ez erleit
nie, sît ich dar ûf gesaz.'
der krâmer sprach ân allen haz

9. Al *g*, alle *DG*. 12. getriuwelich *G*. 14. geltes *alle*. 17. chlagetn *D*. 20. ichs (ihes *G*) iu *DGdg*, ich euch *g*, ich eůchs *g*. gahe *Gg*. 23. dem *G*. 24. chrame *Gdg*. *so* 563, 1. 28. erbeizet *D*. 29. markt *g*, market *G*. marchet *D*. 30. zesehenne *G*.

563, 2. hoh und *D*. 5. barǒch *G*. 7. also *Dd*. kath. *dgg*, katulato *G*. 8. dô] die *G*. 10. da *D*, Doch *g*, So *dgg*, Sone *G*. vergultz *D*. des keiser *g*. 12. chramgwant *D*, chrame gewant *G*. 14. 19. 564, 18. chramære *DG*. 15. lac] was *G*. 18. oder *D*. 21. nie man *g*, nieman *D*. niemen *G*. 22. Niuwan *G*. 23. minen chramen *G*. 25. alle *D*. 26. gefuert *G*. 29. Herre *gg*. so sol iu *G*. 30. muget *G*.

564, 1. Umb *G*, umbe *D*. veils *G*. 2. dan *D*, danne *Ggg*, denne *d*. 3. lats *D*. 4. iuch *fehlt G*. plipal. *g*, pliplalinot *G*. 5. verge *D*. 7. diz *G*, dizze *D*. 8. hie *fehlt dgg*. erloset *alle*. 9. aventiuren *D*. 10. = diz *Ggg*. 13. wærez *DG*. 14. I. woldez gerne iu lazen *G*. 15. Nune ensitze ih *G*. 16. marscalch *D*, marschalc *G*. 17. ih druf *G*. 18. kremer *gg*.

'hêrre ich selbe und al mîn habe
(waz möht ich mêr nu sprechen drabe?)
ist iwer, sult ir hie genesn.
wes möht ich pillîcher wesn?'
Gâwân sîn ellen lêrte,
ze fuozer fürbaz kêrte
manlîche und unverzagt.
als ich iu ê hân gesagt,
er vant der bürge wîte,
daz ieslîch ir sîte
stuont mit bûwenlîcher wer.
für allen sturm niht ein ber
565 Gæb si ze drîzec jâren,
op man ir wolte vâren.
enmitten drûf ein anger:
daz Lechvelt ist langer.
vil türne ob den zinnen stuont.
uns tuot diu âventiure kuont,
dô Gâwân den palas sach,
dem was alumbe sîn dach
reht als pfâwîn gevider gar,
lieht gemâl unt sô gevar,
weder regen noch der snê
entet des daches blicke wê.
innen er was gezieret
unt wol gefeitieret,
der venster siule wol ergrabn,
dar ûf gewelbe hôhe erhabn.
dar inne bette ein wunder
lac her unt dar besunder:
kultern maneger slahte
lâgen drûf von rîcher ahte.
dâ wârn die frowen gesezzen.
dine heten niht vergezzen,
sine wæren dan gegangen.
von in wart niht enpfangen
ir freuden kunft, ir sælden tac,
der gar an Gâwâne lac.
müesen sin doch hân gesehn,
waz möhte in liebers sîn geschehn?
ir neheiniu daz tuon solte,
swie er in dienen wolte.
566 Dâ wârn si doch unschuldec an.
dô gienc mîn hêr Gâwân
beidiu her unde dar,
er nam des palases war.
er sach an einer wende,
ine weiz ze wederr hende,
eine tür wît offen stên,
dâ inrehalp im solte ergên
hôhes prîss erwerben
ode nâch dem prîse ersterben.
er gienc zer kemenâten în.
der was ir estrîches schîn
lûter, hæle, als ein glas,
dâ Lît marveile was,
daz bette von dem wunder.
vier schîben liefen drunder,
von rubbîn lieht sinewel,
daz der wint wart nie sô snel:
dâ wârn die stollen ûf geklobn.
den estrîch muoz ich iu lobn:
von jaspis, von crisolte,
von sardîn, als er wolte,
Clinschor, der des erdâhte,
ûz manegem lande brâhte
sîn listeclîchiu wîsheit
werc daz hier an was geleit.
der estrîch was gar sô sleif,
daz Gâwân kûme aldâ begreif
mit den fuozen stiure.
er gienc nâch âventiure.
567 Immer, als dicke er trat,
daz bette fuor von sîner stat,
daz ê was gestanden.
Gâwâne wart enblanden

19. alle *G.* 20. mere brechen drabe *G.* 21. iuer *G.* 22. solt ih *G*, súllent ir *d.* 24. Zefueze er *G*, ce fuoz (*ohne* er) *D.* 29. buowelicher *G*, buwel. *dg*, bul. *g.*

565, 1. gæbe si *Ddgg*, Sy geb *g*, Gæbin si *G.* 3. Mitten *D.* druffe *Ggg.* 8. allumbe *G.* 9. phawen *Gdgg.* 14. geweitieret *G.* 16. wol *G*, schon *g.* 19. Kulter *gg*, Gultir *G.* 20. drufe *G.* 25. chumfte *G.* 27. si in *D*, si *Gg.* 29. deheiniu *Gdg.*

566, 3. unt *D.* 4. palas *alle.* 8. innerhalp *G.* 10. oder *D.* 11. chominatin *G.* 14. let *Gdg*, lecte *g.* Marvale *Dg*, marvæle (*so scheints*) *G.* 17. Rubbinen *D*, rubinen *die übrigen.* sinwel *D.* 20. iu *fehlt d.* 21. iaspe *g.* von *D*, unde *Gd*, und von *gg*, *fehlt g.* Crisôlte *D.* 22. sardine *Ggg.* 23. Clinscor *D*, Clinshor *gg*, Clinsor *Gd*, Clinisor *g.* 24. manigen landen *alle ausser Dg.* 25. listlichiu *G.* 28. aldâ *fehlt G.* 29. suezen *G.*

daz er den swæren schilt getruoc,
den im sîn wirt bevalch genuoc.
er dâhte 'wie kum ich ze dir?
wiltu wenken sus vor mir?
ich sol dich innen bringen,
ob ich dich mege erspringen.'
do gestuont im daz bette vor:
er huop sich zem sprunge enbor,
und spranc rehte enmitten dran.
die snelheit vreischet niemer man,
wie daz bette her unt dar sich stiez.
der vier wende deheine'z liez,
mit hurte an ieslîche'z swanc,
daz al diu burc dâ von erklanc.
sus reit er manegen poynder grôz.
swaz der doner ie gedôz,
und al die pusûnære,
op der êrste wære
bî dem jungesten dinne
und bliesen nâch gewinne,
ezn dorft niht mêr dâ krachen.
Gâwân muose wachen,
swier an dem bette læge.
wes der helt dô pflæge?
des galmes het in sô bevilt
daz er zucte über sich den schilt:

568 Er lac, unde liez es walten
den der helfe hât behalten,
und den der helfe nie verdrôz,
swer in sînem kumber grôz
helfe an in versuochen kan.
der wîse herzehafte man,
swâ dem kumber wirt bekant,
der rüefet an die hôhsten hant:
wan diu treit helfe rîche
und hilft im helfeclîche.
daz selbe ouch Gâwân dâ geschach.
dem er ie sîns prîses jach,
sînen krefteclîchen güeten,
den bat er sich behüeten.
nu gewan daz krachen ende,
sô daz die vier wende
gelîche wârn gemezzen dar
aldâ daz bette wol gevar
an dem estrîche enmitten stuont.
dâ wart im grœzer angest kuont.
fünf hundert stabeslingen
mit listeclîchen dingen
zem swanke wârn bereite.
der swanc gab in geleite
ûf daz bette aldâ er lac.
der schilt alsolher herte pflac,
daz ers enpfant vil kleine.
ez wâren wazzersteine
sinewel unde hart:
etswâ der schilt doch dürkel wart.

569 Die steine wâren ouch verbolt.
er hete selten ê gedolt
sô swinde würfe ûf in geflogn.
nu was zem schuzze ûf gezogn
fünf hundert armbrust ode mêr.
die heten algelîchen kêr
reht ûf daz bette aldâ er lac.
swer ie solher nœte gepflac,
der mag erkennen pfîle.
daz werte kurze wîle,
unz daz si wârn versnurret gar.
swer wil gemaches nemen war,
dern kum an solch bette niht:
gemaches im dâ niemen giht.
es möhte jugent werden grâ,
des gemaches alsô dâ
Gâwân an dem bette vant.
dannoch sîn herze und ouch sîn hant
der zagheit lâgen eine.
die pfîle und ouch die steine
heten in niht gar vermiten:
zequaschiert und ouch versniten

567, 8. Wil du *G.* 10. muge *G.* 13. mitten *D.* 14. gefreischet *G.* niemer *Ggg*, nie mer *D*, nie kein *g*, do kein (*d. i.* dechein) *d.* 16. decheine ez *D.* 17. isliche ez *G.* 20. donrr *D*, donr *g*, donre *g.* ie groz *G.* 21. busunare *Gdgg.* 23. iungiste *G.* 25. ezen dorfte *DG.* me *G.*

568, 1. und *D.* 4. Der *G.* 10. hilfet *DG.* 11. Gawane *DGg.* dâ *fehlt Gd.* 17. Gelichen *G.* 18. gewar *D.* 20. Do *G.* 21. stab slingen *D allein.* 22. listlichen *G.* 23. zuome *D.* bereit-geleit *Gdg.* 29. sinwel *D.* und herter art?

569, 5. arembrust oder *D.* 6. alle gelichen *dgg*, alle geliche *g.* 7. al *fehlt gg*, dar *G.* 8. pflach *D.* 9. moht *G.* 11. unze *DG.* virsnuort *G.* 13. Derne chome *G.* 18. Danch *G.* 19. lagen *D*, lach er *g*, lac al *Gdg*, lag er all *g.* 22. Zerquatschiuret *G.*

was er durch die ringe.
dô het er gedinge,
sîns kumbers wære ein ende:
dannoch mit sîner hende
muoser prîs erstrîten.
an den selben zîten
tet sich gein im ûf ein tür.
ein starker gebûr gienc dar für:
570 Der was freislîch getân.
von visches hiute truoger an
ein surkôt unt ein bônît,
und des selben zwuo hosen wît.
einen kolbn er in der hende truoc,
des kiule grœzer denne ein kruoc.
er gienc gein Gâwâne her:
daz enwas doch ninder sîn ger,
wande in sîns kumens dâ verdrôz.
Gâwân dâhte 'dirre ist blôz:
sîn wer ist gein mir harte laz.'
er riht sich ûf unde saz,
als ob in swære ninder lit.
jener trat hinder einen trit,
als ob er wolde entwîchen,
und sprach doch zornlîchen
'irn durfet mich entsitzen niht:
ich füege ab wol daz iu geschiht
dâ von irn lîp ze pfande gebt.
vons tiuvels kreften ir noch lebt:
sol iuch der hie hân ernert,
ir sît doch sterbens unerwert.
des bringe ich iuch wol innen,
als ich nu scheide hinnen.'
der vilân trat wider în.
Gâwân mit dem swerte sîn
vome schilde sluoc die zeine.
die pfîle algemeine
wârn hin durch gedrungen,
daz se in den ringen klungen.
571 Dô hôrter ein gebrummen,
als der wol zweinzec trummen
slüege hie ze tanze.
sîn vester muot der ganze,
den diu wâre zageheit
nie verscherte noch versneit,
dâhte 'waz sol mir geschehn?
ich möhte nu wol kumbers jehn:
wil sich mîn kumber mêren?
ze wer sol ich mich kêren.'
nu sah er geins gebûres tür.
ein starker lewe spranc derfür:
der was als ein ors sô hôch.
Gâwân der ie ungerne vlôch,
den schilt er mit den riemen nam,
er tet als ez der wer gezam,
er spranc ûf den estrîch.
durch hunger was vreislîch
dirre starke lewe grôz,
des er doch wênec dâ genôz.
mit zorne lief er an den man:
ze wer stuont hêr Gâwân.
er hetem den schilt nâch genomn:
sîn êrster grif was alsô komn,
durch den schilt mit al den klân.
von tiere ist selten ê getân
sîn grif durch solhe herte.
Gâwân sich zuckes werte:
ein bein hin ab er im swanc.
der lewe ûf drîen füezen spranc:
572 Ime schilde beleip der vierde fuoz.
mit bluote gaber solhen guoz
daz Gâwân mohte vaste stên:
her unt dar begundez gên.
der lewe spranc dicke an den gast:
durch die nasen manegen pfnâst
tet er mit pleckenden zenen.
wolt man in solher spîse wenen
daz er guote liute gæze,
ungern ich pî im sæze.
ez was ouch Gâwâne leit,
der ûf den lîp dâ mit im streit.

28. dem *D*. 30. grozir *G*. starc? gebẘr *D*, gebûre *G*, bure *d*. her für *gg*.
570, 1. Er *Gg*. vreissam *D*. 2. Von fischen hute truoge er an *G*. 3. boit *G*. 4. zwo *DG*, zü *g*. 5. cholben *D*, cholbin *G*. er] si *G*. 6. Des kule waz *gg*. 7. was. er gienchʼ *D*. 8. en *fehlt G*. gêr *G*. 9. sines chomens dar *G*. 12. rihte *DG*. 16. zorenliche *D*. 18. aber *D*, abir *G*. 19. irn *g*, ir den *DG*. 20. von des *Ddg*, Von *Ggg*.
571, 2. drummen *G*. 11. geines *G*. gebẘers *D*, geburen *gg*. 12. grozir *G*. her fur *Gdgg*. 13. sô] als *G*. 15. er *fehlt D*. 23. hete im *D*, het im *G*. 25. al *fehlt Gg*. 27. Ein *d*. 29. hin abe si im swanc *G*. 30. drin *Gdgg*.
572, 1. Anne (A *roth*) *G*. 2. guz *DG*. 3. begunde *G*. 6. nase *Gd*.

er het in sô geletzet,
mit bluote wart benetzet
al diu kemenâte gar.
mit zorne spranc der lewe dar
und wolt in zucken under sich.
Gâwân tet im einen stich
durch die brust unz an die hant,
dâ von des lewen zorn verswant:
wander strûchte nider tôt.
Gâwân het die grôze nôt
mit strîte überwunden.
in den selben stunden
dâhter 'waz ist mir nu guot?
ich sitze ungern in ditze bluot.
och sol ich mich des wol bewarn:
diz bette kan sô umbe varn;
daz ich dran sitze oder lige,
ob ich rehter wîsheit pflige.'

573 Nu was im sîn houbet
mit würfen sô betoubet,
unt dô sîne wunden
sô bluoten begunden,
daz in sîn snellîchiu kraft
gar liez mit ir geselleschaft:
durch swindeln er strûchens pflac.
daz houbt im ûf dem lewen lac,
der schilt viel nider under in.
gewan er ie kraft ode sin,
diu wârn im beide enpfüeret:
unsanfter was gerüeret.
aller sin tet im entwîch.
sîn wanküssen ungelîch
was dem daz Gymêle
von Monte Rybêle,
diu süeze und diu wîse,
legete Kahenîse,
dar ûffe er sînen prîs verslief.
der prîs gein disem manne lief:
wande ir habt daz wol vernomn,
wâ mit er was von witzen komn,
daz er lac unversunnen,
wie des wart begunnen.
verholne ez wart beschouwet,
daz mit bluote was betouwet
der kemenâten estrîch.
si bêde dem tôde wârn gelîch,
der lewe unde Gâwân.
ein juncfrowe wol getân

574 Mit vorhten luogete oben în:
des wart vil bleich ir liehter schîn.
diu junge sô verzagete
daz ez diu alte klagete,
Arnîve diu wîse.
dar umbe ich si noch prîse,
daz si den rîter nerte
unt im dô sterben werte.
si gienc ouch dar durch schouwen.
dô wart von der frouwen
zem venster oben în gesehen
daz si neweders mohte jehen,
ir künfteclîcher freuden tage
ode immer herzenlîcher klage.
si vorhte, der rîter wære tôt:
des lêrten si gedanke nôt;
wand er sus ûf dem lewen lac
unt anders keines bettes pflac.
si sprach 'mir ist von herzen leit,
op dîn getriwiu manheit
dîn werdez leben hât verlorn.
hâstu den tôt alhie rekorn
durch uns vil ellenden diet,
sît dir dîn triwe daz geriet,
mich erbarmet immer dîn tugent,
du habest alter ode jugent.'
hin zal den frouwen si dô sprach,
wand si den helt sus ligen sach,
'ir frouwen die des toufes pflegn,
rüeft alle an got umb sînen segn.'

15. chominate *G*. 21. Wan er struchete *G*. 22. = grozin *Ggg*. 24. An *Gg*. 25. was is *G*. 30. witze *dg*, sinne *G*.

573, 5. snelliche *g*, snelchlich *G*, snellich *die übrigen*. 7. Durch swindelns er struchens plac *G*. 10. oder *D*. 11. in *G*. beidiu *DG*. 13. aller sîn *D*, Al sin sin *gg*. entwic *G*. 14. wanchusse *G*. 15. gimmele *Gdg*, giminele *g*. *den circumflex hat D*. 16. Ribbele *dgg*, rippele *G*. 18. Leite keinise *G*. 19. Dar uf *Ggg*. prîs *fehlt G*. 20. Der brise *G*. 21. Wan *G*. 27. cheminaten *G*. 29. unt *D*.

574, 1. ob in. *G*. 2. liehter *fehlt G*. 9. gie *D*. dur *G*. 11. ob in *D*. 13. kunftichlien *Gdgg*. 14. 26. oder *D*. 14. herzecliche *ddg*. 18. deheines *DG*. 22. erchorn *G*. 23. ellenden *D*, ellendiu *Gd*, ellende *die übrigen*. 25. immer me *Gg*, immer *die übrigen*. 27. Hinze allen den *Gg*. = dô *fehlt Ggg*. 28. Wan *G*. 30. ruefet *D*, Ruofet *G*. an den gotis segin *G*. umbe *D*.

575 Si sande zwuo juncfrouwen dar,
und bat si rehte nemen war
daz si sanfte slichen,
ê daz si dan entwichen,
daz si ir bræhten mære,
ob er bî leben wære
ode ob er wære verscheiden.
daz gebôt si den beiden.
die süezen meide reine,
ob ir dewedriu weine?
jâ si beide sêre,
durch rehtes jâmers lêre,
dô sin sus ligen funden,
daz von sînen wunden
der schilt mit bluote swebete.
si besâhen ob er lebete.
einiu mit ir clâren hant
den helm von sîme houbte bant,
und ouch die fintâlen sîn.
dâ lag ein kleinez schiumelîn
vor sîme rôten munde.
ze warten si begunde,
ob er den âtem inder züge
od ober si des lebens trüge:
daz lac dannoch in strîte.
ûf sîme kursîte
von zobele wârn zwei gampilûn,
als Ilynôt der Bertûn
mit grôzem prîse wâpen truoc:
der brâhte werdekeit genuoc

576 In der jugende an sîn ende.
diu maget mit ir hende
des zobels roufte und habt in dar
für sîne nasen: dô nam si war,
ob der âtemz hâr sô regete
daz er sich inder wegete.
der âtem wart dâ funden.
an den selben stunden
hiez si balde springen,
ein lûter wazzer bringen:
ir gespil wol gevar
brâht ir daz snellîche dar.
diu maget schoub ir vingerlîn
zwischen die zene sîn:
mit grôzen fuogen daz geschach.
dô gôz si daz wazzer nâch,
sanfte, und aber mêre.
sine gôz iedoch niht sêre,
unz daz er d'ougen ûf swanc.
er bôt in dienst und sagt in danc,
den zwein süezen kinden.
'daz ir mich soldet vinden
sus ungezogenlîche ligen!
ob daz wirt von iu verswigen,
daz prüeve ich iu für güete.
iur zuht iuch dran behüete.'
si jâhn 'ir lâget unde liget
als der des hôhsten prîses pfliget.
ir habt den prîs alhie bezalt,
des ir mit freuden werdet alt:

577 Der sig ist iwer hiute.
nu trœst uns armen liute,
ob iwern wunden sî alsô
daz wir mit iu wesen vrô.'
er sprach 'sæht ir mich gerne lebn,
sô sult ir mir helfe gebn.'
des bat er die frouwen.
'lât mîne wunden schouwen
etswen der dâ künne mite.
sol ich begên noch strîtes site,
sô bint mirn helm ûf [und] gêt ir hin:
den lîp ich gerne wernde bin.'

575, 1. zwo *DG*. 2. Daz si rehte namen war *G*. nemen rehte *D*. 3. slîchen *D*, slischen *G*. 6. lebene *D*, lebin *G*. 7. 24. oder *D*. 10. entwedere *g*. 14. wnden *D* (*meistens*), vunden *G*. 19. fintailen *g*, fantalen *dd*. 20. ein vil *D*. schuemelin (ue *durchstrichen*, *darüber* iv) *G*. 21. rotem *Ggg*. 23. indr *D*, iender *G*. *so* 576, 6. 24. = des *fehlt Ggg*. 27. Gampilun *d*, Gâmpilun *D*, camp. *g*, gunpelun *d*, gapilun *g*, gabelun *G*. 28. Ibnot *g*, ybilon G. Bertun *Dd*. 30. Er *G*.

576, 1. Von *G*. iugent *Gdgg*. 3. roufte] brach *G*. habit *G*, huob *g*, bracht *g*. habeten dar *d*. in dar] mit ir hende *G*. 4. Fur sinem munt *G*. 5. atem dez *D*, atem daz *G*. 6. er *Dg*, ez *Gddgg*. 12. snelliche *Dd*, snelleclich *d*, snellichen *Gg*, snelleclichen *gg*. 15. grozir fuege *Gg*. fuegen *D*. 18. Si goz *G*. 19. unze daz-diu *DG*, Wen-die *d*. 20. Er sagit in genade unde danch *G*. sagete *D*. 23. ungezogelichen *Gdgg*. 26. Ivr *G*, iwer *D*. zuhte *G*. 27. iahen *DG*, sprach *d*. und *D*. 28. Alse *G*.

577, 1. sich *G*. 2. troestet *D*, trostet *G*. arme *Ggg*. 5. sæhet *DG*. 8. wunde *G*. 9. Eteswenne *G*. 11. bindet *alle außer D*. mirn (mir den *d*) helm uf *dg*, minen helm ûf *DG*, mir auff *g*, mir den helm *d*, mynen helm *g*.

sî jâhn 'ir sît nu strîtes vrî:
hêr, lât uns iu wesen bî.
wan einiu sol gewinnen
an vier küneginnen
daz potenbrôt, ir lebet noch.
man sol iu bereiten och
gemach und erzenîe clâr,
unt wol mit triwen nemen war
mit salben sô gehiure,
diu für die quaschiure
unt für die wunden ein genist
mit senfte helfeclîchen ist.'
der meide einiu dannen spranc
sô balde daz si ninder hanc.
diu brâht ze hove mære
daz er bî lebne wære,
'unt alsô lebelîche,
daz er uns freuden rîche
578 mit freuden machet, ruochets got.
im ist ab guoter helfe nôt.'
Si sprâchen alle 'die merzîs.'
diu alte küniginne wîs
ein bette hiez bereiten,
dâ für ein teppech breiten,
bî einem guotem fiure.
salben harte tiure,
wol geworht mit sinne,
die gewan diu küneginne,
zer quaschiure unt ze wunden.
do gebôt si an den stunden
vier frouwen daz si giengen
unt sîn harnasch enpfiengen,
daz siz sanfte von im næmen,
unt daz si kunden ræmen
daz er sich des iht dorfte schemen.
'einen pfelle sult ir umbe iuch nemen,
unde entwâpentn in dem schate.
op danne gên sî sîn state,
daz dolt, ode tragt in hîn
aldâ ich pî dem bette bin:
ich warte aldâ der helt sol ligen.
op sîn kampf ist sô gedigen
daz er niht ist ze verhe wunt,
ich mache in schiere wol gesunt.
swelch sîn wunde stüent ze verhe,
daz wær diu freuden twerhe:
dâ mite wærn ouch wir reslagn
und müesen lebendec sterben tragn.'
579 Nu, diz wart alsô getân.
entwâpent wart hêr Gâwân
unt dannen geleitet
unde helfe bereitet
von den die helfen kunden.
dâ wâren sîner wunden
fünfzec ode mêre,
die pfîle iedoch niht sêre
durch die ringe [wârn] gedrucket:
der schilt was für gerucket.
dô nam diu alte künegîn
dictam und warmen wîn
unt einen blâwen zindâl:
do erstreich si diu bluotes mâl
ûz den wunden, swâ decheiniu was,
unt bant in sô daz er genas.
swâ der helm was în gebogn,
da engein daz houbet was erzogn,
daz man die würfe erkande:
die quaschiur si verswande
mit der salben krefte
unt von ir meisterschefte.
si sprach 'ich senfte iu schiere.
Cundrîe la surziere

13. iahn. *D*. 17. beten brot *G*, bettenbrot daz *d*. 18. och *dg*, ouch *DGg*, doch *dg*. 22. quatschiure *G immer*, quatsure *d*. 24. senften *d*. 27. brahte *DG*.

578, 2. aber *D*, abir *G*. 3. die *Dg*, diu *G*, den *dgg*, de *d*. Marzîs *D*. 6. tepihc *G*, teppet *d*. spreiten *d*, streiten *G*. 7. guoten *alle außer DG*. 9. geworhte *G*. 11. quetsure *d*. ce *Dg*, zen *G*, zer *ddgg*. 13. vier iunchfrouwen *D*. 14. unt] Im *G*. 17. niht *D*. durfe *G*. 19. Unde entwappent in *G*, unt entwapenden *D*. 20. gens *D*. stæte *G*. 21. oder *D*. 24. champhe *G*. 26. in *fehlt G*. 27. stuende *alle, doch* wunden stuonden *d*. 28. diu freuden *DG*, unsz die vroude *g*, der freude *g*, der freuden *ddg*. entwerhe *Gg*. 29. erslagin *G*.

579, 6. da *Dd*, Do *Gg*. 7. oder *D*. 12. Dittamme *g*, Dittammen *G*. 13. plawen *D*. 14. streich *Gddgg*. 15. decheiniu *D*, keines *g*, der deheniu *Gd*, der cheine *dg*, die *g*. 16. band *D*. 18. engen *G*. 20. quatschiure *Gg*, quasiuren *d*, quasciuren *oder* quatschiuren *die übrigen*. 21. Gundriȝ *G*.

ruochet mich sô dicke sehn:
swaz von erzenîe mac geschehn,
des tuot si mich gewaltec wol.
sît Anfortas in jâmers dol
kom, daz man im helfe warp,
diu salbe im half, daz er niht starp:

580 Si ist von Munsalvæsche komn.'
dô Gâwân hête vernomn
Munsalvaesche nennen,
do begunder freude erkennen:
er wânde er wær dâ nâhe bî.
dô sprach der ie was valsches vrî,
Gâwân, zer küneginne
'frouwe, mîne sinne,
die mir wârn entrunnen,
die habt ir gewunnen
wider in mîn herze:
ouch senftet sich mîn smerze.
swaz ich krefte od sinne hân,
die hât iwer dienstman
gar von iwern schulden.'
si sprach 'hêr, iwern hulden
sul wir uns alle nâhen
unt des mit triwen gâhen.
nu volgt mir unt enredet niht vil.
eine wurz i'u geben wil,
dâ von ir slâfet: deist iu guot.
ezzens trinkens keinen muot
sult ir haben vor der naht.
sô kumt iu wider iwer maht:
sô trit ich iu mit spîse zuo,
daz ir wol bîtet unze fruo.'
eine wurz si leite in sînen munt:
dô slief er an der selben stunt.
wol si sîn mit decke pflac.
alsus überslief den tac

581 Der êren rîche und lasters arm
lag al sanfte unt im was warm.
etswenne in doch in slâfe vrôs,
daz er heschte unde nôs,
allez von der salben kraft.
von frouwen grôz gesselleschaft
giengen ûz, die andern în:
die truogen liehten werden schîn.
Arnîve diu alte
gebôt mit ir gewalte
daz ir enkeiniu riefe
die wîle der helt dâ sliefe.
si bat ouch den palas
besliezen: swaz dâ rîter was,
sarjande, burgære,
der necheiner disiu mære
vriesch vor dem andern tage.
dô kom den frouwen niwiu klage.
sus slief der helt unz an die naht.
diu künegîn was sô bedâht,
die wurz sim ûzem munde nam.
er rewachte: trinkens in gezam.
dô hiez dar tragen diu wîse
trinkn unt guote spîse.
er riht sich ûf unde saz,
mit guoten freuden er az.
vil manec frouwe vor im stuont.
im wart nie werder dienst kuont:
ir dienst mit zühten wart getân.
dô prüevete mîn hêr Gâwân

582 Dise, die, und aber jene:
er was et in der alten sene
nâch Orgelûse der clâren.
wande im in sînen jâren
kein wîp sô nâhe nie gegienc
etswâ dâ er minne enpfienc

26. erznîe *D*, arcedei *d*. sol *G*. 27. mih wol gewaltich wol *G*.
28. sît *fehlt* *Gg*.

580, 2. hete gawan *G*. 5. nahen *Ggg*. 7. zechuneginne *G*. 13. ode *G*G^a, oder *D*. 15. hulden *G*. 19. volgt G^a, volget *die übrigen*. unt *fehlt* *dg*. en *haben nur* *DG*. enreit *D*, reit *d*. 20. wrce *Dg*, wuorce G^a. ich (ih *G*) iu *alle*. 22. Ezens noh trinchens deheinen muot *G*. 25. wider zuo *G*. 26. unze] wenne *d*. 27. wrce *D*, wurze *Gg*, wuorce G^a. legite *G*, leit G^a. 30. Als er G^a.

581, 1. rich G^a. arem *D*. 2. Lach al samfte *G*. warem *D*. 4. heschte *g*, hessete *D*, hesschet *g*, gehsset *d*, heschet *G*G^a, erheschet *g*, huostet *d*. 8. Hie G^a. 9. Arnave *G*. 11. deheiniu *G*G^a*g*, dekeiniu *dd*. 16. keiner *gg*, deheiner *Gdg*, decheiner G^a*d*. 17. Friesche G^a, vries *D*. anderm *G*. 18. niwiu G^a, niweiu *G*, niwe *D*. 21. *wie* 580, 27. 22. Er wachte *g*, Do er wachete *G*. 24. trinchen *DG*G^a. 25. rihte *DG*G^a. 26. Mit guetem willen er âz *G*. 28. Imme *G*. enwart G^a. 30. pruovete *D*, pruofte G^a, pruovet *G*, pruevet *d*, prufte *gg*.

582, 1. Didse die *G*. 3. orgelusen (orgilusen G^a) *alle*. 5. Nie wib *G*. = nahen *G*G^a*gg*.

ode dâ im minne was versagt.
dô sprach der helt unverzagt
zuo sîner meisterinne,
der alten küneginne.
'frouwe, ez krenkt mir mîne zuht,
ir meget mirs jehn für ungenuht,
suln dise frouwen vor mir stên:
gebiet in daz si sitzen gên,
oder heizt si mit mir ezzen.'
'alhie wirt niht gesezzen
von ir enkeiner unz an mich.
hêr, si möhten schamen sich,
soltens iu niht dienen vil:
wande ir sît unser freuden zil.
doch, hêr, swaz ir gebietet in,
daz suln si leisten, hab wir sin.'
die edelen mit der hôhen art
wârn ir zühte des bewart,
wan siz mit willen tâten.
ir süezen munde in bâten
dâ stênes unz er gæze,
daz ir enkeiniu sæze.
dô daz geschach, si giengen wider:
Gâwân sich leite slâfen nider.

7. oder *D*. 9. Zesiner *Gd*, Cesiner *G^a*. 11. ez chrenchet *alle*, *nur* ir crenket *d*. mir *fehlt ddg*. min *Gg*. 12. mugt *G^a*, mugit *G*. 14. Gebietet in *G^agg*. 15. Olde *G*, ode *G^a*. heizet *DGG^a*. 16. vergezen *G^a*. 17. 28. dehein. *GG^ag*, dekein. *dd*, kein. *gg*. 19. solten (Solden *GG^a*) si *DGG^a*. 20. unsere *G*, unserre *g*. 21. gebiet^{e}n *G^a*, gebîet *DG*. 22. suln wir *G*. habe *GG^a*. 24. zuht *G^a*. 25. wan *G^a*, wande *DG*. wille *G*. 26. suoze *G^adg*. 27. stênes *G*, stens *DG^a*, stende *d*.

XII.

583 Swer im nu ruowe næme,
ob ruowens in gezæme,
ich wæn der hetes sünde.
nâch der âventiure urkünde
het er sich garbeitet,
gehœhet unt gebreitet
sînen prîs mit grôzer nôt.
swaz der werde Lanzilôt
ûf der swertbrücke erleit
unt sît mit Meljacanze streit,
daz was gein dirre nôt ein niht;
unt des man Gârelle giht,
dem stolzen künege rîche,
der alsô rîterlîche
den lewen von dem palas
warf, der dâ ze Nantes was.
Gârel ouchz mezzer holte,
dâ von er kumber dolte
in der marmelînen sûl.
trüege dise pfîle ein mûl,
er wær ze vil geladen dermite,
die Gâwân durch ellens site
gein sîme verhe snurren liez,
als in sîn manlîch herze hiez.
Li gweiz prelljûs der furt,
und Erek der Schoydelakurt
erstreit ab Mâbonagrîn,
der newederz gap sô hôhen pîn,
noch dô der stolze Iwân
sînen guz niht wolde lân
584 Uf der âventiure stein.
solten dise kumber sîn al ein,
Gâwâns kumber slüege für,
wæge iemen ungemaches kür.
welhen kumber mein ich nuo?
ob iuch des diuhte niht ze fruo,
ich solt in iu benennen gar.
Orgelûse kom aldar
in Gâwâns herzen gedanc,
der ie was zageheite kranc
unt gein dem wâren ellen starc.
wie kom daz sich dâ verbarc
sô grôz wîp in sô kleiner stat?
si kom einen engen pfat
in Gâwânes herze,
daz aller sîn smerze
von disem kumber gar verswant.
ez was iedoch ein kurziu want,
dâ sô lanc wîp inne saz,
der mit triwen nie vergaz
sîn dienstlîchez wachen.
niemen sol des lachen,

583. Die aventiure von dem Turchoiten *d*. 3. der] er *Ggg*. 5. Hiete *d*. 6. Gehuohet un̄ gereitet *G*. 7. sin *D*. 8. Suvaz *G*. lanzelot *Gd*. 9. swert bruche *G*, bruke swære *Ga*. 10. Ode *Ga*. miliahkanze *G*, meliahk. *g*, Melianze *Ga*, meliantz *dg*, valerine *g*. gestreit *Ga*. 11. nôte *G*. 12. gar elle *d*, Garele *Dg*, charel *G*, karel *g*, Karl *g*, Karln *Ga*. 13. stolzem *D*, werden *GGagg*. 15. Dem *G*. Leun *Ga*. pas *G*. 16. warf *fehlt G*. cenantis *Ga*. 17. Karel (Karl *Ga*, Karle *g*) daz (des *g*) mezzer holte (holde *Ga*) *GGagg*. 19. marmlinen *D*, marmerin *d*, marmel *G*. sûl-mûl *Ga*, suolmule *G*, sẘl-mẘl *D*. 21. Der *GGagg*. mite *Ga*. 23. snuoren *G*, snuorren *Ga*. 24. ellen *Ggg*. 25. 26. Ligis prillius der fuort. Unde erech dedschoydelachuvrt *G*, Lygois prillius de fuort. un̄ erec de shoy delakurt *Ga*. 27. abe mohonagrin *G*, abe Mubonagrin *Ga*. 27. dew. *Ggg*, entw. *g*, ietweder *d*, twederz *Ga*. 29. dô *fehlt Gg*. 30. gruoz *G*.

584, 2. Suln *GGag*. sîn *fehlt G*. 4. wæge ïemn *D*, Wider iemen *g*, Ieneme *G*, Vver iemens *Ga*. 6. Ob es (Obs *Ga*) iuch duhte *GGag*, ob üchsz duncke *g*. duhte *D*. nihte zefruo *G*. 7. So wold ich in (ich *g*, *l.* i'n) iu *Gagg*. solten iu b. *D*, wolde iu nebenennen *G*. solt iun? 8. Orgillus diu kom *Ga*, Orglus diu chom *G*, Orgelyse die kom *g*. 10. zagheite *D*, zageheit *GGa*. 11. dem] der *Ga*. strac *G*. 13. lanc *GGag*. kurce *Ga*, churze *G*, kurtzer *g*. 14-18. Ez was iedoch ein engiz phat *GGag*. 15. Gawans *D*. 20. = niht *GGagg*. 21. Sines dienstlichen wachen *G*. 22. sol des *G*, sol es *Gagg*, soldez *g*, soltes *Dd*.

daz alsus werlîchen man
ein wîp enschumpfieren kan.
wohrî woch, waz sol daz sîn?
dâ tuot frou minne ir zürnen schîn
an dem der prîs hât bejagt.
werlîch und unverzagt
hât sin iedoch funden.
gein dem siechen wunden
585 solte si gewalts verdriezen:
er möht doch des geniezen,
daz sin âne sînen danc
wol gesunden ê betwanc.
Frou minne, welt ir prîs bejagn,
möht ir iu doch lâzen sagn,
iu ist ân êre dirre strît.
Gâwân lebt ie sîne zît
als iwer hulde im gebôt:
daz tet ouch sîn vater Lôt.
muoterhalp al sîn geslehte
daz stuont iu gar ze rehte
sît her von Mazadâne,
den ze Fâmurgâne
Terdelaschoye fuorte,
den iwer kraft dô ruorte.
Mazadânes nâchkomn,
von den ist dicke sît vernomn
daz ir enkein iuch nie verliez.
Ithêr von Gaheviez
iwer insigel truoc:
swâ man vor wîben sîn gewuoc,
des wolte sich ir keiniu schamen,
swâ man nante sînen namen,
ob si der minne ir krefte jach.
nu prüevet denne diu in sach:
der wârn diu rehten mære komn.
an dem iu dienst wart benomn.
Nu tuot ouch Gâwân den tôt,
als sîme neven Ilynôt,
586 den iwer kraft dar zuo betwanc
daz der junge süeze ranc
nâch werder âmîen,
von Kanadic Flôrîen.
sîns vater lant von kinde er vlôch:
diu selbe küneginne in zôch:
ze Bertâne er was ein gast.
Flôrîe in luot mit minnen last,
daz sin verjagte für daz lant.
in ir dienste man in vant
tôt, als ir wol hât vernomn.
Gâwâns künne ist dicke komn
durch minne in herzebæriu sêr.
ich nenne iu sîner mâge mêr,
den ouch von minne ist worden wê.
wes twanc der bluotvarwe snê
Parzivâls getriwen lîp?
daz schuof diu künegîn sîn wîp.

23. daz sus *D*. 24. entsch. *G*. 25. wobri *D*, wochri *d* = Wohra $G^a g$, Wochra *gg*, Woch wa *G*. woch *fehlt d*. ditz *dgg*. 26. zurne *G*. 27. habt G^a. 28. werliche *Dg*, Werlichen *g*. 29. Hat si den helt sus (*fehlt g*) funden (wunden G^a) $GG^a g$. 30. = Gein den $GG^a gg$. funden G^a.

585, 1. solde gewaltis (Solte gwaltes G^a) si $GG^a gg$. 2. moht $G^a g$. iedoch geniezen $GG^a gg$. 3. si in $DGG^a gg$, si *G* (*allein?*). an *G*. 4. gesunten bidwanch *G*, gesunden twanc $G^a g$. 5. Frouwe *G*. 6. Mugt G^a. Muget *Ggg*. 8. Wan gawan $GG^a g$. lebt G^a, lebte *D*, lebet *G*. sin *G*. 10. Als GG^a. Also *gg*. ouch *fehlt* $GG^a g$. 11. al *fehlt* $GG^a g$. sine *G*. geslæhte DG^a, geslahte *G*. 12. daz *fehlt* $GG^a gg$. 13. mazadan $GG^a gg$. 14. Den pfeimurgan *G*. femorgan G^a. 14. 15. Den die reine (*l.* feine) murgan In terre do laschoie fürte *d*. 15. Terre delascoye *D*, Terre de latschoie *g*, Der delashoy G^a, Der delashoie *g*, Der do Latschoy *g*, Der deilatschöy *G*. ge fuort *G*. 17. Mazadans DGG^a. 18. Da von so (Von den *g*) ditke (diche G^a) ist vernomen (kom̄ G^a) $GG^a gg$. 19. encheiner *D*, deheiner GG^a. iuch *fehlt* $GG^a gg$, *dann* niht enliez $GG^a g$, niene liesz *g*. 20. kahaviez *Gg*, Kaheviez $G^a gg$. 23. Desn wolt sich ir deheiniu G^a. ir deheiniu sich *G*. 24. *vor* 23, *und* Da, *dann* 25. Der minne si ir $GG^a gg$. 26. Nu pruovet diu frouwe diu $GG^a g$. in do sach *G*. 27. diu warin mære do komin *G*, diu waren mære kom̄ G^a. 28. Als ir ę wol (wol ê G^a, wol E *g*) habit virnomen (habt vernom̄ G^a) $GG^a g$. 29. Gawan G^a, Gawane *DGgg*. 30. Als sinem neven Linot G^a.

586, 1. dwanc *G*, twanc $G^a g$. 2. ranc] reine *G*. 4. kanedich *D*, Ganadic G^a. 5. = *nach* 6 $GG^a gg$. chine *G*. 7. Zabritannie *G*, Ce Britanie G^a. 8. Florine lut G^a, Florie luot in *G*. minne $G^a gg$, *fehlt G*. 9. si in DGG^a. iagite *G*, iagt G^a. furz *D*, in daz *G*. 10. dienst GG^a. 11. habit *G*, habt G^a. 13. = Von $GG^a gg$. 14. magin *G*. 16—18. Wie bedwanc (betwanc G^a) — Des werden parzivals (parzifals G^a) lip. Durch die kunegin (kuneginne G^a) $GG^a gg$.

Gâlôesen und Gamureten,
die habt ir bêde übertreten,
daz ir se gâbet an den rê.
diu junge werde Itonjê
truoc nâch roys Gramoflanz
mit triwen stæte minne ganz:
daz was Gâwâns swester clâr.
frou minne, ir teilt ouch iwern vâr
Sûrdâmûr durch Alexandern.
die eine unt die andern,
Swaz Gâwân künnes ie gewan,
frou minn, die wolt ir niht erlân,
587 sine müesen dienst gein iu tragen:
nu welt ir prîs an im bejagen.
ir soltet kraft gein kreften gebn,
und liezet Gâwânen lebn
siech mit sînen wunden,
unt twunget die gesunden.
maneger hât von minnen sanc,
den nie diu minne alsô getwanc.
ich möhte nu wol stille dagen:
ez solten minnære klagen,
waz dem von Norwæge was,
dô er der âventiure genas,
daz in bestuont der minnen schûr
âne helfe gar ze sûr.
er sprach 'ôwê daz ich ie'rkôs
disiu bette ruowelôs.
einz hât mich verséret,
untz ander mir gemêret
gedanke nâch minne.
Orgelûs diu herzoginne
muoz genâde an mir begên,
ob ich bî freuden sol bestên.'
vor ungedolt er sich sô want
daz brast etslîch sîn wunden bant.
in solhem ungemache er lac.
nu seht, dô schein ûf in der tac:
des het er unsanfte erbiten.
er hete dâ vor dicke erliten
mit swerten manegen scharpfen strît
sanfter dan die ruowens zît.
588 Ob kumber sich gelîche dem,
swelch minnær den an sich genem,
der werde alrêrst wol gesunt
mit pfîlen alsus sêre wunt:
daz tuot im lîhte als wê
als sîn minnen kumber ê.
Gâwân truoc minne und ander klage.
do begundez liuhten vome tage,
daz sîner grôzen kerzen schîn
unnâch sô virrec mohte sîn.
ûf rihte sich der wîgant.
dô was sîn lînîn gewant
nâch wunden unde harnaschvar.
zuo zim was geleget dar
hemde und bruoch von buckeram:
den wehsel er dô gerne nam,
unt eine garnasch märderîn,
des selben ein kürsenlîn,

19. Galoêsen *D*, Galoes GG^agg. Gamurehten *G*, Gahmureten G^a. 20. beide getreten G^a. 21. si G^a. Daz ir sighafte an den ie *G*. 22. junge *fehlt* GG^agg. Jtoniê *D*, tronie *G*. 23. = Leit ouch nach GG^agg. dem kunege *D*. 26. Vro *G*, Frowe G^a. teilte *d*, teilet DG^ag. iuwer GG^a. war G^a. 27. Sardomorde von vñ nah alexander *G*, Sardomor de nach alexander G^a. -ander GG^agg. 28. einen *G*. 30. Frowe minne G^a. diene welt *G*.

587, 1. gein in *G*. 2. Welt ir nu GG^agg. prise *G*. 3. = Ir moht GG^agg. 4. Unde liezt *G*. 6. wundet GG^agg. 8. den doch diu (*fehlt g*) minne nie so (sus *g*, *fehlt G*) bedwanc *Ggg*. getw. *Dd* = betw. *gg*. 10. Unde liez min chlagin *Ggg*. 12. aventiwer *D*. 13. = minne *Ggg*. 15. Do sprach er we *Ggg*. ôwê *fehlt g*. îe rechos *D*, verkos *g*, erchos *Gdgg*. 16. Dise bete *G*. riuwelos *G*, rwenlos *D*. 17. einez *Dd* = daz eine *Ggg*. 18. unt daz *Dg*, Daz *Gdgg*. 23. Von *Ggg*. ungedult *alle aufser D*. sô *fehlt G*, do *dg*. 24. wunden bast *G*. 27. er nu samfte *G*. 28. Er het ouch da vor erliten *Ggg*. 29. = herten strit *Ggg*. 30. = Doch (Nach *g*) senfter (senfte er *G*, samfter *g*) *Ggg*. danne di *D*, denne diu *G*. trurins *G*.

588, 1. deme *G*. 2. minnære *DG*. neme *Gd*, nem *g*. 3. alrest *Dgg*. 4. also *Ggg*. 5. liht *G*. al *g*, also *dg*, alsus *g*. 6. minne *Ggg*. 8. Nu *Ggg*. liehtin von dem *alle aufser G*. 10. wirrich *G*. 12. Nu *Ggg*. 13. und *D*, unde nach *gg*, unt daz *G*. 14. Zuo ime *G*. geleit *DGg*. 15. bucgram *G*, buckram *g*. 17. ein *dg*. garnatsch *g*, garnache *G*, garnasce *d*, garnetsche *g*, karnascen *D*. mærdarin *G*. 18. churselin *Ggg*.

ob den bêden schürbrant
von Arraze aldar gesant.
zwên stivâle ouch dâ lâgen,
die niht grôzer enge pflâgen.
diu niwen kleider leiter an:
dô gienc mîn hêr Gâwân
ûz zer kemenâten tür.
sus gienc er wider unde für,
unz er den rîchen palas vant.
sînen ougen wart nie bekant
rîchheit diu dar zuo töhte
daz si dem glîchen möhte.

589 Uf durch den palas einesît
gienc ein gewelbe niht ze wît,
gegrêdet über den palas hôch:
sinwel sich daz umbe zôch.
dar ûffe stuont ein clâriu sûl:
diu was niht von holze fûl,
si was lieht unde starc,
sô grôz, froun Camillen sarc
wær drûffe wol gestanden.
ûz Feirefîzes landen
brâht ez der wîse Clinschor,
werc daz hie stuont enbor.
sinwel als ein gezelt ez was.
der meister Jêometras,
solt ez geworht hân des hant,
diu kunst wære im unbekant.
ez was geworht mit liste.
adamas und amatiste
(diu âventiure uns wizzen lât),
thôpazje und grânât,
crisolte, rubbîne,
smârâde, sardîne,
sus wârn diu venster rîche.
wît unt hôch gelîche
als man der venster siule sach,
der art was obene al daz dach.
dechein sûl stuont dar unde
diu sich gelîchen kunde
der grôzen sûl dâ zwischen stuont.
uns tuot diu âventiure kuont

590 Waz diu wunders mohte hân.
durch schouwen gienc hêr Gâwân
ûf daz warthûs eine
zuo manegem tiwerem steine.
dâ vander solch wunder grôz,
des in ze sehen niht verdrôz.
in dûhte daz im al diu lant
in der grôzen siule wærn bekant,
unt daz diu lant umb giengen,
unt daz mit hurte enpfiengen
die grôzen berge ein ander.
in der siule vander
liute rîten unde gên,
disen loufen, jenen stên.
in ein venster er gesaz,
er wolt daz wunder prüeven baz.
dô kom diu alte Arnîve,
und ir tohter Sangîve,

19 = den selben *g*, den zwein *Ggg*. Scurbrant *D*. ü *dgg*. 20. arraz *g*, arros *d*, arzeiz *G*, areis *g*, Aleriz *g*. al *fehlt Ggg*. 21. Zwen *G*. stivâle *mit* â *D*, stifal *g*, stivel g, stifelen *d*. 22. Die niht groze phlagen *Ggg*. 23. di *D*. niuwan *G*. 25. Uz der *Ggg*. 26. gie *D*. 28. den wart nie *Gg*, nie wart *d*. 29-589, 16 *fehlen d*. 30. Die sich der *g*. dem *Ggg*, da *D*. gel. *DG*.

589, 1. ein sit *Ggg*. 2. gie *D*. 3. uf *G*. 4. daz ubir zoch *G*, dar uber zoch Ein tach von richer achte Alz ez Clinisor erdachte *g*. 7. groz *Gg*, michel *g*. 9. Wære druf gestanden *G*. 10. ferafizes *Gg*, ferefizes *g*. 11. Clinscor *D*, Clinshor *gg*, chlinsor *G*, Clinisor *g*. 14. geometras *gg*, geometrias *Gg*. 15. habin *G*. = sin hant *Ggg*. 17. geworhte *G*. = listen *Ggg*. 18. Ametiste *D* = amatisten *Ggg*. 20. = Topazien *Ggg*. 21. Crisolte *D*, Crisolten *g*, Crisolite *dg*, Crisoliten *Gg*. 21. 22. unde *alle außer D*. 21. rubin *Gg*. 22. Smaraide *D*, Smarẽide *g*, Smaragde *Gg*, Smaragden *g*, Smarag *d*. sardin *Gg*. 25. sul *g*, sẘl *D*. 26. obene] chenen *G*. = als *gg*, *fehlt Gg*. 27-29. Dehein sule (sul oben *g*) da entzwischen (dan zwischen *g*) stuont *Gg*. 27. 29. sẘel-sẘl *D*, súle *d*, seule-sul *g*, seúl *g*. 29. da *Dd* = die da *gg*.

590, 2. Dur schwouwen giench er gawan *G*. 4. manegen *D*. = edelen *Ggg*. 5. vant er solich *G*. 7. = wie im *Ggg*. 8. 12. sẘl *D*. 9. daz *fehlt G*. umbe *G*, al umbe *D*. 10. mit hort enphienge *G*. 12. sule vant er *G*. 13. Lut *G*. 14. Dise lufen iene *G*, Die louffen iene *g*. 15. In einem venster er do gesaz *G*. 16. = Daz wunder wold er *Ggg*. brueven *D*. 18. Unde saîde *G*. Seyve *gg*, sive *g*. saigwe *d*.

unde ir tohter tohter zwuo:
die giengen alle viere zuo.
Gâwân spranc ûf, dô er se sach.
diu küneginne Arnîve sprach
'hêrre, ir solt noch slâfes pflegn.
habt ir ruowens iuch bewegn,
dar zuo sît ir ze sêre wunt,
sol iu ander ungemach sîn kunt.'
dô sprach er 'frouwe und meisterin,
mir hât kraft unde sin
iwer helfe alsô gegeben,
daz ich gediene, muoz ich leben.'

591 Diu künegin sprach 'muoz ich sô spehn
daz ir mir, hêrre, habt verjehn,
daz ich iwer meisterinne sî,
sô küsset dise frouwen [alle] drî.
dâ sît ir lasters an bewart:
si sint erborn von küneges art.'
dirre bete was er vrô,
die clâren frouwen kuster dô,
Sangîven unde Itonjê
und die süezen Cundrîê.
Gâwân saz selbe fünfte nider.
dô saher für unde wider
an der clâren meide lîp:
iedoch twang in des ein wîp
diu in sîme herzen lac,
dirre meide blic ein nebeltac
was bî Orgelûsen gar.
diu dûht et in sô wol gevar,
von Lôgroys diu herzogin:
dâ jagete in sîn herze hin.
nu, diz was ergangen,
daz Gâwân was enpfangen
von den frouwen allen drîn.
die truogen sô liehten schîn,
des lîht ein herze wære versniten,
daz ê niht kumbers het erliten.
zuo sîner meisterinne er sprach
umb die sûl die er dâ sach,
daz si im sagete mære,
von welher art diu wære.

592 Dô sprach si 'hêrre, dirre stein
bî tage und alle nähte schein,
sît er mir êrste wart erkant,
alumbe sehs mîl in daz lant.
swaz in dem zil geschiht,
in dirre siule man daz siht,
in wazzer und ûf velde:
des ist er wâriu melde.
ez sî vogel oder tier,
der gast unt der forehtier,
die vremden unt die kunden,
die hât man drinne funden.
über sehs mîle gêt sîn glanz:
er ist sô veste und ouch sô ganz
daz in mit starken sinnen
kunde nie gewinnen
weder hamer noch der smit.
er wart verstolen ze Thabronit
der künegîn Secundillen,
ich wæn des, ân ir willen.'

19. = Unde (*so Gg*, Dar zuo *g*, Unde mit der *g*) ir tohter zwo (töhter zwu *gg*) *Ggg*. 20. fier *G*. 21. = Er sprauch uf do er si chomin sach *Ggg*. 23. soltet *Dgg*, sult *Gdg*. 30. Daz ichz *g*. sol ich *alle außer DG*.

591, 3. 27. meistrinne *D*. 4. die *d*. alle *fehlt Gg*. 6. = geborn *Ggg*. von hoher art *Ggg*. 9. Saîven *G*, Seiven *gg*, Sangwen *d*. unt *D*. Jtonîe *D*. itonien *Gg*. 10. Cundrîe *D*, Kundrien *g*, gundrien *G*. 11. funfter *D*, vierde *Gg*. 14. dwanc *G*. 16. nebels tach *Gg*. 18. so *Ddg*, vil *Ggg*. 20. Dar iagite in sins herzin sin *Ggg*. 22. daz *fehlt Ggg*. 24. liechten *d*, liehten suezen *D* = liehten werden *Ggg*, werden liehten *g*. 26. chumbers niht *G*. 27 = Hinze *Ggg*. 28. Umb *G*. sul *Gg*, sůl (*so auch* 592, 6. 22. 593, 9) *D*, seul *g*, súle *d*, seúle *g*. dâ *fehlt Gg*. 30. diu sule ware *G*.

592, 2. alle *fehlt G*. næhte *D*, nahte *Ggg*, nacht *dg*. 3 = *nach* 4 *Ggg*. mir *fehlt G*. 4. vier *Ggg*, mile *alle*. daz *D*, dis *d* = diu *Ggg*. 5. = in dem selben zil *gg*, im dem selbe zil *G*. 6. Inder sule *Ggg*. 8. sie ware *gg*, disiu varwe *G*. 12. = die *fehlt Ggg*. 13. fier *Gg*. 14. 15. 18. Si *Gg*. 14. ouch so *D*, also *d* = so *Ggg*. 15. = deheinen *Ggg*. 16. Nie mohte *Ggg*. 17. hammer *D*. 18. zuo Tabrunit *gg*, zetaburnit *G*. 20. Des gihe ih an *G*.

Gâwân an den zîten
sach in der siule rîten
ein rîter und ein frouwen
moht er dâ beidiu schouwen.
dô dûht in diu frouwe clâr,
man und ors gewâpent gar,
unt der helm gezimieret.
si kômen geheistieret
durch die passâschen ûf den plân.
nâch im diu reise wart getân.

593 Si kômn die strâzen durch taz muor,
als Lischoys der stolze fuor,
den er entschumpfierte.
diu frouwe condwierte
den rîter mit dem zoume her:
tjostieren was sîn ger.
Gâwân sich umbe kêrte,
sînen kumber er gemêrte.
in dûht diu sûl het in betrogn:
dô sach er für ungelogn
Orgelûsen de Lôgroys
und einen rîter kurtoys
gein dem urvar ûf den wasn.
ist diu nieswurz in der nasn
dræte unde strenge,
durch sîn herze enge
kom alsus diu herzogîn,
durch sîniu ougen oben în.
gein minne helfelôs ein man,
ôwê daz ist hêr Gâwân.
zuo sîner meisterinne er sprach,
dô er den rîter komen sach,
'frowe, dort vert ein rîter her
mit ûf gerihtem sper:
der wil suochens niht erwinden,
ouch sol sîn suochen vinden.
sît er rîterschefte gert,
strîts ist er von mir gewert.
sagt mir, wer mac diu frouwe sîn?'
si sprach 'daz ist diu herzogîn

594 Von Lôgroys, diu clâre.
wem kumt si sus ze vâre?
der turkoyte ist mit ir komn,
von dem sô dicke ist vernomn
daz sîn herze ist unverzagt.
er hât mit speren prîs bejagt,
es wærn gehêret driu lant.
gein sîner werlîchen hant
sult ir strîten mîden nuo.
strîten ist iu gar ze fruo:
ir sît ûf strît ze sêre wunt.
ob ir halt wæret wol gesunt,
ir solt doch strîten gein im lân.'
dô sprach mîn hêr Gâwân
'ir jeht, ich sül hie hêrre sîn:
swer denne ûf al die êre mîn
rîterschaft sô nâhe suochet,
sît er strîtes geruochet,
frouwe, ich sol mîn harnasch hân.'
des wart grôz weinen dâ getân
von den frouwen allen vieren.
si sprâchen 'welt ir zieren
iwer sælde und iwern prîs,
sô strîtet niht decheinen wîs.

22. ſul *g*, súlen *d*. 23. Ein *d*. eine *Dg*. 24. beidiu] selbe *G*. 26. ros *G*. 27. den *G*. 28. gehaistiert *G*. 29. passaschen *g*, passascen *Dd*, passasse *g*, passahe *G*, passaie *g*.

593, 1. chomen *D*, chom *Ggg*. = straze *Ggg*. 2. Also lishois *Gg*. 3. enschunchierte *G*. 4. chundewierte *G*. 5. Einen *G*. 6. Diostieren *G*, tiust. (*sehr oft*) *D*. 9. duhte *G*, duohte *D*. seul *gg*. 10. saher *D*. 13. urvar] fuor er *G*. = uf dem *Ggg*. 14. Ist iu *G*. nieswrce *Dd*, nius wurz *Gg*. 16. In *Ggg*. 19. helflos *D*. 20. ouwe *D*. ist *fehlt G*. er (*davor* h *übergeschrieben*) *G*. 21. Hinze *Gg*. meistrinne *D*. 23. rîter *fehlt D*. 24. Mit wol uf *g*. 26. Er sol *Ggg*. 29. mir *fehlt Ggg*. die *G*.

594, 3. turchoit *G*, Turkoit *gg*, torkeit *d*. 4. Da von so *Ggg*. 5. sin hant *Ggg*. 7. Ez *G*. gehert *DG*. 11. uf striten *g*, strite *G*. 12. halt *fehlt G*, ouch *g*, ioch *d*. wært *G*. 16. = al *fehlt Ggg*. erde *G*. 17. Riterscheft *G*. nahen *Gdgg*. 18. = Ob *Ggg*. der *Ggg*. strits *D*. ruechet *Gg*. *dann* Oder riterschefte gert. Des wirt er von mir gewert *G*, Er wirt es von mir gewert Die wile mich der lip wert *g*. 23. = Iuwer leben *Ggg*. iwer prîs *Dg*. 24. deheine *Gdgg*. gŵis *D*.

læget ir dâ vor im tôt,
alrêrst wüehse unser nôt.
sult ab ir vor im genesn,
welt ir in harnasche wesn,
iu nement iur êrsten wundenz lebn:
sô sîn wir an den tôt gegebn.'

595 Gâwân sus mit kumber ranc:
ir mugt wol hœren waz in twanc.
für schande heter an sich genomn
des werden turkoyten komn:
in twungen ouch wunden sêre,
unt diu minne michels mêre,
unt der vier frouwen riuwe:
wand er sach an in triuwe.
er bat se weinen verbern:
sîn munt dar zuo begunde gern
harnasch, ors unde swert.
die frouwen clâr unde wert
fuorten Gâwânen wider.
er bat se vor im gên dar nider,
dâ die andern frouwen wâren,
die süezen und die clâren.
Gâwân ûf sîns strîtes vart
balde aldâ gewâpent wart
bî weinden liehten ougen:
si tâtenz alsô tougen
daz niemen vriesch diu mære,
niwan der kameræere,
der hiez sîn ors erstrîchen.
Gâwân begunde slîchen
aldâ Gringuljete stuont.
doch was er sô sêre wuont,
den schilt er kûme dar getruoc:
der was dürkel ouch genuoc.
Ufz ors saz hêr Gâwân.
dô kêrter von der burc her dan

596 gein sîme getriwen wirte,
der in vil wênec irte
alles des sîn wille gerte.
eines spers er in gewerte:
daz was starc und unbeschabn.
er het ir manegez ûf erhabn
dort anderhalp ûf sînem plân.
dô bat in mîn hêr Gâwân
überverte schiere.
in einem ussiere
fuort ern über an daz lant,
dâ er den turkoyten vant
wert unde hôchgemuot.
er was vor schanden sô behuot
daz missewende an im verswant.
sîn prîs was sô hôh erkant,
swer gein im tjostierens pflac,
daz der hinderm orse lac
von sîner tjoste valle.
sus het er si alle,
die gein im ie durch prîs geriten,
mit tjostieren überstriten.
ouch tet sich ûz der degen wert,
daz er mit spern sunder swert
hôhen prîs wolt erben,
oder sînen prîs verderben:
swer den prîs bezalte
daz ern mit tjoste valte,

26. alrest D, Alrerste G. 27. aber D, abir G. 28. Daz muoz an grozim gluche wesin. Wande liebir herre min. Welt ir in harnasche sin G. 29. nimet Ggg. iwer *alle*. erst wunden daz g, erste daz g, wunden daz Gd.

595, 2. dwanc G. 3. 4 *fehlen* Ggg. 4. Turkoten D, *so nun oft*. 5. dwungen G. ouch *fehlt* Ggg. 7. Unde der (*fehlt* G) iunchfrouwen riuwe Ggg. 8. Wan er erschein in triuwe G. 9. = gar v. Ggg. 10. = Dar zuo sin munt Ggg. 11. = Orss (Orses G) harnasch Ggg. 12. clare G. und D. 19. mit D. weinden g. 21. vriensch die G. 22. = Wan Ggg. kramere *alle außer* DG. 25. Gringuliet Dgg, gringulier G. gringulet d, kringulet g. 27. Daz er den schilt kume trüch dg. truoch G. 29. Ufez D, Uff das d = Uf sin Ggg.

596, 1. = Zuo Ggg. sinem *alle*. 2. vil] = des Ggg. 3. = Swes sin Ggg. 4. eins DG. 5. umbescabn D. 7 = dort *fehlt* Ggg. anderthalbn D. uf den plan G. 8. in *fehlt* Gd. 9. Ubir varn G. 10. vesiere G, ursiere g. 11. anz D. 13. Vert G. unt D. hohe gemuot G. 14. = Der Ggg. also Dg. 16. = was (*fehlt* Gg) da fur erchant Ggg. 17. dyostierns G. 18. er G. gelac Gdgg. 19. dyoste G. 20. Sus uberreit ers alle G. 21. pris Ddg, strit gg, strite G. 22. diostiern G. 24. sundr = ane Ggg. 25. erbn D, erwerben *die übrigen*. 26. lan virderbin G. 27. abor den d, *fehlt* g. = pris an im bezalte Ggg. 28. ern g. mit diostierne G.

dâ wurder âne wer gesehn,
dem wolter sicherheit verjehn.
597 Gâwân vriesch diu mære
von der tjoste pfandære.
Plippalinôt nam alsô pfant:
swelch tjoste wart aldâ bekant,
daz einer viel, der ander saz,
so enpfienger ân ir beider haz
dises flust unt jens gewin:
ich mein daz ors: daz zôher hin.
ern ruochte, striten si genuoc:
swer prîs oder laster truoc,
des liez er jehn die frouwen:
si mohtenz dicke schouwen.
Gâwânn er vaste sitzen bat.
er zôch imz ors an den stat,
er bôt im schilt unde sper.
hie kom der turkoyte her,
kalopierende als ein man
der sîne tjoste mezzen kan
weder ze hôch noch ze nider.
Gâwân kom gein im hin wider.
von Munsalvæsche Gringuljete
tet nâch Gâwânes bete
als ez der zoum gelêrte.
ûf den plân er kêrte.
hurtâ, lât die tjoste tuon.
hie kom des künec Lôtes suon
manlîch unde ân herzen schric.
wâ hât diu helmsnuor ir stric?
des turkoyten tjost in traf aldâ.
Gâwân ruort in anderswâ,
598 Durch die barbiere.
man wart wol innen schiere,
wer dâ gevelles was sîn wer.
an dem kurzen starken sper
den helm enpfienc hêr Gâwân:
hin reit der helm, hie lac der man,
der werdekeit ein bluome ie was,
unz er verdacte alsus daz gras
mit valle von der tjoste.
sîner zimierde koste
ime touwe mit den bluomen striten.
Gâwân kom ûf in geriten,
unz er im sicherheit verjach.
der verje nâch dem orse sprach.
daz was sîn reht: wer lougent des?
'ir vröut iuch gerne, west ir wes,'
sprach Orgelûs diu clâre
Gâwâne aber ze vâre,
'durch taz des starken lewen fuoz
in iwerem schilde iu volgen muoz.
nu wænt ir iu sî prîs geschehn,
sît dise frouwen hânt gesehn
iwer tjost alsô getân.
wir müezen iuch bî fröuden lân,
sît ir des der geile,
ob Lît marveile
sô klein sich hât gerochen.
iu ist doch der schilt zerbrochen,
als ob iu strît sül wesen kunt.
ir sît ouch lîht ze sêre wunt
599 Uf strîtes gedense:
daz tæte iu wê zer gense.
iu mac durch rüemen wesen liep
der schilt dürkel als ein siep,

29. Wurde er da sigelos ersehen *Ggg*. 30. = iehen *Ggg*.

597, 2. 4. 18. dioste *G*. 3. Pliplalinon *G*. pp *hat immer nur D*. also diu phant *G*. 4. da fur wurde (*so Gg*, wart *gg*) erchant *Ggg*. al *fehlt d*. 5. geviel *Gg*. = gesaz *Ggg*. 6. beder *G*. 7. diss *D*, Dise *G*. ienes *G*, eins *D*. 8. Wan daz ors fuort er hin *G*. 9. ruohte *G*. 11. 12. Des liez er die frouwen iehen. Die (*so auch gg*) mohtenz ditche da wol sehen *G*. 13. = *nach* 14 *Ggg*. 14. den *D*, daz *Gg*, die *dgg*. 15. im in die hant ein sper *Gg*. 16. = Nu *Ggg*. 17. = Galop. *Ggg*. 18. sîne] wol *gg*, wolde die *G*. 20. hin] = her *g*, der *G*, dar *g*, do *g*. 21. 22. Gringulietbet *DG*. 22. = Vuor *Ggg*. 23. lerte *Ggg*. 25. 26 *fehlen Gg*. 26. komet *dg*. Lots *D*. 27. und *fehlt Gdgg*. 28. hât] nim *Gg*. ir stric] den strit *G*. 29. diost *G*. traf in *Ggg*. 30. = in ruorte *Ggg*.

598, 4. = Von *Ggg*. churcem *D*. 7. Der werdecheite ie ein bluome was *G*. ie *fehlt dg*. 8. = bedahte *Ggg*. 14. vêrie *D*. 16. frouwet *G*. gern *D*. west *Ggg*, weste *g*, wesset *D*. 17. Orgeluse *D*, orguluse *G*. 20. Iuwerm schilte volgen muoz *Ggg*. 21. wænt *G*. 22. habint *G*. 23. Iuwern strit (strite *G*) *Ggg*. 26. leit *g*, liht *g*, let *d*, lete *G*, lecte *g*. 27. = Sich so chleine hat *Ggg*. chleine *D*. grochen *D*. 28. doch *fehlt Ggg*. zerbr. *G*. 29. sule wesn *D*. 30. lihte *Ddg*, *fehlt Ggg*.

599, 2. = tuot *Ggg*. 3. = ruom *gg*, ruom wol *G*. lip *Dg*. 4. sip *DGg*, sipp *d*, schiep *g*, sieb *g*.

den iu sô manec pfîl zebrach.
an disen zîten ungemach
muget ir gerne vliehen:
lât iu den vinger ziehen.
rîtet wider ûf zen frouwen.
wie getörstet ir geschouwen
strît, den ich werben solde,
ob iwer herze wolde
mir dienen nâch minne.'
er sprach zer herzoginne
'frouwe, hân ich wunden,
die hânt hie helfe funden.
ob iwer helfe kan gezemn
daz ir mîn dienst ruochet nemn,
sô wart nie nôt sô hert erkant,
ine sî ze dienste iu dar benant.'
si sprach 'ich lâz iuch rîten,
mêr nâch prîse strîten,
mit mir geselleclîche.'
des wart an freuden rîche
der stolze werde Gâwân.
den turkoyten santer dan
mit sînem wirt Plippalinôt:
ûf die burg er enbôt
daz sîn mit wirde næmen war
al die frouwen wol gevar.

600 Gâwâns sper was ganz belibn,
swie bêdiu ors wærn getribn
mit sporn ûf tjoste huorte:
in sîner hant erz fuorte
von der liehten ouwe.
des weinde manec frouwe,
daz sîn reise aldâ von in geschach.
diu künegîn Arnîve sprach
'unser trôst hât im erkorn
sîner ougen senfte, sherzen dorn.
ôwê daz er nu volget sus
gein Li gweiz prelljûs
Orgelûse der herzogin!
deist sîner wunden ungewin.'
vier hundert frouwen wârn in klage:
er reit von in nâch prîss bejage.
swaz im an sînen wunden war,
die nôt het erwendet gar
Orgelûsen varwe glanz.
si sprach 'ir sult mir einen kranz
von eines boumes rîse
gewinn, dar umbe ich prîse
iwer tât, welt ir michs wern:
sô muget ir mîner minne gern.'
dô sprach er 'frouwe, swâ daz rîs
stêt, daz alsô hôhen prîs
mir ze sælden mac bejagn,
daz ich iu, frouwe, müeze klagn
nâch iwern hulden mîne nôt,
daz brich ich, ob mich læt der tôt.'

601 Swaz dâ stuonden bluomen lieht,
die wârn gein dirre varwe ein nieht,
die Orgelûse brâhte.
Gâwân an si gedâhte
sô daz sîn êrste ungemach
im deheines kumbers jach.
sus reit si mit ir gaste
von der burc wol ein raste,
ein strâzen wît unde sleht,
für ein clârez fôreht.

5. brach *G*. 7. Daz muget *Gg*. veliehen *G*. 9. widr *D*. 10. Sagit wie *Ggg*. getorst *DGgg*. schouwen *Ggg*. 14. zeder kuneginne *Gg*. 15. ih han funden *G*. 16. = hie *fehlt Ggg*. wunden *G*. 17. Ob iuch *Ggg*. helfe *fehlt G*. 18. dienste *G*. geruochet *Ggg*. 19. Sone *Gg*. 20. ze dieneste dar *Ggg*. 22. = Unde mer (me *G*) *Ggg*. 26. Lyshoisen sande er san *Gg*. 27. = Bi sineme *Ggg*. wirte *DG*. pliplalinot *G*. 29. = *nach* 30 *Ggg*. = Daz sis *Ggg*. wirden *G*. 30 = Al den *gg*, Nach den *G*.

600, 2. beidiu *G*. 3. uf der dioste *Ggg*. 4. fuerte *G*. 5. = Gein *Ggg*. 6. mænic *G*. 7. = aldâ *fehlt Ggg*. 9. Untrost het in erchorn *G*. het *g*. in *g*. 10. sueze *Ggg*. schercen *D*, scharpffen *d*, des herzen *g*, unde herzen *Gg*, unde des hertzen *g*. 11. Ouwę *G*. 12. Gein lishoys prillius *G*. 13—16. Orgelusen der herzogin daz ist siner wunden.
Vunf hundert frouwen warin in clagen begunnen.
Er reit von in nach pris beiagin. *G*. 13. Orgelusen *alle*. 14. Dest *g*, daz ist *die übrigen*. 15. Fünfhundert *g*. 19. Orgeluse *G*. 21. = Ab *Ggg*. 22. gewinnen *alle*. 26. so *D*. 27. = an frouden *Ggg*. 28. muese *D*. 30 = oder mih enlat (lat *g*) der tot *Ggg*.

601, 1. Swaz stuont bluomen lieht *G*. 2. ein *DG*, *fehlt den übrigen*. niht *G*, entnicht *g*. 4. dahte *D*. 5. erste *g*, erst *D*, erster *Gg*, erstes *dg*. 8. burge *G*. eine *Dg*.

der art des boume muosen sîn,
tämris unt prisîn.
daz was der Clinschores walt.
Gâwân der degen balt
sprach 'frouwe, wâ brich ich den kranz,
des mîn dürkel freude werde ganz?'
er solts et hân gediuhet nider,
als dicke ist geschehen sider
maneger clâren frouwen.
si sprach 'ich lâz iuch schouwen
aldâ ir prîs megt behabn.'
über velt gein eime grabn
riten si sô nâhen,
dês kranzes poum si sâhen.
dô sprach si 'hêrre, jenen stam
den heiet der mir freude nam:
bringet ir mir drab ein rîs,
nie rîter alsô hôhen prîs
mit dienst erwarp durch minne.'
sus sprach diu herzoginne.
602 'Hie wil ich mîne reise sparn.
got waldes, welt ir fürbaz varn:
sone durfet irz niht lengen,
ellenthafte sprengen
müezet ir zorse alsus
über Li gweiz prelljûs.'
si habet al stille ûf dem plân:
fürbaz reit hêr Gâwân.
er rehôrte eins dræten wazzers val:
daz het durchbrochen wît ein tal,
tief, ungeverteclîche.
Gâwân der ellens rîche
nam daz ors mit den sporn:
ez treip der degen wol geborn,
daz ez mit zwein füezen trat
hin über an den andern stat.
der sprunc mit valle muoste sîn.
des weinde iedoch diu herzogîn.
der wâc was snel unde grôz.
Gâwân sîner kraft genôz:
doch truoger harnasches last.
dô was eines boumes ast
gewahsen in des wazzers trân:
den begreif der starke man,
wander dennoch gerne lebte.
sîn sper dâ bî im swebte:
daz begreif der wîgant.
er steic hin ûf an daz lant.
Gringuljet swam ob und unde,
dem er helfen dô begunde.
603 Daz ors sô verr hin nider vlôz:
des loufens in dernâch verdrôz,
wander swære harnas truoc:
er hete wunden ouch genuoc.
nu treib ez ein werve her,
daz erz erreichte mit dem sper,
aldâ der regen unt des guz
erbrochen hete wîten vluz
an einer tiefen halden:
daz uover was gespalden;

11. Do die boume muosen sin *G.* des *Dd*, die *gg*, der (*und* muoste, *wie auch d*) *g.* 12. Tempris *g*, Tempreis *g*, Ten pris *G*, Tampris *g.* brisin *G.* 13. Sus was der cleine (cleine *übergeschrieben G*) walt *Gg.* Clinscors *D*, clinsors *d*, klinshors *g*, Clingores *g.* 14. der helt balt *G.* 15. frouwe *fehlt Ggg.* 16. herze *Ggg.* 17. solde si han *alle außer D.* gedúhet *dg*, geduhet *g*, geduohet *D*, geduht *G.* 21. Wa ir *Ggg.* muget *G.* 22. daz velt *G.* 24. si do *G.* 25. iener *Gg*, einen *d.* 26. den heget *d*, Heizet *Gg.* 27. drabe *d*, dar ab *D*, dar abe *Gd.* 29. = nach minne *Ggg.* 30. = Do *Gg*, So *gg.*

602, 1. min *G.* 2. walt es *G.* 3. sone sult *D.* 4. ellenthaftez *Dddg.* 5. Muozet irz ors tuon alsus *G.* 6. lishoys prillius *G.* prillius *gg öfter.* 9. = Er hort *Ggg.* iens *d.* trætin *G.* wal *d.* 11. Tief unde *Ggg.* ungevertilich *G*, unfurticliche *g.* 14. = Daz treip *gg*, Do sprach *G.* 15. er *D.* mit *fehlt G.* 16. daz ander *alle außer D.* 17. mit alle muose *G.* 19. unt *D.* 20. chrafte *G*, crefte *g.* 21. harnasch *D.* 22. = Nu was ouch *Ggg.* 23. gewachsen in dem *D.* den *d.* 24. der starcher *G.* 25. gerne dannoch *Ggg.* 26. im *fehlt Gg.* geswebite *G.* 28. hin] in *G.* uf an daz *Gd*, ûf anz *D*, uf daz *g*, uz uffes *gg.* 29. Chingruniel *G.*

603, 1. verre *alle.* hin *fehlt Ggg.* 3. Swarin harnasch er truoch *Ggg.* 4. = het ouch wunden *Ggg.* 5. ein werve *D*, ein werbe *Ggg*, also do *d.* 7. = Da *Ggg.* des *Dg*, der *dgg*, *fehlt G.* goz-floz *G.* 8. = Gebrochen hetin *Ggg.* 10. Daz ufer *g*, Das over d, Daz (Dar *G*, Do es *g*) uf her *Ggg.*

daz Gringuljeten nerte.
mit dem sper erz kêrte
sô nâhe her zuo an daz lant,
den zoum ergreif er mit der hant.
sus zôch mîn hêr Gâwân
daz ors hin ûz ûf den plân.
ez schutte sich. dô ez genas,
der schilt dâ niht bestanden was:
er gurt dem orse unt nam den schilt.
swen sîns kumbers niht bevilt,
daz lâz ich sîn: er het doch nôt,
sît ez diu minne im gebôt.
Orgelûs diu glanze
in jagete nâch dem kranze:
daz was ein ellenthaftiu vart.
der boum was alsô bewart,
wærn Gâwâns zwên, die müesn ir lebn
umb den kranz hân gegebn:
des pflac der künec Gramoflanz.
Gâwân brach iedoch den kranz.

604 Daz wazzer hiez Sabîns.
Gâwân holt unsenften zins,
dô er untz ors drîn bleste.
swie Orgelûse gleste,
ich wolt ir minne alsô niht nemn:
ich weiz wol wes mich sol gezemn.
dô Gâwân daz rîs gebrach
unt der kranz wart sîns helmes dach,
ez reit zuo zim ein rîter clâr.
dem wâren sîner zîte jâr
weder ze kurz noch ze lanc.
sîn muot durch hôchvart in twanc,
swie vil im ein man tet leit,
daz er doch mit dem niht streit,
irn wæren zwêne oder mêr.
sîn hôhez herze was sô hêr,
swaz im tet ein man,
den wolter âne strît doch lân.
fil li roy Irôt
Gâwân guoten morgen bôt:
daz was der künec Gramoflanz.
dô sprach er 'hêrre, umb disen kranz
hân ich doch niht gar verzigen.
mîn grüezen wær noch gar verswigen.
ob iwer zwêne wæren,
die daz niht verbæren
sine holten hie durch hôhen prîs
ab mîme boume alsus ein rîs,
die müesen strît enpfâhen:
daz sol mir sus versmâhen.'

605 Ungern ouch Gâwân mit im streit:
der künec unwerlîche reit.
doch fuort der degen mære
einen mûzersperwære:
der stuont ûf sîner clâren hant.
Itonjê het in im gesant,
Gâwâns süeziu swester.
phæwîn von Sinzester
ein huot ûf sîme houbte was.
von samît grüene als ein gras
der künec ein mantel fuorte,
daz vaste ûf d'erden ruorte
iewederthalb die orte sîn:
diu veder was lieht härmîn.

11. chring. G. 12. zoume Ggg. 13. = nahen zuo im an Ggg. anz D. 14. = Daz erz ergreif mit Ggg. 15. Sus czoch G. 25. was *fehlt* G. 26. In braht zedem boume der was bewart G. 27. muosen D, muesin G. 29. Gramŏlanz D *nun bis* 613, 29.

604, 2. holt iedoch den zins G. 3. unz D, unt daz G. drîn] dem G. bletschete d, platste g. 5. Ihne G. 8. Und G. sîns] des D. 9. im G. 10. Deme G. 11. churze G. 12. in durch hohvart Gg. bedwanc Gd. 13. tate g, dete d. 14. enstreit G. 18. Daz wolde er Gg. = ane strit g, ane striten Gg, ungerochen g, *ohne* doch. 19. Fillu roy D, Fil roys G, Filliroys gg, Fyz Lu Roys g, Fili roys d. Gyrot gg, chyrot G. 20. Gawanen guotem G. 21. grimoflanz G. 22. dise G. 23. doch Dg, iu G, üch gg, úch doch d. verligen G. 24. gruezen D, groze G, gruz *die übrigen*. noch gar D, noch un d = eu (üch) gar gg, iuch doch G. 26. *fehlt* G. 27. holte G.

605, 1. Ungerne gawane ouch G. 2. Wenne der helt d, Do er gg, Der G. unwerlich G. 3. Do G, Ouch gg. 4. muozer sp. DG. sparwære G. 6. Itonîe D. heten im D, het im in G. 8. pfawin Dg. 9. Eine G. huopte G. 10. = gruener denne ein gras Ggg. 11. einen DG. 12. die erde Ggg. 13. Ietw. G. die (di D) orte Dd, die örter gg, mit den orten g, diu ende G. 14. harmin G.

niht ze grôz, doch starc genuoc
was ein pfärt daz den künec truoc,
an pfärdes schœne niht betrogn,
von Tenemarken dar gezogn
oder brâht ûf dem mer.
der künec reit ân alle wer:
wander fuorte swertes niht.
'iwer schilt iu strîtes giht,'
sprach der künec Gramoflanz.
'iwers schildes ist sô wênec ganz:
Lît marveile
ist worden iu ze teile.
ir habt die âventiure erliten,
diu mîn solte hân erbiten,
wan daz der wîse Clinschor
mir mit vriden gieng ie vor,
606 Unt daz ich gein ir krieges pflige,
diu den wâren minnen sige
mit clârheit hât behalden.
si kan noch zornes walden
gein mir. ouch twinget si des nôt:
Cidegasten sluog ich tôt,
in selbe vierdn, ir werden man.
Orgelûsen fuort ich dan,
ich bôt ir krône und al mîn lant:
swaz ir diens bôt mîn hant,
dâ kêrt si gegen ir herzen vâr.
mit vlêhen hêt ich se ein jâr:
ine kunde ir minne nie bejagen.
ich muoz iu herzenlîche klagen.
ich weiz wol dazs iu minne bôt,
sît ir hie werbet mînen tôt.
wært ir nu selbe ander komn,
ir möht mirz leben hân benomn,
ode ir wært bêde erstorben:
daz het ir drumbe erworben.
mîn herz nâch ander minne gêt,
dâ helfe an iwern genâden stêt,
sît ir ze Terr marveile sît
worden hêrre. iwer strît
hât iu den prîs behalden:
welt ir nu güete walden,
sô helfet mir umb eine magt,
nâch der mîn herze kumber klagt.
diu ist des künec Lôtes kint.
alle die ûf erden sint,
607 Die getwungen mich sô sêre nie.
ich hân ir kleinœte alhie:
nu gelobet ouch mîn dienst dar
gein der meide wol gevar.
ouch trûwe ich wol, si sî mir holt:
wand ich hân nôt durch si gedolt.
sît Orgelûs diu rîche
mit worten herzenlîche
ir minne mir versagete,
ob ich sît prîs bejagete,
mir wurde wol ode wê,
daz schuof diu werde Itonjê.
ine hân ir leider niht gesehn.
wil iwer trôst mir helfe jehn,
sô bringt diz kleine vingerlîn
der clâren süezen frouwen mîn.

16. daz phærit *Gg*. = daz in truoch *Ggg*. 17. phærides *G*. 18. = tenemarche *Ggg*, Tennemarc *g*. 19. ûf] vone *Ggg*. 20. was *Ggg*. 21. Wan ern *G*. 23. sus sprach *D*. 25. Liht *g*, Leit *g*, Let *G*, Lecte *g*. 26. iu *fehlt G*. üch worden *gg*. 29. Clinscor *D immer*, glinshor *G*, klingezor *g*. 30. vriden *Dg*, freiden (*d. h.* fröuden) *d*, fride *Ggg*.

606, 1. chreges *G*. 2. = der waren minne *Ggg*. 3. charcheit *G*. 4. zorns *DG*. 5. dwinget *G*. 6. Cidgasten *D*, Citegasten *dg*, Cidegast *G*, Cytegast *g*. zetode *G*. 7. = in *fehlt Ggg*. vierde *d*, vierden *die übrigen*. = ir vil liebin man *Ggg*. 9. = unde lant *Ggg*. 10. = Swa (Swie *G*) ir dienest *Ggg*. dienstes *d*. 11. Daz *G*. cherte *DG*. gegen *d*, engegen *D* = gein *Ggg*. 12. vlegen het ih si *G*. 13. Ihcne *G*. 14. herzenlîchen *Gg*, herzeclichen *dg*. 15. daz siu *G*, daz si iu *D*. 17. selbander *D*. 18. wol han *G*. 19. oder *DG*. wir warin *Ggg*. 21. herze *DG*. anderr *D*. 22. Diu *Ggg*. gnaden *D*. 23. terre *alle*. marvale *D*, marveil *g*, 24. herre worden *D*. 25. den *fehlt D*. 30. erde *Ggg*.

607, 1. Die *fehlt d*, Sine *D*. getwngen *D*, bedwungen *Gdg*, twungen *gg*. 2. chleinode *DG*. al *D*, nuo *d* = *fehlt Ggg*. 3. Gelobt (Geholt *G*) unt (eúch *g*) min (mynen *g*) dienst dar *Ggg*. gelobt (*und* minen) *g*, geloubet *D*, dringet *d*. 5 *nach* 6 *G*. trouwe *G* = getrwe *Dd*. si sie *G*. 8. häzlîche *Wackernagel. vergl.* 680, 14. *doch s. W.* 217, 12. 10. sît *fehlt Ggg*. 11. oder *G*. 14. = iuwer guete *Ggg*. 15. bringet *DG*. chlein *G*.

ir sît hie strîtes ledec gar,
ezn wær dan grœzer iwer schar,
zwêne oder mêre.
wer jæh mir des für êre,
ob i'uch slüege od sicherheit
twung? den strît mîn hant ie meit.'
dô sprach mîn hêr Gâwân
'ich pin doch werlîch ein man.
wolt ir des niht prîs bejagn,
wurd ich von iwerr hant erslagn,
sone hân ouch ichs decheinen prîs
daz ich gebrochen hân diz rîs.
wer jæhe mirs für êre grôz,
ob i'uch slüege alsus blôz?
608 Ich wil iwer bote sîn:
gebt mir her daz vingerlîn,
und lât mich iwern diens sagen
und iwern kumber niht verdagen.'
der künec des dancte sêre.
Gâwân vrâgte in mêre
'sît iu versmâhet gein mir strît,
nu sagt mir, hêrre, wer ir sît.'
'irn sult ez niht für laster doln,'
sprach der künec, 'mîn name ist unverholn.
mîn vater der hiez Irôt:
den ersluoc der künec Lôt.
ich pinz der künec Gramoflanz.
mîn hôhez herze ie was sô ganz
daz ich ze keinen zîten
nimmer wil gestrîten,
swaz mir tæte ein man;
wan einer, heizet Gâwân,
von dem ich prîs hân vernomn,
daz ich gerne gein im wolte komn
ûf strît durch mîne riuwe.
sîn vater der brach triuwe,
ime gruoze er mînen vater sluoc.
ich hân ze sprechen dar genuoc.
nu ist Lôt erstorben,
und hât Gâwân erworben
solhen prîs vor ûz besunder
daz ob der tavelrunder
im prîses niemen glîchen mac:
ich geleb noch gein im strîtes tac.'
609 Dô sprach des werden Lôtes suon
'welt ir daz ze liebe tuon
iwer friundîn, ob ez diu ist,
daz ir sus valschlîchen list
von ir vater kunnet sagn
unt dar zuo gerne het erslagn
ir bruoder, so ist se ein übel magt,
daz si den site an iu niht klagt.
kund si tohter unde swester sîn,
sô wær se ir beider vogetîn,
daz ir verbæret disen haz.
wie stüende iwerem sweher daz,
het er triwe zebrochen?
habt ir des niht gerochen,
daz ir in tôt gein valsche sagt?
sîn sun ist des unverzagt,
in sol des niht verdriezen,
mager niht geniezen
sîner swester wol gevar,
ze pfande er gît sich selben dar.
hêrre, ich heize Gâwân.
swaz iu mîn vater hât getân,

17. strîts *D*. 18. ez enwære *DGg*, Ez wer *dgg*. danne *fehlt D*. 20. iæhe *D*, iahe *G*. 21. ih iu *G*, ich iuch *die übrigen*. oder *DG*. 22. twnge *Dd* = Bedwunge *Ggg*. hant ie meit] manheit *G*. 25. Welt *Gg*. 26. wrde *DG*. geslagin *G*. 27. ichs *D*, ich *dgg*, *fehlt G*. 28. daz ris *Gdgg*. 30. iuch *G*, ich iuch *die übrigen*.

608, 2. ditze *G*. 3. diens *D*, dienste *G*, dienst *die übrigen*. 5. danchet *G*. 6. = in fragit *Ggg*, der fragte *g*. 7. mir] min *G*. 8. = So *Ggg*. 9. iren sultz *D*. nih *G*. 10. Do sprach *G*. unverholnen *G*, unverstolen *g* = iu verholn *D*, verholen *d*. 11. der *fehlt G*. gyrot *Ggg*. 12. sluoc *G*. 13. grim. *G*. 14. = was ie *Ggg*. 15. zeheinen *G*. 16. striten *G*. 19. ich *fehlt D*. 20. gerne *fehlt G*. 21. Uf strite *g*, Uf champhe *G*, Uf kampf *g*. min *G*. 22. 23. Sin vatir brach sinen triuwe. Imme groze minen vatir sluoch *G*. 29. priss *D*, bris *G*. gelichen *DG*.

609, 1. der werde *d* = des kunic *Gg*, der kunic *g*, kunig *g*. 2. Welt ir getriuwelichen tuon *Gg*. 3. friwendinne *D*. ob diu daz ist *G*. 4. Dar *G*. valschen *Gg*. 7. so ist si *D*, sist *G*. 9. Chunde *DG*. 10. so wære si *Dd* = Si wære *Ggg*. ir bruodir *Gg*. vogtin *D*. 13. Hete sine triuwe gebrochen *Ggg*. 18. des niht *Gg*. 20. git sin lebin dar *Ggg*. 22. hât *fehlt G*.

daz rechet an mir: er ist tôt.
ich sol für sîn lasters nôt,
hân ich werdeclîchez lebn,
ûf kampf für in ze gîsel gebn.'
dô sprach der künec 'sît ir daz,
dar ich trage unverkornen haz,
sô tuot mir iwer werdekeit
beidiu liep unde leit.

610 Ein dinc tuot mir an iu wol,
daz ich mit iu strîten sol.
ouch ist iu hôher prîs geschehn,
daz ich iu einem hân verjehn
gein iu ze kampfe kumende.
uns ist ze prîse frumende
ob wir werde frouwen
den kampf lâzen schouwen.
fünfzehen hundert bringe ich dar:
ir habt ouch eine clâre schar
ûf Schastel marveile.
iu bringet ziwerm teile
iwer œheim Artûs
von eime lande daz alsus,
Löver, ist genennet;
habt ir die stat erkennet,
Bems bî der Korchâ?
diu massenîe ist elliu dâ:
von hiute übern ahten tac
mit grôzer joye er komen mac.
von hiute am sehzehenden tage
kum ich durch mîn alte klage
ûf den plân ze Jôflanze
nâch gelte disem kranze.'
der künec Gâwânn mit im bat
ze Rosche Sabbîns in die stat:
'irn mugt niht anderr brücken hân.'
dô sprach mîn hêr Gâwân
'ich wil hin wider alse her:
anders leiste ich iwer ger.'

611 Si gâben fîanze,
daz si ze Jôflanze
mit rîtern und mit frouwen her
kœmen durch ir zweier wer,
als was benant daz teidinc,
si zwêne al ein ûf einen rinc.
sus schiet mîn hêr Gâwân
dannen von dem werden man.
mit freuden er leischierte:
der kranz in zimierte:
er wolt daz ors niht ûf enthabn,
mit sporn treib erz an den grabn.
Gringuljet nam bezîte
sînen sprunc sô wîte
daz Gâwân vallen gar vermeit.
zuo zim diu herzoginne reit,
aldâ der helt erbeizet was
von dem orse ûf daz gras
und er dem orse gurte.
ze sîner antwurte
erbeizte snellîche
diu herzoginne rîche.
gein sînen fuozen si sich bôt:
dô sprach si 'hêrre, solher nôt

24. = sines *Ggg.* 26. für inz? 28. ich] ir *G.* unverchornn *D*, unverchorn *G.* 30. liebe *D.*

610, 1. mir doch *G.* 3. gescehn *D.* 5. Gein iu einem zechamphe chomende *G.* 6. ist uns *D.* vromede *G.* 8. champhe *G.* 9. Funf *Ggg.* = hundert frouwen *Ggg.* 11. Scastel *D*, kastel *dgg*, tschatel *G*, tschahtel *g.* 16. Habet et ir *G.* 17. Bems *D*, Beras *g*, Reines beines *d*, Zesabins *Gg*, Zu Gabins *g.* Korcha *g*, Chorcha *g*, chôrcha *D*, kortha *g*, quercka *d*, chronica *G.* 18. mæssenide *D.* alliu *G.* 20. = tschoie *g*, schoye *g*, schouge *G.* 21. Dar nach an dem anderm tage *G.* ame sehzendem *D*, über sechszehen *d*, über den sechtzehenden (*und doch* tage) *g.* 23. Schoflanze *gg*, tschofflanze *g*, choflanz *d*, tscheffanze *G.* 25. Gramoflanz (Der kunig gromoflanz *g*) in mit im bat *Gg.* 26. Rosce Sabbins *D*, rotsce sabbins *d*, Rotteschesabins *g*, roytschesabins *g*, rois sabins *G*, Roysabinsz *g.* durh *G.* 27. iren *D*, Ir *G.* ander bruke *G.* 29. wider *fehlt Ggg.* = als *Ggg.* 30. tæte ih *G.*

611, 2. zetschofanze *G.* 4. zeweier *G.* 5. also *Dd* = Sus *Ggg.* 'was *fehlt G.* teindinc *G*, tage dinch *g*, tegeding *d.* 6. = Si bede *Ggg.* aleine *D.* 8. werdem *G.* 9. freude *D.* leiscîerte *Dd*, leisierte *Ggg*, lesierte *g.* 10. condwierte *Gg.* 11. er wolte daz *D*, Ern mohtz *Ggg.* 12. = erz treip *Ggg.* 13. 14. bezit-wit *Ggg.* 14. sînn *D.* so *Dg*, also *d*, wol so *gg*, wol also *G.* 16. Zuo ime *G.* 18. rosse *G.* ûf ein gras *D.* 19. = Unze er dem örsse (er daz *G*) gegurte *Ggg.* 20. Zuo *G.* 23. sinem fuoze *G.* bote *G.*

als ich hân an iuch gegert,
der wart nie mîn wirde wert.
für wâr mir iwer arbeit
füeget sölich herzeleit,
diu enpfâhen sol getriwez wîp
umb ir lieben friundes lîp.'

612 Dô sprach er 'frouwe, ist daz wâr
daz ir mich grüezet âne vâr,
sô nâhet ir dem prîse.
ich pin doch wol sô wîse:
ob der schilt sîn reht sol hân,
an dem hât ir missetân.
des schildes ambet ist sô hôch,
daz er von spotte ie sich gezôch,
swer rîterschaft ze rehte pflac.
frouwe, ob ich sô sprechen mac,
swer mich derbî hât gesehn,
der muoz mir rîterschefte jehn.
etswenne irs anders jâhet,
sît ir mich êrest sâhet.
daz lâz ich sîn: nemt hin den kranz.
ir sult durch iwer varwe glanz
neheime rîter mêre
erbieten solh unêre.
solt iwer spot wesen mîn,
ich wolt ê âne minne sîn.'
diu clâre unt diu rîche
sprach weinde herzenlîche
'hêrre, als i'u nôt gesage,
waz ich der im herzen trage,
sô gebt ir jâmers mir gewin.
gein swem sich krenket mîn sin,
der solz durch zuht verkiesen.
ine mac nimêr verliesen
freuden, denne ich hân verlorn
an Cidegast dem ûz erkorn.

613 Mîn clâre süeze beâs âmîs,
sô durchliuhtic was sîn prîs
mit rehter werdekeite ger,
ez wære dirre oder der,
die muoter ie gebâren
bî sîner zîte jâren,
die muosn im jehen werdekeit
die ander prîs nie überstreit.
er was ein quecprunne der tugent,
mit alsô berhafter jugent
bewart vor valscher pfliehte.
ûz der vinster gein dem liehte
het er sich enblecket,
sînen prîs sô hôch gestecket,
daz in niemen kunde erreichen,
den valscheit möhte erweichen.
sîn prîs hôch wahsen kunde,
daz d'andern wâren drunde,
ûz sînes herzen kernen.
wie louft ob al den sternen
der snelle Sâturnus?
der triuwe ein monîzirus,
sît ich die wârheit sprechen kan,
sus was mîn erwünschet man.
daz tier die meide solten klagn:
ez wirt durch reinekeit erslagn.
ich was sîn herze, er was mîn lîp:
den vlôs ich flüstebærez wîp.
in sluoc der künec Gramoflanz,
von dem ir füeret disen kranz.

614 Hêrre, ob ich iu leide sprach,
von den schulden daz geschach,
daz ich versuochen wolde
ob ich iu minne solde

26. Des *G*, Des en *g*. min wirde nie *G*. 28. solhiu *D*. 29. di *D*, Die *G*. 30. Unde ir lebin *G*. friwendes *D*.

612, 3. so næhert *D*, Sahet *G*. 6. Anders habit ir *Ggg*. 7. ist] = was ie *Ggg*. 8. = Daz der spot sich da von zoch *Ggg*. 9. ie phlach *Ggg*. 14. erste *d* = von erste *Ggg*, zuom ersten *g*. 16. Irn *Gg*. 17. Deheinem *G*. 18. Erbiten solhe *G*. 19. Sult *G*. 22. weinende *DG*. 23. i'u] ih *G*, ich iu *die übrigen*. geclage *G*. 24. = der *fehlt Ggg*. ime *D*, in minem *die übrigen*. 27. zuhte *G*. 28. nimere *D*, niemer *dg*, niht mer *g*, niht mere *Gg*. 29. Froude *Gdg*, Mere *g*. dan *G*. 30. Cidegaste *D*.

615, 1. Ein *G*. beus *D*, beaus *g*. 7. muosen *D*, muosin *G*. der werdecheit *G*. 9. quech brunne *G*. der der tugent *D*. 11. Gar bewart *G*. valscer pflihte *Dd* = valscher phliht *G*, valschlicher pfliht *gg*. 12. ŏz *G*. = in daz lieht *Ggg*. 13. erblechet *G*. 14. hohe *Gg*. gestrechet *g*. 16. Amor was sin herzeichen *G*. 17. pris so hohe waschen *G*. 18. di *D*, die *G*. 20. loufet *DG*, loufte *g*. allen st. *alle aufser D*. 22. = triuwen *Ggg*. moncyrus *G*. 24. erwunschetir *G*. 25. Daz tierde (de *vielleicht durchstrichen*) meide solden chlagin *G*. 28. ih unflustebæriz wip *G*.

614, 4. minnen *Gg*.

bieten durch iur werdekeit.
ich weiz wol, hêrre, ich sprach iu leit:
daz was durch ein versuochen.
nu sult ir des geruochen
daz ir zorn verlieset
unt gar ûf mich verkieset.
ir sîtz der ellensrîche.
dem golde ich iuch gelîche,
daz man liutert in der gluot:
als ist geliutert iwer muot.
dem ich iuch ze schaden brâhte,
als ich denke unt dô gedâhte,
der hât mir herzeleit getân.'
dô sprach mîn hêr Gâwân
'frouwe, esn wende mich der tôt,
ich lêre den künec sölhe nôt
diu sîne hôchvart letzet.
mîne triwe ich hân versetzet
gein im ûf kampf ze rîten
in kurzlîchen zîten:
dâ sul wir manheit urborn.
frouwe, ich hân ûf iuch verkorn.
ob ir iu mînen tumben rât
durch zuht niht versmâhen lât,
ich riet iu wîplîch êre
und werdekeite lêre:

615 Nun ist hie niemen denne wir:
frouwe, tuot genâde an mir.'
si sprach 'an gîsertem arm
bin ich selten worden warm.
dâ gein ich niht wil strîten,
irn megt wol zandern zîten
diens lôn an mir bejagn.
ich wil iwer arbeit klagn,
unz ir werdet wol gesunt
über al swâ ir sît wunt,
unz daz der schade geheile.
ûf Schastel marveile
wil ich mit iu kêren.'
'ir welt mir freude mêren,'
sus sprach der minnen gernde man.
er huop die frouwen wol getân
mit drucke an sich ûf ir pfert.
des dûht er si dâ vor niht wert,
do er si ob dem brunnen sach
unt si sô twirhlingen sprach.
Gâwân reit dan mit freude siten:
doch wart ir weinen niht vermiten,
unz er mit ir klagete.
er sprach daz si sagete
war umbe ir weinen wære,
daz siz durch got verbære.
si sprach 'hêrre, ich muoz iu klagn
von dem der mir hât erslagn
den werden Cidegasten.
des muoz mir jâmer tasten

616 Inz herze, dâ diu freude lac
do ich Cidegastes minne pflac.
ine bin sô niht verdorben,
ine habe doch sît geworben
des küneges schaden mit koste
unt manege schärpfe tjoste
gein sîme verhe gefrümt.
waz ob mir an iu helfe kümt,
diu mich richet unt ergetzet
daz mir jâmerz herze wetzet.
ûf Gramoflanzes tôt
enpfieng ich dienst, daz mir bôt
ein künec ders wunsches hêrre was.
hêr, der heizet Amfortas.

5. Beiten *G.* iẘer *D*, iw̌er *G.* 11. sit *alle außer D.* 16. gedenche *alle außer D.* 19. esen *D*, desen *Ggg.* 20. gelere *Ggg.* 23. uf champhes riten (striten *g*) *Ggg.* 24. In vil kurzelichen *G.* 25. sule *D*, sül *g.* 26. erchorn *G.* 27. iu *fehlt G.*

615, 1. Nune ist *G*, . . u nist *D.* 2. frouwe. nu tuot *D.* 3. gesertem *alle außer D*, geserigtem *g.* arem-warem *D.* 4. worden selten *G.* 5. Da gegen *G*, Da engegen *gg.* wil ih niht *G*, wil ich *g.* 6. iren *D*, Ir *Ggg.* muget ze andern *G.* 7. Dienstes *alle außer D.* 10. Ob ir anderswa sit worden *(fehlt g)* wunt *Gg.* 11. unze *D.* 12. schahteil *d*, tschahtel *g*, teschastil *G.* 13. 14. chern-meren *D.* 15. sus *Dd (allein?)*, *fehlt Ggg.* minne *Gdg.* 17. = uf daz pharit *Ggg.* 18. enduht er *Ggg.* sich *Gg.* nih *G.* 20. twirhl. *D*, twirhel. *g*, twerhel. *dgg*, dewerhelingen *G.* 21. frouden *Gdgg.* 22. enwart *G.* 24. dagite *G.* 29. zid. *G*, Cit. *gg.* 30. stasten *D.*

616, 2. minne *fehlt G.* 6. scharphe dioste *G.* 8. = helfe von iu *Ggg.* 10. iamer zeherce *D*, iamers herze *die übrigen.* 11. Gramoflanzs *D.* 12. Enphienge *G.* mir *fehlt Ggg.* 13. = der wunsches *Ggg.* 14. hiez *Ggg.*

durch minne ich nam von sîner hant
von Thabronit daz krâmgewant,
daz noch vor iwerr porten stêt,
dâ tiwerz gelt engegen gêt.
der künec in mîme dienst erwarp
dâ von mîn freude gar verdarp.
dô ich in minne solte wern,
dô muos ich niwes jâmers gern.
in mîme dienste erwarb er sêr.
glîchen jâmer oder mêr,
als Cidegast geben kunde,
gab mir Anfortases wunde.
nu jeht, wie solt ich armez wîp,
sît ich hân getriwen lîp,
alsolher nôt bî sinne sîn?
etswenn sich krenket ouch der mîn,

617 Sît daz er lît sô helfelôs,
den ich nâch Cidegaste erkôs
zergetzen unt durch rechen.
hêr, nu hœret sprechen,
wâ mit erwarp Clinschor
den rîchen krâm vor iwerm tor.
dô der clâre Amfortas
minne und freude erwendet was,
der mir die gâbe sande,
dô forht ich die schande.
Clinschore ist stæteclîchen bî
der list von nigrômanzî,
daz er mit zouber twingen kan
beidiu wîb unde man.
swaz er werder diet gesiht,
dien læt er âne kumber niht.
durch vride ich Clinschore dar
gap mînen krâm nâch rîcheit var:
swenn diu âventiur wurde erliten,
swer den prîs het erstriten,
an den solt ich minne suochen:
wolt er minne niht geruochen,
der krâm wær anderstunde mîn.
der sol sus unser zweier sîn.
des swuoren die dâ wâren.
dâ mite ich wolde vâren
Gramoflanzes durch den list
der leider noch ungendet ist.
het er die âventiure geholt,
sô müeser sterben hân gedolt.

618 Clinschor ist hövesch unde wîs:
der reloubet mir durch sînen prîs
von mîner massenîe erkant
rîterschaft übr al sîn lant
mit manegem stiche unde slage.
die ganzen wochen, alle ir tage,
al die wochen in dem jâr,
sunderrotte ich hân ze vâr,
dise den tac und jene de naht:
mit koste ich schaden hân gedâht
Gramoflanz dem hôchgemuot.
manegen strît er mit in tuot.
waz bewart in ie drunde?
sîns verhs ich vâren kunde.
die wârn ze rîch in mînen solt,
wart mir der keiner anders holt,
nâch minne ich manegen dienen liez,
dem ich doch lônes niht gehiez.
mînen lîp gesach nie man,
ine möhte wol sîn diens hân;
wan einer, der truoc wâpen rôt.
mîn gesinde er brâht in nôt:
für Lôgroys er kom geritn:
da entworht ers mit solhen sitn,
sîn hant se nider streute,
daz ich michs wênec vreute.

15. nam ih *Gg.* 16. tabrunit *Ggg.* kramgwant *D.* chramegewant *G.* 18. tiefez *G.* gelten gegen *D.* 21. in *fehlt G.* 24. jamer] *lücke oder ausgekratzt in G*, emer *von neuerer hand.* 26. Amfortassez *g*, Anfortas *DG.* 28. getruowen *G.* 30. etswenne *DG.*

617, 1. er *fehlt D.* 5. clinshor *G.* 7. anf. *G.* 10. worht *D.* 11. Chlinshor *G*, Clingezor *g*, Clinisor *g.* stæteclich *G.* 13. dwingen *G.* 15. werdecheit gesihet *G*, werdekeite syht *g.* 16. diene *DG.* lat *alle außer D.* 17. 18. Dur fride ich chlinshor. Dar gap minen chranz. Nach richeit wurde ganz *G.* 18. rîchheite *D.* 19. swenne *DG.* erbiten *G.* 21. helfe *Gg.* 22. minne *g*, min *die übrigen.* 23. chranz *G.*

618, 1. hôfsch *D.* 2. reloubte *D*, erloubit *G.* 3. mæssenide *D.* 4. uber *DG.* 7. iare *Ggg.* 8. rotin *G.* zeware *Ggg.* 9. = und *fehlt Ggg.* die *G.* 11. Gramoflanze *D.* 12. in] mir *Ggg.* 13. dar unde *D.* 14. verbes *DG.* 15. zeriche *G.* 16. der decheiner *D*, ir dehein *G*, deheiner *dgg.* 17. manegem *G.* 20. Ih enmoht *G.* sinen *alle außer G.* diens *D*, dienste *G*, dienst *die übrigen.* 21. treit *G.* 23. Vor ligois *G.* 24. ers *g*, erse *D*, er si *die übrigen.*

zwischen Lôgroys unde iurm urvar,
mîner rîtr im volgeten fünfe dar:
die enschumpfierter ûf dem plân
und gap diu ors dem schifman.

619 Dô er die mîne überstreit,
nâch dem helde ich selbe reit.
ich bôt im lant unt mînen lîp:
er sprach, er hete ein schœner wîp,
unt diu im lieber wære.
diu rede was mir swære:
ich vrâgete wer diu möhte sîn.
'von Pelrapeir diu künegîn,
sus ist genant diu lieht gemâl:
sô heize ich selbe Parzivâl.
ichn wil iwer minne niht:
der grâl mir anders kumbers giht.'
sus sprach der helt mit zorne:
hin reit der ûz erkorne.
hân ich dar an missetân,
welt ir mich daz wizzen lân,
ob ich durch mîne herzenôt
dem werden rîter minne bôt,
sô krenket sich mîn minne.'
Gâwân zer herzoginne
sprach 'frouwe, ih erkenne in alsô wert,
an dem ir minne hât gegert,
het er iuch ze minne erkorn,
iwer prîs wær an im unverlorn.'
Gâwân der kurtoys
und de herzoginne von Lôgroys
vast an ein ander sâhen.
dô riten si sô nâhen,
daz man se von der burg ersach,
dâ im diu âventiure geschach.

620 Dô sprach er 'frouwe, tuot sô wol,
ob ich iuch des biten sol,
lât mînen namen unrekant,
als mich der rîter hât genant,
der mir entreit Gringuljeten.
leist des ich iuch hân gebeten:
swer iuch des vrâgen welle,
sô sprecht ir 'mîn geselle
ist mir des unerkennet,
er wart mir nie genennet.'
si sprach 'vil gern ich siz verdage,
sît ir niht welt daz ichz iu sage.'
er unt diu frouwe wol gevar
kêrten gein der bürge dar.
die rîter heten dâ vernomn
daz dar ein rîter wære komn,
der het die âventiur erlitn
unt den lewen überstritn
unt den turkoyten sider
ze rehter tjost gevellet nider.
innen des reit Gâwân
gein dem urvar ûf den plân,
daz sin von zinnen sâhen.
si begunden vaste gâhen
ûz der burc mit schalle.
dô fuorten sie alle
rîche baniere:
sus kômen sie schiere
ûf snellen râvîten.
er wânde se wolden strîten.

621 Do er se verre komen sach,
hin zer herzoginne er sprach
'kumt jenez volc gein uns ze wer?'
si sprach 'ez ist Clinschores her,
die iwer kûme hânt erbiten.
mit freuden koment si nu geriten
unt wellent iuch enpfâhen.
daz endarf iu niht versmâhen,
sît ez diu freude in gebôt.'
nu was ouch Plippalinôt
mit sîner clâren tohter fier
komen in einem ussier.

27. iwerm *D*, iuwerm *G*. ûrvar *D*. 28. riter *DG*. volgeten im *Gg*. funver *G*. 29. uf den *G*.

619, 1. min *G*. minen *gg*. 4. ih han *Ggg*. 5. ime *G*. 6. = wart *Ggg*. 7. fraget *G*. 10. hiez *G*. 11. Ichne *G*, Ich en *gg*, Und (*d. i.* ine) *d*, ich *Dg*. 17. = mins hercen not *Ggg*. 19. = Chrenchet sich dar an [min *Gg*] minne *Ggg*. 10. Gawa *G*. 21. frouwe *fehlt Ggg*, als *G*. 22. An den *alle außer DG*. habit *G*. 23. ze minnen *G*. 24. verlorn *D*, niht virlorn *Gg*. 27. vaste *DG*. 29. = burge sach *Ggg*.

620, 3. 9. unerch. *G*. 5. grig. *G*. 6. leistet *D*. 8. sprechet ir *DG*. 9. des] der *G*. 10. Erne *Ggg*. 11. iz (ichs *gg*, ich *d*) verdage *dgg*. 12. wellet *Ggg*. = daz ih ez (ichz *gg*) sage *Ggg*. 16. dar *fehlt Ggg*. 20. dyost *G*. 26. Da *G*. 26. 28. si *DG*. 30. si *DG*.

621, 2. Zeder *G*. 4. Clinscors *D*, chlinshor *G*, klingezores *g*. 6. mit freude si choment *D*. nu *fehlt Gg*. 8. darf *D*. 10. pliplal. *G*. 11. 12. tohtir. Fier chomen uf *G*. ursier *g*, urfier *G*.

verre ûf den plân si gein im gienc:
diu maget in mit freude enpfienc.
Gâwân bôt ir sînen gruoz:
si kust im stegreif unde fuoz,
und enpfienc ouch die herzogîn.
si nam in bî dem zoume sîn
und bat erbeizen den man.
diu frouwe unde Gâwân
giengen an des schiffes ort.
ein teppich unt ein kulter dort
lâgen: an der selben stete
diu herzogîn durch sîne bete
zuo Gâwâne nider saz.
des verjen tohter niht vergaz,
si entwâpente in. sus hôrt ich sagn.
ir mantel hete si dar getragn,
der des nahtes ob im lac,
do er ir herberge pflac:

622 Des was im nôt an der zît.
ir mantel unt sîn kursît
leit an sich hêr Gâwân.
si truogez harnasch her dan.
alrêrst diu herzoginne clâr
nam sîns antlützes war,
dâ si sâzen bî ein ander.
zwêne gebrâten gâlander,
mit wîn ein glesîn barel
unt zwei blankiu wastel
diu süeze maget dar nâher truoc
ûf einer tweheln wîz genuoc.
die spîse ervloug ein sprinzelîn.
Gâwân unt diu herzogîn
mohtenz wazzer selbe nemn,
ob twahens wolde si gezemn;
daz si doch bêdiu tâten.
mit freude er was berâten,
daz er mit ir ezzen solde,
durch die er lîden wolde
beidiu freude unde nôt.
swenn siz parel im gebôt,
daz gerüeret het ir munt,
sô wart im niwe freude kunt
daz er dâ nâch solt trinken.
sîn riwe begunde hinken,
und wart sîn hôchgemüete snel.
ir süezer munt, ir liehtez vel
in sô von kumber jagete,
daz er kein wunden klagete.

623 Von der burc die frouwen
dise wirtschaft mohten schouwen.
anderhalp anz urvar,
manec wert ritter kom aldar:
ir buhurt mit kunst wart getân.
disehalb hêr Gâwân
danctem verjen unt der tohter sîn
(als tet ouch diu herzogîn)
ir güetlîchen spîse.
diu herzoginne wîse
sprach 'war ist der rîter komn,
von dem diu tjoste wart genomn
gester dô ich hinnen reit?
ob den iemen überstreit,
weder schiet daz leben oder tôt?'
dô sprach Plippalinôt
'frouwe, ich sah in hiute lebn.
er wart mir für ein ors gegebn:
welt ir ledegen den man,
dar umbe sol ich swalwen hân,
diu der künegîn Secundillen was,
und die iu sante Anfortas.
mac diu härpfe wesen mîn,
ledec ist duc de Gôwerzîn.'
'die härpfn untz ander krâmgewant,'
sprach si, 'wil er, mit sîner hant

14. in mit freude *D*. in mit frouden *G*, mit freuden in *dgg*. 16. den stegireif un̄ den fuoz *G*. und *D*. 17. In-diu *G*. 18. namen in ouch *G*. 19. = disen man *Ggg*. 20. = Orgeluse unde gawan *Ggg*. 21. scheffes *G*. 22. gulter *G*. 23. stet *G*. 24. sin bet *G*. 27. Sin *G*. hore *D*. 28. Ir mandel hiez man ir dar tragen *Gg*.

622, 2. sîn] ir *G*. 4. truoch daz *G*. 5. allerst *D*. 8. Dri *Ggg*. gebratene *D*. 11. sueziu *G*. = dar nah *Ggg* 12. twehln wiz *D*, wizzen dwehelen *Gg*. 13. dise *D*. 16. Ob si dwahens wolde zemen *G*. 17. = do *Gg*, daz *g*, *fehlt g*. beidiu *G*. 22. swenne si dez (daz *G*) Parel *DG*. 24. niuwan *G*. 25. dar nach *Ggg*. solde *DG*. 30. dehein *G*, neheine *D*.

623, 2. wirtschafte *G*. 5. wart mit kunst *dg*. 7. danchte (Dancte *G*) dem *DG*. verigen *G*. 12. diost *G*. 13. Gestern *alle außer G*. 16. pliplal. *G*. 18. ein] diz *Gg*, daz *g*. 19. ledigen *D*, ledegin *G*. 23. hærpfe *D*, herphe *G*, harpfe *dgg*. 24. duc de *g*, ouch do *d*, der herzoge von *D*, der von *Ggg*. goverzin *G*. 25. In vie der helt wert erchant *G*. hærpfen *D*, harpfen *dg*, harpfe *gg*. 26. si die wile er *gg*, die wile er *G*.

mac geben unt behalden
der hie sitzet: lâts in walden.
ob ich im sô liep wart ie,
er lœset mir Lischoysen hie,
624 Den herzogen von Gôwerzîn,
und ouch den andern fürsten mîn,
Flôranden von Itolac,
der nahtes mîner wahte pflac:
er was mîn turkoyte alsô,
sîns trûren wirde ich nimmer vrô.'
Gâwân sprach zer frouwen
'ir muget se bêde schouwen
ledec ê daz uns kom diu naht.'
dô heten si sich des bedâht
und fuoren über an daz lant.
die herzoginne lieht erkant
huop Gâwân aber ûf ir pfert.
manec edel rîter wert
enpfiengn in unt die herzogin.
si kêrten gein der bürge hin.
dâ wart mit freuden geritn,
von in diu kunst niht vermitn,
deis der buhurt het êre.
waz mag ich sprechen mêre?
wan daz der werde Gâwân
und diu herzoginne wol getân
von frouwen wart enpfangen sô,
si mohtens bêdiu wesen vrô,
ûf Schastel marveile.
ir mugts im jehen ze heile,
daz im, diu sælde ie geschach.
dô fuort in an sîn gemach
Arnîve: und die daz kunden,
die bewarten sîne wunden.
625 ZArnîven sprach Gâwân
'frouwe, ich sol ein boten hân.'
ein juncfrouwe wart gesant:
diu brâhte einen sarjant,
manlîch, mit zühten wîse,
in sarjandes prîse.
der knappe swuor des einen eit,
er wurbe lieb oder leit,
daz er des niemen dâ
gewüege noch anderswâ,
wan dâ erz werben solte.
er bat daz man im holte
tincten unde permint.
Gâwân des künec Lôtes kint
schreib gefuoge mit der hant.
er enbôt ze Löver in daz lant
Artûse unt des wîbe
dienst von sîme lîbe
mit triwen unverschertet:
und het er prîs behertet,
der wære an werdekeite tôt,
sine hulfen im ze sîner nôt,
daz si beide an triwe dæhten
unt ze Jôflanze bræhten
die massenî mit frouwen schar:
und er kœme ouch selbe gein in dar
durch kampf ûf al sîn êre.
ernbôt in dennoch mêre,
der kampf wære alsô genomn
daz er werdeclîche müese komn.
626 Do enbôt ouch hêr Gâwân,
ez wære frouwe oder man,
al der massenîe gar,
daz si ir triwe næmen war
und daz sim künege rieten kumn:
daz möhte an werdekeit in frumn.

27. gegebin *Gdg*. 28. lat sin *G*.

624, 1. geverzen *G*. 3. Florianden *G*. 4. wahtere *Ggg*. 5. = Der-so *Ggg*. 6. truns *G*. 8. si gerne *gg*, gerne *G*. 11. anz *Dg*. 13. aber *fehlt G*. = ufez phærit *Ggg*. 15. enpfiengen *DG*. 17. Do *G*. 18. Unt diu chunst *Gdgg*. 19. daz es der *Dd*, Daz er der̄ *G*, Das es die *g*, Daz sin *g*, Daz *g*. 22. volgetan *D*. 23. Mit frouden *G*. 24. beidiu *G*. 25. thahtesel *G*. 26. mugets in gehen *G*. 28. = fuorten in *gg*, fuertin si in *Gg*. 29. Anive *G*. 30. = Si bewartin im sine wunden *Ggg*.

625, 2. einen *DG*. 4. braht im *Ggg*. 5. zuhte *G*. 10. Zuo geẘge *Ggg*. 11. solde *Gg*. 12. Gawan bat *D*. holde *Gg*. 13. tincten *D*, Tinchten *g*, Tinten *Ggg*, Dinden *d*. 19. unvirschert *G*. 20. vn̄ het ir bris behert *G*. 21. werdecheit *G*. 22. im *fehlt G*. 24. zeschanfenzune *G*. 25. massenie *G*, mæssenide *D*. 26. = er *fehlt Ggg*. chomin ouch selbe gein im dar *Ggg*. 27. Durch champh al si ere *G*. 28. im *D*. 30. weltlich *d*.

626, 1. ouch *fehlt G*. herre *G*. 2. wær *G*. = wip *Ggg*. 3. Al die *G*. 3. 21. massenide *D*. 4. triuwen *Gdgg*. 5. vn̄ dem chunige *Ggg*. sime *D*. chomin *Gdgg*. 6. in fromen *d*, in gefrumn *D* = sie fromen *g*, sy gefromen *G*, gefrumen *g*.

al den werden er enbôt
sîn dienst unt sînes kampfes nôt.
der brief niht insigels truoc:
er schreib in sus erkant genuoc
mit wârzeichen ungelogen.
'nu ensoltuz niht langer zogen,'
sprach Gâwân zem knappen sîn.
'der künec unt diu künegîn
sint ze Bems bî der Korcâ.
die küneginne soltu dâ
sprechen eines morgens fruo:
swaz si dir râte, daz tuo.
unt lâz dir eine witze bî,
verswîc daz ich hie hêrre sî.
daz du hie massenîe sîs,
daz ensage in niht decheinen wîs.'
dem knappen was dannen gâch.
Arnîve sleich im sanfte nâch:
diu vrâgte in war er wolde
und waz er werben solde.
dô sprach er 'frouwe, in sags iu niht,
ob mir mîn eit rehte giht.
got hüete iur, ich wil hinnen varn.'
er reit nâch werdeclîchen scharn.

7. Al der *G*. 8. sînes *fehlt G*, sine *D*. 10. = bekant *Ggg*. 11. worzeichen *G*, wortzeichen *dgg*. 12. Nune solt duz *G*. 15. Bems *D*, beems *d*, benis *gg*, sabins *Gg*. korcha *g*, Chorcha *Dg*, Chorca *g*, thorka *d*, chronica *G*. 17. = Gesprechen *Gg*, Besprechen *gg*. eins *DG*. 18. rat *G*. 19. laze *D*, la *G*. ein *G*. 22. ensag *G*. in *Dg*, ouch *G*, *fehlt dgg*. niht *fehlt G*. dehein *G*. gwis *D*. 23. = wart *Ggg*. 25. vrâgete *D*, fragite *G*. 27. ine sages *D*. 29. hiut *G*.

XIII.

627 Arnîve zorn bejagete,
daz der knappe ir niht ensagete
alsus getâniu mære,
war er gesendet wære.
si bat den der der porten pflac
'ez sî naht oder tac,
so der knappe wider rîte,
füeg daz er mîn bîte
unz daz ich in gespreche:
mit dîner kunst daz zeche.'
doch truoc si ûfen knappen haz.
wider în durch vrâgen baz
gienc si zer herzoginne.
diu pflac ouch der sinne,
daz ir munt des niht gewuoc,
welhen namen Gâwân truoc.
sîn bete hete an ir bewart,
si versweic sîn namen unt sînen art.
pusîne unt ander schal
ûf dem palas erhal
mit vrœlîchen sachen.
manec rückelachen
in dem palas wart gehangen.
aldâ wart niht gegangen
wan ûf tepchen wol geworht.
ez het ein armer wirt ervorht.
alumbe an allen sîten
mit senften plûmîten
manec gesiz dâ wart geleit,
dar ûf man tiure kultern treit.

628 Gâwân nâch arbeitc pflac
slâfens den mitten tac.
im wâren sîne wunden
mit kunst alsô gebunden,
ob friundîn wær bî im gelegen,
het er minne gepflegen,
daz wære im senfte unde guot.
er het ouch bezzern slâfes muot,
dan des nahtes dô diu herzogin
an ungemache im gap gewin.
er erwachte gein der vesper zît.
doch het er in slâfe strît
gestriten mit der minne
abe mit der herzoginne.
ein sîn kameræ̂re
mit tiurem golde swære
brâht im kleider dar getragen
von liehtem pfelle, hôrt ich sagen.
dô sprach mîn hêr Gâwân
'wir suln der kleider mêr noch hân,
diu al gelîche tiure sîn;
dem herzogen von Gôwerzîn,
unt dem clâren Flôrande,
der in manegem lande
hât gedienet werdekeit.
nu schaffet daz diu sîn bereit.'
bî eime knappen er enbôt
sîme wirt Plippalinôt
daz er im sant Lischoysen dar.
bî sîner tohter wol gevar

627, 2. en *hat nur* *D*. 4. Ware er *G*. 5. der dir **Porten** *D*. 8. fuege *D*, Vuoge *G*. 9. Unde *G*. daz *fehlt* *D*. 12. vrage *G*. 17. = Sin bete wart dar ane bewart *Ggg*. 18. sinen namen *DG*. sinen art *Dg*, sin nart *G*, sin art *dgg*. 19. **Pusîne** *D*, Busin d = Busunen *g*, Busunær *Ggg*. 20. 23. **Palase** *D*. 25. tepichen *g*, tepechen *g*, teppichen *D*, teppich *G*. 26. wunt *G*. 27. ze *Ggg*. 28. pfluomîten *D*. 29. gesiz *Dg*, sitz *dg*, gesez *G*, geseez *g*. 30. Dar uf **manic** tiur **chultir breit** *G*. kulter *gg*.

628, 1. nâch *fehlt* *G*. 2. Slaffes *Gg*. 4. virbunden *Ggg*. 6. er ir *Gg*. 7. und *D oft*. 8. beszers *g*. 9. Danne *G*, denne *D*. 11. Ern wachete *G*. 14. Abe *g*, aber *die übrigen*. 20. Wir súllent me kleider han *d*. mer noch *D*, noch mer *g*, mere *gg*, *fehlt* *G*. 21. Die *G*. 22. goverzin *G*. 23. floriande *G*. 26. schaftet *G*. schaff et? 27. ern bot *G*. 28. wirte *DG*. pliplalinon *G*. 29. im sande *dgg*, sande im *D*, sande *Gg*.

629 Wart Lischoys dar ûf gesant.
frou Bêne brâht in an der hant,
durch Gâwânes hulde;
und ouch durch die schulde:
Gâwân ir vater wol gehiez,
dô er si sêre weinde liez,
des tages dô er von ir reit
dâ prîs erwarp sîn manheit.
der turkoyte was ouch komn.
an den bêden wart vernomn
Gâwâns enpfâhen âne haz.
iewederr nider zuo zim saz,
unz man in kleider dar getruoc:
diu wâren kostlîch genuoc,
daz si niht bezzer möhten sîn.
diu brâhte man in allen drîn.
ein meister hiez Sârant,
nâch dem Sêres wart genant:
der was von Trîande.
in Secundillen lande
stêt ein stat heizet Thasmê:
diu ist grœzer danne Ninnivê
oder dan diu wîte Acratôn.
Sârant durch prîses lôn
eins pfelles dâ gedâhte
(sîn werc vil spæhe brâhte):
der heizet saranthasmê.
ob der iht rîlîchen stê?
daz muget ir âne vrâgen lân:
wand er muoz grôze koste hân.

630 Diu selben kleider leiten an
die zwêne unde Gâwân.
si giengen ûf den palas,
dâ einhalp manec rîter was,
anderhalp die clâren frouwen.
swer rehte kunde schouwen,
von Lôgroys diu herzogîn
truoc vor ûz den besten schîn.
der wirt unt die geste
stuonden für si diu dâ gleste,
diu Orgelûse was genant.
der turkoyte Flôrant
und Lischoys der clâre
wurden ledec âne vâre,
die zwêne fürsten kurtoys,
durch die herzogin von Lôgroys.
si dancte Gâwân drumbe,
gein valscheit diu tumbe
unt diu herzelîche wîse
gein wîplîchem prîse.
dô disiu rede geschach,
Gâwân vier küneginne sach
bî der herzoginne stên.
er bat die zwêne nâher gên
durch sîne kurtôsîe:
die jungeren drîe
hiez er küssen dise zwêne.
nu was ouch frouwe Bêne
mit Gâwân dar gegangen:
diu wart dâ wol enpfangen.

631 Der wirt niht langer wolde stên:
er bat die zwêne sitzen gên
zuo den frouwen swâ si wolden.
dô si sô tuon solden,
diu bete tet in niht ze wê.
'welhez ist Itonjê?'
sus sprach die werde Gâwân:
'diu sol mich bî ir sitzen lân.'
des vrâgter Bênen stille.
sît ez was sîn wille,
si zeigete im die maget clâr.
'diu den rôten munt, daz prûne hâr
dort treit bî liehten ougen.
welt ir si sprechen tougen,
daz tuot gefuoclîche,'
sprach frou Bên diu zühte rîche.

629, 2. Vrouwe *G*. 6. weinende *alle, nur D* weinen. 9. Turkote *D*, turchotten *G*. 11. Gawans an phahen an haz *G*. 12. Ietweder *G*. = zuo im nidor *Ggg*. 13. unze *DG*. im *D*. dar *fehlt G*. 14. 16. Die *G*. 14. chostenlich *D*. 16. braht *G*. 17. der hiez *Gd*, *fehlt g*. 18. Serês *D* = sarez *Ggg*. 20. Von *Ggg*. 21. = stêt *fehlt Ggg*. thasnîe *G*, Tasine *gg*. 22. dann *D*, dan *g*. 23. denne *DG*. acreton *G*. 27. = hiez *Ggg*. 28. ieht rilich *G*. 29. wol ane *G*. frage *Gg*.

630, 1. leit an *G*. 4. iene halp *G*. 5. clâren *fehlt G*, klare (*ohne* die) *gg*. 8. Truoch da vor den *G*. 12. Von turchoite florant *G*. 15. zwêne *fehlt G*, dry *g*. 17. 29. Gawane *DG*. 19. unt *fehlt Gg*. 20. wipplichen *G*. 21. also geschach *G*. 24. Er bat naher zime gen *G*. 25. kurtoisie *g*, chursoisie *G*. 26. Die iungen arnive *G*, Die jungen Jotonien *g*. iungern *Dg*. 2 . Die zwene *Gg*. 28. frou *D*.

631, 4. Da *G*. 5. bet tet *G*. 6. = Welhiu *Ggg*. 7. sus *fehlt Gdg*. die] diu *G*, der *die übrigen*. 8. Die *G*. 11. zeigit *G*, zeigt *g*. 14. gesprechen *Gg*. 16. vro *G*, *fehlt dg*. bene *alle*.

diu wesse Itonjê minnen nôt,
und daz ir herze dienst bôt
der werde künec Gramoflanz
mit rîterlîchen triwen ganz.
Gâwân saz nider zuo der magt
(ich sag iu daz mir wart gesagt):
sîner rede er dâ begunde
mit fuoge, wand erz kunde.
ouch kunde si gebâren,
daz von sô kurzen jâren
als Itonjê diu junge truoc,
den hete si zühte gar genuoc.
er hete sich vrâgns gein ir bewegn,
ob si noch minne kunde pflegn.

632 Dô sprach diu magt mit sinnen
'hêr, wen solt ich minnen?
sît mir mîn êrster tac erschein,
sô wart rîter nie dechein
ze dem ich ie gespræche wort,
wan als ir hiute hât gehôrt.'
'sô möhten iu doch mære komn,
wâ ir mit manheit hât vernomn
bejagten prîs mit rîterschaft,
und wer mit herzenlîcher kraft
nâch minnen dienst bieten kan.'
sus sprach mîn hêr Gâwân:
des antwurt im diu clâre magt
'nâch minne ist diens mich verdagt.
wan der herzoginne von Lôgroys
dient manc rîter kurtoys,
beidiu nâch minne und umb ir solt.
der hât maneger hie geholt
tjostieren dâ wirz sâhen.
ir keiner nie sô nâhen
kom als ir uns komen sît.
den prîs ûf hœhet iwer strît.'
er sprach zer meide wol gevar
'war kriegt der herzoginne schar,
sus manec rîter ûz erkorn?
wer hât ir hulde verlorn?'
si sprach 'daz hât roys Gramoflanz,
der der werdekeite kranz
treit, als im diu volge giht.
hêr, des erkenne ich anders niht.'

633 Dô sprach mîn hêr Gâwân
'ir sult sîn fürbaz künde hân,
sît er sich prîse nâhet
unt des mit willen gâhet.
von sînem munde ich hân vernomn,
daz er herzenlîche ist komn
mit dienst, ob irs geruochet,
sô daz er helfe suochet
durch trôst an iwer minne.
künec durch küneginne
sol billîche enpfâhen nôt.
frouwe, hiez iur vater Lôt,
sô sît irz die er meinet,
nâch der sîn herze weinet:
unde heizt ir Itonjê,
sô tuot ir im von herzen wê.
ob ir triwe kunnet tragn,
sô sult ir wenden im sîn klagn.
beidenthalp wil ich des bote sîn.
frouwe, nemt diz vingerlîn:
daz sant iu der clâre.
ouch wirb ichz âne vâre:
frowe, daz lât al balde an mich.'
si begunde al rôt värwen sich:
als ê was gevar ir munt,
wart al dem antlütze kunt:
dar nâch schier wart si anders var.
si greif al blûweclîche dar:
daz vingerlîn wart schier erkant:
si enpfiengez mit ir clâren hant.

17. west itonien minne *Gdg.* 18. herzen *gg.* 20. riterlicher triuwe *Ggg.* 24. fuogen *D.* 26. sô *fehlt Gd.* 28. Diu het zuht *Gg.* 29. fragens *Ggg*, vragen *D*, frage *dg.*

632, 4. Sone *Ggg.* 5. Zuo *G.* 6. hiut habit *G.* 7. moht *g*, maht *G.* 8. = warheit *Ggg.* habit *G*, het *d.* 9. Beiagitipris *G.* 11. = minne *Ggg.* dienste *G.* 13. antwrte *DG.* 14. dieņs *D*, dienst *Gdgg*, dienstes *g.* 15. herzogin *G.* 16. manech *D*, manic *G.* 18. gedolt *Ggg.* 19. tiust. *D*, Diost. *G.* = daz wir ez *Ggg.* 20. decheiner *D*, deheine *G*, keinen *g.* 22. = Der pris-iuwern *Ggg.* 24. chrieget *DG.* 27. roys] kúnig *g*, der kunec *Dg*, *fehlt Gdg.* 28. werdecheit *G.* 29. also diu *Ggg.* 29. anders *fehlt g.*

633, 3. nabet *G.* 4. = mit triuwen *Ggg.* 6. herzeliche *Gg.* 11. billichen *G.* 13. minnet *G.* 15. heizet *DG.* 18. im wenden *G.* 19. Bedenthalben *G.* 22. Ob wirbe ih (ich *gg*) an vare *G.* 24. varwen *G.* 25. = Also was *Ggg.* 27. sciere *D*, *fehlt G.* 28. blůechliche *D*, bluochechlichen *G*, bluchliche *g*, blodclichen *dgg.* 30. enphienge ez *G.*

634 Dô sprach si 'hêrre, ich sihe nu wol,
ob ich sô vor iu sprechen sol,
daz ir von im rîtet,
nâch dem mîn herze strîtet.
ob ir der zuht ir reht nu tuot,
hêr, diu lêrt iuch helenden muot.
disiu gâbe ist mir ouch ê gesant
von des werden küneges hant.
von im sagt wâr diz vingerlîn:
er enpfiengez von der hende mîn.
swaz er kumbers ie gewan,
dâ bin ich gar unschuldec an:
wan sînen lîp hân ich gewert
mit gedanken swes er an mich gert.
er hete schiere daz vernomn,
möht ich iemmer fürbaz komn.
Orgelûsen ich geküsset hân,
diu sînen tôt sus werben kan.
daz was ein kus den Jûdas truoc,
dâ von man sprichet noch genuoc.
elliu triwe an mir verswant,
daz der turkoite Flôrant
unt der herzoge von Gôwerzîn
von mir geküsset solden sîn.
mîn suon wirt in doch nimmer ganz,
die gein dem künege Gramoflanz
mit stæte ir hazzen kunnen tragn.
mîn muoter sult ir daz verdagn,
und mîn swester Cundrîê.'
des bat Gâwân Itonjê.

635 'Hêrre, ir bâtet mich alsus,
daz ich enpfâhen müese ir kus,
doch unverkorn, an mînen munt:
des ist mîn herze ungesunt.
wirt uns zwein immer freude erkant,
diu helfe stêt in iwer hant.
für wâr der künec mînen lîp
minnet für elliu wîp.
des wil ich in geniezen lân:
ich pin im holt für alle man.
got lêre iuch helfe unde rât,
sô daz ir uns bî freuden lât.'
dô sprach er 'frowe, nu lêrt mich wie.
er hât iuch dort, ir habt in hie,
unt sît doch underscheiden:
möht ich nu wol iu beiden
mit triwen solhen rât gegebn,
des iwer werdeclîchez lebn
genüzze, ich woldez werben:
des enlieze ich niht verderben.'
si sprach 'ir sult gewaldec sîn
des werden küneges unde mîn.
iwer helfe unt der gotes segn
müeze unser zweier minne pflegn,
sô daz ich ellende
im sînen kumber wende.
sît al sîn freude stêt an mir,
swenne ich untriwe enbir,
so ist immer mînes herzen ger
daz ich in mîner minne wer.'

636 Gâwân hôrt an dem frouwelîn,
daz si bî minne wolde sîn:
dar zuo was ouch niht ze laz
gein der herzoginne ir haz.
sus truoc si minne unde haz.
ouch het er sich gesündet baz
gein der einvaltigen magt
diu im ir kumber hât geklagt;

634, 1. ih sih *G*. 5. Obe ir der zuhte nu ir rehte tuot *G*. 6. helende *G*, heldes *gg*. 7. is *G*. 10. enphienc von *G*. 14. des *G*. 15-19 *sind von F abgeschnitten*. 16. immer *G*. 17. gechuset *G*. 22. turkoite *G*, Turkote *D*, Tyrkoyte *F*. floriant *G*. 24. solde *Gd*. 25. suone *DFG*. 26. Gramoflantz *F*. 27. tragn *DF (so F fast immer in kurzen silben)*, tragin *G*. 28. 29. Min *Fd*, mine *Dg*, Mine-min *G*, Miner *g*. 29. Cundrîe *D*, kundrie *F*. 30. Sus bat Gawanen *F*. Itonîe *D*, ytonie *G*, ytonye *F*.

635, 2. muese *Dd* = solde *Ggg*, solt *F*. 3. 4. Des ist min herze ungesunt. Daz ich kust ir beider munt *F*. 3. Doh (Auch *g*, Ez *g*) is virchorn *Ggg*. 10. bin *FG*. 11. gebe iu *G*. 13. Er sprach frowe *F*. mich *fehlt Gg*. 18. Daz *G*. 19. 20. werbn-verderbn *D*. 20. Desn lieze *F*. ih nih *G*. 21. gewaltic *G*, gewaltich *F*. 23. der *fehlt G*. segen-pflegen *F*, seginphlegin *G*. 25-29 *abgeschnitten F*. 26. im *fehlt Ggg*. 27. stêt] = lit *Ggg*. 29. mins *D*.

636, 1. hort *Fg*, horte *DG*. frouwenlin *D*. 2. minnen *Gg*. 4. herzogin *G*. 8. kumber *fehlt G*.

wander ir niht zuo gewuoc
daz in unt si ein muoter truoc:
ouch was ir bêder vater Lôt.
der meide er sîne helfe bôt:
da engein si tougenlîchen neic,
daz er si trœsten niht versweic.
nu was ouch zît daz man dar truoc
tischlachen manegez wîz genuoc
untz prôt ûf den palas,
dâ manec clâriu frouwe was.
daz het ein underscheit erkant,
daz die rîter eine want
heten sunder dort hin dan.
den sedel schuof hêr Gâwân.
der turkoyte zuo zim saz,
Lischoys mit Gâwâns muoter az,
der clâren Sangîven.
mit der küneginne Arnîven
az diu herzoginne clâr.
sîn swester bêde wol gevar
Gâwân zuo zim sitzen liez:
iewedriu tet als er si hiez.

637 Mîn kunst mir des niht halbes giht,
ine bin solch küchenmeister niht,
daz ich die spîse künne sagn,
diu dâ mit zuht wart für getragn.
dem wirte unt den frouwen gar
dienden meide wol gevar:
anderhalp den rîtern an ir want
diende manec sarjant.
ein vorhtlîch zuht si des betwanc,
daz sich der knappen keiner dranc
mit den juncfrouwen:
man muoste se sunder schouwen,
si trüegen spîse oder wîn:
sus muosen si mit zühten sîn.
si mohten dô wol wirtschaft jehn.
ez was in selten ê geschehn,
den frouwen unt der rîterschaft,
sît si Clinschores kraft
mit sînen listen überwant.
si wârn ein ander unbekant,
unt beslôz se doch ein porte,
daz si ze gegenworte
nie kômen, frouwen noch die man.
dô schuof mîn hêr Gâwân
daz diz volc ein ander sach;
dar an in liebes vil geschach.
Gâwân was ouch liep geschehen:
doch muoser tougenlîchen sehen
an die clâren herzoginne:
diu twanc sîns herzen sinne.

638 Nu begunde ouch strûchen der tac,
daz sîn schîn vil nâch gelac,
unt daz man durch diu wolken sach
des man der naht ze boten jach,
manegen stern, der balde gienc,
wand er der naht herberge vienc.
nâch der naht baniere
kom si selbe schiere.
manec tiuriu krône
was gehangen schône

9. Wan er *FG*. geẘch *DFG*. 11. beider *G*, bæider *F*. 12. sin *G*. 13. engegen *FG*. si im *Gg*. tuogelichen *G*. 14. = trostens *gg*, trostes *FGg*. 15. ouch zit *fehlt G*. 16. Tislachen manigez *FG*. 17. Unde enbot uf *FGgg*. 20. ritter *F*. 22. = Daz sedel *FGgg*. min herre *G*. 23. Turkoyte *F*, Turkote *D*, turzot *G*. zuo im *G*, zu im *F*. 24. Liscoys *D*, Lishois *G*. Lyshoys *F*. 25. der] = Mit der *gg*, Der mit *G*, Er mit *F*. Sangîven *D*, sagiven *G*, sagiwen *d*, Sayven *F*, Seyven *gg*, Segiven *g*. 26. Mit der clarin chunegin *G*. Arnyven *F*. 28. Sin *F*, sine *DG*. bêde *fehlt G*. 29. zuo im *F*. 30. Ietwedriu *G*, Ietwerdriu *F*.

637, 2. Ihn bin *F*. Ich enbin solhe *G*. 4. zuhten *Fg*, zuhtin *G*. 5-9 *abgeschnitten F*. 7. Ander halben *G*. ir] der *Gg*. 8. den diende *D*. 9. wertlich *Gg*. sie *D*. 10. sich *fehlt FGg*. deheiner *FGg*. 12. muose si *FG*. 13. ode *F*. 15. mohte *F*. da *FGg*. gehen *G*. 16. ez was in *fehlt G*. 17. der frouwen *D*. ritterschaft *F*, *so immer*. 18. Sit daz si *G*. Clinscors *D*, Clinshors *F*, chlinshors *G*, Clingesores *g*, Clinisors *g*. 20. waren *DF*, warin *G*. umbekant *F*. 21. si *FG*. 23. chomin *G*, chomn *D*, koem̄ *F*. 25. Daz daz *Fg*. 27. Gawane *D*. geschehn-sehn *F*. 29. 30. herzogin-sin *FGgg*. 30. sines *Ggg*.

638, 1. Do *G*. struochen *D*, sigen *F*. 2. vil nahen *F*. 3. di *D*. saciac *G*. 4. zi *G*. 5. sternen der vil *G*. gie-vie *F*. 6. Wand er *G*, wandr *D*, Wan er *F*. der nach *F*. 7. nahte *D*, *fehlt dg*. 8. tiuwer *G*, ti . . . . e *F*.

alumbe ûf den palas,
diu schiere wol bekerzet was.
ûf al die tische sunder
truoc man kerzen dar ein wunder.
dar zuo diu âventiure gieht,
diu herzoginne wær sô lieht,
wære der kerzen keiniu brâht,
dâ wær doch ninder bî ir naht:
ir blic wol selbe kunde tagn.
sus hôrt ich von der süezen sagn.
man welle im unrehtes jehen,
sô habt ir selten ê gesehen
decheinen wirt sô freuden rîch.
ez was den freuden dâ gelîch.
alsus mit freudehafter ger,
die rîter dar, die frouwen her,
dicke an ein ander blicten.
die von der vremde erschricten,
werdents iemmer heinlîcher baz,
daz sol ich lâzen âne haz.

639 Ezn sî denne gar ein vrâz,
welt ir, si habent genuoc dâ gâz.
man truoc die tische gar her dan.
dô vrâgte mîn hêr Gâwân
umb guote videlære,
op der dâ keiner wære.
dâ was werder knappen vil,
wol gelêrt ûf seitspil.
irnkeines kunst was doch sô ganz,
sine müesten strîchen alten tanz:
niwer tänze was dâ wênc vernomn,
der uns von Dürngen vil ist komn.
nu danct es dem wirte:
ir freude er si niht irte.
manec frouwe wol gevar
giengen für in tanzen dar.
sus wart ir tanz gezieret,
wol underparrieret
die rîter underz frouwen her:
gein der riwe kômen si ze wer.
och mohte man dâ schouwen
ie zwischen zwein frouwen
einen clâren rîter gên:
man mohte freude an in verstên.
swelch rîter pflac der sinne,
daz er dienst bôt nâch minne,
diu bete was urlouplîch.
die sorgen arm und freuden rîch
mit rede vertribn die stunde
gein manegem süezem munde.

640 Gâwân und Sangîve
unt diu künegîn Arnîve
sâzen stille bî des tanzes schar.
diu herzoginne wol gevar
her umb zuo Gâwân sitzen gienc.
ir hant er in die sîne enpfienc:
si sprâchen sus unde sô.
ir komens was er zuo zim vrô.
sîn riwe smal, sîn vreude breit
wart dô: sus swant im al sîn leit.
was ir freude am tanze grôz,
Gâwân noch minre hie verdrôz.

11. dem *Gg.* 12. schier *FG.* gecherzet *G*, gekerzet *Fg.* 13. Al uf die *G.* suonder *F.* 14. Truoch man [der *F*] kertzen wunder *Fg.* 15-19 *abgeschnitten F.* 15. die *G.* giht *alle.* 17. den cherzen dehein iu *G.* 18. Dane ware dach *G.* 19. 20. *fehlen D.* 20. hort *FGgg*, hœre *dg.* 21. unrehte *Fgg*, unreht *G.* 23. Deheinen *FG*, *auch F nie* dech. 24. do *F.* 26. da *Gg.* 27. 28. blihten-erschrihten *F.* 28. der *fehlt G.* fremede *F*, fromede *G.* 29. Werdent si immer *FG.* heinlich *Fg*, heinlih *G.*

639, 1. Ez ensi *D.* danne *FG.* 2. habnt *F.* gnuoch *D.* dâ *fehlt FGg.* gâz *mit* â *D*, *fehlt F.* 4. fragte *F*, vragete *D*, fragit *G.* 5. umbe *DFG.* 6. ob *DF.* cheiner *D*, deheiner *FG.* 9. iren cheins *D*, Irne heins *G*, Ir deheins *F.* doch *fehlt FGg.* 10. Sinen *G.* muosin *G*, muese *F.* 11. niwer *D.* tanze *G.* wenech *D*, wenich *F*, wenic *G.* 12. Duringen *DF.* 13. danchtes *D*, danchen *FGgg.* 14. erse *D.* 16. Gienc *Gg.* zetanze *Gg.* 17. der tantz *Fgg*, der tanze *G.* 20. der riuwen *G.* . kom̄ *F*, chomn *D*, warin *G.* 21. ouch *DF.* moht *FGdgg*, muoste *D.* 22. ie *fehlt Fg.* Zischen *F.* 24. moht *FG.* an im *Fdg.* 25-30 *abgeschnitten F.* 28. arem. *D.* und] vn̄ die *DGg*, die *dg.* Die ritter unde auch die frawen rich *g.* 29. di *Dg*, ir *Gdgg.*

640, 1. Sangîve *D*, sangwine *d*, sagive *G*, Sayve *F*, Seyve *gg*, Segive *g.* 2. kuneginne Arnyve *F.* 3. stille *fehlt F.* 5. umbe *DFG*, ze gawane gienc *G*, zeGawane gie *Fg.* 6. enphie *Fg.* vienc *G.* 8. zuo (zu *F*) im *FG.* 9. unt sin vreude *D.* 10. verswant *Fgg*, virswant *G.* im al *DGg*, im *dg*, al *g*, *fehlt F.* 11. ame *D*, an *FGg.* 12. minner *Gg.*

diu künegîn Arnîve sprach
'hêr, nu prüevet iwer gemach.
ir solt an disen stunden
ruowen ziwern wunden.
hât sich diu herzogîn bewegn
daz se iwer wil mit decke pflegn
noch hînte gesellеclîche,
diu ist helfe und râtes rîche.'
Gâwân sprach 'des vrâget sie.
in iwer bêdr gebot ich hie
bin.' sus sprach diu herzogîn
'er sol in mîner pflege sîn.
lât ditz volc slâfen varn:
ich sol in hînte sô bewarn
daz sîn nie friundîn baz gepflac.
Flôranden von Itolac
und den herzogen von Gôwerzîn
lât in der rîter pflege sîn.'

641 Gar schiere ein ende nam der tanz.
juncfrowen mit varwen glanz
sâzen dort unde hie:
die rîter sâzen zwischen sie.
des freude sich an sorgen rach,
swer dâ nâch werder minne sprach,
ob er vant süeziu gegenwort.
von dem wirte wart gehôrt,
man soltez trinken für in tragn.
daz mohten werbære klagn.
der wirt warp, mit den gesten:
in kund och minne lesten.
ir sitzen dûht in gar ze lanc:
sîn herze ouch werdiu minne twanc.
daz trinken gab in urloup.
manegen kerzînen schoup
truogen knappen vor den rîtern dan.
do bevalch mîn hêr Gâwân
dise zwêne geste in allen:
daz muose in wol gevallen.
Lyschoys unt Flôrant
fuoren slâfen al zehant.
diu herzogîn was sô bedâht,
si sprach si gunde in guoter naht.
dô fuor och al der frouwen schar
dâ si gemaches nâmen war:
ir nîgens si begunden
mit zuht die si wol kunden.
Sangîve und Itonjê
fuoren dan: als tet ouch Cundrîê.

642 Bêne und Arnîve dô
schuofen daz ez stuont alsô,
dâ von der wirt gemach erleit:
diu herzogîn daz niht vermeit,
dane wære ir helfe nâhe bî.
Gâwân fuorten dise drî
mit in dan durch sîn gemach.
in einer kemenâte er sach
zwei bette sunder lign.
nu wirt iuch gar von mir verswign
wie diu gehêret wæren:
ez næhet andern mæren.
Arnîve zer herzoginne sprach
'nu sult ir schaffen guot gemach
disem rîter den ir brâhtet her.
op der helfe an iu ger,

13. kuneginne Arnive *F.* 14. herre *DFG.* nu] min *FGg.* pruvet *F.* 16 iuwern *G*, iwern *Fgg*, *ohne* ze. 17. herzoginne *F.* 18. Dazs *F*, daz si *D.* mit deche wil *Gg.* 19. hint gesellechlich *G.* 20. ratis rich *G.* 21. fragt *G.* 22. Ze *G*, Zuo *Fgg.* beder *DF*, beider *G.* 23. gar bin. *D.* sus *D*, ich *(welches sie z. 22 weglassen) dg*, so *g*, do *FGg.* 25. diz *D.* 26. Frowe ich (Frouwe ih *G*) wil in so bewarn (bewarin *G*) *FGgg.* 27. nie friwndinne (frundin *g*) *Dg*, friundin nie *FGdgg.* 28. Florianden von ytolac *G.* 29. herzogn *F.*

641, 1. Gar] Dar nach *alle.* sciere ein ende nam *D*, schier nam ende *Ggg*, schier ende nam *F*, nam ein ende *dg.* 2. varwe *FGdgg.* 5-10. *abgeschnitten F.* 8. wirt *G.* 9. soltz *D*, solde *Gg.* 10. werber *D*, minnare wol *Gg.* 11. gêsten *D.* 12. kunde *FG.* 12. 25. oh *G*, ouch *DF.* 13. duoht *DF*, duhte *G.* 14. werde *FG.* 15. daz trinch *D.* 16. Manic *G*, Manich *F.* cherzenin *G.* 21. floriant *G.* 22. al] = sa *FGgg.* 23. herzoginne *DF.* sô *fehlt Fg.* 24. diu *D.* iach *G.* 25. Da *G.* 27. Ir in gense si *F.* 28. = zuhten *FGgg.* wol *fehlt FGg.* 29. Sangîve *D*, Sangwin *d*, Sagive *Gg*, Sayve *F*, Seyve *gg.* 30. als] sam *F.* ouch *fehlt G.* kundrie *F*, gundrie *G.*

642, 5. wær *F.* nahen *FGgg.* 6. Gawanen *Ddg.* fuorte *FG.* 8. kominatin *G.* kemenaten *die übrigen.* resach *D*, gesach *g.* 9. Vier *FGg.* 10. iuch *G*, iu *D*, ouch *Fdg*, *fehlt g.* 11. gehert *DG.* 12. nahet *alle außer D.* nu andern *Ggg*, nu an den *F.* 13. zer herzoginne Arnîve sprach? 14. guotin *G.* 15-20 *abgeschnitten F.* 15. braht *G.*

iwerr helfe habt ir êre.
ine sage iu nu niht mêre,
wan daz sîne wunden
mit kunst sô sint gebunden,
er möhte nu wol wâpen tragn.
doch sult ir sînen kumber klagn:
ob ir im senftet, daz ist guot.
lêret ir in hôhen muot,
des muge wir alle geniezen:
nu lâts iuch niht verdriezen.'
diu künegîn Arnîve gienc,
dô si ze hove urloub enpfienc:
Bêne ein lieht vor ir truoc dan.
die tür beslôz hêr Gâwân.

643 Kunn si zwei nu minne steln,
daz mag ich unsanfte heln.
ich sage vil lîht waz dâ geschach,
wan daz man dem unfuoge ie jach,
der verholniu mære machte breit.
ez ist ouch noch den höfschen leit:
och unsæliget er sich dermite.
zuht sî dez slôz ob minne site.
nu fuogt diu strenge minne
unt diu clâre herzoginne
daz Gâwâns freude was verzert:
er wær immer unernert
sunder âmîen.
die philosophîen
und al die ie gesâzen
dâ si starke liste mâzen,
Kancor unt Thêbit,
unde Trebuchet der smit,
der Frimutels swert ergruop,
dâ von sich starkez wunder huop,
dar zuo al der arzte kunst,
ob si im trüegen guote gunst
mit temperîe ûz würze kraft,
âne wîplîch gesellesschaft
sô müeser sîne schärpfe nôt
hân brâht unz an den sûren tôt.
ich wil iuz mære machen kurz.
er vant die rehten hirzwurz,
diu im half daz er genas
sô daz im arges niht enwas:

644 Diu wurz was bî dem blanken brûn.
muoterhalp der Bertûn,
Gâwân fil li roy Lôt,
süezer senft für sûre nôt
er mit werder helfe pflac
helfeclîche unz an den tac.
sîn helfe was doch sô gedigen
deiz al daz volc was verswigen.
sît nam er mit freuden war
al der rîter unt der frouwen gar,
sô daz ir trûrn vil nâch verdarp.
nu hœrt ouch wie der knappe warp,

18. Ichn *G*. 21. moht *G*. wappen *F*, wappin *G*. 22. chumbir *G*. 23. ir in *FGg*. 24. Lert *Ggg* = in nu *Ggg*, nu *F*. 25. mug wir alle wol *F*. 27. 28. gie-enphie *F*. 28. uorloup *F*. 29. lieh *G*. vor in truoch dan *G*, truoch vor ir (in *F*) dan *Fgg*. truog tan *d*. 30. = min her *FGgg*.

643, 1. Cunnen *G*, Bunnen *D*, Chunnen *F*. 2. unsamfte *G*. 3. sagiu liht *Fgg*. lihte *DG*. daz da *D*. 4. unfuog ie *Fdgg*, ie ungefuoge *G*, die unfuge *g*, unfuoge *D*. 5. Die verholniu mær machent breit *F*. virholne mær *G*. mære ie *D*. = machet *Ggg*. 6. ouch *fehlt FGg*: *dann* hovischærn *G*, hovescharen *g*, h . . . schbæren *F*. 7. Oh *G*, ouch *DF*. 8. zuht sî *fehlt G*. des *D*, das *dg*, *fehlt FGgg*. op *G*. 9. fuogit *G*, fuogete *D*, *nicht lesbar in F*. 11. sorge *G*. wart *FGg*. 12. wære *D*. unrewert *D*. 14. Philosopfien *D*. 15. alle *DFG*. 17. Chanchor *D*, Chancor *g und (so scheints) F*, Kanchor *dg*, Crancor *g*, Charncor *G*. Tebit *gg und vermutlich F*, bebit *G*. 18. unt *D*. 19. Frimutelles? 20. starches *G*. 21. arzate *D*, arzet *Ggg*, arzt *F*, artzat *dg*. 23. temperie *gg*, temprîe *D*, temperi *Fd*, tempre *G*. ûz] unde mit *FGg*. 25-30 *abgeschnitten F*. 25. siner swære not *G*. 26. unze an sinen tot *Gdgg*. 27. iu daz *G*. 30. niene was *G*.

644, 1. wurze *Gg*, wuorze *F*, wrce *D*. blanch bruon *D*. 2. bertuon *D*, britun *G*, brytun *F*. 3. fillu roy *D*, filioroys *G*, fyllyroys *F*, fillurois *g*, fily roy *d*, fiz Lu Roys *g*, filli roys *g*. 4. senfte *DFG*. suor *F*. 5. froude *FGgg*. 6. Helflich *FGgg*. 7. wart *G*. doch so *Dd* = echt so *g*, also *FGgg*. 8. Daz *alle außer D*. was gar *gg*, wart gar *FG*. gedign-verswign *F*. 10. Al der frouwen un̄ der riter schar *G*. 11. trurin *G*, truoren *D*, truoren *F*. 12. hort *G*, hœret *F*, horet *D*.

den Gâwân hête gesant
hin ze Löver in daz lant,
ze Bems bî der Korcâ.
der künec Artûs was aldâ,
unt des wîp diu künegîn,
und maneger liehten frouwen schîn,
und der massenîe ein fluot.
nu hœrt och wie der knappe tuot.
diz was eines morgens fruo:
sîner botschefte greif er zuo.
diu künegîn zer kappeln was,
an ir venje si den salter las.
der knappe für si kniete,
er bôt ir freuden miete:
einen brief si nam ûz sîner hant,
dar an si geschriben vant
schrift, die si bekante
ê sînen hêrren nante
645 Der knappe den si knien dâ sach.
diu künegîn zem brieve sprach
'ôwol der hant diu dich schreip!
âne sorge ich nie beleip
sît des tages daz ich sach
die hant von der diu schrift geschach.'
si weinde sêre und was doch vrô:
hin zem knappen sprach si dô
'du bist Gâwânes kneht.'
'jâ, frowe. dernbiutet iu sîn reht,
dienstlîch triwe ân allen wanc,
und dâ bî sîne freude kranc,
irn welt im freude machen hôch.
sô kumberlîch ez sich gezôch
nie umb al sîn êre.
frouwe, ernbiut iu mêre,
daz er mit werden freuden lebe,
und vreischer iwers trôstes gebe.
ir mugt wol an dem brieve sehn
mêre denne i'us künne jehn.'
si sprach 'ich hân für wâr erkant
durch waz du zuo mir bist gesant.
ich tuon im werden dienst dar
mit wünneclîcher frouwen schar,
die für wâr bî mîner zît
an prîse vor ûz hânt den strît.
âne Parzivâles wîp
unt ân Orgelûsen lîp
sone erkenne ich ûf der erde
bî toufe kein sô werde.
646 Daz Gâwân von Artûse reit,
sît hât sorge unde leit
mit krache ûf mich geleit ir vlîz.
mir sagete Meljanz von Lîz,
er sæhe in sît ze Barbigœl.
ôwê,' sprach si, 'Plimizœl,
daz dich mîn ouge ie gesach!
waz mir doch leides dâ geschach!
Cunnewâre de Lâlant
wart mir nimmer mêr bekant,
mîn süeziu werdiu gespil.
tavelrunder wart dâ vil
mit rede ir reht gebrochen.
fünftehalp jâr und sehs wochen
ist daz der werde Parzivâl
von dem Plimizœl nâch dem grâl
reit. dô kêrt och Gâwân
gein Ascalûn, der werde man.
Jeschûte und Eckubâ
schieden sich von mir aldâ.

12. het *F.* 14. Lover *FG.* inz *g.* 15. ce Bems *D*, Zebeins *G*, Zuo beems *d*, Zuo benis *gg*, ZeRabins *F*, Zů Sabins *g.* Chorcha *DGg*, korcha *Fg*, corhta *g*, karco *d.* 18. maneger frouwen liehter *D*, maniger (manig *d*) liechter frawen *dg.* 19. der *D*, ouch der *G*, der werden *die übrigen.* mæssenie *F*, mæssenide *D.* 20. hœret *F*, horet *DG.* ouch *DF.* 21. Ditz *F*, Daz *G.* eins *DFG.* 22. botschaft *F.* 23. kappel *F.* 24. vênie *D.* 26. froude *Fdgg*, fromede *G.* 27. Einem *G.* 28. scriben *G.* 29. Schrifte *G.* bechande *G.* bekande *Fgg.* 30. sinen herrn *Dd*, si sinen herren *F*, si sin herze *G*, er sinen herren *gg*, sy der knappe *g.* nande *Fgg.*
645, 1. Den sy da vor ir knien sach *g.* knien da *D*, knien *F*, da knien *Gdgg.* 2. Die *G.* 3. Wol *FGgg.* 10. der enbiutet *D*, ern biut *Gg*, er enbütet *g.* 11. dienstliche *D.* 13. iren *D*, Irne *G.* wellet *D.* 15. nie al umbe sin ere *Gd.* 16. er enbiut *D*, er nebiut *G.* 18. = und *fehlt Ggg.* vreischer] vreiscet *D*, freischet er *die übrigen.* iẘer *D.* 20. dane *G.* i'us] ichs iu *D*, ichs *d*, ich úch *dg*, ih *Gg.* 23. werdiu *D.* 24. werdechlicher *G.* 26. Hant vor uz den besten strit *G.* 27. Parcifals *D.* 28. Unde an *G.* 30. cheine *D*, deheine *G.*
646, 3. chrache *D*, roch (râche?) *d* = chraft *G.* 5. sah *G.* = Parbig. *Dd.* 6. owi *D.* blimzol *G.* 9. Kuneware *G.* 10. nimer me *G.* 11. sueze werde *G.* 12. Tavelrunde *Dd.* 14. iare unde sehse *G.* 16. blimzol *G.* 18. aschalun *G.* 19. Êckuba *D*, trebuca *G.*

grôz jâmer nâch der werden diet
mich sît von stæten fröuden schiet.'
diu künegîn trûrens vil verjach:
hin zem knappen si dô sprach
'nu volge mîner lêre.
verholne von mir kêre,
unz sich erhebe hôch der tac,
deiz volc ze hove wesen mac,
rîter, sarjande
diu grôze mahinande,
647 Uf den hof du balde trabe.
enruoch dîn runzît iemen habe:
dâ von soltu balde gên
aldâ die werden rîter stên.
die vrâgnt dich âventiure:
als du gâhest ûzem fiure
gebâr mit rede und ouch mit siten.
von in vil kûme wirt erbiten
waz du mære bringest
waz wirrt ob du dich dringest
durchz volc unz an den rehten wirt,
der gein dir grüezen niht verbirt?
disen brief gib im in die hant,
dar an er schiere hât erkant
dîniu mære und dîns hêrren ger:
des ist er mit der volge wer.
noch mêre wil ich lêren dich.
offenlîche soltu sprechen mich,
dâ ich und ander frouwen
dich hœren unde schouwen.
dâ wirb umb uns als du wol kanst,
ob du dîm hêrren guotes ganst.

und sage mir, wâ ist Gâwân?'
der knappe sprach 'daz wirt verlân:
ich sage niht wâ mîn hêrre sî.
welt ir, er blîbet freuden bî.'
der knappe was ir râtes vrô:
von der küneginne er dô
schiet als ir wol habt vernomn,
und kom ouch als er solde komn.
648 Reht umbe den mitten morgen
offenlîche und unverborgen
ûf den hof der knappe reit.
die höfschen prüeveten sîniu kleit
wol nâch knappelîchen siten.
ze bêden sîten was versniten
daz ors mit sporn sêre.
nâch der künegîn lêre
er balde von dem orse spranc.
umb in huop sich grôz gedranc.
kappe swert unde sporn
untz ors, wurden diu verlorn,
dâ kêrt er sich wênec an.
der knappe huop sich balde dan,
dâ die werden rîter stuonden,
die vrâgen in beguonden
von âventiure mære.
si jehent daz reht dâ wære,
ze hove az weder wîp noch man,
ê der hof sîn reht gewan,
âventiur sô werdeclîch,
diu âventiure wære gelîch.
der knappe sprach 'in sag iu niht.
mîn unmuoze mir des giht:

22. sît *fehlt* *Gg*. 27. unze *DG*. 28. daz dz *D*, Da dez *G*, Das das *d*, Da daz *gg*, So daz *g*. 29. unde sariant *Gd*. 30. = Unde diu *Ggg*. guote *Ggg*. mahinante *D*, machinande *g*, mahenande *Gg*. machenande *g*, machemant *d*.

647, 1. drabe *G*. 2. enruoche *DG*. ob din *alle, nur g* ob daz. = niemen *Ggg*. 4. Da *Gdg*. 5. vragent *D*, fragint *G*. 6. Alse *G*. uoz eime *D*, uz einem *die übrigen*. 7. Gebar *d*, gebare *DG*. unt mit *Gdgg*. 8. gebiten *D*. 10. wirret *alle*. dich *fehlt d*. 11. Durch daz, *ohne* rehten, *Gdgg*. 13. Den *Gdg*. 14. Dar er schier *G*. 15. herzen *alle außer D*. 17. Mere wil ih noch *Ggg*. mer *D*. 18. Offenlich *d*, Offenlichen *Ggg*. 21. wirbe umbe *G*. 22. dime *D*. wol guotes *G*. 23. So sag *Gg*. 24. Frouwe diz mære (*fehlt g*) wirt virlan *Ggg*. 25. = Ich ensag *Ggg*. *dann* iu *alle außer g*. wa er sy *dg*. 26. belibet *DG*. 27. chanappe *G*. = wart *Ggg*. 29 *fehlt G*. 30. Unde chome als *G*.

648, 3. = Der chnappe uf den hof reit *Ggg*. 4. pruovente *G*. 5. knapplichen *g*, knappechlichen *D*. 7. sporin *G*. 9. = Balde er *Ggg*. 10. = wart da groz *Ggg*. 11. = Sin swert kappe *Ggg*. un̄ de sporen *G*. 12. = Unde daz ors werdent diu *Ggg*. 13. cherte *G*. 15. die werde *G*. stûnden *D*. 16. begunden *alle*. 18. Die *G*. iahen *Gdg*. 19. az] da *G*. 20. Ę daz *Gdgg*. dir hof *G*. 21. werdelich *G*. 23. ine sag *D*, ih ensage *G*.

daz sult ir mir durch zuht vertragn,
und ruocht mir vome künege sagn.
den het ich gern gesprochen ê:
mir tuot mîn unmuoze wê.
ir vreischt wol waz ich mære sage:
got lêre iuch helfe und kumbers klage.'

649 Diu botschaft den knappen twanc
daz ern ruochte wer in dranc,
unz in der künec selbe sach,
der sîn grüezen gein im sprach.
der knappe gab im einen brief,
der Artûs in sîn herze rief,
dô er von im wart gelesn,
dô muoser bî beiden wesn,
daz ein was freude untz ander klage.
er sprach 'wol disem süezem tage,
bî des liehte ich hân vernomen,
mir sint diu wâren mære komen
um mînen werden swestersuon.
kan ich manlîch dienst tuon,
durch sippe und durch gesellescbaft,
ob triwe an mir gewan ie kraft,
sô leist ich daz mir Gâwân
hât enboten, ob ich kan.'
hin zem knappen sprach er dô
'nu sage mir, ist Gâwân vrô?'
'jâ, hêrre, ob ir wellet,
zer freude er sich gesellet:'
sus sprach der knappe wîse.
'er schiede gar von prîse,
ob ir in liezet under wegen:
wer solt ouch dâ bî freuden pflegen?
iwer trôst im zucket freude enbor:
unz ûzerhalb der riwe tor
von sîme herzen kumber jagt
daz ir an im iht sît verzagt.

650 Sîn herze enbôt sîn dienst dâ her
der küneginne: ouch ist sîn ger,
daz al der tavelrunder schar
sînes diens nemen war,
daz si an triwe denken
und im freude niht verkrenken,
sô daz si iu komen râten.'
al die werden des dâ bâten.
Artûs sprach 'trûtgeselle mîn,
trac disen brief der künegîn,
lâz si dran lesen unde sagn,
wes wir uns frewen und waz wir klagn.
daz der künec Gramoflanz
hôchvart mit lôsheite ganz
gein mîme künne bieten kan!
er wænt, mîn neve Gâwân
sî Cidegast, den er sluoc,
dâ von er kumbers hât genuoc.
ich sol im kumber mêren
und niwen site lêren.'
der knappe kom gegangen
dâ er wart wol enpfangen.
er gap der küneginne den brief,
des manec ouge über lief,
dô ir süezer munt gelas
al daz dran geschriben was,
Gâwâns klage und sîn werben.
dône liez och niht verderben
der knappe zal den frouwen warp
dar an sîn kunst niht verdarp.

26. ruochet *DG*, geruht *gg*. von dem *G*. 27. = Den wolde ich *(fehlt G)* gerne sprechen ç *Ggg*. 29. = Ir freischet schiere waz ih sage *Ggg*.

649, 3. der wirt *Ggg*. = ersach *Ggg*. 4. = sinen gruoz *Ggg*. 5. In die hant gab er im *Ggg*. 6. Artuse *D*. sine *G*. 7. = was *Ggg*. 8. bi den beiden *Gdgg*. 9. untz *D*, daz *die übrigen*. 13. miner *D*. 14. manlichen *Gdg*. 16. gewan an mir ie *gg*, gewan ie an mir *G*. 20. Sag an ist *Ggg*. 22. = Ze frouden *Ggg*. 23. = sus *fehlt Ggg*. 24. = ouh gar *Ggg*. 26. froude *Gd*. 28. riuwen *Ggg*. 29. Uz *Gg*. sorge *Ggg*. 30. = niht *Ggg*.

650, 1. Min *D und* (*dann* herre) *dg*. = enbiut, *ohne* dâ, *Ggg*. 3. Tafelrunde *Dd*. 4. dienstes *alle außer D*. neme *dg*. 5. = Daz si ir triuwe an im gedenchen *Ggg*. 7. iu *fehlt G*. 8. dâ *fehlt Gg*. 9. = Der kunic sprach geselle min *Ggg*. 11. daz si dran *Dg*, Das sú do (*und* lese) *d*, Bit si den *Ggg*. 12. freuwen *D*, frouwen *G*. 14. = Mit hohvart losheit ganz *Ggg*. 16. wænet *DG*. 17. Sit zidegast *G*. 18. Von dem er *Ggg*. 22. Al da er *G*. 23. = Der kunegin er gap *Ggg*. 26. dar an *alle außer D*. 27. chlagin *Ggg*. sîn *fehlt D*. 28. Do enliez *G*. 29. = zen frouwen allen warp *Ggg*.

651 Gâwâns mâc der rîche
Artûs warp herzenlîche
zer messenîe dise vart.
vor sûmen het ouch sich bewart
Gynovêr diu kurteise
warp zen frouwen dise stolzen reise.
Keie sprach in sîme zorn
'wart abe ie sô werder man geborn,
getorst ich des gelouben hân,
sô von Norwæge Gâwân,
ziu dar nâher! holt in dâ!
sô ist er lîhte anderswâ.
wil er wenken als ein eichorn,
ir mugt in schiere hân verlorn.'
der knappe sprach zer künegîn
'frouwe, gein dem hêrren mîn
muoz ich balde kêren:
werbt sîn dinc nâch iweren êren.'
zeime ir kameræer si sprach
'schaffe disem knappen guot gemach.
sîn ors sult du schouwen:
sî daz mit sporn verhouwen,
gib imz beste daz hie veile sî.
won im ander kumber bî,
ez sî pfantlôse oder kleit,
des sol er alles sîn bereit.'
si sprach 'nu sage Gâwân,
im sî mîn dienst undertân.
urloup ich dir zem künege nim:
dîme hêrren sag och dienst von im.'
652 Nu warp der künec sîne vart.
des wart der tavelrunder art
des tages dâ volrecket.
ez het in freude erwecket,
daz der werde Gâwân
dennoch sîn leben solte hân:
des wâren se innen worden.
der tavelrunder orden
wart dâ begangen âne haz.
der künec ob tavelrunder az,
unt die dâ sitzen solten,
die prîs mit arbeit holten.
al die tavelrunderære
genuzzen dirre mære.
nu lât den knappen wider komn,
von dem diu botschaft sî vernomn.
der huop sich dan ze rehter zît.
der künegîn kameræere im gît
pfantlôse, ors unt ander kleit.
der knappe dan mit freuden reit,
wand er an Artûse erwarp
dâ von sîns hêrren sorge erstarp.
er kom wider, in solhen tagen,
des ich für wâr niht kan gesagen,
ûf Schastel marveile.
Arnîve wart diu geile,
wand ir der portenære enbôt,
der knappe wær mits orses nôt
balde wider gestrichen:
gein dem si kom geslichen,
653 Aldâ der în verlâzen wart.
si vrâgt in umbe sîne vart,
war nâch er ûz wære geritn.
der knappe sprach 'daz wirt vermitn,
frouwe, in tars iu niht gesagen:
ich muozz durch mînen eit verdagen.

651, 2. hofsliche *Gg*. 3. massenide *D*. 4. Ouch was vor sumen gar bewart *Ggg*. soumen *D*. 5. Kynover diu korteise *G*. 6. Sú warb *d*. die *gg*. stolzen *fehlt Gd*. 7. Kai *G*, Key *gg*. 8. abe ie *G*, aber ie *D*. so wert man ie geborn *G*. 9. gloubin *G*. 11. ziu *D*, Zuo *d* = Zehû *G*, Ze heu *g*, Zahiu *g*, Ziecht *g*. dar naher *Dd* = da (nu *g*) hin nu *Ggg*. 18. werbet *DG*. dienc *G*. 19. Zeinem *DG*. 20. Schaffen *G*, Schaffet *gg*. guetin *G*. 27. 28. Geselle sage gawan. Ih si im an dienste under tan *Ggg*. 29. dir von dem *G*.

652. 1. schuof *Ggg*. 2. = Ouch *Ggg*. wart *fehlt G*. tavelunrunder *G*, Tafelrunder (r *in* n *verändert, wohl von andrer Hand*) *D*. 3. al da *D*. 5. der] de *G*. 6. denoch *D*. Dannoch *G*. lebn *D*, lebin *G*. 7. si *DG*. 8. 10. Tavelrunden *Dd*. 10. tavelunrunder *G*. saz *Gg*. 11. 12. soldenholden *Gg*. 13. Al der *G*. tavelrundære *alle außer D*. 17. ze] an *Ggg*. 19. Phandelose *G*. 21. Wan erz *G*. = da ze artuse *Ggg*. 22. herrn *D* = herzen *Ggg*. 25. Ze *Ggg*. Scastel *D*, tschastel *G*, kastel *gg*, tschahtel *g*, schathel *d*. 26. wart *fehlt G*. 27. Wan *G*. bortenare *G*. 30. Zuo dem *Ggg*.

653, 1. er *Gg*. 2. Unt *Ggg*. vragete *D*. fragit *G*. 5. frouwe. ine tars *D*, Frowe ih engetar es *G*, 6. muoz *Gdg*, muoz ez *Dg*, muosz úchs *g*. vil virdagen *G*.

ez wære ouch mîme hêrren leit,
bræch ich mit mæren mînen eit:
des diuhte ich in der tumbe.
frouwe, vrâgt in selben drumbe.'
si spiltz mit vrâge an manegen ort:
der knappe sprach et disiu wort,
'frouwe, ir sûmet mich ân nôt:
ich leist daz mir der eit gebôt.'
  er gienc da er sînen hêrren vant.
der turkoite Flôrant
und der herzoge von Gôwerzîn
und von Lôgroys diu herzogîn
saz dâ mit grôzer frouwen schar.
der knappe gienc ouch zuo zin dar.
ûf stuont mîn hêr Gâwân:
er nam den knappen sunder dan
unt bat in willekomen sîn.
er sprach 'sag an, geselle mîn,
eintweder freude oder nôt,
oder swaz man mir von hove enbôt.
  funde du den künec dâ?'
der knappe sprach 'hêrre, jâ,
ich vant den künec unt des wîp,
und manegen werdeclîchen lîp.
654 Si enbietent iu dienst unde ir komn.
iwer botschaft wart von in vernomn
alsô werdeclîche,
daz arme unde rîche
sich freuten: wand ich tet in kunt
daz ir noch wæret wol gesunt.
ich vant dâ hers ein wunder:
ouch wart diu tavelrunder
besetzet durch iur botschaft.
ob rîters prîs gewan ie kraft,
ich meine an werdekeite,
die lenge und ouch die breite
treit iwer prîs die krône
ob anderen prîsen schône.'
  er sagte im ouch wie daz geschach
daz er die küneginne sprach,
und waz im diu mit triwen riet.
er sagte im ouch von al der diet,
von rîtern und von frouwen,
daz er se möhte schouwen
ze Jôflanze vor der zît
ê wurde sînes kampfes strît.
Gâwâns sorge gar verswant:
niht wan freud er im herzen vant.
Gâwân ûz sorge in fröude trat.
den knappen erz verswîgen bat.
al sîner sorge er gar vergaz,
er gienc hin wider unde saz,
und was mit freuden dâ ze hûs,
unz daz der künec Artûs
655 mit her in sîne helfe reit.
nu hœret lieb unde leit.
  Gâwân was zallen zîten vrô.
eins morgens fuogtez sich alsô
daz ûf dem rîchen palas
manec rîter unde frouwe was.

7. ez wære ouch *D*, Es were *d*, Daz were *g*, Ouch ware *Gg*, Auch were es *g*. 8. bræche *D*, Brache *G*, 9. dûhte *D*, dûhte *G*. in *Ggg*, iuch *Ddg*. tûmbe *G*. 10. vrâget *D*, fraget *G*. selbe *Gg*. 11–14 *fehlen Gg*. 14. leiste *Ddg*. 15. er gawanen vant *Ggg*. 16. tûrkoite *G*, Turkote *D*. floriant *G*. 18. und *fehlt G*. lorgrois *G*. 19. = Da saz *Ggg*. unde ander frouwen schar *Gg*. 20. gie *D*. zuo in *G*. 21. mîn *fehlt Ggg*. 23. = Er hiez in *Ggg*. 24. nu sage *Ggg*. an *fehlt Gg*. 25. Einweder *G*. 26. Unde *Gg*. 29. = unde sin wip *Ggg*. 30. = Unde dar zuo manigen werden lip *Ggg*.

654, 1. komē *G*. 4. Also gar *Gd*. 4. Der arme unde der *G*. 5. wan ih *G*. 6. noh wâret *G*. Ih sah da *Ggg*. 9. iwer *D*, iwer *G*. 10. Obe riters bris gwan *G*. 11-14. Ih meine an langer werdecheit. Die sint in alle da bereit *Ggg*. 15. seît *Dd*. 16. chûninginne *G* (*so die dritte hand oft, auch* chûningin, *aber* chûnich chûnige). gesprach *Gg*, besprach *g*. 19. Von den ritern unde von den frouwen *Gg*. 20. = die *Ggg*. móhte *G*. 21. tschofflanze *Gg*. von *D*, in *g*. 22. kanphes *G*. 23-26 *hat g und hatte wohl F (angenommen daſs ihr* 653, 11-14 *fehlten: denn die verlorenen sechs blätter enthielten* 960 *verse)*: 23. 24 *fehlen Gg*, 25. 26 *fehlen Ddg*. 24. freude er ime *D*. 25. sorgen *alle*. 27. sorde *D*, sorgen *Gg*, not *g*. gar *Dd* = da *Gg*, *fehlt gg*. 30. unze *DG*.

655, 1. hêr *G*. 2. Nû hôret *G*. 4. vuochte iz sih *G*. 5. richem *D*.

in ein venster gein dem pflûm
nam er im sunder einen rûm,
dâ er und Arnîve saz,
diu vremder mære niht vergaz.
Gâwân sprach zer künegîn
'ôwê liebiu frouwe mîn,
wolt iuch des niht betrâgen,
daz ich iuch müeste vrâgen
von sus getânen mæren,
diu mich verswîget wæren!
wan daz ich von iur helfe gebe
alsus mit werden freuden lebe:
getruoc mîn herze ie mannes sin,
den het diu edele herzogin
mit ir gewalt beslozzen:
nu hân ich iwer genozzen,
daz mir gesenftet ist diu nôt.
minne und wunden wære ich tôt,
wan daz iur helfeclîcher trôst
mich ûz banden hât erlôst.
von iwerr schult hân ich den lîp.
nu sagt mir, sældehaftez wîp,
um wunder daz hie was unt ist,
durch waz sô strengeclîchen list
656 der wîse Clinschor het erkorn:
wan ir, ich hets den lîp verlorn.'
Diu herzenlîche wîse
(mit sô wîplîchem prîse
kom jugent in daz alter nie)
sprach 'hêrre, sîniu wunder hie
sint da engein kleiniu wunderlîn,
wider den starken wundern sîn
dier hât in manegen landen.
swer uns des giht ze schanden,
der wirbet niht wan sünde mite.
hêrre, ich sage iu sînen site:
der ist maneger diete worden sûr.
sîn lant heizt Terre de Lâbûr:
von des nâchkomn er ist erborn,
der ouch vil wunders het erkorn,
von Nâpels Virgilîus.
Clinschor des neve warp alsus.
Câps was sîn houbetstat.
er trat in prîs sô hôhen pfat,
an prîse was er unbetrogen.
von Clinschor dem herzogen
sprâchen wîb unde man,
unz er schaden sus gewan.
Sicilje het ein künec wert:
der was geheizen Ibert,
Iblis hiez sîn wîp.
diu truoc den minneclîchsten lîp
der ie von brüste wart genomn.
in der dienst was er komn,
657 unz sis mit minnen lônde;
dar umbe der künec in hônde.
Muoz ich iu sîniu tougen sagn,
des sol ich iwern urloup tragn:
doch sint diu selben mære
mir ze sagen ungebære,
wâ mit er kom in zoubers site.
zeim kapûn mit eime snite
wart Clinschor gemachet.'
des wart aldâ gelachet

7. Indem *G*, In einem *d*, In den fenstern *g*. gen einem *g*. pfluom *D*, flûm *die übrigen*. 8. = Chos *Ggg*. er *fehlt G*. ruom *D*. 10. Diu suozer mâre *Gg*. 11. Do sprah er zer chûningin *Ggg*. 12. owi *D*. 13. = Woldes iuch *Ggg*, Wold euch sin *g*. 14. muose (*mit* o̊, *welches die dritte hand immer für* ou, uo, üe *gebraucht) G* 15. 16. Alsus getaner mâre. Daz ich (Daz ez *g*, Der ich *g*) verswigen wâre *Ggg*. 16. mich *Dd*, wenic *g*. verswîget *D*, verswigen *die übrigen*. 17. iwer *D*, iwere *G*. 18. frouwen *G*. 21. gwalt *G immer*. 25. iwer helfchliher *G*. 26. von sorgen *Ggg*. 27. = Von iwern schulden *Ggg*. 29. umbe *DG*. uñ *D*, unde *G*. 30. strengechlihen *G*.

656, 1. wîse *fehlt G*. clinsor *G immer*. 3. bescheidenlihe *Gg*, hertzoginne *g*. 4. wiblihen brise *G*. 5. inz *D* = an daz *Ggg*. 6. Si sprah *Ggg*. 7. engein *Dg*, gein *dgg*, wider *G*. 8. = Gein *Ggg*. 9. di er *D*, Die er *G*. 11. newirbet *Gg*, erwirbet *dg*. = der mite *g*, da mite *Ggg*. 12. iu *fehlt G*. 14. heizet *DG*. Terre de Labuor *D* = terra labúr *Ggg*. 15. ist er *alle außer D*. geborn *alle außer DG*. 16. vvnders *G*. 19. Châps *D*. ist *Gg*. ein *G*. 20. prise *D*, brise *G*. hohez *Ggg*. 24. Unzer sûs schaden gwan *G*. 25. Sicylie *D*, Secilie *Ggg*. 26. Gibert *D*. 27. Îblis *D* = Ibilis *Ggg*. 28. minnichlibsten *G*, minnechlisten *D*. 30. An *G*. dienste *D*.

657, 1. unze *DG oft*. lonte-honte *G*. 3. = Sol *Ggg*. sine *D*. 4. = muoz *Ggg*. 7. Wo von *d* = Durh waz *Ggg*. 8. zeime *D*, Zeinem *G*. kapune *D*, chappen *G*.

von Gâwâne sêre.
si sagte im dennoch mêre
'ûf Kalot enbolot
erwarber der werlde spot:
daz ist ein burc vest erkant.
der künec bî sînem wîbe in vant:
Clinschor slief an ir arme.
lager dâ iht warme,
daz muoser sus verpfenden:
er wart mit küneges henden
zwischenn beinn gemachet sleht.
des dûhte den wirt, ez wær sîn reht.
der besneit in an dem lîbe,
daz er decheinem wîbe
mac ze schimpfe niht gefrumn.
des ist vil liute in kumber kumn.
ez ist niht daz lant ze Persîâ:
ein stat heizet Persidâ,
dâ êrste zouber wart erdâht.
dâ fuor er hin und hât dan brâht

658 daz er wol schaffet swaz er wil,
mit listen zouberlîchiu zil.
Durch die scham an sîme lîbe
wart er man noch wîbe
guotes willen nimmer mêr bereit;
ich mein die tragent werdekeit.
swaz er den freuden mac genemn,
des kan von herzen in gezemn.
ein künec der hiez Irôt,
der ervorht im die selben nôt,
von Rosche Sabînes.
der bôt im des sînes
ze gebenne swaz er wolde,
daz er vride haben solde.
Clinschor enpfienc von sîner hant
disen berc vest erkant
und an der selben zîle
alumbe aht mîle.
Clinschor dô worhte ûf disen berc,
als ir wol seht, diz spæhe werc.
aller rîcheit sunder
sint hie ûf starkiu wunder.
wolt man der bürge vâren,
spîs ze drîzec jâren
wær hie ûffe manecvalt.
er hât ouch aller der gewalt,
mal unde bêâ schent,
die zwischen dem firmament
wonent unt der erden zil;
niht wan die got beschermen wil.

659 hêr, sît iwer starkiu nôt
ist worden wendec âne tôt,
Sîn gâbe stêt in iwer hant:
dise burc unt diz gemezzen lant,
ern kêrt sich nimmer mêr nu dran.
er solt ouch vride von im hân,
des jaher offenbâre
(er ist mit rede der wâre),
swer dise âventiure erlite,
daz dem sîn gâbe wonte mite.
swaz er gesach der werden
ûf kristenlîcher erden,
ez wære magt wîp oder man,
der ist iu hie vil undertân:
manc heiden unde heidenîn
muose ouch bî uns hie ûf sîn.
nu lât daz volc wider komn
dâ nâch uns sorge sî vernomn.

12. = fürbaz *Ggg.* 13. kalot enbolot *d*, kalot Bolot *D* = kalotenpolot *gg*, kalotempolot *G.* 17. Er slief *G.* 21. zwiscen den beinen *DG.* 22. künich *G.* er hetes reht *Gd.* 26. Des is vil lûte in kumber in chomen *G.* 27. niht ein *G*, ein *g.* Pêrsia *D.* 28. = persita *gg*, presita *G.* 29. = alrerste *Ggg.* zoubers *Ggg.* gedaht *g.* 30. Dar, *ohne* hin *gg.* dan *D*, *fehlt d*, dannen *die übrigen.*

658, 1. wol] = nu *Ggg.* 2. spil *G.* 4. = Sone wart *G.* mann *D*, manne *dgg.* 5. nimermer *D*, nimmir me *G.* 7. den] der *D.* frouwen *Gg.* 9. = der *fehlt Ggg.* heizet *G.* Jrot *Dg*, Gyrot *dgg*, Cyrot *G.* 10. = vorhte *Ggg.* in *G.* 11. roisabins *G.* 12. Der bot im des sinen zins *gg.* 13. gebene *D.* 15. enphie *G.* 18. ahte *G.* 20. diz] daz *Gdg.* 21. richeîte *D.* 22. uffe *DG.* 23. = Swer der bürch wolde varen *Ggg.* wolte *D.* 24. spise *DG.* 25. wære *D*, Wert *G.* 27. beascent *D*, beahzent *G*, beagent *gg.* 28. enzwischen *Ggg.* 29. unde under der *Ggg.* erde *Gg.* 30. beschirmen *Gdg.*

659, 1. = scharpfe *gg*, scharhiu *G.* 2. = wendich worden *Ggg.* 4. Disiu *G.* ditze *G.* 5. Erne *G*, eren *D.* nimermer *D*, nimmir me *G.* 6. Ir solt *d* = Ir sûlt *Ggg*, von im fride *G.* 7. offembare *D*, offenbere *gg.* 8. = gewâre *Gg*, gewere *gg.* 11. gesech *d.* 12. christenlihen *G* 14. iu *fehlt G.* 15. manech *D*, Manich *G.* unt *D.* 16. = Muosen [ouch *g*] hie uffe bi uns sin *Ggg.* uffe *D.* 17. diz *D.* 18. ist *gg*, is *G*,

ellende frumt mirz herze kalt.
der die sterne hât gezalt,
der müeze iuch helfe lêren
und uns gein freuden kêren.
ein muoter ir fruht gebirt:
diu fruht sînr muoter muoter wirt.
von dem wazzer kumt daz îs:
daz læt dan niht decheinen wîs,
daz wazzer kum ouch wider von im.
swenne ich gedanke an mich nim
daz ich ûz freuden bin erborn,
wirt freude noch an mir erkorn,
660 dâ gît ein fruht die anderr fruht.
diz sult ir füegen, habt ir zuht.
Ez ist lanc daz mir freude enpfiel.
von segel balde gêt der kiel:
der man ist sneller der drûf gêt.
ob ir diz bîspel verstêt,
iwer prîs wirt hôch unde snel.
ir mugt uns freude machen hel,
daz wir freude füern in manegiu lant,
dâ nâch uns sorge wart erkant.
etswenne ich freuden pflac genuoc.
ich was ein wîp diu krône truoc:
ouch truoc mîn tohter krône
vor ir landes fürsten schône.
wir heten bêde werdekeit.
hêr, ichn geriet nie mannes leit,
beidiu wîb unde man
kund ich wol nâh ir rehte hân:
erkennen unde schouwen
zeiner rehten volkes frouwen
muose man mich, ruochtes got,
wand ich nie manne missebôt.
nu sol ein ieslîch sælec wîp,
ob si wil tragen werden lîp,
erbietenz guoten liuten wol:
si kumt vil lîhte in kumbers dol,
daz ir ein swacher garzûn
enger freude gæbe wîten rûn.
hêr, ich hân lange hie gebitn:
nie geloufen noch geritn
661 kom her der mich erkande,
der mir sorgen wande.'
Dô sprach mîn hêr Gâwân
'frowe, muoz ich mîn leben hân,
sô wirt noch freude an iu vernomn.'
des selben tages solt ouch komn
mit her Artûs der Bertûn,
der klagenden Arnîven sun,
durch sippe unt durch triuwe.
manege banier niuwe
sach Gâwân gein im trecken,
mit rotte'z velt verdecken,
von Lôgroys die strâzen her,
mit manegem lieht gemâlem sper.
Gâwâne tet ir komen wol.
swer samnunge warten sol,
den lêret sûmen den gedanc:
er fürht sîn helfe werde kranc.
Artûs Gâwâne den zwîvel brach.
âvoy wie man den komen sach!
Gâwân sich hal des tougen,
daz sîniu liehten ougen
weinen muosen lernen.
zeiner zisternen

19. vriunt *Ggg*. min *Ggg*. 24. Die frücht zü siner müter wirt *g*. siner] ir *g*. der? muoter *nur einmahl G*. 26. enlat *G*, enlet *gg*. danne *G*, denne *D*. niht *fehlt G*. decheinen *D*, keinen *g*, deheine *Gg*, do keine *d*, keine *g*. gwis *D*. 27. chom *Gd*, enchum *D*. 28. genim *G*. 29. ze frouden *G*. = geborn *Ggg*. 30. = Wirt imer froude an mir erkorn *Ggg*.

660, 2. Do *d* = Daz *Ggg*. 3. Es *G*. 4. Von dem segel get balde *Ggg*. khiel *D*. 5. druffe *Ddgg*. 6. ditze *G*. 7. = ist *Ggg*. 8. frouden *Gg*. 9. fueren *DG*. 10. Da nah *G*, danach *Dg*, Dar nach *dgg*. iamer *Gg*. 11. froude *Gdg*. gnuoch *G*. 16. ich engeriet *Dgg*, ih geriet *Gd*. 18. kund *gg*. 19. Hôren *Ggg*. 21. = mich han *gg*, mih haben *G*. ruochts *D*, ruohtes *G*. 22. Wan ih *G*. 23. = Ez sol *Ggg*. sælec *fehlt d* = sinnich *Ggg*. 24. = haben *Ggg*. 25. erbieten ez *D* = Erbieten *Ggg*. 27. garzuon *D*. 28. ruon *D*, rûm *Gdg*. 29. hie *fehlt Ggg*. 30. Niemen *alle außer D*.

661, 1. = Her chom *Ggg*. her *fehlt d*. 2. Oder der *d*, Und *gg*, mir sorge erwande *d*, minen chumber wande *Ggg*. 3. = Do sprah der werde gawan *Ggg*. 9. Durch chlage *Gg*. 10. baniere niwe *D*. 12. rottez (z *aus* n *gemacht*) *D*, rotes *d*, rotte das *g*, rotten *g*, ritern *Gg*. verdecchet *G*. 13. strazze *Ggg*. 14. = gemaltem *Ggg*. 15. 19. Gawan *G*. 17. lert *D*. sûmen den] sunder *Gg*. 18. fûrht *G*, furhtet *D*. 23. muose *G*.

wârn si beidiu dô enwiht:
wan si habtens wazzers niht.
von der liebe was daz weinen,
daz Artûs kunde erscheinen.
von kinde het er in erzogen:
ir bêder triuwe unerlogen
662 stuont gein ein ander âne wanc,
daz si nie valsch underswanc.
Arnîve wart des weinens innen.
si sprach 'hêrre, ir sult beginnen
vreud mit vreuden schalle:
hêr, daz trœst uns alle.
gein der riwe sult ir sîn ze wer.
hie kumt der herzoginne her:
daz trœst iuch fürbaz schiere.'
herberge, baniere,
sah Arnîve und Gâwân
manege füeren ûf den plân,
bî den allen niht wan einen schilt:
des wâpen wâren sus gezilt,
daz in Arnîve erkande,
Isâjesen si nande;
des marschalc, Utepandragûn.
den fuort ein ander Bertûn,
mit den schœnen schenkeln Maurîn,
der marschalc der künegîn.
Arnîve wesse wênec des:
Utepandragûn und Isâjes
wâren bêde erstorben:
Maurîn het erworben
sîns vater ambet: daz was reht.
gein dem urvar ûf den anger sleht
reit diu grôze mahinante.
der frouwen sarjante
herberge nâmen,
die frouwen wol gezâmen,
663 bî einem clâren snellen bach,
dâ man schier ûf geslagen sach
Manec gezelt wol getân.
dem künege sunder dort hin dan
wart manc wîter rinc genomn,
und rîtern die dâ wâren komn.
die heten âne vrâge
ûf ir reise grôze slâge.
Gâwân bî Bên hin ab enbôt
sîme wirt Plippalinôt,
kocken, ussiere,
daz er die slüzze schiere,
sô daz vor sîner übervart
daz her des tages wære bewart.
frou Bêne ûz Gâwâns hende nam
d'êrsten gâbe ûz sîme rîchen krâm,
swalwen, diu noch zEngellant
zeiner tiwern härpfen ist erkant.
Bêne fuor mit freuden dan.
dô hiez mîn hêr Gâwân
besliezen d'ûzern porten:
alt und junge hôrten
wes er si zühteclîchen bat.
'dâ derhalben an den stat
sich leget ein alsô grôzez her,
weder ûf lant noch in dem mer
gesach ich rotte nie gevarn
mit alsus krefteclîchen scharn.
wellents uns hie suochen mit ir kraft,
helft mir, ich gib in rîterschaft.'

26. sine *G*. habtens *D*, behabtens *dgg*, behielten des *G*.
662, 3. weines *G*. 4. herre *g*, *fehlt den übrigen*. 5. vreude *D*, Frouden *Ggg*. 6. Her. *g*. = so trost ir uns alle *Ggg*. 8. herzôginne *G oft*. 9. trôst *G*, trœstet *D*. 10. H. manige baniere *Ggg*. 13. einen *Dd* = ein *Ggg*. 15. niht erchande *D allein*. 16. Ysagesen *Gg*. si in *Gdg*. nande *DG*. 17. Des *Gg*, den *die übrigen*. 17. 22. Uotep. *D*, utp. *Ggg*, uterp. *g*. 19. Maûrin *G*. 22. Jsaiês *D*. ysagês *Ggg*. 27. mahinante *D*, mahenande *Gg*, machamante *d*, machenande *g*, machenante *g*. 28. frouw *D*. scariante *D*, sariande *Ggg*.
663, 1. clarem snellem *D*. 2. schiere *G*, sciere *D*. 3. zelt *D*. 5. manech *D*, manich *G*. 6. Von *Ggg*. riteren *D*. 7. di hete *D*. an *G*. vrâge-slâge *mit* â *D*. 9. bene *d*, bênen *die übrigen*. 10. Sinen *G*. wirte *D*. pliplalinot *G*, *aber* 667, 28 plipalinot. 11. = Chochen unde *Ggg*. visiere *G*. 12. diu *G*. 13. So daz da *G*. von *Ggg*. 14. tage *D*. 15. Fro *G*. gawanes *G*. 16. 21. di *D*, Die *G*. sîme richen *D*, siner *Ggg*. 17. noh ze Engelle. *G*. 18. harphen *Gdgg*. 19. Fro bene *Ggg*. 22. Alte *alle aufser D*. da horten *Ggg*. 24. Do *Gg*. der halbn *D*, ienhalp *d* = anderhalben *Ggg*. 25. groz hêr *Ggg* 26. Daz uf *Gg*. lande *D*, dem lande *die übrigen*. mere *G*. 27. roten *Ggg*. 28. = also *Ggg*. krefticlihen *G*. 29. wellent si *DG*. = hie *fehlt Ggg*. ir] = hers *Ggg*. 30. helfet *DG*.

664 Daz lobten se al gelîche.
die herzoginne rîche
si vrâgten, ob daz her wær ir.
diu sprach 'ir sult gelouben mir,
ich erkenn da weder schilt noch man.
der mir ê schaden hât getân,
derst lîhte in mîn lant geriten
und hât vor Lôgroys gestriten.
ich wæn die vant er doch ze wer:
si heten strît wol disem her
an zingeln unde an barbigân.
hât dâ rîterschaft getân
der zornege künec Gramoflanz,
sô suochter gelt für sînen kranz:
oder swer si sint, die muosen sper
ûf geriht sehn durch tjoste ger.'
ir munt in louc dâ wênec an.
Artûs schaden vil gewan,
ê daz er kœme für Lôgroys.
des wart etslîch Bertenoys
ze rehter tjost ab gevalt.
Artûs her ouch wider galt
market den man in dâ bôt.
si kômn ze bêder sît in nôt.
man sach die strîtmüeden komn,
von den sô dicke ist vernomn
daz se ir kotzen gerne werten:
si wârn gein strît die herten.
beidenthalbz mit schaden stêt.
Gârel unt Gaherjêt
665 Und rois Meljanz de Barbigœl
unde Jofreit fîz Idœl
die sint hin ûf gevangen,
ê der buhurt wære ergangen.
och viengen si von Lôgroys
duc Frîam de Vermendoys,
und kuns Ritschart de Nâvers.
der vertet niwan eines spers:
gein swem ouch daz sîn hant gebôt,
der viel vor im durch tjoste nôt.
Artûs mit sîn selbes hant
vienc den degen wert erkant.
dâ wurden unverdrozzen
die poinder sô geslozzen,
dês möhte swenden sich der walt.
manec tjoste ungezalt
rêrten trunzûne.
die werden Bertûne
wârn ouch manlîch ze wer
gein der herzoginne her.
Artûs nâchhuote
muose strîtes sîn ze muote.
man hardierte si den tac
unz dar diu fluot des hers lac.
och solte mîn hêr Gâwân
der herzogîn gekündet hân
daz ein sîn helfære
in ir lande wære:
sô wære des strîtes niht geschehn.
done wolters ir noch niemen jehn
666 E siz selbe sehen mohte.
er warp als ez im tohte,
unde schuof ouch sîne reise
gein Artûse dem Berteneise
mit tiuren gezelten.
nieman dâ moht enkelten,
ob er im was unrekant:
des milten Gâwânes hant

664, 1. si *DG*. 3. wære *D*, wâre *G*. 4. Si *Gdgg*. sult glouben *G*. 5. erchenne *DG*. noh sper. *G*. 7. Ders *G*, der ist *D*. 9. wæne *D*, wâne *G*. 11. Ane-ane *G*. Barbegan *D*. 13. zornige *DG*. 14. suohte er *G*. 15. di *Dgg*, si *Gdg*. 16. gerihtiu *Ggg*. strites *G*. 17. wenech *D*, wenich *G*. 20. britanoys *G*. 22. ouch *Dd* = in *Ggg*, hin *g*. 24. chomen *G*, chomens *D*. 26. Da von *Ggg*. sô] = vil *Ggg*. 28. gegen *D*. strite *DG*. 29. Beidenthalp ez *D*, Bedenthalbe iz *G*. 30. Gaheriêt *D*, Gaharet *G*.

665, 1. rins *G*, der kunec *D*, *fehlt* *d*. de *Ggg*, von *Ddg*. = Parb. *Dd*. 2. tschfreit *G*. fisidol *Ggg*. 5. Ouch vie man der von *g*, Do vingen su aber die von *d*. si *Dg*, die *Gg*. 6. den herzogen *Ddg*. firmam *G*, firman *g*, firam *g*. de *Gg*, von *Dg*, und d, *fehlt* *g*. = fermendois *g*, fimendois *g*, frimidois *G*, frymedoys *g*. 7. küns *gg*, Kunsz *g*, Runs unde *G*, den graven *Dd*. novers *d*, Nivers *g*, Nivevers *g*. ninivers *G*. 8. fuorte *Gg*. ouch niwan *Ggg*. eins *DG*. 12. degen *fehlt* *G*. 14. poinder *D*, poynder *G*. 15. móhte *G*. 16. tyost *G*. 17. Do rerte *d*, Rert ir *Ggg*. 19. ouch] = da *Ggg*. manlih *G*, manliche *D*. 22. 29. strîts *D*. 23. hærdierte *D*, barrierte *g*, parrierte *Gg*. sie *D*. 24. = È daz diu-gelach *Ggg*. 29. Sone *Ggg*. 30. Done wolders (er irs *g*) niht vergehen *Ggg*.

666, 1. siz *D*. 2. warb als iz *G*. 4. britanyse *G*. 6. Niemen moht engelten *Ggg*. 7. unbechant *Ggg*. 8. Gawans *DG* *oft*.

begunde in sô mit willen gebn
als er niht langer wolde lebn.
sarjande, rîter, frouwen,
muosn enpfâhn und schouwen
sîne gâbe sô grœzlîche,
daz si sprâchen al gelîche,
in wær diu wâre hilfe komn.
dô wart ouch freude an in vernomn.
 dô hiez gewinn der degen wert
starker soumær, schœniu frouwen pfert,
und harnasch al der rîterschaft.
sarjande zîser grôze kraft
aldâ bereit wâren.
dô kunder sus gebâren:
dô nam mîn hêr Gâwân
vier werde rîter sunder dan,
daz einer kamerære
und der ander schenke wære,
und der dritte truhsæze,
und daz der vierde niht vergæze,
ern wære marschalc. sus warp er:
dise viere leisten sîne ger.

667 Nu lât Artûsen stille ligen.
Gâwâns grüezen wart verswigen
in den tac: unsanfte erz meit.
des morgens fruo mit krache reit
gein Jôflanze Artûses her.
sîn nâchhuot schuof er ze wer:
dô die niht strîtes funden dâ,
si kêrten nâch im ûf die slâ.
 dô nam mîn hêr Gâwân
sîn ambetliute sunder dan.
niht langr er wolde bîten,
er hiez den marschalc rîten
ze Jôflanze ûf den plân.
'sunderleger wil ich hân.
du sihst daz grôze her dâ ligen:
ez ist et nu alsô gedigen,
ir hêrren muoz i'u nennen,
daz ir den müget erkennen.
ez ist mîn œheim Artûs,
in des hove und in des hûs
ich von kinde bin erzogn.
nu schaffet mir für unbetrogn
mîn reise alsô mit koste dar,
daz mans für rîchheit neme war,
und lât hie ûffe unvernomn
daz Artûs her durch mich sî komn.'
 si leisten swaz er in gebôt.
des wart Plippalinôt
dar nâch unmüezic schiere.
kocken, ussiere,

668 Seytiez und snecken,
mit rotte der quecken
beidiu zorse und ze fuoz
mit dem marschalc über muoz
sarjande, garzûne.
hin nâch dem Bertûne
si kêrten her unde dâ
mit Gâwâns marschalc ûf die slâ.
 si fuorten ouch, des sît gewis,
ein gezelt daz Iblis
Clinschore durch minne sande,
dâ von man êrste erkande
ir zweier tougen über lût:
si wâren bêde ein ander trût.
dem gezelt was koste niht vermiten:
mit schær nie bezzerz wart gesniten,

9. in *fehlt* Ggg. 11. riter unde Ggg. 12. Muosen enpfahen uñ DG. 14. algliche G. 15. helfe Gdgg. 16. Nu Ggg. 17. Nu G. gewinnen D, gwinnen G. 18. soumære D, soumâre G. frouwen D, *fehlt den übrigen.* 22. = so Ggg. 28. = daz *fehlt* Ggg. 29. Erne G, er en D. warb DG. 30. Die Gdg. wrben G.

667, 3. in. den D, Den gantzen d = Al den Ggg. 5. tschofflanze G. Artus DG *allein.* 6. sine D. nach huote DG. 7. dise Ggg. 8. nah in Gg, nach g. uf ir sla Gg. 11. langer DG. wolt er g. 12. = Sinen marschalc hiez er riten Ggg. 13. = Gein tschofflanz Ggg. 14. Sunder lenger wile wil ih han G. 15. dâ] wol D. 16. = Daz Ggg. 17. = wil Ggg. ich iu Ddg, ih Ggg. 18. ir ruochet in Gg, irn ruchet g. bechennen G. 23. = so Ggg. 30. *wie* 663, 11.

668, 1. 2 *fehlen* G. 2. rotten g. der Dd = die gg. 3. Didiu ze ôrse unde ze fuozzen G. uñ ouch D. 4. 8. marschalche G. 7. hin Gg, hie g. unt D. 8. Hin nah g. G. marscalche D. di Dd = ir Ggg. 10. Ibilis G *allein.* 11. Gawan Gg. 12. = Da bi Ggg. 13. Ir vil tougen G, Ir tougen vil g. 14. beidiu D. 15. gezelte DG. 16. scære D, schâre G. bezzer G,

wan einz daz Isenhartes was.
bî Artûs sunder ûf ein gras
wart daz gezelt ûf geslagen.
manec zelt, hôrt ich sagen,
sluoc man drumbe an wîten rinc:
daz dûhten rîlîchiu dinc.
vor Artûse wart vernomn,
Gâwâns marschalc wære komn:
der herberget ûf den plân;
unt daz der werde Gâwân
solt ouch komen bî dem tage.
daz wart ein gemeiniu sage
von al der mässenîe.
Gâwân der valsches vrîe
669 Von hûs sich rottierte:
sîne reise er alsus zierte,
dâ von möhte i'u wunder sagn.
manec soumær muose tragn
kappeln unde kamergewant.
manec soum mit harnasche erkant
giengen ouch dar unden,
helm oben drûf gebunden
bî manegem schilde wol getân.
manec schœne kastelân
man bî den soumen ziehen sach.
rîtr und frouwen hinden nâch
riten an ein ander vaste.
daz gezoc wol eine raste
an der lenge was gemezzen.
done wart dâ niht vergezzen,
Gâwân ein rîter wol gevar
immer schuof zeiner frouwen clâr.
daz wâren kranke sinne,
op die sprâchen iht von minne.
der turkoite Flôrant
zeime gesellen wart erkant
Sangîven von Norwæge.
Lyschoys der gar untræge
reit bî der süezen Cundrîê.
sîn swester Itonjê
bî Gâwân solde rîten.
an den selben zîten
Arnîve unt diu herzogîn
och gesellen wolden sîn.
670 Nu, diz was et alsus komn:
Gâwâns rinc was genomn
durch Artûs her, aldâ der lac.
waz man schouwens dâ gepflac!
ê diz volc durch si gerite,
Gâwân durch hoflîchen site
und ouch durch werdeclîchiu dinc
hiez an Artûses rinc
die êrsten frouwen halden.
sîn marschalc muose walden
daz einiu nâhe zuo der reit.
der andern keiniu dâ vermeit,
sine habten sus alumbe,
hie diu wîse, dort diu tumbe;
bi ieslîchr ein rîter, der ir pflac
unt der sich diens dar bewac.
Artûs rinc den wîten
man sach an allen sîten
mit frouwen umbevangen.
dô wart alrêrst enpfangen

19. ditze *Ggg*. 20. gezelt *alle aufser D*. 22. waren rih lihiu *G*. 24. = Daz gawans *Ggg*. solde *Gg*. 25. herbergete *D*. 27. Solde chomen *Ggg*. 28. Do *Gg*. 29. von *fehlt Gg*. messenie *G*.

669, 1. Von hûse sih rotierte *G*. 2. susz *d* = also *Ggg*. vierte *Gg*, wierte *g*. 3. = Da von ich wnder môhte sagen *Ggg*. ich iu *Dd*. 5. Chapeln *G*. kamergwant *D*, chamer gwant *G*. 9. mangen *g*. 11. dem soume *G*, den zoumen *d*. 12. riter *DG*. hinden *Dgg*, *fehlt Gddg*. 15. wart *G*. 16. dâ *fehlt Gdgg*. 17. ein *g*. einen riter dar *Gg*. 18. Imer schuof *G*, Schuof imber *d*. zuo einer *G*. dar *d*. 20. Sprachen die niht *dd*. niht (iht *g*) sprachen *Gg*. niht *g*. 21. tuorkoite floriant *G*. 23. Sangîve *D*, Sanginen *d*, Sangwen *d*. Sagîven *Gg*, Seyven *gg*. 25. Cundrîe *D*, gundrîe *G*, Gundrye *d*. 26. Itonîe *D*, ythonye *d*. 27. Gawane *DG*. 30. = Och da *Ggg*.

670, 1. = Nu (Du *G*) ditze also was chomen *Ggg*. Nuu was dis als komen *g* et *D*, aber *d*, *fehlt d*. 2. wart *G*. 3. der *Dd*, er *Gdgg*. 4. pflach *G*. 6. hofslichen *D*, hóssliche *G*, hofeliche *g*, hoveliche *d*, hobisliche *d*, howesliche *g*, húffelichen *g*. 8. an *fehlt Gd*, in *d*, er umbe *g*, bei *g*. Artus *DG*. 11. = nahen zer (nach der *g*) andern reit *Ggg*. 12. deheiniu *DG*, nehein *d*. dâ *fehlt Gg*. 13. habtn *D* = hielde *Ggg*, hielten *g*. 14. vñ dort *D*. 15. îeslicher *DG*. icglicher *d*. der] die *d*. 16. = unt *fehlt Ggg*. dienstes *alle aufser D*. 18. in *G und* (*dann* ziten) *d*. 20. alrest *Ddg*.

Gâwân der sælden rîche,
ich wæn des, minneclîche.
Arnîve, ir tohter unde ir kint
mit Gâwâne erbeizet sint,
und von Lôgroys diu herzogîn,
und der herzoge von Gôwerzîn,
und der turkoite Flôrant.
gein disen liuten wert erkant
Artûs ûz dem poulûn gienc,
der si dâ friwentlîche enpfienc.

671 Als tet diu künegin sîn wîp.
diu enpfienc Gâwânes lîp
und ander sîne gesellesciaft
mit getriulîcher liebe kraft.
dâ wart manec kus getân
von maneger frouwen wol getân.
Artûs sprach zem neven sîn
'wer sint die gesellen dîn?'
Gâwân sprach 'mîne frouwen
sol ich si küssen schouwen.
daz wære unsanfte bewart:
si sint wol bêde von der art.'
der turkoite Flôrant
wart dâ geküsset al zehant,
unt der herzoge von Gôwerzîn,
von Ginovêrn der künegîn.
si giengen wider inz gezelt.
mangen dûhte daz daz wîte velt
vollez frouwen wære.
dô warp niht sô der swære
Artûs spranc ûf ein kastelân.
al dise frouwen wol getân
und al die rîter neben in,
er reit den rinc alumbe hin.
mit zühten Artûses munt
si enpfienc an der selben stunt.
daz was Gâwâns wille,
daz si alle habten stille,
unz daz er mit in dannen rite:
daz was ein höfschlîcher site.

672 Artûs erbeizte und gienc dar în.
er saz zuo dem neven sîn:
den bestuont er sus mit mæren,
wer die fünf frouwen wæren.
dô huop mîn hêr Gâwân
an der eldesten zem êrsten an.
sus sprach er zuo dem Bertûn
'erkant ir Utepandragûn,
so ist diz Arnîve sîn wîp:
von den zwein kom iwer lîp.
sô ist diz diu muoter mîn,
von Norwæge de künegîn.
dise zwuo mîn swester sint,
nu seht wie flætigiu kint.'
ein ander küssen dâ geschach.
freude unde jâmer sach
al die daz sehen wolten:
von der liebe si daz dolten.
beidiu lachen unde weinen
kunde ir munt vil wol bescheinen:
von grôzer liebe daz geschach.
Artûs ze Gâwâne sprach
'neve, ich pin des mærs noch vrî,
wer diu clâre fünfte frouwe sî.'
dô sprach Gâwân der kurtoys
'ez ist de herzogîn von Lôgroys:
in der genâden bin ich hie.
mirst gesagt, ir habt gesuochet sie

14. erbeizt *G.* 25. und *fehlt D.* 29. pavelun *g*, pavilun *gg*, bavelun *G*, paulune *d*, pavelune (*ohne* dem) *g*, gezelte *D.* 30. = frôliche *Ggg.*

671, 1. Also *Gd.* kuneginne *Dg.* 2. = Si enphiengen *Ggg.* Gawans *DGgg.* 4. getruwer *g*, zühtliher *G.* 5. chuss *D*, chos *G.* 10. si *fehlt Gg.* chusen *G.* 14. = Wart gechûsset sa zehant *Ggg.* 16. von] uñ *D.* Cinoveren *G*, Gynoveren *dd.* 17. in daz *Gdgg.* 18. manegen duohte *D*, Manigen dühte *G.* wîte *fehlt Gdgg.* 19. riter *Ggg.* 23. = benebn *Ddd.* 25. Artus *DGg.* 28. daz *fehlt Gg.* 29. unze *DG.* dannē *g.* 30. hofscl. *D*, höveschl. *y*, hofsl. *G*, hovesl. *g*, hobisl. *d*, hofl. *y*, höffel. *d.*

672, 1. gie *G.* 4. = vier *Ggg.* 6. eldesten *Dd*, eltisten *Gg*, eltesten *y*, aldesten *d.* zem êrsten *fehlt g.* ersten` *d*, alrerst *G.* 8. Erchandet *Gg.* Uotep. *D*, utp.o *Ggg*, uterp. *ddg.* 10. iu der lip *Ggg.* 12. diu *DG.* 13. zwuo *d*, zŵ *D*, zwo *G.* min *g.* swestere *d.* 17. Alle *Gdgg.* wolden-dolden *Gg.* 19. beidiu *fehlt Ggg.* und *D.* 20. Si chunden wol erscheinen *Ggg.* vil *D*, *fehlt dg.* 23. frô *G.* 24. clare funfte *dg*, clare furste *D*, vumfte *d*, clare *Ggg.* 26. diu *G.* herzoginne *D allein.* 27. gnaden *DGd* gnade *gg.* 28. mir ist *alle.* geseit *G.* ir suochtet sie *d.* si *G.*

swaz ir des habt genozzen,
daz zeiget unverdrozzen.
673 Ir möht zeinr witwen wol tuon.'
Artûs sprach 'dîner muomen suon
Gaherjêten si dort hât,
unt Gâreln der rîters tât
in manegem poynder worhte.
mir wart der unrevorhte
an mîner sîten genomn.
ein unser poynder was sô komn
mit hurte unz an ir barbigân.
hurtâ wiez dâ wart getân
von dem werden Meljanz von Lîz!
undr eine baniere wîz
ist er hin ûf gevangen.
diu banier hât enpfangen
von zoble ein swarze strâle
mit herzen bluotes mâle
nâch mannes kumber gevar.
Lirivoyn rief al diu schar,
die under der durch strîten riten:
die hânt den prîs hin ûf erstriten.
mirst ouch mîn neve Jofreit
hin ûf gevangen: deist mir leit.
diu nâchhuot was gestern mîn:
dâ von gedêch mir dirre pîn.'
der künec sîns schaden vil verjach:
diu herzogîn mit zühten sprach
'hêrre, ich sage iuchs lasters buoz.
irn het mîn decheinen gruoz:
ir mugt mir schaden hân getân,
den ich doch ungedienet hân.
674 Sît ir mich gesuochet hât,
nu lêre iuch got ergetzens rât.
in des helfe ir sît geritn,
op der hât mit mir gestritn,
dâ wart ich âne wer bekant
unt zer blôzen sîten an gerant.
op der noch strîtes gein mir gert,
der wirt wol gendet âne swert.'
zArtûse sprach dô Gâwân
'waz rât irs, ob wir disen plân
baz mit rîtern überlegn,
sît wirz wol getuon megn?
ich erwirb wol an der herzogîn
daz die iwern ledec sulen sîn
und daz ir rîterschaft dâ her
kumt mit manegem niwen sper.'
'des volge ich,' sprach Artûs.
diu herzogîn dô hin zir hûs
sande nâch den werden.
ich wæne ûf der erden
nie schœner samnunge wart.
gein herbergen sîner vart
Gâwân urloubes gerte,
des in der künec gewerte.
die man mit im komen sach,
fuoren dan mit im an ir gemach.
sîn herberge rîche
stuont sô rîterlîche
daz si was kostebære
unt der armüete lære.
675 In sîne herberge reit
maneger dem von herzen leit
was sîn langez ûz wesn.
nu was ouch Keye genesn
bî dem Plimizœl der tjoste:
der prüevete Gâwâns koste,
er sprach 'mîns hêrren swâger Lôt,
von dem was uns dehein nôt

673, 1. Er *G*. möht] mohte *G*, mochtet *g*, mohtz *Dd*, mohtez *g*. möchtens *g*, möchten daz *d*. zeinr] einer *alle*. 3. Gaherîeten *D*, Gahereten *Gg*, Gaharieen *d*. 4. Garêlen *Dd*, garellen *d*, Karlin *g*. 5. manigen *G*. 6. unerv. *G*. 7. *fehlt G*. 8. unser] langer *G*. so genomen *G*. 9. barbegan *D*. 10. Nuta *G*. 11. Melianze *DGdgg*, Melyanze *d*. 12. under *alle*. eine *Dg*, einer *Gddgg*. 14. Die banier het *Ggg*. 15. zobel *Ggg*. swarziu *Gg*. 16. herze *Ggg*. 17. Nah manns *G*. 18. Lyrwoyn *d*, Lyravoin *gg*, Logrois *G*. 19. under der durch *Dd*, von der burch *d* = drunder durh *Ggg*. 20. den strit *Gg*. 21. mir ist *DG*. yofreit *d*. 22. dazst *d*, daz ist *G*. 23. nach (nah *Gd*) huote *DGddgg*. = gester *Ggg*. 24. gedeh *Dg*. 27. iuch des *DG*, u des *d*.

674, 2. So *Gd*. 5. Do *G*, So *g*. erchant *Gg*. 7. gein mir *Dd*, ane mih *Gdgg*. 9. Ze Artus sprah *G*. 13. erwirbe (wirbe *d*) wol an der *Ddd* = erwirbez wol [da *Gg*] zer *Ggg*. 14. sûlen ledich *Gg*. 17. ih gerne *G*. 18. hinze ir *G*, hin ce *D*, zirme *d*. 20. erde *G*. 21. ie *D*, *fehlt (dafür* 20. ie uf) *d*. 30. unt *fehlt G*.

675, 1. An *G*. 4. kei wol genesen *G*. 5. blimzol *G*, Plymizole *d*. = tiostchost *Ggg*. 6. bruovet *G*.

ebenhiuz noch sunderringes.'
dô dâhter noch des dinges,
wand in Gâwân dort niht rach,
dâ im sîn zeswer arm zebrach.
'got mit den liuten wunder tuot.
wer gap Gâwân die frouwen luot?'
sus sprach Keye in sîme schimpf.
daz was gein friunde ein swach gelimpf.
der getriwe ist friundes êren vrô:
der ungetriwe wâfenô
rüefet, swenne ein liep geschiht
sînem friunde und er daz siht.
Gâwân pflac sælde und êre:
gert iemen fürbaz mêre,
war wil er mit gedanken?
sô sint die muotes kranken
gîtes unde hazzes vol.
sô tuot dem ellenthaften wol,
swâ sînes friundes prîs gestêt,
daz schande flühtec von im gêt.
Gâwân âne valschen haz
manlîcher triwen nie vergaz:

676 Kein unbilde dran geschach,
swâ man in bî sælden sach.
wie der von Norwæge
sînes volkes pflæge,
der rîter unt der frouwen?
dâ mohten rîchheit schouwen
Artûs unt sîn gesinde
von des werden Lôtes kinde.
si sulen ouch slâfen, dô man gaz:
ir ruowens hân ich selten haz.
smorgens kom vor tage geritn
volc mit werlîchen sitn,
der herzoginne rîter gar.
man nam ir zimierde war
al bî des mânen schîne,
dâ Artûs und die sîne
lâgen: durch die zogten sie,
unz anderhalp dâ Gâwân hie
lac mit wîtem ringe.
swer solhe helfe ertwinge
mit sîner ellenthaften hant,
den mac man hân für prîs erkant.
Gâwân sînen marschalc bat
in zeigen herberge stat.
als der herzoginne marschalc riet,
von Lôgroys diu werde diet
mangen rinc wol sunder zierten.
ê si geloschierten,
ez waz wol mitter morgen.
hie næht ez niwen sorgen.

677 Artûs der prîss erkande
sîne boten sande
ze Rosche Sabîns in die stat:
den künec Gramoflanz er bat,
'sît daz unwendec nu sol sîn,
daz er gein dem neven mîn
sînen kampf niht wil verbern,
des sol in mîn neve wern.
bit in gein uns schiere komn,
sît sîn gewalt ist sus vernomn
daz erz niht vermîden wil.
es wære eim andern man ze vil.'
Artûss boten fuoren dan.
dô nam mîn hêr Gâwân
Lischoysen unt Flôranden:
die von manegen landen,
minnen soldiere,
bat er im zeigen schiere,
die der herzogîn ûf hôhen solt
wârn sô dienstlîchen holt.

9. Ebenhûze *Gg*, Ebenheuzze *gg*, ebenhiuozen *D*, Eben hitz *d*. noch *Dd* = unde *Ggg*. 11. wand *D*, Wan *G*, Daz *die übrigen*. 12. Do *G*. arem *D*. 14. wer *fehlt G*. Gawane *D*. den *g*. flut *g*. 15. = sus *fehlt Ggg*. kei *G*, Gawan *D*. sinen *G*. 16. friwnde *D*, *so auch* 17. 20. 18. waffeno *Gdg*, waffen io *g*. 19. ein *D*, eim *dg*, im *Gg*, sin *g*. 20. Sine *Gg*. unde er da sihet *G*. 24. muots *DG*. 25. gîts *D*, Grites *d*, Gütes *g*, Nides *Gg*. 27. Swaz *G*. friwnts *D*. strit gestet *Gg*. 28. flǒtch *G*. 29. = Sit g. *Ggg*, Herr g. *g*. falchen *G*. 30. Stâte mit triwen *G*.

676, 1. chein *Dd*, Dehein *g*, Enehein *G*, Ein *gg*. 6. mohten *D*, mohte *Ggg*, moht man *dg*. 11. Morgens *d* = Des morgens *Ggg*. 14. ir ze unwirde *G*, ir zū wirde *g*. 15. = dem *Ggg*. mâne schine *Gg*. 17. dur *G*. 18. = unz *fehlt Ggg*. 20. sólhe *G*. 21. ellenthafter *D*. 22. sol *G*. 26. lógroys *G*. 27. manegen *D*, Manigen *G*. rinc *fehlt Gg*. 28. geleisierten *Gg*, geloisierten *g*. 30. Nu *Gg*. næhet *D*, nahet *die übrigen*.

677, 1. bris *G*. 2. Sinen *Gg*, Einen *g*. 3. roisabins *Ggg*. 8. = ouch in *Ggg*. 9-14. *abgeschnitten F*. 12. einem *alle*. 18. Bat in zeigen *FGg*. 19. herzoginne *Gg*. 20. dienstliche *D*.

er reit zin unde enpfienc se sô
daz se al gelîche sprâchen dô
daz der werde Gâwân
wære ein manlîch höfsch man.
dâ mite kêrter von in wider.
sus warber tougenlîche sider.
in sîne kameren er gienc,
mit harnasche er übervienc
den lîp zen selben stunden,
durch daz, op sîne wunden
678 sô geheilet wæren
daz die mâsen in niht swæren.
Er wolte baneken den lîp,
sît sô manec man unde wîp
sînen kampf solden sehn,
dâ die wîsen rîter möhten spehn
op sîn unverzagtiu hant
des tages gein prîse wurde erkant.
einen knappen het er des gebetn
daz er im bræhte Gringuljetn.
daz begunder leischieren:
er wolde sich môvieren,
daz er untz ors wærn bereit.
mir wart sîn reise nie sô leit:
al ein reit mîn hêr Gâwân
von dem her verre ûf den plân.
gelücke müezes walden!
er sah ein rîter halden
bî dem wazzer Sabîns,
den wir wol möhten heizen flins
der manlîchen krefte.
er schûr der rîterschefte,
sîn herze valsch nie underswanc.
er was des lîbes wol sô kranc,
swaz man heizet unprîs,
daz entruoger nie decheinen wîs
halbes vingers lanc noch spanne.
von dem selben werden manne
mugt ir wol ê hân vernomn:
an den rehten stam diz mære ist komn.

21. zuo in *FG*, zuo zin *D*. enpfie si *FG*. 22. Dazs *F*, daz si *D*. alle *F*. gliche *G*. 24. Wær ein mænlich *F*. hofsch *DF*, hovisch *gg*, *fehlt G*. 25. Da mit *FG*. chumt er *G*, kumt er *F*, kom er *g*. 26. warp er *FG*. tougenlichen *F*. 27. = kamer *Fgg*, chamer *G*. gie *F*. 28. harnasch *F*. umbe viench *Gg*, umbe vie *Fg*. 29. = Sinen *FGgg*. ze den *F*. 30. ob *DF*.
678, 1. geheilt wâren *G*. 2. mâsen *mit* â *G*, mosen *d*. 3. baneken *D*, banechen *F*, banchen *G*. 4. manich *FG*. magt *Fgg*, maget *G*. unt *D*. 5. solde *G*. 6. Daz *alle außer D*. 8. tags *F*. 10. brâhte *DGg*. kringulieten *FGg*. 11. Do *FGg*. leiscieren *D*, laschieren *d*, loysieren *FG*, leisieren *gg*, lesieren *g*. 12. sich *fehlt G*. mv̊ieren *G*. 13. unde daz *FG*. 14. Mirn *F*, Mirne *G*. was *G*. 15. Al ein *Fd*, Al eine *Ggg*, Als eine. *D*. 17. muoses *F*. 18. einen *DFG*. 19-24. *abgeschnitten F*. 20. wol *fehlt G*. 22. der] an *Ggg*. 23. nie verswanc *G*. 26. = getruoch er *FGgg*. decheinen *D*, deheinen *F*, keinen *g*, neheine *G*, deheine *dg*, keine *g*. gŵis *D*. 28. selbm *D*. werdem *F*. 29. ê wol *Ggg*. 30. daz mær ist *F*, ist ditze mâre *G*.

XIV.

679 Ob von dem werden Gâwân
werlîche ein tjost dâ wirt getân,
so gevorht ich sîner êre
an strîte nie sô sêre.
ich solt ouch sandern angest hân:
daz wil ich ûz den sorgen lân.
der was in strîte eins mannes her.
ûz heidenschaft verr über mer
was brâht diu zimierde sîn.
noch rœter denn ein rubbîn
was sîn kursît unt sîns orses kleit.
der helt nâch âventiure reit:
sîn schilt was gar durchstochen.
er hêt ouch gebrochen
von dem boum, des Gramoflanz
huote, ein sô liehten kranz
daz Gâwânz rîs erkande.
dô vorht er die schande,
op sîn der künec dâ het erbitn:
wær der durch strît gein im geritn,
sô müese ouch strîten dâ geschehn,
und solt ez nimmer frouwe ersehn.
von Munsalvæsche wâren sie,
beidiu ors, diu alsus hie
liezen nâher strîchen
ûfen poinder hurteclîchen:
mit sporn si wurden des ermant.
al grüene klê, niht stoubec sant,
stuont touwec dâ diu tjost geschach.
mich müet ir beider ungemach.

680 Si tâtn ir poynder rehte:
ûz der tjoste geslehte
wârn si bêde samt erborn.
wênc gewunnen, vil verlorn
hât swer behaldet dâ den prîs:
der klagtz doch immer, ist er wîs.
gein ein ander stuont ir triwe,
der enweder alt noch niwe
dürkel scharten nie enpfienc.
nu hœret wie diu tjost ergienc.
hurteclîche, unt doch alsô,
si möhtens bêde sîn unvrô.
erkantiu sippe unt hôch geselleschaft
was dâ mit hazlîcher kraft
durch scharpfen strît zein ander komen.
von swem der prîs dâ wirt genomen,

679, 2. Werlichiu (Werlihiu *G*) tyost *FGgg*. wirt *DFgg*, wart *Gdg*. 3. sone *DGg*. gevorht *DGdg*, forhte *Fgg*. 4. an prise *D*. 5. des andern *alle außer D*. 7. Er *FGgg*. eins] in *G*. 8. heidenschefte *FG*. verre *alle*. mêre *G*. 9. = Wart *Ggg*. zimiere *Fg*, zimier *G*. 10. danne *FG*. Rubin *F*, rûbin *G*. 11. sins *Gd*, sin *D*, des *Fgg*. orses *F*, rosses *dgg*, ors *D*, ôrs *G*, orss *g*. 12. Aventiuoren *D*. 13. durst. *G*. 14. gebrozen *F*. 15. boume *DFG*. 16. Hutte *F*. einen *DFGdg*. so *Ddg und (nachgetragen) F*, als *G*, also *gg*, krancz *G*. 17. gawan dez *G*, gawan daz *die übrigen*. 19. hiet *G*. erbiten-geriten *FG*. 20. Wær *F*. 21. ouch *fehlt FGgg*. strit da geschen *G*. 22. = und *fehlt FGgg*. gesehn *Fdg*. 23. Muntsalvatsche *F*, muntsalfasche *G*. 24. = also *FGgg*. 25. = Naher liezen *FGgg*. 26. Ufen *F*, ûf den *DG*. huorttechl. *F*, hûrtchl. *G*. 27. wuorden *F*. 28. al *fehlt FGgg*. 29-680, 4 *abgeschnitten F*. 3. Mih můet ir beder ungemach *G*.

680, 1. taten *DG*. 2. tyost *G*. geslæhte *D*, geslâhte *G*. 3. Wrden *G*. sament *G*. = geborn *Ggg*. 4. wenech *D*, Wenich *G*. gewinnen *D*. unde vil *Ggg*. 5. behaltet *Fdg*, behalt *G*, beheldet *g*. 6. klagt *FGgg*. 8. Dern wederiu *F*, der newederiu *G*, Daz entwedere *g*, Der ein weder *d*. 9. scharte *F*, schart *g*. enphie-ergie *FG*. 10. tioste *D*. 11. Huorttechlich *F*, Hûrtelich *G*. 12. beide sin fro *F*. 14. hæzlicher *Fg*, hassecl. *d*, hercenlicher *D*. 15. strît] bris *G*. 16. = Von swederm *FGgg*, Von dem *g*.

des freude ist drumbe sorgen pfant.
die tjoste brâhte iewedriu hant,
daz die mâge unt die gesellen
ein ander muosen vellen
mit orse mit alle nider.
alsus wurben si dô sider.
ez wart aldâ verzwicket,
mit swerten verbicket.
schildes schirben und daz grüene gras
ein glîchiu temperîe was,
sît si begunden strîten.
si muosen scheidens bîten
alze lange: si begundens fruo.
dane greif et niemen scheidens zuo.

681 Dane was dennoch nieman wan sie.
welt ir nu hœren fürbaz wie
an den selben stunden
Artûss boten funden
den künec Gramoflanz mit her?
ûf einem plâne bî dem mer.
einhalp vlôz der Sabbîns
und anderhalb der Poynzaclîns:
diu zwei wazzer seuten dâ.
der plân was vester anderswâ:
Rosche Sabbîns dort
diu houbetstat den vierden ort
begreif mit mûren und mit grabn
und mit manegem turne hôhe erhabn.
des hers loschieren was getân
wol mîle lanc ûf den plân,
und och wol halber mîle breit.
Artûs boten widerreit
manc rîter in gar unbekant,
turkople, manec sarjant
zîser unt mit lanzen.
dar nâch begunde swanzen
under manger banier
manec grôziu rotte schier.
von pusînen was dâ krach.
daz her man gar sich regen sach:
si wolden an den zîten
gein Jôflanze rîten.
von frouwen zoumen klingâ klinc.
des künec Gramoflanzes rinc

682 Was mit frouwen umbehalden.
kan ich nu mære walden,
ich sage iu wer durch in dâ was
geherberget ûffez gras
an sîne samenunge komn.
habt ir des ê niht vernomn,
sô lât michz iu machen kunt.
ûz der wazzervesten stat von Punt
brâht im der werde œheim sîn,
der künec Brandelidelîn,
sehs hundert clâre frouwen,
der ieslîchiu moht schouwen
gewâpent dâ ir âmîs
durch rîterschaft unt durch prîs.
die werden Punturteise
wârn wol an dirre reise.
dâ was, welt ir glouben miers,
der clâre Bernout de Riviers:

17. umbe sorgen G, umbe sorge Fgg. 18. tyost FG. ietweders FGdgg. 21. orse. D, ors Gg, orsen F. 24. verblicchet Ggg. 25. Schiltes FG. schirben Gdg, scirben D, scherben gg, schermen F. 26. gelichiu F. temprîe DG. 30. Done FGg.

681, 1. Dane was dennoch (dannoch g, *fehlt* g. och?) niemen wan (dan g) sie Dgg, Wenne do was nit wenne sye d, Dane was niemen der schiede si (sie F) FGg. 2. vurbaz hôren G. 4. Artus G, Artuses F. 6. = Uf dem Ggg. Uf em F. plan DFg. 7. sabins G, Sabyns F. 8. poinsacl. Gg, poynsaclyns F. 9-14 *abgeschnitten* F. 9. swebeten d = fluzzen Ggg. 10. ist G. 11. Roys sabins G, Roysabins g. 12. den viern ort G. 13. muoren vñ ouch mit D. 14. Unde mangen turn hoh (hohen turn d) erhaben Gdgg. 15. loysiern Ggg, leisieren Fg. 16. milen Dd. den DGg, dem dgg, em F. 17. och *fehlt* F. milen d. 18. Artuses Fd. 19. in gar *fehlt* FGg. umbekant F. 20. Turkopel F, Tuorchopel G. = unde manich FGgg. 21. Ze yser F, Zuo yser G. 22. = Dar begunden FGgg. 23. 24. banîere-scîere *alle*. 25. busin g, busunen Fg, bûsune G. 26. sich gar FGgg. regn F. 27. = Die FGgg. 28. Tschoflantze FG. 29. zoume F. chlina chlinch G.

682, 1. = alumbe halden Ggg, alumbe behalden F. 2. walde F. 3. sag F. 4. ûf daz DF. 5. = Unde an FGgg. samn. D. 7. sô *fehlt* FGgg. 8. wazzer *fehlt* FGgg. 9. brahte DG. 10. Brandlyd. F. 11. Vier FGgg. 12. der *fehlt* D. etslichiu G, yegelich d. mohte DFG. 13. Gewappent F. 15. pontureise G. 17. gelouben DF. mirs *alle*. 18. 29. Gernout FGg. = von FGgg Rivirs *alle aufser* D.

des rîcher vater Nârant
het im lâzen Uckerlant.
der brâhte in kocken ûf dem mer
ein alsô clârez frouwen her,
den man dâ liehter varwe jach
und anders niht dâ von in sprach.
der wâren zwei hundert
ze magden ûz gesundert:
zwei hundert heten dâ ir man.
ob ichz geprüevet rehte hân,
Bernout fîz cons Nârant,
fünf hundert rîter wert erkant
683 mit im dâ komen wâren,
die vînde kunden vâren.
Sus wolte der künec Gramoflanz
mit kampfe rechen sînen kranz,
daz ez vil liute sæhe,
wem man dâ prîses jæhe.
die fürsten ûz sîm rîche
mit rîtern werlîche
wârn dâ und ouch mit frouwen schar.
man sach dâ liute wol gevar.
Artûss poten kômen hie:
die fundenn künec, nu hœret wie.
palmâts ein dicke matraz
lac underm künege aldâ er saz,
dar ûf gestept ein pfelle breit.
juncfrouwen clâr und gemeit
schuohten îsrîn kolzen
an den künec stolzen.
ein pfelle gap kostlîchen prîs,
geworht in Ecidemonîs,
beidiu breit unde lanc,
hôhe ob im durch schate swanc,
an zwelf schefte genomn.
Artûs boten wâren komn:
gein dem der hôchverte hort
truoc si sprâchen disiu wort.
'hêrre, uns hât dâ her gesant
Artûs, der dâ für erkant
was daz er prîs etswenne truoc.
er het ouch werdekeit genuoc:
684 Die welt ir im verkrenken.
wie megt ir des erdenken,
daz ir gein sîner swester suon
solch ungenâde wellet tuon?
het iu der werde Gâwân
grœzer herzeleit getân,
er möht der tavelrunder
doch geniezen sunder,
wand in gesellescheste wernt
al die drüber pflihte gernt.'
der künec sprach 'den gelobten strît
mîn unverzagtiu hant sô gît
daz ich Gâwân bî disem tage
gein prîse oder in laster jage.

19-23 *abgeschnitten F.* 20. Ducherlant *G.* 21. in *Ddg*, im *Ggg.* über mere *G.* 22. Ein clare suoze frouwen her *G.* 23. rehter *Gg.* 25. vier *FGgg.* 26. magden *F*, mageden *Gg*, megden *dgg*, meiden *D.* uz *Gdg*, da uz *Fgg*, *fehlt D.* besundert *D.* 27. Vier *FGgd.* 28. = gepruofen (gepruoven *G*) rehte kan *FGgg.* 29. cons *D*, kans *d*, kuns *F*, Runs *G*, küns *gg*, kunz *g.* Narrant *FG.*

683, 2. viende *DFG.* 3. wolde *G*, wolt *F.* 5. lîute *D*, lûte *G*, lute *F.* 6. dâ] des *G.* priss *D*, brises *G.* 7. die *fehlt FGgg.* sime *D*, sinem *FG.* 8. = werdechliche *FGgg.* 9. = Da waren *FGgg.* und *fehlt G.* ouch *fehlt FGgg.* 10. sah *FG.* 11. Artus *G*, ARtuses *F.* boten *FG.* 12. funden den *alle.* nu *fehlt dgg.* hort *G.* 13. = Von palmat diche (dicche *G*) ein matraz *FGgg.* Balmats *D.* 14. lag *DF.* underm *Fg.* = al *fehlt FGgg.* der *Fgg.* 15. gesteppet *DFG.* 16. clare *Dd.* vn̄ ouch *D.* 17. = Die *FGgg.* ysrîne *D*, yserin *d*, isen *Fg*, ysen *Gg*, eyser *g.* golzen *G.* 19. chostchlihen *G.* 20. ezyd. *F*, ezzid. *gg*, ezzed. *G.* 21. = beidiu *fehlt FGgg.* und da zu *gg.* 22. Hoh *G.* schat *F.* 23. zwelf] die *FGg.* 24. ARtuses *F.* 25. = Zuo *FGgg.* hochferte *F*, hohferte *G.* 27. dâ her] der kunich *FGGbg.* 28. da vor *Gb.* 29-684, 4 *abgeschnitten F.*

684, 1. Wie *G.* 2. muget *G*, mugit *Gb.* gedenchen *GGbg.* 4. Solhe *FGb*, Sôlhe *G.* = ungefuoge *F (ob uo oder ue ist nicht zu sehn) G*, unfuoge *Gbgg.* welt *FGGb.* 5. Hiet *G.* 6. = Noch grozer *Fgg*, noh grozir *Gb*, Noh grôzer *G.* 7. moht *F*, mohte *DGb*, môhte *G.* Taf. *D.* 8. = Iedoch *FGGbgg.* 9. Sit *FGGbgg.* 10. alle *DFGGb.* 11. der gelobite *Gb*, den gelopten *F.* 13. Gawann *D*, Gawanen *Gb.* 14. In pris (bris *G*, prise *Gbg*) *FGGbgg.* odir *Gb*, ode *F.* = sage *FGGb gg.*

ich hân mit wârheit vernomn,
Artûs sî mit storje komn,
unt des wîp diu künegîn.
diu sol willekomen sîn.
op diu arge herzoginne
im gein mir ræt unminne,
ir kint, daz sult ir understên.
dane mac niht anders an ergên,
wan daz ich den kampf leisten wil.
ich hân rîter wol sô vil
daz ich gewalt entsitze niht.
swaz mir von einer hant geschiht,
die nôt wil ich lîden.
solt ich nu vermîden
des ich mich vermezzen hân,
sô wolt ich dienst nâch minnen lân.

685 In der genâde ich hân ergebn
al mîn freude und mîn lebn,
got weiz wol daz er ir genôz;
wande mich des ie verdrôz,
strîtes gein einem man;
wan daz der werde Gâwân
den lîp hât gurboret sô,
kampfes bin ich gein im vrô.
sus nidert sich mîn manheit:
sô swachen strît ich nie gestreit.
ich hân gestriten, giht man mir
(ob ir gebiet, des vrâget ir),
gein liuten, die des mîner hant
jâhn, si wær für prîs erkant.
ine besturont nie einen lîp.
ez ensulen ouch loben niht diu wîp,
ob ich den sige hiute erhol.
mir tuot ime herzen wol,
mirst gesagt si sî ûz banden lân,
durch die der kampf nu wirt getân.
Artûs derrkante verre,
sô manec vremdiu terre
zuo sîme gebote ist vernomn:
sist lîhte her mit im komn,
durch die ich freude unde nôt
in ir gebot unz an den tôt
sol dienstlîchen bringen.
wâ möht mir baz gelingen,
op mir diu sælde sol geschehn
daz si mîn dienst ruochet sehn?'

686 Bêne unders küneges armen saz:
diu liez den kampf gar âne haz.
si het des künges manheit
sô vil gesehen dâ er streit,
daz siz wolt ûzen sorgen lân.
wiste ab si daz Gâwân
ir frouwen bruoder wære
unt daz disiu strengen mære
ûf ir hêrren wærn gezogn,
si wære an freuden dâ betrogn.
si brâht dem künege ein vingerlîn
daz Itonjê diu junge künegîn
hete durch minne im gesant,
daz ir bruoder wert erkant

15. Ich hat *F*. 16. = Der kunich si FGG^bgg. storie *d*, storî *D*, sturie *Gg*, stiur *Fg*, strite G^b, stosse *g*. 17. sin wip *Gd*. kûngin *G*, *nun öfter*. 18. suln *F*. *dann* hie FGG^bgg = uns *d*, *fehlt D*. 20. ræt *D*, rætet *Fd*, rate GG^bgg. minne *Fd*. 21. solt *FGg*. 22. Hie ne FGG^bgg. arges *G*. 23. i'n kampf? 24. han *D*, han hie *d* = han doch FGG^bgg. 25. gwalt G^b. 26. han *F*. 30. dienist, *ohne* nach, G^b. minnen *DF*, minne *die übrigen*.

685, 1. gnade ich *G*, gnadich G^b. = gegebn FGG^bgg. 2. mine DG^b. vn̄ ouch *D*, un̄ al G^b. 3. gnoz G^b. 4. Wan *FG*. 5. wider einen *D*. 7. gurbort *DFg*, geurbort GG^bdgg. also *F*. 9-13 *abgeschnitten F*. 13. die *fehlt* G^b. 14. iahen *DFG*, iahin G^b. wær fur *F*, wæhen si vur *G*. 15. Ihn b. *F*, Ih enb. *G*, ich enb. G^b. 16. ez ensuln G^b. Ezn suln *F*. = ouch *fehlt* FGG^bgg. 17. sig *D*, sick *F*, sic G^bg, sich *g*, strit *G*. 18. in dem GG^b, in den *F*. 19. Mirst *F*. = von banden FGG^bgg. 20. dur G^b. nu *Dg*, *fehlt* FGG^bdgg. 21. der rechante verre (herre *g*) *Ddgg*. der herre FGG^bg. 22. fremediu *F*, frômdiu *G*, fromdiu G^b. 23. Zesinem (zisinem G^b) gebot FGG^b. 24. sist *F*, un̄ G^b. mit ime her G^b. 26. den] minen FGG^bgg. 27. Dienstlich (Diensliche *G*, dienistliche G^b) wil bringen FGG^bgg. 28. moht *F*, móhte *G*, mohte DG^b. 30. dienist G^b. geruochet *Fgg*.

686, 1. = Frou (. . rowe G^b) Bene FGG^bgg. kúnges *G*. = arme GG^bg, arm *Fgg*. 2. lie FGG^b. 3. kûnges *G*. 4. So wol *F*. da der *D*. 5. wolt *F*. uz den FGG^b. 6. Wesse GG^b, Weste *F*. ab *D*, aber *FG*, abir G^b. 9. herrn *D*. waren *Fg*, wâren *G*. 10. wær *F*, wâre *G*. 12. chûnigin *G*. 13. = Im durch (ime dur G^b) minne het (hete G^b, hat *G*) gesant FGG^bgg.

holte über den Sabbîns.
Bêne ûf dem Poynzaclîns
kom in eime seytiez.
disiu mære si niht liez,
'von Schastel marveile gevarn
ist mîn frowe mit frouwen scharn.'
si mant in triwe unt êre
von ir frouwen mêre
denne ie kint manne enbôt,
und daz er dæhte an ir nôt,
sît si für alle gewinne
dienst büte nâch sîner minne.
daz machte den künec hôchgemuot.
unreht er Gâwân doch tuot.
solt i'nkelten sus der swester mîn,
ich wolte ê âne swester sîn.

687 Man truog im zimierde dar
von tiwerre koste alsô gevar,
swen diu minne ie des betwanc
daz er nâch wîbe lône ranc,
ez wær Gahmuret od Gâlôes
ode der künec Kyllicrates,
der decheiner dorfte sînen lîp
nie baz gezieren durch diu wîp.
von Ipopotiticôn
oder ûz der wîten Acratôn
oder von Kalomidente
oder von Agatyrsjente
wart nie bezzer pfelle brâht
dan dâ zer zimier wart erdâht.
dô kuster daz vingerlîn
daz Itonjê diu junge künegîn
im durch minne sande.
ir triwe er sô bekande,
swâ im kumbers wære bevilt,
dâ was ir minne für ein schilt.
der künec was gewâpent nuo.
zwelf juncfrouwen griffen zuo
ûf schœnen runzîden:
diene solden daz niht mîden,
diu clâre gesellescbaft,
ieslîchiu het an einen schaft
den tiwern pfelle genomn,
dar unde der künec wolde komn:
den fuorten si durch schate dan
ob dem strîtgernden man.

688 Niht ze kranc zwei fröwelîn
(diu truogn et dâ den besten schîn)
unders künges starken armen riten.
done wart niht langer dâ gebiten,
Artûs poten fuoren dan
und kômen dar dâ Gâwân
ûf ir widerreise streit.
dô wart den kinden nie sô leit:
si schrîten lûte umb sîne nôt,
wande in ir triwe daz gebôt.
ez was vil nâch alsô komn
daz den sig hete aldâ genomn

15. Holt *FG*. den *fehlt D*. sabins GG^b, Sabyns *F*. 16. den GG^b. poinsaclins GG^b, poynsaclins *F*. 17. einem *FG*, einim G^b. 18. niht enliez *G*, niene Liez *F*. 19-23 *abgeschnitten F*. 19. Von *fehlt G*. Tschastel GG^b. marvale *D*. 24. dæht *F*. 25. fuor *F*. gwinne GG^b. 26. but *F*. 27. machet *FG*, machit G^b. 28. unrehter G^b. doch Gawane *D*. 29. solt ich enkelten *DF*, solt ich eng. *G*, soldich engeltin G^b. sus *fehlt* FGG^bgg. 30. wolde ê an (ane G^b) GG^b.

687, 1. zimier GG^b. 2. tiwerre *D*, diser *d* = richer *FGgg*, richir G^b. chost GG^b. = unde so FGG^bgg. 3. swem *D*, Wan *d*. = ie *vor* diu FGG^bgg. 4. wibs *Fg*. 5. wær *F*. ode *F*, alde G^b, olde *G*, oder *D*. Galoês *D*. 6. Ode *F*, oder *DG*, odr G^b. kyllicratês *D*, kylicr. *g*, Galicr. GG^bg, Galycr. *F*, kalicr. *g*. 8. nie *fehlt* FGG^bgg. gezieret sin *F*. 9. Ipopotiticon GG^bg, Ipopotyt. *F*, Ipoptiticon *D*, Ipipotiticon *g*, hippipoticion *g*, patiticon *d*. 10. 11. 12. Noch von FGG^bgg. 11. kalomident *d*, kalcomidente *g*, kaloytudênte *D*, kalimodente GG^bgg, Kalymod. *F*. 12. Accratirs. GG^bgg, Accratyrs. *F*. 14. Danne GG^b, denne *DF*. zimier *g*, zimiere GG^bg, zimierde *DF*. 15. kert (cherte *G*) er *FG*, cherter G^b. 16. Itonîe *DG*, Jtonye *F*. 18. er wol GG^b. erkande *G*. 19. = Het iender kumbers in bevilt FGG^bgg. im *D*, in *d*. 20. = Da engegine (engein FG^b) was ir minne ein schilt FGG^bgg. 21. chûnc *G oft*. gewæpint G^b. nuo $DFGG^b$. 22. zwelf frouwen *D*. 23. schónen G^b, starchen *D*. 24. Do en *d*, sine *D*. des FG^bgg. 26. iegelichiu G^b. 27. Einen tiuren (turen G^b) GG^b. 28. Dar under der FGG^bgg.

688, 1. zwei juncfrowelin G^b, zwei iuncherrelin *Gg*. 2. truogen *DG*, truogin G^b. et *DGg*, eht G^b, *fehlt dgg*. den *fehlt* G^b. 4. do gebitten G^b. 6. dar] = hin GG^bgg. Done GG^bgg. 9. Die GG^bgg. uber sin *g*, siner GG^b. 10. Wan GG^b. 11. was et (eht G^b) vil GG^bg. 12. = sic da hete genomen GG^bgg.

Gâwânes kampfgenôz.
des kraft was über in sô grôz,
daz Gâwân der werde degen
des siges hete nâch verpflegen;
wan daz in klagende nanten
kint diu in bekanten,
der ê des was sîns strîtes wer,
verbar dô gein im strîtes ger.
verre ûz der hant er warf daz swert:
'unsælec unde unwert
bin ich,' sprach der weinde gast.
'aller sælden mir gebrast,
daz mîner gunêrten hant
dirre strît ie wart bekant.
des was mit unfuoge ir ze vil.
schuldec ich mich geben wil.
hie trat mîn ungelücke für
unt schiet mich von der sælden kür.

689 Sus sint diu alten wâpen mîn
ê dicke und aber worden schîn.
daz ich gein dem werden Gâwân
alhîe mîn strîten hân getân!
ich hân mich selben überstriten
und ungelückes hie erbiten.
do des strîtes wart begunnen,
dô was mir sælde entrunnen.'
Gâwân die klage hôrt unde sach:
zuo sîme kampfgenôze er sprach
'ôwî hêrre, wer sît ir?
ir sprecht genædeclîch gein mir.
wan wære diu rede ê geschehn,
die wîle ich krefte mohte jehn!
sone wære ich niht von prîse komn.
ir habt den prîs alhie genomn.
ich hete iur gerne künde,
wâ ich her nâch fünde
mînen prîs, ob ich den suochte.
die wîle es mîn sælde ruochte,
so gestreit ich ie wol einer hant.'
'neve, ich tuon mich dir bekant
dienstlîch nu unt elliu mâl.
ich pinz dîn neve Parzivâl.'
Gâwân sprach 'sô was ez reht:
hiest krumbiu tumpheit worden sleht.
hie hânt zwei herzen einvalt
mit hazze erzeiget ir gewalt.
dîn hant uns bêde überstreit:
nu lâ dirz durch uns bêde leit.

690 Du hâst dir selben an gesigt,
ob dîn herze triwen phligt.'
dô disiu rede was getân,
done moht ouch mîn hêr Gâwân
vor unkraft niht langer stên.
er begunde al swindelde gên,
wand imz houbt erschellet was:
er strûchte nider an dez gras.
Artûss junchêrrelîn
spranc einez underz houbet sîn:
dô bant im daz süeze kint
ab den helm, unt swanc den wint
mit eime huote pfæwîn wîz
under d'ougen. dirre kindes vlîz

13. Gawans DGG^b. kanph genoz *G*. 15. Do $GG^b gg$. 16. = nah (nach G^b) hete $GG^b gg$. vephlegen *G*. 18. = Chint do sin erkanden (er chandin G^b) $GG^b gg$. 19. = des *fehlt* $GG^b gg$. sines GG^b, sin *D*. 20. = Der verbar $GG^b gg$. gein im do *G*. 21. = Uz der hende er (*fehlt g, nach* warf *g*) verre (*fehlt g*) warf daz swert $GG^b gg$. 23. weinde *D*. werde GG^b, fremde *dgg*. 25. sigelosen $GG^b g$. 27. Des (Da GG^b, Das *g*) was miner unfuge (ungefuoge *G*) ze (*fehlt* G^b) vil $GG^b gg$. 29. treit G^b.

689, 2. Ie ditche (diche G^b) GG^b. 3. ich *fehlt* GGbg. 4. min strit G^b, mit strite *Ggg*. ist $GG^b g$. 6. und *fehlt* $GG^b g$. ungelutches G^b. 9. die rede *Gg*. horte DGG^b. und *D*. 10. Ze sinem *G*, zisime G^b. champfgnoze *DG*. 11. Owe *alle aufser DG*. 12. ir *fehlt* G^b. sprechet *DG*, sprechit G^b. gnædechlich *Dg*, genedeclich nu *g*, gnade nu GG^b, nu gnade *g*, so frintlich *d*. 13. wan *fehlt* $GG^b gg$. 17. hiet *G*. iwer DGG^b. chûnde *G*. 19. 20. suohte-ruohte *G*. 20. des G^b. 22. erkant *G*. 23. dienstliche *D*, dienistlichin G^b. nu *fehlt* $GG^b gg$. unt *fehlt* GG^b. 24. bin $GG^b gg$. 25. do *D*. = ist $GG^b gg$. 26. hie ist *alle*. tumbiu $GG^b gg$. 27. habent *D*. herze $GG^b gg$. 29. 30. beide G^b. 30. nu *fehlt, dann* dirz sin, $GG^b gg$. lâ] si *d*. sin leit *Dg*.

690, 3. diu G^b. 4. = mohte min $GG^b gg$. herre G^b. 5. von G^b. 6. begonde G^b. al *fehlt* $GG^b gg$. swindelnde *g*, swindelen *dgg*, sweiblende *G*, sweibilende G^b. 7. Wan im sin *G*. houbet *DG*, houbit G^b. 8. Si sazen (sazin G^b) nider $GG^b gg$. an daz $G^b d$, anz *D*, uf dez *Ggg*. 9. iuncherrnlin *D*. 10. Sprah *G*. einz GG^b. = an den rucke (ruche G^b) sin $G^b gg$, an dem ruche sin *G*. 12. = Den helm abe $GG^b gg$. 13. phawin *Ggg*. 14. = Under sin ougen (sinen ougin G^b) dirre chinde fliz (vliz G^b) $GG^b gg$.

lêrte Gâwânn niwe kraft.
ûz beiden hern geselleschaft
mit storje kômen hie unt dort,
ieweder her an sînen ort,
dâ ir zil wârn gestôzen
mit gespieglten ronen grôzen.
Gramoflanz die koste gap
durch sîns kampfes urhap.
der boume hundert wâren
mit liehten blicken clâren.
dane solte niemen zwischen komn.
si stuonden (sus hân ichz vernomn)
vierzec poynder von ein ander,
mit gevärweten blicken glander,
fünfzec iewedersît.
dâ zwischen solt ergên der strît:

691 Daz her solt ûzerhalben habn,
als ez schiede mûre od tiefe grabn.
des heten hantvride getân
Gramoflanz und Gâwân.
gegen dem ungelobten strîte
manec rotte kom bezîte
ûz beiden hern, die sæhen
wem si dâ prîses jæhen.
die nam ouch wunder wer dâ strite
mit alsô strîteclîchem site,
ode wem des strîts dâ wære gedâht.
neweder her hête brâht
sînen kempfen in den rinc:
ez dûhte se wunderlîchiu dinc.
dô dirre kampf was getân
ûf dem bluomvarwen plân,
dô kom der künec Gramoflanz:
der wolde ouch rechen sînen kranz.
der vriesch wol daz dâ was geschehn
ein kampf, daz nie wart gesehn
herter strît mit swerten.
die des ein ander werten,
si tâtenz âne schulde gar.
Gramoflanz ûz sîner schar
zuo den kampfmüeden reit,
herzenlîcher klagt ir arbeit.
Gâwân was ûf gesprungen:
dem wârn die lide erswungen.
hie stuonden dise zwêne.
nu was ouch frou Bêne

692 Mit dem künege in den rinc geriten,
aldâ der kampf was erliten.
diu sach Gâwânn kreftelôs
den si für al die werlt erkôs
zir hôhsten freuden krône.
nâch herzen jamers dône
si schrînde von dem pfärde spranc:
mit armen sin vast unbeswanc,
si sprach 'verfluochet sî diu hant,
diu disen kumber hât erkant
gemacht an iwerm lîbe clâr,
bî allen mannen. daz ist wâr,
iwer varwe ein manlîch spiegel was.'
si satzt in nider ûffez gras:

16. Von GG^bgg. beden G^b. herren *Gg*. 17. storie *g*, storien *G*, stoiren *g*, stiuren *g*, sturierin G^b, rore *d*, rotte *D*. chomn *D*. 18. iewederr *D*, Ietweder *dgg*, Ietweders (-irs G^b) GG^bg. sin G^b 20. gespiegelten *D*, gespielten *G*, gespalten G^b, spiegelinen *g*. 23. boube *G*. 24. spähen (spæhin G^b) varwen GG^bgg. 25. niemin G^b. 26. = Die GG^bgg. *nach* sus *interpungiert D.* ich *gg*. 27-692, 9 *sind die enden* 692, 10-693, 21 *die anfänge der zeilen aus* G^b *weggeschnitten.* 27. gein G^b 28. = liehten blichen *G*, liehtim (lichten *g*) blicche G^bgg. 29. ietwedir sit G^b, ietwedere sit *G*. 30. Da enzwischen (inzw. *Gb*) solde GG^bgg.

691, 1. solte *D*, solde GG^b. uzzerhalbe *G*. 2. mur *Ggg*. oder tiefe *Dg*, oder *d*, unde *Ggg*. 3. hete den *D*, hette ein *d*, hette *g*. 5. = Gein disem (disime G^b) GG^bgg. gelobten *Ggg*, gelobiten G^b. 6. Manch (mænic G^b) rote GG^b. 7. = Von beden (-in G^b) GG^bgg. sahen-iahen *alle*. 8. wen G^b. priss *D*, bris *G*, pris G^b. 9. = Si wndert ouch (da *G*, doch G^b) sere wer da strite GG^bgg. 10. als G^b. 11. oder *D*, odir G^b. wem] wie GG^bgg. 12. Wan ieweder (ietwedir G^b) her (*fehlt* GG^b) het (hete G^b) braht GG^bgg. 13. sin chemphin G^b, Si chemphen *G*. 14. dûhte si (sie G^b) GG^bdgg, duohten si *D*, dühten *g*. 16. bluomenvarw . . . G^b, bluomen varwem *D*, pluemefarwen *d*. 17. dô *fehlt* GG^bgg. 19. er G^b. 23. die G^b. 26. chlaget *G*, clagit G^b, chlagete *D*. 28. *fehlt* G^b. di lide *D*, diu lit *G*.

692, 4. vor alder werlde GG^bgg. 5. zi der G^b. hohisten *G*, hohistin G^b, hübschen *d*, besten *D*. freude *D*. 6. = Mit GG^bgg. 7. scriende DGG^b. phärde *G*. 8. vaste *DG*. 10. chumbr G^b. 11. gemachet *DG*. iurem *G*, iuwerme G^b. 12. Vor *Ggg*. 14. sazten *D*. uf daz G^b, anz *D*.

ir weinens wênec wart verdagt.
dô streich im diu süeze magt
aben ougen bluot unde sweiz.
in harnasche was im heiz.
der künec Gramoflanz dô sprach
'Gâwân, mirst leit dîn ungemach,
ezn wær von mîner hant getân.
wiltu morgen wider ûf den plân
gein mir komn durch strîten,
des wil ich gerne bîten.
ich bestüende gerner nu ein wîp
dan dînen kreftelôsen lîp.
waz prîss möht ich an dir bejagn,
ine hôrt dich baz gein kreften sagn?
nu ruowe hînt: des wirt dir nôt,
wiltu fürstên den künec Lôt.'

693 Dô truoc der starke Parzivâl
ninder müede lit noh erblichen mâl.
er het an den stunden
sînen helm ab gebunden,
dâ in der werde künec sach,
zuo dem er zühteclîchen sprach
'hêr, swaz mîn nêve Gâwân
gein iwern hulden hât getân,
des lât mich für in wesen pfant.
ich trage noch werlîche hant:
welt ir zürnen gein im kêrn,
daz sol ich iu mit swerten wern.'
der wirt ûz Rosche Sabbîns
sprach 'hêrre, er gît mir morgen zins:
der stêt ze gelt für mînen kranz,
des sîn prîs wirt hôch unde ganz,
oder daz er jaget mich an die stat
aldâ ich trit ûf lasters pfat.
ir muget wol anders sîn ein helt:
dirre kampf ist iu doch niht erwelt.'
dô sprach Bênen süezer munt
zem künege 'ir ungetriwer hunt!
iwer herze in sîner hende ligt,
dar iwer herze hazzes pfligt.
war habt ir iuch durch minne ergebn?
diu muoz doch sînre genâden lebn.
ir sagt iuch selben sigelôs.
diu minne ir reht an iu verlôs:
getruoget ir ie minne,
diu was mit valschem sinne.'

694 Dô des zornes vil geschach.
der künec Bênen sunder sprach.
er bat si 'frouwe, zürne niht
daz der kamph von mir geschiht.
belîp hie bî dem hêrren dîn:
sage Itonjê der swester sîn,
ich sî für wâr ir dienstman
und ich welle ir dienen swaz ich kan.'
dô Bêne daz gehôrte
mit wærlîchem worte,
daz ir hêrre ir frouwen bruoder was,
der dâ solde strîten ûfme gras,

17. = Von den *Ggg*. 18. In dem GG^b*dgg*. harnas G^b. 20. mirs *G*, mir ist DG^b. 21. ez enwære *D*, Ez ne wâre *G*. = mit GG^b*gg*. 22. Wil du *Gg*. 22. 23. = morgen gein mir uf den plan. Her wider chomen GG^b*gg*. 24. = Ih wil din GG^b*gg*. gernir biten G^b. 28. hort *gg*. bi chreften *G*, bi creftin G^b. 30. Wildu *G*. fur sten *D*, ver sten *dg*, rechen GG^b*g*. entschülden *g*.

693, 1. = der iunge GG^b*gg*. 2. Niener *G*. lide GG^b*gg*. 4. ab] von im GG^b*g*. 5. Do *Gg*. 6. Zedem der zûhtchlihen sprach *G*. 8. hat missetan GG^b*g*. 9. = Da vur lat mih wesen phant GG^b*gg*. 11. 12. Sol er gein iu ze kamphe sten. Herre den lat an mir ergen GG^b*gg*, Welt ir zorn gegen ime han Das sol min hant under stan *d*. chêren-weren *Dg*. 13. Roscê Sabbins *D*, roisabins GG^b*g*. 15. gelte DGG^b. 16. und ganz *D*, unganz *g*. 17. Oder der min geiaget (geneiget GG^b) an die stat GG^b*gg*. er iaget mich *D*, er mich iaget *d*, geiagt mich *g*. 18. = Da *Ggg*, Daz *g*. uz *gg*, an *g*. 21. = Do sprah froun benen munt GG^b*gg*. 23. = sinen handen GG^b*gg*. 24. Dar *Ggg*, daz *Ddg*. 26. siner gnaden DGG^b. 27. Ich saget *G*. siglos *D*. 29. Truoget GG^b*g*. 30. vælschem G^b.

694, 1. dis zorns *D*. 2. Der kûnich ze froun benen (sunder G^b) sprah GG^b*g*. 3. = Die bat er GG^b*gg*. zurnit G^b*d*. 5. Unde belip GG^b*gg*. hie *fehlt* *D*. 6. Unde sage GG^b*gg*. Jtonîen DGG^b*gg*. 7. diensman *G*. 8. ich *Dg*, *fehlt den übrigen*. wil *D*. 9. = Do frou bene GG^b*gg*. daz *fehlt g*, do GG^b*g*. 10. Von GG^b*gg*. wêrlichem *G*, werlihen G^b. 11. ir herre] er GG^b. 12. ûfem DG^b.

dô zugen jâmers ruoder
in ir herzen wol ein fuoder
der herzenlîchen riuwe:
wan sie pflac herzen triuwe.
si sprach 'vart hin, verfluochet man!
ir sît der triwe nie gewan.'
der künec reit dan, und al die sîn.
Artûss junchêrrelîn
viengen d'ors disen zwein:
an den orsen sunder kampf ouch schein.
Gâwân und Parzivâl
unt Bêne diu lieht gemâl
riten dannen gein ir her.
Parzivâl mit mannes wer
het den prîs behalden sô,
si wâren sîner künfte vrô.
die in dâ komen sâhen,
hôhes prîss sim alle jâhen.

695 Ich sage iu mêre, ob ich kan.
dô sprach von disem einem man
in bêden hern die wîsen,
daz si begunden prîsen
sîne rîterlîche tât,
der dâ den prîs genomen hât.
welt irs jehn, deist Parzivâl.
der was ouch sô lieht gemâl,
ezn wart nie rîter baz getân:
des jâhen wîb unde man,
dô in Gâwân brâhte,
der des hin zim gedâhte
daz er in hiez kleiden.
dô truoc man dar in beiden
von tiwerr koste glîch gewant.
über al diz mære wart erkant,
daz Parzivâl dâ wære komn,
von dem sô dicke was vernomn
daz er hôhen prîs bejagte.
für wâr daz manger sagte.
Gâwân sprach 'wiltu schouwen
dîns künnes vier frouwen
und ander frouwen wol gevar,
sô gên ich gerne mit dir dar.'
dô sprach Gahmuretes kint
'op hie werde frouwen sint,
den soltu mich unmæren niht.
ein ieslîch [frouwe] mich ungerne siht,
diu bî dem Plimizœl gehôrt
hât von mir valschlîchiu wort.

696 Got müeze ir wîplîch êre sehn!
ich wil immer frouwen sælden jehn:
ich scham mich noch sô sêre,
ungern ich gein in kêre.'
'ez muoz doch sîn,' sprach Gâwân.
er fuorte Parzivâlen dan,
da in kusten vier künegîn.
die herzogin ez lêrte pîn,
daz si den küssen solde,
der ir gruozes dô niht wolde
dô si minne unde ir lant im bôt
(des kom si hie von scham in nôt),
dô er vor Lôgroys gestreit
unt si sô verre nâch im reit.
Parzivâl der clâre
wart des âne vâre
überparlieret,
daz wart gecondwieret
elliu scham ûz sîme herzen dô
âne blûkeit wart er vrô.
Gâwân von rehten schulden
gebôt bî sînen hulden
froun Bênen, daz ir süezer munt
Itonjê des niht tæte kunt,
'daz mich der künec Gramoflanz
sus hazzet umbe sînen kranz,
unt daz wir morgn ein ander strît
sulen gebn ze rehter kampfes zît.
mîner swester soltu des niht sagn,
unt sult dîn weinen gar verdagn.'

13. zûgen si *G*, zugen sie G^b. 14. = An GG^bgg. 15. herzelichin G^b. 16. wande *D*. 18. gwan GG^b. 19. Hin reit der kûnich gein den sin GG^bgg. 20. iuncherrnlin *D*. 21. diu ors GG^b. 22. ors *G*. ouch *fehlt Gg*. 24. = Unde frou GG^bgg. 25. ritten *D*. dannen] wider GG^bgg. 27. behalten GG^b. 28. chufte G^b. 30. = Des brises (prisis G^b) GG^bgg.

695, 1. mere *G*, mer *gg*, mære DG^b. 2. Nu GG^bgg. 3. beiden GG^b. 7. Parcifal *DG oft*. 8. = ouch *fehlt g*, et *Ggg*. 9. ezen w. *D*, Ez ne w. *G*. 13. hieze *Ggg*. 21. wil du *G*. 25. Gahmûretes *G*, Gahmurets *D*. 28. Etslich frouwe *G*, Etsliche *g*. ungern *D*. 29. blimzol *G*.

696, 2. immer *Ddg*, minr *G*, miner *gg*. selde *alle aufser D*. 3. sô *fehlt G*. 6. der *D*. Parcifaln *DG*. 10. Der doh ir gruozes niene wolde *Ggg*. 11. = Do sir lant unde ir minue im bot *Ggg*. 12. = Des wart sie hie von (vor *Gg*) schame rot *Ggg*. 18. = Ez *Ggg*. kondewiert *G*. 20. blwecheit *D*. 23. süezer *fehlt Ggg*. 24. Iconie *g*, Itonîen *DGdgg*. 27. morgen *DG*, morne *d*. 28. kanph zit *Gdg*, kampfe zit *g*. 29. swester *fehlt G*.

697 Si sprach 'ich mac wol weinen
und immer klage erscheinen:
wan sweder iwer dâ beligt,
nâch dem mîn frouwe jâmers pfligt.
diu ist ze bêder sît erslagn.
mîn frowen und mich muoz ich wol klagn.
waz hilft daz ir ir bruoder sît?
mit ir herzen welt ir vehten strît.'
daz her was gar gezoget în.
Gâwân unt den gesellen sîn
was ir ezzen al bereit.
mit der herzogîn gemeit
Parzivâl solt ezzen.
dane wart des niht vergezzen,
Gâwân dern befülhe in ir.
si sprach 'welt ir bevelhen mir
den der frouwen spotten kan?
wie sol ich pflegen dises man?
doch diene ich im durch iwer gebot:
ich enruoche ob er daz nimt für spot.'
dô sprach Gahmuretes suon
'frouwe, ir welt gewalt mir tuon.
sô wîse erkenne ich mînen lîp:
der mîdet spottes elliu wîp.'
ob ez dâ was, man gap genuoc:
mit grôzer zuht manz für si truoc.
magt wîb und man mit freuden az.
Itonjê des doch niht vergaz,
sine warte an Bênen ougen
daz diu weinden tougen:

698 Dô wart ouch si nâch jâmer var,
ir süezer munt meit ezzen gar.
si dâhte 'waz tuot Bêne hie?
ich hete iedoch gesendet sie
ze dem der dort mîn herze tregt,
daz mich hie gar unsanfte regt.
waz ist an mir gerochen?
hât der künc widersprochen
mîn dienst unt mîne minne?
sîn getriwe manlîch sinne
mugen hie niht mêr erwerben,
wan dar umbe muoz ersterben
mîn armer lîp den ich hie trage
nâch im mit herzenlîcher klage.'
dô man ezzens dâ verpflac,
dô wasez ouch über den mitten tac.
Artûs unt daz wîp sîn,
frou Gynovêr diu künegîn,
mit rîtern unt mit frouwen schar
riten dâ der wol gevar
saz bî werder frouwen diet.
Parzivâls antfanc dô geriet,
manege clâre frouwen
muos er sich küssen schouwen.
Artûs bôt im êre
unt dancte im des sêre,
daz sîn hôhiu werdekeit
wær sô lanc und ouch sô breit,
daz er den prîs für alle man
von rehten schulden solte hân.

699 Der Wâleis zArtûse sprach
'hêrre, do ich iuch jungest sach,
dô wart ûf d'êre mir gerant:
von prîse ich gap sô hôhiu pfant
daz ich von prîse nâch was komn.
nu hân ich, hêr, von iu vernomn,
ob ir mirz saget âne vâr,
daz prîs ein teil an mir hât wâr.
swie unsanfte ich daz lerne,
ich geloubtez iu doch gerne,

697, 2. immer] mine *Ggg*. 3. iuer *G*. = geliget *Ggg*. 5. site *G*. 6. = Ih muoz mich unde (musz umb *g*) mine (min *gg*) frouwen klagen *Ggg*. mine frouwen vn̄ mich *D*, Mich und sú *d*. 7. hilfet *DG*. 9. gar *fehlt G*. alles *g*. 13. Parcifal solde *DG*. 14. = Andem wart niht *Ggg*. 15. dern befulhen ir *D*, der enbefulhe in ir *G*. 17. spoten *G*. 18. diss *Dg*, disses *g*. 22. mir] = nu *Ggg*. 24. spoten *Ggg*. 25. gnuoch *G*. 26. grozen zúhten *Gg*. 27. Maget wip man *Ggg*. 28. Itonîe *G*. des doch *D*, des ouch *g*, auch des *g*, des *G*, doch *d*, och *g*. 30. di *D*.

698, 4. = Nu het ih doh *Ggg*. 5. 6. treit-reit *Gg*. 6. mih doh hie uns. *Ggg*. 8. kunec *D*, kúnich *G*. = versprochen *Ggg*. 10. Sin g. manlich *d*. 11. me *G*. 12. dar umbe *D*, das dar umb *d* = daz *Ggg*. 15. = des ezzens *Ggg*. da *Dg*, *fehlt Gdgg*. 18. kinover *G*. 22. Parcifal *G*. = enphahen *Ggg*. 26. danchet *G*. = des vil *Ggg*. 27. 28. *nach* 29. 30: 27. Unde daz, 28. Was, *Ggg*. 28. ouch *fehlt Gdgg*.

699, 2. iungist *G*. 3. di *D*, *fehlt G*. 5. von prise nach was *D*, noch was *d* = was nah von brise *Ggg*, nach was von prise *g*. 6. herre *fehlt d*. = an iu *Ggg*. 8. an mir ein teil *D*. 9-12 *fehlen Gg*. 10. geloubez *D*.

wold ez gelouben ander diet,
von den ich mich dô schamende schiet.'
die dâ sâzen jâhen siner hant,
si het den prîs übr mangiu lant
mit sô hôhem prîse erworben
daz sîn prîs wær unverdorben.
der herzoginne rîter gar
ouch kômen dâ der wol gevar
Parzivâl bî Artûse saz.
der werde künec des niht vergaz,
er enpfienge se in des wirtes hûs.
der höfsche wîse Artûs,
swie wît wær Gâwâns gezelt,
er saz derfür ûfez velt:
si sâzen umb in an den rinc.
sich samenten unkundiu dinc.
wer dirre unt jener wære,
daz wurden wîtiu mære,
solt der kristen und der Sarrazîn
kuntlîche dâ genennet sîn.

700 Wer was Clinschores her?
wer wâren die sô wol ze wer
von Lôgroys vil dicke riten,
dâ si durch Orgelûsen striten?
wer wâren die brâht Artûs?
der ir aller lant unt ir hûs
kuntlîche solte nennen,
müelîch si wârn zerkennen.
die jâhen al gemeine,
daz Parzivâl al eine
vor ûz trüeg sô clâren lîp,
den gerne minnen möhten wîp;
unt swaz ze hôhem prîse züge,
daz in des werdekeit niht trüge.
ûf stuont Gahmuretes kint.
der sprach 'alle die hie sint,
sitzen stille unt helfen mir
des ich gar unsanfte enbir.
mich schiet von tavelrunder
ein verholnbærez wunder:
die mir ê gâben geselleschaft,
helfen mir gesellecliîcher kraft
noch drüber.' des er gerte
Artûs in schône werte.
einer andern bete er dô bat
(mit wênec liutn er sunder trat),
daz Gâwân gæbe im den strît
den er ze rehter kampfes zît
des morgens solde strîten.
'ich wil sîn gern dâ bîten,

701 Der dâ heizt rois Gramoflanz.
von sînem boume ich einen kranz
brach hiute morgen fruo,
daz er mir strîten fuorte zuo.
ich kom durch strîten in sîn lant,
niwan durch strît gein sîner hant.
neve, ich solt dîn wênec trûwen hie:
mirn geschach sô rehte leide nie:
ich wând ez der künec wære,
der mich strîtes niht verbære.
neve, noch lâz mich in bestên:
sol immer sîn unprîs ergên,
mîn hant im schaden füeget,
des in für wâr genüeget.
mir ist mîn reht hie wider gegebn:
ich mac gesellecliîche lebn,
lieber neve, nu gein dir.
gedenke erkanter sippe an mir,
und lâz en kampf wesen mîn:
dâ tuon ich manlîch ellen schîn.'

12. do *D*, doch *g*, *fehlt dg*. 13. = die iahen *Ggg*. 14. uber *D*, ûber *G*. menegiu *D*. 16. Daz si brises *Ggg*. 18. = ouch *fehlt Ggg*. chom *D*, kome *d*. 20. des *fehlt d* = do *Ggg*. 21. Er enphiench in in *G*. 22. = Der stolze kûnc artus *Ggg*. 25. umb in] nider *G*. 26. samneten *D*, samten *dg*. 28. witiu wâre *G*. 29. sarazin *D*.

700, 1. clinsores *G*, Clinscors *D*. 3. = so ditche *Ggg*. 4. = Daz *Ggg*. Orgelûse *Gg*. 6. lant] namen *Ggg*. 8. mueliche *D*. weren *d*. 9. = sprachen *Ggg*. 10. Daz parcifal der reine *Ggg*. 11. truege *DG*. 12. môhte ein wip *G*. 15. stuont do *Ggg*. Gahmurets *DG*. 16. = Er *Ggg*. 17. = Sitzet-helfet *Ggg*. 18. gar] = harte *Ggg*. 20. Ein verholn herze wnder *Gg*. 21. ê] = drûber *Ggg*. 22. = Helfet *Ggg*. 25. bet *G*. 26. liuten *D*, lûten *G*. 28. kamph zit *Gg*, kamppfe zit *d*.

701, 1. heizet *DG*. rois] kunech *Dgg*, *fehlt Gdg*. 3. Brah ouch *Gg*. huten morgen *g*. 4. striten fure zu *g*, streites vorchte zuo *g*, strites vorhten tuo *Gg*. 5. strit *Gg*, in *g*. 6. gein *D*, zuo *d* = von *Ggg*. 7. = neve *fehlt Ggg*. solte *Dd* = mohte *Ggg*. 8. mir eng. *DG*. 10. strits *D*. 11. laze mich *D*, wil ih *Gg*. 12. imer *G*. 16. gesellic-lihen *Gdgg*. 18. denche *D*, Nu ged. *gg*. 19. la den kanph *G*. 20. = Ih tuon im *Ggg*.

dô sprach mîn hêr Gâwân
'mâge und bruoder ich hie hân
bîme künege von Bretâne vil:
iwer keinem ich gestaten wil
daz er für mich vehte.
ich getrûwe des mîm rehte,
süles gelücke walden,
ich müge'n prîs behalden.
got lôn dir daz du biutes strît:
es ist ab für mich noh niht zît.'
702 Artûs die bete hôrte:
daz gespræche er zestôrte,
mit in widr an den rinc er saz.
Gâwâns schenke niht vergaz,
dar entrüegen junchêrrelîn
mangen tiwern kopf guldîn
mit edelem gesteine.
der schenke gienc niht eine.
dô daz schenken geschach,
daz folc fuor gar an sîn gemach.
do begundz ouch nâhen der naht.
Parzivâl was sô bedâht,
al sîn harnasch er besach.
op dem iht riemen gebrach,
daz hiez er wol bereiten
unt wünneclîchen feiten,
unt ein niwen schilt gewinnen:
der sîn was ûze unt innen
zerhurtiert und ouch zerslagn:
man muose im einen starken tragn.
daz tâten sarjande,
die vil wênc er bekande:
etslîcher was ein Franzeys.
sîn ors daz der templeys
gein im zer tjoste brâhte,
ein knappe des gedâhte,
ez wart nie baz erstrichen sît.
dô was ez naht unt slâfes zît.
Parzivâl ouch slâfes pflac:
sîn harnasch gar vor im dâ lac.
703 Ouch rou den künec Gramoflanz
daz ein ander man für sînen kranz
des tages hete gevohten:
da getorsten noch enmohten
die sîn daz niht gescheiden.
er begundez sêre leiden
daz er sich versûmet hæte.
waz der helt dô tæte?
wand er ê prîs bejagte,
reht indes dô ez tagte
was sîn ors gewâpent und sîn lîp.
ob gæben rîchlôsiu wîp
sîner zimierde stiure?
si was sus als tiure.
er zierte'n lîp durch eine magt:
der was er diens unverzagt.
er reit ein ûf die warte.
den künec daz müete harte,
daz der werde Gâwân
niht schiere kom ûf den plân.
nu het ouch sich vil gar verholn
Parzivâl her ûz verstoln.
ûz einer banier er nam
ein starkez sper von Angram:
er het ouch al sîn harnasch an.
der helt reit al eine dan
gein den ronen spiegelîn,
aldâ der kampf solde sîn.
er sach den künec halden dort.
ê daz deweder ie wort

23. = Mit dem kûnige *Ggg.* Und miner œheim vil *d.* britanie *Ggg.* 24. neheinem *G.* gestatten *D.* 25. = er da *Ggg.* 26. = getrwes *Ggg.* mime *D*, minne *G.* 27. Sol es *alle aufser D.* 28. Ih mûge den bris *G.* 30. = Des *gg.* Vur mih es enist aber noh niht zit *G.* aber *alle.*

702, 2. = er gar *Ggg.* 3. = Mit in er wider an (in *G*) den rinch saz *Ggg.* wider *D.* 5. en *Dg*, *fehlt Gdgg.* iuncherrenlin *D.* 8. gie *G.* 11. = Nu begunde ouch nahen diu naht *Ggg.* begundez *D.* nohen ouch *d.* 12. was *fehlt G.* 13. = Daz er sin harnasch besah *Ggg.* 14. iht] = deheins *Ggg.* 15. er *fehlt D.* 17. einen *alle.* 18. = Wan der sin *Ggg.* sine *Dg.* uzzen *G*, uozen *D.* 19. Zer hůrtiert *G.* = ouch *fehlt Ggg.* 20. einen niwen *G.* 22. = vil *fehlt Ggg.* 23. franzois *G.* 27. = Ez ne *Ggg.* 28. = Nu *Ggg.* slafens *dgg.* 29. ouch] = do *Ggg.* 30. do *G.*

703, 1. Doh *G*, Durch *g.* 4. Done *G.* noh ne mohten *G.* 5. sine *DG.* scheiden *G.* 7. 8. hete-tâte *G.* 9. = Wan er bris *Ggg.* 10. = reht *fehlt Ggg.* indes *D*, innen *d*, Innen (Inne *g*) des *Ggg.* 11. Wan *G.* sin selbes lip *D.* 12. rih losen *G.* 14. si] ez *D.* 15. = durh die maget *Ggg.* 16. Er was ir dienstes *d* = Der was sin (der *G*) dienst *Ggg*, Er was seinem dienst *g.* 17. ein *g*, eine *DG.* 18. künec *fehlt Gg.* 21. vil *fehlt G.* 22. gestolen *G.* 27. ronne *G*, roren *g.* 30. Ē ir dewederre *G.*

704 Zem andern gespræche,
man giht iewederr stæche
den andern durch des schildes rant,
daz die sprîzen von der hant
ûf durch den luft sich wunden.
mit der tjost si bêde kunden,
unt sus mit anderm strîte.
ûf des angers wîte
wart daz tou zerfüeret,
unt die helme gerüeret
mit scharpfen eken die wol sniten.
unverzagetlîch si bêde striten.
dâ wart der anger getret,
an maneger stat daz tou gewet.
des riwent mich die bluomen rôt,
unt mêr die helde die dâ nôt
dolten âne zageheit.
wem wær daz liep âne leit,
dem si niht hêten getân?
do bereite ouch sich hêr Gâwân
gein sînes kampfes sorgen.
ez was wol mitter morgen,
ê man vriesch daz mære
daz dâ vermisset wære
Parzivâls des küenen.
ob erz welle süenen?
dem gebârt er ungelîche:
er streit sô manlîche
mit dem der ouch strîtes pflac.
nu was ez hôch ûf den tac.

705 Gâwâne ein bischof messe sanc.
von storje wart dâ grôz gedranc:
ritter unde frouwen
man mohte zorse schouwen
an Artûses ringe,
ê daz man dâ gesinge.
der künec Artûs selbe stuont,
dâ die pfaffenz ambet tuont.
dô der benditz wart getân,
dô wâpent sich hêr Gâwân:
man sah ê tragen den stolzen
sîn îserîne kolzen
an wol geschicten beinen.
do begunden frouwen weinen.
daz her zogte ûz über al,
dâ si mit swerten hôrten schal
und fiwer ûz helmen swingen
unt slege mit kreften bringen.
der künec Gramoflanz pflac site,
im versmâhte sêre daz er strite
mit einem man: dô dûhte in nuo
daz hie sehse griffen strîtes zuo.
ez was doch Parzivâl al ein,
der gein im werlîche schein.
er het in underwîset
einer zuht die man noch prîset:
ern genam sît nimmer mêre
mit rede an sich die êre
daz er zwein mannen büte strît,
wan einers im ze vil dâ gît.

706 Daz her was komn ze bêder sît
ûf den grüenen anger wît
iewederhalp an sîniu zil.
si prüeveten diz nîtspil.
den küenen wîganden
diu ors wârn gestanden:
dô striten sus die werden
ze fuoz ûf der erden
einen herten strît scharpf erkant.
diu swert ûf hôhe ûz der hant
wurfen dicke die recken:
si wandelten die ecken.
sus enpfienc der künec Gramoflanz
sûren zins für sînen kranz.
sîner vriwendinne künne
leit ouch bî im swache wünne.
sus enkalt der werde Parzivâl
Itonjê der lieht gemâl,
der er geniezen solde,
ob reht ze rehte wolde.
nâch prîs die vil gevarnen
mit strîte muosen arnen,

704, 2. daz iewederre *G*. 3. Dem *Gdgg*. 4. spriezzen *Gdg*. 14. gewêt *G*. 16. me *G*. 18. âne] olde *G*, oder *g*. 20. ouch *fehlt G*. 23. friesche *Gg*, freische *dg*. 27. ungliche *G*. 30. = Nu was ouh hohe uf der tach *Ggg*.

705, 2. storîe *D*, sturie *Ggg*, stör *d*, storien *g*. ’ do *G*. 5. Artuss *D*, artus *G*. 8. pfaffen daz *alle*. ambt *G*. 9. bendiz *D*, beneditz *g*, benedig *dg*, segen *g*. 11. ê] = dar *Ggg*. den *Dg*, dem *Ggg*, des *d*. 12. ŷsrine *D*. 16. Do *G*. 17. helme *G*. = springen *Ggg*. 18. = dringen *Ggg*, ringen *g*. 24. werlihen *Gg*. 26. noch *Dd*, hoch *g*, *fehlt Ggg*. 27. er eng. *D*, Er g. *G*. 28. rede *fehlt G*. 29. bute *Dd* = hiet *Ggg*, gebe *g*. 30. einer sim *D*, einer yme *d* = einer ims *Ggg*. dâ *fehlt Gg*.

706, 1. zeber sit *G*. 3. îweder h. *D*, Ietweder h. *G*. 4. Sit pruoveten daz nit spil *G*. 6. dors *D*. 9. scharf *G*. 10. ûf *D*, *fehlt den übrigen*. hô *G*. 11. dicke *fehlt g*, do *d*. dise *D*. 13. enphie *G*. 17. eng. *G*. 18. Itonîen *alle*. 21. prise *DG*. die wol gevarn *G*.

einer streit für friundes nôt,
dem andern minne daz gebôt
daz er was minne undertân.
dô kom ouch mîn hêr Gâwân,
do ez vil nâch alsus was komn
daz den sig het aldâ genomn
der stolze küene Wâleis.
Brandelidelîn von Punturteis,
707 Unde Bernout de Riviers,
und Affinamus von Clitiers,
mit blôzen houpten dise drî
riten dem strîte nâher bî:
Artûs und Gâwân
riten anderhalp ûf den plân
zuo den kampfmüeden zwein.
die fünve wurden des enein,
si wolden scheiden disen strît.
scheidens dûhte rehtiu zît
Gramoflanzen, der sô sprach
daz er dem siges jach,
den man gein im dâ het ersehn.
des muose ouch mêre liute jehn.
dô sprach des künec Lôtes suon
'hêr künec, ich wil iu hiute tuon
als ir mir gestern tâtet,
dô ir mich ruowen bâtet.
nu ruowet hînt: des wirt iu nôt.
swer iu disen strît gebôt,
der het iu swache kraft erkant
gein mîner werlîchen hant.
ich bestüende iuch nu wol ein:
nu veht ab ir niwan mit zwein.
ich wilz morgen wâgen eine:
got ez ze rehte erscheine.'
der künec reit dannen zuo den sîn.
er tet ê fîanze schîn,
daz er smorgens gein Gâwân
durch strîten kœme ûf den plân.
708 Artûs ze Parzivâle sprach
'neve, sît dir sus geschach
daz du des kampfes bæte
und manlîche tæte
unt Gâwân dirz versagte,
daz dîn munt dô sêre klagete,
nu hâste den kamph idoch gestriten
gein im der sîn dâ het erbiten,
ez wære uns leit ode liep.
du sliche von uns als ein diep:
wir heten anders dîne hant
disses kampfes wol erwant.
nu darf Gâwân des zürnen niht,
swaz man dir drumbe prîses giht.'
Gâwân sprach 'mir ist niht leit
mîns neven hôhiu werdekeit.
mirst dennoch morgen alze fruo,
sol ich kampfes grîfen zuo.
wolt michs der künec erlâzen,
des jæhe ich im gein mâzen.'
daz her reit în mit maneger schar.
man sach dâ frouwen wol gevar,
und manegen gezimierten man,
daz nie dechein her mêr gewan
solher zimierde wunder.
die von der tavelrunder
und diu mässenîe der herzogîn,
ir wâpenrocke gâben schîn
mit pfell von Cynidunte
und brâht von Pelpîunte:
709 Lieht wârn ir kovertiure.
Parzivâl der gehiure
wart in bêden hern geprîset sô,
sîne friwent des mohten wesen vrô.

27. alsus vil nach *D*. sûs *G*. 28. sik *G*. also hette *d* = hete *Ggg*. 30. ponturteis *G*.

707, 1. Gernout *Gg*. von *Ggg*. rivirs *G*. 2. Affinamûs *D*. = de *Ggg*. = Cletiers *gg*, cletirs *G*. 4. Dem strite riten *G*. naher *D*, nahe *dg*, nahen *Ggg*. 6. anderthalben *D*. 8. = fünve *fehlt Ggg*. 9. = den strit *Ggg*. 11. Gramoflanz *Ggg*. 13. Dem *Gg*. da *setzt d nach* im = *es fehlt Ggg*. = gesehen *Ggg*. 14. ouch *fehlt G*. 16. iu *fehlt D*. ioch wil ich úch *g*. 17. = gester *Ggg*. 21. = hat *Ggg*. 24. aber *DG*. 27. dannen *fehlt Gg*. = gein den sinen *Ggg*. 28. ê] = ouch *Ggg*. schinen *gg*.

708, 4. manlîcher? 7. Unde *G*. hastu *alle*. 9. oder *D*. 10. = Do ersliche dun (Du ersliche unsen *g*) als einen diep *Ggg*. 12. diss *D*. 13. = Nune *Ggg*. daz *Ggg*. zûrne *G*. 14. = bris drumbe *Ggg*. priss *D*. 15. miru *Gg*. 17. mir ist *DG*. 19. wolte *D*, Wolde *G*. 20. gein] = ze *Ggg*. 23. zimierten *D*. 24. me gwan *G*. 27. mæssenide *D*, messen *G*. 28. wapen rôche *G*. ö *dg*. 29. Von *G*. pfelle *D*, phelle unde von *G*. zundunte *d* = zinidunt *g*, zundunt *g*, Cindont *g*, zididunt *G*. 30. = pelpiunt *gg*, pelimunt *G*, Belimunt *g*.

709, 4. vriunt es *G*.

si jâhn in Gramoflanzes her
daz ze keiner zît sô wol ze wer
nie kœme rîter dechein,
den diu sunne ie überschein:
swaz ze bêden sîten dâ wære getân,
den prîs mües er al eine hân.
dennoch si sîn erkanten niht,
dem ieslîch munt dâ prîses giht.
  Gramoflanz si rieten,
er möhte wol enbieten
Artûse, daz er næme war
daz kein ander man ûz sîner schar
gein im kœm durch vehten,
daz er im sande den rehten:
Gâwân des künec Lôtes suon,
mit dem wolt er den kampf tuon.
die boten wurden dan gesant,
zwei wîsiu kint höfsch erkant.
der künec sprach 'nu sult ir spehn,
wem ir dâ prîses wellet jehn
under al den clâren frouwen.
ir sult ouch sunder schouwen,
bî welher Bêne sitze.
nemt daz in iwer witze,
in welhen bærden diu sî.
won ir freude od trûren bî,
710 Daz sult ir prüeven tougen.
ir seht wol an ir ougen,
op si nâch friunde kumber hât.
seht daz ir des niht enlât,
Bênen mîner friundîn
gebt den brief unt diz vingerlîn:
diu weiz wol wem daz fürbaz sol.
werbt gefuog: sô tuot ir wol.'
  nu wasez ouch anderhalp sô komn,
Itonjê het aldâ vernomn
daz ir bruoder unt der liebste man,
den magt inz herze ie gewan,
mit ein ander vehten solden
unt des niht lâzen wolden.
dô brast ir jâmer durch die schem.
swen ir kumbers nu gezem,
der tuot ez âne mînen rât,
sît siz ungedienet hât.
  Bêde ir muoter und ir ane
die maget fuorten sunder dane
in ein wênc gezelt sîdîn.
Arnîve weiz ir disen pîn,
si strâfte se umb ir missetât.
des was et dô kein ander rât:
si verjach aldâ unverholn
daz si lange in hete vor verstoln.
dô sprach diu maget wert erkant
'sol mir nu mîns bruoder hant
mîns herzen verch versnîden,
daz möht er gerne mîden.'
711 Arnîve zeim junchêrrelîn
sprach 'nu sage dem sune mîn,
daz er mich balde spreche
unt daz al eine zeche.'
der knappe Artûsen brâhte.
Arnîve des gedâhte,
si woltz in lâzen hœren,
ob er möht zestœren,
nâch wem der clâren Itonjê
was sô herzenlîche wê.
  des künec Gramoflanzes kint
nâch Artûse komen sint.
die erbeizten ûf dem velde.
vor dem kleinn gezelde
einer Bênen sitzen sach
bî der diu zArtûse sprach

5. iahen *DG*. 6. zuo deheiner *G*. 7. chom *D*. 9. Swie iz ze beden tagen da *Ggg*. ze bêder sît? 10. Den sbris *G*. 12. dâ] des *G*. priss *D*, bris *G*, *öfter*. 14. móht *G*. 15. Artus *Gg*. 16. dechein *D*, dehein *G*. = ander *fehlt Ggg*. 17. chœme *D*, chôme *G*. 19. Lots *DG*. 20. Gein *G*. 23. ir ouch *G*. 24. = Welher ir da bris welt iehen *Ggg*. 29. In welhor gebare (geberde *dg*) si (die *g*) si *Gdg*. gebærden *Dgg*. 30. oder *DG*.

710, 4. Nu seht *G*. = des iht lat *Ggg*. 6. disen *Gd*. 7. daz] = iz *Ggg*. 8. werbet gefuoge *DG*. 9. = ouch *fehlt Ggg*. anderthalbn *D*. 12. in herze *G*, in hertzen *g*, ir hertzen *g*. 17. tuotz *D*. 19. Beidiu *G*. 20. Fuorten die maget sunder dan *G*. 23. straftese *D*, strafet si *G*. 24. Des ne *Gg*. do kein *dgg*, doch ein *D*, do dehein *Gg*. 26. = Daz si in lange [vor *g*] het [vor *g*] verstoln *Ggg*.

711, 1. 2. Arnive sprah zeinē iuncherrelin. Sage dem lieben sune min *G*. 1. zeime iuncherrnlin *D*, zu einem iuncherlin *gg*. 5. knabe *D*. = ze artuse gahte *Ggg*. 7. woldez *Dd* = wolde *Ggg*. 8. ers *d*. mohte *DG*. 9. 10. Daz der-Tet so *G*. 14. chleinem *D*, chleinen *die übrigen*.

'giht des diu herzogîn für prîs,
ob mîn bruoder mir mîn âmîs
sleht durch ir lôsen rât?
des möht er jehen für missetât.
waz hât der künec im getân?
er solt in mîn geniezen lân.
treit mîn bruoder sinne,
er weiz unser zweier minne
sô lûter âne truopheit,
pfligt er triwe, ez wirt im leit.
sol mir sîn hant erwerben
nâch dem künge ein sûrez sterben,
hêrre, daz sî iu geklagt,'
sprach zArtûs diu süeze magt.

712 'Nu denct ob ir mîn œheim sît:
durch triwe scheidet disen strît.'
Artûs ûz wîsem munde
sprach an der selben stunde
'ôwê, liebiu niftel mîn,
daz dîn jugent sô hôher minne schîn
tuot! daz muoz dir werden sûr.
als tet dîn swester Sûrdâmûr
durch der Kriechen lampriure.
süeziu magt gehiure,
den kampf möht ich wol scheiden,
wesse ich daz an iu beiden,
op sîn herze untz dîn gesamnet sint.
Gramoflanz Irôtes kint
vert mit sô manlîchen siten,
daz der kampf wirt gestriten,
ezn understê diu minne dîn.
gesaher dînen liehten schîn
bî friunden ie ze keiner stunt,
unt dînen rôten süezen munt?'
si sprach 'desn ist niht geschehn:
wir minn ein ander âne sehn.
er hât ab mir durch liebe kraft
unt durch rehte geselleschaft
sîns kleinœtes vil gesant:
er enpfienc ouch von mîner hant
daz zer wâren liebe hôrte
und uns beiden zwîvel stôrte.
der künec ist an mir stæte,
ân valsches herzen ræte.'

713 Do erkante wol frou Bêne
dise knappen zwêne,
des künec Gramoflanzes kint,
die nâch Artûse komen sint.
si sprach 'hie solte niemen stên.
welt ir, ich heize fürder gên
daz volc ûzen snüeren.
wil mîne frouwen rüeren
solch ungenâde umb ir trût,
daz mær kumt schiere über lût.'
frou Bêne her ûz wart gesant.
der kinde einez in ir hant
smucte den brief untz vingerlîn.
si heten ouch den hôhen pîn
von ir frouwen wol vernomn,
und jâhen des, si wæren komn
und woltn Artûsen sprechen,
op si daz ruochte zechen.
si sprach 'stêt verre dort hin dan
unz ich iuch gêns zuo mir man.'
von Bênen der süezen maget
ime gezelde wart gesaget,
daz Gramoflanzes boten dâ
wæren unde vrâgten wâ
Artûs der künec wære.
'daz dûht mich ungebære,
ob i'n zeigete an diz gespræche.
seht denne waz ich ræche

18. = mir *fehlt* *Ggg*. 20. moht ir gehen *Gg*. 21. = *nach* 22 *Ggg*. 22. Ir sûlt *G*. 24. rechte sinne *g*. 25. = falscheit *G*. 28. swerz *D*. 30. zArtuse *D*, ze artuse *G*.

712, 1. denchet *DG*. 5. Owi *D*. 6. sô] uz *G*. 8. Also *G*. 9. den *Gg* *und* (*dann* kryeschen) *g*. Lampruore *D*, lanpriure *G*. 10. gehiuore *D*. 13. vñ daz dine *D*, unde din *G*. gesament *G*. 14. Irots *Dg*, gyrotes *Gdgg*. 17. ezen *DG*. 19. vrowen *g*, freude *G*, freuden *die übrigen*. deh. *G*. 21. des enist *DG*. 22. minnen *DG*. = ungesehen *Ggg*. 23. aber *DG*. 25. chleinodes *DG*. 26. enpfieg *D*. 27. ze warem *G*. 28. beiden] den *G*. 30. ane *DG*.

713, 2. zwêne] bede *G*. 4. di *D*. 5. sol *Gg*. stan-gan *G*. 6. = Welt (muget *gg*) ir heizen (heizet *g*) fürder (füder *g*) *Ggg*. 8. = min frouwe *Ggg*. 9. Scholc ungnade umbe *G*. 12. einz *G*. 13. Schoup *d* = Stiez *Ggg*. unde daz *G*. 17. wolten *D*, wolden *G*. artus *g*. 21. Froun benen *Gg*. 22. In dem gezelte *G*. 23. daz *fehlt* *Gg*. 26. duhte *DG*. 27. i'n] ih iu *G*, ich in *die übrigen*. 28. dane *G*.

an mîner frouwen, ob si sie
alsus sæhen weinen hie.'

714 Artûs sprach 'sint ez die knabn,
diech an den rinc nâch mir sach drabn?
daz sint von hôher art zwei kint:
waz op si sô gefüege sint,
gar bewart vor missetât,
daz si wol gênt an disen rât?
eintweder pfligt der sinne,
daz er sîns hêrren minne
an mîner nifteln wol siht.'
Bêne sprach 'desn weiz ich niht.
hêrre, magez mit hulden sîn,
der künec hât diz vingerlîn
dâ her gesant unt disen brief:
dô ich nu fürz poulûn lief,
der kinde einez gab in mir:
frouwe, sêt, den nemet ir.'
dô wart der brief vil gekust:
Itonjê druct in an ir brust.
dô sprach si 'hêr, nu seht hie an,
ob mich der künec minne man.'
Artûs nam den brief in die hant,
dar an er geschrieben vant
von dem der minnen kunde,
waz ûz sîn selbes munde
Gramoflanz der stæte sprach.
Artûs an dem brieve sach,
daz er mit sîme sinne
sô endehafte minne
bî sînen zîten nie vernam.
dâ stuont daz minne wol gezam.

715 'Ich grüeze die ich grüezen sol,
dâ ich mit dienste grüezen hol.
frouwelîn, ich meine dich,
sît du mit trôste trœstes mich.
unser minne gebent gesellesehaft:
daz ist wurzel mîner freuden kraft.
dîn trôst für ander trôste wigt,
sît dîn herze gein mir triwen pfligt.
du bist slôz ob mîner triwe
unde ein flust mîns herzen riwe.
dîn minne gît mir helfe rât,
daz deheiner slahte untât
an mir nimmer wirt gesehn.
ich mac wol dîner güete jehn
stæte âne wenker sus,
alz pôlus artanticus
gein dem tremuntâne stêt,
der neweder von der stete gêt:
unser minne sol in triwen stên
unt niht von ein ander gên.
nu gedenke ane mir, werdiu magt,
waz ich dir kumbers hân geklagt:
wis dîner helfe an mir niht laz.
ob dich ie man durch mînen haz
von mir welle scheiden,
so gedenke daz uns beiden
diu minn mac wol gelônen.
du solt froun êren schônen,
und lâz mich sîn dîn dienstman:
ich wil dir dienen swaz ich kan.'

716 Artûs sprach 'niftel, du hâst wâr,
der künec dich grüezet âne vâr.
dirre brief tuot mir mære kunt
daz ich sô wunderlîchen funt
gein minne nie gemezzen sach.
du solt im sîn ungemach
wenden: alsô sol er dir.
lât ir daz peidiu her ze mir:
ich wil den kampf undervarn.
die wîle soltu weinen sparn.

30. = Sehent (Sahen *gg*) alsus *Ggg*.

714, 2. die ich *alle*. sach *vor* drabn *Dg*, *vor* nah *die übrigen*. 7. Ein weder *G*, Eintwerre *g*. 10. des enw. *D*, des new. *G*. 14. vur daz pavelun *G*. 15. einz *G*. gaben mir *D*. 16. Frouwe nemt *G*. set *D*, sent *d* = seht *Ggg*. nemt *DG*. 18. Si druchte in [vaste *gg*] an *Ggg*. 19. herre *fehlt Gg*, oheim (*ohne* nu) *g*. 21. den brief nam *alle außer Dg*. 26. brive *D*, brieve *G*. 28. = Endehafter minne *Ggg*. 29. siner zite *G*. 30. minnen *G*.

715, 2. daz ich *D*. 3. Frouwe min *G*. 4. trostes *Dg*, trostest *G*. 6. freude *D*. 7. vur alle *Gg*. 12. sláhte *G*. 13. gescehn *D*. 16. Pôlus *D*, der *G*. artânticus *D*. 17. der *G*. Trimuntane *D*, Trehm. *gg*. stat-gat *G*. 18. deweder *G*. state *G*, stet *g*, stat *gg*. 19. 20. stan-gan *G*. 21. ane *DG*. = mih *Ggg*. 22. habe *G*. 24. îemen *DG*. 26. Nu *G*. denche *D*. 27. minne *alle*. wol *fehlt dg*. lonen *D*. 28. frouwen *D*. 29. laze *Dd* = la *Ggg*. dinen *Ggg*.

716, 2. gruozt *G*. 3. mir *fehlt Ggg*. mere *G*. 4. = werdeclihen *Ggg*, wunnigliche *g*. 7. als *G*.

nu wær du doch gevangen:
sage mir, wiest daz ergangen
daz ir ein ander wurdet holt?
du solt im dîner minne solt
teiln: dâ wil er dienen nâch.'
Itonjê Artûs niftel sprach
'sist hie diu daz zesamne truoc.
unser enwedrius nie gewuoc.
welt ir, si füegt wol daz i'n sihe,
dem ich mînes herzen gihe.'
Artûs sprach 'die zeige mir.
mac ich, sô füege ich im unt dir,
daz iwer wille dran gestêt
und iwer beider freude ergêt.'
Itonjê sprach 'ez ist Bêne.
ouch sint sîner knappen zwêne
alhie. mugt ir versuochen,
welt ir mîns leben ruochen,
op mich der künec welle sehn,
dem ich muoz mîner freuden jehn?'

717 Artûs der wîse höfsche man
gienc her ûz zuo den kinden sân:
er gruozte si, dô er si sach.
der kinde einez zim dô sprach
'hêrre, der künec Gramoflanz
iuch bitet daz ir machet ganz
gelübde, diu dâ sî getân
zwischen im unt Gâwân,
durch iwer selbes êre.
hêrre, er bitet iuch mêre,
daz kein ander man im füere strît.
iwer her ist sô wît,
solt ers alle übervehten,
daz englîchte niht dem rehten.
ir sult Gâwânn lâzen komn,
gein dem der kampf dâ sî genomn.'
der künec sprach zen kinden
'ich wil uns des enbinden.
mîme neven geschach nie grœzer leit,
daz er selbe dâ niht streit.
der mit iwerm hêrren vaht,
dem was der sig wol geslaht:
er ist Gahmuretes kint.
al die in drîen heren sint
komn von allen sîten,
dine vrieschen nie gein strîten
deheinen helt sô manlîch:
sîn tât dem prîse ist gar gelîch.
ez ist mîn neve Parzivâl.
ir sult in sehn, den lieht gemâl.

718 Durch Gâwânes triwe nôt
leist ich daz mir der künec enbôt.'
Artûs und Bêne
unt dise knappen zwêne
riten her unde dar.
er liez diu kint nemen war
liehter blicke an manger frouwen.
si mohten ouch dâ schouwen
ûf den helmen manec gesnürre.
wênec daz noch würre
eim man der wære rîche,
gebârter geselleclîche.
si kômen niht von pferden.
Artûs liez die werden
über al daz her diu kinder sehn,
dâ si den wunsch mohten spehn,
ritter, magde unde wîp,
mangen vlætigen lîp.
des hers wârn driu stücke,
dâ zwischen zwuo lücke:

11. wære *DG*. 12. wie ist *DG*. 15. teilen *DG*. 16. Itonîe ze artuse sprach *Gd*. 17. si ist *DG*. diu iz *G*. 18. enwedriu es *D*, yetweders *d*, deweriu es *G*. = nie me *Ggg*. 19. fueget *D*, vuoget *G*. ih in *G*, ich in *die übrigen*. 21. beder *G*. 26. sinr *G*. 27. muget *D*, mûget *G*. 30. froude *Gg*.

717, 2. her *fehlt Ggg*. 3. gruoztese *D*, gruozt si *G*. 6. bittet *D*. daz er macht *G*. 10. bittet *D*, bit *G*, enbut *g*. 11. dehein *DG*. man vur in strite *Gg*. 12. wite *Gg*. 13. erse *D*. alle *fehlt G*. 14. Daz glichet *alle aufser D*. 16. = dâ *fehlt Ggg*. ist *dyg*. 20. = Dane daz *Ggg*, Wan daz *g*. dâ *fehlt Gg*. 22. des siges *$G G^b g$*. 23. ez *D*. 24. alle *$D G G^b$*. drin *$G G^b$*. hern *DG*. 26. Die gefr. *$G G^b dyg$*, Die fr. *g*. von *$G G^b gg$*. 27. man *D*. 28. gar *fehlt $G^b d$*. 30. den helt gemal *G^b*.

718, 1. Gawans *$D G G^b g$*. triwen *$G G^b dgg$*. 2. swaz *$G G^b$*. chunc *G^b*. gebot *$G G^b gg$*. 3. unt *$D G^b$*, unde ouch *G*. 5. unt *D*. 6. 14. lie *$G G^b$*. 7. Lieht *G*, liehte *G^b*. mæniger *G^b*. 8. = Ouch mohten si (mohtin sie *G^b*) *$G G^b gg$*. 9. dem helme *$G G^b g$*. 10. noch daz *G^b*. 11. Ein *$G G^b g$*, einem *die übrigen*. 13. Sine *$G G^b gg$*. von den *alle aufser D*. pfærden *D*, 15. = chint *$G G^b gg$*. gesehen *$G G^b gg$*. 16. daz sie *$G^b gg$*. 17. maget *Gg*, megde *dgg*, meide. *D*, mage *G^b*. 18. den wol gezierit was ir lip *G*. 20. = enzwischen *$G G^b gg$*. zwo *$D G G^b$*.

Artûs reit mit den kinden dan
von dem her verre ûf den plân.
er sprach 'Bêne, süeziu magt,
du hœrs wol waz mir hât geklagt
Itonjê mîner swester barn:
diu kan ir weinen wênec sparn.
daz glouben mîne gesellen,
die hie habent, op si wellen:
Itonjê hât Gramoflanz
verleschet nâch ir liehten glanz.
719 Nu helfet mir, ir zwêne,
und ouch du, friundîn Bêne,
daz der künc her zuo mir rîte
unt den kampf doch morgen strîte.
mînen neven Gâwân
bringe ich gein im ûf den plân.
rît der künc hiut in mîn her,
er ist morgen deste baz ze wer.
hie gît diu minne im einen schilt,
des sînen kampfgenôz bevilt:
ich mein gein minne hôhen muot,
der bî den vînden schaden tuot.
er sol höfsche liute bringen:
ich wil hie teidingen
zwischen im und der herzogîn.
nu werbetz, trûtgeselle mîn,
mit fuog: des habt ir êre.
ich sol iu klagen mêre,
waz hân ich unsælic man
dem künege Gramoflanz getân,
sît er gein mîme künne pfligt,
daz in lîhte unhôhe wigt,
minne und unminne grôz?
ein ieslîch künec mîn genôz
mîn gerne möhte schônen.
wil er nu mit hazze lônen
ir bruoder, diu in minnet,
ob er sich versinnet,
sîn herze tuot von minnen wanc,
swenn ez in lêret den gedanc.'
720 Der kinde einz zem künege sprach
'hêr, swes ir für ungemach
jeht, daz sol mîn hêrre lân,
wil er rehte fuoge hân.
ir wizt wol umb den alten haz:
mîme hêrren stêt belîben baz,
dan daz er dâ her zuo ziu rite.
diu herzoginne pfligt noch site,
daz sim ir hulde hât versagt
und manegem man ab im geklagt.'
'er sol mit wênec liuten komn,'
sprach Artûs. 'die wîl hân ich genomn
vride für den selben zorn
von der herzoginne wol geborn.
ich wil im guot geleite tuon:
Bêâkurs mîner swester suon
nimt in dort an halbem wege.
er sol varn in mîns geleites pflege:
des darf er niht für laster jehn.
ich lâze in werde liute sehn.'
mit urloube si fuoren dan:
Artûs hielt eine ûf dem plân.
Bêne unt diu zwei kindelîn
ze Rosche Sabbîns riten în,

22. Verre hin uz uf den plan GG^b. 23. Do sprach er *D*. 24. hores *g*, hôrest *Gdg*, horist G^b, hotes *D*, hortest *g*. wol *fehlt* G^b. = mir *fehlt* GG^bgg. 26. = Diu wenich kan ir weinen sparn GG^bgg. 29. Itonie *g*, Itonîen DGG^b. 30. = Erleschet GG^bgg. liehten *fehlt* *G*, minnen G^b.

719, 3. her *fehlt* *g*, doh *G*, doch G^b. 6. bringich G^b. 7. Rit *gg*, Ritte *d*, rîtet DG^bg, Riter *G*. = aber der GG^bgg. 8. al deste *D*. 11. meine DGG^b. 12. vienden DGG^b. 13. höfsce *D*, hofsche *G*, hovische G^b. 16. werbet ez GG^b, werbtetz *D*. trut (truot *D*) geselle DGG^bg, trut (trauten *g*) gesellen *dgg*. 17. fuoge DGG^b. 18. = solde GG^bgg. 21. Daz GG^bgg. 22. = doh lihte GG^bgg. 24. ein ieschlich G^b. 25. = Môhte min gerne schonen GG^bgg. 26. nu *fehlt* G^bd. 28. = Swenne er *Ggg*, swanner G^b. sichs *D*. 29. minne GG^bgg. 30. = Ôbez GG^bgg. lert GG^bg.

720, 3. herze *G*. 5. wizzet DGG^b. ẘl *G*. 6. herren *fehlt* G^b. 7. Danne GG^bdgg, denne *D*. = er zuo iu rite GG^bgg. 8. *fehlt* *G*. hat G^bgg. 9. ir *fehlt* GG^bgg. 10. mænigem G^b, manegē *D*, mangen *G*. = über (uf *g*) in *Ggg*, von im G^b. klaget *G*. 11. wenc GG^b. 12. sprach Artus *Ddg*. Sprach der kûnic GG^bgg, *fehlt* *g*. wile DGG^b. 13. = Einen fride GG^bgg. 16. Beachcors *D*, beachors G^b. 17. = Sende ih im ze (sendich ime zi G^b) halbem (halben *g*) wege GG^bgg. 19. endarf GG^b. 21. urlobe G^b. = schieden GG^bgg. 22. Der kûnc *Ggg*, Der G^b. = beleip eine GG^bgg. 23. zwei *fehlt* GG^bgg. chunigin G^b. 24. Roitschesabins *gg*, roisabins *Ggg*, roisabin G^b. ritens G^b.

anderhalp ûz da'z her lac.
done gelebte nie sô lieben tac
Gramoflanz, dô in gesprach
Bêne unt diu kint. sîn herze jach,
im wære alsolhiu mære brâht,
der sælde gein im het erdâht.

721 Er sprach, er wolte gerne komn.
dâ wart geselleschaft genomn:
sînes landes fürsten drî
riten dem künege dannen bî.
als tet ouch der œheim sîn,
der künec Brandelidelîn.
Bernout de Riviers
und Affinamus von Clitiers,
ieweder einen gesellen nam,
der ûf die reise wol gezam:
zwelve wârn ir über al.
junchêrren vil âne zal
und manec starker sarjant
ûf die reise wart benant.
welch der rîter kleider möhten sîn?
pfellel, der vil liehten schîn
gap von des goldes swære.
des küneges valkenære
mit im dan durch peizen ritn.
nu het ouch Artûs niht vermitn,
Bêâkurs den lieht gevar
sand er ze halbem wege aldar
dem künege zeime geleite.
über des gevildes breite,
ez wære tîch ode bach,
swâ er die passâschen sach,
dâ reit der künec peizen her,
und mêre durch der minne ger.
Bêâkurs in dâ enphienc
sô daz ez mit freude ergienc.

722 Mit Bêâkurs komen sint
mêr danne fünfzec clâriu kint,
die von art gâben liehten schîn,
herzogen unde grævelîn:
dâ reit ouch etslîch küneges suon.
dô sah man grôz enpfâhen tuon
von den kinden ze bêder sît:
si enphiengn ein ander âne nît.
Bêâkurs pflac varwe lieht:
der künec sich vrâgens sûmte nieht,
Bêne im sagete mære,
wer der clâre rîter wære,
'ez ist Bêâkurs Lôtes kint.'
dô dâhter 'herze, nuo vint
si diu dem gelîche,
der hie rît sô minneclîche.
si ist für wâr sîn swester,
diu geworht in Sinzester
mit ir spärwær sande mir den huot.
op si mir mêr genâde tuot,
al irdischiu rîcheit,
op d'erde wær noch alsô breit,
dâ für næm ich si einen.
si solz mit triwen meinen.

25. anderthalbn *D*, Unde anderhalb *G*G^b*dgg*. ûz *fehlt G*G^b*dg*. da dez *D*, da daz *G*G^b. 28. Do *dgg*. lebte *g*. 2°. die chint *G*. herz G^b. 29. = Im waren sólhiu *Ggg*, im wærn so liebiu G^b. 30. sælde] si *G*G^b*g*.

721, 1. Der *G*. 2. Do *G*G^b. selleschaft *g*. 3. sins *DG*G^b. 4. = Die riten *G*G^b*gg*. dannen *D*, da *g*, nohe *d*, *fehlt G*G^b*gg*. 5. alsus *D*, Ouch *d*, Also *G*. tet] fuor *D*. 6. brænd. G^b. 7. Gernout *G*G^b*g*, Gernot *g*. 8. Affinamûs *D*. de *G*G^b*gg*. Kliciers *g*, cletiers *Ggg*, cleitiers G^b. 9. Ietw. *G*G^b. 12. iuncherrnlin *D*. vil *Ddgg*, vil gar *G*G^b, gar *g*, *fehlt g*. 13. manc starch *Ggg*, mænc starc G^b. 14. gesant *G*G^b*g*. 15. welch diu cleidir G^b. móhte *G*. 16. Phele *G*, pfelle G^b. 18. valchnâre *G*. 20. nu enhet *G*, nune hete G^b. ouch *fehlt Gg*, *nach* artus G^b*g*. 21. Beakûrs *G*, beachurs G^b, Beahcursen *D*. 22. zi halbime G^b. 24. zeinime G^b. 25. oder *D*, alder G^b. bac *G*. 26. Swa man *G*G^b*gg*. den vasan gesah *G*G^b. 27. Dar *G*G^b. = durh beizen *G*G^b*gg*. 29. Beahcors *D*. 30. Also *Ggg*, als G^b. deiz *g*, daz G^b. frouden *G*G^b*dg*.

722, 1. Beahcurse *D*, beachur G^b. 2. Me *G*G^b. dane funfch *G*. clâriu *fehlt d*, cleiniu G^b. 3. = von ir art *Dd*. arde *Gg*, arte G^b. 6. = Man sah da *G*G^b*gg*. 8. = Die *Ggg*, diu G^b. enphiengen *DG*G^b. âne *fehlt Gg*. 9. 13. Beahcurs *D*. 9. = truog *Ggg*, truoc G^b, mit *g*. 10. = frage *Ggg*, fragen *gg*, varwe G^b. sunde niet G^b. 11. = Im (nu G_b) sagte bene mâre *G*G^b*gg*, Unde vragte benen mere *g*. 13. Lots *DG*. 14. nuo *g*, nu *DG*G^b. 16. rîtet *DG*G^b. 17. Sist *g*. benamen *Ggg*. 18. von G^b. sincester *Gg*, sincestir G^b. 19. spærwære *D*G^b, sparwâre *G*. mir *fehlt G*G^b*g*. den] = ir *G*G^b*gg*. 20. = mêr *fehlt G*G^b*gg*. 21. *nach* 22 *G*G^b*gg*. = Alle irdeschen *G*G^b*gg*. An erdescher *g*. 22. noch als *D*, so *G*G^b*g*. 23. næme *DG*.

ûf ir genâde kum ich hie:
si hât mich sô getrœstet ie,
ich getrûwe ir wol daz si mir tuot
dâ von sich hœhert baz mîn muot.'
in nam ir clâren bruoder hant
in die sîn: diu was ouch lieht erkant.

723 Nu wasez ouch ime her sô komn,
Artûs hete aldâ genomn
vride von der herzogin.
der was ergetzens gewin
komen nâch Cidegaste,
den si ê klaget sô vaste.
ir zorn was nâch verdecket:
wan si het erwecket
von Gâwân etslîch umbevanc:
dâ von ir zürnen was sô kranc.
Artûs der Bertenoys
nam die clâren frouwen kurtoys,
beide magde unde wîp,
die truogen flæteclîchen lîp.
er hete der werden hundert
in ein gezelt gesundert.
niht lieber möht ir sîn geschehn,
wan daz se den künec solde sehn,
Itonjê, diu ouch dâ saz.
stæter freude se niht vergaz:
doch kôs man an ir ougen schîn,
daz si diu minne lêrte pîn.
dâ saz manc rîter lieht gemâl:
doch truoc der werde Parzivâl
den prîs vor ander clârheit.
Gramoflanz an die snüere reit.
dô fuorte der künec unervorht
in Gampfassâsche geworht
einen pfell mit golde vesten:
der begunde verre glesten.

724 Si erbeizten, die dâ komen sint.
des künec Gramoflanzes kint
mangiu vor im sprungen,
inz poulûn sị sich drungen.
die kameræere wider strît
rûmten eine strâze wît
gein der Berteneyse künegîn.
sîn œheim Brandelidelîn
vorem künege inz poulûn gienc:
Ginovêr den mit kusse enpfienc.
der künec wart ouch enpfangen sus.
Bernouten unde Affinamus
die künegîn man ouch küssen sach.
Artûs ze Gramoflanze sprach
'ê ir sitzens beginnet,
seht ob ir keine minnet
dirre frouwen, und küsset sie.
iu beiden siz erloubet hie.'
im sagte, wer sîn friundin was,
ein brief den er ze velde las:
ich mein daz er ir bruoder sach,
diu im vor al der werlde jach
ir werden minne tougen.
Gramoflanzes ougen

26. so *Dd*, also *g*, doh GG^bgg. 27. getri^{v}we G^bg. 28. hohert *D*, hoher *d* = hóhet (hohit G^b) GG^bgg. 29. er nam G^b. 30. sine DGG^b. ouch was GG^b.

723, 2. Das artus *d*. al da *D*, da GG^bgg, *fehlt d*. 3. = Einen fride GG^bgg. 6. si *fehlt* G^b. chlagete *D*, clagite G^b, chlagte *G*. sô *fehlt* GG^bg. 7. nâch *fehlt* G^b. verdecht *G*. 8. wan *fehlt D*. gewechet *D*. 9. etslîch] manc *G*, manic G^b. 10. zurn *D*. 11. britonoeis *G*, chunic britaneis G^b. 12. 13. *abgerissen* G^b. 12. clâren *fehlt Ggg*. kurteis *G*. 13. maget *Ggg*, megde *dg*, meide *Dg*. 14. = flâtigen GG^bgg. 16. = Under e. g. *Ggg*, an hohem prise uz G^b. 18. wan *Dg*, Denne *d*, *fehlt* GG^bgg. daz si den DGG^b, dazs en *g*. 19. Itonien *D allein*. och da saz so lieht gemal. (*z.* 23*: alles mittlere fehlt*) G^b. 20. = Unde stâter froude niht vergaz *Ggg*. si *D*. 21. 24. = Do *Ggg*, nu G^b. 25. fur G^bgg. 27. forhte *G*, cherte G^b. degen GG^bgg. 28. Ganpfassasce *D*, ganfassasc *d*, kanfassashe *g*, kamfassatsche *g*, Tschoflanze *g*, tschoffanze *G*, tschofanz G^b, kankasas *g*. 29. pfelle DGG^b. von GG^bg. 30. begonde DG^b.

724, 1. Sirbeizten *g*. 2. Gramofranzs *D*. 4. dur daz G^b. paulun *d*, pavelun GG^b. = sich *fehlt* GG^bgg. 5. wider strit *D*, in wider strit *dg*, ze beider (zeber GG^b) sit GG^bgg. 6. Runden GG^b. einē *G*. strazen *D*. 7. der *fehlt* GG^bg. bertenoyse *D*, brituneise *d* = brituneiser *gg*, Brittanoyser *g*, britteneyser *g*, pritaneischer G^b, britanischer *G*. 8. sin neven br. G^b. 9. 10. Hiez er vor im gen dar in. Den kûste Ginover diu kûnigin GG^bgg. 11. ouch *fehlt d*. 12. = Bernuot *g*, Gernot *g*, Beakûrs GG^bgg. 13. = ouch *fehlt* GG^bgg. *für* 15 *leeren platz* G^b. = sitzen *Ggg*. 16. dech. *D*, deh. *G*, dih. G^b. 17. vroun *g*. unde G^b. die GG^bgg. 18. siz GG^bg, si daz *die übrigen*. geloubint G^b. 19. friundin G^b, friwndinne *D*, vriundinne *G*. 20. Einen *G*. 21. ir bruoder] si da G^b. 22. Dem si vor GG^bgg.

si erkanten, diu im minne truoc.
sîn freude hôch was genuoc.
sît Artûs het erloubet daz,
daz si beide ein ander âne haz
mit gruoze enphâhen tæten kunt,
er kuste Itonjê an den munt.

725 Der künec Brandelidelîn
saz zuo Ginovêrn der künegîn.
ouch saz der künec Gramoflanz
zuo der diu ir liehten glanz
mit weinen hete begozzen.
daz hete si sîn genozzen:
ern welle unschulde rechen,
sus muoser hin zir sprechen,
sîn dienst nâch minnen bieten.
si kunde ouch sich des nieten,
daz se im dancte umb sîn komn.
ir rede von niemen wart vernomn:
si sâhn ein ander gerne.
swenne ich nu rede gelerne,
sô prüeve ich waz si spræchen dâ,
eintweder nein oder jâ.
Artûs ze Brandelidelîn
sprach 'ir habt dem wîbe mîn
iwer mære nu genuoc gesagt.'
er fuorte den helt unverzagt
in ein minre gezelt
kurzen wec überz velt.
Gramoflanz saz stille
(daz was Artûss wille),
und ander die gesellen sîn.
dâ gâben frouwen clâren schîn,
daz die rîter wênec dâ verdrôz.
ir kurzewîle was sô grôz,
si möhte ein man noch gerne dolen,
der nâch sorgen freude wolt erholen.

726 Für die küngîn man dô truoc
daz trinken. trunken si genuoc,
die rîter unt die frouwen gar,
si wurden deste baz gevar.
man truog ouch trinken dort hin în
Artûs und Brandelidelîn.
der schenke gienc her wider dan:
Artûs sîn rede alsus huop an.
'hêr künec, nu lât siz alsô tuon,
daz der künec, iur swester suon,
mîner swester sun mir het erslagn:
wolt er denne minne tragn
gein mîner niftel, der magt
diu im ir kumber ouch dort klagt
dâ wir se liezen sitzen,
füer si dan mit witzen,
si wurde im nimmer drumbe holt,
unt teilte im solhen hazzes solt,
dês den künc möht erdriezen,
wolt er ir iht geniezen.
swâ haz die minne undervert,
dem stæten herzen freude er wert.'
dô sprach der künec von Punturtoys
zArtûse dem Bertenoys
'hêr, si sint unserr swester kint,
die gein ein andr in hazze sint:

25. = Erchanden (Erkande *gg*) si diu (dim *g*) GG^b*gg*. 26. = Do (Des *G*, si G^b) was sin froude hoh genuoch (genuoc G^b) GG^b*gg*. was hoch *d*. 27. = Sit artus erloubte (erloubete G^b) daz GG^b*gg*. 28. beidiu, *G*. 29. taten *DGdg*. 29-726, 15 *sind von* G^b *die enden der zeilen weggeschnitten.* 30. yconie *g*, Itônien *G*, itonien *die übrigen.*

725, 1. 2. = Da saz der kûnc brandelidelin. Zuo Ginovern (schinoveren G^b) der kûnigin GG^b*gg*. 7. Eren *D*, Er ne GG^b. wolte *d*. 8. müsz er *gg*. 9-14. *fehlen* G^b. 13. sahen *DG*. 14. reden *Gg*. 15. so frouwe ich weiz si sp.... G^b. swaz *G*. sprachen *Gdgg*. 16. Einweder *G*. 19. iwerre G^b. nu *fehlt* GG^b. gnuoch DGG^b. 21. minner *Ggg*. 22. uber GG^b*gg*. 26. liehten GG^b*gg*. 27. = wenc bi in (im GG^b) verdroz GG^b*gg*. 28. churzwile *Dgg*. 29. = noch *fehlt* GG^b*gg*. 30. sorgen freude *D*, sorgen froude *gg*, sorge *d*, froude sorge GG^b, freuden sorgen *g*.

726, 1. die *fehlt* G^b. = dô *fehlt* GG^b*gg*. 5. dort *fehlt Ggg*. 6. unde *DG*. brandil. *G*. 7. gienc *fehlt G*, gie G^b. 8. huob *D*. 10. iwer *G*, iwerre DG^b. 11. m. s. s. *fehlt* G^b. 12. = Unde wolde er (wolder G^b) dane GG^b*gg*. 13. Gein siner (miner G^b) swester GG^b*gg*. niftel *D*, nifftelen *dg*. dirre G^b. 14. diu mir G^b. 16. *abgerissen, nebst den ersten hälften der folgenden zeilen bis* 727, 27, G^b. füere *DG*. dane *G*, denne *D*. 17. = Sine *Ggg*. drumbe nimmir GG^b*g*. 18. sôlhen *G*. 19. Deis *G*, Daz ez *gg*. 22. stætem *D*. freude erwert *D*, freide es wert *d* = ez froude wert GG^b*gg*. 23. uz GG^b*gg*. ponturteis GG^b. 24. Ze Artus dem britanoeis *G*. pritanoeis G^b. 25. unser *G*, unsir G^b. 26. di *D*. ander DGG^b.

wir sulen den kampf understên.
dane mac niht anders an ergên,
wan daz se ein ander minnen
mit herzenlîchen sinnen.
727 Iwer niftel Itonjê
sol mîme neven gebieten ê,
daz er den kampf durch si verber,
sî daz er ir minne ger.
sô wirt für wâr der kampf vermitn
gar mit strîteclîchen sitn.
und helfet ouch dem neven mîn
hulde dâ zer herzogîn.'
Artûs sprach 'daz wil ich tuon.
Gâwân mîner swester suon
ist wol sô gewaldec ir,
daz si beidiu im unde mir
durch ir zuht die schulde gît.
sô scheidt ir disehalp den strît.'
'ich tuon,' sprach Brandelidelîn.
si giengen beide wider în.
dô saz der künec von Punturtoys
zuo Ginovern: diu was kurtoys.
anderhalb ir saz Parzivâl:
der was ouch sô lieht gemâl,
nie ouge ersach sô schœnen man.
Artûs der künec huop sich dan
zuo sîme neven Gâwân.
dem was ze wizzen getân,
rois Gramoflanz wære komn.
dô wart ouch schier vor im vernomn,
Artûs erbeizte vorem gezelt:
gein dem spranger ûfez velt.
si truogen daz ze samne dâ,
daz diu herzogîn sprach suone jâ,
728 Abe anders niht decheinen wîs,
wan op Gâwân ir âmîs
wolte den kampf durch si verbern,
sô wolt ouch si der suone wern:
diu suone wurd von ir getân,
op der künec wolde lân
bîziht ûf ir sweher Lôt.
bî Artûs si daz dan enbôt.
Artûs der wîse höfsche man
disiu mære brâhte dan.
dô muose der künec Gramoflanz
verkiesen umbe sînen kranz:
und swaz er hazzes pflæge
gein Lôt von Norwæge,
der zergienc, als in der sunnen snê,
durch die clâren Itonjê
lûterlîche ân allen haz.
daz ergienc die wîle er bî ir saz:
alle ir bete er volge jach.
Gâwânn man dort komen sach
mit clârlîchen liuten:
in möht iu niht gar bediuten
ir namn und wan si wârn erborn.
dâ wart durch liebe leit verkorn.
Orgelûs diu fiere,
und ir werden soldiere,
und ouch diu Clinschores schar,
ir ein teil (sin wârnz niht gar)

30. = Mit herzen unde mit sinnen $GG^b gg$.

727, 6. stritlichin sitten $G^b g$. 11. Ist so gwaltech ir *G*, ... waltic ir G^b. 12. = beidiu *fehlt* $GG^b gg$. unde GG^b, vn̄ ouch *D*. 14. sceidet *DG*. 16. bede GG^b. 17. ponturteis GG^b. 18. was ouch $GG^b g$. kurtoeis *G*, churtoeis G^b. 19. anderthalbn *D*. = ir *fehlt* $GG^b gg$. 21. = Ez ne wart nie riter baz getan $GG^b gg$. 22. der künec *fehlt d*. huop sich her *d*, der huop sich *D*. sich an G^b. 23. = Gein sinem *Ggg*. 24. wizzene *D*, wizzinne G^b. 25. Der kunec *alle*. wer *g*. 26. sciere DGG^b. von $GG^b g$. 27. daz Artus *D*. erbeizt vor dem *G*, erb .... vor dem G^b. 28. *abgerissen* G^b. spranch er uf dez *G*.

728, 1. aber *Dd* = Unde aber (abir G^b, abe *G*) $GG^b gg$, Unde *g*. deheine $GG^b dgg$. gwîs *D*. — 3. Den kamph wolde *G*. wolde G^b. 4. wol *D*, wolde GG^b. = ouch *fehlt* $GG^b gg$. 5. = So wrde diu suone von ir getan $GG^b gg$. wrde von ir *D*, wurde aber nit (*und z.* 6 Denne obe) *d*. 6. = Unde op $GG^b gg$. 7. bîziht *D*, Bericht *d* = Die ziht $GG^b gg$, Die in zyht *g*. loht G^b, *auch* 11. 8. dan] hin $GG^b d$. 11. muoser der G^b. 14. Lote vor *D*. 15. zergie GG^b. 17. luoterliche *D*, Luterlih (-ch G^b) GG^b. 18. ergiench *D*, zergieng *d* = geschah $GG^b gg$. die wiler G^b. 19. Al *g*, Aller *Dg*. 20. = do $GG^b gg$. 22. ine DG^b, Ihne *G*. = mag $GG^b gg$. iu *fehlt g*. 23. Umbe ir $GG^b gg$. wan *g*, wannen DGG^b. wærin G^b, wern *dg*, sin *G*. = geborn $GG^b gg$. 24. lieb *Gg*, liep $G^b g$. *nach* 24 un̄ ouch allirslahte zorn. G^b. 25. 26. Orgillusie (orgeluse G^b) diu phiere (here G^b). Unde ir soldeniere GG^b. 27. Clinscors *D*, clinsors GG^b, Clingshors *g*. schare *G*. 28. sine DGG^b. warenz *D*, warns *G*, was G^b.

sach man mit Gâwâne komn.
Artûs gezelde was genomn
729 Diu winde von dem huote.
Arnîve diu guote,
Sangîve unt Cundrîê,
die hete Artûs gebeten ê
an dirre suone teidinc.
swer prüevet daz für kleiniu dinc,
der grœze swaz er welle.
Jofreit Gâwâns geselle
fuort die herzoginne lieht erkant
underz poulûn an sîner hant.
diu pflac durch zuht der sinne,
die drî küneginne
lie si vor ir gên dar în.
die kuste Brandelidelîn:
Orgelûse in ouch mit kusse enpfienc.
Gramoflanz durch suone gienc
und ûf genâde gein ir dar.
ir süezer munt rôt gevar
den künec durch suone kuste,
dar umb si weinens luste.
si dâhte an Cidegastes tôt:
dô twanc si wîplîchiu nôt
nâch im dennoch ir riuwe.
welt ir, des jeht für triuwe.
Gâwân unt Gramoflanz
mit kusse ir suone ouch machten ganz.
Artûs gab Itonjê
Gramoflanz ze rehter ê.
dâ het er vil gedienet nâch:
Bên was frô, dô daz geschach.
730 Den ouch ir minne lêrte pîn,
den herzogen von Gôwerzîn,
Lischoys wart Cundrîê gegebn:
âne freude stuont sîn lebn,
unz er ir werden minne enpfant.
dem turkoiten Flôrant
Sangîven Artûs ze wîbe bôt:
die het dâ vor der künec Lôt.
der fürste ouch si vil gerne nam:
diu gâbe minne wol gezam.
Artûs was frouwen milte:
sölher gâbe in niht bevilte.
des was mit râte vor erdâht.
nu disiu rede wart volbrâht,
dô sprach diu herzoginne
daz Gâwân het ir minne
gedient mit prîse hôch erkant,
daz er ir lîbs und über ir lant
von rehte hêrre wære.
diu rede dûhte swære
ir soldier, die manec sper
ê brâchen durch ir minne ger.
Gâwân unt die gesellen sîn,
Arnîve und diu herzogîn,
und manec frouwe lieht gemâl,
und ouch der werde Parzivâl,
Sangîve und Cundrîê
nâmen urloup: Itonjê
beleip bî Artûse dâ.
nu darf niemen sprechen wâ
731 Schœner hôchgezît ergienc.
Ginovêr in ir pflege enpfienc
Itonjê und ir âmîs,
den werden künec, der manegen prîs
mit rîterschefte ê dicke erranc,
des in Itonjê minne twanc.
ze herbergen maneger reit,
dem hôhiu minne fuogte leit.
des nahtes umb ir ezzen
muge wir mære wol vergezzen.

29. Die waren mit $G G^{b}$ *gg*. 30. gezelt *alle außer D*. wart *D*.

729, 3. Seive $G G^{b}$. unde G^{b}. 4. heten $G G^{b}$ *gg*. 6. = pruove *Ggg*, *fehlt* G^{b}. 7. grvze G^{b}. 8. Jofrit G^{b}. 9. fuorte *DG*. 15. Orgillusie *G*. 18. ditcher *Ggg*. 20. = Des si doh wenc lûste *Ggg*. dar umbe *D*. 21. Citegastes *Gdgg*. 22. Da *Gg*. 23. = Dannoh in ir riwe *Ggg*. 24. ieht *gg*, iht *D*, iht iehen *G*, iehen *dg*. 26. = ouch *fehlt Ggg*. macheten *G*. 27. Itonîe *DG*. 29. gedient nah *G*. 30. Bene *DG*.

730, 2. Dem *dg*. 3. Liscoyse *D*, Lishoise *G*. 6. Der *G*. floriant *g*. 7. ze wîbe Artûs Sangîven bôt? = Artus sagiven *Gg*, Artus Seyven *gg*. 14. = Do *Ggg*. 17. = Mit prise gedient so hoh erkant *Ggg*. 18. libes *DG*. 22. = ê *fehlt Ggg*. 24-26. = Arnive diu künigin. Unde der werde parcifal. Unde diu herzoginne lieht gemal *Ggg*. 27. Sagivę unde kundrię *G*. 28. nam *D*. 30. = Nune darf mih (*fehlt g*) niemen fragen wa *Ggg*.

731, 1. hohzit *G*. 5. An *Ggg*. ê diche *Dd* = er dicke *g*, dicke *g*, wol *g*, *fehlt G*. eranch *G*. 6. Itonien *Gg*. 7. do maniger *Ggg*. 8. = Den-lerte *Ggg*. 9. = abendes *Ggg*, abens *g*. 10. Mûgen *G*. wol mere *g*.

swer dâ werder minne pflac,
der wunscht der naht für den tac.
der künec Gramoflanz enbôt
(des twang in hôchverte nôt)
ze Rosch Sabbîns den sînen,
si solten sich des pînen
daz se abe bræchen bî dem mer
und vor tage kœmn mit sîme her,
unt daz sîn marschalc næme
stat diu her gezæme.
'mir selben prüevet hôhiu dinc,
ieslîchem fürsten sunderrinc.'
des wart durch hôhe kost erdâht.
die boten fuorn: dô was ez naht.
man sach dâ mangen trûrgen lîp,
den daz gelêret heten wîp:
wan swem sîn dienst verswindet,
daz er niht lônes vindet,
dem muoz gein sorgen wesen gâch,
dane reiche wîbe helfe nâch.

732 Nu dâhte aber Parzivâl
an sîn wîp die lieht gemâl
und an ir kiuschen süeze.
ob er kein ander grüeze,
daz er dienst nâch minne biete
und sich unstæte niete?
solch minne wirt von im gespart.
grôz triwe het im sô bewart
sîn manlîch herze und ouch den lîp,
daz für wâr nie ander wîp
wart gewaldec sîner minne,
niwan diu küneginne
Condwîr âmûrs,
diu geflôrierte bêâ flûrs.
er dâhte 'sît ich minnen kan,
wie hât diu minne an mir getân?
nu bin ich doch ûz minne erborn:
wie hân ich minne alsus verlorn?
sol ich nâch dem grâle ringen,
sô muoz mich immer twingen
ir kiuschlîcher umbevanc,
von der ich schiet, des ist ze lanc.
sol ich mit den ougen freude sehn
und muoz mîn herze jâmers jehn,
diu werc stênt ungelîche.
hôhes muotes rîche
wirt niemen solher pflihte.
gelücke mich berihte,
waz mirz wægest drumbe sî.'
im lac sîn harnasch nâhe bî.

733 Er dâhte 'sît ich mangel hân
daz den sældehaften undertân
ist (ich mein die minne,
diu manges trûrgen sinne
mit freuden helfe ergeilet),
sît ich des pin verteilet,
ich enruoche nu waz mir geschiht.
got wil mîner freude niht.
diu mich twinget minnen gir,
stüend unser minne, mîn unt ir,
daz scheiden dar zuo hôrte
sô daz uns zwîvel stôrte,
ich möht wol zanderr minne komn:
nu hât ir minne mir benomn
ander minne und freudebæren trôst.
ich pin trûrens unerlôst.
gelücke müeze freude wern
die endehafter freude gern:
got gebe freude al disen scharn:
ich wil ûz disen freuden varn.'

12. wnscte (wünste *g*) der *Ddg*, wnschet et *G*, wunschet *g*, wúnsche echt *g*. 15. Rosce Sabbins *D*, roi sabins *G*. 17. si ab *D*. mere *G*. 18. vor tages *Ggg*. chœmen *DG*, kom *g*. 20. = her wol zâme *Ggg*. 21. selbem *G*. 23. durch (diu *D*) hohe chost *Dd* = durh hohvart *Ggg*. 24. fuoren *DG*. ez *fehlt Ggg*. 25. trurigen *G*, truorigen *D*. 30. wibes *G*.

732, 3. = kusche *Ggg*. 4. deheine *G*. 5. Der er *d*. minnen *D*. 7. gesprat *D*. 8. in *Gg*. 9. ouch den *D*, ouch sin *d* = sinen *Ggg*. 10. 11. = Ez enwart fur war nie (*ohne* fur war *g*, Vur war ez ne wart *ohne* nie *G*) ander wip. Gwaltc siner minne *Ggg*. 14. gefloierte *G*. 15. = Do dahter *Ggg*. 16. hat] dah (*unterstrichen*) *G*. 17. erkorn *Gg*. 18. = al *fehlt Ggg*. 19-22. *fehlen D*. 19. Sol *d* = Muoz *Ggg*. Nach dem gral muz ich ringen *g*. 20. So *d* = Doh *Ggg*. muosz *dg*, sol *Ggg*. 21. kuschlicher *dg*, kussenlicher *gg*, minncliher *G*. 22. des *gg*, das *d*, es *Gg*. so lang *d*. 29. wâgest *G*, wægeste *D*. 30. nahen *Ggg*.

733, 1. = Do dahter *Ggg*. 3. die *fehlt G*. 4. truorigen *DG*. 5. froude *Gg*. geilt *G*. 6. = der bin verteilt *Ggg*. 7. nu *fehlt D*, niht *G*. 8. frouden *Ggg*. 9. minne *Ggg*. 10. Stuend *g*. uñ *D*, unde *G*. 13. mohte *DG*. ze andere *G*. 15. = Ander minne unde aller frouden trost *Ggg* Frœde und ander minne trost *g*.

er greif dâ sîn harnasch lac,
des er dicke al eine pflac,
daz er sich palde wâpnde drîn.
nu wil er werben niwen pîn.
dô der freudenflühtec man
het al sîn harnasch an,
er sateltz ors mit sîner hant:
schilt unt sper bereit er vant.
man hôrt sîn reise smorgens klagn.
do er dannen schiet, do begundez tagn.

21. = hin da *Ggg*. 23. wapende *D*, wapent *Ggg*, woppen *d*. 24. = Er wil nu *Ggg*. 27. satlte ors *G*. 28. Schilte *G*. 29. horte *DG*. sine *D*. des m. *G*. 30. danne *Ggg*. dan?

XV.

734 Vil liute des hât verdrozzen,
den diz mær was vor beslozzen:
genuoge kundenz nie ervarn.
nu wil ich daz niht langer sparn,
ich tuonz iu kunt mit rehter sage,
wande ich in dem munde trage
daz slôz dirre âventiure,
wie der süeze unt der gehiure
Anfortas wart wol gesunt.
uns tuot diu âventiure kunt,
wie von Pelrapeir diu künegin
ir kiuschen wîplîchen sin
behielt unz an ir lônes stat,
dâ si in hôhe sælde trat.
Parzivâl daz wirbet,
ob mîn kunst niht verdirbet.
ich sage alrêst sîn arbeit.
swaz sîn hant ie gestreit,
daz was mit kinden her getân.
möht ich diss mæres wandel hân,
ungerne wolt i'n wâgen:
des kunde ouch mich beträgen.
nu bevilh ich sîn gelücke
sîm herze, der sælden stücke,
dâ diu vrävel bî der kiusche lac,
wand ez nie zageheit gepflac.
daz müeze im vestenunge gebn,
daz er behalde nu sîn lebn;
sît ez sich hât an den gezogt,
in bestêt ob allem strîte ein vogt

735 Ûf sînr unverzagten reise.
der selbe kurteise
was ein heidenischer man,
der toufes künde nie gewan.
Parzivâl reit balde
gein eime grôzen walde
ûf einer liehten waste
gein eime rîchen gaste.
ez ist wunder, ob ich armer man
die rîcheit iu gesagen kan,
die der heiden für zimierde truoc.
sage ich des mêre denne genuoc,
dennoch mac ichs iu mêr wol sagn,
wil ich sîner rîcheit niht gedagn.
swaz diende Artûses hant
ze Bertâne unde in Engellant,
daz vergulte niht die steine
die mit edelem arde reine
lâgen ûf des heldes wâpenroc.
der was tiure ân al getroc:
rubbîne, calcidône,
wârn dâ ze swachem lône.
der wâpenroc gap planken schîn.
ime berge zAgremuntîn
die würme salamander
in worhten zein ander
in dem heizen fiure.
die wâren steine tiure
lâgen drûf tunkel unde lieht:
ir art mac ich benennen nieht.

734, 1. lút disz *d*. 2. ditze *G*. vor *fehlt* *Gg*. versloƶƶen *Gg*. 3. Gnuoge *DG*. 4. Nune *G*. 5. Ih entuo iz *Gg*, Ichn tun *g*, Ich duo es *d*. 11. peilrapeire *G*. 13. lons *DG*. 14. = Daz *Ggg*. 17. Ihn *Gg*. alreste *G*. 20. mohte *D*, Môhte *G*. des mârs *Gg*. 21. ungern wolt ich in *Dd* = Ih wolde (wolge *G*) in ungerne *Ggg*. 23. sinem glücke *g*. 24. sime hercen *Dd* = Sin herze *Ggg*. 25. diu ubél *Gg*. 27. vestunge *gg*. 29. gezogen *G*.

735, 1. sinr *G*. 3. heidniscer *D*, heidenisch *G*. 4. Der touffe (Des toufes *g*) er kúnde *Gg*. 6. grozem *Dg*. 10. = Dise *Ggg*. iu *fehlt* *Gg*. 11. zimiere *G*. 12. gnuoch *DG*. 13. ih *Gg*. me *G*. 14. verdagen *G*. 15. dient *Gg*. Ártus *DG*. 16. ze *und* in *fehlen* *Ggg*. britanie *G*. 17. Die vergulten *Ggg*. 19. heldes *Dg*, heiden *Ggg*, *fehlt* *d*. 20. = Die waren *Ggg*. 21. Rûbine Galcidone *G*. 23. waperoch *D*. gap liehten *G*. 24. in dem *alle*. ze agementın *G*, zuo agremontin *dgg*. 29, drûfe *G*. 30. = genennen *Ggg*. niht *DG*.

736 Sîn gir stuont nâch minne
unt nâch prîss gewinne:
daz gâbn ouch allez meistec wîp,
dâ mite der heiden sînen lîp
kostlîche zimierte.
diu minne condwierte
in sîn manlîch herze hôhen muot,
als si noch dem minne gernden tuot.
er truog ouch durch prîses lôn
ûf dem helme ein ecidemôn:
swelhe würm sint eiterhaft,
von des selben tierlînes kraft
hânt si lebens decheine vrist,
swenn ez von in ersmecket ist.
Thopedissimonte
unt Assigarzîonte,
Thasmê und Arâbî
sint vor solhem pfelle vrî
als sîn ors truoc covertiure.
der ungetoufte gehiure
ranc nâch wîbe lône:
des zimiert er sich sus schône.
sîn hôhez herze in des betwanc,
daz er nâch werder minne ranc.
der selbe werlîche knabe
het in einer wilden habe
zem fôreht gankert ûf dem mer.
er hete fünf und zweinzec her,
der neheinez sandern rede vernam,
als sîner rîcheit wol gezam:
737 Alsus manec sunder lant
diende sîner werden hant,
Môr und ander Sarrazîne
mit ungelîchem schîne.
in sînem wît gesamenten her
was manc wunderlîchiu wer.
och reit nâch âventiure dan
von sîme her dirre eine man
durch paneken in daz fôreht.
sît si selbe nâmen in daz reht,
die künge ich lâze rîten,
al ein nâch prîse strîten.
Parzivâl reit niht eine:
dâ was mit im gemeine
er selbe und ouch sîn hôher muot,
der sô manlîch wer dâ tuot,
daz ez diu wîp solden lobn,
sine wolten dan durch lôsheit tobn.
hie wellnt ein ander vâren
die mit kiusche lember wâren
und lewen an der vrechheit.
ôwê, sît d'erde was sô breit,
daz si ein ander niht vermiten,
die dâ umb unschulde striten!
ich sorge des den ich hân brâht,
wan daz ich trôstes hân gedâht,
in süle des grâles kraft ernern.
in sol ouch diu minne wern.
den was er beiden diensthaft
âne wanc mit dienstlîcher kraft.
738 Mîn kunst mir des niht witze gît,
daz ich gesage disen strît
bescheidenlîch als er regienc.
ieweders ouge blic enpfienc,
daz er den andern komen sach.
sweders herze drumbe freuden jach,
dâ stuont ein trûren nâhe bî.
die lûtern truopheite vrî,
ieweder des andern herze truoc:
ir vremde was heinlîch genuoc.
nune mac ich disen heiden
vom getouften niht gescheiden,

736, 3. gaben *DG*. allez meistech *D*, meistig alle *d* = al meistch *Ggg*, al meiste *g*. 5. chostenliche *D*. 6. kondew. *G*. 9. priss *D*, pris *G*. 10. ezid. *G*. 11. Swelch *G*. wrme *DG*. 12. tierlins *Ggg*. 13. Habent *G*. chleinen list *Gg*. 15. 16. = *fehlen Ggg*. -ônte *D*. 18. sôlhem *G*. 20. gehure *G*. 21. = wibes *Ggg*. 22. = sus *fehlt Ggg*. 23. 24. = *fehlen Ggg*. 27. Zuo dem voreht *G*. gankert *g*, geankert *dgg*, geancheret *G*, gænchert *D*. 29. deheinz des andern *G*.

737, 1. Als manc *Gg*. 3. More *D*, Môre *G*, Mœre *dg*. ander *fehlt Ggg*. 5. Mit *G*. gesamntem *D*, gesamten *dg*, gesamtem *g*. 6. wnderliu *G*. 9. banchen *G*. inz *D*. vorehet *G*. 10. selbe in namez (inz namen *g*) zereht *Gg*. 11. laze si *G*. 12. al eine *DG*. 16. manlihe *G*. 17. = ez *fehlt Ggg*. 18. dane *G*, denne *D*. 19. wellent *DG*. 21. leun *G*. kuonheit *Ggg*. 25. ih sorge *D*. 26. tros *D*. 27. Grals *DG*. 30. dienstes *Ggg*.

738, 2. sage *G*. 3. ergiench *G*. 4. 9. 16. Ietw. *G*. 4. ougen *Gdg*. 6. swederz *D*, Ietweders *dgg*. dar umbe *Ddgg*, *fehlt Gg*. froude *Gdgg*. 7. ein trost nahen *Gg*. 8. tumpheit *Ggg*. 10. frómde *G*. 11. Nûne *G*. 12. von dem *DG*.

sine wellen haz erzeigen.
daz solt in freude neigen,
die sint erkant für guotiu wîp.
ieweder durch friwendinne lîp
sîn verch gein der herte bôt.
gelücke scheidez âne tôt.
den lewen sîn muoter tôt gebirt:
von sîns vater galme er lebendec wirt.
dise zwêne wârn ûz krache erborn,
von maneger tjost ûz prîse erkorn:
si kunden ouch mit tjoste,
mit sper zernder koste.
leischiernde si die zoume
kurzten, unde tâten goume,
swenne si punierten,
daz si niht failierten.
si pflâgens unvergezzen:
dâ wart vaste gesezzen

739 Unt gein der tjost geschicket
unt d'ors mit sporn gezwicket.
hie wart diu tjost alsô geriten,
bêdiu collier versniten
mit starken spern diu sich niht pugen:
die sprîzen von der tjoste vlugen.
ez het der heiden gar für haz,
daz dirre man vor im gesaz;
wand es nie man vor im gepflac,
gein dem er strîtes sich bewac.
op si iht swerte fuorten,
dâ si zein ander ruorten?
diu wâren dâ scharph unde al breit.
ir kunst unde ir manheit
wart dâ erzeiget schiere.
ecidemôn dem tiere
wart etslîch wunde geslagen,
ez moht der helm dar under klagen.
diu ors vor müede wurden heiz:
si versuochten manegen niwen kreiz.
si bêde ab orsen sprungen:
alrêrst diu swert erklungen.
der heiden tet em getouften wê.
des krîe was Thasmê:
und swenn er schrîte Thabronit,
sô trat er fürbaz einen trit.
werlîch was der getoufte
ûf manegem dræten loufte,
den si zein ander tâten.
ir strît was sô gerâten,

740 Daz ich die rede mac niht verdagen,
ich muoz ir strît mit triwen klagen,
sît ein verch und ein bluot
solch ungenâde ein ander tuot.
si wârn doch bêde eins mannes kint,
der geliutrten triwe fundamint.
den heiden minne nie verdrôz:
des was sîn herze in strîte grôz.
gein prîse truoger willen
durch die künegîn Secundillen,
diu daz lant ze Tribalibôt
im gap: diu was sîn schilt in nôt.
der heiden nam an strîte zuo:
wie tuon ich dem getouften nuo?
ern welle an minne denken,
sone mager niht entwenken,
dirre strît müez im erwerben
vors heidens hant ein sterben.

17. herten *D*, hurte *d*. 18. scheide si *Ggg*. an den tot *Ggg*. 20. lebende *Ggg*. 21. zwêne *fehlt Gg*. 22. ûz] nach *D*. 24. zerender *D*, ze ender *G*. 25. Leiscierende *D*, Lassierende *d*, Lesiernde *g*; Leisierten *Ggg*. 26. Churztense *Ggg*. unt *D*. 28. iht *G*. falierten *G*, fallierten *gg*. 29. = phlagen *Ggg*.

739, 4. Beidiu *G*. collir *D*, colier *G*, koller *g*. 5. von *D*. di *D*. bûgen *G*. 6. spriezzen *G*. tiost *G*. 9. wandes *D*, Wan des *die übrigen*. niemen *G*. 11. iht swerte] = diu swert iht *Ggg*. 12. = Daz si *Ggg*. 13. breit *dgg*, bereit *DG*. 16. Ezid. *G*. 17. = wnde da *Ggg*. 18. drunder *Ggg*. 19. von *Ggg*. 20. suchten-leiz *g*, liezen — sweiz *G*. 22. alrerst *G*. 23. dem *alle*. getouftem *D*, kristen *g*. 25. = Tabrunit *Ggg immer*. 26. vur sih *Gg*. 28. Uf manigen trit er loufte *Gg*. drætem *D*.

740, 2. ine mueze *D*. 5. Si waren doh eins manns chint *G*. 6. geliuterten *D*, gelûterten *G*. 7. minnen *D*. 11. ze *fehlt Ggg*. 14. = Waz *Ggg*. 17. = Im ne muoze dirre strît erwerben *Ggg*. mueze *D*. 18. vors *D*, Von des *d* = Vor *g*, Von *Ggg*. handen sterben *Ggg*.

daz wende, tugenthafter grâl:
Condwîr âmûrs diu lieht gemâl:
hie stêt iur beider dienstman
in der grœsten nôt dier ie gewan.
der heiden warf daz swert ûf hôch.
manec sîn slac sich sus gezôch,
daz Parzivâl kom ûf diu knie.
man mac wol jehn, sus striten sie,
der se bêde nennen wil ze zwein.
si wârn doch bêde niht wan ein.
mîn bruodr und ich daz ist ein lîp,
als ist guot man unt des guot wîp.

741 Der heiden tet em getouften wê.
des schilt was holz, hiez aspindê:
daz fûlet noch enbrinnet.
er was von ir geminnet,
diun im gap, des sît gewis.
turkoyse, crisoprassis,
smârâde und rubbîne,
vil stein mit sunderschîne
wârn verwiert durch kostlîchen prîs
alumbe ûf diu buckelrîs.
ûf dem buckelhûse stuont
ein stein, des namn tuon ich iu kuont;
antrax dort genennet,
karfunkel hie bekennet.
durch der minne condwier
ecidemôn daz reine tier
het im ze wâpen gegebn
in der genâde er wolde lebn,
diu küngîn Secundille:
diz wâpen was ir wille.
dâ streit der triwen lûterheit:
grôz triwe aldâ mit triwen streit.
durch minne heten si gegeben
mit kampfe ûf urteil bêde ir lebn:
ieweders hant was sicherbote.
der getoufte wol getrûwet gote
sît er von Trevrizende schiet,
der im sô herzenlîchen riet,
er solte helfe an den gern,
der in sorge freude kunde wern.

742 Der heiden truog et starkiu lit.
swenner schrîte Thabronit,
da de küngîn Secundille was,
vor der muntâne Kaukasas,
so gewan er niwen hôhen muot
gein dem der ie was behuot
vor solhem strîtes überlast:
er was schumpfentiure ein gast,
daz er se nie gedolte,
doch si manger zim erholte.
mit kunst si de arme erswungen:
fiurs blicke ûz helmen sprungen,
von ir swerten gienc der sûre wint.
got ner dâ Gahmuretes kint.
der wunsch wirt in beiden,
dem getouften unt dem heiden:
die nante ich ê für einen.
sus begunden siz ouch meinen,
wærn se ein ander baz bekant:
sine satzten niht sô hôhiu pfant.
ir strît galt niht mêre,
wan freude, sælde und êre.

20. Kŏndw. *G.* 21. diensman *G.* 22. grôzisten *G.* gwan *G.* 26. = sprechen *Ggg.* 28. = niwan *Ggg*, neur *g.* 29. bruoder *DG.* 30. des guot *Dg*, des *Ggg*, sin *d.*

741, 1. dem *alle.* 2. Der *Gg.* 3. enfûlet *Ggg.* noh nebrinnet *G.* 5. diu en *D*, Die in *G.* gwis *G.* 6. chrisoprasis *G.* 7. Smaraide *D*, Smareide *g*, Smaragde *dgg*, Smarage *G.* und *fehlt D.* Rubine *alle aufser D.* 8. steine *DG.* 9. kostlichen *dgg*, chostelihen *G*, chostenlichen *D*, koste *g*, hohen *g.* 10. Ze loben uf *Ggg.* 12. iu *fehlt gg.* 13. Antrox *G.* 15. durch *fehlt G.* 17. wapene *Dg.* 18. An *gg.* gnade *Gg*, genaden *D.* 23. = si ir leben *Ggg.* 24. = uf urteil gegeben *Ggg.* 25. Ietw. *G.* sicherbot-got *G.* 26. getrwete *D*, getruwet *Gdgg*, getrouwet *g.* 27. Trevriscende *D*, Trevrizzent *Gg.* 28. hercenliche *D.* 29. = an in gern *Ggg.* 30. = sorgen *Ggg*, *fehlt g.*

742, 1. = et *fehlt Ggg*, zu *g.* 3. = daz der k. secundillen was *Ggg.* 4. Von *Ggg.* muntanie *d*, muntâne ce *D*, montanie *Gg*, montane in *gg*, minne *g. vergl.* 71, 18. kauchasas *G*, koukesas *D.* 7. = sôlhes *Ggg.* 8. tschûnphetûre *G.* 9. = se *fehlt Ggg*, die *g.* 10. manges zimierde (manich zimier *g*) holte *Gg.* 11. die *alle.* swngen *Ggg.* 12. Feurs *g*, Fiures *G*, fîwers *D.* 13. gie *G.* 15. Daz wnschen *Ggg.* wir *g.* 17. ie *G.* 19. wæren si *DG.* ê *vor* ein *G*, *statt* baz *g.* baz *fehlt Ggg.*

swer dâ den prîs gewinnet,
op er triwe minnet,
werltlîch freude er hât verlorn
und immer herzen riwe erkorn.
wes sûmestu dich, Parzivâl,
daz du an die kiuschen lieht gemâl
niht denkest (ich mein dîn wîp),
wiltu behalten hie den lîp?
743 Der heiden truoc zwuo geselleschaft,
dar an doch lac sîn meistiu kraft;
einiu daz er minne pflac,
diu mit stæte in sîme herzen lac:
daz ander wâren steine,
die mit edelem arde reine
in hôchgemüete lêrten
und sîne kraft gemêrten.
mich müet daz der getoufte
an strîte und an loufte
sus müedet unde an starken slegen.
ob im nu niht gehelfen megen
Condwîr âmûrs noch der grâl,
werlîcher Parzivâl,
sô müezest einen trôst doch habn,
daz die clâren süezen knabn
sus fruo niht verweiset sîn,
Kardeiz unt Loherangrîn;
die bêde lebendec truoc sîn wîp,
do er jungest umbevieng ir lîp.
mit rehter kiusche erworben kint,
ich wæn diu smannes sælde sint.
der getoufte nam an kreften zuo.
er dâht (des was im niht ze fruo)
an sîn wîp die küneginne
unt an ir werden minne,
die er mit swertes schimpfe erranc,
dâ fiwer von slegen ûz helmen spranc,
vor Pelrapeire an Clâmidê.
Thabronit und Thasmê,
744 Den wart hie widerruoft gewegn:
Parzivâl begunde ouch pflegn
daz er Pelrapeire schrîte.
Condwîr âmûrs bezîte
durch vier künecrîche aldar
sîn nam mit minnen kreften war.
dô sprungen (des ich wæne)
von des heidens schilde spæne,
etslîcher hundert marke wert.
von Gaheviez daz starke swert
mit slage ûfs heidens helme brast,
sô daz der küene rîche gast
mit strûche venje suochte.
got des niht langer ruochte,
daz Parzivâl daz rê nemen
in sîner hende solde zemen:
daz swert er Ithêre nam,
als sîner tumpheit dô wol zam.
der ê nie geseic durch swertes swanc,
der heiden snellîche ûf dô spranc.
ez ist noch ungescheiden,
zurteile stêtz in beiden
vor der hôhsten hende:
daz diu ir sterben wende!
der heiden [was] muotes rîche
der sprach dô höfschlîche,
en franzois daz er kunde,
ûz heidenischem munde
'ich sihe wol, werlîcher man,
dîn strît wurde ân swert getân:

25. Wertlich *Gg*, Werlich *g*, werltliche *D*. 26. herze *Ggg*. 29. gedenchest *Gdgg*. ich mein *dgg*, ich meine *D*, an *Ggg*. 30. Wil du hie behalten' *G*.

743, 1. zwô *D*, *fehlt Ggg*. 2. ouch *gg*. 4. phlac *G*. 6. die *fehlt Ggg*. 8. merten *Ggg*. 9. Mir mut *g*. 11. sus *fehlt Gg*. 15. Nu muostu *Ggg*. 17. *fehlt G*. = So *gg*. 18. Karadeiz *Ggg*, Karedeiz *g*. lohrangrin *g*, lohangrin *G*, lohangin *g*, lohol. *d*, lohel. *g*. 19. lebende *g*, lebene *G*. 21. 22. *fehlen G*. 23. krefte *G*. 24. dahte. *DG*. des *Dg*. das *dg*, ez *Ggg*. 26. werde *Ggg*. 27. eranc *G*. 28. Daz fiur *Ggg*. von slegen *fehlt dg*. = uz helmen von slegen *Ggg*. 29. Von peilr. *G*. an *fehlt Ggg*. 30. unde *DG*.

744, 1. wider ruof *alle außer DG*. gegeben *gg*, getan *G*. 3. peilr. *G*. 4. Kondwiramurs chom bezite *Ggg*. 5. niun *Ggg*. 6. = Si nam *Ggg*. 7. dô] Dar *D*. 10. = kahaviez *Ggg*, Kaheviez *g*. 11. slegen *Ggg*. uf des *alle*. helm *Ggg*. 13. struchen *gg*. 13. 14. suohte-ruohte *G*. 14. niht langer] niene *D*. 17. ither *Gdgg*. 18. tumpheit *D*. do gezam *G*, wol gezam *dg*, zam *g*. 20. snelle uf spranc *G*, snel do (da *g*) uf spranch *gg*. 22. Ze urteil *alle außer D*. stez *D*, ste ez *G*, ez stet *g*, stet ez *die übrigen*. 23. Von *Gg*. 25. was *fehlt* (*nebst* der *z.* 26) *g*. 28. heidenschen *G*. 30. wrde ane *DG*.

745 Waz prîss bejagete ich danne an dir?
stant stille, unde sage mir,
werlîcher helt, wer du sîs.
für wâr du hetes mînen prîs
behabt, der lange ist mich gewert,
wær dir zebrosten niht dîn swert.
nu sî von uns bêden vride,
unz uns geruowen baz diu lide.'
si sâzen nider ûfez gras:
manheit bî zuht an beiden was,
unt ir bêder jâr von solher zît,
zalt noch ze junc si bêde ûf strît.
der heiden zem getouften sprach
'nu geloube, helt, daz ich gesach
bî mînen zîten noch nie man,
der baz den prîs möhte hân,
den man in strîte sol bejagen.
nu ruoche, helt, mir beidiu sagen,
dînen namen unt dînen art:
sc ist wol bewendet her mîn vart.'
dô sprach Herzeloyden suon
'sol ich daz durch vorhte tuon,
sone darf es niemen an mich gern,
sol ichs betwungenlîche wern.'
der heiden von Thasmê
sprach 'ich wil mich nennen ê,
und lâ daz laster wesen mîn.
ich pin Feirefîz Anschevîn,
sô rîche wol daz mîner hant
mit zinse dienet manec lant.'
746 Dô disiu rede von im geschach,
Parzivâl zem heiden sprach
'wâ von sît ir ein Anschevîn?
Anschouwe ist von erbe mîn,
bürge, lant unde stete.
hêrre, ir sult durch mîne bete
einen andern namen kiesen.
solt ich mîn lant verliesen,
unt die werden stat Bêalzenân,
sô het ir mir gewalt getân.
ist unser dweder ein Anschevîn,
daz sol ich von arde sîn.
doch ist mir für wâr gesagt,
daz ein helt unverzagt
won in der heidenschaft:
der habe mit rîterlîcher kraft
minne unt prîs behalten,
daz er muoz beider walten.
der ist ze bruoder mir benant:
si hânt in dâ für prîs erkant.'
aber sprach dô Parzivâl
'hêr, iwers antlützes mâl,
het ich diu kuntlîche ersehn,
sô wurde iu schier von mir verjehn,
als er mir kunt ist getân.
hêrre, welt irs an mich lân,
so enblœzet iwer houbet.
ob ir mirz geloubet,
mîn hant iuch strîtes gar verbirt,
unz ez anderstunt gewâpent wirt.'
747 Dô sprach der heidenische man
'dîns strîts ich wênec angest hân.
stüend ich gar blôz, sît ich hân swert,
du wærst doch schumpfentiure gewert,
sît dîn swert zebrosten ist.
al dîn werlîcher list
mac dich vor tôde niht bewarn,
ine well dich anders gerne sparn.
ê du begundest ringen,
mîn swert lieze ich klingen
beidiu durch îser unt durch vel.'
der heiden starc unde snel
tet manlîche site schîn,
'diz swert sol unser dweders sîn:'
ez warf der küene degen balt
verre von im in den walt.

745, 4. hætes *g*, heist *G*. 5. mih gwert *G*. 6. zebrochen *alle aufser Dg*. 7. beiden *G*. 11. beider *G*. 12. = ze iunch noh ze alt *Ggg*. 15. = Bi miner zit noh nie den man *Ggg*. 16. den strit *D*. 19. dine art *g*, din art *die übrigen aufser DG*. 21. der herz. *Gd*. herzeloyde *G*. 23. nimmer *D*. 24. betwngenlihen *Gdgg*. 28. feirafiz *G*, ferrefiz *g*. ferefiz *gg*. Anscivin *D*, *auch* 746, 3. 30. dient manc *G*.

746, 4. is *G*. 5. unt *D*. 7. = Iu einen *Ggg*. 8. Sol *Ggg*. 9. Unde werden *G*. belzanan *G*, ze belzenan *g*. 11. Unde ist *Ggg*. deweder *DG*, tweder *gg*. 16. Unde habe *Ggg*. 18. muoze *Ggg*. beder *G*. 19. genant *alle aufser DG* (*eine tilgt* ze). 23. küntlich *gg*. 24. sciere *DG*. 27. enblozet *DG*. 29. iu *g*.

747, 4. Stund *g*, Stunt *g*, stuende *DG*. gar *fehlt g*, al *G*. 4. scumpfentiwer *D*, tschûmphentûre *G*, entschumphentiure *g*. gwert *G*. 5. zebrochen *alle aufser D*. 8. welle *DG*. 10. = dringen *Ggg*. 11. isen *Gdgg*. durh *DG*. 13. manlichen *D*. 14. deweders *DG*, tweders *gg*, entweders *d*.

er sprach 'sol nu hie strît ergên.
dâ muoz glîchiu schanze stên.'
dô sprach der rîche Feirefîz
'helt, durch dîner zühte vlîz,
sît du bruoder megest hân,
sô sage mir, wie ist er getân?
tuo mir sîn antlütze erkant,
wie dir sîn varwe sî genant.'
dô sprach Herzeloyden kint
'als ein geschriben permint,
swarz und blanc her unde dâ,
sus nante mirn Eckubâ.'
der heiden sprach 'der bin ich.'
si bêde wênc dô sûmten sich,
748 Ieweder sîn houbet schier
von helme unt von hersenier
enblôzte an der selben stunt.
Parzivâl vant hôhen funt,
unt den liebsten den er ie vant.
der heiden schiere wart erkant:
wander truoc agelstern mâl.
Feirefîz unt Parzivâl
mit kusse understuonden haz:
in zam ouch bêden friuntschaft baz
dan gein ein ander herzen nît.
triwe und liebe schiet ir strît.
der heiden dô mit freuden sprach
'ôwol mich daz ich ie gesach
des werden Gahmuretes kint!
al mîne gote des gêret sint.
mîn gotinne Jûnô
dis prîses mac wol wesen vrô.
mîn kreftec got Jupiter
dirre sælden was mîn wer.
gote unt gotinne,
iwer kraft ich immer minne.
geêrt sî des plânêten schîn,
dar inne diu reise mîn
nâch âventiure wart getân
gein dir, vorhtlîch süezer man,
daz mich von dîner hant gerou.
geêrt sî luft unde tou,
daz hiute morgen ûf mich reis.
minnen slüzzel kurteis!
749 Owol diu wîp dich sulen sehn!
waz den doch sælden ist geschehn!'
'ir sprechet wol: ich spræche baz,
ob ich daz kunde, ân allen haz.
nu bin ich leider niht sô wîs,
des iwer werdeclîcher prîs
mit worten mege gehœhet sîn:
got weiz ab wol den willen mîn.
swaz herze und ougen künste hât
an mir, diu beidiu niht erlât
iwer prîs sagt vor, si volgent nâch.
daz nie von rîters hant geschach
mir grœzer nôt, für wâr ichz weiz,
dan von iu,' sprach der von Kanvoleiz.
dô sprach der rîche Feirefîz
'Jupiter hât sînen vlîz,
werder helt, geleit an dich.
du solt niht mêre irzen mich:

17. nu hie strit *D*, hie strit *G*, me strit *d*, hie nu strit *gg*, hie strit nu *g*, nu strit hie *g*. 18. Der muoz gelich (zû glicher *g*) tschanze sten *Gg*, Daz muoz geliche tschanze sten *gg*. 19. feyrafiz *g*. 21. mûgest *G*. 22. = mir *fehlt Ggg*, an *g*. 26. bermint *G*. 27. = Swartz blanch *Ggg*. unt da *D*. 28. = Also nande (Alsus nant *g*) mirn *Ggg*. miren *D*. 29. daz bin ih *Ggg*. 30. wenech do *Dgg*, do wenc *G*, wenig *dg*.

748, 1. Ietwederre *G*. scîere-hersenîere *alle*. 2. Unde helme *G*. 3. Enblozten *Gg*. 5. liebsten *gg*, liebesten *D*, liebisten *G*. 7. Wan er *G oft*. aglastern *g*, agellastern *g*, aglester *d*, egelstern *g*. 10. = zâme *Ggg*. friwentscaft *D*. 11. = herze *G*, herzer *g*, herten *g*, haz und *g*. 14. Wol *G*. 15. Gahmûretes *G*, Gahmurets *D*. 16. des *fehlt G*. geert *G*, ge êrt *D*. 17. 21. gottinne *D*, gûtinne *G*. 18. dis (Des *dg*) priss mach wol (wol mag *g*) *Ddg*, Disses wol mac *g*, Dis wol mach *G*, Mach dises wol *g*. 19. Ein *G*. Iuppiter *G*. 21. got *DG*. 27. vor *D*. 28. geért *D*, Gert *G*. unt *D*.

749, 1. Wol *Gg*. dich] di dich *D*, diu dih *G*, *so alle*. suln *gg*. 2. is *G*. 3. Ir seht wol *Gg*. spræche *D*, sprâche *Gg*, spriche *dgg*. 5. nih so *G*. 6. Daz *Ggg*. 7. mûge *G*. gehoht *D*, geholen *G*. 8. aber *DG*. 9. ouge *G*. 9. 10. hant-erlant *alle*. 10. beide euch *gg*. 11. = Iwern *Ggg*. saget *Dd* = sag ich *gg*, sagt sy *g*, si *G*. 14. Dane *G*, denne *D*. der kanvoleiz *G*. 15. firefiz *G*. 16. Got hat [rehte *G*] sinen fliz *Gg*. 18. = Dune *Ggg*. ircen *G*.

wir heten bêd doch einen vater.'
mit brüederlîchen triwen bater
daz er irzens in erlieze
und in duzenlîche hieze.
diu rede was Parzivâle leit.
der sprach 'bruodr, iur rîcheit
glîchet wol dem bâruc sich:
sô sît ir elter ouch dan ich.
mîn jugent unt mîn armuot
sol sölher lôsheit sîn behuot,
daz ich iu duzen biete,
swenn ich mich zühte niete.'

750 Der von Trîbalibot
Jupiter sînen got
mit worten êrte manegen wîs.
er gap ouch vil hôhen prîs
sîner gotîn Jûnô,
daz si daz weter fuogte sô,
dâ mit er und al sîn her
gein dem lande ûz dem mer
lantveste nâmen,
dâ si zein ander quâmen.
  anderstunt si nider sâzen,
die bêde des niht vergâzen,
sine büten einander êre.
der heiden sprach dô mêre
'ich wil lâzen dir zwei rîchiu lant,
dienstlîche immer dîner hant,
diu mîn vater und der dîne erwarp,
do der künec Isenhart erstarp,
Zazamanc und Azagouc.
sîn manheit dâ niemen trouc,
wan daz er lie verweiset mich.
gein mînem vater der gerich
ist mînhalp noch unverkorn.
sîn wîp, von der ich wart geborn,
durh minne ein sterben nâch im kôs,
dô si minne an im verlôs.
ich sæh doch gern den selben man:
mir ist ze wizzen getân
daz nie bezzer rîter wart:
nâh im ist kostenlîch mîn vart.'

751 Parzivâl hin zim dô sprach
'ich pin ouch der in nie gesach.
man sagt mir guotiu werc von im
(an maneger stat ich diu vernim),
daz er wol kunde in strîten
sînen prîs gewîten
und werdekeit gemachen hôch.
elliu missewende in vlôch.
er was wîben undertân:
op die triwe kunden hân,
si lôndens âne valschen list.
dâ von der touf noch gêret ist
pflager, triwe ân wenken:
er kunde ouch wol verkrenken
alle valschlîche tât:
herzen stæte im gap den rât.
daz ruochten si mich wizzen lân,
den kündec was der selbe man,
den ir sô gerne sæhet.
ich wæne ir prîses jæhet
im, ob er noch lebte,
wand er nâch prîse strebte.
sîn dienst twanc der wîbe lôn,
daz der künec Ipomidôn
gein im tjostierens pflac.
diu tjost ergienc vor Baldac:
dâ wart sîn werdeclîchez lebn
durh minne an den rê gegebn.

19. haben *G*. bede *DG*, *fehlt g*. doch beide *dg*. 20. triwen doh bater *G*. 22. duzzenliche *D*, duzchlihen *G*, dutzlichen *gg*, dutzlich *d*. 23. parzifal *G*, parcifaln *g*. 24. Er *Gd*. bruoder iwer *DG*. 25. Gelihet *G*. baruch *Ggg*, Baruche *D*. 26. ouch *fehlt G*. dan *gg*, dane *G*, danne *g*, denn *D*. 28. sôlher *G*, solher *D*. 29. duzen *G*, dutzen *g*, duozen *D*.

750, 2. Jupitern *dg*, Iuppitern *G*. 5. gûtinne *G*, gottinne *D*, *und so oder* götinne *die übrigen*. 8. uz dem *g*, ûf dem *D*, und uff dem *d*, uf daz *G*, von dem *gg*. 10. Daz *dg*. zuo ein *G*. 12. Si *G*. des *fehlt Gd*. Beide sy niht vergaszen *g*. 15. lazen dir *D*, dir lazen *Gdg*, dir lan (*ohne* rîchiu) *g*, lan *g*. 16. Dienslihe *G*, Dienstlich *gg*, dienstlichen *D*. 17. di *D*. vatr *D*. 20. dâ *fehlt Ggg*, *und dann* betrouch *g*. 27. sæhe *DG*. 28. wizzene *D*. 29. enwart *D*. 30. chostelih *G*, kostlich *die übrigen außer D*.

751, 5. 6. chunde striten. Sin pris der gie (get *g*) witen *Gg*. 7. gemachet *gg*, machen *G*. 11. = Die lontens *Ggg*. 12. noch *fehlt Ggg*. geeret *D*, gert *G*. 13. ane *DG*. 14. ouch *fehlt G*. verdenchen *Ggg*. 16. = Sines herzen *Ggg*. gap im *Ggg*. 18. = chunt *Ggg*. 20. priss *D*, pris *G*. 21. noch *fehlt Ggg*. 25. tiustierens *D*, tiostiers *G*. 26. ergie *G*. 27. werdechlih *G*. 28. der minne *Ggg*.

wir hânn ze rehter tjost verlorn,
von dem wir bêde sîn erborn.'

752 'Owê der unregezten nôt!'
sprach der heiden, 'ist mîn vater tôt?
ich mac wol freuden vlüste jehn
und freuden funt mit wârheit spehn.
ich hân an disen stunden
freude vlorn und freude funden.
wil ich der wârheit grîfen zuo,
beidiu mîn vater unde ouch duo
und ich, wir wâren gar al ein,
doch ez an drîen stücken schein.
swâ man siht den wîsen man,
dern zelt decheine sippe dan,
zwischen vater unt des kinden,
wil er die wârheit vinden.
mit dir selben hâstu hie gestritn.
gein mir selbn ich kom ûf strît geritn,
mich selben het ich gern erslagn:
done kundestu des niht verzagn,
dune wertest mir mîn selbes lîp.
Jupiter, diz wunder schrîp:
dîn kraft tet uns helfe kuont,
daz se unser sterben understuont.'
er lachte und weinde tougen.
sîn heidenschiu ougen
begunden wazzer rêren
al nâch des toufes êren.
der touf sol lêren triuwe,
sît unser ê diu niuwe
nâch Kriste wart genennet:
an Kriste ist triwe erkennet.

753 Der heiden sprach, ich sag iu wie.
'wir sulen niht langer sitzen hie.
rît mit mir niht ze verre.
loschieren ûf die terre,
durh dîn schouwen, von dem mer
heiz ichz rîcheste her
dem Jûnô ie gap segels luft.
mit wârheit âne triegens guft
zeige ich dir mangen werden man
der mir ist diens undertân.
dar soltu rîten hin mit mir.'
Parzivâl sprach zim 'sît ir
so gewaldec iwerr liute,
daz se iwer bîten hiute
und al die wîle ir von in sît?'
der heiden sprach 'âne strît.
wære ich von in halbez jâr,
mîn biten rîche und arme gar:
sine getorsten ninder kêren.
gespîset wol nâch êren
sint ir schif in der habe:
ors noch man niht dorften drabe,
ezn wære durch fontâne
unt durch luft gein dem plâne.'
Parzivâl zem bruoder sîn
sprach 'sô sult ir frouwen schîn
sehen unt grôze wünne,
von iwerm werden künne
mangen rîter kurtoys.
Artûs der Bertenoys

754 Lît hie bî mit werder diet,
von den ich mich hiute schiet,
mit grôzer minneclîcher schar:
wir sehen dâ frouwen wol gevar.'
do der heiden hôrte nennen wîp
(diu wâren et sîn selbes lîp),
er sprach 'dar füere mich mit dir.
dar zuo soltu sagen mir

29. han in *Dd* = han *Ggg*. 30. Da von *G*. = geborn *Ggg*.

752, 1. unergetzeten *G*, unergatzten *g*. 2. is *G*. 3. = froude unde fluste *Ggg*. 8. ouch *fehlt Ggg*. du *alle*. 9. = wir *fehlt Ggg*. gar *fehlt Gg*, doch *g*. 10. = endrin *G*, in drin *gg*. 12. der enz. *D*, Der nez. *G*. neheine *G*. 13. des] = den *Ggg*, *fehlt g*. 15. 16. 17. selbn *D*, selben *G*. 17. ih hete *Gg*. 20. Iuppiter *Gd*. = daz *Ggg*. schript *dg*. 23. lachete *DG*. 24. Sin *d*, siniu *DG*. 27. Der tŏffe [pfligt *g*] solher triuwe *Gg*. 28. sint *D*. 29. christen *Ggg*.

753, 2. Wirn sûln *G*. 4. Leisiern *G*, Loysieren *gg*. die] dirre *D*. 6. Het ihz *Gg*. 7. den *D*. 10. dienstes *alle aufser D*. 12. hinze im *Ggg*. 13. So gwaltc iwer lûte *G* (*aber* hiute). 17. = ein halbez *Ggg*. 19. niener *G*. 21. ir *D*, elliu iriu *G*, alle ir *dgg*, gar ir *g*. 23. ezen *D*, Ez ne *G*. funtaniȩ *G*, funtane *d*. 24. = Ode *Ggg*. = durch den luft *Dd*. = von dem planiȩ *Ggg*. 28. iwern *G*, mime *D*. 29. kůrteis *G*. 30. britaneis *G*.

754, 2. Von dem *Gg*. 6. Die *G*. 7. da *D*. mich hin *D* (*und g?*).

mær der ich dich vrâge.
sehe wir unser mâge,
sô wir zArtûse komn?
von des fuore ich hân vernomn,
daz er sî prîses rîche,
und er var ouch werdeclîche.'
dô sprach aber Parzivâl
'wir sehen dâ frouwen lieht gemâl.
sich failiert niht unser vart:
wir vinden unsern rehten art,
liut von den wir sîn erborn,
etslîches houbt zer krône erkorn.'
ir deweder dô niht langer saz.
Parzivâl des niht vergaz,
ern holte sînes bruoder swert:
daz stiez er dem degen wert
wider in die scheiden.
dâ wart von in beiden
zornlîcher haz vermiten
unt gesellecliche dan geriten.
ê si zArtûse wâren komn,
dâ was ouch mær von in vernomn.

755 Dô was bî dem selben tage
über al daz her gemeiniu klage,
daz Parzivâl der werde man
von in was sus gescheiden dan.
Artûs mit râte sich bewac
daz er unz an den ahten tac
Parzivâls dâ wolt bîten
unt von der stat niht rîten.
Gramoflanzs her was ouch komn:
dem was manc wîter rinc genomn,
mit zelten wol gezieret.
dâ was geloschieret
den stolzen werden liuten.
man möhtez den vier briuten
niht baz erbietn mit freude siten.
von Schastel marveile geriten
kom ein man zer selben zît:
der seite alsus, ez wære ein strît
ûfem warthûs in der sûl gesehn,
swạz ie mit swerten wære geschehn,
'daz ist gein disem strîte ein niht.'
vor Gâwân er des mæres giht,
dâ er bî Artûse saz.
manc rîter dâ mit rede maz,
von wem der strît dâ wære getân.
Artûs der künec sprach dô sân
'den strît ich einhalp wol weiz:
in streit mîn neve von Kanvoleiz,
der von uns scheit hiute frno.'
dô riten ouch dise zwêne zuo.

756 Wol nach strîtes êre
helm unt ir schilde sêre
wârn mit swerten an gerant.
ieweder wol gelêrte hant
truoc, der diu strîtes mâl entwarf.
in strîte man ouch kunst bedarf.
bî Artûses ringe hin
si riten. dâ wart vil nâch in
geschouwet, dâ der heiden reit:
der fuort et solhe rîcheit.
wol beherberget was daz velt.
si kêrten für daz hôchgezelt
an Gâwânes ringe.
op mans iht innen bringe
daz man se gerne sæhe?
ich wæn daz dâ geschæhe.
Gâwân kom snellîche nâch,
wander vor Artûse sach
daz si gein sîme gezelte riten.
der enpfienc se dâ mit freude siten.

9. des *gg*. dich *fehlt Dg*. 13. pris *D*, bris *G*. 14. er *fehlt dg*. ouch *fehlt G*. 15. = Aber sprah do *Ggg*. 17. valiert *G*, falieret *d*, falliert *gg*. 18. winden *D*. da unsern *G*. 19. liute *D*, Lûte *G*. = geborn *Ggg*. 20. = Etslih *Ggg*. houbet *DG*. = ze *Ggg*. 21. langer *D*. 23. sins *DG*. 24. dem *und* wert *fehlen G*.

755, 4. sus *fehlt D* = Sûs was von in *Ggg*. 5. sih *DG*. 6. = vierden *Ggg*. 7. wolde *DG*. 9. Gramoflanzs (Gramoflanzes *gg*) her was ouch *Dgg*, Gramoflantz was ouch here *g*, Gramoflanzes (Gramoflantz *d*) her was *Gd*. 10. wite rinc *G*, wit rinc *g*, rinch wit *g*. benomen *G*. 11. = gezelten *Ggg*. 12. geloisiert *Ggg*. 14. der *D*. 15. nit baz erbieten *Ddgg*, Baz erbieten niht *Ggg*. frouden *Ggg*. 16. schastel marveile *g*, Scastelmarvâle *D*, kastel marveile *g*, tschastel marveile G. 19. Uf dem warthuse *G*. swͦel *D*. 20. von *Gg*. was *d*, ist *g*. 22. mârs *G*.

756, 2. helme *D*. 4. Ietwederre *G*. 5. Truoch diu (des *g*) strites mal er warf *Gg*. 6. och wol *gg*, wol *G*. 7. Artuse *D*, artus *G*. 8. do *G*. nah *DG*. 10. et an solh chleit *G*, ot an tiuriu cleit *g*, ein solich kleit *g*, riliche cleit *g*. 13. = Gein *Ggg*. 16. Ich wâne ouch daz da (*fehlt Gg*) geschâhe *Ggg*. 17. snellichen *G*. 20. frouden *Gdgg*.

si hetenz harnasch dennoch an:
Gâwân der höfsche man
hiez se entwâpen schiere.
ecidemôn dem tiere
was geteilet mit der strît.
der heiden truog ein kursît:
dem was von slegen ouch worden wê.
daz was ein saranthasmê:
dar an stuont manc tiwer stein.
dar unde ein wâpenroc erschein,
757 Rûch gebildet, snêvar.
dar an stuont her unde dar
tiwer steine gein ein ander.
die würme salamander
in worhten in dem fiure.
si liez in âventiure
ir minne, ir lant unde ir lîp:
dise zimierde im gab ein wîp
(er leist ouch gerne ir gebot
beidiu in freude und in nôt),
diu küngîn Secundille.
ez waz ir herzen wille,
daz se im gab ir rîcheit:
sîn hôher prîs ir minne erstreit.
Gâwân bat des nemen war,
daz diu zimierde wol gevar
iender wurde verrucket
oder iht dervon gezucket,
kursît helm oder schilt.
es het ein armez wîp bevilt
an dem wâpenrocke al eine:
sô tiwer wârn die steine
an den stücken allen vieren.
hôch minne kan wol zieren,
swâ rîchheit bî dem willen ist
unt ander werdeclîcher list.
der stolze rîche Feirefîz
truoc mit dienste grôzen vlîz
nâch wîbe hulde: umbe daz
einiu ir lôns im niht vergaz.
758 Dez harnasch was von in getân.
dô schouweten disen bunten man
al die wunders kunden jehn,
die mohtenz dâ mit wârheit spehn:
Feirefîz truoc vremdiu mâl.
Gâwân sprach ze Parzivâl
'neve, tuo den gesellen dîn
mir kunt: er treit sô wæhen schîn,
dem ich gelîchez nie gesach.'
Parzivâl zuo sîm wirte sprach
'bin ich dîn mâc, daz ist ouch er:
des sî Gahmuret dîn wer.
diz ist der künec von Zazamanc.
mîn vater dort mit prîse erranc
Belakân, diu disen rîter truoc.'
Gâwân den heiden dô genuoc
kuste: der rîche Feirafîz
was beidiu swarz unde wîz
über al sîn vel, wan daz der munt
gein halbem zil tet rœte kunt.
man brâht in beiden samt gewant:
daz was für tiwer kost erkant:
ûz Gâwâns kamer truoc manz dar.
dô kômen frouwen lieht gevar.
diu herzogîn liez Cundrîê
unt Sangîven küssen ê:
si selbe unt Arnîve in dô
kusten. Feirefîz was vrô,
daz er sô clâre frouwen sach:
ich wæne im liebe dran geschach.

22. der stolze hofsche man *G.* 24. Ez. *G.* 25. geteilt *G.* 27. ouch *fehlt Gg.* 29. manech *D.* 30. Dar under *alle außer D.*

757, 1. Ruoch *D*, Rich *d*, Hoh *G*, Ouch *gg*, Durch *g.* 2. unt *D.* 3. tiuore *D.* 6. liez] cherten *Gg*, kerte *g.* 8. Die die zimierde gap ein wip *d.* gap im *G.* 9. gern *D.* 10. frouden *Gdgg.* 11. der kuneginne *D.* 16. di *D*, *fehlt Gg.* 17. îendr *D.* veruchet *G.* 18. Olde iht da von *G.* 19. unde *G.* 21. wapen roch *G.* 22. = sô *fehlt Ggg.* 23. = den *fehlt Ggg.* 24. Hohiu *Ggg.* 29. wibes *Gg.* 30. = Daz einiu lons im *gg*, Daz im lones einiu *Ggg.* Ein *d.*

758, 1. = von im *Ggg.* 2. puntten *d*, puncten *g*, *fehlt Gg.* 3. Alle die werdes *Gg.* 3. 4. wunder-spehen-mohtens-iehen *g.* 4. Daz mohtens *Ggg.* warheite *D.* 5. Feirafiz *G.* 9. glihes *G.* 10. ze *G.* sime *D*, sinem *G.* 12. gewer *Gg.* 14. eranch *G.* 15. Belakanen *Dgg*, Belcanen *G*, Belicanen *g*, Belekanen *d.* 17. den richen *Gdg.* firafiz *G.* 18. Er was *G*, Wan er was *g.* 19. sîn] si *G.* 20. Gein blanchen teil tet roete chunt *Gg.* 21. beiden *fehlt G.* sament *Gg.* 23. kamern *D.* man *Gg.* 25. gundrie *G.* 26. sagiven *Gg.* 27. = in *fehlt Ggg.* 28. feirafiz *G.*

759 Gâwân zuo Parzivâle sprach
'neve, dîn niwez ungemach
sagt mir dîn helm und ouch der schilt.
iu ist bêden strîtes mit gespilt,
dir und dem bruoder dîn:
gein wem erholt ir disen pîn?'
'ez wart nie herter strît erkant,'
sprach Parzivâl. 'mîns bruoder hant
twanc mich wer in grôzer nôt.
wer ist ein segen für den tôt.
ûf disen heinlîchen gast
von slage mîn starkez swert zebrast.
dô tet er kranker vorhte schîn:
er warf verr ûz der hant daz sîn.
er vorhte et an mir sünde,
ê wir gerechenten ze künde.
nu hân ich sîne hulde wol,
die ich mit dienste gern erhol.'
Gâwân sprach 'mir wart gesagt
von eime strîte unverzagt.
ûf Schastel marveil man siht
swaz inre sehs mîln geschiht,
in der sûl ûf mîme warthûs.
dô sprach mîn œheim Artûs,
der dâ strite des selben mâls,
daz wærstu, neve von Kingrivâls.
du hâst diu wâren mære brâht:
dir was des strîts doch vor gedâht.
nu geloube mir daz ich dir sage:
dîn wære gebiten hie aht tage
760 Mit grôzer rîcher hôchgezît.
mich müet iwer beider strît:
dâ sult ir bî mir ruowen nâch.
sît aber strît von iu geschach,
ir erkennt ein ander deste baz.
nu kieset friwentschaft für den haz.'
Gâwân des âbents az dest ê,
daz sîn neve von Thasmê,
Feirefîz Anschevîn,
dennoch vaste, und der bruoder sîn.
matraze dicke unde lanc,
der wart ein wîter umbevanc.
kultern maneger künne
von palmât niht ze dünne
wurden dô der matraze dach.
tiwer pfell man drûf gesteppet sach,
beidiu lanc unde breit.
diu Clinschores rîcheit
wart dâ ze schouwen für getragen.
dô sluoc man ûf (sus hôrt ich sagen)
von pfell vier ruclachen
mit rîlîchen sachen,
gein ein ander viersîte;
darunde senfte plumîte,
mit kultern verdecket,
ruclachen drüber gestecket.
der rinc begreif sô wît ein velt,
dâ wærn gestanden sehs gezelt
âne gedrenge der snüere.
(unbescheidenlîche ich füere,
761 Wolt ich d'âventiur fürbaz lân.)
dô enbôt mîn hêr Gâwân
ze hove Artûse mære,
wer dâ komen wære:
der rîche heiden wære dâ,
den diu heidnîn Eckubâ
sô prîste bî dem Plimizœl.
Jofreit fîz Ydœl

759, 1. ze G. 2. din niwer G, dinen newen g. 5. dem neven min Ggg. 7. = Ezne Ggg. bris G. 9. = ze wer Ggg. 12. slegen G, slege g. 13. chranch G, kranche dgg. 14. werre D. 16. gerehten dg, gerecheten gg. ze *fehlt* d. 21. tschaster G. marveil g, Marveile G, marvale D. 22. inner Gg, in gg. vier Ggg. milen DG. 26. werstu g. nef g. 28. strits D, strites G. 29. gl. G. 30. = vier gg, zwene G.

760, 1. richen D. hohzit Ggg. 2. beder G. 3. Da sûlt ir sin mit triwen nah Gg. 5. erchennt G. 7. des tages G. dest D, deste Gg, dester dgg. 8. = Do Ggg. 11. Matraze D, Matraz dgg, Von palmat Ggg. dicke] wit G. 12. Dar G. = wit Ggg. umbehanch Gg. 13. = Chulter Ggg. 14. Balmate D. 15. da G. Matraze Dg, matraz *die übrigen*. 16. Tiuer G, tiwern D. 16. 21. pfelle *alle*. 18. Clinscors D, herlihe Gg. 21. 23. vier] niwe Gg. 21. 26. ruckl. D, ruch l. Gg, ruckel. g, rückel. dg, ruggel. g. 22. rihlichen Gg. 24. Dar under *alle außer* D. phumite G. 26. gestrechet Gg. 28. gestan D. = vier Ggg.

761, 1. = dise Ggg. han Ggg. 6. heidenin D, heideninne Ggg, haidinne gg, heiden d. Ekûba G. 7. plimitzol g, Primizœl D, blimzol G. 8. fis idol G.

Artûs daz mære sagte,
des er freude vil bejagte.
Jofreit bat in ezzen fruo,
unt clârlîche grîfen zuo
mit rîtern und mit frouwen schar,
unt höfschlîche komen dar,
daz siz sô ane geviengen
und werdeclîche enpfiengen
des stolzen Gahmuretes kint.
'swaz hie werder liute sint,
die bringe ich,' sprach der Bertenoys.
Jofreit sprach 'erst sô kurtoys,
ir muget in alle gerne sehn:
wan ir sult wunder an im spehn.
er vert ûz grôzer rîcheit:
sîniu wâpenlîchiu kleit
nie man vergelten möhte:
deheiner hant daz töhte.
Löver, Bertâne, Engellant,
von Pârîs unz an Wîzsant,
der dergein leit al die terre,
ez wærem gelte verre.'

762 Jofreit was wider komn.
von dem het Artûs vernomn,
wie er werben solde,
ob er enpfâhen wolde
sînen neven den heiden.
daz sitzen wart bescheiden
an Gâwânes ringe
mit höfschlîchem dinge.
diu messenîe der herzogin
unt die gesellen under in
ze Gâwânes zeswen saz.
anderhalb mit freuden az
ritter, Clinschores diet.
der frouwen sitzen man beschiet
über gein Gâwân an den ort
sâzen Clinschors frouwen dort:
des was manegiu lieht gemâl.
Feirefîz unt Parzivâl
sâzen mitten zwischenn frouwen:
man moht dâ clârheit schouwen.
der turkoyte Flôrant
unt Sangîve diu wert erkant
unt der herzoge von Gôwerzîn
unt Cundrîê daz wîp sîn
über gein ein ander sâzen.
ich wæn des, niht vergâzen
Gâwân und Jofreit
ir alten gesellekeit:
si âzen mit ein ander.
die herzogîn mit blicken glander

763 Mit der küneginne Arnîven az:
ir enwedriu dâ niht vergaz,
ir gesellekeite
wârns ein ander vil bereite.
bî Gâwâne saz sîn ane,
Orgelûse ûzerhalp her dane.
da rezeigt diu rehte unzuht
von dem ringe ir snellen fluht.
man truoc bescheidenlîche dar
den rîtern und den frouwen gar
ir spîse zühteclîche.
Feirefîz der rîche
sprach ze Parzivâl dem bruoder sîn
'Jupiter die reise mîn
mir ze sælden het erdâht,
daz mich sîn helfe her hât braht,
da ich mîne werden mâge sihe.
von rehter schult ich prîses gihe

9. = do *Ggg*, die *gg*. 12. clarlihen *Ggg*. 17. Gahmurets *D*, Gahmureten *Gg*. 19. britaneis *G*. 20. er ist *D*, er is *G*. kûrteis *G*. 21. sult *g*. 22. sult *Dg*, mûget *Gddgg*. 23. wert *D*. 25. niemen *DG*. 27. Lover britânie *G*. 28. wizen sant *g*. 29. der drigein leite *D*. alle die *G*. 30. wærem *D*, wer dem *g*, wâre ienem *Ggg*.

762, 6. beiden *G*. 8. hofslichem *G*. 9. mæssenide *D*. 11. 12. = sazenazen *Ggg*. 12. anderthalbn si (*l.* sîn) mit *D*. 13. Clinscors *D*, unde chleine *G*, unde clare *g*. 15. Uber gawan *G*, Gein Gawan über *g*. 16. klinschors *g*, clare *gg*, chleine *G*. 17. menegiu *D*. 18. Feiraf. *G*. 19. zwischen (zwisscen *D*) den *DGdgg*, zwischen die *dg*. 20. dâ *fehlt Gg*. 21. Turkoyte *nun wieder auch D*. 22. sagive *Ggg*. 26. Iht des iht verg. *g*. des *fehlt g*. niht *Dd*, iht *Gdgg*. 30. mit blick *dd*, *fehlt g*.

763, 1. arnive *Gdd*. 2. Itonie do niht *Gg*. 3. 4. gesellcheit-bereit *alle außer Dg*. Si waren gesellikeit Ein ander vil bereit *dd*. 4. Warnz *g*, Warens *g*. vil *fehlt Ggg*. 5. sîn] si sin *G*. 6. Orgillûsie *G*. 7. Do *Gg*. rezeigete *D*, erzeigte *G*. reht *D*. 8. snelle *Gdgg*. 10. = der frouwen schar *Ggg*. 14. Iupp. *Gd*. der *dgg*. 15. het *Dg*, hete *G*, hat *ddgg*. braht *G*. 17. Daz *Gg*. werde *Ggg*. 18. 22. 28. priss *D*, 18. 22. bris, 28. pris *G*.

mînem vater, den ich hân verlorn:
der was ûz rehtem prîs erborn.'
der Wâleis sprach 'ir sult noch sehn
liut den ir prîses müezet jehn,
bî Artûs dem houbetman,
mangen rîter manlîch getân.
swie schier diz ezzen nu zergêt,
unlange'z dâ nâch gestêt,
unz ir die werden sehet komn,
an den vil prîses ist vernomn.
swaz tavelrunder kreft ist bî,
dern sizt hie niwan rîter drî;
764 Der wirt unde Jofreit:
etswenne ich ouch den prîs erstreit,
daz man mîn drüber gerte,
des ich si dô gewerte.'
si nâmn diu tischlachen dan
vor al den frowen und vor den man:
des was zît, dô man gaz.
Gâwân der wirt niht langer saz:
die herzogîn und ouch sîn anen
begunder biten unde manen,
daz si Sangîven ê
unt die süezen Cundrîê
næmen unde giengen dar
aldâ der heiden bunt gevar
saz, unt daz si pflægen sîn.
Feirefîz Anschevîn
sach dise frouwen gein im gên:
gein den begunder ûf dô stên.
als tet sîn bruoder Parzivâl.
diu herzoginne lieht gemâl
nam Feirefîzen mit der hant:
swaz si frowen und rîter stên dâ vant,
die bat si sitzen alle.
dô reit dar zuo mit schalle
Artûs mit den sînen.
man hôrt dâ pusînen,
tambûrn, floitiern, stîven.
der suon Arnîven
reit dar zuo mit krache.
dirre frœlîchen sache
765 Der heiden jach für werdiu dinc.
sus reit an Gâwânes rinc
Artûs mit sînem wîbe
und mit manegem clâren lîbe,
mit rîtern und mit frouwen.
der heiden mohte schouwen
daz ouch dâ liute wâren
junc mit solhen jâren
daz si pflâgen varwe glanz.
dô was der künec Gramoflanz
dennoch in Artûses pflege:
dâ reit och ûf dem selben wege
Itonjê sîn âmîe,
diu süeze valsches vrîe.
do rebeizte der tavelrunder schar
mit manger frouwen wol gevar.
Ginovêr liez Itonjê
ir neven den heiden küssen ê:
si selbe dô dar nâher gienc,
Feirefîzen si mit kusse enpfienc.
Artûs und Gramoflanz
mit getriulîcher liebe ganz
enpfiengen disen heiden.
dâ wart im von in beiden
mit dienst erboten êre,
und sîner mâge mêre

20. = erchorn *Ggg.* 21. Parcifal sprach *D.* 22. liute *D*, Lûte *G.* 25. sciere *DG.* = erget *Ggg.* 26. = dar nah *Ggg.* 27. seht *DG.* 29. Tafelrunde *D.* kraft *Gdgg.* 30. Dern *g*, der en *Dg*, Der *Gddg.* sizzet *D*, sitzent *die übrigen.*

764, 1. Der wirt sprah ze Iofreit *Gg.* unt *D.* 4. gwerte *G.* 5. namen *DG.* die tische dan *G.* 6. al *fehlt Gdg.* vor den *fehlt dd*, vor dem *G.* 10. begunden bitten und manen *D.* 12. sagive (*ohne* ê) *Gg.* 14. Da *ddgg.* heiden *fehlt G.* wunt *d*, blanch *Gg*, vech *g.* 16. 21. Feiraf. *G.* 16. Anscivin *D.* 18. dô *fehlt Gddgg.* 21. der] ir *D.* 22. sten da *D*, sten *dd* = *fehlt Ggg.* 23. = Sten die *Gg*, Sten da. die *g*, Da sten. die *g.* baten *D.* 26. businen *alle außer D.* 27. Tamburn *g*, Tambuoren *D.* Floytieren *D*, floyten *dg.* 28. sun *DG*, werde sun *dd.* Der broder Sagiven *g.*

765, 1. = richiu *Ggg.* 4. vñ mit *D*, Und *d*, Mit *Gdgg.* mangen *G.* clarem *D.* 11. Artus *DG.* 12. Do *Ggg.* 15. Dor b. *g*, Do erb. *G.* Tafelrunde *D.* 16. lieht gevar *G.* 17. Ginôver *D*, Kinover *G.* 20. Feirafiz *Ggg.* 21. vñ ouch *D.* 22. truwelicher *g.* 24. Do *G.*

im tâten guoten willen schîn.
Feirefîz Anschevîn
was dâ ze guoten friunden komn:
daz het er schiere an in vernomn.

766 Nider sâzen wîp unde man
und manec maget wol getân.
wolt er sichs underwinden,
etslîch rîter moht dâ vinden
süeziu wort von süezem munde,
ob er minne werben kunde.
die bete liez gar âne haz
manc clâriu frouwe diu dâ saz.
guot wîp man nie gezürnen sach,
ob wert man nâch ir helfe sprach:
si hât versagen unt wern bevor.
giht man freude iht urbor,
den zins muoz wâriu minne gebn.
sus sah ich ie die werden lebn.
dâ saz dienst unde lôn.
ez ist ein helfeclîcher dôn,
swâ friundîn rede wirt vernomn,
diu friunde mac ze staten komn.
Artûs zuo Feirefîze saz.
ir deweder dô vergaz,
sine tæten bêde ir vrâge reht
mit süezer gegenrede sleht.
Artûs sprach 'nu lob ichs got,
daz er dise êre uns erbôt,
daz wir dich hie gesehen hân.
ûz heidenschaft gefuor nie man
ûf toufpflegenden landen,
den mit dienstlîchen handen
ich gerner diens werte,
swar des dîn wille gerte.'

767 Feirefîz zArtûse sprach
'al mîn ungelücke brach,
dô diu gotinne Jûnô
mîn segelweter fuogte sô
in disiu westerrîche.
du gebârest vil gelîche
einem man des werdekeit
ist mit mæren harte breit:
bistu Artûs genant,
sô ist dîn name verre erkant.'
Artûs sprach 'er êrte sich,
der mich geprîset wider dich
und gein andern liuten hât.
sîn selbes zuht gap im den rât
mêr dan ichz gedienet hân:
er hâtz durch höfscheit getân.
ich pin Artûs genennet,
und hete gern erkennet
wie du sîst komn in ditze lant.
hât dich friwendîn ûz gesant,
diu muoz sîn vil gehiure,
op du durh âventiure
alsus verre bist gestrichen.
ist si ir lônes ungeswichen,
daz hœhet wîbe dienst noch paz.
ein ieslîch wîp enpfienge haz
von ir dienstbietære,
op dir ungelônet wære.'
'ez wirt al anders vernomn,'
sprach der heiden: 'nu hœr ouch mîn komn.

768 Ich füer sô kreftigez her,
Troyære lantwer
unt jene die si besâzen
müesen rûmen mir die strâzen,
op si beidenthalp noch lebten
und strîtes gein mir strebten,

28. Anscivin *D*. 29. do *D*.

766, 1. wib und *D*. 5. und suzze munde *g*. suozen *G*. 6. münde erwerben *g*. 7. = bet lie *Ggg*. 11. versagt *D*. wern] wert *d*, gwern *G*, gewern *Ddgg*. 12. frouden *Gd*, frowen *g*, *fehlt g*. 14. Sol werder man mit frouden leben *Gdg*. 16. hofsliher *Gdg*. 17. fründin *dd*, vriundinne *Ggg*, friwendinne *D*. 19. ze *G*. 20. dewedere *G*, tweder *g*. 21. = bede vrage ir reht *Ggg*. 22. gein rede *G*. 27. touf *Ddd* = toufe *Ggg*. phlegen den *G*. 28. Den *ddg*, dem *DGg*. 29. dienstes *alle außer D*. 30. = Swaz *Ggg*.

767, 3. gottinne *D*, gûtinne *G*. 4. Minem *gg*. wetter *D*. fuochte *G*. 11. eret *Gdg*, ert *g*. 12. = Swer *Ggg*. gepriste *G*. 13. vn̄ ouch *D*. 15. mere *DG*. dan *dg*. gedient *DG*. 18. hiete gerne *G*. 19. = chomen sist *G*, komen bist *g*, kumest *g*. 23. = Als *Gg*, So *g*. 26. ein *fehlt Gdgg*. 27. dienstes gebietâre *Gg*. 29. Ez wâre *G*. 30. hœr *g*, hœre *D*, hôre *G*.

768, 1. fuere *D*, vuore *G*. 2. Daz tr. *Gdd*. troiâre *G*. 5. bedeith (*für das ende des wortes leerer platz*) *G*.

si möhten siges niht erholn,
si müesen schumpfentiure doln
von mir und von den mînen.
ich hân in manegen pînen
bejagt mit rîterlîcher tât
daz mîn nu genâde hât
diu küngîn Secundille.
swes diu gert, deist mîn wille.
si hât gesetzet mir mîn lebn:
si hiez mich milteclîche gebn
unt guote rîter an mich nemen:
des solte mich durch si gezemen.
daz ist alsô ergangen:
mit schilde bevangen
ist zingesinde mir benant
manec rîter wert erkant.
da engein ir minne ist mîn lôn.
ich trage ein ecidemôn
ûf dem schilde, als si mir gebôt.
swâ ich sider kom in nôt,
zehant so ich an si dâhte,
ir minne helfe brâhte.
diu was mir bezzer trôstes wer
denne mîn got Jupiter.'

769 Artûs sprach 'von dem vater dîn,
Gahmurete, dem neven mîn,
ist ez dîn volleclîcher art,
in wîbe dienst dîn verriu vart.
ich wil dich diens wizzen lân,
daz selten grœzer ist getân
ûf erde decheinem wîbe,
ir wünneclîchem lîbe.
ich mein die herzoginne,
diu hie sitzet. nâch ir minne
ist waldes vil verswendet:
ir minne hât gepfendet
an freuden manegen rîter guot
und in erwendet hôhen muot.'
er sagt ir urliuge gar,
und ouch von [der] Clinschores schar,
die dâ sâzen en allen sîten,
unt von den zwein strîten
die Parzivâl sîn bruoder streit
ze Jôflanze ûf dem anger breit.
'und swaz er anders hât ervaren
da er den lîp niht kunde sparen,
er sol dirz selbe machen kunt.
er suochet einen hôhen funt,
nâch dem grâle wirbet er.
von iu beiden samt ist daz mîn ger,
ir saget mir liute unde lant.
die iu mit strîte sîn bekant.'
der heiden sprach 'ich nenne sie,
die mir die rîter füerent hie.

770 Der künec Papirîs von Trogodjente,
und der grâve Behantîns von Kalomidente,
der herzoge Farjelastis von Affricke,
und der künec Liddamus von Agrippe,
der künec Tridanz von Tinodonte,
und der künec Amaspartîns von Schipelpjonte,
der herzoge Lippidîns von Agremuntîn,
und der künec Milôn von Nomadjentesîn,
von Assigarzîonte der grâve Gabarîns,
und von Rivigitas der künec Translapîns,

7. = Sine *Ggg*. 14. daz ist *D*, daz is *G*. 15. 16. Si hiez mih riterlihe leben. Unde hat gesetzet mir min leben. Si hiez mih miltclichen geben *G*. 23. engene *G*. is *G*. 24. ezid. *G*. 27. gedahte *alle außer D*. 28. minne *Dd*, minne mir *Gdgg*. 29. tros *D* = strites *Ggg*. 30. Iupp. *G*, Jubiter *d*.

769, 4. wibes *Gdgg*. 5. dienst *Gdgg*. 6. grœzers *D*. 8. = minnchlihem *Ggg*. 15. saget *Gdd*, sagete *D*. = im ane lougen gar *Ggg*. 16. clinsores *G*, Clinscors *D*. 17. Si sazen *G*. en] in *Ggg* = an *Ddd*. 20. Tschofflanz (*ohne* ze) *G*. 21. het *Gdg*. 24. suohte *G*. 25. suchet er *g*, suohter *G*. 26. beden *G*. sampt *D*, sament *G*, *fehlt dd und* (*nebst* daz) *g*. 27. Das ir mir sagent *dd* = Nu saget mir *Ggg*. 28. di iu *D*. mit stâte *Gg*. sint *ddgg*. benant *g*.

770, 1. Papirîs *D*, papirs *d*, papirus *Gdg*, paparus *g*. tagrod. *dd* = Tragediente *Ggg*. 2. = Kalomidient *g*, Ralomidiente *Gg*. 3. = Alfriche *g*, Alfre *G*, Alfke *g*. 4. Liddamûs *D*, lidamus *Gd*. Agrippe *D*, agippe *G*, agappe *g*. 5-30. = *fehlen Ggg*. 6. arimaspis *d*, oraspis *d*. Scip. *D*. 7. lipidrius *dd*. 8. milion *dd*. 10. Rivigitâs *D*.

von Hiberborticôn der grâve Filones,
und von Centriûn der künec Killicrates,
der grâve Lysander von Ipopoticôn,
und der herzoge Tiridê von Elixodjôn,
von Orastegentesîn der künec Thôarîs,
und von Satarchjonte der herzoge Alamîs,
der künec Amincas von Sotofeititôn,
und der herzoge von Duscontemedôn,
von Arâbîe der künec Zarôastêr,
und der grâve Possizonjus von Thilêr,
der herzoge Sennes von Narjoclîn,
und der grâve Edissôn von Lanzesardîn,
von Janfûse der grâve Fristines,
und von Atropfagente der herzoge Meiones,
von Nourjente der herzoge Archeinor,
und von Panfatis der grâve Astor,
die von Azagouc und Zazamanc,
und von Gampfassâsche der künec Jetakranc,
der grâve Jûrâns von Blemunzîn,
unt der herzoge Affinamus von Amantasîn.

771 Ich hete ein dinc für schande.
man jach in mîme lande,
kein bezzer rîter möhte sîn
dan Gahmuret Anschevîn,
der ie ors überschrite.
ez was mîn wille und och mîn site,
daz ich füere unz ich in fünde:
sît gewan ich strîtes künde.
von mînen zwein landen her
fuort ich kreftec ûfez mer.
gein rîterschefte het ich muot:
swelch lant was werlîch unde guot,
daz twang ich mîner hende,
unz verre inz ellende.
dâ werten mich ir minne
zwuo rîche küneginne,
Olimpîe und Clauditte.
Secundille ist nu diu dritte.
ich hân durch wîp vil getân:
hiute alrêst ich künde hân
daz mîn vater Gahmuret ist tôt.
mîn bruoder sage ouch sîne nôt.'
dô sprach der werde Parzivâl
'sît ich schiet vonme grâl,
sô hât mîn hant mit strîte
in der enge unt an der wîte
vil rîterschefte erzeiget,
etslîches prîs geneiget,
der des was ungewenet ie.
die wil ich iu nennen hie,

772 Von Lirivoyn den künec Schirnîel,
und von Avendroyn sîn bruoder Mirabel,
den künec Serabil von Rozokarz,
und den künec Piblesûn von Lorneparz,
von Sirnegunz den künec Senilgorz,
und von Villegarunz Strangedorz,

11. Filonĉs *D*. 12. killicratês *D*. 13. ipopoticon *dd*. 15. Orastæg. *D*. 17. Amincāš *D*, amintas *d*, amyneis *d*. 19. zoroaster *d*, zocraster *d*. 20. chiler *d*, zyler *d*. 23. fustines *dd*. 24. und *fehlt dd*. 25. norrente *dd*. archinor *dd*. 27. die *fehlt D*. vñ von Z. *D*. 28. und *fehlt dd*. itrokang *d*, etra trang *d*. 29. bleminzin *d*, weinelzin *d*. 30. amantin *d*, amatin *d*.

771, 3. nehein *D*, Dehein *g*, Dein *d*, Daz dehein *G*, Daz kein *dg*. riter bezzer *D*, ritter *d*. 4. Danne *G*, denne *D*. Anscivin *D*. 7. füere] = in suohte *Ggg*. 8. gwan *G*. 12. swelech *D*. 14. unze *DG*. 16. Zŏ *G*, zwo *D*. 17. Polimpie *G* = Olimpia *Ddd*. claudite-drite *G*. 21. Gahmuret *fehlt G*. 22. saget ouch *Gg*. 26. = In (An *g*) gedrenge *Ggg*. 29. = Der des vil ungewent was ie *Ggg*. ungewent *D*. 30. Der wil ich ein teil nennen hie *dd*, Ein teil ich der benenne (der bekenne ich *g*) hie *Ggg*.

772, 1. lyravoin *dgg*. der kúnig *dd* = *fehlt Gg* Scirniel *D*, tschirniel *Ggg*, schirmel *d*, lirmel *d*. 2. sinen *D*. = miradel *Ggg*. 3-22. = *fehlen Ggg*. 3. Der *dd*, *und so durchaus nominative*. 4. piblisim von lorpartz *dd*. 5. selvigorz *d*, semgartz *d*. 9. villegrane *dd*.

von Mirnetalle den grâven Rogedâl,
und von Pleyedunze Laudunâl,
den künec Oniprîz von Itolac,
und den künec Zyrolan von Semblidac,
von Jeroplîs den herzogn Jerneganz,
und von Zambrôn den braven Plineschanz,
von Tuteleûnz den graven Longefiez,
und von Privegarz den herzogen Marangliez,
von Pictacôn den herzogen Strennolas,
und von Lampregûn den grâven Parfoyas,
von Ascalûn den künec Vergulaht,
nnd von Pranzîle den grâven Bogudaht,
Postefar von Laudundrehte,
und den herzogn Leidebrôn von Redunzehte,
von Leterbe Collevâl,
und Jovedast von Arl ein Provenzâl,
von Tripparûn den grâven Karfodyas.
diz ergienc dâ turnieren was,
die wîle ich nâch dem grâle reit.
solt ich gar nennen dâ ich streit,
daz wæren unkundiu zil:
durch nôt ichs muoz verswîgen vil.
swaz ir mir kunt ist getân,
die wæne ich genennet hân.'

773 Der heiden was von herzen vrô,
daz sîns pruoder prîs alsô
stuont, daz sîn hant erstreit
sô manege hôhe werdekeit.
des dancter im sêre:
er hetes selbe och êre.
innen des hiez tragen Gâwân,
als ez unwizzende wære getân,
des heidens zimierde in den rinc.
si prüevetenz dâ für hôhiu dinc.
rîter unde frouwen
begunden alle schouwen
[den] wâpenroc, [den] schilt, [daz] kursît.
der helm was zenge noch ze wît.
si prîsten al gemeine
die tiwern edeln steine
die dran verwieret lâgen.
niemen darf mich vrâgen
von ir arde, wie sie wæren,
die lîhten unt die swæren:
iuch hete baz bescheiden des
Eraclîus ode Ercules
unt der Krieche Alexander,
unt dennoch ein ander,
der wîse Pictagoras,
der ein astronomierre was,
unt sô wîse âne strît,
niemen sît Adâmes zît
möhte im glîchen sin getragen.
der kunde wol von steinen sagen.

774 Die frouwen rûnten dâ, swelch wîp
dâ mite zierte sînen lîp,
het er gein in gewenket,
sô wær sîn prîs verkrenket.

7. mirnetals *d*, myrmedals *d*. 8. und *fehlt dd*. pleyduntz (pleigduntz) laudimal *dd*. 9. compries *d* (*d fehlt die zeile*). 10. *fehlt dd*. 12. tambron *dd*. 14. profegartz *d*, prefragrantz *d*. *vergl.* 354, 17. 15. strenlas *d*, syroloyas *d*. 18. praveile-rohudacht *d* (*d fehlt die zeile*). 19. landrudacht *d*, landridacht *d*. 22. Und von arl (arle) iovedast *dd*. Arel *D*. 23. = Der grave Minadas *G*, Der grave Fallarastias *g*, Der grefe saz *g*. carfoyas *d*, carfrias *d*. 26. ='daz ih *Ggg*. 28. ichs muoz *D*, ih muoz *Ggg*, muosz ich *dd*. 29. ir mir *Dd*, ie mir *d*, mir yr *g*, mir *Gg*. 30. Die ih wenc hie benennet han *G*.

773, 2. dinc *Gg*. 5. danchter *D*, danchet er *G*. 6. hets *G*. 10. pruovetense da *G*. groziu *Gdgg*. 13. den-den-daz *fehlen g*. *nach* wapenroch. *fügt G hinzu* den helm. 20. liehten *Gdd*. 22. Eraculis *G*. oder *D*, olde *G*. hercules *ddgg*. 25. pitagoras *Gg*. 26. Astronomirre *Dd*, astronomire *g*, astronimiere *G*, astronomie *g*, astronimus *d*. 27. so *D*, ouch so *dd* = sus so *Ggg*. wis *D*. 30. Er *G*. wol] = baz *Ggg*. steinen *D*, sternen *Gg*.

774, 3. Het der *Gg*. ir *DGg*, der *dd*, *fehlt g*. 4. sîn] in ir *G*, ez in ir *g*.

etslîchiu was im doch sô holt,
si hete sîn dienst wol gedolt,
ich wæn durch sîniu fremdiu mâl.
Gramoflanz, Artûs und Parzivâl
unt der wirt Gâwân,
die viere giengen sunder dan.
den frouwen wart bescheiden
in ir pflege der rîche heiden.
Artûs warp ein hôchgezît,
daz diu des morgens âne strît
ûf dem velde ergienge,
daz man dâ mite enpfienge
sînen neven Feirefîz.
'an den gewerp kêrt iwern vlîz
und iwer besten witze,
daz er mit uns besitze
ob der tavelrunder.'
si lobten al besunder,
si wurbenz, wærez im niht leit.
dô lobte in gesellekeit
Feirefîz der rîche.
daz volc fuor al gelîche,
dô man geschancte, an ir gemach.
manges freude aldâ geschach
smorgens, ob ich sô sprechen mac,
do erschein der süeze mære tac.

775 Utepandragûns suon
Artûsen sah man alsus tuon.
er prüevete kostenlîche
ein tavelrunder rîche
ûz eime drîanthasmê.
ir habet wol gehœret ê,
wie ûf dem Plimizœles plân
einer tavelrunder wart getân:
nâch der disiu wart gesniten,
sinewel, mit solhen siten,
si erzeigte rîlîchiu dinc.
sinwel man drumbe nam den rinc
ûf einem touwec grüenen gras,
daz wol ein poynder landes was
vome sedel an tavelrunder:
diu stuont dâ mitten sunder,
niht durch den nutz, et durh den namn.
sich moht ein bœse man wol schamn,
ob er dâ bî den werden saz:
die spîs sîn munt mit sünden az.
der rinc wart bî der schœnen naht
gemezzen unde vor bedâht
wol nâch rîlîchen ziln.
es möhte ein armen künec beviln,
als man den rinc gezieret vant,
da der mitte morgen wart erkant.
Gramoflanz unt Gâwân,
von in diu koste wart getân.
Artûs was des landes gast:
sîner koste iedoch dâ niht gebrast.

776 Ez ist selten worden naht,
wan deiz der sunnen ist geslaht,
sine bræhte ie den tac dernâch.
al daz selbe ouch dâ geschach:
er schein in süeze lûter clâr.
dâ streich manc ritter wol sîn hâr,
dar ûf bluomîniu schapel.
manc ungevelschet frouwen vel
man dâ bî rôten münden sach,
ob Kyôt die wârheit sprach.
rittr und frouwen truogn gewant,
niht gesniten in eime lant;

7. sine werdiu mal *D*. 13. ein *gg*. hoh zit *G*. 18. kêrt] = leget *Ggg*. iuren *G*. 19. beste *Gdgg*. 22. = lobtenz alle *Ggg*. 23. wâre iz *G*. 27. ir] = sin *Ggg*. 29. Des morgens *alle außer D*. ob ich es *d*, ob ich daz *g*, als ich *d* (*ohne* sô). 30. suzzen *g*. mære *fehlt g*, sumer *G*, meye *d*.

775, 1. Utp. *Ggg* (*in dd z.* 1. 2 *verändert*). 2. Artus *Ggg*. sprah man sol sus tuon *G*. 3. pruovet *G*. chostechliche *Gdg*, kostl. *dgg*. 4. Tavelrunde *Dd*. 5. trianth. *dgg*, dianth. *G*, Sarantasme *g*. 6. gehort *D*. 7. plimzoles *G*, Plimizœls *D*. 8. einer *Dgg*, Ein *Gddg*. Tafelrunde *D*. 9. = Da wart disiu nah gesniten *Ggg*. 11. riblihiu *Ggg*. 12. man] nam *G*. 13. = ein *Ggg*. touwec *fehlt dd*. gruenem *D* = gruone *Ggg*, grunz *g*. 14. daz *Dd*, Da *Gdgg*. 15. von sedel (gesidel *g*) ein tavelrunder *Gg*. 16. Da enmitten stuont besunder *G*. 17. nuzz. *D*. et durh *D*, durch *dg*, unde durch *g*, noch durch *d*, er *Gg*. 20. speis *g*, spise *DG*. 22. Wol gemezzen *G*. unt *D*. 23. riblihen *Ggg*, ritterlichen *g*. 24. einen *DG*. arm man bevilen *G*. 25. Alse *G*. geziert *G*. 26. mitter *G* und (*ohne* der) *g*. bechant *Gdgg*. 30. Sinr *G*. doch *Gg*, *fehlt dd*.

776, 2. deiz *D*, ez *die übrigen*. sunne *Gg*. 7. bluemine *g*, Blumein *g*, bluomen *Gg*, ein bluemin *d*, ein bluomen *d*. tschapel *G*. 9. rotem mûnde *Gddg*. 11. Ritter *D*, Riter *G*. truogen *DG*. gwant *G*.

wîbe gebende, nider, hôch,
als ez nâch ir lantwîse zôch.
dâ was ein wît gesamentiu diet:
durch daz ir site sich underschiet.
swelch frowe was sunder âmîs,
diu getorste niht decheinen wîs
über tavelrunder komn.
het si dienst ûf ir lôn genomn
und gap si lônes sicherheit,
an tavelrunder rinc si reit.
die andern muosenz lâzen:
in ir herberge se sâzen.
Dô Artûs messe hete vernomn,
man sach Gramoflanzen komn,
unt den herzogen von Gôwerzîn,
und Flôranden den gesellen sîn.
die drî gerten sunder
pfliht über tavelrunder.
777 Artûs werte si des sân.
vrâge iuch wîb oder man,
wer trüege die rîchsten hant,
der ie von deheime lant
über tavelrunder gesaz,
irn mugt sis niht bescheiden baz,
ez was Feirefîz Anschevîn.
dâ mite lât die rede sîn.
si zogten gein dem ringe
mit werdeclîchem dinge.
etslîch frouwe wart gehurt,
wære ir pfert niht wol gegurt,
si wære gevallen schiere.
manc rîche baniere
sah man zallen sîten komn.
dâ wart der buhurt wît genomn
alumbe der tavelrunder rinc.
ez wâren höfschlîchiu dinc,
daz ir keiner in den rinc gereit:
daz velt was ûzerhalp sô breit,
si mohten d'ors ersprengen
unt sich mit hurte mengen
und ouch mit künste rîten sô,
dês diu wîp ze sehen wâren vrô.
si kômn och dâ si sâzen,
aldâ die werden âzen.
kamerær, truhsæzen, schenken,
muosen daz bedenken,
wie manz mit zuht dâ für getruoc.
ich wæn man gab in dâ genuoc.
778 Ieslîch frouwe hete prîs,
diu dâ saz bî ir âmîs.
manger durch gerndes herzen rât
gedient was mit hôher tât.
Feirefîz unt Parzivâl
mit prüeven heten süeze wal
jene frouwen unde dise.
man gesach ûf acker noch ûf wise
liehter vel noch rœter munt
sô manegen nie ze keiner stunt,
alsô man an dem ringe vant.
des wart dem heiden freude erkant.
wol dem künfteclîchen tage!
gêrt sî ir süezen mære sage,
als von ir munde wart vernomn!
man sach ein juncfrouwen komn,
ir kleider tiwer und wol gesniten,
kostbære nâch Franzoyser siten.
ir kappe ein rîcher samît
noch swerzer denn ein gênît.

13. = Frouwen gebende *Ggg*. 15. Ez *Gg*. gesament *Gddg*. 16. Dur *G*. 18. decheinen *D*, dheinen *g*, keinen *g*, deheine *Gg*, do keine *d*, keine *d*. gwis *D*. 19. 22. Tafelrunde *D*. *so* 777, 17. 20. ûf] = nah *Ggg*. 21. si *Ddd* = si ir *gg*, ir *Ggg*. 22. rinc *fehlt Gg*. 23. di andern *D*. 24. herbergen *D und* (sy aszen) *g*. si *DG*. 26. Gramoflanze *G*, Gramoflanz *gg*. 29. = Die zwene *Ggg*.

777, 2. olde *G*. 5. Tafelrunt *D*. gesaz *DG*, saz *ddgg*. 6. iren *D*, Jrne *G*. mûgets in *G*. 12. pfert *ddg*, pfærde *D*, pharde *G*. 14. Manege *Dddg*. 19. deh. *DG*. an *G*. reit *Gdgg*. 22. hǒrte *G*, hurten *D*. 23. ouch] = doch *g*, iedoh *G*. chunst also *G*, kunste so *g*. 24. Daz ez *g*, Das *dd*. 27. kameræere. *DG*. 29. zuht *D*, züchte *d*, zühten *Gdgg*. dâ *fehlt G*, dar *D*. truoch *Gddg*.

778, 1. = Etslich *Ggg*. 3. maneger *D* = Mangiu *Ggg*. 4. = wart *Ggg*. 6. wal *Gddg*, mal *Dg*. 7. unt *D*. 8. sah *Gd*. unde *G*. 9. Lieht vel noch roten munt *G*. 10. ze deh. *G*. 11. Als *Gdgg*. 13. Wol der chûnftclichen sage *Gg*. chunftechlichem *Dg*. 14. geért *D*. sin *g*, sit *G*. ir suozen sumer tage *Gg*. 16. eine *DGg*. 17. ir chleider waren *Dd* = In chleidern *Ggg*. 18. chostebære *D*, Chôstbâre *G*. 20. swarzer *G*. ein *fehlt Gg*. Jenit *g*, gennit *g*, timit *Gg*.

arâbesch golt gap drûffe schîn,
wol geworht manc turteltiubelîn
nâch dem insigel des grâles.
si wart des selben mâles
beschouwet vil durch wunders ger.
nu lât si heistieren her.
ir gebende was hôh unde blanc:
mit manegem dicken umbevanc
was ir antlütze verdecket
und niht ze sehen enblecket.
779 Senfteclîche und doch in vollen zelt
kom si rîtende über velt.
ir zoum, ir satel, ir runzît,
was rîche und tiure ân allen strît.
man liez se an den zîten
in den rinc rîten.
diu wîse, niht diu tumbe,
reit den rinc alumbe.
man zeigete ir wâ Artûs saz,
gein dem si grüezens niht vergaz.
en franzoys was ir sprâche:
si warp daz ein râche
ûf si verkorn wære
unt daz man hôrt ir mære.
den künec unt die künegîn
bat si helfe und an ir rede sîn.
si kêrte von in al zehant
dâ si Parzivâlen sitzen vant
bî Artûse nâhen.
si begunde ir sprunges gâhen
von dem pfärde ûfez gras.
si viel mit zuht, diu an ir was,
Parzivâle an sînen fuoz,
si warp al weinde umb sînen gruoz,
sô daz er zorn gein ir verlür
und âne kus ûf si verkür.
Artûs unt Feirefîz
an den gewerp leiten vlîz.
Parzivâl truoc ûf si haz:
durch friunde bet er des vergaz
780 Mit triwen âne vâre.
diu werde, niht diu clâre,
snellîche wider ûf spranc:
si neig in unde sagte in danc,
die ir nâch grôzer schulde
geholfen heten hulde.
si want mit ir hende
wider ab ir houbtgebende:
ez wær bezel oder snürrinc,
daz warf si von ir an den rinc.
Cundrîe la surziere
wart dô bekennet schiere,
und des grâls wâpen daz si truoc,
daz wart beschouwet dô genuoc.
si fuorte och noch den selben lîp,
den sô manc man unde wîp
sach zuo dem Plimizœle komn.
ir antlütze ir habt vernomn:
ir ougen stuonden dennoch sus,
gel als ein thopazîus,
ir zene lanc: ir munt gap schîn
als ein vîol weitîn.
wan daz si truoc gein prîse muot,
si fuorte ân nôt den tiuren huot
ûf dem Plimizœles plân:
diu sunne het ir niht getân.
diune moht ir vel durch daz hâr
niht verselwen mit ir blickes vâr.
si stuont mit zühten unde sprach
des man für hôhiu mære jach.
781 An der selben stunde
ir rede si sus begunde.
'ôwol dich, Gahmuretes suon!
got wil genâde an dir nu tuon.

21. Arabensch *G*. 22. türteltûbelin *G*. 23. 24. Grals — mals *DGdgg*. 25. = Vil geschouwet (beschouwet *g*) *Ggg*. 28. dichem *D*. umbehanch *G*. 29. = bedecht *Ggg*.

779, 1. en *G*. vollem *D*, *fehlt dd*. 2. riten *dd* = geriten *Ggg*. 3. rûnzit *G*. 5. lieze *D*, liesz si *dd* = lie si *Ggg*. 6. = An *Ggg*. 9. zeigte *G*. = da *Ggg*. 10. gruzzens *gg*, gruezen *D*, gruozes *Gdd*. 11. In *Ggg*. 12. warte *G*. 18. sitzen *fehlt Gg*. 21. Von ir pheride uffez gras *G*. 22. zuhten *D*. 24. weinde *G*. umbe *fehlt Gg*. 25. = Sô *fehlt Ggg*. 26. Unde alle wis *Gg*, Und allen has *d*. 28. legten si ir fliz *G*. 29. = gein ir *Ggg*.

780, 3. ûf do *D*. 8. wider *Dgg*, *fehlt Gdd*. houbet gebende *Dd*, houbet daz gebende *Gdgg*. 9. beckel *g*, besser *d*, vessel *d*. snûrrinch *G*, *mit* ů *ddg*, *nur mit einem* r *dd*. 10. an] in *Gg*. 13. Von des *G*. 17. zem blimzol *G*. 18. Ir habet ir antlûtze wol vernomen *G*. 19. Iriu *G*. stuonden *D*. sus] da *Gg*. 20. topazia *Gg*. 21. zen *Gg*. 25. Plimizœls *D*, blimzoles *G*. 27. durchz *Dg*. 29. zuht *D*.

781, 3. dir *Gdgg*. 4. gnade *DG*.

ich mein den Herzeloyde bar.
Feirefîz der vêch gevar
muoz mir willekomen sîn
durch Secundilln die frouwen mîn
und durch manege hôhe werdekeit,
die von kindes jugent sîn prîs er-
streit.'
zuo Parzivâle sprach si dô
'nu wis kiusche unt dâ bî vrô.
wol dich des hôhen teiles,
du krône menschen heiles!
daz epitafjum ist gelesen:
du solt des grâles hêrre wesen.
Condwîr âmûrs daz wîp dîn
und dîn sun Loherangrîn
sint beidiu mit dir dar benant.
dô du rûmdes Brôbarz daz lant,
zwên süne si lebendec dô truoc.
Kardeiz hât och dort genuoc.
wær dir niht mêr sælden kunt,
wan daz dîn wârhafter munt
den werden unt den süezen
mit rede nu sol grüezen:
den künec Anfortas nu nert
dîns mundes vrâge, diu im wert
siufzebæren jâmer grôz:
wâ wart an sælde ie dîn genôz?'

782 Siben sterne si dô nante
heidensch. die namen bekante
der rîche werde Feirafîz,
der vor ir saz swarz unde wîz.
si sprach 'nu prüeve, Parzivâl.
der hôhste plânête Zvâl,
und der snelle Almustrî,
Almaret, [und] der liehte Samsî,
erzeigent sælekeit an dir.
der fünfte heizt Alligafir,
unde der sehste Alkitêr,
und uns der næhste Alkamêr.
ich ensprichez niht ûz eime troum:
die sint des firmamentes zoum,
die enthalden sîne snelheit:
ir kriec gein sîme loufte ie streit.
sorge ist dînhalp nu weise.
swaz der plânêten reise
umblouft, [und] ir schîn bedecket,
des sint dir zil gestecket
ze reichen und zerwerben.
dîn riwe muoz verderben.
wan ungenuht al eine,
dern gît dir niht gemeine
der grâl und des grâles kraft
verbietent valschlîch gesellesschaft.
du hetes junge sorge erzogn:
die hât kumendiu freude an dir be-
trogn.
du hâst der sêle ruowe erstriten
und des lîbes freude in sorge er-
biten.'

783 Parzivâln ir mæres niht ver-
drôz.
durch liebe ûz sînen ougen vlôz
wazzer, sherzen ursprinc.
dô sprach er 'frouwe, solhiu dinc
als ir hie habt genennet,
bin ich vor gote erkennet
sô daz mîn sündehafter lîp,
und hân ich kint, dar zuo mîn wîp,

7. Sol *G*. 8. secundillen *alle*. 11. Ze parcifal sprah *G*. 13. hôhesten *Gg*. 14. du *D*, Du hast die *dd* = Diu *Ggg*. mennschen *G*, mennescen *D*. 16. solts Gr. *D*. 17. Kondw. *G*. 18. Loachrin *g*, lohel. *d*, lehel. *g*. 28. rundest *G*. briubarz *G*, brubars *gg*. 21. lebende *Gg*. 22. = Kardiez gwinnet oh dort gnuoch *G*. 23. me *Gd*. 29. Sûftebâren *G*. 30. selde *dgg*, sælden *DGd*.

782, 1. stern *D*, sternen *ddg*. 4. und *D*. 6. hôhisten planeten *Gg*. = zal *Ggg*. 7. amustri *dd* = almusteri *Ggg*. 8. = Almûret *Ggg*. der *fehlt Gg*. 9. = Die *Ggg*. erzeigten *Gg*. 10. vierde *G*. heizet *DG*, *fehlt g*. aliasir *d* = Aligofir *g*, gôfir *Gg*. 11. Uñ *dd*, under den *D* = So heizt *Ggy*. vunfte (*ohne* der) *G*. = Alchumer *Ggg*. 12. Unde uns nâhest *G*. = alchater *Ggg*. 13. ûz eime] in *Gg*. = troume *Ggg*. 14. firmaments *D*. = zoume *Ggg*. 13. Die enthaltent *Gg*, Sú enthabent *d*. snellekeit *ddg*. 16. loufe *ddg*, lûfte *Gg*. 19. umbe loufet.*DG*, Umbelouf *g*. 24. Der en *Ggg* = dane *Ddd*. 25. unts *D*. 26. valsliche *G*. 27. Du het *Gg*. 28. chûnchlih *Gg*. 29. sælden *Gdg*. 30. in sorge *fehlt dd*, in not *Gg*. erliten *Gg*.

783, 1. Parcival *Gdgg*. = mâre *Ggg*. 2. = Vor *Ggg*. 3. = herzen *Ggg*. 4. solh *Gddg*. 5. gennet *G*. 8. uñ *D*, *fehlt den übrigen*. Het kint *dd*. dar zuo min *Dg*, darzû *g*, unde dar zuo *Gdd*.

daz diu des pflihte sulen hân,
sô hât got wol zuo mir getân.
swar an ir mich ergetzen meget,
dâ mite ir iwer triwe reget.
iedoch het ich niht missetân,
ir het mich zorns etswenne erlân.
done wasez et dennoch niht mîn heil:
nu gebt ir mir sô hôhen teil,
dâ von mîn trûren ende hât.
die wârheit sagt mir iwer wât.
dô ich ze Munsalvæsche was
bî dem trûrgen Anfortas,
swaz ich dâ schilde hangen vant,
die wârn gemâl als iwer gewant:
vil turteltûben tragt ir hie.
frowe, nu sagt, wenn ode wie
ich süle gein mînen freuden varn,
und lât mich daz niht lange sparn.'
dô sprach si 'lieber hêrre mîn,
ein man sol dîn geselle sîn.
den wel: geleites wart an mich.
durch helf niht lange sûme dich.'

784 Uber al den rinc wart vernomn
'Cundrîe la surziere ist komn,'
und waz ir mære meinde.
Orgelûs durh liebe weinde,
daz diu vrâg von Parzivâls
die Anfortases quâle
solde machen wendec.
Artûs der prîss genendec
ze Cundrîen mit zühten sprach
'frouwe, rîtt an iwer gemach,
lât iwer pflegn, lêrt selbe wie.'
si sprach 'ist Arnîve hie,
swelch gemach mir diu gît,
des wil ich leben dise zît,
unz daz mîn hêrre hinnen vert.
ist ir gevancnisse erwert,
so erloubet daz ich müeze schouwen
si unt ander frouwen
den Clinschor teilte sînen vâr
mit gevancnisse nu manec jâr.'
zwên rîter huoben se ûf ir pfert:
zArnîven reit diu maget wert.
nu wasez ouch zît daz man dâ gaz.
Parzivâl bî sîm bruoder saz:
den bat er gesellekeit.
Feirefîz was im al bereit
gein Munsalvæsch ze rîten.
an den selben zîten
si stuonden ûf übr al den rinc.
Feirefîz warp hôhiu dinc:

785 Er frâgte den künec Gramoflanz,
op diu liebe wære ganz
zwischen im unt der nifteln sîn,
daz er daz tæte an im schîn.
'helft ir unt mîn neve Gâwân,
swaz wir hie künge und fürsten hân,
barûne und arme rîter gar,
daz der decheiner hinnen var
ê si mîn kleinœte ersehn.
mir wære ein laster hie geschehn,
schied ich vor gâbe hinnen vrî.
swaz hie varndes volkes sî,

9. Die des grales pflicht súllen han *dd* = Sûlen die (sie *g*) des mit mir phlihte han *Ggg*. suln *D*. 10. ze *G*, an *dd*. 11. = Swa mit *Ggg*. 12. Dar an *gg*. 15. = Nune *Ggg*. ez et *D*, ez *g*, ouch *dd*, *fehlt Gg*. 18. seit *G*. 20. trurigen *G*, truorigem *D*. 21. = Swaz schilt ich do (*fehlt g*) da hangen (hangende *g*) vant *Ggg*. 23. tûrt. *G*, -tuoben *D*. 24. = Frouwe *fehlt Ggg*. saget mir *Gg*. wenne *DG*. oder *D*. 25. Ich sol *dd* = Sol ih *Gg*. 26. lange *D*, langer *dg*, lenger *Gdg*. 28. geleitte *G*, geverte *dd*. 29. den wel *Dq*, Der wölle (*und* warten) *g*, Die wile *dd*, Gote unde *G*. geleites warte ane mih *G*. 30. = Dune darft niht lenger (langer *g*, mere *G*) sumen dih *Ggg*. helfe *D*.

784, 1. = daz her *G*, daz mer *g*, dis *g*. 2. Kůndrîe *G*, Daz kundrie *g*. = la surziere *fehlt Ggg*. ist *D*, wâre *Gddg*, wer da her *g*. 4. Orgilluse *G*. = vor *Ggg*. 5. vrage *DG*. 6. Anfortass *D*, Amfortasses *g*, anfortas *G*. 10. rîtet *Ddd* = nu ritt *g*, nu ritet *Gg*. 11. lert *g*. 15. unze *DG*. 16. ir *fehlt G*. gevænchnisse *D*, gevanchnůsse *G*. 17. 18. schouwen müeze si? 18. andere *D*. 20. Mit vanchnûsse manc iar *G*. 21. uffez phert *Gdgg*. pfært *D*. 22. Zuo arn. *G*. 23. ez ouch *D*, es *d*, ouh *Gdg*. 24. sinem *alle*. 26. = al *fehlt Gg*, vil *g*. 27. = *nach* 28 *Ggg*. muntsalvatsch *g*, Munsalvæsce *D*, muntsalfatsche *G*. ze *fehlt G*. 30. Feirafiz *G*.

785, 2. diu suone *Gg*. 3. niftel *ddgg*. 4. im nu *D*. 5. = mîn neve *fehlt Ggg*. 6. = hie *fehlt Ggg*. = ode *Ggg*. 7. britun unde ander fûrsten gar *Gg*. arme *D*, armer *dd* = die andern *g*. 9. chleinode *DG*. 10. hie] = dran *Gg*. 11. Schied *g*.

die warten alle gâbe an mich.
Artûs, nu wil ich biten dich,
deiz den hôhen niht versmâhe,
des gewerbes gein in gâhe,
und wis des lasters für si pfant:
si rekanten nie sô rîche hant.
und gib mir boten in mîne habe,
dâ der prêsent sol komen abe.'
dô lobten si dem heiden,
sine wolten sich niht scheiden
von dem velde in vier tagen.
der heidn wart vrô: sus hôrt ich sagn.
Artûs im wîse boten gap,
dier solde senden an daz hap.
Feirefîz Gahmuretes kint
nam tincten unde permint.
sîn schrift wârzeichens niht verdarp:
ich wæne ie brief sô vil erwarp.

786 Die boten fuorn endehafte dan:
Parzivâl sîn rede alsus huop an.
en franzoys er zin allen sprach
als Trevrizent dort vorne jach,
daz den grâl ze keinen zîten
niemen möht erstrîten,
wan der von gote ist dar benant.
daz mære kom übr elliu lant,
kein strît möht in erwerben:
vil liut liez dô verderben
nâch dem grâle gewerbes list,
dâ von er noch verborgen ist.
Parzivâl unt Feirefîz
diu wîp lêrten jâmers vlîz.
si hetenz ungern vermiten:
in diu vier stücke shers si riten,
si nâmen urloup zal der diet.
ieweder dan mit freuden schiet,
gewâpent wol gein strîtes wer.
ame dritten tage ûzs heidens her
wart ze Jôflanze brâht,
sô grôzer gâb wart nie gedâht.
swelch künec dâ sîner gâbe enpfant,
daz half immer mêr des lant.
ieslîchem man nâh mâze sîn
wart nie sô tiuriu gâbe schîn,
al den frouwen rîche prêsent
von Trîande und von Nourîent.
ine weiz wiez her sich schiede hie:
Cundrî, die zwên, hin riten sie.

14. bitten *D*. 15. deiz *D*, Das es *dd* = Daz *g*. Daz den hohen niht versmahe (versmahen *G*). Mins gewerbedes (gewerbes) gabe. *Gg*. 16. gein im iahe *g*. 18. Sine erchanten nie so rihiu lant *G*. 20. der presente *D*, die presente *g*. 21. Do enbuten si *Gg*, si lobten *D*. 23. inner *G*. 24. Des wart er fro *g*. heiden *alle*. = sus *fehlt Ggg*. der heiden warp sus, hôrt ich sagen? 26. anz *D*, in daz *G*, in den *d*. 27. 28. = Do nam Gahmurets chint. Tinten (Tinchten *g*) unde bermint (permint *g*) *Ggg*. 27. Gahmurets *D*. 28. unt *D*. 29. = Siner schrift warzeichen (wortz. *g*) niht verdarp *Ggg*. wortz. *d*.

786, 1. fuoren *DG*. mit ende dan *G*. 2. huob *D*. 3. = Mit zûhten er *Ggg*. 4. Alse trevrizzent *G*. dor vorn *D*. 5. zenheinen *G*. 7. wander vor *D*. bechant *D*. 8. diz *D*. uber *alle*. 9. deh. *DG*. 10. liute *D*, lûte *G*. lie *G*. 11. gewerbides *G*. 14. = da lerten *gg*, da lerte *G*. 15. heten ungerne *Gdgg*. 18. Ietw. *G*. 20. = Anme vierden *Ggg*. uozs *D*, us *dd*, uz des *Ggg*. 21. tschoffl. *G*. 22. Das grœsser gab nie wart gedacht *d* = Daz nie grozer gabe wart erdaht *Gg*, Daz nie wart groszer gabe erdaht *g*. gabe *D*. 23. sine *Dd*. 24. imir mere *G*. des *Dg*, sin *dd*, daz *Gg*. 26. sô tiuriu] = grozer *Ggg*. 27. = al *fehlt Ggg*. richiu *D*, rich *dd*. presente-Nouriente *DGdd*. 28. Triant *gg*, triend *G*. 29. wie daz hêr. *G*, wi des her. *D*. 30. Cundrîe unt *alle*. die *Ggg* = dise *Dd*, sy *d*.

XVI.

787 Anfortas unt die sîn
noch vor jâmer dolten pîn.
ir triwe liez in in der nôt.
dick er warb umb si den tôt:
der wære och schiere an im geschehn,
wan daz sin dicke liezen sehn
den grâl und des grâles kraft.
er sprach zuo sîner rîterschaft
'ich weiz wol, pflægt ir triuwe,
so erbarmet iuch mîn riuwe.
wie lange sol diz an mir wern?
welt ir iu selben rehtes gern,
sô müezt ir gelten mich vor gote.
ich stuont ie gerne ziwerm gebote,
sît ich von êrste wâpen truoc.
ich hân enkolten des genuoc,
op mir ie unprîs geschach,
unt op daz iwer keiner sach.
sît ir vor untriwen bewart,
sô lœst mich durch des helmes art
unt durch des schildes orden.
ir sît dick innen worden,
ob ez iu niht versmâhte,
daz ich diu beidiu brâhte
unverzagt ûf rîterlîchiu werc.
ich hân tal unde berc
mit maneger tjost überzilt
unt mit dem swerte alsô gespilt,
daz es die vînde an mir verdrôz,
swie wênc ich des gein iu genôz.

788 Ich freuden ellende,
zem urteillîchem ende
beklage ich eine iuch alle:
sô næht ez iwerem valle,
irn lât mich von iu scheiden.
mîn kumber solt iu leiden.
ir habt gesehn und ouch vernomn,
wie mir diz ungelücke ist komn.
waz toug ich iu ze hêrren nuo?
ez ist iu leider alze vruo,
wirt iwer sêle an mir verlorn.
waz sites habt ir iu erkorn?'
si heten kumbers in erlôst,
wan der trœstenlîche trôst,
den Trevrizent dort vorne sprach,
als er am grâle geschriben sach.
si warten anderstunt des man
dem al sîn vreude aldâ entran,
und der helflîchen stunde
der vrâge von sîm munde.
der künec sich dicke des bewac,
daz er blinzender ougen pflac
etswenne gein vier tagn.
sô wart er zuome grâle getragn,
ez wære im lieb ode leit:
sô twang in des diu siechheit,
daz er d'ougen ûf swanc:
sô muoser âne sînen danc

787, 1. 2. sine-pine *alle*. 2. noch vor *D*, Nach *g*, Vor *d*, Von *Gdg*. 4. = Vil diche er warp datze in (warp er im *g*) den tot *Ggg*. 5. Daz *G*. an in *G*. 7. den Gral unts *D*. Grals *DG oft*. 8. ze *G*. 9. pflæget *D*, phlâget *G*. 12. rehts *DG*. 14. gern *D*. ze iurem *G*. 16. eng. *G*. 18. deh. *G*. 19. von *G*. untriwe *ddgg*. 20. lost *g*. himels *Gg*. 21. himels *Gg*. 22. diche *D*, wol *G*. 24. diu bede *G*. 28. und *D*. 30. wenech *Ddd* = chleine *Ggg*.

788, 2. urteillichen *Gdg*. 4. næhet *D*, nahet *die übrigen*. iwern *G*. 7. ouch *D*, *fehlt dd* = wol *Ggg*. 12. ir *fehlt G*. 13. hieten *G*. = trurens *Ggg*. 14. Wan daz$_n$ der *G*. trostenl.$_s$ *D*, trostl. *Gdgg*, trostlose *d*. 15. trevrezzent *G*. vor *D*, E vor *g*, vorne *G*. 16. ame *D*, an dem *G*. 18. da *Gdg*, dan *g*. 19. = und *fehlt Ggg* helfechlichen *D*. 20. sinem *DG*. 25. oder *D*. 26. in diu sicherheit *G*. 28. âne] under *G*.

lebn und niht ersterben.
sus kundens mit im werben

789 Unz an den tac daz Parzivâl
unt Feirefîz der vêch gemâl
mit freudn ûf Munsalvæsche riten.
nu hete diu wîle des erbiten,
daz Mars oder Jupiter
wâren komen wider her
al zornec mit ir loufte
(sô was er der verkoufte)
dar si sich von sprunge huoben ê.
daz tet an sîner wunden wê
Anfortase, der sô qual,
magede und rîter hôrten schal
von sîme geschreie dicke,
unt die jâmerlîchen blicke
tet er in mit den ougen kunt.
er was unhelfeclîche wunt:
si mohten im gehelfen niht.
iedoch diu âventiure giht,
im kom diu wâre helfe nuo.
si griffen herzen jâmers zuo.
swenn im diu scharphe sûre nôt
daz strenge ungemach gebôt,
sô wart der luft gesüezet,
der wunden smac gebüezet.
vor im ûfem teppech lac
pigment und zerbenzînen smac,
müzzel unt arômatâ.
durch süezen luft lag ouch dâ
drîakl und amber tiure:
der smac was gehiure.

790 Swâ man ûfen teppech trat,
cardemôm, jeroffel, muscât,
lac gebrochen undr ir füezen
durh den luft süezen:
sô daz mit triten wart gebert,
sô was dâ sûr smac erwert.
sîn fiwer was lign alôê:
daz hân ich iu gesaget ê.
ame spanbette die stollen sîn
wâren vipperhornîn.
durch ruowen fürz gelüppe
von würzen manec gestüppe
was ûf den kultern gesæt.
gesteppet unde niht genæt
was dâ er ûfe lente,
pfell von Nourîente,
unt palmât was sîn matraz.
sîn spanbette was noch paz
gehêrt mit edelen steinen,
unt anders enkeinen.
daz spanbette zôch zein ander
strangen von salamander:
daz wârn undr im diu ricseil.
er hete an freuden kranken teil.
ez waz rîche an allen sîten:
niemen darf des strîten
daz er bezzerz ie gesæhe.
ez was tiwer unde wæhe
von der edeln steine geslehte.
die hœrt hie nennen rehte.

791 Karfunkl unt silenîtes,
balax unt gagâtromes,

789, 2. feirafiz *G*. bunt *g*. 3. freuden *D*, froude *Gg*. muntschalftsche *G*. 5. Mârss *D*. oder *fehlt G*, unde *dg*. 8. Do *G*. 10. sinen *Gg*. 11. Anfortas *alle außer D*. also *G*. 12. meide *D*. 13. geschrei *Gddg*. 16. unhelflihen *Gg*, unhelfelichen *dg*. 17. Sine *G*. 19. chom *Gg*, chœme *Dddg*. 21. scarpf sẘer *D*. 22. Ditze *Gg*. 25. uf dem tepch *G*. 26. Pigmente unde aberac. *G*. zerbenzinen *d*, zerbenznîen *D*, zerbentinen *d*, zu robanzerin *g*, der susze *g*. *vergl. Wilh.* 451, 21. 27. Můzzel *D*, Mûssel *Gdg*, (*mit* ú *d*), Músel *d*, Muscel *g*. 29. Driakel *Dg*, Triachel *Gdd*, Tiriak *g*. ammer *g*.

790, 1. uf dem *G*. teppech *D*, tenne *G*, tennen *g*, estrich *dd*, ram *g*. 2. Cardemome *Dddgg*, Kardemuome *G*. ierofel *G̊d*. 3. 23. under *alle*. 5. = tretene *Ggg*. zebert *Gg*. 6. da sẘerr *D*, der sure *dg*. 7. Ling aloê *D*, lingaloe *G*. 8. ouch ê *D*. 10. hornin *Dd*, hûrnin *Gdgg*. 11. fürz] wrtz *G*. 12. stuppe *Gg*. 13. = kulter *gg*, gulter *G*. 14. Gestepet *G*. unt *D*. 16. pfelle *DG*. 17. unt *fehlt Gg*. Balmat *D*. 20. = Unde mit *Ggg*. neheinen *G*. 22. Strange *Gg*, Strenge *dgg*. 23. rich seil *D*, rigeseil *g*, rih s. *G*, riche s. *dd*, richen s. *g*. 25. Er *Gd*. 29. geslæhte *DG*. 30. hort ich *G*. hie *fehlt Gddg*.

791, 1. ...arfunkel *D*, Karfunchel *G*. unt *fehlt g*. 2. Balax *D*, Celidonius *dd*, Gelidomus *Ggg*. unt *fehlt G*.

ônix unt calcidôn,
coralîs unt bestîôn,
unjô unt optallîes,
cerâuns unt epistîtes,
jerachîtes unt eljotrôpîâ,
panthers unt antrodrâgmâ,
prasem unde saddâ,
emathîtes unt djonisîâ,
achâtes unt celidôn,
sardonîs unt calcofôn,
cornîol unt jaspîs,
echîtes unt îrîs,
gagâtes unt ligûrîus,
abestô unt cegôlitus,
galactîdâ unt jacinctus,
orîtes unt enîdrus,
absist unt alabandâ,
crisolecter unt hîennîâ,
smârât unt magnes,
sapfîr unt pirrîtes.
och stuont her unde dâ
turkoyse unt lipparêâ,
crisolte, rubîne,
paleise unt sardîne,
adamas unt crisoprassîs,
melochîtes unt dîadochîs,
pêanîtes unt mêdus,
berillus unt topazîus.

792 Etslîcher lêrte hôhen muot:
ze sælde unt ze erzenîe guot
was dâ maneges steines sunder art.
vil kraft man an in innen wart,
derz versuochen kund mit listen.
dâ mite si muosen vristen
Anfortas, der ir herze truoc:
sîme volke er jâmers gap genuoc.
doch wirt nu freude an im vernomn.
in Terre de salvæsche ist komn,
von Jôflanze gestrichen,
dem sîn sorge was entwichen,
Parzivâl, sîn bruoder unde ein magt.
mir ist niht für wâr gesagt,
wie verr dâ zwischen wære.
si erfüern nu strîtes mære:
wan Cundrîe ir geleite
schiet si von arbeite.
si riten gein einer warte.
dâ gâhte gein in harte
manc wol geriten templeis,
gewâpent. die wârn sô kurteis,
ame geleite si wol sâhen
daz in freude solte nâhen.
der selben rotte meister sprach,
dô er vil turteltûben sach
glesten ab Cundrîen wât,
'unser sorge ein ende hât:
mit des grâls insigel hie
kumt uns des wir gerten ie,

793 Sît uns der jâmerstric beslôz.
habt stille: uns næhet freude grôz.'
Feirefîz Anschevîn
mant Parzivâln den bruoder sîn
an der selben zîte,
und gâhte geime strîte.

3. Onichel *G.* galcidon *Gg.* 4. Corallis *d*, Corallus *g*, Galralles *d*, Gozalis *Gg.* 5. Optâllies *D*, optalles *G.* optallius, *dann* 6. Epistites Ceraunius *g.* 6. Gerauns *Gg*, Therauns *d*, Theamis *d.* 7. Ierachitis *G.* 8. *fehlt G.* Panthers *D*, Pantres *ddgg.* 9. Parsm *G.* 10. Amachites *g.* 11. gelidon *Gg.* 12. Sârdonis *D.* = gazcofon *G*, Gazgofon *g*, Jascofon *g.* 13. = Gorniol *Gg*, Garviol *g.* 14. Ethîtes *Dg.* 16. gegolitus *Gg*, Crisolitus (25. Grisolitus) *g.* 20. Chrisoliter *G.* Hiênnia *D.* 21. Smaraid *D*, Smaragede *G*, Smaragde *g*, Smaragdus *ddg.* 23. unt *D.* 24. = Turkois *Ggg.* limpparea *G.* 25. Chrisolt *G.* = unde *Ggg.* 26. = Paleis *Ggg.* 27. 28. Melochites vn̄ Adamas Diadochis vn̄ Crisopras *g.* 27. Adomas *G.* 30. Perillus *G.* Thopatius *D.*

792, 3. mangnes steins *G.* 4. chrefte *Gdgg*, crefft *d.* 5. = Der si *Ggg.* chunde *DG.* 7. Anfortasen *DGg*, Anfortassen *dg.* 9. an in *Gg.* 10. Interre demuntsalfatsche *G.* nu chomen *Gdgg.* 11. tschofl. *G.* 14. = ist oh niht *Ggg.* 15. verre *DG.* da zwissen *D*, da enzwischen *Gdgg.* 16. erfueren *DG.* 24. in in *G.* wolde *Gdgg.* 25. selbe *G.* 30. uns *haben nur DG.* wir da *D.*

793, 1. iamers stric *Gg.* 2. stille] = uf *Ggg.* nahet *alle außer D.* 3. Feirafiz *G.* 4. mante *DG.* parcifalen *Gd*, Parcivale *D*, parcifal *g.* 6. und] er *D.* = gahte ouh *Ggg.*

Cundrîe in mit dem zoume vienc,
daz sîner tjost dâ niht ergienc.
dô sprach diu maget rûch gemâl
bald zir hêrren Parzivâl
'schilde und baniere
möht ir rekennen schiere.
dort habt niht wans grâles schar:
die sint vil diensthaft iu gar.'
dô sprach der werde heiden
'sô sî der strît gescheiden.'
Parzivâl Cundrîen bat
gein in rîten ûf den pfat.
diu reit und sagt in mære,
waz in freuden komen wære.
swaz dâ templeise was,
die rebeizten nider ûfez gras.
an den selben stunden
manc helm wart ab gebunden.
Parzivâln enpfiengen si ze fuoz:
ein segen dûhte si sîn gruoz.
si enpfiengn och Feirefîzen
den swarzen unt dèn wîzen.
ûf Munsalvæsche wart geriten
al weinde und doch mit freude siten.

794 Si funden volkes ungezalt,
mangen wünneclîchen rîter alt,
edeliu kint, vil sarjante.
diu trûrge mahinante
dirre künfte vrô wol mohten sîn.
Feirefîz Anschevîn
unt Parzivâl, si bêde,
vor dem palas an der grêde
si wurden wol enpfangen.
in den palas wart gegangen.
dâ lac nâh ir gewonheit
hundert sinwel teppech breit,
ûf ieslîchem ein pflumît
und ein kulter lanc von samît.
fuorn die zwên mit witzen,
si mohtn etswâ dâ sitzen,
unz manz harnasch von in enpfienc.
ein kameræer dar nâher gienc:
der brâht in kleider rîche,
den beiden al gelîche.
si sâzen, swaz dâ rîter was.
man truoc von golde (ez was niht glas)
für si manegen tiwern schâl.
Feirefîz unt Parzivâl
trunken unde giengen dan
zAnfortase dem trûrgen man.
ir habt wol ê vernomen daz
der lente, unt daz er selten saz,
unt wie sîn bette gehêret was.
dise zwêne enpfienc dô Anfortas

795 Vrœlîche unt doch mit jâmers siten.
er sprach 'ich hân unsanfte erbiten,
wirde ich immer von iu vrô.
ir schiet nu jungest von mir sô,
pflegt ir helflîcher triuwe,
man siht iuch drumbe in riuwe.
wurde ie prîs von iu gesagt,
hie sî rîter oder magt,
werbet mir dâ zin den tôt
und lât sich enden mîne nôt.
sît ir genant Parzivâl,
sô wert mîn sehen an den grâl

7. gundrie *G.* zorne *G.* 8. daz *fehlt D.* tioste niht *G.* 9. ruoh *D*, ruh *G.* 10. balde *DG.* herrn *D.* 11. Schilt *Gg.* 12. erk. *G.* 13. = Hiene *Ggg.* 17. gundrien *G.* 17.-24. *fehlen g.* 19. sagete *D*, seit *G.* 20. = froude *Gg.* 21. 22. = *fehlen Ggg.* 25. = Ir herren enph. *Ggg.* 26. duohte sie *D.* 27. enpfiengen *DG.* firafizzen *G.* 29. wart *D*, do ward *dd*, wart do *Ggg.* 30. frouden *Gdd.*

794, 1. = Da vunden si *Ggg.* 2. iunclichen *Gg.* 3. sariande *Ggg.* 4. Die trurige *g*, di truorigen *Dddg*, Die truogen *G.* machinante *dd*, mahenande *Ggg.* 5. vro wol *D*, fro *dd* = wol fro *Ggg.* mohte *G.* 6. 24. Feirafiz *G.* 10. *fehlt G.* = Uf *gg.* 11. gwonheit *G.* 12. Hundert sinwel *dd*, hundert sinwelle *D* = Sinwel hundert *Ggg.* tepech *G.* 13. pfluͤmit *D*, phumit *G*, plumit *ddgg.* 15. fuoren *DG.* 16. mohten *DG.* etswâ *fehlt G.* da *Dg*, wol *Gg*, *fehlt dd.* gesitzen *G.* 20. = Den zwein *Ggg.* 22. iz enwas *G.* 23. mange tiure *Gdg*, manic teur *g.* scâl *mit* â *D.* 26. trurigen *DG.* 27. wol (*fehlt D*) ê vernomen *Ddd* = ouch (*fehlt G*) wol gehort *Ggg.* 28. = Daz er lente *Ggg.* daz er *D*, *fehlt den übrigen.* selten] = niht en *Ggg.* 29. gehert *DG.* 30. = Die *Ggg.* Anforta *G.*

795, 4. schiet *g*, sciedet *DG.* also *D.* 5. Phleget *G*, pfligt *D.* hercenlicher *D.* 9. = So werbet *Gg.* datze in *G.*

siben naht und aht tage:
dâ mite ist wendec al mîn klage.
ine getar iuch anders warnen niht:
wol iu, op man iu helfe giht.
iwer geselle ist hie ein vremder man:
sîns stêns ich im vor mir niht gan.
wan lât irn varn an sîn gemach?'
alweinde Parzivâl dô sprach
'saget mir wâ der grâl hie lige.
op diu gotes güete an mir gesige,
des wirt wol innen disiu schar.'
sîn venje er viel des endes dar
drîstunt zêrn der Trinitât:
er warp daz müese werden rât
des trûrgen mannes herzesêr.
er riht sich ûf und sprach dô mêr
'œheim, waz wirret dier?'
der durch sant Silvestern einen stier

796 Von tôde lebendec dan hiez gên,
unt der Lazarum bat ûf stên,
der selbe half daz Anfortas
wart gesunt unt wol genas.
swaz der Franzoys heizt flôrî,
der glast kom sînem velle bî.
Parzivâls schœn was nu ein wint,
und Absalôn Dâvîdes kint,
von Ascalûn Vergulaht,
und al den schœne was geslaht,
unt des man Gahmurete jach
dô mann în zogen sach
ze Kanvoleiz sô wünneclîch,
ir decheins schœn was der gelîch,
die Anfortas ûz siechheit truoc.
got noch künste kan genuoc.
da ergienc dô dehein ander wal,
wan die diu schrift ame grâl
hete ze hêrren in benant:
Parzivâl wart schiere bekant
ze künige unt ze hêrren dâ.
ich wæne iemen anderswâ
funde zwêne als rîche man,
ob ich rîcheit prüeven kan,
als Parzivâl unt Feirefîz.
man bôt vil dienstlîchen vlîz
dem wirte unt sîme gaste.
ine weiz wie mange raste
Condwîr âmûrs dô was geriten
gein Munsalvæsch mit freude siten.

797 Si hete die wârheit ê vernomen:
solch botschaft was nâh ir komen,
daz wendec wære ir klagendiu nôt.
der herzoge Kyôt
und anders manec werder man
heten si gefüeret dan
ze Terre de salvæsche in den walt,
dâ mit der tjoste wart gevalt
Segramors unt dâ der snê
mit bluote sich ir glîcht ê.
dâ solte Parzivâl si holn:
die reise er gerne mohte doln.
disiu mær sagt im ein templeis,
'manec rîter kurteis
die küngîn hânt mit zühten brâht.'
Parzivâl was sô bedâht,
er nam ein teil des grâles schar
und reit für Trevrizenden dar.

15. anders] vurbaz *Gg*. 16. Wol iuch *G*. 19. = Nu *Ggg*. irn *D*, in *die übrigen*. 21. = Nu zeiget mir *Ggg*. 21. er viel *Gg*, viel er *Dddg*. 25. zeren *G*, zeeren *D*. 26. warf *G*. 28. = Do stuont er uf unde sprah mer *Ggg*. rihte *D*. 29. dir *alle*. 30. sande *D* = *fehlt Ggg*. stîr *D*.

796, 1. lebende *Gg*. hiesz dann *d*, hiez hine *G*. 2. = der *fehlt Ggg*. uf bat *g*, hiez uf *G*. 5. Er was vor ungemache vri *G*. heizet *D*. 7. Parcifal (-als *G*) schône (scone *D*) *DG*. 8. = und *fehlt Ggg*. absolon *dgg*, apsolon *G*, absolons *d*. 9. = Unde von asch. *Gg*. 10. allen den *Gg*. 11. =.Olde *Gg*. 14. scœne *DG*. 18. die *fehlt dd*, den *g*. 20. = erkant *Ggg*. 24. *fehlt D*. 25. feirafiz *G*. 26. vil] in *G*. 27-29. Dem wirt und ouch dem gaste sîn: Daz ist ouch der geloube mîn. Als si nu sint gesezzen Und ir sorge hânt vergezzen, Dô sagte man in mære, Diu wâren freudenbære, Wie Kundwîrâmurs kom geriten *dd*. 30. Ze *G*. -æsce *D*, -atsche *G*. frouden *Gddgg*.

797, 1. = ê *fehlt Ggg*. 7. Ze terrd salvatsche *G*. 9. Segremors *G*. 10. sich ir *Ddd*, sih *Gg*, ir *g*. gelîcht *D*, glichet *Gdd*, gelichet *gg*. 12. Die reise moht er gerne dolen *G*. 13. Dise *D*. sagte *D*, seit *G*. 14-16. Parcifal was so bedaht unde kurteis *G*, Mit mangem ritter kurteis Füren sy dan bi der naht *g*. 15. Hant die kuniginne braht *g*. kuneginne *D*. 18. Trevrizende *D*, trevezzenden *G*.

des herze wart der mære vrô,
daz Anfortases dinc alsô
stuont daz er der tjost niht starp
unt im diu vrâge ruowe erwarp.
dô sprach er 'got vil tougen hât.
wer gesaz ie an sînen rât,
ode wer weiz ende sîner kraft?
al die engel mit ir gesellechaft
bevindentz nimmer an den ort.
got ist mensch unt sîns vater wort,
got ist vater unde suon,
sîn geist mac grôze helfe tuon.'

798 Trevrizent ze Parzivâle sprach
'grœzer wunder selten ie geschach,
sît ir ab got erzürnet hât
daz sîn endelôsiu Trinitât
iwers willen werhaft worden ist.
ich louc durch ableitens list
vome grâl, wiez umb in stüende.
gebt mir wandel für die süende:
ich sol gehôrsam iu nu sîn,
swester sun unt der hêrre mîn.
daz die vertriben geiste
mit der gotes volleiste
bî dem grâle wæren,
kom iu von mir ze mæren,
unz daz si hulde dâ gebiten.
got ist stæt mit sölhen siten,
er strîtet iemmer wider sie,
die ich iu ze hulden nante hie.
swer sîns lônes iht wil tragn,
der muoz den selben widersagn.
êweclîch sint si verlorn:
die vlust si selbe hânt erkorn.
mich müet et iwer arbeit:
ez was ie ungewonheit,
daz den grâl ze keinen zîten
iemen möhte erstrîten:
ich het iuch gern dâ von genomn.
nu ist ez anders umb iuch komn:
sich hât gehœhet iwer gewin.
nu kêrt an diemuot iwern sin.'

799 Parzivâl zuo sîm œheim sprach
'ich wil si sehen, diech nie gesach
inre fünf jâren.
dô wir bi ein ander wâren,
si was mir liep: als ist se ouch noch.
dînen rât wil ich haben doch,
die wîle uns scheidet niht der tôt:
du riet mir ê in grôzer nôt.
ich wil gein mîme wîbe komn,
der kunft ich gein mir hân vernomn
bî dem Plimizœle an einer stat.'
urloup er im dô geben bat.
do bevalh in gote der guote man.
Parzivâl die naht streich dan:
sînen gesellen was der walt wol kunt.
do ez tagt, dô vant er lieben funt,
manec gezelt ûf geslagen.
ûzem lant ze Brôbarz, hôrt ich sagen,
was vil banier dâ gestecket,
manec schilt dernâch getrecket:
sîns landes fürsten lâgen dâ.
Parzivâl der vrâgte wâ
diu küngîn selbe læge,
op si sunderringes pflæge.
man zeigte im aldâ si lac
und wol gehêrtes ringes pflac,
mit gezelten umbevangen.
nu was von Katelangen
der herzog Kyôt smorgens vruo
ûf gestanden: dise riten zuo.

20. Anfortass *D*, Amfortasses *g*, anfortas *Gddg*. 21. stuont *fehlt D*. 25. oder *D*. 26. engele *D*. mit ir *Dg*, mit *Gg*, und ir *d*, und seiner *d*. 27. Bevundenz *Gg*, Fúndens *d*, Vol freischentz *g*. nimir *G*. 28. mennsch *G*, mennesc *D*.

798, 3. got *fehlt G*. 4. endelos *G*. 5. werscaft *D*. 7. Grale *DG*. 11. vertribenen *Gg*, vertribene *D*. 14. Chomen mir ze mâren *G*. 15. unze *DG*. 16. stæte *D*, stâte *G*. 17. Er strit imer *G*. = an sie *Gg*. 18. iu] nu *G*. 19. lons *DG*. 21. si sint *G*. 25. deh. *G*. 27. gerne der von *G*. 29. gwin *G*.

799, 1. ze *G*. sinem *alle*. 2. di ich *D*, die ih *G*. 3. Inner *Ggg*. 4. ensament *g*. 5. ist si *D*, ise *G*. 8. riet *ddg*, riete *DGg*. ê *fehlt gg*, ie *G*. 10. chumft *D*. 11. Prim. *D*, blimzol *G*. 12. dô *fehlt D*. 16. tagte *G*, tagete *D*. 18. lande *alle*. briub. *G*, brub. *gg*. 19. = dâ *fehlt Ggg*. 20. dernâch] da bi *Ggg*. 23. kuneginne *D*. 24. vn̄ ob *D*. 25. 26. *fehlen D*. 27. celten *D*. 28. vas *D*. von *fehlt G*. 29. der herzoge k. des morgens *DG*.

800 Des tages blic was dennoch grâ.
Kyôt iedoch erkant aldâ
des grâles wâpen an der schar:
si fuorten turteltûben gar.
do ersiufte sîn alter lîp,
wan Schoysîân sîn kiusche wîp
ze Munsalvæsche im sælde erwarp,
diu von Sigûn gebürte erstarp.
Kyôt gein Parzivâle gienc,
in unt die sîne er wol enpfienc.
er sant ein junchèrrelîn
nâch dem marschalke der künegîn,
und bat in schaffen guot gemach
swaz er dâ rîter halden sach.
er fuort in selben mit der hant,
dâ er der küngîn kamern vant,
ein kleine gezelt von buckeram.
dez harnasch man gar von im dâ nam.
diu küngîn des noch niht enweiz.
Loherangrîn unt Kardeiz
vant Parzivâl bî ir ligen
(dô muose freude an im gesigen)
in eime gezelt hôh unde wît,
dâ her unt dâ in alle sît
clârer frouwen lac genuoc.
Kyôt ûfz declachen sluoc,
er bat die küngîn wachen
unt vrœlîche lachen.
si blicte ûf und sah ir man.
si hete niht wanz hemde an:
801 Umb sich siz deckelachen swanc,
fürz pette ûfen teppech spranc
Cundwîr âmûrs diu lieht gemâl.
ouch umbevienc si Parzivâl:
man sagte mir, si kusten sich.
si sprach 'mir hât gelücke dich
gesendet, herzen freude mîn.'
si bat in willekomen sîn,
'nu solt ich zürnen: ine mac.
gêrt sî diu wîle unt dirre tac,
der mir brâht disen umbevanc,
dâ von mîn trûren wirdet kranc.
ich hân nu des mîn herze gert:
sorge ist an mir vil ungewert.'
nu erwachten ouch diu kindelîn,
Kardeiz unt Loherangrîn:
diu lâgen ûf dem bette al blôz.
Parzivâln des niht verdrôz,
ern kuste se minneclîche.
Kyôt der zühte rîche
bat die knaben dannen tragn.
er begunde och al den frouwen sagn
daz se ûzme gezelte giengen.
si tâtenz, dô si enpfiengen
ir hêrrn von langer reise.
Kyôt der kurteise
bevalch der künegîn ir man:
al die juncfrowen er fuorte dan.
dennoch was ez harte fruo:
kameræere sluogn die winden zuo.
802 Gezucte im ie bluot unde snê
geselleschaft an witzen ê
(ûf der selben owe erz ligen vant),
für solhen kumber gap nu pfant
Condwîr âmûrs: diu hetez dâ.
sîn lîp enpfienc nie anderswâ
minne helfe für der minne nôt:
manc wert wîp im doch minne bôt.
ich wæne er kurzwîle pflac
unz an den mitten morgens tac.

800, 6. scoysian *G*, tschoisiane *dgg*, Scoysianen *Dd*. 8. Da von *Gg*. sigunen *alle*. geburt *alle aufser D*. 11. iunchherrnlin *D*. 15. = bi *Ggg*. 16. kamer *Gdg*. 17. buchgram *G*, bucgram *g*, bücgeram *g*. 18. man gar (gar man *g*, man *d*) von im da (*fehlt G*) nam *DGdg*, man [do *g*] von im nam *dg*. 19. noch *fehlt G*. 20. Loagrin *g*. 23. In ein *Gd*. unt *D*. 24. da hėr *Dd*, Her *Gdgg*. da *DGg*, dar *dg*, *fehlt d*. allen *gg*. 25. Clare *G*. 26. ufez *D*, uffez *G*. 28. frŏlihen *G*. 30. Sine *G*. wan ez *G*.

801, 1. umbe *DG*. dechlachen *G*. 2. Uf en tepech fur dez bette spranch *G*. 3. Kŏndw. *G*. 7. herzen (her zuo *d*) frouden *Gd*. 9. zurn *D*. ihne mach *G*. 10. geert *D*, Sâlich *G*. diu *fehlt G*. wille (*das zweite* l *nachgetragen*) *G*. dirre *Dd*, der *dgg*, *fehlt G*. 14. an mir] min halp *G*. vil *fehlt Gdd*. unwert *g*. 17. di *D*. 18. Parcifalen *DG*. 21. danne *G*. 23. uzem *D*, uzzem *G*. 28. = fuort er *Ggg*. 30. sluogen *G*, slugen *D*. die winden *fehlt Gg*.

802, 5. Kŏndwiramurs het er da *G*. 6. enphie *G*.

dez her übr al re't schouwen dar:
si nâmen der templeise war.
die wâren gezimieret
unt wol zerhurtieret
ir schilt mit tjosten sêr durchriten,
dar zuo mit swerten och versniten.
ieslîcher truog ein kursît
von pfelle oder von samît.
îserkolzen heten se dennoch an:
dez ander harnasch was von in getân.
dane mac niht mêr geslâfen sîn.
der künec unt diu künegîn
stuonden ûf. ein priester messe sanc.
ûf dem ringe huop sich grôz gedranc
von dem ellenthaften her,
die gên Clâmidê ê wârn ze wer.
dô der bendiz wart getân,
Parzivâln enpfiengen sîne man
mit triwen werdeclîche,
manec rîter ellens rîche.

803 Des gezeltes winden nam man abe.
der künc sprach 'wederz ist der knabe
der künc sol sîn übr iwer lant?'
al den fürsten tet er dâ bekant
'Wâls unde Norgâls,
Kanvoleiz unt Kyngrivâls
der selbe sol mit rehte hân,
Anschouwe und Bêalzenân.
kom er imer an mannes kraft,
dar leistet im gesellesschaft.
Gahmuret mîn vater hiez,
der mirz mit rehtem erbe liez:
mit sælde ich gerbet hân den grâl:
nu enpfâhet ir an disem mâl
iweriu lêhn von mîme kinde,
ob ich an iu triwe vinde.'
mit guotem willen daz geschach:
vil vanen man dort füeren sach.
dâ lihen zwuo kleine hende
wîter lande manec ende.
gekrœnet wart dô Kardeiz.
der betwang och sider Kanvoleiz
und vil des Gahmuretes was.
bî dem Plimizœl ûf ein gras
wart gesidel und wîter rinc genomn,
dâ si zem brôte solden komn.
snellîche dâ enbizzen wart.
daz her kêrt an die heimvart:
diu gezelt nam man elliu nider:
mit dem jungen künge se fuoren wider.

804 Manec juncfrouwe unde ir ander diet
sich von der küneginne schiet,
sô daz si tâten klage schîn.
dô nâmen Loherangrîn
und sîn muoter wol getân
die templeise und riten dan
gein Munsalvæsche balde.
'zeiner zît ûf disem walde,
sprach Parzivâl, 'dâ sah ich stên
eine klôsen, dâ durch balde gên
einen snellen brunnen clâr:
ob ir si wizt, sô wîst mich dar.'
von sînen geselln wart im gesagt,
si wisten ein: 'dâ wont ein magt

11. uber al reit *Dd*, reit uber al *Gdgg*. 12. templeis *Gdg*. 14. wol *fehlt G*. 15. scilde *DG*. sere *DG*. 17. Iesl. *G*, Iegl. *dd*, etsl. *Dy*. 21. nimer *G*. 24. Uf den rinch *G*. 25. ellenthaftem *D*. 26. ê *hat nur D*. 27. beneditz *g*, benedig *dd*, segen *g*. 30. Manich ritr *G*.

803, 1. = Man nam des gezlts winden abe *Ggg*. 3. uber *DG*. 4. = al *fehlt Ggg*. 5. Wâls *Dd*, Vvaleis *Gdgg*. = Nurgals *Ggg*. 6. kinkrivals *G*. 7. von *Gddg*. 8. z'Anscowe vn in B. *D*. 9. Chum *Gg*. immer *D*, iemer *G*. = in *Ggg*. 10. leist ih im *Gg*. 14. disen *G*. 15. Iwer *Gddg*. lehen *alle*. vom chinde *G*. 18. dort *Ddd*. = dar *G*, da *g*. 19. zwo *DG*. 20. mang *G*. 21. Gechront *DG*. 24. Plimizol *D*, blimzol *G*. ein *Dg*, daz *Gdd*, dem *g*. 27. Snellich *G*. 28. Daz er *g*, Er *G*. kert *gg*. 30. si *DGg*, *fehlt ddg*. = cherten *Gg*, kertens *g*.

804, 1. ir *fehlt ddgg*. 4. nam *Gg*. 5. si *D*. 6. templeis *Gddg*. 7. Gen *G*. 10. Ene *G*. 11. Enen *G*. chlare *G*. 12. wizzet *D*, wizent *G*. wîset *DG*. 13. sinem *G*. gesellen *DG*. 14. wessen *G*.

al klagende ûf friundes sarke:
diu ist rehter güete ein arke.
unser reise gêt ir nâhe bî.
man vint si selten jâmers vrî.'
der künec sprach 'wir sulen si sehn.'
dâ wart im volge an in verjehn.
si riten für sich drâte
und funden sâbents spâte
Sigûnen an ir venje tôt.
dâ sach diu künegîn jâmers nôt.
si brâchen zuo zir dar în.
Parzivâl durch die nifteln sîn
bat ûf wegen den sarkes stein.
Schîanatulander schein
unrefûlt schône balsemvar.
man leit si nâhe zuo zim dar,
805 Diu magtuomlîche minne im gap
dô si lebte, und sluogen zuo daz grap.
Condwîr âmûrs begunde klagn
ir vetern tohter, hôrt ich sagn,
und wart vil freuden âne,
wand si Schoysîâne
der tôten meide muoter zôch
kint wesnde, drumb si freude vlôch,
diu Parzivâles muome was,
op der Provenzâl die wârheit las.
der herzoge Kyôt
wesse wênc umb sîner tohter tôt,
des künec Kardeyzes magezoge.
ez ist niht krump alsô der boge,
diz mære ist wâr unde sleht.
si tâten dô der reise ir reht,
bî naht gein Munsalvæsch si riten.
dâ het ir Feirefîz gebiten
mit kurzwîle die stunde.
vil kerzen man do enzunde,
reht ob prünne gar der walt.
ein templeis von Patrigalt
gewâpent bî der küngîn reit.
der hof was wît unde breit:
dar ûffe stuont manc sunder schar.
si enpfiengn die küneginne gar,
unt den wirt unt den sun sîn.
dô truoc man Loherangrîn
gein sînem vetern Feirafîz.
dô der was swarz unde wîz,
806 Der knabe sîn wolde küssen niht.
werden kinden man noch vorhte giht.
des lachte der heiden.
do begunden si sich scheiden
ûf dem hove, unt dô diu künegin
erbeizet was. in kom gewin
an ir mit freuden künfte aldar.
man fuorte si dâ werdiu schar
von maneger clâren frouwen was.
Feirefîz unt Antortas
mit zühten stuonden bêde
bî der frouwen an der grêde.

15. = uf ir fr. *Ggg*. sarch-arch *G*. 16. Ir hertze ist *G*. 17. = straze get da n. *Ggg*. nahen *Gg*. 18. vindet *G*, vindent *D*. 20. Des *Gddg*. im] = ein *Ggg*. an in *fehlt dd*. an? 21. für sich] = des endes *Ggg*. 22. des ab. *DG*. abendes *Ggg*. 24. = Des chom diu kunginne in not *Ggg*. 27. = Hiez *Ggg*. des *Gdg*. 28. Dar uz der tote riter schein *G*. 29. Unerfult *G*, unrefůelt *D*. palsem var *G*. 30. nahen *Ggg*..

805, 1. = im *nach* Diu *Ggg*. magtuomlich *D*, magetlich *dd*. 2. = Die wil si lebet. *Gg*. man sluoch zuo daz crap *G*. 3. Conw. *D*, Kundew. *G*. 4. vetteren *G*. 5. = Daz si wart (was *G*) frouden ane *Gg*. 6. wande *DG*. 8. dar umbe *D*, darunbe *G*. 9. parzivals *G*, Parcifals *D*. 12. umbe *DG*. 13. maget zoge *Gd*, magtzoge *Dd*, meitzoge *g*. 14. 15. = Ditze mare ist niht so der boge. Iz ist war *Gg*. 15. unt *D*. 16. Der reise taten si do reht *Gg*. 17. = Die naht *Ggg*. si gein muntschalvatsch riten *Gdg*. 18. 19. = Mit frouden het ir (er *G*) da gebiten (erbiten *G*). Firaviz. die stunde *Ggg*. 20. = do *fehlt Ggg*. 21. Recht als [ob] *dd* = Als obe *Ggg*. 22. von] der *G*. 23. kuneginne *D*. 25. = Da stuont uf *Ggg*. manech *D*, manich *G*. 26. Die *Gg*. enpfiengen *DG*. kungin *Gdgg*. 27. Unt *fehlt Gddg*. 29. vetern *g*, vettren *G*, vettern *g*, veter *D*, vetter *dd*. firaviz *G*.

806, 3. lachete *D*, lacht *G*. 5. hof *G*. vn do *D*, und *d*, da *G*, do *dg*. 6. = Erbeizt was unde giengen [dar *g*] in *Gg*. 7. freuden] werder *G*. chunft *Gddg*. 10. veirafiz *G*. 12. = Bi den *Gg*.

Repanse de schoye
unt von Gruonlant Garschiloye,
Flôrîe von Lunel,
liehtiu ougn und clâriu vel
die truogn und magtuomlîchen prîs.
dâ stuont ouch swankel als ein rîs,
der schœne und güete niht gebrach,
und der man im ze tohter jach,
von Ryl Jernîse:
diu maget hiez Ampflîse.
von Tenabroc, ist mir gesagt,
stuont dâ Clârischanze ein süeziu magt,
liehter var gar unverkrenket,
als ein âmeize gelenket.
Feirefîz gein der wirtîn trat:
diu künegîn den sich küssen bat.
si kust och Anfortasen dô
und was sînr urlœsunge vrô.

807 Feirefîz si fuorte mit der hant,
dâ si des wirtes muomen vant,
Repansen de schoye, stên.
dâ muose küssens vil ergên.
dar zuo ir munt was ê sô rôt:
der leit von küssen nu die nôt,
daz ez mich müet und ist mir leit
daz ich niht hân solch arbeit
für si: wand si kom müediu zin.
juncfrouwen fuortn ir frouwen hin.
die rîter in dem palas
belibn, der wol gekerzet was,
die harte liehte brunnen.
dô wart mit zuht begunnen
gereitschaft gein dem grâle.
den truoc man zallem mâle
der diet niht durch schouwen für,
niht wan ze hôchgezîte kür.
durch daz si trôstes wânden,
dô si sich freuden ânden
des âbents umb daz pluotec sper,
dô wart der grâl durch helfe ger
für getragen an der selben zît:
Parzivâl si liez in sorgen sît.
mit freude er wirt nu für getragen:
ir sorge ist under gar geslagen.
dô diu künegîn ir reisegewant
ab gezôch unt sich gebant,
si kom als ez ir wol gezam:
Feirefîz an einer tür si nam.

808 Nu, diz was et âne strît,
daz hôrt od spræch ze keiner zît
ie man von schœnrem wîbe.
si truog ouch an ir lîbe
pfellel den ein künstec hant
worhte als in Sârant
mit grôzem liste erdâht ê
in der stat ze Thasmê.
Feirefîz Anschevîn
si brâhte, diu gap liehten schîn,
mitten durch den palas.
driu grôziu fiwer gemachet was,

13. Rep. *Dd*, Urrepansa *g*, Urrenpanse. *G*, urepans *d*. de scoyte *G*. 14. Fon gruonlanden *Gg*. garfiloye *dd*, Gragiloie *g*, karziloyde *G*. 15. Florie (Flori *G*) unde ionel (lymel *d*) *Gdg*. 16. Clariu ougen unde lietiu vel *G*. ougen *D*. 17. truogen *DG*. vñ *Ddg*, *fehlt Gdg*. magtlichen *Gdd*. 18. stuond *G*. 19. schon *G*: gebarch *G*. 21. Ryl *D*, rile *Gddg*. Iernîse *D*, gernise *dd* = scernise *Gg*. 22. amflise *Gg*. 23. Tenabroch *D*, tenbroch *G*, tenebrog *dd*. 24. Clarinscanze *D*, clorin schantz *d*, clarissanze *G*, klarissante *d*. 25. liehter varwe *Ddd* = An ir schone *Gg*. 27. Feiraviz gen der wirtinne trat *G*. 28. den sich *D*, den *d*, sih den *Gdg*. 30. siner *DG*. losunge *g*, geniste *d*, gesunthait *d*.

807, 1. fuort *G*. 2. do *D*. 3. Repansen *Dd*, Urrepanse *G*, Urrepansa *g*, Urepans *d*. scoyen *G*. 4. = Vil chussens muose da ergen *Gg*. 5. ê *Dd*, ie *d* = *fehlt Gg*. 8. solhe *D* = die *Ggg*. 9. wan *G*. 10. fuorten *DG*. hin *fehlt G*. 11. = uf *Ggg*. den *G*. 12. geziereit *G*. 13. Die cherzen harte lieht brunnen *G*. 14. Da *Gg*. zuhten *Gg*, zuhte *g*. 15. gereitscaft *Dg*, Ber. *Gdd*. de geinm gral *G*. 18 = Niun (Nuwan *g*) durch hochzite chur *Gg*. 19. tros *D*. 21. umbe *DG*. pluote *G*, bluotige *D*. 22. Da *G*. 24. lie *G*. sorgen *Ddd*, rowen *G*. 25. wirt *Ddgg*, wart *Gd*. 26. = Ir riwe *Ggg*. 28. sich] ir *Gg*. 30. Feirafiz *G*.

808, 2. ode *G*, oder *D*. spræche *Ddg*, sprach *Gd*, sehe *g*. ze dheinr *G*. 3. iemen *DG*. 4. = het *Ggg*. 5. = Einen phelle *Gg*. 7. = grozen listen *Ggg*. endaht *Gd*. 9. Feiraviz anschouwin *G*. Anscivin *D*. 11. = En mitten *Ggg*.

lign alôê des fiwers smac.
vierzec tepch, [und] gesitze mêr dâ lac,
dan zeiner zît dô Parzivâl
ouch dâ für sach tragn den grâl.
ein gesiz vor ûz gehêret was,
dâ Feirefîz unt Anfortas
bî dem wirte solde sitzen.
dô warp mit zühte witzen
swer dâ dienen wolde,
sô der grâl komen solde.
ir habt gehôrt ê des genuoc,
wie mann für Anfortasen truoc:
dem siht man nu gelîche tuon
füı des werden Gahmuretes suon
und och für Tampenteires kint.
juncfrouwen nu niht langer sint:
ordenlîch si kômen über al,
fünf unt zweinzec an der zal.

809 Der êrsten blic den heiden clâr
dûhte und reideloht ir hâr,
die andern schœner aber dâ nâch,
die er dô schierest komen sach,
unde ir aller kleider tiwer.
süeze minneclîch gehiwer
was al der meide antlütze gar.
nâh in allen kom diu lieht gevar
Repanse de schoye, ein magt.
sich liez der grâl, ist mir gesagt,
die selben tragen eine,
und anders enkeine.
ir herzen was vil kiusche bî,
ir vel des blickes flôrî.
sage ich des diens urhap,
wie vil kamerær dâ wazzer gap,
und waz man tafeln für si truoc
mêr denn ichs iu ê gewuoc,
wie unfuoge den palas vlôch,
waz man dâ karrâschen zôch
mit tiuren goltvazen,
unt wie die rîter sâzen,
daz wurde ein alze langez spel:
ich wil der kürze wesen snel.
mit zuht man vorem grâle nam
spîse wilde unde zam,
disem den met und dem den wîn,
als ez ir site wolde sîn,
môraz, sinôpel, clâret.
fil li roy Gahmuret

810 Pelrapeire al anders vant,
dô sim zem êrsten wart erkant.
der heiden vrâgte mære,
wâ von diu goltvaz lære
vor der tafeln wurden vol.
daz wundr im tet ze sehen wol.
dô sprach der clâre· Anfortas,
der im ze geselln gegeben was,
'hêr, seht ir vor iu ligen den grâl?'
dô sprach der heiden vêch gemâl
'ich ensihe niht wan ein achmardî:
daz truoc mîn juncfrouwe uns bî,
diu dort mit krône vor uns stêt.
ir blic mir inz herze gêt.
ich wânde sô starc wær mîn lîp,
daz iemmer maget ode wîp
mir freuden kraft benæme.
mirst worden widerzæme,
ob ich ie werde minne enpfienc.
unzuht mir zuht undervienc,

13. Lingalwe G. 14. teppeche D. gesizze mer Dd, gesitz d, me gesitz g, me G, mer g. 15. Danne G, denne D. = zeinen ziten Ggg. 17. gesiz D, gesitze Gg, sitze d, sitz d, gesesz g. 18. feiraviz G. 19. solden Gdgg. 21. dien G. 23. = ê *fehlt* Ggg. 24. manen fur D, mangen wis G. 26. Gahmurets D, gahmǒrets G. 27. tamputeirs sun. G. 28. lenger G. 29. = die Ggg.

809, 1. 2. den heiden gar Duhte lieht Gg. 3. dar nach *alle außer* D. 4. schierst Gg, scieres D. 9. Ûrrep. G *immer*. 10. Si G. = wart mir Ggg. 11. seben G. 12. dheine G. 13. = Wan ir G. 14. des] was G. 16. dienstes *alle außer* D. 17. Waz man da tweheln vur si truoch Ggg. 18. Mer mer denne G. ih iu Gdgg. 19. ungefuoge G, ungefuege dg. 20. karratschen G, kartascen D, karatschen ddg, karrutschen g. 23. altez Dg. 26. spise. wilt. D. 27. = den-den *fehlt* Ggg. mete g. vñ *hat nur* D. = ienem Ggg. 29. = siropel gg, sirophel G. 30. fillu roy D, Fil lu roys g, Fillurois g, Fili rois dd, Silirays G.

810, 1. Peilr. G. 2. si im DG. = erst (*ohne* zem) Ggg. 3. fraget G. 5. tavelen G. 6. wnder DG. 8. gesellen DG. 12. iunchfrouw G. 13. vor uns mit chrone D. 15. war G, wære D. 16. = Daz weder Ggg. oder D. 18. Mirs G, mir ist D.

daz ich iu künde mîne nôt,
sît ich iu dienst nie gebôt.
waz hilfet al mîn rîchheit,
und swaz ich ie durch wîp gestreit,
und op mîn hant iht hât vergeben,
muoz ich sus pîneclîche leben?
ein kreftec got Jupiter,
waz woltstu mîn zunsenfte her?'
minnen kraft mit freuden krenke
frumt in bleich an sîner blenke.

811 Cundwîr âmûrs diu lieht erkant
vil nâch nu ebenhiuze vant
an der clâren meide velles blic.
dô slôz sich in ir minnen stric
Feirefîz der werde gast.
sîner êrsten friuntschaft im gebrast
mit vergezzenlîchem willen.
waz half dô Secundillen
ir minne, ir lant Trîbalibôt?
im gab ein magt sô strenge nôt:
Clauditte unt Olimpîâ,
Secundille, unt wîten anderswâ
dâ wîb im diens lônden
unt sîns prîses schônden.
Gahmurets sun von Zazamanc
den dûht ir aller minne kranc.
dô sach der clâre Anfortas
daz sîn geselle in pînen was,
des plankiu mâl gar wurden bleich,
sô daz im hôher muot gesweich.
dô sprach er 'hêr, diu swester mîn,
mirst leit ob iuch diu lêret pîn,
den noch nie man durch si erleit.
nie rîter in ir dienst gereit:
dô nam och niemen lôn dâ zir.
si was mit jâmer grôz bî mir.
daz krenket och ir varwe ein teil,
daz man si sach sô selten geil.
iwer bruoder ist ir swester suon:
der mag iu dâ wol helfe tuon.'

812 'Sol diu magt iur swester sîn,'
sprach Feirefîz Anschevîn,
'diu die krône ûf blôzem hâr dort hât,
sô gebt mir umb ir minne rât.
nâch ir ist al mîns herzen ger.
ob ich ie prîs erwarp mit sper,
wan wær daz gar durch si geschehn,
und wolt si danne ir lônes jehn!
fünf stiche mac turnieren hân:
die sint mit mîner hant getân.
einer ist zem puneiz:
ze triviers ich den andern weiz:
der dritte ist zentmuoten
ze rehter tjost den guoten:
hurteclîch ich hân geriten,
und den zer volge ouch niht vermiten.
sît der schilt von êrste wart mîn dach,
hiut ist mîn hôhste ungemach.
ich stach vor Agremuntîn
gein eime rîter fiurîn:
wan mîn kursît salamander,
aspindê mîn schilt der ander,
ich wær verbrunnen von der tjost.
swa ich holt ie prîs ûfs lîbes kost,

21. min not *G.* 25. hât *fehlt G.* 26. alsus *G.* pînchliche *D*, pinchlichen *G.* 27. Ein *Dd*, Min *Gdg.* 28. woldestu *DG.* zunsenft *G.* 29. chrench *G.* 30. = im bleiche *Gg.*

811, 1. Kundewiram. *G.* 2. ebenhuzze *G.* 4. in ir] mir *D.* 5. Feiraviz *G.* riche *D.* 7. vergezzenlichen *G.* 8. = nu *Ggg.* 9. = Ir lip *Ggg.* 10. = fuoget *Ggg.* 11. Chlauditte *D*, Claudite *G.* 13. Diu wip *Gdg.* dienstes *alle außer D.* 17. = Nu *Ggg.* 18. pine *Gdgg.* 19. Die *dd.* blanchiu *Dg*, planchen *Gdd.* 22. mir ist leit *Dddg*, Mir leidet *Gg.* lert *G.* 23. niemen *D.* 24. gestreit *G.* 25. daz ir *G.* 26. in iamer *G.*

812, 2. feirafiz anschvin *G.* 3. die *fehlt Gdd*, hie *g.* obe *Gg.* hare *DG.* dort *fehlt Gg.* 6. ie *nach* erwarb *D.* = gewan *Ggg.* 7. gescehn *D*, geschen *G.* 8. wolde *DG.* lons *DG.* gehen *G.* 11. ze *Gdg.* poneiz *G*, pungeiz *g.* 12. = Zetreviers *Ggg.* 13. Zentmuoten *D*, zu muten *g*, zü den müten *g*, zuo tnnüten *d*, zuo trinuoten *d*, zen *G.* 14. ze *fehlt G.* 15. = Ich hurtchlichen han geriten *Ggg.* 16. ze *Gg.* ouch *fehlt Gddg.* 17. von erst *G*, erst *dg.* 18. hiute *D* = Hint *Ggg.* hohstez *ddg*, erst *Gg.* 19. agremunein *G.* 22. = Unde aspinde *Ggg.* mîn schilt *fehlt G.* 23. tioste-choste *D.* 24. holte ie pris *D*, holt *d*, halt *d* = ie bris geholt *Ggg.* uofes *D* = uf *Ggg.*

ôwî het mich gesendet dar
iwer swester minneclîch gevar!
ich wær gein strîte noch ir bote.
Jupiter mîme gote
wil ich iemmer hazzen tragn,
ern wende mir diz starke klagn.'

813 Ir bêder vater hiez Frimutel:
glîch antlütze und glîchez vel
Anfortas bî sîner swester truoc.
der heiden sach an si genuoc,
unde ab wider dicke an in.
swie vil man her ode hin
spîse truoc, sîn munt ir doch niht az:
ezzen er doch glîche saz.
Anfortas sprach ze Parzivâl
'hêr, iwer bruoder hât den grâl,
des ich wæn, noh niht gesehn.'
Feirefîz begundem wirte jehn
daz er des grâles niht ensæhe.
daz dûhte al die rîter spæhe.
diz mære och Titurel vernam,
der alte betterise lam.
der sprach 'ist ez ein heidensch man,
sô darf er des niht willen hân
daz sîn ougn âns toufes kraft
bejagen die geselleschaft
daz si den grâl beschouwen:
da ist hâmît für gehouwen.'
daz enbôt er in den palas.
dô sprach der wirt und Anfortas,
daz Feirefîz næme war,
wes al daz volc lebte gar:
dâ wære ein ieslîch heiden
mit sehen von gescheiden.
si wurben daz er næme en touf
und endelôsn gewinnes kouf.

814 'Ob ich durch iuch ze toufe kum,
ist mir der touf ze minnen frum?'
sprach der heiden, Gahmuretes kint.
'ez was ie jenen her ein wint,
swaz mich strît od minne twanc.
des sî kurz ode lanc
daz mich êrster schilt übervienc,
sît ich nie grœzer nôt enpfienc.
durh zuht solt ich minne heln:
nune mag irz herze niht versteln.'
'wen meinstu?' sprach Parzivâl.
'et jene maget lieht gemâl,
mîns gesellen swester hie.
wiltu mir helfen umbe sie,
ich tuon ir rîchheit bekant,
sô daz ir dienent wîtiu lant.'
'wiltu dich toufes lâzen wern,'
sprach der wirt, 'sô mahte ir minne gern.
ich mac nu wol duzen dich:
unser rîchtuom nâch gelîchet sich,
mînhalp vons grâles krefte.'
'hilf mir geselleschefte,'
sprach Feirefîz Anschevîn,
'bruoder, umb die muomen dîn.

25. owi hete si *D*, Owe wan het (hat) *dd* = Wan het sie *g*, Wan hiet *G*, Wan het ich *g*. gendet *G*. gar *D*. 26. minneclîch] wol *G*. 27. wære gein *D*, war gen *G*. bot-got *Gdgg*. 28. Iupitern *Dg*. = minen *gg*, minnen *G*. 29. immer *D*. 30. = Sine wende (wenden *G*) mir min (mine *G*) groz klagen (chlag *G*) *Ggg*.

813, 1. beider *G*. = was *Ggg*. 5. aber *D*. wider dicke *gg*, diche wider (*mit zeichen, die* wider *vor* diche *weisen*) *D*, ditche wider *G*, [vil] dicke *dd*. 6. oder *D*. 7. ir doch *fehlt Gdgg*. 8. geliche *D*, gelih *G*. 12. Feirav. *G*. begudem *D*, begunde dem *G*. 13. des Grals *D* = den gral *Ggg*. en *d*, *fehlt DGdgg*. 15. = Die rede *Ggg*, 16. alt *G*. 17. heidnisc *D*. 18. = Son *Ggg*. 19. ougen *D*, ouge *Gg*. 22. gehwen *G*. 23. ûf *D*. 24. 25. = Do sprach (Do sp *fehlt G*) Parzival unde anfortas. Ze feirafiz [do sprach *G*] daz er name war *Ggg*. 26. lebet *G*. 30. endelosen *Ddg*, unendelosen *G*, elosen *g*, endeloses *d*. gwinnes *D*.

814, 1. ze] gein *D*. touf *DG*. 4. ie ienen *D*, ie ennen *G*, ienne *g*, yenem *g*, ye jnnen *d*, ie meinem hertzen *d*. 5. mich] minne *Gg*. ode *G*, oder *D*. 6. = Diu wil si churz *Ggg*. oder *D*. 7. = Do der schilt von erst mih (mich von erst *gg*) uber vienc *Ggg*. erst der *dd*. 8. Nie grozzer not ih sit enphiench *Gdgg*. 9. ih minne solde helen *G*. 12. jene] eine *G*. 14. 17. Wil du *G*. 18. mahtu *DG*, maht *g*. 19. = doh nu wol *Gg*, doch wol nu *g*. duzzen *D*, ducen *g*. 20. richeit *Gdgg*. 23. Sprac feiraviz anschevin *G*. Anscevin *D*. 24. umbe *DG*.

holt man den touf mit strîte,
dar schaffe mich bezîte
und lâz mich dienen umb ir lôn.
ich hôrte ie gerne solhen dôn,
dâ von tjoste sprîzen sprungen
unt dâ swert ûf helmen klungen.'

815 Der wirt des lachte sêre,
und Anfortas noch mêre.
'kanstu sus touf enpfâhen,'
sprach der wirt, 'ich wil si nâhen
durh rehten touf in dîn gebot.
Jupitern dînen got
muostu durch si verliesen
unt Secundilln verkiesen.
morgen fruo gib ich dir rât,
der fuoge an dîme gewerbe hât.'
Anfortas vor siechheit zît
sînen prîs gemachet hête wît
mit rîterschaft durch minne.
an sîns herzen sinne
was güete unde mildekeit:
sîn hant och mangen prîs erstreit.
dâ sâzen dem grâle bî
der aller besten rîter drî,
die dô der schilde pflâgen:
wan si getorstenz wâgen.
welt ir, si hânt dâ gâz genuoc.
mit zuht man von in allen truoc
tafeln, tischlachen.
mit dienstlîchen sachen
nigen al diu juncfrouwelîn.
Feirefîz Anschevîn
sach si von im kêren:
daz begunde im trûren mêren.
sîns herzen slôz truoc dan den grâl.
urloup gab in Parzivâl.

816 Wie diu wirtîn selbe dan gegienc,
unt wie manz dâ nâch an gevienc,
daz man sîn wol mit betten pflac,
der doch durch minne unsanfte lac,
wie al der templeise diet
mit senfte unsenfte von in schiet,
dâ von wurde ein langiu sage:
ich wil iu künden von dem tage.
dô der smorgens lieht erschein,
Parzivâl wart des enein
und Anfortas der guote,
mit endehaftem muote
si bâten den von Zazamanc
komen, den diu minne twanc,
in den tempel für den grâl.
er gebôt ouch an dem selben mâl
den wîsen templeisen dar.
sarjande, rîter, grôziu schar
dâ stuont nu gienc der heiden în.
der toufnapf was ein rubbîn,
von jaspes ein grêde sinwel,
dar ûf er stuont: Titurel
het in mit kost erziuget sô.
Parzivâl zuo sîm bruoder dô
sprach 'wiltu die muomen mîn
haben, al die gote dîn
muostu durch si versprechen
unt immer gerne rechen
den widersatz des hôhsten gots
und mit triwen schônen sîns gebots.'

817 'Swâ von ich sol die maget hân,'
sprach der heiden, 'daz wirt gar getân

27. = La mich *Ggg*. unbe *G*. 28. ie gern *G*. 29. 30. = Da swert uf helm (helme *g*, helmen *g*) chlungen. Unde von tiost (tiosten *G*) spriezzen (spryszen *g*) sprungen *Ggg*.

815, 1. lacht *G*. 3. su touffe *G*. 4. = ih sol *Ggg*. 6. Iupiter *G*. 7. muoste *D*. veliesen *G*. 8. Secundillen *DG*. 12. het so wit *G*. 15. guot unde miltecheit *G*. 17. gral *G*. 20. wande *D*. siz getorsten *g*, si getorsten *G*. 21. habn *D*. 22. zuhten *Gdgg*. 23. Tavlen *G*. 26. Feirav. *G*. Anscivin *D*. 28. truoren *D*.

816, 1. Swie *G*. danne *gg*, dannen *d*. giench *alle außer D*. 2. danach *Dd*, darnach *Gdgg*. viench *Gdg*. 3. = mit triwen *Ggg*. plach *G*. 4. unsanft *G*. 5. = Unde wie *Ggg*. templeis *G*. 6. senft unsenft *G*. 7. = Daz wrde ein alze langiu sage *Ggg*. 9. ders m. *G*, der des m. *D*, des m. *dgg*, der morgen *g*. lieht] fruo *D*. 10. inein *G*. 16. selbem D, selbe *g*. 17. dem wisem Templeise *D*, Dem wisen templeisen *d*. 19. Da stuont do *d*, Da stunt hie *g*, Hie stuont do (da *G*) *Gg*. 20. rûbin *G*. 21. iaspis *ddg*, iaspide *g*. 22. Dar uffe *G*. 24. ze *G*. sinem *DG*. 25. wil du *G*. 26. gôte *G*, göte *g*. 28. imir *G*.

817, 1. = Swa mit ih mac *Ggg*. 2. gar *hat nur D*.

und mit triwen an mir rezeiget.'
der toufnapf wart geneiget
ein wênec geinme grâle.
vol wazzers an dem mâle
wart er, ze warm noch ze kalt.
dâ stuont ein grâwer priester alt,
der ûz heidenschaft manc kindelîn
och gestôzen hête drîn.
der sprach 'ir sult gelouben,
iwerr sêle den tiuvel rouben,
an den hôhsten got al eine,
des drîvalt ist gemeine
und al gelîche gurbort.
got ist mensch und sîns vater wort.
sît er ist vater unde kint,
die al gelîche geêret sint,
eben hêre sîme geiste,
mit der drîer volleiste
wert iu diz wazzer heidenschaft,
mit der Trinitâte kraft.
ime wazzer er ze toufe gienc,
von dem Adâm antlütze enpfienc.
von wazzer boume sint gesaft.
wazzer früht al die geschaft,
der man für crêatiure giht.
mit dem wazzer man gesiht.
wazzer gît maneger sêle schîn,
daz die engl niht liehter dorften sîn.'

818 Feirefîz zem priester sprach
'ist ez mir guot für ungemach,
ich gloub swes ir gebietet.
op mich ir minne mietet,
sô leist ich gerne sîn gebot.
bruoder, hât dîn muome got,
an den geloube ich unt an sie
(sô grôze nôt enpfieng ich nie):
al mîne gote sint verkorn.
Secundill hab och verlorn
swaz si an mir ie gêrte sich.
durh dîner muomen got heiz toufen mich.'
man begund sîn kristenlîche pflegn
und sprach ob im den toufes segn.
dô der heiden touf enpfienc
unt diu westerlege ergienc,
des er unsanfte erbeite,
der magt man in bereite:
man gab im Frimutelles kint.
an den grâl was er ze sehen blint,
ê der touf het in bedecket:
sît wart im vor enblecket
der grâl mit gesihte.
nâch der toufe geschihte
ame grâle man geschriben vant,
swelhen templeis diu gotes hant
gæb ze hêrren vremder diete,
daz er vrâgen widerriete
sînes namen od sîns geslehtes,
unt daz er in hulfe rehtes.

819 Sô diu vrâge wirt gein im getân,
sô mugen sis niht langer hân.
durch daz der süeze Anfortas
sô lange in sûren pînen was
und in diu vrâge lange meit,
in ist immer mêr nu vrâgen leit.

3. und *fehlt D.* an mir *fehlt G.* erz. *G.* 5. = Ein lûtzel *Ggg.* 6. Volliu *G*, Volle *g.* 7. Weder ze warm *G.* 8. stuon *D.* 10. het dar in *G.* 12. Iwer sele dem *Gddg.* tievel *G.* 13. hóhisten *G.* 16. mennsch *G*, mennsc *D.* 18. gehert *Gg*, geerbet *g.* 19. Eben her *Gdg*, Ebener *d.* 23. = In wazzer *Ggg.* 24. = Nah dem *Ggg.* 26. fiuht *G*, fruhtet *g*, fiuhtet *Ddg*, suochet *d.* 27. creatûre *G*, creature *D.* 30. engel *G*, engele *D.*

818, 1. briester *G.* 3. gloube *G*, geloube *D.* swaz *Gg.* gebiet-miet *Gg.* 5. sîn] = iwer *Ggg.* 7. gl. *G.* 8. = gwan ich *Ggg.* 9. Alle *G.* = sin *Ggg.* 10. Secundille *DG.* 13. begunde *DG*, gunde *g.* 14. = Man *Ggg.* den *DG*, des *ddgg.* 15. toufe *G.* 16 westerleie *dd.* 17. = Der er chume *Ggg.* 18. meide *Gg*, megede *dg*, magede *g.* 19. frymutelles *g*, Frimutels *DG.* 20. An der gral er was *G.* ce sehene *DG.* 21. in het *Gdgg.* verdechet *Ggg.* 27. gæbe ce herrn *Ddd* = Ze herren gebe (gap *Gg*) *Ggg.* diet-wider riet *alle außer D.* 28. er *Dddg*, der *Ggg.* 29. sins *DG.* oder *Ddd* = unde *Ggg.* geslæhtes *D*, geslâhtes *G.*

819, 1. = Wirt [diu *Ggg*] frage da gein im (von in *G*) getan *Ggg.* 2. Sone *G.* sis *D*, sie sin *dg*, sin *Gdgg.* lenger *G.* 4. suren (surem *gg*) pine *Ggg.* 5. nu lange *G.* 6. imir me *G.* = frage *Ggg.*

al des grâles pflihtgesellen
von in vrâgens niht enwellen.
der getoufte Feirafîz
an sînen swâger leite vlîz
mit bete dan ze varne
und niemer niht ze sparne
vor im al sîner rîchen habe.
dô leite in mit zühten abe
Anfortas von dem gewerbe.
'ine wil niht daz verderbe
gein gote mîn dienstlîcher muot.
des grâles krône ist alsô guot:
die hât mir hôchvart verlorn:
nu hân ich diemuot mir rekorn.
rîchheit und wîbe minne
sich verret von mîm sinne.
ir füeret hinne ein edel wîp:
diu gît ze dienste iu kiuschen lîp
mit guoten wîplîchen siten.
mîn orden wirt hie niht vermiten:
ich wil vil tjoste rîten,
ins grâles dienste strîten.
durch wîp gestrîte ich niemer mêr:
ein wîp gab mir herzesêr.

820 Idoch ist iemmer al mîn haz
gein wîben vollecîiche laz:
hôch manlîch vreude kumt von in,
swie klein dâ wære mîn gewin.'
Anfortasen bat dô sêre
durch sîner swester êre
Feirefîz der danverte:
mit versagen er sich werte.
Feirefîz Anschevîn
warp daz Loherangrîn
mit im dannen solde varn.
sîn muoter kund daz wol bewarn:
och sprach der künec Parzival
'mîn sun ist gordent ûf den grâl:
dar muoz er dienstlîch herze tragn,
læt in got rehten sin bejagn.'
vreude unt kurzwîle pflac
Feirefîz aldâ den eilften tac:
ame zwelften schiet er dan.
gein sîme her der rîche man
sîn wîp wolde füeren.
des begunde ein trûren rüeren
Parzivâln durch triuwe:
diu rede in lêrte riuwe.
mit den sîn er sich beriet,
daz er von rîtern grôze diet
mit im sande für den walt.
Anfortas der süeze degen balt
mit im durch condwieren reit.
manc magt dâ weinen niht vermeit.

821 Si muosen machen niwe slâ
ûz gegen Carcobrâ.
dar enbôt der süeze Anfortas
dem der dâ burcgrâve was,
daz er wære der gemant,
ob er ie von sîner hant
enpfienge gâbe rîche,
daz er nu dienstlîche
sîne triwe an im geprîste
unt im sînen swâger wîste,
unt des wîp die swester sîn,
durch daz fôreht Læprisîn
in die wilden habe wît.
nu wasez och urloubes zît.
sine solten dô niht fürbaz komn.
Cundrî la surzier wart genomn
zuo dirre botschefte dan.
urloup zuo dem rîchen man

7. des] die *G*. 7. 18. Grals *DG*. 8. = Gein in *Ggg*. niene wellen *G*. envellen *D*. 12. nimir *G*. 14. = wiste in *Ggg*. 19. di *D*, Diu *G*. 20. = mir *fehlt Ggg*. erch. *G*. 22. mime *D*, minem *G*. 23. fuort *G*. hinnen *alle*. 25. = rehten *Ggg*. 26. = Min dienst *Ggg*. 27. = Ih sol *Ggg*. 29. nimir *G*.

820, 1. = Doh *Ggg*. imir *G*. 2. volliclichen *G*. 3. = lit an im *Ggg*. 7. 9. Feiraf. *G*. 7. = der dannen vert *Ggg*. 8. = sih des *Ggg*. 10. = do daz *Ggg*. 11. danne *G*. 12. chunde daz *DG*, kundez *g*. 16. læt *Dg*, Lat *Gddgg*. 17. = Minne *Ggg*. 18. Parcifal *G*. alda *Dddg*, unze an *Gg*, *fehlt g*. eilfften *ddg*, einliften *Gg*, einleften *D*, eiliften *g*. 24. = Disiu *Ggg*. reise *D*. 25. sinen *DG*. 28. = der clare *Gg*, der *g*. 29. condwiern *D* = geleitte *Ggg*.

821, 1. = Si begunden *Ggg*. 2. gein *DG*. Charchobrâ *D*, korkobra *d*, kukubra *d*, charcobra *g*, charchopra *Gg*. 4. dâ *fehlt G*. 5. des, *DGddg*, daz *g*. 9. = briste *Ggg*. 10. im *fehlt ddg*. 11. sin wip *Gddg*. min *D*. 12. durchz *D* = Zem *Ggg* voreist lo hprisin *G*. 14. was ez *D*, was *die übrigen*. 15. Si solden *G*. = doh *Gg*, ouch *g*. 16. Cundrîe Lasurziere *Ddd* = Kundrie *gg*, Kundiz *G*. 17. 18. Ze *G*.

nâmen al die templeise:
hin reit der kurteise.
der burcgrâve dô niht liez
swaz in Cundrîe leisten hiez.
Feirefîz der rîche
wart dô rîterlîche
mit grôzer fuore enpfangen.
in dorft dâ niht erlangen:
man fuort in fürbaz schiere
mit werdem condwiere.
ine weiz wie manec lant er reit
unz ze Jôflanze ûf den anger breit.

822 Liute ein teil si funden.
an den selben stunden
Feirefîz frâgete mære,
war daz her komen wære.
ieslîcher was in sîn lant,
dar im diu reise was bekant:
Artûs was gein Schamilôt.
der von Trîbalibôt
kunde an den selben zîten
gein sîme her wol rîten.
daz lag al trûrec in der habe,
daz ir hêrre was gescheiden drabe.
sîn kunft dâ manegem rîter guot
brâhte niwen hôhen muot.
der burcgrâve von Carcobrâ
und al die sîne wurden dâ
mit rîcher gâbe heim gesant.
Cundrî dâ grôziu mære bevant:
boten wârn nâch dem here komn,
Secundillen het der tôt genomn.
Repanse de schoye mohte dô
alrêst ir verte wesen vrô.
diu gebar sît in Indyân
ein sun, der hiez Jôhan.
priester Jôhan man den hiez:
iemmer sît man dâ die künege liez
bî dem namn belîben.
Feirefîz hiez schrîben
ze Indyâ übr al daz lant,
wie kristen leben wart erkant:

823 Daz was ê niht sô kreftec dâ.
wir heizenz hie Indîâ:
dort heizet ez Trîbalibôt.
Feirefîz bî Cundrîn enbôt
sînem bruodr ûf Munsalvæsche wider,
wiez im was ergangen sider,
daz Secundille verscheiden was.
des freute sich dô Anfortas,
daz sîn swester âne strît
was frouwe übr manegiu lant sô wît.
diu rehten mære iu komen sint
umb diu fünf Frimutelles kint,
daz diu mit güeten wurben,
und wie ir zwei ersturben.
daz ein was Schoysîâne,
vor gote diu valsches âne:
diu ander Herzeloyde hiez,
diu valscheit ûz ir herzen stiez.
sîn swert und rîterlîchez lebn
hete Trevrizent ergebn
an die süezen gotes minne
und nâch endelôsme gewinne.
der werde clâre Anfortas
manlîch bî kiuschem herzen was.

19. alle die *G.* 21. liez *Dg*, enliez *Gddg.* 23. Feiraf. *G.* 24. = minniclihe *Ggg.* 25. freude *G.* 26. dorfte *DG.* 28. werdem *Dd*, frœlicher *d* = grozzem *g*, groszer *g*, manger *G.* 29. er do reit *Gg.* 30. tschoflanz *G.*

822, 3. 28. Feiraf. *G.* 5. = Etslicher *Ggg.* 6. = Swar *Ggg.* 7. Scamylot *D*, samilot *dd* = schambilot *Gg*, Scambelot *g.* 13. dâ] an *Gg.* 15. von *fehlt G.* Charchobra *Dd*, Karcobra *g*, korkobra *d*, karchopra *g*, chorchepra *G.* 18. hohiu *Ggg.* vant *Gdg.* 19. her *G.* 20. = Secundille het den *Ggg.* 21. Urrep. *G.* 21. 22. mohte *setzen dd vor* do, *Dg* (moht) *vor* alrest, *g vor* ir *ohne* alrêst, *G vor* wesen. 22. alreste *G.* 23. Indiam *G.* 24. einen *alle.* 26. Imir *G.* di kunege man da *D.* 27. = In *G*, An *gg.* 28. = hiez do *Ggg.* 29. uber *DG.* 30. = wâre *G*, was *gg.*

823, 1. Daz ne *G.* 2. in India *G.* 3. heizt *G.* 4. Feiraf. *G.* Cundien *D*, kundrien *G*, kundrie *g.* 5. bruoder *DG.* ze *Gg.* 8. 9. 10. = Des wart al trurich anfortas. Swie-Wâre frouwe *Ggg.* 10. manigiu *G*, menegiu *D*, manic *ddgg.* 12. frymutelles *g*, frimutels *G*, Frimittels *D.* 13. Waz *G.* = guete *G*, guete *gg.* 15. ein *dg*, eine *DG.* tschoysiane *G.* 16. = Diu suoze falsches ane *Ggg.* 20. gegeben *Gdg.* 21. süezen] = wage in *Ggg.* 22. = und *fehlt Ggg.* endelosem *DG.* gwinne *G.* 23. = Der clare süze Anf. *Ggg.*

ordenlîche er manege tjoste reit,
durch den grâl, niht durch diu wîp er streit.
Loherangrîn wuohs manlîch starc:
diu zageheit sich an im barc.
dô er sich rîterschaft versan,
ins grâles dienste er prîs gewan.

824 Welt ir nu hœren fürbaz?
sît über lant ein frouwe saz,
vor aller valscheit bewart.
rîchheit und hôher art
ûf si beidiu gerbet wâren.
si kunde alsô gebâren,
daz si mit rehter kiusche warp:
al menschlîch gir an ir verdarp.
werder liute warb umb si genuoc,
der etslîcher krône truoc,
und manec fürste ir genôz:
ir diemuot was sô grôz,
daz si sich dran niht wande.
vil grâven von ir lande
begundenz an si hazzen;
wes si sich wolde lazzen,
daz se einen man niht næme,
der ir ze hêrren zæme.
si hete sich gar an got verlân,
swaz zornes wart gein ir getân.
unschulde manger an si rach.
einen hof sir landes hêrren sprach.
manc bote ûz verrem lande fuor
hin zir: die man si gar verswuor;
wan den si got bewîste:
des minn si gerne prîste.
si was fürstîn in Brâbant.
von Munsalvæsche wart gesant
der den der swane brâhte
unt des ir got gedâhte.

825 ZAntwerp wart er ûz gezogn.
si was an im vil unbetrogn.
er kunde wol gebâren:
man muose in für den clâren
und für den manlîchen
habn in al den rîchen,
swâ man sîn künde ie gewan.
höfsch, mit zühten wîs ein man,
mit triwen milte ân âderstôz,
was sîn lîp missewende blôz.
des landes frouwe in schône enpfienc.
nu hœret wie sîn rede ergienc.
rîch und arme ez hôrten,
die dâ stuonden en allen orten.
dô sprach er 'frouwe herzogîn,
sol ich hie landes hêrre sîn,
dar umbe lâz ich als vil.
nu hœret wes i'uch biten wil.
gevrâget nimmer wer ich sî:
sô mag ich iu belîben bî.
bin ich ziwerr vrâge erkorn,
sô habt ir minne an mir verlorn.
ob ir niht sît gewarnet des,
sô warnt mich got, er weiz wol wes.'
si sazte wîbes sicherheit,
diu sît durch liebe wenken leit,
si wolt ze sîme gebote stên
unde nimmer übergên
swaz er si leisten hieze,
ob si got bî sinne lieze.

826 Die naht sîn lîp ir minne enpfant:
dô wart er fürste in Brâbant.
diu hôhzît rîlîche ergienc:
manc hêrr von sîner hende enpfienc
ir lêhen, die daz solten hân.
guot rihtær wart der selbe man:

27. ẘhs vast manlih *G*.

824, 2. lant *D*, lanch *die übrigen*. 3. = untat *Ggg*. 5. = Bede uf si *Ggg*. 7. erwarp *Gg*. 8. mennesclich *D* = werltlih *Ggg*. 9. umbe *DG*. 14. = in ir *Ggg*. 15. = Begunden [an *g*] si *Ggg*. 20. = gein ir zornes wart *Ggg*. 21. an si] = hinze ir *Ggg*. 23. = verren landen *Ggg*. 25. = des si *gg*, si des *G*. 27. wrstin *G*.

825, 1. Vze a. *G*. warter *D* = er wart *Ggg*. 6. allen r. *alle aufser D*. 8. wiser man *g*, ein wise man *G*. 9. Getriu *Gg*. ander stoz *D*, unde stoz *g*, understosz *d*. 11. schône] = wol *Ggg*. 13. Daze (Daz sie *g*, Daz *g*) riche unde arme horten *Ggg*. 14. in *Gg*, an *Dddg*. 16. Ih sol *G*. 18. hôrt *G*. i'uch] ich iuch *Ddd* = ih *Ggg*. 19. nimir *G*. 21. = zuo iwer frage erborn *Ggg*. 23. = Sit ir niht vor gewarnet des *Ggg*. 24. warnt *dgg*. 25. satzete *G*. 27. wolde *DG*.

826, 3. hochgezit *D*. rihlich *G*. 4. herre *DG*. 5. = Groz lehen daz si *Ggg*. 6. rihtære *D*, rihtâre *G*.

er tet ouch dicke rîterschaft,
daz er den prîs behielt mit kraft.
 si gewunnen samt schœniu kint.
vil liute in Brâbant noch sint,
die wol wizzen von in beiden,
ir enpfâhen, sîn dan scheiden,
daz in ir vrâge dan vertreip,
und wie lange er dâ beleip.
er schiet ouch ungerne dan:
nu brâht im aber sîn friunt der swan
ein kleine gefüege seitiez.
sîns kleinœtes er dâ liez
ein swert, ein horn, ein vingerlîn.
hin fuor Loherangrîn.
wel wir dem mære rehte tuon,
sô was er Parzivâles suon
der fuor wazzer unde wege,
unz wider in des grâles pflege.
 durch waz verlôs daz guote wîp
werdes friunts minneclîchen lîp?
er widerriet ir vrâgen ê,
do er für sie gienc vome sê.
hie solte Ereck nu sprechen:
der kund mit rede sich rechen.

827 Ob von Troys meister Cristjân
disem mære hât unreht getân,
daz mac wol zürnen Kyôt,
der uns diu rehten mære enbôt.
endehaft giht der Provenzâl,
wie Herzeloyden kint den grâl
erwarp, als im daz gordent was,
dô in verworhte Anfortas.
von Provenz in tiuschiu lant
diu rehten mære uns sint gesant,
und dirre âventiur endes zil.
niht mêr dâ von nu sprechen wil
ich Wolfram von Eschenbach,
wan als dort der meister sprach.
sîniu kint, sîn hôch geslehte
hân ich iu benennet rehte,
Parzivâls, den ich hân brâht
dar sîn doch sælde het erdâht.
swes lebn sich sô verendet,
daz got niht wirt gepfendet
der sêle durch des lîbes schulde,
und der doch der werlde hulde
behalten kan mit werdekeit,
daz ist ein nützïu arbeit.
guotiu wîp, hânt die sin,
deste werder ich in bin,
op mir decheiniu guotes gan,
sît ich diz mær volsprochen hân.
ist daz durh ein wîp geschehn,
diu muoz mir süezer worte jehn.

9. ensament *Gg*, mit samt *g*, *fehlt d.* 12. sin von dan *G.* 13. = fr. da v. *G.* 15. ouch *fehlt dd* = doh *Ggg.* 16. Do *G.* 18. chleinódes *G*, chleinodes *D.* 19. = Ein horn ein swert *Ggg.* 21. Welle *G.* 22. ez *Gdg.* Parcifals *DG.* 23. = fuor sit *Ggg.* 24. unz *fehlt G.* ins *D.* 26. = Werdes mannes *Ggg.* 27. = Er hete sis [doch *gg*] gewarnet ê *Ggg.* 29. sol *Gg.* nu *fehlt g.* 30. chunde *DG.* = si *Ggg.*

827, 1. = christan *G*, Cristan *gg.* 4. = diu mare rehte *Ggg.* 5. Endehafte *g*, Ende hafet *G.* 6. herzeloyde *G.* 7. = Geerbet *G.* daz *fehlt Gd.* 9. provenze *Gg.* tûtschiu *G.* 11. = ende zil *Gg*, zil *g.* 12. = Da von ih (*fehlt g*) nimere [nu *gg*] sprechen wil *Ggg.* 13. Esscenbach *D.* 15. geslæhte *D*, geslâhte *G.* 16. = genennet *gg*, gennet *G.* 21. Diu sele *Gg.* durchs *D.* 22. = Unde er der werlde hulde *Ggg.* 23. = Gedienen *Ggg.* 25. unde hant *Gg.* di *D*, den *dg.* 29. = Unde ist daz *Ggg.* 30. = suozzer mâre *Ggg*, guter sprüche *g.*

Wolfram von Eschenbach

6. Ausgabe von Karl Lachmann

Groß-Oktav. LXXII, 640 Seiten. 1926. Nachdruck 1965.
Ganzleinen DM 42,- ISBN 3 11 000313 9

Wolfram von Eschenbach
Parzival

Eine Auswahl mit Anmerkungen und Wörterbuch
von Hermann Jantzen

4. Auflage, bearbeitet von Herbert Kolb
Klein-Oktav. 128 Seiten. 1973. Kartoniert DM 19,80 ISBN 3 11 004615 6
(Sammlung Göschen, Band 5021)

Wolfram von Eschenbach
Willehalm

Text der 6. Ausgabe von Karl Lachmann

Übersetzung und Anmerkungen von Dieter Kartschoke
Oktav. VI, 320 Seiten. 1968. Ganzleinen DM 38,-
ISBN 3 11 000314 7

Texte und Untersuchungen zur „Willehalm" - Rezeption

Band 1: Eine alemannische Bearbeitung der „Arabel" Ulrich von dem Türlin

Band 2: Die Exzerpte aus Wolframs „Willehalm" in der „Weltchronik" Heinrichs von München

Herausgegeben von Werner Schröder
Band 1: Groß-Oktav. XL, 78 Seiten. — Band 2: LXIV, 88 Seiten 1981.
Ganzleinen zusammen DM 98,- ISBN 3 11 008373 6

Preisänderungen vorbehalten

Walter de Gruyter

Berlin · New York

Hartman von Aue
Der arme Heinrich
nebst einer Auswahl aus der „Klage",
dem „Gregorius" und den „Liedern"
(mit einem Wörterverzeichnis)

2., verbesserte Auflage, herausgegeben von Friedrich Maurer
Klein-Oktav. 96 Seiten. 1968. Kartoniert DM 7,80 ISBN 3 11 002723 2
(Sammlung Göschen, Band 18)

Hartmann von Aue
Iwein
Eine Erzählung

Herausgegeben von Georg Friedrich Benecke und Karl Lachmann.
Neu bearbeitet von Ludwig Wolff. 7. Ausgabe. 2 Bände.
Band 1: Text.
Oktav. XII, 196 Seiten. 1968. Ganzleinen DM 32,- ISBN 3 11 000329 5
Band 2: Handschriftenübersicht, Anmerkungen und Lesarten
Oktav. IV, 227 Seiten. 1968. Ganzleinen DM 36,- ISBN 3 11 000330 9

Hartmann von Aue
Iwein
Text der 7. Ausgabe

von Georg Friedrich Benecke, Karl Lachmann und Ludwig Wolff.
Übersetzungen und Anmerkungen von Thomas Cramer
3., durchgesehene und ergänzte Auflage
Groß-Oktav. VIII, 249 Seiten. 1981. Kartoniert DM 42,- ISBN 3 11 008540 2

Hartmann von Aue
Iwein
— Textausgabe —

Oktav. XII, 196 Seiten. 1968. Kartoniert DM 19,80 ISBN 3 11 000331 7

Hartmann von Aue
Die Klage
Das (zweite) Büchlein aus dem Ambraser Heldenbuch

Herausgegeben von Herta Zutt
Oktav. XX, 177 Seiten. 1968. Kartoniert DM 24,- ISBN 3 11 000550 6
Ganzleinen DM 36,- ISBN 3 11 000549 2

Preisänderungen vorbehalten

Walter de Gruyter

Berlin · New York

FRIEDRICH-WILHELM WENTZLAFF-EGGEBERT

Belehrung und Verkündung

Schriften zur deutschen Literatur
vom Mittelalter bis zur Neuzeit

Herausgegeben von Manfred Dick und Gerhard Kaiser
Groß-Oktav. XII, 344 Seiten, 1 Bildnis. 1975. Ganzleinen DM 160,-
ISBN 3 11 005714 X

Deutsche Mystik zwischen Mittelalter und Neuzeit

Einheit und Wandlung ihrer Erscheinungsformen

3., erweiterte Auflage. Groß-Oktav. XX, 397 Seiten. 1969. Ganzleinen DM 81,-
ISBN 3 11 005338 1

Dichtung und Sprache des jungen Gryphius

Die Überwindung der lateinischen Tradition
und die Entwicklung im deutschen Stil

2., stark erweiterte Auflage. Groß-Oktav. IV, 146 Seiten. 1966. Ganzleinen DM 26,-
ISBN 3 11 000341 4

Kreuzzugsdichtung des Mittelalters

Studien zu ihrer geschichtlichen und dichterischen Wirksamkeit

Groß-Oktav. XIX, 404 Seiten. 1960. Ganzleinen DM 81,-
ISBN 3 11 000335 X

Schillers Weg zu Goethe

2., durchgesehene und erweiterte Auflage. Oktav. XII, 338 Seiten. 1963.
Ganzleinen DM 37,50 ISBN 3 11 000491 7

Der triumphierende und der besiegte Tod in der Wort- und Bildungskunst des Barock

Groß-Oktav. X, 203 Seiten, 66 Kunstdrucktafeln. 1975. Ganzleinen DM 155,-
ISBN 3 11 005821 9

Preisänderungen vorbehalten

Walter de Gruyter

Berlin · New York

Walther von der Vogelweide
Die Gedichte Walthers von der Vogelweide

Herausgegeben von Karl Lachmann
13., aufgrund der 10. von Carl von Kraus bearbeiteten Ausgabe
neu herausgegeben von Hugo Kuhn
Groß-Oktav. XLVII, 255 Seiten. 1965. Ganzleinen DM 24,-
ISBN 3 11 000307 4
Studienausgabe: IV, 196 Seiten. 1965. Kartoniert DM 16,50
ISBN 3 11 000308 2

Die Gedichte Walthers von der Vogelweide

Urtext mit Prosaübersetzung von Hans Böhm

3., unveränderte Auflage. Groß-Oktav. VIII, 293 Seiten. 1964. Ganzleinen DM 16,-
ISBN 3 11 002528 8

Walther von der Vogelweide
Untersuchungen

von Carl von Craus

2., unveränderte Auflage. Groß-Oktav. XVI, 500 Seiten. 1966. Ganzleinen DM 36,-
ISBN 3 11 000309 0

Der Nibelunge Noth und die Klage

Nach der ältesten Überlieferung mit Bezeichnung des Unechten
und mit den Abweichungen der gemeinen Lesart

Herausgegeben von Karl Lachmann
6., unveränderte Ausgabe mit einem Handschriftenverzeichnis
und einem Vorwort von Ulrich Pretzel. Groß-Oktav. XXVI, 372 Seiten. 1960.
Ganzleinen DM 25,- ISBN 3 11 000177 2

Der Nibelunge Nôt in Auswahl

Mit kurzem Wörterbuch herausgegeben von Karl Langosch
11., durchgesehene Auflage. Klein-Oktav. 166 Seiten. 1966. Kartoniert DM 7,80
ISBN 3 11 002722 4 (Sammlung Göschen, Band 1)

Gerhard Eis
Altdeutsche Zaubersprüche

Oktav. VIII. 182 Seiten, 12 Tafeln, div. Abbildungen und Faksimile. 1964.
Kartoniert DM 56,- ISBN 3 11 000337 6

Preisänderungen vorbehalten

Walter de Gruyter  Berlin · New York